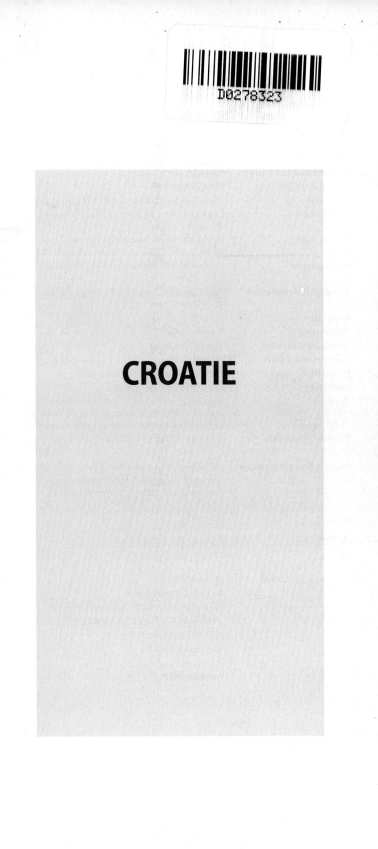

CROATIE

Directeur	David Brabis
Directrice éditoriale	Nadia Bosquès
Rédactrice en chef	Anne Teffo
Responsable éditoriale	Catherine Brett
Secrétariat d'édition	Mélanie Rebillaud
Rédaction	Pierre Plantier, Christine Legrand, Mathieu Guillochon
Mise à jour	Evguenia Darras, Amélie Padioleau, Guillaume d'Oléac d'Ourche
Cartographie	Véronique Aissani, Alain Baldet, Michèle Cana, Evelyne Girard, Thierry Lemasson, Fabienne Renard, Altiplano.
Iconographie	Cécile Koroleff, Stéphanie Quillon, Geneviève Corbic, Lucie Moreau
Secrétariat de rédaction	Pascal Grougon, Jacqueline Pavageau, Danièle Jazeron, Anne Duquénoy
Correction	Zone Libre
Mise en pages	Frédéric Sardin
Maquette intérieure	Agence Rampazzo
Création couverture	Laurent Muller
Fabrication	Pierre Ballochard, Renaud Leblanc
Marketing	Ana Gonzalez, Flora Libercier
Ventes	Gilles Maucout (France), Charles Van de Perre (Belgique), Fernando Rubiato (Espagne), Philippe Orain (Italie), Jack Haugh (Canada), Stéphane Coiffet (Grand Export)
Relations publiques	Gonzague de Jarnac
Régie pub et partenariats	michelin-cartesetguides-btob@fr.michelin.com
	Le contenu des pages de publicité insérées dans ce guide n'engage que la responsabilité des annonceurs.

Pour nous contacter	Le Guide Vert
	Michelin Cartes et Guides
	46, avenue de Breteuil 75324 Paris Cedex 07
	✆ 01 45 66 12 34 – Fax : 01 45 66 13 75
	LeGuideVert@fr.michelin.com
	www.ViaMichelin.fr

Parution 2007

Note au lecteur

L'équipe éditoriale a apporté le plus grand soin à la rédaction de ce guide et à sa vérification. Toutefois, les informations pratiques (prix, adresses, conditions de visite, numéros de téléphone, sites et adresses Internet…) doivent être considérées comme des indications du fait de l'évolution constante des données. Il n'est pas totalement exclu que certaines d'entre elles ne soient plus, à la date de parution du guide, tout à fait exactes ou exhaustives. Elles ne sauraient de ce fait engager notre responsabilité.

Le Guide Vert,
la culture en mouvement

Vous avez envie de bouger pendant vos vacances, le week-end ou simplement quelques heures pour changer d'air ? Le Guide Vert vous apporte des idées, des conseils et une connaissance récente, indispensable, de votre destination.

Tout d'abord, **sachez que tout change**. Toutes les informations pratiques du voyage évoluent rapidement : nouveaux hôtels et restaurants, nouveaux tarifs, nouveaux horaires d'ouverture… Le patrimoine aussi est en perpétuelle évolution, qu'il soit artistique, industriel ou artisanal… Des initiatives surgissent partout pour rénover, améliorer, surprendre, instruire, divertir. Même les lieux les plus connus innovent : nouveaux aménagements, nouvelles acquisitions ou animations, nouvelles découvertes enrichissent les circuits de visite.

Le Guide Vert **recense** et **présente ces changements** ; il réévalue en permanence le niveau d'intérêt de chaque site afin de bien mesurer ce qui aujourd'hui vaut le voyage (distingué par ses fameuses 3 étoiles), mérite un détour (2 étoiles), est intéressant (1 étoile). Actualisation, sélection et appréciation sur le terrain sont les maîtres mots de la collection, afin que Le Guide Vert soit à chaque édition le reflet de la réalité touristique du moment.

Créé dès l'origine pour **faciliter et enrichir vos déplacements**, Le Guide Vert s'adresse encore aujourd'hui à tous ceux qui aiment connaître et comprendre ce qui fait l'identité d'une région. Simple, clair et facile à utiliser, il est aussi idéal pour voyager en famille. Le symbole 🚹🚺 signale tout ce qui est intéressant pour les enfants : zoos, parcs d'attractions, musées insolites, mais également animations pédagogiques pour découvrir les grands sites.

Ce guide vit pour vous et par vous. N'hésitez pas à nous faire part de vos remarques, suggestions ou découvertes ; elles viendront enrichir la prochaine édition de ce guide.

L'ÉQUIPE DU GUIDE VERT MICHELIN
LeGuideVert@fr.michelin.com

ORGANISER SON VOYAGE

COMPRENDRE LA CROATIE

VILLES ET SITES

À l'intérieur du premier rabat de couverture, la **carte générale** intitulée « **Les plus beaux sites** » donne :
- une **vision synthétique** des principaux lieux traités ;
- les **sites étoilés** visibles en un coup d'œil ;
- les **circuits de découverte**, dessinés en vert, aux environs des destinations principales.

Dans la partie « **Découvrir les sites** » :
- les **destinations principales** sont classées par région ;
- les **destinations moins importantes** leur sont rattachées sous les rubriques « Aux alentours » ou « Circuits de découverte » ;
- les **informations pratiques** sont présentées dans un encadré vert dans chaque chapitre.

L'**index** permet de retrouver rapidement la description de chaque lieu.

DÉCOUVRIR LA CROATIE

Crique de Brela.

OÙ ET QUAND PARTIR

Les atouts de la Croatie au fil des saisons

CLIMAT

Littoral adriatique

L'Istrie, les îles et la côte dalmate bénéficient d'un climat méditerranéen. Les températures moyennes y sont de 7 °C en hiver et de 26 °C en été, avec des pics pouvant atteindre ou dépasser les 30 °C et des variations locales et saisonnières dues aux vents violents. La **bora**, vent hivernal de nord-est, peut rendre les températures glaciales sur la côte dalmate. L'hiver est généralement doux et pluvieux, l'été est très sec, du moins jusqu'aux **violents orages** qui sévissent à la fin du mois d'août (les campeurs s'en méfieront !)

Dans les montagnes

Si l'enneigement est garanti en hiver, l'abondante couverture végétale préserve, en été, des fortes chaleurs.

Intérieur du pays

Zagreb, le Zagorje et la Slavonie connaissent un climat semi-continental. L'hiver y est long, enneigé et très froid. L'été, la canicule peut être au rendez-vous et elle est particulièrement pénible ! Vous apprécierez alors les piscines et les plans d'eau aménagés sur les rivières.

TOURISME ET SAISONS

Le printemps

Les fêtes de Pâques et les longs week-ends de mai se traduisent parfois par d'importantes affluences : passer 3 ou 4 jours à Dubrovnik, Pula ou Hvar est une bonne idée mais vous ne serez sans doute pas les seuls à l'avoir eue. Sachez également que les Italiens du Nord et les Slovènes envahissent en voisins, à chaque fin de semaine, l'Istrie, et les îles du Kvarner. Trouver à s'y loger peut se révéler difficile. En mai et juin de nombreux groupes visitent les villes dalmates, Dubrovnik, Hvar ou Korčula.

Enfin, en certains lieux (comme à Rab), la saison ne commence véritablement qu'à la deuxième quinzaine de juin ;

avant cette date, seuls quelques hôtels assurent la permanence, si bien qu'il n'est pas inutile de réserver.

Le printemps est la meilleure saison pour visiter des parcs naturels : la végétation est en pleine floraison, les longues journées et les températures plus douces, propices à la randonnée, les touristes plus rares, tout concourt à un séjour agréable.

L'été

C'est le cœur de la saison touristique, **fréquentation, prix et taxes** y atteignent leur apogée, notamment lors des trois premières semaines d'août. Les premières semaines de juillet et le mois de septembre sont aussi très fréquentés, mais l'hébergement est un peu moins cher.

C'est la saison des festivals dans la plupart des villes et régions du pays. L'affluence de touristes peut rendre certaines visites, notamment celles des sites historiques et des parcs naturels moins agréables. C'est aussi la saison sèche où il sera encore plus important de faire attention aux **incendies de forêt**, danger permanent dans des régions de végétation méditerranéenne et de vents violents.

L'automne

Belle arrière-saison sur la côte où, dès septembre, les prix et l'affluence diminuent. La température de l'eau reste agréable et ce jusqu'à la fin octobre, et la plupart des établissements sont ouverts. C'est aussi la période d'ouverture de la chasse à l'intérieur des terres.

L'hiver

Visiter Zagreb, le Zagorje, Varaždin ou encore le Gorski Kotar en plein hiver ne manque pas de charme. La neige sera au rendez-vous, donnant beaucoup de romantisme aux paysages et aux villes. La grande ferveur du peuple croate peut faire de la fête de Noël un moment inoubliable. En revanche beaucoup d'îles de Dalmatie, les villes touristiques d'Istrie (Rovinj, Poreč) sont presque fermées au tourisme. On y trouve néanmoins toujours un hôtel et un restaurant « de garde », mais si la tranquillité est assurée, l'ambiance peut se révéler un peu

L'hiver dans le Zagorje.

Ch. Barrely-Legrand / MICHELIN

triste. Enfin, la période du carnaval entraîne un afflux de visiteurs lors des dernières semaines de février, notamment à Rijeka, à Opatija ou à Samobor.

Propositions de séjours

CHOISIR SON LIEU DE SÉJOUR

Il est clair que, le plus souvent, les touristes choisissent de séjourner en Croatie dans une ville (ou, plus souvent, une station balnéaire) autour de laquelle ils se proposent de rayonner, à moins qu'ils n'effectuent une découverte itinérante de certaines régions du pays. Quelle que soit la formule choisie, vous trouverez dans le pays des **villes-étapes**, localités de quelque importance offrant des possibilités d'hébergement et un intérêt touristique.

QUELQUES JOURS AUTOUR DE…

Suivant le temps dont vous disposez, un séjour dans une ville de Croatie pourra s'agrémenter d'excursions aux alentours. En voici une brève sélection, autour des principales localités touristiques du pays.

Dubrovnik

Une escapade au Monténégro pour visiter la belle ville fortifiée de Kotor, blottie au fond d'un fjord spectaculaire et protégée par les sommets des Alpes dinariques – L'île de Mljet – Les îles Élaphites – La presqu'île de Pelješac – Korčula et sa cité fortifiée – Le delta de la Neretva et une escapade dans la ville ottomane de Mostar (Bosnie-Herzégovine).

Split

La cité médiévale de Trogir et sa cathédrale romane – La riviera de Makarska et ses plages aux eaux limpides – Le massif du Biokovo et ses panoramas à couper le souffle – Les îles de Brač, Hvar, Vis ou Lastovo – La forteresse de Klis et la ville de Sinj.

Šibenik

L'île de Murter d'où l'on embarque vers l'archipel des Kornati – Les spectaculaires chutes du parc national de la Krka – Les îles de Zlarin et Krapanj – Primošten et les Primošten Burnji.

Zadar

L'église paléochrétienne de Ste-Croix de Nin et l'île de Pag – Le parc national de Paklenica – La côte du Velebit – L'île de Dugi Otok.

Rijeka

Opatija et la riviera liburnienne – La côte du Velebit dominant les îles – Les îles de Cres, Lošinj, Krk et Rab – Le parc national de Risnjak réputé pour ses ours et ses lynx et la région d'Ogulin – Les somptueux paysages des lacs de Plitvice.

Pula

L'archipel des Brijuni, ancienne résidence estivale de Tito – Les villes côtières de Rovinj et Poreč avec sa célèbre basilique euphrasienne – Les villages perchés de l'Istrie, avec leurs églises à fresques… et leurs spécialités aux truffes.

Zagreb

Le Zagorje croate avec Klanjec, l'ethno-village de Kumrovec, le château de Veliki Tabor, les églises baroques de Belec et de Trški Vrh – Varaždin, la perle du baroque en Croatie – Samobor et sa montagne – Sisak et les territoires inondables du Lonjsko Polje, avec ses villages aux maisons de bois et ses cigognes.

Osijek

Le parc national de Kopački rit, où le Danube et la Drave mêlent leurs eaux – Les coteaux du Danube, de Vukovar la cité martyre, à la cité fortifiée d'Ilok, terroir produisant un vin réputé – Našice et les monts Papuk avec la petite ville baroque de Požega.

Propositions d'itinéraires

1 L'ANCIENNE RÉPUBLIQUE DE RAGUSE

Circuit de 595 km environ au départ de Dubrovnik, avec traversées vers Mljet, Korčula et retour par la presqu'île de Pelješac et Ploče.

Bien que la forme étroite du sud de la Dalmatie se prête mal aux circuits, n'hésitez pas à remonter l'histoire sur le territoire de la république de Raguse. Commencez par le Sud, avec son littoral ponctué de plages et les villages du Konavle, autour de **Cavtat**, avant de faire une escapade au Monténégro pour découvrir les **bouches de Kotor**, fjord impressionnant encadrant une splendide ville médiévale. Revenez ensuite sur vos pas : avant de quitter Dubrovnik, faites un détour par l'**île de Mljet**, l'un des joyaux du littoral. Partez ensuite vers le nord par la **magistrala**, la très belle route côtière qui longe la Dalmatie. En chemin, faites étape au paisible village de **Trsteno**, avant de filer vers la **presqu'île de Pelješac**. À **Mali Ston** et **Ston**, vous flânerez au pied de la forteresse, découvrirez les secrets des salines, avant de déguster les fruits de mer les plus réputés du pays et les vins locaux, tout aussi prestigieux. Le temps d'une ou deux dégustations dans les coopératives et vous atteindrez **Orebić**, ancien fief des valeureux marins et port d'embarquement pour **Korčula**. Du bateau, vous apercevrez les orgueilleux remparts de la **ville de Korčula**, un Dubrovnik en miniature. Ne manquez

pas d'assister à une représentation des danses des épées, avant de pousser vers les vignobles et les plages de **Lumbarda**, et de suivre l'ancienne **route de Marmont**, un fabuleux balcon sur l'Adriatique. Revenez ensuite sur vos pas et reprenez le bateau vers Orebić, pour rallier l'étonnant **delta de la Neretva**, où les amateurs de produits du terroir achèteront les fruits et goûteront les anguilles et cuisses de grenouille grillées. Le temps est venu ensuite de partir vers **Mostar**, dont le pont médiéval vient d'être reconstruit par l'Unesco. Vous flânerez dans la vieille ville turque, savourerez quelques pâtisseries au miel et achèterez des tissages ou objets en cuivre. Enfin, de retour vers Dubrovnik, vous traversez l'enclave bosniaque de **Neum**, occasion de faire provision de denrées à bon prix (tabac, notamment…).

2 DE LA ROME ANTIQUE AUX CRIQUES DES ÎLES

Circuit de 420 km environ au départ de Split, avec traversées vers les îles de Brač et Hvar.

Après avoir visité **Split**, faites le détour par les vestiges de la cité romaine de **Salona**, puis par la citadelle de **Klis**, au nord, avant d'embarquer pour l'**île de Brač**, l'une des plus fascinantes du littoral dalmate. Vous débarquerez au port de **Supetar**, gardé par la haute silhouette du mausolée du cimetière marin. Pour suivre la trace des Romains, montez dans les collines caillouteuses, d'où la vue sur le continent est fabuleuse, et arrêtez-vous au village de **Škrip**… Vous ne serez pas déçu

Toits de Dubrovnik.

Ch. Barrely-Legrand / MICHELIN

par son atmosphère authentique, ses capitelles de pierre sèche, ses innombrables murets et son passionnant musée. Après un détour par **Vidova Gora** et son panorama impressionnant sur la côte en contrebas et l'île de Hvar, descendez vers **Bol**. La plage en forme de corne d'or de **Zlatni Rat** vous attend et vous ne résisterez pas à la tentation de piquer une tête. Amoureux de patrimoine et de randonnée, prévoyez une journée pour partir dans la montagne à la découverte de la **grotte du Dragon** ou du **monastère de Blaca**. Pour quitter l'île, prenez ensuite la route de **Sumartin**, où vous embarquerez sur le ferry pour **Makarska**. De cette station balnéaire très prisée, vous pourrez explorer les petits ports alentour et partir à l'assaut du **massif du Biokovo** : là, si vous êtes sujet au vertige vous ressentirez quelques émotions fortes, mais les panoramas époustouflants vous en récompenseront ! Redescendez ensuite vers **Podgora** et longez la côte vers le sud : la petite station de **Gradac** déroule une agréable plage de galets pour un bain bien mérité. Revenez ensuite à **Drvenik** pour prendre le ferry vers l'**île de Hvar** : vous filerez directement vers l'ouest, en direction de **Jelsa** et **Vrboska**. Vous adorerez les ruelles de Hvar escaladant la montagne à l'assaut de la forteresse, ses quais bordés de cafés, son monastère et l'**archipel des Pakleni**, juste en face, qui vous offre ses criques limpides. Les amateurs de bons vins pousseront la curiosité jusqu'à parcourir la **côte sud de l'île**, au cœur de vignobles perchés à flanc de montagne. Retour ensuite vers **Stari Grad**, d'où vous reprendrez le bateau pour Split. Achevez votre périple à **Trogir**, une ravissante petite ville, posée sur un îlot et riche d'une inestimable cathédrale romane.

③ DES MONTAGNES, DES PLAGES ET DES CASCADES

Circuit de 565 km environ au départ de Zadar, avec excursion vers l'archipel des Kornati et traversée vers l'île de Dugi Otok.

Zadar est une escale incontournable pour les amoureux d'art sacré, mais c'est aussi une ville jeune et vibrante où il fait bon lézarder aux terrasses des cafés. Le temps d'un détour vers **Nin**, puis vous partirez à la découverte de l'**île de Pag** et de ses austères étendues rocailleuses. Ne manquez pas d'y goûter l'agneau grillé à la saveur incomparable et le célèbre fromage de brebis nourries aux herbes aromatiques. Quittez l'île par son extrémité nord-ouest, en prenant le ferry Žigljen-Prizna pour rejoindre la **côte du Velebit**, dominée par la lourde masse de quelques-uns des plus hauts sommets de Croatie. Redescendez vers le sud par la **magistrala**, et vous arriverez au **parc national de Paklenica**, en retrait de **Starigrad Paklenica**. C'est l'un des plus beaux sanctuaires naturels de Croatie : la haute montagne, la randonnée et l'escalade, avec la mer encore toute proche. Reprenez ensuite la route côtière vers Zadar. Au fond du bras de mer, bifurquez en direction d'**Obrovac**, à travers un paysage de collines arides, pour rejoindre la **vallée de la Zrmanja**.

Les cascades du parc national de la Krka.

Suivez ensuite la direction de **Knin**. Depuis sa majestueuse forteresse, on aperçoit le plus haut sommet de Croatie, le mont Dinara aux confins de la Bosnie-Herzégovine. Dirigez-vous ensuite vers **Šibenik** et sa cathédrale, chef-d'œuvre de Georges le Dalmate, avant de prévoir une escale rafraîchissante dans les eaux bouillonnantes du **parc national de la Krka**. La rivière et la montagne s'y marient pour former un paysage exceptionnel. Si vous êtes passionné de géologie et de paysages originaux, poussez ensuite une pointe jusqu'à l'**île de Murter** où vous embarquerez pour l'**archipel des Kornati**, un autre parc national extraordinaire. Reprenez enfin la route de Zadar où, s'il vous reste un peu de temps, vous pourrez achever votre séjour par le paradis qu'est l'**île de Dugi Otok**.

④ AU PAYS DU BAROQUE

Circuit de 640 km environ au départ de Zagreb.

Il serait dommage de ne pas profiter d'un séjour à Zagreb pour explorer les environs de la capitale croate : au nord, le verdoyant **Zagorje** saura vous charmer avec ses coteaux couverts de vignes, ses châteaux baroques, ses églises closes à la saisissante profusion décorative : Notre-Dame-des-Neiges à **Belec** et Notre-Dame-de-Jérusalem à **Trški Vrh**, près de Krapina. Les deux n'étant ouvertes que le dimanche matin, vous aurez soin d'organiser votre circuit en conséquence. Au passage, pourquoi pas une halte gourmande dans la charmante cité baroque de **Samobor** ? Aimez-vous la sculpture ? Il faudra faire le détour par **Klanjec** et son musée consacré à Antun Augustinčić, avant de longer la frontière slovène jusqu'à **Kumrovec** : le village natal de Tito est devenu un ethno-musée rural qui ravira vos enfants. Nid d'aigles, le château de **Veliki Tabor** ne devrait pas les décevoir non plus… Le site préhistorique de **Krapina** précédera la visite du château romantique de **Trakošćan** et du monastère de **Lepoglava**, sur la route de **Varaždin** : vous serez charmé par cette ville baroque, sa lumière et son ambiance, et prendrez plaisir à y flâner, avant de visiter ses remarquables musées. Un tour à **Ludbreg** ? Pourquoi pas, puisque c'est le centre du monde ! Voilà qui vous permettra de pousser un peu plus loin, d'explorer **Koprivnica** (ne vous laissez pas décourager par l'abord ingrat de la cité) puis le village de **Hlebine**, berceau depuis Ivan Generalić des peintres-paysans. Puisque l'on parle peinture, le château de **Đurđevac** vous propose une intéressante collection de peintres croates du 20e s., de V. Bukovac à E. Murtić. De là, vous gagnerez **Bjelovar** dont le plan en damier révèle le passé militaire, avant de rejoindre la cité thermale de **Daruvar** : les randonneurs et les gourmets y sont aussi nombreux que les curistes. Une pause à **Kutina** ? Il y a là aussi une église baroque qui vaut le détour, et vous apercevrez quelques belles maisons en bois : vous êtes à côté de la zone marécageuse du **Lonjsko Polje**, que vous parcourrez sur une digue, parmi ses villages, lieu d'élection des cigognes. Après un coup d'œil à la forteresse de **Sisak**, vous reprendrez la route de Zagreb : églises et maisons de bois vous accompagneront jusqu'à **Velika Gorica**, où il serait dommage de ne pas vous arrêter pour les collections ethnographiques du musée du Turopolje.

⑤ DANUBE BLEU ET SLAVONIE VERTE

Circuit de 510 km environ au départ d'Osijek.

Baroque ou Sécession ? Pour peu que vous preniez le temps d'entrer dans la ville et que le soleil soit de la partie, les deux aspects d'**Osijek** sauront tour à tour vous intéresser, en prélude à une balade en terre slavonne. Terre avons-nous dit ? Il faudrait plutôt parler d'eau puisque c'est en barque que vous explorerez les paysages aquatiques du parc naturel de **Kopački rit**, nés du reflux des eaux de la Drave et du Danube.

Après une carpe cuite à la braise ou un revigorant *riblji paprikaš*, vous voici d'attaque pour partir à la découverte de cette région méconnue : vous vous arrêterez d'abord à **Našice**, berceau de la noble famille des Pejačević (jetez un œil à l'église des Franciscains !), avant de rejoindre **Orahovica**. Et là, surprise : vous êtes à la montagne. L'altitude demeure certes modeste, mais le paysage, escarpé et recouvert de sapins ne trompe pas. Çà et là, vous apercevrez nombre de ruches (parfois installées sur des camionnettes), découvrirez dans un vallon un monastère orthodoxe, avant de déboucher à **Kutjevo** devant un château baroque et, ce qui ne gâte rien, des celliers : car vous voici dans l'une des nombreuses zones vinicoles du pays. Arrivés ici, il serait vraiment dommage de ne pas aller découvrir une cité baroque, **Požega** : vous flânerez sous les arcades de la place et dans les rues piétonnes de cette ville, avant de rejoindre **Slavonski Brod**, posée sur la Save, qui la sépare de la Bosnie, et qui fait actuellement de gros efforts pour mettre en valeur son centre historique. Quelques kilomètres et voici **Vrpolje** : ce gros village est le lieu de naissance du sculpteur Ivan Meštrović et un musée vous permettra de faire connaissance avec son œuvre.

Pour les bonnes petites adresses, suivez le guide.

Pour dénicher les meilleures petites adresses du moment, découvrez les nouveaux Bib Gourmands du Guide Michelin pour de bonnes tables à petits prix. Avec 45 000 adresses de restaurants et d'hôtels en Europe dans toutes les catégories de confort et de prix, le bon plan n'est jamais loin.

Parc naturel de Kopački rit.

Á **Đakovo**, vous découvrirez un des pères de la nation croate, l'évêque Strossmayer, en visitant la cathédrale néoromane qu'il fit édifier au 19ᵉ s. Mais, si vous préférez les églises moins monumentales, vous n'aurez que l'embarras du choix, de **Novi Mikanovci** à **Nijemci**, en passant par **Vinkovci**. Chemin faisant, vous traverserez de longs villages où des basses-cours picorent en toute liberté, avant d'atteindre le Danube à Sotin. Un détour ? Ce sera pour la ville perchée d'**Ilok**, ses murailles, son château dominant le fleuve légendaire, et ses chais souterrains où s'élabore le non moins légendaire *traminac*. Vous prendrez alors la route du retour vers Osijek et, au passage, découvrirez la ville martyre de **Vukovar** qui avec opiniâtreté s'attache à renaître de ses cendres.

6 DE CASCADES EN CRIQUES

Circuit de 627 km environ au départ de Rijeka.

Depuis Rijeka, vous quitterez le littoral pour découvrir les majestueux paysages montagneux du Gorski Kotar, avec les sapinières couvrant les massifs du parc national de **Risnjak** : peut-être aurez-vous la chance d'y apercevoir un lynx ou un ours, plus sûrement de superbes points de vue. Descendant la vallée de la Dobra, vous atteindrez la petite ville d'**Ogulin** où les eaux disparaissent dans un gouffre impressionnant. Trop chaud ? Les eaux du lac Sabljaki vous attendent. Profitez-en car, au terme d'une route agréable, vous atteindrez le parc national des lacs de **Plitvice**

où toute baignade est bannie ! Vous vous en consolerez en admirant les eaux bleues, vertes ou turquoise de ces seize lacs superposés reliés par des cascades et posés dans un paysage de montagnes boisées… et pourquoi pas en dégustant une truite ! Un plateau quelque peu aride vous conduira vers Gospić : là viendra la récompense avec cette route qui franchissant le massif du **Velebit** découvre soudain, au détour d'un lacet, un somptueux panorama sur la mer ponctuée de ces îles qui font la renommée de l'Adriatique : **Pag** est devant vous et bientôt **Rab** que vous rejoindrez d'un coup de ferry, ne serait-ce que pour découvrir la belle ville du même nom, et piquer une tête dans la grande bleue du côté de Suha Punta. De retour sur la terre ferme, après une petite pause à **Senj**, vous découvrirez les riviera de **Novi Vinodolski** et de **Crikvenica** avec, toujours, au large, des vues à couper le souffle sur ces chapelets d'îles posées sur une mer d'un bleu tel que l'on a bien du mal à renoncer à s'y baigner… même si les plages sont rares et, le plus souvent, constituées de plates-formes de ciment, avant de remonter sur Rijeka en longeant l'étonnant fjord de Bakar.

7 DÉCOUVERTE DE L'ISTRIE

Circuit de 689 km environ au départ de Rijeka.

À peine est-on sorti de Rijeka que l'on suit un littoral d'autant plus spectaculaire qu'il est doté d'une végétation luxuriante et ponctué de petites cités colorées où l'on doit résister à l'envie de se poser : c'est le cas de **Volosko**, d'**Opatija**, la « Nice de l'Adriatique » avec ses villas fin de siècle, ou encore de **Lovran**, coincée entre la mer et la haute barrière du mont Učka. Plus au sud, la découverte de la ville perchée de **Labin** (avec son étonnante galerie de mine creusée sous un palais baroque) précédera un bain bien mérité à **Rabac**. Vous rejoindrez alors la cité antique de **Pula** dont l'amphithéâtre est un des plus impressionnants du monde romain. À Fažana, vous embarquerez pour les **Brijuni**. Nul doute ensuite, que, remontant vers le nord, vous ne tombiez sous le charme de **Rovinj** ! Après une découverte en bateau du beau **fjord de Lim**, vous flânerez dans la vieille cité vénitienne de **Poreč**, et ne manquerez pas de visiter la fabuleuse basilique euphrasienne. Un petit tour sur la côte slovène vous offrira l'occasion d'une flânerie dans **Piran** et au centre de **Koper/Capodistria** : vous aurez sans doute l'impression d'être alors en Italie ! De retour en Istrie croate, vous visiterez de beaux villages perchés tels que **Grožnjan** et **Motovun**, ne manquerez pas les fresques de **Beram**, ni **Hum** qui s'enorgueillit d'être la plus petite ville du monde, et dégusterez le célèbre *malvoisie*, l'huile d'olive et quelques spécialités aux truffes. Vous rejoindrez alors à nouveau la riviera liburnienne et, à **Brestova**, embarquement pour **Cres** : le petit port homonyme, une baignade à **Valun**, le village-musée d'**Osor** vous conduiront jusqu'à **Veli Lošinj** : difficile de ne pas tomber amoureux de ce port aussi minuscule que biscornu. Pourquoi alors ne pas passer sur **Krk** ? Il vous suffit d'aller prendre le ferry à Merag : vous aimerez

flâner dans les rues de **Krk**, comme dans celles de **Baška** et ne manquerez pas de découvrir l'église romane où fut trouvée la célèbre stèle. Des balades dans les villages perchés surplombant la mer (comme **Vrbnik**) n'empêcheront ni la dégustation du vin local *(žlahtina)*, ni quelques baignades avant un retour à Rijeka, d'autant plus aisé qu'un pont permet de regagner la terre ferme.

Escapades hors des frontières

Du fait de la configuration de la Croatie, on n'est jamais très loin d'une frontière, et la tentation est parfois grande d'aller voir de l'autre côté.

C'est ainsi que, depuis l'Istrie, vous pouvez facilement aller visiter les côtes de **Slovénie** (Piran, Koper) voire de pousser en **Italie** jusqu'à Trieste *(voir à Poreč p. 330)*.

De Varaždin à Osijek, c'est la **Hongrie** qui s'offre à vous, en particulier avec la ville de Pécs qui a conservé nombre de souvenirs de l'époque ottomane *(voir à Našice p. 372)*.

Si vous séjournez dans le sud de la Dalmatie, vous serez tenté par une excursion aux bouches de Kotor sur le territoire de la **Serbie-Monténégro** *(voir à Dubrovnik p. 130)*.

Enfin, plus au nord, pourquoi ne pas franchir la frontière de la **Bosnie-Herzégovine** pour voir le fameux pont de Mostar, récemment reconstruit *(voir à Makarska p. 168)*.

Quel que soit le cas, pourvu que vous soyez muni des passeports de tous les passagers et des papiers de la voiture, vous ne rencontrerez en principe aucun problème, ni à l'aller ni au retour (il en va de même lors de la traversée de l'enclave bosniaque de Neum, sur la route de Dubrovnik). Notez toutefois que les policiers slovènes peuvent se montrer extrêmement pointilleux, avec ce que cela entraîne comme embouteillages sur les axes conduisant aux postes-frontières avec ce pays.

Si vous utilisez un véhicule de location, faites-vous préciser en prenant le véhicule les éventuelles restrictions.

Vue sur le village perché de Motovun.

P. Plantier / MICHELIN

À FAIRE AVANT DE PARTIR

Où s'informer

OFFICES DE TOURISME

Office national croate de tourisme en France – *48 av. Victor-Hugo, 75016 Paris,* ℰ *01 45 00 99 55, fax 01 45 00 99 56, www.ot-croatie.com et www.croatia.hr, tlj sf w.-end 9h-13h, 14h30-17h.*

Office national croate de tourisme en Belgique – *38 pl. de la Vieille-Halle-aux-Blés, 1000 Bruxelles,* ℰ *255 018 88, fax 251 381 60, be.croatia.hr*

ORGANISMES OFFICIELS

Ambassade en France – *39 av. Georges-Mandel, 75116 Paris,* ℰ *01 53 70 02 80, fax 01 53 70 02 90, www.amb-croatie.fr, tlj sf w.-end et j. fériés 9h-17h.*

Ambassade en Belgique – *425 av. Louise, B-1050 Bruxelles,* ℰ *02 644 65 10, fax 02 512 03 38.*

Ambassade en Suisse – *Thunstrasse 45, 3005 Berne,* ℰ *31 352 02 75/79, fax 31 352 02 73, www.croatia.ch.*

Ambassade au Canada – *229 Chapel Street, Ottawa, Ontario K1N 7Y6,* ℰ *613 562 78 20, fax 613 562 78 21, www.croatiaemb.net.*

QUELQUES SITES INTERNET

Rédigé en français, le site de l'ambassade de Croatie à Paris *(www.amb-croatie.fr)* est très complet et comporte nombre d'informations culturelles mises à jour régulièrement.

Les différentes régions de Croatie possèdent chacune un site Internet qui peut être utile pour un premier aperçu. Force est cependant de remarquer que les sites en français (et même en anglais) sont rares.

Istrie – *www.istra.com et www. istra.hr, www.pulainfo.hr.*

Région du Kvarner – *www.kvarner.hr.*

Dubrovnik – *www.dubrovnik.hr*; le programme du festival de Dubrovnik peut être consulté et les réservations pour les spectacles effectuées sur *www.dubrovnik-festival.hr.*

Dalmatie – *www.dalmacija.net et www.korcula.net* qui couvre l'île de Korčula et la presqu'île de Pelješac.

Zagreb – *www.zagreb-touristinfo.hr.*

ORGANISER SON VOYAGE

En juillet et en août, l'afflux de touristes de plus en plus important et l'offre hôtelière, relativement faible, rendent la réservation très utile, sinon indispensable, dans chaque type d'hébergement, et ce, quelle que soit la catégorie de l'établissement. Des agences de voyages, spécialistes de la Croatie, s'occupent des réservations : vous pourrez résoudre grâce à elles les questions d'hébergement, de billets d'avion et de ferry ainsi que des circuits et des excursions de toutes sortes.

QUELQUES SPÉCIALISTES

Bemextours – *4 av. Desfeux, 92100 Boulogne-Billancourt,* ℰ *01 46 08 40 40, fax 01 46 08 20 08, www.bemextours.com.* C'est le grand spécialiste de la Croatie en France. Outre la location de chambres d'hôtels et d'appartements, cet organisme propose (depuis 1984) croisières et locations de bateaux, au départ de Murter et de Zadar.

Croatie Tours/Dubrovnik Plus – *5 pl. Charras, 92400 Courbevoie,* ℰ *01 46 67 39 10, fax 01 43 33 63 43, www.croatie.com.* Des classiques **séjours** sur la côte et les îles dalmates, mais aussi à Rovinj, Opatija et Lovran, aux **circuits** accompagnés ou « en liberté » (combinés avec un séjour), en passant par les **croisières** au départ de Venise le long de la côte adriatique ou en goélette parmi les îles dalmates, les prestations de cette agence sont très complètes. Vous pouvez en outre vous adresser à elle pour louer une maison ou un appartement à Trogir, Dubrovnik, Korčula ou Hvar, ainsi que des maisons de pêcheurs dans les Kornati.

Slav'Tours – *29-31 bd Rocheplatte, 45000 Orléans,* ℰ *02 38 77 07 00, fax 02 38 77 18 37, www.slavtours.com.* Séjours, circuits, vols organisés par un spécialiste de l'Europe de l'Est.

Euro Pauli – *34 r. Faÿs, 94300 Vincennes,* ℰ *0821 00 20 22, www.austropauli.com.* Propose différentes formules classiques sur le littoral dalmate : séjours sur les riviera de Dubrovnik (Korčula, Slano) et de Makarska (Baška Voda), circuits en autocar (Dubrovnik, Korčula, Split, Trogir, Zadar, Plitvice), circuits personnalisés en voiture à partir de Dubrovnik, week-ends à Dubrovnik et à Zagreb. Distribution : agences de voyages.

Marsans Transtours – *49 av. de l'Opéra 75002 Paris – 1 quai Gailleton 69002 Lyon,* ℘ *0 825 031 031, www.marsans.fr,* propose un catalogue consacré à différentes formules de découverte de la Croatie : séjours à la plage (Dubrovnik, Cavtat, Mlini, Orebić, Baška Voda, Trogir, etc.), circuits de découverte de la Dalmatie et des lacs de Plitvice, circuits et séjours à la carte, croisières en goélette traditionnelle.

Interhome – *15 av. Jean-Aicard, 75011 Paris,* ℘ *01 53 36 60 00/59 99, fax 01 48 06 88 43, www.interhome.fr.* Locations sur le littoral croate.

I.D. Riva Tours – *Neuhauser Strasse 27, 80331 Munich,* ℘ *(0049) 089 231 10 00, www.idriva.com* (site en allemand, italien et hollandais). Cette agence allemande offre un catalogue très complet : locations de voitures, de chambres et de villas et réservation dans les « Agrotourizam » d'Istrie.

ET SUR PLACE

Quelques grands réseaux d'agences de voyages croates proposent un ensemble de prestations comprenant réservations de billets d'avion, de ferry, de bus, de nuits d'hôtels, de locations d'appartements, de véhicules. En outre, ces agences organisent des excursions, et parfois, des activités sportives.

Atlas – *Ćira Carića 3, 20000 Dubrovnik,* ℘ *(020) 442 222 (réservations), fax (020) 411 100. www.atlas-croatia.com.* Un des réseaux les plus complets de Croatie. Outre les prestations habituelles, vous pourrez vous adresser à cet organisme pour participer à des circuits aventures (rafting) et des stages de plongée.

General Turist – *Praška 5, 10000 Zagreb,* ℘ *(01) 480 55 55/56 53/56 54, fax (01) 481 04 28, www.generalturist. com.* Un réseau de 70 agences qui couvre l'ensemble du territoire croate. Circuits classiques et sur mesure.

Autotrans – *Žabica 1, 51000 Rijeka,* ℘ *(051) 660 300, fax (051) 211 988. www.autotrans.hr.* Cette compagnie de transports en autobus au réseau national et international, propose excursions, circuits et logement chez l'habitant, en particulier dans le Kvarner et en Istrie.

D. Hée/MICHELIN

Formalités

PIÈCES D'IDENTITÉ

Pour les ressortissants de l'Union européenne, les formalités d'entrée en Croatie sont réduites : pas de visa, ni de vaccins obligatoires. Votre **carte d'identité** peut suffire, mais si vous comptez faire une excursion dans un pays voisin, le **passeport** devient indispensable. Munissez-vous donc si possible des deux documents, d'autant que les réceptions d'hôtels gardent le plus souvent jusqu'à votre départ le document que vous leur avez présenté à l'arrivée.

Important : Si vous ne séjournez pas à l'hôtel, en camping ou en location chez l'habitant – c'est-à-dire essentiellement en cas de séjour chez des amis – sachez que vous devez vous faire enregistrer dans les 24h au commissariat de police le plus proche. Faute de quoi, vous vous exposeriez à une amende et à une expulsion assortie d'une interdiction de séjour de six mois.

POUR CONDUIRE

Bien entendu, vous vous garderez bien d'oublier à la maison votre **permis de conduire** et, si vous voyagez avec votre véhicule, de sa **carte grise** et de l'**attestation d'assurance internationale**, couvrant la Croatie (symbole HR sur votre carte verte) : au cas où ça ne serait pas le cas, contactez votre assureur pour une extension de garantie qui, le cas échéant, peut être souscrite à la frontière.

ACTIVITÉS SPORTIVES

Si vous souhaitez pratiquer en Croatie des activités telles que la **navigation** et la **plongée**, il vous faudra produire les permis et brevets d'aptitudes qui y sont reconnus. De plus, pour pouvoir évoluer dans certaines zones protégées, il faut obtenir les autorisations nécessaires sur place *(pour plus de détails reportez-vous aux chapitres « Nautisme » p. 38 et « Sports et loisirs » p. 44).*

Si vous comptez **chasser** avec votre propre fusil en Croatie, il vous faudra une autorisation pour l'introduire dans le pays *(renseignements auprès de l'ambassade de Croatie).*

SERVICES D'ASSISTANCE

Avant de partir, à titre de sécurité, vérifiez les garanties d'assistance liées à vos différents contrats d'assurances et à l'utilisation de votre carte bancaire.

Mondial Assistance – *2 r. Fragonard, 75017 Paris Cedex 17, ℘ 01 40 25 52 04, fax 01 40 25 52 09, www.mondial-assistance.fr.* Différentes formules, temporaires ou annuelles, couvrent toutes les zones du globe.

SANTÉ

Aucun vaccin n'est exigé pour entrer en Croatie. Cependant, la **« tique du Danube »**, présente en Croatie du Nord et dans la région de Zagreb, peut présenter un risque sérieux. Vaccination possible (trois injections).

La convention passée entre les États de l'Union européenne et la Croatie rend possible le remboursement des frais médicaux engagés en Croatie. Gardez soigneusement tous les justificatifs des paiements effectués sur place et, de retour en France, contactez votre caisse d'assurance maladie pour obtenir les remboursements. Le formulaire E 111 n'est pas encore reconnu en Croatie. Les touristes étrangers bénéficient de l'aide médicale d'urgence.

En cas de traitement particulier, veillez à apporter avec vous vos médicaments ; à tout hasard, si vous vous faites délivrer une **ordonnance**, faites préciser la composition des médicaments plutôt que leur nom.

Pour compléter votre information :

Fiches pays établies par le **ministère des Affaires étrangères** sur *www.france.diplomatie.gouv.fr/voyageurs.*

Comité d'informations médicales (CIMED), *maison des Français de l'étranger, 30-34 r. La Pérouse, 75116 Paris, ℘ 01 43 17 60 79, www.cimed.org.*

Centre médical de l'Institut Pasteur, *209-211 r. de Vaugirard, 75015 Paris, ℘ 0890 71 08 11, www.cmip.pasteur.fr.*

TOURISME ET HANDICAP

Les grands hôtels et musées sont généralement bien équipés. Certaines plages de la région de Split (Split, Omis, Lovka Rogoznica) bénéficient d'un aménagement destiné aux personnes à mobilité réduite. À Zagreb, la compagnie de tramway électrique offre la gratuité de transport aux handicapés (mais leurs accompagnateurs doivent payer le voyage). Pour plus de renseignements, contacter l'**Association des handicapés de Croatie**, *℘ (00 385 1) 482 93 94.* Signalons également que le Département de la santé, du travail et de la protection sociale de la ville de Zagreb a édité un guide très complet destiné aux personnes handicapées qui vivent ou séjournent dans la capitale : *Vodič kroz grad Zagreb za osobe s invaliditetom* (Zagreb, 2002). Rédigé en croate, anglais et allemand, ce guide est disponible à l'office du tourisme de la ville.

QUE PRENDRE AVEC SOI ?

Les crèmes de protection solaire, les crèmes apaisantes en cas de coups de soleil et de piqûres d'insectes pourront se révéler utiles, tout comme les produits répulsifs pour les moustiques.

Bien entendu, suivant les activités que vous prévoyez de pratiquer sur place, votre équipement ne sera pas le même : prenez de bonnes chaussures de marche, déjà portées, si vous faites de la randonnée ; un sac étanche pour votre matériel photo sera utile sur la plage, indispensable si vous prévoyez de faire du bateau. Par contre, si vous comptez faire de la plongée, du VTT, de la planche à voile, ou du rafting, inutile de vous charger : les clubs, ou autres prestataires, fournissent ou louent le matériel nécessaire.

Si vous passez de la côte dalmate à l'intérieur des terres, les températures peuvent baisser spectaculairement dès que vous prenez de l'altitude. Prévoyez donc d'emporter avec vous, même en été, des « petites laines » !

Dans tous les cas, en été, chapeau ou casquette, lunettes de soleil (réellement filtrantes) pour tous les membres de la famille, sont des objets quasi indispensables tant en randonnée, que sur la plage ou en bateau.

Si vous comptez vous baigner, n'oubliez surtout pas de vous munir de **sandales en plastique** : la plupart des plages sont en galets et les fonds

Le petit chaperon rouge

Mais comme le petit chaperon rouge avait pris sa carte Local Michelin, elle ne tomba pas dans le piège. Ainsi, elle ne coupa pas par le bois, ne rencontra pas le loup et, après un parcours touristique des plus pittoresques, arriva bientôt chez sa Mère-Grand à qui elle remit son petit pot de beurre.

Fin

rocheux peuvent être très coupants (sans parler des oursins !). En cas d'oubli, vous n'aurez aucun mal à vous en procurer dans les bazars des stations balnéaires. Enfin, un siège pliant ou un matelas en mousse vous aidera à bronzer confortablement, quelle que soit la nature du sol !

ET LE CHIEN ?

Votre animal familier tient absolument à découvrir la Croatie avec vous ? Certains campings, hôtels et appartements acceptent chiens et chats, le plus souvent contre rétribution. Il va de soi que la taille de l'animal peut entrer en ligne de compte : un caniche ou un yorkshire impressionnent moins qu'un dogue ou un briard. Renseignez-vous donc au préalable sur les possibilités d'accueil. Une fois trouvé votre point de chute, les formalités sont réduites : il vous faudra produire un carnet de vaccination et un « certificat international de bonne santé » délivré par un vétérinaire. Une **vaccination antirabique** en cours de validité est exigée. Sur place, en cas de pépin, vous trouverez des cliniques et des centres de consultation vétérinaires (*veterinarske klinike* ou *ambulante*) dans la plupart des villes.

Pour les amateurs des bains de soleil, signalons qu'il existe des plages (comme celle de la baie de Redagora sur l'île de Krk, par exemple) spécialement adaptées aux visiteurs accompagnés d'animaux domestiques. Pour plus de renseignements, contactez les offices de tourisme des régions où vous désirez séjourner.

Se rendre en Croatie

PAR AVION

La compagnie nationale croate, **Croatia Airlines**, assure des vols directs pour et depuis les principales capitales européennes.

Depuis Paris

Un vol quotidien direct pour **Zagreb** (1h50 de vol) est assuré en partenariat avec **Star Alliance**. Correspondances intérieures pour **Pula**, **Zadar**, **Split** et **Dubrovnik**. Ces deux dernières vous permettent d'atteindre votre destination en un peu plus de 3h. En saison, la compagnie croate assure en outre 2 vols directs de Paris à **Split** (2h) et 3 vols de Paris à **Dubrovnik** (2h15).

O. N. T. Croatie

Le retour de Croatie en France est assuré selon les mêmes fréquences et conditions.

Vous pouvez également rallier la Croatie avec correspondance par l'intermédiaire d'autres compagnies :

Lufthansa : un ou deux vols quotidiens pour **Zagreb**, *via* Francfort ou Munich ; un vol quotidien pour **Split** *via* Francfort ; 5 vols hebdomadaires pour **Dubrovnik** *via* Francfort.

Austrian Airlines : un vol quotidien pour **Zagreb** *via* Vienne. En saison, 5 vols par semaine pour **Split** et 4 vols pour **Dubrovnik** *via* Vienne.

Malev : la compagnie hongroise relie Paris à **Zagreb** *via* Budapest.

En outre, en saison, des vols charters pour Dubrovnik sont affrétés par des voyagistes comme **Nouvelles Frontières** (*℘ 0 825 000 825, www.nouvelles-frontieres.fr*) qui propose également des vols réguliers pour **Zagreb** et **Dubrovnik** couplés à des locations de voitures.

Depuis la province

Croatia Airlines propose entre avril et octobre 1 vol direct hebdomadaire de **Lyon** à **Split**. **Alitalia** assure des vols quotidiens de **Nice** à **Zagreb** *via* Milan (*℘ 0 820 31 53 15, www.alitalia.fr*). La **Companie Aérienne Tchèque (Č.S.A.)** relie **Marseille** et **Lyon** à **Zagreb** tlj sf w.-end et à **Split** 3 fois par semaine *via* Prague (*℘ 0 825 54 00 02, www.czech-airlines.com*). En saison, les grands voyagistes comme **Nouvelles Frontières**, **Fram**, **Look Voyages** affrètent des vols charters vers **Zagreb**, **Split** et **Dubrovnik** au départ des villes de province.

Depuis Bruxelles

Liaison directe pour **Zagreb** (2h de vol), assurée 5 fois par semaine hors saison et tous les jours à partir du mois d'avril, par **Croatia Airlines** en partenariat avec **SN Brussels Airlines** (*www.flysn.com*). Correspondances pour **Pula**, **Split**, **Dubrovnik** et **Zadar**. En saison, un vol direct hebdomadaire pour **Split** et deux vols par semaine pour **Dubrovnik** avec **SN Brussels Airlines**.

Depuis Zurich

Vol direct quotidien pour **Zagreb** et correspondances pour **Dubrovnik**, **Pula**, **Split** et **Zadar** (**Croatia Airlines** en partenariat avec **Swiss Air**).

Depuis Montréal

Il n'existe pas de vol direct. La plupart de vols **Montréal-Zagreb** sont assurés par **Air France** *via* Paris et par **Lufthansa** *via* Francfort ou Munich.

Les compagnies

Croatia Airlines – *9 r. du Fbg-St-Honoré, 75008 Paris,* ☎ *01 42 65 30 01, fax 01 42 66 43 27, www. croatiaairlines. hr ;* à **Bruxelles** : *Zračna luka, Brussels Airport, 1930 Zaventem BP 31,* ☎ *02 753 51 33, fax 02 753 51 30 ;* à **Zurich** : *138 Limmatquai, 8001 Zurich,* ☎ *261 08 40, fax 261 08 83.*

Air France – *119 av. des Champs-Élysées, 75008 Paris ; n° central de réservation en France :* ☎ *0 820 820 820.*

Lufthansa – Agence Star Alliance, *Aéroport CDG, terminal I, porte 4,* ☎ *0 826 103 334, www.lufthansa.fr.*

Austrian Airlines – *Aéroport CDG, terminal 2D, portes 9 et 10* ☎ *0 820 816 816. www.austrian.fr*

Malev – *3 r. Scribe, 75009 Paris,* ☎ *01 43 12 36 00, fax 01 42 66 04 41, www.malev.hu*

Se renseigner

Opodo – Le site *www.opodo.fr*, créé en partenariat par diverses compagnies aériennes, permet d'étudier et de comparer les différentes possibilités et les tarifs, en fonction de la date prévue de votre départ, et de passer votre commande en ligne.

EN AUTOCAR

Eurolines – *Gare internationale Paris-Gallieni, 28 av. du Général-de-Gaulle BP 313, 93541 Bagnolet Cedex (M° Gallieni, ligne 3 ; périphérique Porte de Bagnolet),* ☎ *08 92 89 90 91, www.eurolines.fr.*

Rens. **Paris** : *75 bis bd de Clichy 75009,* ☎ *01 44 63 00 66 –* **Lille** : *23 parvis St-Maurice 59000,* ☎ *03 20 78 18 88 –* **Lyon** : *gare routière : Lyon-Perrache 69002,* ☎ *04 72 56 95 30 –* **Marseille** : *gare routière, pl. V.-Hugo 13003,* ☎ *04 91 50 57 55 –* **Metz** : *20 r. Gambetta, départs gare routière : av. de l'Amphithéâtre*

57000, ☎ *03 87 50 02 80 –* **Strasbourg** : *6d pl. d'Austerlitz 67000,* ☎ *03 90 22 14 60.* Ce spécialiste des déplacements en car propose l'aller-retour depuis la France pour **Zagreb**, **Šibenik**, **Zadar** et **Split**.

Intercars – *139 bis r. de Vaugirard, 75015 Paris (M° Falguière),* ☎ *01 42 19 99 35, fax 01 42 19 98 24, www.intercars.fr* Réservations à Zagreb : *Marina Držića bb –* ☎*/fax (01) 615 02 07.* Trois départs par semaine pour **Zagreb** et au-delà, **Zadar**, **Split** et **Dubrovnik**, *via* Dijon, Lyon, Grenoble et Milan. Compter de 151 à 191 € AR selon la destination. Il existe des formules plus économiques mais le billet, valable un mois, n'est ni échangeable ni remboursable.

En Suisse, réservations à **Bâle** : Benitez, *Elssässerstrasse,* ☎ *61 321 14 68 –* **Genève** : Benitez, *552 pl. de Montbrillant,* ☎ *022 738 66 10 –* **Zurich** : Benitez, *Backerstrasse 27,* ☎ *129 790 90.* Arrêts à Bâle, Berne, Cointrin, Genève, Lausanne et Zurich.

EN TRAIN

Il n'y a pas, actuellement, de liaison directe en train entre la France et la Croatie. Depuis Paris, deux trains quotidiens (au départ de la gare de l'Est) *via* Lausanne ou Munich assurent une correspondance pour Zagreb. Il existe également un train qui, depuis la gare de Lyon, permet de rallier Zagreb *via* Trieste. Si vous tenez vraiment à effectuer ce voyage en train, pour connaître horaires et tarifs, la seule solution est de vous rendre dans une gare ou une agence commerciale de la SNCF.

Principales lignes internationales desservant la Croatie :

Mimara : Munich-Zagreb *via* Salzbourg et Ljubljana.

Sava : Munich-Belgrade *via* Salzbourg, Ljubljana et Zagreb.

Agram : Salzbourg-Zagreb.

Croatia : Vienne-Zagreb *via* Maribor.

Kvarner : Budapest-Rijeka, *via* Zagreb.

Goldoni : Budapest-Venise *via* Zagreb.

Venezia : Budapest-Venise *via* Zagreb (train de nuit).

EN VOITURE

Les frontières de la Croatie se trouvent à environ 1 500 km de Paris, 1 000 km de Lyon et de Strasbourg et 700 km de Nice. Ces trajets peuvent se faire par autoroute jusqu'à Trieste, Ljubljana

P. Plantier / MICHELIN

ou Maribor, en suivant l'un des trois principaux axes suivants :

Paris-Strasbourg-Munich-Salzbourg-Ljubljana-Zagreb.

Lyon-Genève ou tunnel du Mt-Blanc-Milan-Vérone-Trieste-Istrie.

Marseille-Nice-Milan-Vérone-Trieste-Istrie.

Internet

Vous pourrez obtenir des informations précieuses quant au trajet à suivre, depuis votre domicile jusqu'à votre lieu d'arrivée : distances, montant des péages, itinéraires conseillés prenant en compte le temps et le kilométrage, cartes Michelin à utiliser, en vous connectant à **www.ViaMichelin.fr**. En plus de ces « feuilles de route » personnalisées, ViaMichelin fournit également des adresses d'hôtels et de restaurants, ainsi que des informations touristiques sur les lieux traversés.

Si vous disposez d'un **Minitel,** vous pouvez obtenir ces informations en composant le **3615 Michelin** (0,196 €/mn) ; si vous disposez d'un fax, ces mêmes données peuvent vous être communiquées sur le **3617 Michelin** (0,843 €/mn).

Quelques exemples d'itinéraires

De Lyon à Pula : 953 km dont 816 km sur autoroute par Chambéry, Turin, Trieste et Koper/Capodistria.

De Genève à Zagreb : 943 km dont 811 km sur autoroute par Courmayeur, Brescia, Trieste et Ljubljana.

De Milan à Rijeka : 487 km dont 407 km sur voies rapides.

EN BATEAU

Arriver en Croatie en bateau peut se révéler fort agréable ! C'est possible à partir de certains ports italiens, comme **Ancône**, **Bari**, **Venise** ou **Trieste** reliés à **Split**, **Zadar**, **Pula**, **Poreč** et **Rovinj**. Les

tarifs prennent en compte le nombre de passagers ainsi que le véhicule.

SNAV – Renseignements et réservations à **Ancône** : SNAV Riprotezione, Stazione marittima, 60121 Ancona, ℘ *(00 39) 071 207 61 16, info@snav.it, www.snav.it.* Agence à **Split** : ℘ *(021) 322 252.* De mi-juin à mi-septembre, ferry rapide quotidien : Ancône-Split (4h de traversée), Ancône-Zadar, Pescara-Starigrad (Hvar)-Split.

SMC/Blue Line International – À Ancône : **Agenzia Mauro** - *Stazione marittima P.O.B. 6,* ℘ *(00 39) 071 204 041, fax (00 39) 071 202 618, www.marittimamauro.it.* À Split : **Split Tours** - *Gat Sveti Duje bb, 21000 Split,* ℘ *(021) 352 553, fax (021) 352 482, info@splittours.hr, www.splittours.hr.* D'Ancône à Split (6 liaisons par semaine en saison, 10h de traversée). En juillet-août, les liaisons avec les îles de Hvar et de Vis.

Jadrolinija – *Riva 16, 51000 Rijeka,* ℘ *(051) 666 111, fax (051) 213 116, www.jadrolinija.hr.* La principale compagnie maritime croate propose sur les lignes Ancône-Zadar (*6h-9h de traversée*) et Ancône-Split (*10h*), des ferries avec pour certains une escale à Hvar et Korčula. Il existe également une liaison Bari-Dubrovnik (*7 à 9h*) et une liaison Bari-Rijeka avec escales à Dubrovnik, Mljet, Korčula, Hvar et Split.

Venezia Lines – ℘ *(00 39) 041 272 26 47, fax (00 39) 041 272 26 45, www.venezialines.com.* Assure en été des liaisons quotidiennes, au départ de Venise, avec les villes d'Istrie. En saison, il existe une liaison Ravenna-Poreč, alors que Rimini est relié à Poreč, Pula et Mali Lošinj.

Emilia Romagna Lines – *Via Dino Ricci 2b, C.A.P. 47042 Cesenatico (FS),* ℘ *(00 39) 0547 67 51 57, Call Center (lun.-vend. 8h-19h, sam. 9h-13h), www.emiliaromagnalines.it.* Depuis 2006, cette compagnie propose des liaisons rapides (*2h*) à bas prix entre Cesenatico, Ravenna, Rimini, Pesaro et Pula, Rovinj, Mali Lošinj, Božava (Dugi Otok) et Hvar.

Euro-Mer – *5 quai de Sauvages - CS 10024 - 34078 Montpellier Cedex 3 - www.euromer.net.* Traversées maritimes pour la Croatie depuis l'Italie : Trieste-Pula, Venise-Rovinj, Ancône-Zadar, Split, Hvar et Vis, Pescara-Hvar, Bari-Dubrovnik. Euro-Mer propose également des réservations d'hôtels.

CROATIE PRATIQUE

Sécurité

Important : la Croatie a retrouvé sa pleine souveraineté sur l'ensemble de son territoire en 1998… mais des **zones minées** subsistent, même si le travail de déminage avance. Il faut donc être particulièrement prudent et ne pas s'aventurer en dehors des chemins balisés dans les zones suivantes :

- **Slavonie orientale** et **Baranja** (régions de Vukovar, Osijek et de Kopački rit) ;

- quadrilatère délimité au sud par la frontière bosniaque (entre Jasenovac et Nova Gradiška, au nord par Virovitica et Slatina (zones de **Daruvar, Pakrac** et **Lipik**).

- environs de Sisak (région de **Glina**).

- région allant de **Gospić** à **Sinj** par **Gračac** et **Knin**.

Sur les itinéraires **Karlovac-Plitvice-Gračac-Zadar** et **Gračac-Knin-Split**, ne pas s'écarter des routes principales.

Les champs de mines sont le plus souvent signalés par des panneaux.

D'une façon générale, dans les anciennes zones de combats, **ne campez que sur les terrains autorisés** et **ne pénétrez pas dans les maisons abandonnées** qui peuvent être piégées ou minées, ou tout simplement s'effondrer.

Vous pouvez consulter à ce sujet les fiches « Conseils aux voyageurs » régulièrement mises à jour sur le site du ministère français des Affaires étrangères : *www.france.diplomatie.fr*.

Bon à savoir

HORAIRE OFFICIEL

Il n'y a pas de décalage horaire entre la France et la Croatie.

URGENCES

Numéros d'informations, d'urgence et de secours pour toute la Croatie.

Police : ☎ 92.
Pompiers : ☎ 93.
Urgences médicales : ☎ 94.
Assistance routière : ☎ 987.
Secours en mer : ☎ 9155.
Numéro d'appel d'urgence unique européen : ☎ 112.
Informations météorologiques et état du trafic : ☎ 060 520 520.

Informations générales : ☎ 981.
Informations sur les numéros de téléphone internationaux : ☎ 902.
Informations sur les numéros de téléphone locaux et interurbains : ☎ 988.
« Anges croates » : service téléphonique d'information touristique qui répond à vos questions et problèmes, en anglais, allemand et italien : ☎ *(062) 999 999 (juillet-août : 8h-0h, sept.-oct. : 9h-17h)*.

En cas de problème grave, vous pouvez consulter l'**ambassade de France** à Zagreb *(voir carnet pratique à ce nom)* au ☎ *(01) 48 93 600, fax (01) 48 93 660*, et la section consulaire aux ☎ *(01) 48 93 680, fax (01) 48 93 668* (demander, en dehors des heures de bureau, l'agent de permanence).

Attention aux mines !

P. Plantier / MICHELIN

Argent

Monnaie

L'unité monétaire croate est la **kuna** (signifiant « martre » et abrégée, officiellement en HRK, localement en **kn**) qui se divise en 100 **lipa** (« tilleul »). Le taux par rapport à l'euro est relativement stable (autour de 7,20 kn). Vous trouverez des billets de 5, 10, 20, 50, 100, 200, 500 et 1 000 kn, et des pièces de 1, 2, 5 et 25 kn, et de 5, 10, 20 et 50 lipa. Dans les lieux touristiques, il est parfois possible de régler en euros.

Il n'y a aucune restriction pour les entrées de devises étrangères en Croatie. La monnaie nationale peut être importée ou exportée jusqu'à un montant de 15 000 kunas.

Change

Il s'effectue à la poste, dans les banques, les agences de voyages, dans les hôtels (attention aux commissions !)

et parfois dans certains magasins des villes les plus touristiques.

En quittant la Croatie, vous pourrez sans problèmes reconvertir vos *kunas* en euros, dans les banques et les bureaux de change des aéroports en particulier.

Chèques de voyage

Les chèques de voyage s'échangent dans les banques et les postes croates.

Distributeurs automatiques de billets

Vous en trouverez même dans les petites villes, généralement à l'extérieur des banques. Vous aurez souvent la possibilité d'afficher sur l'écran les instructions en plusieurs langues (allemand, italien ou anglais). Soyez par ailleurs attentif : l'ordre des opérations n'est pas forcément celui auquel vous êtes habitué et l'on peut vous demander de taper le montant souhaité avant votre numéro de code. Votre banque prélèvera une commission constituée d'un montant fixe et d'un pourcentage à chaque opération réalisée. Attention : il n'y a pas de signal sonore qui vous prévient de retirer la carte une fois l'opération terminée. Si vous tardez à la récupérer, elle est tout bonnement avalée par le distributeur ! Or la banque ne l'ouvrira pas à l'instant même pour vous dépanner. En principe, une fois la carte récupérée, la banque vous l'enverra par la poste à l'adresse que vous lui signalez. Ce qui n'est pas toujours pratique lorsqu'on est en voyage…

Cartes de crédit

Les principales cartes de crédit internationales sont acceptées dans la plupart des hôtels et commerces. En revanche, si vous souhaitez loger chez l'habitant, munissez-vous d'espèces. Sachez que, par ailleurs, certains propriétaires sont friands d'euros…

Se déplacer en Croatie

EN AVION

Vols quotidiens assurés par **Croatia Airlines**, de **Zagreb** vers **Split** et **Dubrovnik** ; plusieurs vols par semaine pour **Pula** et **Zadar**. Il existe en outre quelques vols (saisonniers) reliant directement **Zagreb** à **Brač**, **Dubrovnik** à **Pula** ainsi que **Pula** à **Zadar**.

Attention : la compagnie exige d'enlever les **piles** des appareils que vous enregistrez dans vos bagages.

AU VOLANT

Le réseau routier

Le réseau routier croate est globalement satisfaisant, même si dans certaines régions touchées par la guerre le revêtement laisse encore à désirer. De grands travaux portant sur la création d'autoroutes et de voies rapides se poursuivent. Les autoroutes relient désormais Zagreb à Rijeka et à Split, Trieste est relié à Pula en Istrie. Une voie rapide permet de se rendre de Zagreb à Varaždin. Néanmoins, nombre de routes, sur le littoral, sur les îles et dans les régions montagneuses sont étroites et sinueuses et la conduite nécessite une attention constante.

Péages

Les autoroutes et certaines voies rapides croates sont soumises à péage, de même que deux ouvrages d'art : le tunnel de l'Učka, en Istrie, et le pont de Krk.

Code de la route

Limitations de vitesse – Sauf indication contraire, la vitesse est limitée à 130 km/h sur autoroute, 100 km/h sur les voies rapides, 80 km/h sur les routes, 50 km/h en agglomération (avec zones à 30 km/h). Les contrôles radars sont fréquents…

Priorité – Sauf exceptions, la priorité est à droite. Méfiez-vous particulièrement de certains ronds-points où les règles de priorité n'obéissent pas forcément à celles qui sont en vigueur en France.

Panneaux – La signalisation est semblable à la nôtre.

Taux d'alcoolémie – 0,0 g/l ! Attention à la grappa !

Obligatoire – Attacher sa ceinture, rouler toute la journée avec les **feux de croisement allumés**, porter un casque dans le cas des deux-roues, et posséder un triangle de signalisation *(trokut)*. Il est interdit d'utiliser son téléphone portable au volant. Sachez qu'il est recommandé de posséder une trousse de secours, une boîte d'ampoules pour les phares et des gilets phosphorescents en nombre égal au nombre de passagers placés dans l'habitacle et non dans le coffre.

M. Guillochon / MICHELIN

Piétons – Ils bénéficient de la priorité lorsqu'ils traversent la chaussée sur des passages protégés. Cette disposition est systématiquement respectée par les conducteurs croates. Ne vous étonnez donc pas de voir des gens traverser devant vous en toute quiétude, parfois même sans regarder… et arrêtez-vous, bien sûr !

Amendes – Si vous vous faites arrêter par la police pour dépassement de la vitesse autorisée, sachez que les amendes sont payables immédiatement en espèces et d'un montant non négligeable : de 100 à 500 kn suivant les cas.

Signalisation directionnelle

Les indications directionnelles, comme les noms des localités, sont généralement écrits en noir sur fond jaune. Contrairement à l'usage en France, le nom de la ville la plus éloignée est inscrit en haut du panneau, celui de la ville la plus proche, en bas. Les indications de distance sont rarissimes.

Armez-vous de philosophie : vous serez sans doute maintes fois obligé de faire demi-tour après vous être égaré ! La signalisation en Croatie souffre pour l'heure d'un manque de hiérarchisation entre les localités, et d'une certaine fantaisie tant dans la position des panneaux que dans les indications qu'ils portent.

Parkings

Dans les villes de l'intérieur, ils sont généralement payants ; soit par horodateurs (tarifs variant selon les zones), le plus souvent à des employés municipaux. En cas de dépassement du temps alloué, dans le premier cas, les papillons fleurissent sur les pare-brise ; dans le second, les choses se règlent à l'amiable avec l'employé.

Carburants

La couverture de stations-service est satisfaisante, mais parfois un peu juste sur certains axes (comme l'autoroute de Zagreb à Rijeka) et dans certaines régions (autour de Sisak) pour faits de guerre. D'une façon générale, les stations d'essence sont ouvertes de 7h à 18h en hiver, 22h en été. Sur les grands axes, il existe des stations du réseau national **INA** ouvertes 24h/24. Vous trouverez sans problème votre carburant *(benzina)* préféré (Eurosuper 95, Super 98, normal et Euro Diesel) dans toutes les stations. Pour les véhicules roulant au GPL, il faudra s'alimenter dans les grandes villes.

Le **prix** des carburants est légèrement inférieur à celui pratiqué en France.

Sauf indication contraire *(samoposluga* : libre-service), il n'est pas d'usage de se servir soi-même.

Conduire en Croatie

Il vous faudra être particulièrement prudent, patient et, parfois, avoir des nerfs d'acier. Outre les difficultés inhérentes à certaines portions du réseau routier et à la circulation de nombreux camions, le principal danger vient de l'impatience des Croates qui font preuve au volant d'irascibilité et, parfois, d'inconscience : roulant systématiquement à une allure trop élevée, ils ne tolèrent pas que vous respectiez les limitations de vitesse et n'hésitent pas à se coller à votre voiture en joignant aux appels de phare quelques coups d'avertisseurs rageurs, ponctués de propos peu amènes… Ils se montrent particulièrement dangereux lorsqu'ils doublent : une côte, une série de virages, un manque total de visibilité, une ligne continue, rien ne semble les intimider ! Soyez donc très vigilant, car l'hypothèse de vous trouver, à la sortie d'un virage, nez à nez avec une voiture en train de doubler une file de camions, n'est jamais à exclure. Faites également très attention aux **passages à niveau**, souvent sans barrière.

Contrôles

Ils sont fréquents… ce qui se comprend un peu ! Vous verrez fréquemment le long des routes et dans les agglomérations des policiers occupés à contrôler la vitesse des véhicules. Vous rencontrerez également des contrôles de routine : ayez donc toujours à portée de la main les papiers du véhicule ainsi que vos documents d'identité.

En cas de problème

Sécuriser la zone de l'accident ou de la panne (triangle). Appeler la police qui vous donnera toutes les informations sur la procédure à suivre, établira le constat obligatoire et vous indiquera les ateliers de réparation les plus proches.

Location de voiture

Important : Si vous avez un accident même bénin avec un véhicule de location ou s'il subit une dégradation (sur un parking par exemple), il est obligatoire de le **faire constater officiellement par la police** (*92*), faute de quoi les frais de réparation, non couverts par l'assurance, seront **à votre charge**.

Auto Escape – *137 r. Jacquard, 84120 Pertuis - 0 800 920 940 appel gratuit depuis la France - 04 90 09 28 28, fax 04 90 09 51 87, www.autoescape.com.* Un système efficace et économique, qui permet de réserver un véhicule par téléphone, fax ou courriel. Bien sûr, contrairement aux autres formules, on règle d'avance, mais le service est efficace et fiable d'autant que vous aurez affaire, sur place, à des organismes connus (Europcar, National Car…). Le « voucher » qui vous sera remis atteste de votre réservation.

Vous trouverez en Croatie les grands réseaux internationaux de location qui, pour la plupart, ont installé des agences dans les aéroports.

Pour louer avant votre départ :

Avis : réservations internationales : *0 820 05 05 05, www.avis.fr.*

Europcar : *0 825 358 358, www. europcar.fr.*

Hertz : *0 825 861 861, www.hertz.fr.* Vous pouvez également louer une voiture sur place, soit en passant par les réseaux internationaux, soit en vous adressant aux entreprises locales, aux tarifs généralement un peu inférieurs. Certaines disposent d'agences ou de correspondants dans plusieurs points du pays.

Budget – *Praška 5, Zagreb, (01) 480 56 88/89, fax (01) 480 56 90. reservations@budget.hr, www.budget.hr.*

Hertz – *Vukotinovićeva 4, Zagreb, (01) 484 67 77, fax (01) 488 30 77, info@hertz.hr.*

ITR – *Ulica grada Vukovara 78, Zagreb, (01) 611 20 15, fax (01) 611 20 86, itr-dt@itr.t-com.hr.* Agences à l'aéroport, à Split et à Rijeka. Excellent service et prix attractifs.

Sixt – *Hôtel Four Points, Trg Sportova 9, (01) 301 53 03, fax (01) 301 53 04 et à l'aéroport. www.sixt.hr.*

Autotehna – *F. Supila 7, Dubrovnik, (020) 426 477, fax (020) 413 194, autotehna@dubrovnikportal.com, www.dubrovnikportal.com/autotehna.*

Numéros utiles

Automobile Club de Croatie (HAK) : *(01) 661 19 99, fax 662 31 11* (informations sur l'état du trafic en anglais, allemand et italien).

Dépannage : *987.*

Points d'information touristique

Les axes les plus fréquentés de Croatie possèdent des **points d'information** où les touristes peuvent obtenir des renseignements sur la région et les produits locaux.

Le **Kvarner** possède trois points d'information appelés **portes de l'Adriatique** : sur la route qui contourne Rijeka (non loin des postes frontières avec la Slovénie de Rupa et Pasjak), à proximité du pont de Krk et dans la région de Karlovac. Un espace informatif **Kvarner Sud** est ouvert dans la ville de Novi Vinodolski.

L'**Istrie** dispose de deux points d'information situés sur la voie rapide « Y » : l'un aux environs de Pula, l'autre entre Medak et Umag. L'ouverture d'un autre espace informatif est prévue à Vižinada, au cœur de l'Istrie.

Pour ceux qui se rendent en **Dalmatie**, le point d'information **portes de la Dalmatie** se trouve près du village de Jasenica sous la montagne de Velebit entre la région de Lika et la Dalmatie.

EN TRAIN

Le réseau ferroviaire n'est pas très dense en Croatie. Relativement lent, il n'est que peu utilisé par les touristes. Vers la côte dalmate, il ne va pas au-delà de Split. Il offre néanmoins les avantages habituels du train : prix intéressants, confort correct, voyage sûr et sans fatigue.
Signalons que la Compagnie des chemins de fer croates a récemment mis en service de nouveaux trains à inclinaison d'un confort supérieur (climatisation, restaurant, accès facilité aux handicapés) qui permettent de parcourir la distance Zagreb-Split (430 km) en moins de 5h.

Ch. Barely-Legrand / MICHELIN

Compagnie des chemins de fer croates (Hrvatske željeznice) – *Mihanovićeva 12, 10000 Zagreb -* ℘ *(01) 457 71 11, fax (01) 457 77 30. www.hznet.hr (site en croate).*

EN AUTOBUS

Le réseau de bus est très dense, que ce soit pour les liaisons longue distance ou pour les dessertes locales. Il est généralement aisé de rejoindre, en partant des villes principales, les sites touristiques des alentours.

La configuration des routes du littoral dalmate rend en outre les déplacements en bus aussi rapides, sinon plus, qu'en voiture.

Les gares routières se situent, généralement, dans ou à proximité des centres-ville, ce qui, avec la modicité des tarifs, achève de rendre séduisant ce mode de déplacement.

Renseignements sur *www.akz.hr*, site qui ne couvre que les liaisons au départ et à l'arrivée de Zagreb.

EN FERRY ET EN BATEAU

Cap sur les îles...

En Dalmatie, sachez que chaque groupe d'îles dépend d'un port d'embarquement et que la plupart des îles ne sont pas reliées entre elles. D'autre part, les horaires des ferries sont organisés de façon à permettre aux insulaires de se rendre sur le continent le matin et d'en revenir le même jour. Ceci explique que la plupart des départs vers les îles aient lieu l'après-midi, alors que le retour a lieu tôt le matin. Plus l'île est éloignée, plus les horaires sont extrêmes et vous contraindront, dans presque tous les cas, à passer au moins une nuit sur place : tenez-en compte pour organiser votre périple. Plus proches du littoral, les îles du golfe de Kvarner sont reliées au continent par des navettes quasiment continuelles.

Les ports

Dubrovnik : Mljet - îles Élaphites (Koločep, Lopud et Šipan) - Korčula, *via* la presqu'île de Pelješac.

Split : Brač, Hvar, Vis, Korčula et Lastovo.

Zadar : Dugi Otok.

Jablanac (entre Karlobag et Senj) : Rab.

Brestova (entre Labin et Lovran) : Cres et Lošinj.

Les îles de Pag et de Krk sont accessibles depuis le continent par des **ponts**.

Embarquement immédiat...

La plupart des traversées sont assurées par la compagnie de transport maritime **Jadrolinija** dont le siège se trouve à *Riva 16, Rijeka,* ℘ *(051) 666 111, fax (051) 213 116, www.jadrolinija.hr.* Agences locales à Mali Lošinj, Zadar, Brbinj, Šibenik, Split, Supetar, Hvar, Stari Grad, Ploče, Korčula, Vela Luka, Vis, Dubrovnik et Zagreb. La compagnie édite chaque année un livret comportant horaires et tarifs.

Horaires et fréquence : ils sont comme on l'imagine tributaires de la saison. Notez qu'en hiver certaines lignes secondaires (notamment celles permettant de relier des îles entre elles) ne sont pas en service.

Tarifs : la tarification comprend d'une part la voiture, d'autre part chacun des passagers. Les prix varient en fonction des lignes. Pour donner un ordre d'idée, comptez au maximum 30 kn par personne, auxquels il faut ajouter de 130 à 200 kn pour la voiture.

Embarquer : vous trouverez à chaque embarcadère un guichet qui ouvre 1h ou 3/4h avant le départ des ferries. La réservation étant impossible, il vaut mieux se présenter avec un peu d'avance, faute de quoi vous pourriez, en cas d'affluence, en être réduit à attendre le ferry suivant. Les véhicules embarquent selon leur ordre d'arrivée à l'embarcadère : une fois placé dans la file, n'hésitez pas à quitter votre voiture pour aller prendre votre billet au guichet.

Autres compagnies

Rapska plovidba – *Hrvatskih branitelja domovinskog rata 1/2, Rab 51280 -* ℘ *(051) 724 122, fax (051) 724 018, www.rapska-plovidba.hr.* Compagnie locale qui gère la ligne de ferry entre Jablanac et Mišnjak sur l'île de Rab.

Split Tours – ℘ *(021) 352 553/533.* Pour les bateaux rapides au départ de Split vers les îles de Vis et Šolta.

LE
Guide Vert

Aquitaine
Bordelais Landes Béarn

Guide Vert

Dans la même collection, découvrez aussi :

France
- Alpes du Nord
- Alpes du Sud
- Alsace Lorraine
- Aquitaine
- Auvergne
- Bourgogne
- Bretagne
- Champagne Ardenne
- Châteaux de la Loire
- Corse
- Côte d'Azur
- France
- Franche-Comté Jura
- Île-de-France
- Languedoc Roussillon
- Limousin Berry
- Lyon Drôme Ardèche
- Midi-Pyrénées
- Nord Pas-de-Calais Picardie
- Normandie Cotentin
- Normandie Vallée de la Seine
- Paris
- Pays Basque
- Périgord Quercy
- Poitou Charentes Vendée
- Provence

Europe
- Allemagne
- Amsterdam
- Andalousie
- Autriche
- Barcelone et la Catalogne
- Belgique Luxembourg
- Berlin
- Bruxelles
- Budapest et la Hongrie
- Bulgarie
- Croatie
- Écosse
- Espagne
- Florence et la Toscane
- Grande Bretagne
- Grèce
- Hollande
- Irlande
- Italie
- Londres
- Moscou Saint-Pétersbourg
- Pologne
- Portugal
- Prague
- Rome
- Scandinavie
- Sicile
- Suisse
- Venise
- Vienne

Thématiques
- La France sauvage
- Les plus belles îles du littoral français
- Paris Enfants
- Promenades à Paris
- Week-ends aux environs de Paris
- Week-ends dans les vignobles
- Week-ends en Provence

Paris Enfants

Guide Vert
LES THÉMATIQUES

Monde
- Canada
- Égypte
- Maroc
- New York

Se loger

MODE D'EMPLOI

Dans les carnets pratiques des localités décrites, vous trouverez une sélection de **restaurants** et d'**hébergement** de divers types, allant de l'hôtel classique au camping en passant par les chambres chez l'habitant. Les renseignements concernant ces établissements sont donnés sous toutes réserves car susceptibles de changements. En ce qui concerne les hôtels, et sauf autre précision, les prix que nous indiquons sont ceux qui nous ont été communiqués par les hôteliers pour une **chambre double ou par personne en haute saison**. Si vous voyagez sur le littoral croate en dehors du mois d'août, les tarifs proposés seront sensiblement inférieurs. À l'intérieur des terres en revanche, les prix sont stables tout au long de l'année, en dehors de quelques événements particuliers (comme la foire de Zagreb). Sachez également que sur le littoral, il arrive que le prix de la chambre soit majoré de 20 % pour un séjour inférieur à trois nuits, règle qui n'est généralement appliquée qu'en haute saison. Lorsque le prix du petit-déjeuner n'est pas compris dans celui de la chambre, il est indiqué à la suite du symbole ☕.

Pour faciliter votre choix, et sans méconnaître les limites de l'exercice, nous faisons précéder le nom des hôtels de symboles indiquant leurs catégories de prix *(voir le tableau ci-dessous)*.

Attention : dans les grandes villes de la côte et les stations balnéaires, les prix sont souvent affichés **par personne**, ce qu'on indique €/pers. ou kn/pers. certains hôtels affichent uniquement les prix en euros, c'est pourquoi nous les indiquons de même dans nos carnets pratiques lorsque c'est le cas.

Il faut savoir également qu'au prix des chambres s'ajoutent différentes **taxes** variables selon la localité et la période de l'année. Elles excèdent rarement 10 kn par jour et par personne.

Les **cartes de crédit** sont acceptées par la plupart des hôtels. Nous signalons les rares établissements où cela n'est pas le cas par le symbole ✗.

LES DIFFÉRENTS TYPES D'HÉBERGEMENT

Du palace de l'époque austro-hongroise au grand hôtel des années 1970, du gigantesque complexe balnéaire au petit établissement de charme, du camping à la chambre chez l'habitant, l'hébergement est diversifié en Croatie, mais assez inégalement réparti sur le territoire : si vous n'avez que l'embarras du choix sur le littoral dalmate ou istrien et dans les îles, les villes de l'intérieur du pays sont beaucoup moins généreuses en offre hôtelière !

Actuellement, le développement attendu du tourisme en Croatie et la volonté affichée d'y promouvoir un tourisme de qualité se traduisent par des travaux de **modernisation du parc hôtelier** traditionnel et par le développement spectaculaire de différentes formes d'**hébergement chez l'habitant**, du moins dans les régions les plus touristiques.

Auberges de jeunesse

Appelées « hostel », elles sont au nombre de huit. Leur qualité est inégale, et la rénovation de certaines d'entre elles est en cours. Les plus agréables sont celles de Dubrovnik, de Zagreb, de Rijeka et de Krk (fermée en 2006). Il en existe également à Zadar, Pula, Punat et Veli Lošinj. Renseignements à Zagreb auprès de la **CYHA**, ✆ *(01) 484 74 74, fax (01) 484 74 72, travelsection@hfhs.hr, www.hfhs.hr.*

NOS CATÉGORIES DE PRIX				
	Se loger (prix de la chambre double)		Se restaurer (prix déjeuner)	
	Province	Grandes villes Stations	Province	Grandes villes Stations
🛏	290 kn (40 €) et moins	430 kn (60 €) et moins	60 kn et moins	80 kn et moins
🛏🛏	de 290 kn (40 €) à 500 kn (70 €)	de 430 kn (60 €) à 650 kn (90 €)	de 60 kn à 110 kn	de 80 kn à 150 kn
🛏🛏🛏	de 500 kn (70 €) à 720 kn (100 €)	de 650 kn (90 €) à 940 kn (130 €)	de 110 kn à 200 kn	de 150 kn à 250 kn
🛏🛏🛏🛏	plus de 720 kn (100 €)	plus de 940 kn (130 €)	plus de 200 kn	plus de 250 kn

Les campings

Le littoral et les îles croates abondent en campings souvent agréablement installés sur des terrains ombragés au bord de l'eau. Vous n'en trouverez en revanche que très peu à l'intérieur des terres… ce qui n'empêche pas que c'est là, à Plitvice, qu'est situé le meilleur camping du pays. Outre des installations sanitaires, généralement des plus convenables, ces campings sont souvent dotés de restaurants et de supérettes. Nombre d'entre eux proposent des mobile homes ou des bungalows.

Un certain nombre de campings possèdent une zone ou une annexe réservée aux naturistes (FKK).

Le camping sauvage est **strictement interdit** en Croatie ! Les réfractaires risquent de se trouver au petit matin nez à nez avec la police et devront s'acquitter d'une forte amende.

Les hôtels

Sauf rares exceptions dues généralement aux suites de la guerre, à partir de la classification en « deux étoiles », les hôtels vous proposeront des prestations très convenables, conformes aux normes internationales, et un décor impersonnel. L'équipement des chambres (notamment des salles de bains) peut être un peu vieillot, et cela quelle que soit la catégorie de l'établissement. La qualité de la literie est généralement satisfaisante et les lits sont, à l'image des Croates, de grande taille. Pour le reste, les autres éléments de confort (télévision, air conditionné, mini-bar) sont comparables au standard européen et dépendent de la catégorie de l'hôtel.

Le **petit-déjeuner** est le plus souvent un buffet, très copieux, mais de qualité très inégale. C'est un repas complet constitué de charcuteries, d'œufs, de salades de fruits et de laitages, de viennoiseries, de confitures et de miel, de jus de fruits, de thé, de café (souvent médiocre) et de jus d'orange, au goût étrange rappelant une solution effervescente à base de vitamine C.

Notez également que presque tous les hôtels possèdent un **restaurant** (souvent, là aussi ,un buffet) et que le prix en demi-pension ou en pension complète est très intéressant… même si la qualité sort rarement de la banalité.

Hôtel-club à Rabac.

Dans certains hôtels de bonne catégorie, l'existence d'un service de **blanchisserie** palliera l'absence quasi totale de laveries en libre-service.

Sur la côte, les grands complexes hôteliers se complètent souvent par des ensembles de **villa** ou **apartman** qui proposent des logements de 2 à 4 pers., avec kitchenette, solution qui peut se révéler économique lorsqu'on voyage à plusieurs.

Groupes hôteliers – Les grandes stations d'Istrie, de Dalmatie et les îles, comptent des groupes hôteliers qui centralisent les réservations des hôtels, campings et appartements du lieu. Le plus souvent, les réservations peuvent se faire par Internet et les règlements directement en euros. Pour connaître leurs coordonnées, reportez-vous aux carnets pratiques des lieux concernés.

Association nationale des pensions de famille et petits hôtels

La Croatie connaît ces dernières années un développement fulgurant des petits hôtels et pensions de famille. Très prisés par les touristes, ils permettent de découvrir une région en étant plus proche de ses habitants, de ses traditions et de sa cuisine. La plupart de ces établissements se trouvent sur la côte dalmate, en Istrie et dans le Kvarner, mais ils apparaissent également en Croatie continentale. Si les hôtels de charme sont relativement chers, les pensions de famille affichent des prix plutôt modiques et constituent un moyen convivial de découvrir la Croatie. La plupart sont regroupés au sein d'une association nationale qui vous donnera toutes les informations nécessaires sur ce type d'hébergement.

Association nationale croate des petits hôtels et pensions de famille – *Obala hrvatskog narodnog preporoda 7/3, 21000 Split -* ☎ *(021) 317 880, fax (021) 317 881 - www.omh.hr.*

Chez l'habitant

Dans les stations balnéaires et aux abords des grands sites touristiques, plus rarement à l'intérieur des terres, vous verrez de nombreux panneaux portant les mots *sobe* (chambres) ou *apartman*.

D'une manière générale, il s'agit de chambres ou de studios avec kitchenette installés dans des villas modernes et disposant d'un confort tout à fait convenable. Deux façons alors de procéder : soit passer par une agence proposant des « logements privés » *(private accommodation)* ; soit faire du porte à porte (ou traiter avec un propriétaire attendant à l'arrêt du bus ou du bateau).

Dans le premier cas, vous pourrez choisir sur catalogue (dans la mesure des disponibilités), voire réserver à l'avance sur les sites Internet des agences. Dans le second, vous traitez directement avec le propriétaire qui peut consentir des rabais importants.

En principe, le prix de ce type d'hébergement est majoré de 20 à 40 % (ou plus), pour un séjour inférieur à 3 ou 4 nuits. Dans la réalité, tout dépend du rapport entre l'offre et la demande. L'office national de tourisme édite une brochure répertoriant les agences.

Hébergement à la ferme

(agroturizam)

Très agréable, l'*agroturizam* est bien implanté en Istrie et se développe dans la Croatie continentale. Il propose, à l'intérieur des terres, de nombreuses solutions d'hébergement (et/ou de restauration) en milieu rural, parfois dans de véritables fermes traditionnelles toujours en activité. Le catalogue détaillé, disponible dans les offices de tourisme de la région, vous permettra de faire votre choix en toute connaissance de cause. Dans nombre de ces fermes, les repas en formule « table d'hôte » (avec dégustation de produits fermiers) sont possibles. L'ensemble constitue, pour les amateurs de tourisme vert, une agréable alternative aux stations du littoral, économique qui plus est.

Locations de phares

Jouer au gardien de phare pour quelques jours ? Pourquoi pas puisque quelques-unes des innombrables

Hébergement dans un agroturizam.

E. Darras / MICHELIN

phares permettant aux navigateurs d'éviter les écueils dans le dédale d'îles de l'Adriatique sont proposés à la location. Vieille tradition puisque le fameux ministre Metternich avait fait édifier celui du cap Savudrija, en Istrie, pour y abriter des amours quelque peu clandestines.

Le logement, bien entendu, n'est pas installé au sommet du phare, mais dans la maison installée à son pied. Il faut tout de même savoir que ces phares sont situés dans des lieux très isolés et prévoir des réserves de lecture… Et, pour ce qui est de l'approvisionnement, vous dépendrez du passage du bateau-épicerie (2 fois par semaine au mieux). Quant aux baignades, elles seront réservées aux très bons nageurs, les phares étant par définition installés dans des lieux dangereux.

Les sites Internet suivants, en anglais, permettent de réserver un appartement dans un phare : *www. travel.maestral.hr, www.adriatica.net.*

Robinsonnades

Quelques maisons de pêcheurs et de bergers sont également proposées à la location, notamment dans les Kornati, et présentent les mêmes avantages et les mêmes inconvénients : isolement et tranquillité absolue, mais un ravitaillement périodique.

Les maisons « Robinson » dans les Kornati peuvent être louées à l'agence Atlas de Šibenik ou à Murter *(voir carnet pratique correspondant p. 157).*

Se restaurer

Restoran, konoba, gostionica, bufet, pizzeria… Il existe en Croatie une certaine variété d'établissements de catégories diverses, mais souvent de qualité très convenable.

Horaires : L'une des caractéristiques des restaurants en Croatie est d'être toujours ouverts, du moins entre 11h et 22-23h et ce six jours (quand ce n'est pas sept) sur sept. Hors les lieux les plus huppés (ceux-là, n'ouvrent toutefois qu'aux heures des repas), les Croates s'y installent à toute heure du jour pour consommer un plat ou une boisson.

Petites faims et autres cas particuliers : Du fait de l'engouement de la jeunesse pour les **pizzas** (et, surtout pour la modicité de leur prix), rares sont les localités qui ne possèdent au moins une ou deux pizzerias, ce qui se révèle, pour les petits budgets, une façon particulièrement économique de se nourrir, même si l'interprétation slavonne de la pizza peut être surprenante pour un Napolitain ! Nombre de restaurants proposent en outre des plats **végétariens**.

Cadre et service

Nombreux sont les restaurants (à Zagreb et Varaždin en particulier) qui sont installés en sous-sol dans de belles salles voûtées de brique. Très souvent, les salles sont très vastes et, aux beaux jours, agrandies par des terrasses. Les serviettes et les nappes sont presque toujours en tissu et le service, notamment du vin, peut être très stylé, même dans des établissements qui ne paient pas de mine. En revanche, l'arrivée des plats peut parfois se faire attendre et leur succession ne pas du tout correspondre à l'ordre que vous aviez imaginé au départ, tout dépendant du temps de préparation. Ajoutons que d'ordinaire, la propreté des locaux est remarquable.

Usages : vous serez sans doute déconcerté, les premières fois, car à peine serez-vous installé qu'on se précipitera sur vous pour vous demander ce que vous voulez boire. La manœuvre dilatoire consiste à faire comprendre que l'on est venu déjeuner ou dîner, ce qui permet de choisir le vin après avoir composé son menu.

Carte

Rares sont les restaurants proposant un menu du jour. On choisit donc sur une carte qui propose systématiquement des soupes (*juha*, pl. *juhe*), des entrées froides ou chaudes, des plats principaux et des desserts. Au bout de quelques jours, la générosité des portions achève de persuader le visiteur qu'un plat unique suffira à le rassasier !

Spécialités : *voir la partie consacrée aux saveurs croates dans le chapitre « Comprendre la Croatie » p. 98.*

Ch. Barrely-Legrand / MICHELIN

Addition (*Račun* que vous prononcerez « ratchoun ») : sachez qu'à l'instar de certains pays (l'Italie par exemple), le pain et le couvert vous seront facturés, pour un montant qui ne saurait excéder 20 kn. Le service est, en principe, compris.

Prix : si l'on excepte les restaurants de poissons, les prix sont plus que raisonnables. Un repas léger peut revenir à 50 kn par personne, vin en sus. Le prix de celui-ci n'est pas exorbitant : une bouteille de bon vin croate revient à 120/150 kn (16 à 20 €). Le poisson est facturé au poids : les poissons « nobles » (catégorie I) peuvent être assez chers : 300-350 kn/kg. La portion faisant entre 400 et 500 g, compter la moitié du prix.

Paiement : nombre de restaurants acceptent les cartes de crédit.

Faire une pause

Qu'ils s'appellent *kavana*, ou *caffe*, les cafés abondent dans la plupart des villes et villages.

Dans chaque ville de quelque importance, sur la place principale, vous trouverez de vénérables institutions, datant de l'époque austro-hongroise. Ils en ont conservé la façade et les amples volumes, à défaut d'en avoir toujours préservé la décoration intérieure. Zagreb, Osijek, Dubrovnik, Pula, Split, Zadar, Rijeka, Varaždin, mais aussi d'autres villes de moindre importance possèdent ce genre d'établissement, souvent nommés **Gradska Kavana** (« Café de la ville ») et qui ont parfois un certain cachet d'Europe centrale.

C'est dire que la vie de café est quelque chose d'important en Croatie ; à côté de ces établissements où une clientèle bourgeoise consulte les journaux du jour d'un air compassé, vous trouverez d'innombrables bars, aussi bien dans les ruelles historiques des cités touristiques que dans des rues plus ordinaires. À Zagreb, toujours, la rue Tkalčićeva n'est qu'une enfilade de cafés, plus ou moins branchés, tous dotés d'une cour où des tables à tréteaux entourées de bancs de bois accueillent au moindre rayon de soleil la jeunesse de la capitale. Sur le littoral, les grands cafés à l'italienne déploient leurs terrasses sur les quais des ports.

On y boit selon l'heure, de la bière ou des boissons chaudes – thé *(čaj)*, café *(expreso)* ou chocolat (excellent en Istrie !) – parfois accompagnées de quelques viennoiseries.

Comme ailleurs, les prix varient selon un certain nombre de paramètres incluant la ville et la « classe » de l'établissement : l'*expreso* peut varier de 4 kn dans un café de village de Slavonie jusqu'à 8 kn dans la vieille ville de Dubrovnik.

Les pâtisseries *(slastičarnica)*, surtout à Zagreb et dans le Zagorje, et les glaciers *(sladol)* attirent une clientèle de gourmands.

MICHELIN

Croatie pratique de A à Z

ACHATS

Pour vos achats de première nécessité, vous disposez de nombre de **libres-services** *(samoposluga*, le plus souvent de l'enseigne « Konzum »), bien utiles si vous ne vous sentez pas très sûr de votre croate. La plupart du temps, sauf si vous en faites la demande expresse, on ne vous donnera pas de sac en plastique pour y ranger vos emplettes. Prévoyez donc, si vous choisissez une formule vous permettant de préparer vos repas, un panier à provisions !

Vous serez parfois étonné en entrant dans des commerces de proximité, surtout en Slavonie : il est parfois difficile de déterminer l'activité principale de la boutique dont vous poussez la porte : une vinothèque peut aussi avoir un important rayon couches-culottes. Enfin, nombre de bureaux de poste (surtout à la campagne) complètent leurs prestations habituelles par la vente d'articles divers, allant du tabac à la friteuse.

Les **kiosques à journaux** sont une véritable mine : outre la presse, vous y trouverez tabac, cartes téléphoniques, friandises et sucreries, préservatifs, etc.

Pensum habituel des vacances, les **cartes postales** sont assez rares et, d'un tourniquet à l'autre, vous retrouverez souvent les mêmes. Sachez qu'à Zagreb, dans les grandes librairies comme

Algoritam, elles sont en libre-service : sans passer par la caisse, il vous suffit de glisser les pièces de monnaie dans une urne posée au pied du tourniquet.

Achats détaxés : pour les achats de produits d'une valeur supérieure à 500 kn, vous pouvez demander le remboursement de la TVA (PDV) en présentant aux bureaux de douane, lorsque vous quitterez le pays, la facture et l'attestation (Tax Cheque) mentionnant le montant de la taxe que vous aura remis le commerçant.

ADRESSES

Les noms propres croates se déclinent, ce qui peut entraîner quelques confusions pour les voyageurs non avertis. Ainsi une rue honorant Stjepan Radić s'appellera « ulica Stjepana Radića » et sur les plans sera abrégée en « Radićeva ».

Notez également que les énigmatiques « **bb** » qui suivent certains noms de rues correspondent à notre « sn » (sans numéro).

DÉLINQUANCE

Le taux de criminalité en Croatie est très bas et vous vous sentirez en sécurité un peu partout. Dans ce domaine, le principal risque encouru est le vol de voiture. Il est bien entendu toujours possible de croiser la route d'un pickpocket, raison pour laquelle vous prendrez (sans exagération) les précautions d'usage.

ENVIRONNEMENT

La préservation de l'environnement est un des soucis primordiaux de la Croatie. Vous constaterez sur place la remarquable propreté des villes, parfois dotées (comme à Dubrovnik) de cendriers. Il va de soi que vous participerez à cet effort en vous abstenant de tout geste susceptible de dégrader l'environnement. Témoin d'une

NOUVEAU
GUIDE MICHELIN
CAMPING FRANCE
2007

Une sélection de 3000 terrains pour
toutes les formes de camping :

 camping-cars

tentes

 locations

pollution en mer, vous devez contacter immédiatement le ☎ *9155 (appel gratuit)*.

Dans les maquis du littoral et dans les zones de forêts, soyez particulièrement attentif aux **risques d'incendie** : la Croatie a elle aussi payé un lourd tribut à la canicule de l'été 2003. Au cas où vous seriez témoin du déclenchement d'un feu, appelez les pompiers au ☎ *93*.

HORAIRES D'OUVERTURE

Commerces et services : les commerces et administrations ouvrent souvent de 7h à 19h, voire 20h, du lundi au vendredi. En revanche, à l'exception des cafés et restaurants et de quelques centres commerciaux, **tout s'arrête le samedi** à la mi-journée (à 15h à Zagreb), jusqu'au lundi matin. Cette règle est particulièrement suivie à l'intérieur du pays, beaucoup plus souplement sur le littoral en pleine saison touristique. L'été, la coupure de la mi-journée peut, en Istrie ou en Dalmatie, prendre en compte l'indispensable sieste. La vie reprend alors à partir de 17h.

Sites et musées : hors de rares exceptions, les musées sont en général fermés le lundi. Leurs heures d'ouverture sont parfois soumises à de mystérieux aléas, et, dans les régions les moins touristiques, il ne faut pas hésiter à tambouriner à la porte ! Le personnel sera à la fois ravi et profondément étonné de votre visite…

Églises : elles sont très souvent fermées, surtout en hiver, à l'exception de l'heure des offices. Lorsqu'elles dépendent d'une communauté monastique, il est toujours possible de s'adresser au couvent voisin.

JOURNAUX

Hors Zagreb, Rijeka, Dubrovnik et autres lieux très touristiques, rares sont les villes où vous pourrez vous procurer la presse française. *Le Figaro, Le Monde, Le Monde diplomatique*, et *Le Canard enchaîné* sont les seuls journaux distribués, si l'on excepte, très curieusement, quelques magazines de décoration, présents dans les kiosques les plus improbables.

JOURS FÉRIÉS

Les fêtes religieuses revêtent une grande importance en Croatie, notamment à Pâques et, surtout, à Noël (nombre d'établissements s'accordent alors quelques jours de relâche entre Noël et le jour de l'an).

Jours fériés en Croatie
1er janvier : Nouvel An
6 janvier : Épiphanie
Lundi de Pâques
1er mai : Fête du Travail
Fête-Dieu (2e jeudi après Pentecôte)
22 juin : Jour de la lutte antifasciste
25 juin : Fête nationale, déclaration d'indépendance de 1991
5 août : Jour de la reconnaissance nationale
15 août : Assomption
8 octobre : Jour de l'Indépendance
1er novembre : Toussaint
25 et 26 décembre : Noël

À cette liste, il convient d'ajouter les fêtes locales, souvent liées à la célébration du saint patron de la ville.

NATURISME

Depuis plus de cinquante ans, le littoral de Croatie est un paradis pour les naturistes. Aujourd'hui, on compte près de 150 campings et villages FKK destinés à les accueillir.

Renseignements auprès de l'**Office national croate du tourisme**, *Iblerov trg 10/IV, 1000 Zagreb,* ☎ *(01) 469 93 33, info@htz.hr, www.croatia.hr*

PHOTOGRAPHIE

Pas de problème pour se procurer des films négatifs couleur, quelles que soient la marque et la sensibilité souhaitées. On trouve également des films pour diapositives et photos noir et blanc chez les photographes des villes, mais la gamme proposée peut être plus restreinte, notamment pour les pellicules dites professionnelles. Si le prix des films est équivalent à celui pratiqué en France, le prix des **travaux de développement** est, quant à lui, beaucoup plus intéressant.

POSTE

Les bureaux principaux des grandes villes peuvent être ouverts 24h/24, ou selon des horaires très larges. De façon générale, les horaires sont *7h ou 8h-19h ou 20h lun.-sam. et, parfois, le dim. matin.*

POURBOIRES

Le service est compris dans les hôtels, cafés et restaurants. Les pourboires sont donc laissés à votre appréciation. Sachez que le salaire moyen en Croatie est de l'ordre de 350/400 €.

P. Planter / MICHELIN

TÉLÉPHONE

Liste des indicatifs régionaux :
Bjelovar *043* - Čakovec *040* -
Dubrovnik *020* - Gospić *053* -
Karlovac *047* - Koprivnica *048* -
Krapina *049* - Opatija *051* - Osijek *031* -
Poreč *052* - Požega *034* - Pula/
Istrie *052* - Rijeka/Kvarner *051* -
Sisak *044* - Slavonski Brod *035* -
Split *021* - Šibenik *022* - Varaždin *042* -
Vinkovci *032* - Virovitica *033* -
Vukovar *032* - Zadar *023* - Zagreb *01*.

Les numéros commençant par 091, 095
et 098 correspondent à des téléphones
portables.

Les numéros commençant par 060
sont des numéros gratuits.

**Pour téléphoner de France en
Croatie :** composez le **00** puis le **385**,
indicatif de la Croatie, puis l'indicatif
régional **sans le 0 initial**, enfin le
numéro de votre correspondant.

Pour téléphoner en Croatie :
à l'intérieur d'une même région,
composez directement le numéro à 6
ou 7 chiffres de votre correspondant.
D'une région à une autre, composez
l'indicatif régional (y compris le
0 initial) puis le numéro de votre
correspondant.

**Pour téléphoner de Croatie en
France :** composez le 00 puis le
33 et enfin le numéro de votre
correspondant sans le 0 initial.

Téléphoner d'une cabine : vous
trouverez un peu partout dans le
centre des villes des cabines à cartes.
Celles-ci, de 30, 50 ou 100 kn sont en
vente dans la plupart des kiosques
à journaux (Tisak et autres), dans
certaines postes et dans les agences
de Hrvatski Telekom.

Téléphone mobile : Le réseau des
trois opérateurs (VIP, T-mobile et
TELE 2) couvre l'ensemble du territoire
continental, à l'exception de quelques
zones de montagnes, ainsi que 97 %
des eaux territoriales, hors les îlots
très éloignés de Jabuka et Palagruža.
Assurez-vous bien entendu avant
le départ auprès de votre opérateur
que votre forfait permet d'utiliser
votre téléphone mobile à l'étranger
et gardez en mémoire que tout appel
(passé et reçu) sera facturé comme une
communication internationale.

À la rencontre
des Croates

L'intérêt d'un voyage, c'est aussi
de parler avec les autochtones, de
partager leurs joies, leurs soucis et
leurs centres d'intérêt.
Rengainons pour une fois notre orgueil
national : rares sont les Croates qui
parlent le français ! Suivant les régions,
ils s'expriment plus volontiers en
allemand (intérieur du pays) ou en
italien (Istrie et Dalmatie), parfois aussi
(les plus jeunes) en anglais. Si vous ne
parlez aucune de ces langues et ne
maîtrisez pas le croate, vos échanges se
feront dans un pittoresque sabir où vous
devrez faire appel à des réminiscences
scolaires, ce qui peut donner lieu à de
réjouissants quiproquos : ainsi, si l'on
vous demande si vous payez en espèces
(« kesh »), vous pouvez très bien croire,
sur la foi de lointains cours d'allemand,
que l'on vous propose du fromage !
La fierté nationale croate s'exprime à
travers la liesse populaire qui célèbre
les succès, nombreux, des sportifs. Si
vous vous intéressez au sport, ce sera
l'occasion d'un échange amical avec les
Croates, qui connaissent très bien les
grands sportifs français, dans la mesure
où ceux-ci brillent dans l'un ou l'autre de
leurs sports favoris.

LANGUE

Toutes les lettres d'un mot se
prononcent.

La langue croate comprend quelques
lettres que nous ne connaissons pas : le
č correspond à « tch » dur, le š à notre
« ch », le ž à notre son « j », le đ au son
« dj », enfin, le ć qui termine nombre de
noms au son « tch » mouillé.

Ajoutons que la lettre c se prononce
« ts », que g est toujours dur, que h
correspond à la *jota* espagnole, que le
j correspond à un « y » (Rijeka : *riyeka*),
enfin que le u se dit toujours « ou ».

Quant au r entre deux consonnes, c'est
beaucoup plus simple que cela en a l'air !
La ville de Krk se dit « keurk », trg (place),
« teurg », vrt (jardin), « veurt », etc.

À FAIRE ET À VOIR

Nautisme

Vous rêvez d'îles oubliées où accoster en explorateur, où jeter l'ancre pour plonger dans l'eau claire et s'endormir dans le doux cliquetis des drisses sur le mât… C'est à la voile qu'il vous faut découvrir la Croatie, libéré des contraintes d'horaires et d'hébergement, livré au seul gré de la mer et du vent. Le littoral, très escarpé et souvent inaccessible par la terre, ne se dévoile vraiment qu'en arrivant du large. À vous les centaines d'îles, les criques désertes, les mouillages idylliques au repli d'un port naturel, les escales gourmandes dans un restaurant de poissons au bord du quai d'un village de charme…

Pour bien préparer un été de navigation dans l'Adriatique, nous ne saurions trop recommander une visite préalable au **Salon du nautisme** qui se tient chaque année en décembre au Parc des expositions de la porte de Versailles de Paris : la Croatie y est abondamment représentée, tant par des organismes officiels que par des compagnies de location de bateaux. De même, vous trouverez de précieux renseignements dans les dossiers de certaines revues comme *Bateaux*.

Consultez également le site de l'office national croate de tourisme qui propose 7 itinéraires nautiques en détaillant les principaux points d'intérêt. *www.croatia.hr* (rubriques Tourism PLUS : Nautics).

EN ARRIVANT DANS LES EAUX CROATES

Les propriétaires ou les skippers de bateaux immatriculés à l'étranger devront, en arrivant dans les eaux territoriales croates, rallier le port international le plus proche : Umag, Poreč, Rovinj, Pula, Raša/Bršica, Rijeka, Mali Lošinj, Senj, Zadar, Šibenik, Split, Ploče, Metković, Korčula, ou Dubrovnik (ouverts toute l'année) auxquels l'été s'ajoutent Novigrad, Božava, Sali, Primošten, Hvar, Vis, Komiža, Vela Luka, Ubli et Stari Grad (sur Hvar). Sur place, ils doivent prendre contact avec les autorités douanières et satisfaire aux démarches administratives : enregistrement du bateau, production des permis et certificats nécessaires pour tous les membres d'équipage. Les passagers doivent être munis d'un passeport en cours de validité et d'un visa, le cas échéant. Une fois l'autorisation obtenue, celle-ci est valable un an. Si le bateau ne satisfait pas aux critères, il peut être demandé un contrôle qui permettra d'obtenir l'autorisation.

Restrictions à la navigation

La navigation est interdite dans une partie des eaux de l'archipel de Brijuni, dans le canal de Lim et dans les baies où l'on pratique la pisciculture ou l'ostréiculture (Ston), ainsi qu'à l'approche des installations de la Marine croate, tandis qu'elle est l'objet de règles particulières de navigation et d'ancrage dans le Parc national de l'archipel des Kornati.

Météo

Si les calmes plats sont fréquents dans les eaux croates, les vents peuvent être violents. La **bora** et le **jugo** (sirocco), les vents dominants, soufflent principalement de septembre à mai. La bora est un vent sec et froid, parfois glacial, qui vient du nord-est par de brusques et puissantes rafales qui s'engouffrent dans des couloirs naturels tout le long de la côte. Le jugo est un vent chaud et humide de sud-est. Moins soudain que la bora, il est souvent accompagné de pluie. Le **maestral**, soufflant du nord-ouest, est un vent de mer très périodique. Il se lève en fin de matinée pour se calmer dans l'après-midi et s'éteindre au crépuscule. Accompagné de nuages blancs, il annonce le beau temps.

Adresses utiles

Association du tourisme de plaisance (Pro Diving Croatia) – *Bulevar Oslobođenja 23, 51000 Rijeka,* ✆ (051) 209 111/147, fax (051) 216 033,

O.N.T. Croatie

www.prodiving.hr. À cette adresse sont centralisées les informations sur les centres de plongée en Croatie.

Adriatic Croatia International Club (ACI) – M. Tita 151, P.O.B. 109, 51410 Opatija, ℘ (051) 271 288, fax (051) 271 824, aci@aci-club.hr, *www.aci-club.hr.* Cette organisation gère la moitié des ports de plaisance et loue des bateaux. Son site Internet, très complet, fournit les indications météo du jour.

Association croate de navigation – *Trg Franje Tuđmana 3/2, 21000 Split,* ℘ (021) 345 788, fax (021) 344 344, hjs@hjs.hr, www.hjs.hr (en croate).

Fréquences radio et secours

VHF canal 17 pour tous les ports de plaisance.

VHF canal 10 et 16 pour les ports de Croatie.

Secours en mer – ℘ 91 55.

PRINCIPAUX PORTS DE PLAISANCE

Il existe 50 ports de plaisance (ou « marinas ») en Croatie totalisant quelque 20 000 anneaux. Vingt et un d'entre eux, répartis sur le littoral entre Umag au nord et Dubrovnik à l'extrême sud sont gérés par la chaîne de l'**ACI-Club**, ce qui garantit une certaine uniformité des services, qu'ils soient d'ordre purement maritime ou qu'ils relèvent du confort. L'ACI a établi ses ports de telle sorte que l'on puisse naviguer de l'un à l'autre en une journée.

Le nombre de places disponibles est très variable, mais des anneaux sont réservés dans tous les ports de plaisance pour les navigateurs de passage. Il est toutefois préférable (surtout en juillet-août) de prévenir de votre arrivée 24h à l'avance, car certains sont particulièrement prisés. Le **prix de l'anneau à la journée**, variable selon les ports et la taille des bateaux, peut aller de 20-25 € (7/8 m) à 30-40 € (10/11 m).

Ajoutons que le gouvernement a initié, en liaison avec l'association Argonaut, le projet d'aménager une centaine de mini-ports saisonniers sur les îles de Dalmatie et du Kvarner, de façon à mettre prochainement à la disposition des plaisanciers 6 000 anneaux supplémentaires.

Vous trouverez ci-dessous, du nord au sud, une sélection des principaux ports de plaisance du pays. Pour chacun,

Marina de Rovinj.

P. Planter / MICHELIN

nous indiquons les coordonnées maritimes et terrestres, quelques renseignements d'ordre technique utiles aux navigateurs, les éléments de confort disponibles sur place, ainsi que les sites à voir dans les environs immédi ats, le temps d'une brève escale.

Sauf indication contraire, ces ports sont ouverts toute l'année et chaque anneau dispose (en principe !) d'une prise d'eau et d'électricité. Lorsque le carburant n'est pas disponible sur place, nous indiquons le point de ravitaillement le plus proche. Vous trouverez en outre dans tous les ports les informations météo, ainsi que des installations pour la vidange des hydrocarbures et l'élimination des déchets.

En Istrie

ACI marina Umag
45° 26' 0'' N/13° 31' 0'' E - V. Gortana bb, 52470 Umag, ℘ (052) 741 066, fax (052) 741 166, m.umag@aci-club.hr, *www.aci-club.hr.*
Prof. : 5,8 m - anneaux : 518 - atelier, grue mobile (50 t), rampe de mise à l'eau.
Sur place : supérette, restaurant, sanitaires, laverie.

Laguna Novigrad
45° 19' 00'' N/13° 34' 00'' E - Škverska bb, Novigrad, ℘ (052) 757 077/314, fax (052) 757 006, marketing@laguna-novigrad.hr, *www.laguna-novigrad.hr.*
Prof. : 2 m - anneaux : 70 - atelier, grue (5 t), grue mobile (30 t), rampe de mise à l'eau.
Sur place : supérette, restaurant, sanitaires.

Marina Poreč
45° 13' 30'' N/13° 36' 04'' E - Turističko šetalište 9, 52440 Poreč, ℘ (052) 451 913, fax (052) 453 213, marina. porec@pu.t-com.hr.
Prof. : 4 m - anneaux : 100 - atelier, grue (5 t).

Sur place : supérette, restaurant, sanitaires.

Ne pas manquer : la vieille ville de Poreč avec la basilique euphrasienne.

Marina Vrsar

45°09′02″N/13°36′01″E - *Obala M. Tita 1a, 52450 Vsar, ✆ (052) 441 052, fax (052) 441 062, info@marina-vrsar.com.*
Prof. : 12 m - anneaux : 220 - atelier, grue (30 t), rampe de mise à l'eau.
Sur place : supérette, restaurant, café, sanitaires.

ACI marina Rovinj

45°04′06″N/13°38′04″E - *V. Nazora bb, 52210 Rovinj, en face du port, à 800 m du centre, ✆ (052) 813 133, fax (052) 842 366, m.rovinj@aci-club.hr, www.aci-club.hr.*
Prof. : 12 m - anneaux : 360 - atelier, grue (15 t), rampe de mise à l'eau, carburant à 0,3 m.n., magasin, cale sèche, eau, électricité, parking.
Sur place : restaurant, café, sanitaires, laverie.
Ne pas manquer : une balade dans les ruelles de Rovinj (à 800 m par le quai).

ACI marina Pula

44°52′06″N/13°50′00″E - *Obala M. Tita bb, Pula 52100, ✆ (052) 219 142, fax (052) 211 850, m.pula@aci-club.hr, www.aci-club.hr.*
Prof. : 9 m - anneaux : 200 - atelier, grue (10 t).
Sur place : restaurant, café, sanitaires.
Ne pas manquer : la découverte des monuments romains de Pula.

Marina Veruda-Tehnomont (Pula)

44°50′04″N/13°50′03″E - *Cesta prekomorskih brigada 12, Pula 52100, à 3 km au Sud de Pula, ✆ (052) 224 034/211 033, fax (052) 211 194, marina-veruda@pu.t-com.hr.*
Prof. : 4 m - anneaux : 630 - atelier, grue (15 t), magasin.
Sur place : supérette, restaurant, café, sanitaires, laverie.
Ne pas manquer : la visite de Pula.

Golfe et îles du Kvarner

ACI marina Opatija/Ičići

45°19′00″N/14°17′07″E - *Liburnijska c. bb, 51414 Ičići, POB 60, ✆ (051) 704 004, fax (051) 704 024, m.opatija@ aci-club.hr, www.aci-club.hr.*
Prof. : 7 m - anneaux : 300 - atelier, grue (15 t), cale sèche, rampe de mise à l'eau, magasin. Carburant à 2 m.n. (entrée du port d'Opatija).
Sur place : supérette, restaurant, café, sanitaires, laverie.
Ne pas manquer : une balade à fleur d'eau par le *lungomare* jusqu'à Opatija (5 km).

Marina Punat (Krk)

45°01′03″N/14°37′06″E - *Puntica 7, 51521 Punat, ✆ (051) 654 111, fax (051) 654 110, marina-punat@marina-punat.hr, www.marina-punat.hr.*
Prof. : 3,5 m - anneaux : 900 - atelier, grue (10 t), grue mobile (50 t), rampe de mise à l'eau, magasins. Carburant à Krk (2 m.n.).
Sur place : supérette, restaurant, café, sanitaires, laverie.

ACI marina Cres

44°57′00″N/14°24′00″E - *Jadranska obala bb, 51557 Cres, ✆ (051) 571 622, fax (051) 571 125, m.cres@aci-club.hr, www.aci-club.hr.*
Prof. : 5 m - anneaux : 450 - atelier, grue (10 t), grue mobile (30 t), rampe de mise à l'eau, technicien voile et mâture 1 j/sem., magasins.
Sur place : supérette, bungalows, restaurant, café, sanitaires, laverie.
Ne pas manquer : découverte des ruelles et du port de pêche de Cres (2 km en suivant la mer).

ACI marina Rab

44°45′04″N/14°46′00″E - *51280 Rab, ✆ (051) 724 023, fax (051) 724 229, m.rab@aci-club.hr, www.aci-club.hr.*
Mi-mars à fin oct. – prof. : 5 m - anneaux : 150 - atelier.
Sur place : supérette, café, sanitaires.
Ne pas manquer : la vieille ville de Rab et ses églises, de l'autre côté du port.

ACI marina Supetarska Draga (île de **Rab**)

44°48′02″N/14°43′84″E - *51280 Rab, ✆ (051) 776 268, fax (051) 776 222, m.supdraga@aci-club.hr, www.aci-club.hr.*
Prof. : 3 m - anneaux : 270 - atelier, grue (10 t), cale sèche. Carburant à 11 m.n. (à Rab).
Sur place : supérette, sanitaires.

Marina Mali Lošinj

44°28′00″N/14°33′00″E - *Privlaka bb, 51550 Mali Lošinj, ✆ (051) 231 626, fax (021) 231 461, www.yc-marina.hr, sergio.kucic@ri.t-com.hr.*
Prof. : 8 m - anneaux : 150 - atelier, grue (3 t), grues mobiles (16 et 35 t), rampe de mise à l'eau, cale sèche. Carburant à 0,5 m.n., dans le port de Mali Lošinj.
Sur place : supérette, restaurant, café, sanitaires, laverie.
Ne pas manquer : une balade à Veli Lošinj.

Côte et îles de Dalmatie

ACI marina Šimuni (Pag)

44°28′00″N/14°58′00″E - *23251 Kolan, côte O. de l'île, 12 km au N. de Pag, ✆ (023) 697 457, fax (023) 697 462, m.simuni@aci-club.hr, www.aci-club.hr.*

- **a.** *Parc Güell (Barcelone)?*
- **b.** *Parc de la Villette (Paris)?*
- **c.** *Jardin de Tivoli (Copenhague)?*

Vous ne savez pas quelle case cocher

Alors plongez-vous da
le Guide Vert Michelin

- tout ce qu'il faut voir et faire sur place
- les meilleurs itinéraires
- de nombreux conseils pratiques
- toutes les bonnes adresses

Le Guide Vert Michelin,
l'esprit de découverte

Prof. : 3,5 m - anneaux : 175 - atelier, grue (15 t), rampe de mise à l'eau, cale sèche (8 m maxi). Carburant à Novalja (7 m.n.).
Sur place : supérette, restaurant, café, sanitaires.

Tankerkomerc marina Zadar

44° 07' 12'' N/15° 14' 00'' E - *Ivana Meštrovića 2, 23000 Zadar, ☎ (023) 332 700, 204 850, fax (023) 333 917, marina.zadar@tankerkomerc.t-com.hr, www.tankerkomerc.hr.*
Prof. : 8 m - anneaux : 300 - atelier, grues (7 et 15 t), rampe de mise à l'eau (50 t), cale sèche (50 t), magasins.
Sur place : supérette, restaurant, café, sanitaires, laverie.
Ne pas manquer : vieille ville de Zadar avec église Saint-Donat, cathédrale et musée d'Art sacré.

Marina Dalmacija (à Bibinje, 6 km au S de Zadar)

44° 03' 00'' N/15° 18' 00'' E - *Bibinje-Sukošan, 23000 Zadar, ☎ (023) 200 300, fax (023) 200 333, info@marinadalmacija.hr, www.marinadalmacija.hr.*
Prof. : 8 m - anneaux : 1 200 - atelier, 2 grues mobiles (35 et 65 t), magasins.
Sur place : supérette, restaurant, café, sanitaires, laverie.
Ne pas manquer : la visite de Zadar.

Marina Veli Iž

(Île d'Iž, Dugi Otok) - 44° 00' 03'' N/15° 06' 08'' E - *23284 Veli Iž, ☎ (023) 277 006/186, fax (023) 277 186, tankerkomerc@ tankerkomerc.t-com.hr, www.tankerkomerc.hr.*
Prof. : 2,7 m - anneaux : 45 - atelier moteur, atelier bois, grue mobile (25 t), rampe de mise à l'eau (40 t), carburant à 4 m.n.
Sur place : restaurant, café, sanitaires, laverie.

Marina Kornati à Biograd

43° 55' 00'' N/15° 25' 00'' E - *Šetaliste kneza Branimira 1, 23210 Biograd, ☎ (023) 383 800, fax (023) 384 500, marina-kornati@zd.t-com.hr, www.marinakornati.com.*
Prof. : 5 m - anneaux : 450 - atelier, magasin, grue (10 t), grue mobile (50 t).
Sur place : supérette, restaurant, café, sanitaires, laverie.
Ne pas manquer : visite de Zadar (au N.) et de Šibenik (au S.).

ACI marina Žut (Kornati)

43° 53' 02'' N/15° 17' 04'' E - *22242 Jezera, sur la côte NE de Žut, ☎ (022) 786 0278, fax (022) 786 0279, m.zut@aci-club.hr, www.aci-club.hr - Déb. avr.-fin oct.*
Prof. : 4,5 m - anneaux : 120. Carburant à Zaglave (8 m.n.).

Sur place : supérette, restaurant, café, sanitaires.
Attention : approvisionnement en eau limité.

ACI marina Vodice

43° 45' 02'' N/15° 47' 00'' E - *22211 Vodice (NO du port), ☎ (022) 443 086, fax (022) 442 470, m.vodice@aci-club.hr, www.aci-club.hr.*
Prof. : 3,8 m - anneaux : 415 - atelier, grue (10 t), grue mobile (40 t), rampe de mise à l'eau.
Sur place : supérette, restaurant, café, sanitaires, laverie.
Ne pas manquer : excursion aux chutes de la Krka ; Šibenik (8 km au SE.).

ACI marina Skradin

43° 49' 00'' N/15° 55' 06'' E - *22222 Skradin, ☎ (022) 771 365, fax (022) 771 163, m.skradin@aci-club.hr, www.aci-club.hr.*
Prof. : 4 m - anneaux : 200.
Sur place : supérette, restaurant, sanitaires.
Ne pas manquer : les chutes de la Krka (accès à pied ou par bateau du port de Skradin).

ACI marina Kremik, Primošten

43° 34' 04'' N/15° 50' 06'' E - *Splitska 24, 22202 Primošten (3 km au S), ☎ (022) 570 068, fax (022) 570 317, info@marina-kremik.hr, www.marina-kremik.hr.*
Prof. : 7 m - anneaux : 265 - atelier, grue (5 t), grue mobile (80 t), rampe de mise à l'eau (50 t).
Sur place : supérette, restaurant, café, sanitaires, laverie.

Marina Frapa, Rogoznica

43° 31' 00'' N/15° 58' 00'' E - *Uvala Soline bb, 22203 Rogoznica, ☎ (022) 559 900, fax (022) 559 932, www.marinafrapa.com, marina-frapa@si.t-com.hr.*
Prof. : 12 m - anneaux : 300 - atelier, grue (1,5 t), grue mobile (50 t), deux magasins.
Sur place : supérette, restaurant, café, sanitaires, laverie.

Agana Marina à Marina

43° 20' 06'' N/16° 07' 00'' E - *Dr Franje Tuđmana 5, 21222 Marina, ☎ (021) 889 411/412, fax (021) 889 010, agana.marina@st-t-com.hr.*
Prof. : 7 m - anneaux : 130 - atelier, grue mobile (50 t).
Sur place : café, sanitaires, laverie.

ACI marina Trogir

43° 30' 08'' N/16° 15' 02'' E - *21220 Trogir, sur l'île de Čiovo, ☎ (021) 881 544, fax (021) 881 258, m.trogir@aci-club.hr, www.aci-club.hr.*
Prof. : 4,5 m - anneaux : 180 - atelier, grue (10 t), rampe de mise à l'eau.

Marina de Trogir.

Sur place : supérette, restaurant, café, sanitaires.
Ne pas manquer : la vieille ville (il suffit de passer le pont…) et sa cathédrale avec le portail de maître Radovan.

ACI marina Split
43° 30′ 01″ N/16° 26′ 00″ E - *Uvala Baluni bb, 21000 Split, à l'extrémité O du port,* ☎ *(021) 398 548/599, fax (021) 398 556, m.split@aci-club.hr, www.aci-club.hr.*
Prof. : 3,5 m - anneaux : 360 - atelier, magasins, grue (10 t), rampe de mise à l'eau (120 t), cale sèche (35 t).
Sur place : supérette, restaurant, café, sanitaires, laverie.
Ne pas manquer : le palais de Dioclétien.

ACI marina Milna (Brač)
43° 19′ 06″ N/16° 27′ 00″ E - *21405 Milna (côte O de l'île),* ☎ *(021) 636 306/366, fax (021) 636 272, m.milna@aci-club.hr, www.aci-club.hr*
Prof. : 5 m - anneaux : 170 - atelier, grue (10 t), rampe de mise à l'eau (120 t).
Sur place : supérette, restaurant, café, sanitaire.
Ne pas manquer : le chantier naval pour nefs en bois.

ACI marina Vrboska (Hvar)
43° 10′ 08″ N/16° 41′ 00″ E - *21463 Vrboska, à l'entrée du port,* ☎ *(021) 774 018, fax (021) 774 144, m.vrboska@aci-club.hr, www.aci-club.hr.*
Prof. : 5 m - anneaux : 85 - atelier, grue (5 t).
Sur place : supérette, restaurant, sanitaires, laverie.
Ne pas manquer : la vieille ville de Stari Grad et, si possible, Hvar, le chef-lieu de l'île.

ACI marina Palmižana (Hvar) sur l'île Sveti Klement
43° 10′ 08″ N/16° 23′ 08″ E - ☎ *(021) 744 995, fax (021) 744 985, m.palmizana@aci-club.hr, www.aci-club.hr - mi-mars.-fin oct.*
Prof. : 5 m - anneaux : 160. Carburant au port de Hvar (2,5 m.n.)

Sur place : supérette, restaurant, café, sanitaires.
Ne pas manquer : une balade à Hvar (bateau-taxi).

ACI marina Korčula
42° 57′ 06″ N/17° 08′ 04″ E - *20260 Korčula (port E de la ville),* ☎ *(020) 711 661, fax (020) 711 748, m.korcula@ aci-club.hr, www.aci-club.hr.*
Prof. : 4,5 m - anneaux : 135 - atelier, grue (10 t). Carburant à 0,5 m.n. (port de Dominče).
Sur place : supérette, restaurant, sanitaires, laverie.
Ne pas manquer : la découverte de la ville, un Dubrovnik modèle réduit.

ACI marina Dubrovnik
42° 40′ 03″ N/18° 07′ 06″ E - *20236 Mokošica, près de Komolac, à 2 m.n. du port de Gruž, où l'on trouve tous les services,* ☎ *(020) 455 020/21, fax (020) 455 022, m.dubrovnik@aci-club.hr, www.aci-club.hr.*
Prof. : 6 m - anneaux : 450 - atelier, magasin, grue mobile (60 t).
Sur place : supérette, restaurant, café, sanitaires, laverie.
Ne pas manquer : une balade dans le vieux Dubrovnik (à 6 km, accès par autobus).

LOCATION DE BATEAU

Plutôt que de venir en bateau de très loin, pourquoi ne pas louer sur place ? Près de 1 900 voiliers en location (avec ou sans skipper) gérés par une centaine de compagnies charter attendent dans les ports croates la venue des loups de mer.

Documents

Pour louer un bateau en Croatie, vous devez produire un permis de navigation côtière ou hauturière et un certificat d'utilisation d'une radio VHF.

Réservation

Il est indispensable de réserver votre bateau plusieurs mois à l'avance, avant février si possible, pour l'été. Les locations se font en principe à la semaine, à partir du samedi matin.

À titre indicatif, comptez de 720 à 4 200 € pour une semaine de location, selon la saison et le type de bateau. Les services d'un skipper sont facturés entre 70 et 100 € par jour, prix auquel il faudra ajouter le coût de ses repas. Comptez également entre 80 et 100 € par semaine pour un spinaker et 60 € pour un moteur hors-bord. Une abondante documentation vous sera fournie, dans laquelle vous trouverez les coordonnées des ports de plaisance, des cartes marines, etc.

Location en Croatie

ACI – *M. Tita 151, POB 109, 51410 Opatija* - ℘ *(051) 271 288, fax (051) 271 824, charter@aci-club.hr, www.aci-club.hr.* Voiliers basés à Opatija, Vodice et Trogir. Vous disposez en outre de réductions sur les anneaux dans les ports de plaisance gérés par le club.

Bav-Adria Yachting – *Marina Kaštela, Ulica kralja Tomislava bb, 21213 Kaštel Gomilica* - ℘ *(021) 204 020, bavadria@ bavadria.com, www.bavadria.com.*

Yachting Pivatus – *ACI marina Split,* ℘ *(021) 321 300, fax (021) 398 219, pivatus@pu.t-com.hr, www.pivatus.hr.* Agences dans les marinas de Split, de Pula et de Zadar.

Nautika Centar Nava – *Uvala Baluni 1, 21000 Split* - ℘ *(021) 398 430, fax (021) 398 580, navaboats@st.t-com.hr, www.navaboats.com* et *ACI Marina, Komolac (Dubrovnik)* - ℘ *(020) 456 075, fax (020) 456 077, ACI Marina Opatija/Ičići, t/fax (051) 704 052.*

Atlas – *Ćira Carića 3, 20000 Dubrovnik* - ℘ *(020) 442 222/632 (agent francophone), fax (020) 411 100, request@atlas-croatia.com, www.atlas-croatia.com.*

General Turist – *Praška 5, 10000 Zagreb* - ℘ *(01) 480 55 55, fax (01) 481 04 28, info@generalturist.com, www.generalturist.com.* Cet important réseau d'agences loue des bateaux à Trogir.

Sun Adriatic Yachtcharter Millennium (SAY-Millennium) – *Centrale de location à Zagreb, Lj. Posavskog 19* - ℘ *(01) 46 58 483, fax (01) 46 58 464 - say@zg.htnet.hr, www.say.hr.* Bateaux basés à la Marina ACI Jezera, 22242 Jezera, ℘ *(022) 439 300, fax (022) 438 216.*

Location en France

Évasion Location – *13 quai Aristide-Briand, 83430 St-Mandrier Cedex,* ℘ *04 94 63 69 70, fax 04 94 63 51 31, www.evasionlocation.fr.* Bateaux basés à Portorož, Pula, Šimuni, Primošten, Murter, Zadar, Biograd, Trogir, Split et Dubrovnik.

Vent Portant – *Pl. Bernard-Moitessier, 17000 La Rochelle,* ℘ *05 464 47 693, fax 05 464 47 620, www.ventportant.com.*

Sunsail – *Le Grand Bassin, BP 1201, 11492 Castelnaudary Cedex,* ℘ *04 68 94 42 00, fax 04 68 94 42 01, www.sunsail. com.* Bateaux basés à Dubrovnik, Kornati, Kremik.

Sports et loisirs

BAIGNADE

Mer, lacs, rivières, piscines font de la Croatie un paradis pour les amateurs de baignades. Les eaux croates ont une excellente réputation de propreté, grâce à un littoral relativement peu industrialisé. Plus d'une centaine de plages croates arborent fièrement le « Pavillon bleu », distinction internationale prestigieuse décernée par la Commission européenne pour la protection de l'environnement, qui récompense les plages (mais aussi les marinas) les plus propres et les mieux aménagées.

Il faut savoir que, rançon de l'aspect spectaculaire des côtes, les **plages** de sable sont rarissimes. Vous aurez le plus souvent le choix entre des plages de galets et des plages artificielles de ciment, souvent bondées en été. Il sera donc beaucoup plus agréable de rechercher les rochers des criques isolées : bien entendu, il faudra se munir de sandales et se montrer prudent (surtout avec les enfants !) car l'eau est vite profonde. Moyennant quoi, vous pourrez prendre des bains fabuleux dans une eau souvent délicieusement rafraîchissante, même si elle peut atteindre 25 °C en été.

À l'intérieur des terres, des baignades sont aménagées au bord des plans d'eau et des rivières, notamment autour de Zagreb, près de Varaždin, ainsi qu'à Osijek où de véritables foules se jettent en été dans la Drave.

PLONGÉE SOUS-MARINE

C'est l'une des activités sportives les plus prisées en Croatie. La qualité des eaux, la diversité du littoral et du milieu subaquatique (falaises, grottes, épaves, flore et faune) justifient cet engouement.

Pour toutes informations sur les conditions et les caractéristiques des centres de plongée, vous pouvez vous adresser à l'**Association croate de plongée** : **Pro Diving Croatia**, *Dalmatinska 12, 1000 Zagreb,* ℘ *(01) 484 87 65, fax (01) 484 91 19. www.diving.hr.*

Club de plongée.

Ch. Barely-Legrand / MICHELIN

Comment plonger en Croatie ?

Toute personne en possession d'un brevet de plongée reconnu internationalement peut prendre une carte de membre de l'Association croate de plongée. Valable un an, cette adhésion, obligatoire, se souscrit auprès du centre de plongée, et coûte environ 100 kn. À cela, il faut ajouter, pour qui souhaite pratiquer la **plongée individuelle**, l'achat auprès des autorités portuaires d'un permis qui vous coûtera 2 400 kn.

Centres de plongée

(Diving Centers)

Vous en trouverez plus de 150, sur tout le littoral croate. La plupart proposent un ensemble de prestations s'adressant aux débutants comme aux plongeurs les plus expérimentés. C'est auprès de ces centres que vous pourrez louer le matériel et grâce à eux que vous rejoindrez en bateau les spots de plongée.

Sécurité

La Croatie possède à l'heure actuelle trois caissons hyperbares, indispensables en cas d'accident. Un se trouve à Pula, les deux autres à Split.

RAIDS EN ZODIAC ET EN CATAMARAN

La multitude d'îles du pays permet d'effectuer des raids en zodiac. Quelques voyagistes spécialisés proposent divers circuits constitués de trajets de 2 à 4h et de bivouacs.

Itinérances Dalmates – *30 bd Vincent-Gache, 44200 Nantes,* ℘ *02 40 48 69 39/06 86 00 44 55,* en Croatie ℘ *098 721 810 (juin-sep.), www.itinerances-dalmates.com.* Outre la location de vedettes et voiliers, ce voyagiste propose une découverte accompagnée et des raids en zodiac

avec bivouac, au départ de Pakoštane pour les Kornati, la Krka, Vis, Hvar, Mljet, Dubrovnik.

Sport Away Voyages – *Le Néréis, av. André-Roussin, BP 109, 13321 Marseille Cedex 16,* ℘ *0 826 88 10 20, fax 04 91 46 79 66, www.sport-away.com.* Raids en catamaran au départ de Korčula en passant par Mljet, Lastovo et Pelješac.

AUTRES SPORTS NAUTIQUES

Ski nautique ou ski-lift, planche à voile, surf, scooter des mers : l'imagination ne manque pas dans le domaine des sports nautiques. Vous pourrez les pratiquer dans la plupart des stations balnéaires de quelque importance, que ce soit en Istrie (Poreč, Vrsar), dans les îles du Kvarner (Punat et Baška, sur Krk) ou en Dalmatie (riviera Makarska). Renseignements aux offices de tourisme, ainsi que dans les agences.

SPORTS DE RIVIÈRE

Canyoning, rafting et canoë : les rivières du Gorski Kotar et du Biokovo se prêtent à ces activités. C'est le cas de la **Mrežnica**, près de Karlovac (rens. à l'office de tourisme local), de la **Kupa**, entre Osilnica et Brod na Kupi dont les rapides peuvent être parcourus sur près de 35 km à bord de canoës et surtout de la **Cetina**, dont le cours tumultueux s'achève à Omiš.

Parmi les agences qui proposent ce genre d'aventure, citons :

FORIS - Raftmania – *Crikvenička 20, 10000 Zagreb,* ℘ *(01) 304 11 34, fax (01) 304 11 34, info@rafting.com.hr, www.rafting.com.hr.* Rafting et kayak sur la Kupa.

Dalmatia Rafting – *Mažuranićevo šetalište 8a, 21000 Split,* ℘ *(021) 321 698, fax (021) 346 510, cetina@dalmatiarafting.com, www.dalmatiarafting.com.* Rafting sur la Cetina.

Agence Atlas – *Ćira Carića 3, 20000 Dubrovnik,* ℘ *(020) 442 222/442 632 (agent francophone), fax (020) 411 100, request@atlas-croatia.com, www.atlas-croatia.com,* qui, de fin-mai à mi-octobre, propose une formule intitulée « canoë safari ».

RANDONNÉES ET ALPINISME

Les massifs montagneux, les parcs naturels et les côtes escarpées de Croatie offrent différentes possibilités de randonnées et d'escalade. Vous trouverez des sentiers balisés dans les parcs nationaux comme le Velebit (Velebit du Nord, Paklenica) et Risnjak, dans le massif Velika Kapela au nord d'Ogulin, dans les parcs naturels du Biokovo, du Papuk en Slavonie et des monts Učka dans le Kvarner, dans le Zagorje (à partir de Belec) et dans la Medvednica, la montagne qui domine Zagreb.

Association d'alpinisme de Croatie (Hrvatski planinarski savez Croatian Montaineering Association) – *Kozarčeva 22, 10000 Zagreb -* 𝄐 *01 48 23 624, fax 01 48 24 142, hps@zg.t-com.hr, http://hps.inet.hr/tr_eng/*

En France, plusieurs organismes proposent des circuits :

Allibert – *37 bd Beaumarchais, 75003 Paris - Rte de Grenoble, 38530 Chapareillan - 156 av. de l'Aiguille-du-Midi, 74400 Chamonix - 19 r. Léon-Gambetta, 31000 Toulouse.* Numéro de réservation pour toutes les agences : 𝄐 *0 825 090 190.* En Belgique : *15 r. Royale, 1070 Bruxelles,* 𝄐 *02 526 92 90.* Contact depuis la Suisse : 𝄐 *022 849 85 51, www.allibert-voyages.com.* Randonnées dans les îles dalmates et dans les parcs nationaux de Risnjak, Velebit, Paklenica et Biokovo.

Nomade – *40-42 r. de la Montagne-Ste-Geneviève, 75005 Paris,* 𝄐 *01 46 33 71 71, fax 01 43 54 76 12 – 43 r. Peyrolières, 31000 Toulouse,* 𝄐 *05 61 55 49 22, www.nomade-aventure.com* Randonnées dans les îles dalmates, entrecoupées de liaisons en bateau. Des prestations intéressantes, notamment un itinéraire de 8 jours en kayak dans l'archipel des Élafites ou encore une découverte à pied de la côte Sud, de Dubrovnik jusqu'aux rives du lac Skadar en Albanie en passant par le Monténégro.

Club Aventure – *Le Néreïs, av. André-Roussin, BP 109, 13321 Marseille Cedex 16, fax 04 91 09 22 51, www.clubaventure.fr.* À Paris : *18 r. Séguier, 75006,* 𝄐 *0 826 88 20 80.* Circuits de randonnée pour des groupes de 5 à 15 personnes.

Terres d'Aventure – *6 r. Saint-Victor, 75006 Paris, fax 01 43 25 69 37 – 26 r. des Marchands, 31000 Toulouse, fax 05 34 31 72 61 – 25 r. Fort-Notre-Dame, 31001 Marseille, fax 04 96 17 89 29 – 5 quai Jules-Courmont, 69002 Lyon, fax 04 78 37 15 01.* Numéro de réservation pour toutes les agences : 𝄐 *0 825 847 800. www.terdav.com.*

Formules alliant randonnées pédestres et kayak pour découvrir les îles dalmates (Korčula, Brač, Hvar, Vis).

Départ de randonnées à Belec.

UCPA – *17 r. Rémy-Dumoncel, 75698 Paris Cedex 14,* 𝄐 *0 825 820 830.* Catamaran, kayak de mer au départ de Korčula et randonnées pédestres dans les îles de la Dalmatie du Sud.

CHASSE

Les Croates sont de fervents chasseurs. Cette pratique est accessible aux fines gâchettes de passage, dans le cadre de sociétés de chasse et de vastes domaines où l'on trouve une faune constituée de perdrix, de faisans, de lièvres, de cerfs, de daims, de chevreuils et de sangliers.

Si vous souhaitez utiliser votre arme, pour l'introduire en Croatie, vous devez produire, outre un passeport en cours de validité, votre permis de chasse, une autorisation d'importation de l'arme (3 fusils maximum). À votre arrivée dans le pays, l'arme doit être déclarée en échange d'un permis que vous devrez restituer lorsque vous rentrerez en France.

Fédération croate de la chasse (Hrvatski lovački savez) – *Nazorova 63, 10000 Zagreb,* 𝄐 *01 483 45 60, fax 01 483 45 57.*

Société de chasse de Kobac – 𝄐 *(051) 293 292 ou 098/258 122.* Dans l'arrière-pays montagneux de Lovran et d'Opatija.

Terrains de chasse « Zelendvor » – 𝄐 *(042) 208 330, fax (042) 208 342. www.zelendvor.hr.* Dans la région de Varaždin.

Société de chasse d'Orebić « Pelješac » (Lovačko društvo) – 𝄐 *20 411 326.* Dans la région d'Orebić, sur la péninsule de Pelješac.

PÊCHE

En mer...

Comme pour d'autres activités, il vous faudra obtenir un permis pour lequel vous devrez présenter une pièce d'identité et une licence. Ce permis est délivré par les administrations locales du ministère de l'Agriculture ou auprès des autorités portuaires, des offices du tourisme et de certaines agences de voyages. Une fois ce permis obtenu, vous pourrez pratiquer toutes les formes de pêche sur l'ensemble du littoral à l'exception des zones protégées.

Ministère de l'Agriculture, des Eaux et des Forêts – *Ulica grada Vukovara 78 - 10000 Zagreb -* 📞 *(01) 610 61 11, fax 610 92 01.* Plusieurs antennes du ministère délivrent des licences : Dubrovnik 📞 *(020) 332 393 –* Pula 📞 *(052) 591 323 –* Rijeka 📞 *(051) 214 877 –* Senj 📞 *(053) 882 697 –* Zadar 📞 *(023) 316 091 –* Šibenik 📞 *(022) 244 018 –* Split 📞 *(021) 591 366 –* Ploče 📞 *(020) 7679 273.*

Le site *www.croatia.hr* vous fournira toutes les informations utiles, adresses et espèces autorisées.

… et en eau douce

Cette paisible activité est particulièrement appréciée des Croates qui la pratiquent, en Slavonie particulièrement, que ce soit sur les lacs ou sur les berges des rivières.

Vous pouvez obtenir un permis temporaire de pêche, ainsi que des informations sur les lieux autorisés en vous adressant aux clubs de pêche locaux, dont les offices de tourisme vous communiqueront la liste (comme à Osijek), à moins qu'ils ne délivrent eux-mêmes les documents nécessaires (comme à Ogulin).

SPORTS D'HIVER

Le pays de Janica et Ivica Kostelić qui domine actuellement le ski alpin mondial est peu fourni en stations de ski.

Les pentes de la **Medvednica**, aux environs immédiats de Zagreb (accès par le funiculaire de Sljeme), constituent le principal domaine skiable du pays : remontées mécaniques et pistes permettent aux habitants de la capitale de s'adonner aux joies du ski ou de la luge.

Citons également **Jasenac-Vrelo**, au sud d'Ogulin, où est implanté un centre olympique.

Enfin la minuscule station de ski de **Baške Oštarije**, entre Karlobag et Gospić, mérite une mention : c'est un des rares endroits où l'on peut s'adonner aux sensations de la glisse en dominant la mer !

Découvrir la Croatie autrement

DÉCOUVERTE CULTURELLE

Clio Voyages – *27 r. du Hameau, 75015 Paris -* 📞 *08 26 10 10 82 - fax 01 53 68 82 60 - www.clio.fr.* Cet organisme propose aux amateurs d'art et d'histoire un **circuit de découverte de la Croatie**, accompagné par un conférencier, et d'une durée de huit jours : ce circuit permet d'explorer de façon détaillée la Dalmatie : Zadar, Šibenik, Trogir, Split et Salona, l'île de Korčula et, enfin, Dubrovnik (deux départs par an). Signalons également que Clio peut organiser des « voyages à la carte » pour individuels ou petits groupes, mettant à la disposition des voyageurs des conférenciers ou des guides locaux. *Voir aussi ci-dessous la rubrique « croisières ».*

CROISIÈRES

Dalmatie Tours – *6 sq. Voltaire, 94230 Cachan,* 📞 *01 47 40 32 69 ou 06 85 73 70 05 - mvudrag@aol.com.* Des croisières de 7 ou 14 jours sur des bateaux confortables.

Tapis Rouge Croisière – 📞 *01 42 56 55 00 - fax 01 45 63 01 51 - info@tapis-rouge.fr - www.tapis-rouge.fr.* Pendant tout l'été, différentes croisières sont organisées à travers les trois mers : la Méditerranée, la mer Tyrrhénienne et l'Adriatique à bord d'un superbe trois-mâts, *Le Ponant* et de confortables navires *Le Levant* et *Le Diamant*. Au départ de Venise, les voyageurs pourront découvrir Pula, Šibenik, Split, Hvar, Dubrovnik, et les bouches de Kotor avant de continuer vers les ports italiens ou grecs. En outre, depuis la « marina » située à la poupe du navire, ils se verront proposer diverses activités nautiques, telles que planche à voile, ski nautique ou plongée.
Il existe également une croisière au départ de Canakkale (Turquie) en passant par Corfou qui traverse la mer Égée et l'Adriatique jusqu'à Venise. Six croisières de huit à douze jours sont proposées.

Clio – La croisière en Adriatique à bord de la *Belle de l'Adriatique* propose, de découvrir les îles de Hvar et Korčula, Dubrovnik et les bouches de Kotor au Monténégro, Appolonia d'Illyrie en Albanie, puis Split, Trogir, Pula et Poreč. Visites d'escale en compagnie de conférenciers, et conférences à bord prononcées par le professeur Pierre Cabanes.

En caïque

Par l'intermédiaire d'**Euro Pauli** (distr. : agences de voyages), vous pourrez sauter d'île en île à bord de caïques en bois, voiliers à moteur typiques de l'Adriatique, dotés de 10 à 15 cabines : le circuit permet de découvrir tour à tour au départ de Split les îles de Brač, Korčula, Mljet, Hvar et Šolta. Une formule comparable peut être réalisée en goélette avec **Marsans Transtours** au départ de Split et de Dubrovnik.

LA CROATIE VUE DU CIEL

Survoler le littoral croate, c'est se donner la possibilité d'en découvrir toute la beauté dévoilée par les photos des dépliants touristiques. Il existe quelques possibilités, que ce soit en Dalmatie ou en Istrie :

Panorama Flights – *Aéroport de Dubrovnik-Čilipi, ☎ (020) 478 674.* Baptêmes de l'air au-dessus du littoral de Dubrovnik.

North Adria Aviation – *Aérodrome de Vrsar (près de Poreč), ☎/fax (052) 441 350, north-adria-aviation@pu.t-com.hr., http://istra.net/naa - avr.-fin oct.* Vols panoramiques et excursions à Lošinj, Pula, Rijeka. Les amateurs de sensations fortes pourront en outre s'initier au parachutisme.

À l'intérieur des terres, l'**Aeroklub Zagreb** *☎ (01) 292 20 75/656 03 11 - www.ak-ecos.com* propose des vols panoramiques au-dessus de la capitale et du Zagorje (400-900 kn/pers.).

Signalons en outre pour les amateurs de « plus léger que l'air » que le **Balon Klub Zagreb** *☎ 098/41 51 61 - (01) 204 78 38 - info@baloni.hr, www.baloni.hr* organise une fois par an, en été, une rencontre internationale de montgolfières **(Croatian Hot Air Balloon Rally)** qui permet d'effectuer des survols de la capitale et de la région de l'**Istrie** à partir de Motovun. Le club propose également des stages d'initiation au pilotage.

La Croatie en famille

La baignade, la plongée, les promenades en mer font partie du plaisir du séjour sur la côte. La plupart des campings et des villages de vacances possèdent des aires de jeux et des piscines avec pour certaines des toboggans pour la plus grande joie des enfants. Les plus jeunes trouveront leur bonheur sur les plages de sable (si, si, ça existe !) sur les îles de Brač Mljet et Rab. La Croatie offre mille et une possibilités de randonnées, à pied, à cheval et à vélo, sur la côte et dans les parcs nationaux mais aussi dans l'arrière-pays où de multiples sentiers et pistes cyclables attendent les promeneurs. L'aquarium de Pula et le parc zoologique des Brijuni en Istrie, la cueillette des champignons et les pique-niques en forêt en Slavonie, les visites des grottes dans la région de la Lika sauront amuser petits et grands. Et n'oubliez pas de rendre visite à la réserve pour les jeunes ours orphelins de Kuterevo et aux haras des célèbres chevaux lipizzans de Đakovo ! Enfin, de multiples fêtes et festivals de costumes, de danses et de la musique traditionnelle croate qui ont lieu tout au long de l'année laisseront des souvenirs inoubliables.

Forme et santé

THERMALISME

On a répertorié 91 sources thermales dans la région de Zagreb, dont bon nombre étaient déjà connues des Romains, orfèvres en la matière. C'est dire si le thermalisme est une activité ancienne en Croatie où les centres thermaux, outre leurs missions médicales proprement dites, consacrent une part non négligeable de leur activité à des traitements de remise en forme (ou en beauté) et de lutte contre le stress.

Rares sont les stations thermales implantées dans des villes proposant, outre la cure, de multiples activités : on peut citer **Varaždinske Toplice**, **Daruvar**, **Stubičke Toplice** et, à la rigueur, **Krapinske Toplice** (ces deux dernières dans le Zagorje), sans oublier **Lipik**, jadis surnommée « l'Opatija de Pannonie » et **Topusko** (près de Glina), qui se remettent peu à peu des destructions de la guerre.

La plupart du temps, le thermalisme se réduit à un grand complexe comprenant les thermes proprement dits et un hôtel, le tout en rase campagne. Il est vrai que dans ces cas-là, l'hôtel est en lui-même une petite ville avec boutiques, restaurants, salles de sport et de

♣♣ SITES OU ACTIVITÉS À FAIRE EN FAMILLE

Chapitre	Nature	Musée	Loisirs
Île de Brač	Grotte du dragon	Monastère de Blaca	Kayak, funboard, planche à voile
Îles de Cres et de Lošinj	Eko Centre Caput Insulae (vautours fauves)		Randonnée, baignade
Đakovo	Haras de chevaux lipizzans		
Dubrovnik	Arboretum (Trestno)	Tour des remparts	Journée à bord du galion *Karaka*
Dugi Otok	Le lac salé		Randonnée, baignade
Île de Hvar	Péninsule de Stari Grad	Forteresse espagnole de Hvar	Randonnée, VTT
Kopački rit	Observation d'oiseaux		Promenade en barque
Korčula	Plage de Pržina	Maison de Marco Polo	Randonnée, baignade, canoë-kayak
Îles Kornati	Falaises ou « klifs » (île de Piškera)		Plongée (spéciale enfants)
Île de Krk			Randonnée, baignade (plage de Baška)
PN de Krka	îlot de Visovac	Musée ethnographique du parc	Randonnée, baignade
Labin		Musée populaire de Labin	Baignade, activités nautiques (Rabac)
Île de Lastovo			Randonnées, baignades
Riviera de Makarska	Grotte Tučepska Vilenjača (Parc Biokovo)		Rafting sur la rivière Cetina
Île de Mljet	Grand et petit lacs salés		Baignade (plage de Slapunara), randonnées
Motovun	Gouffre de Pazin	Musée ethnographique d'Istrie (château de Pazin)	Baignade à Istarske Toplice
Ogulin	Gouffre de Đula		Randonnée et baignade au lac Sabliaci
Osijek		Musée de Slavonie	Baignade dans la Drave, Aquapolis (Bizovačke Toplice)
Île de Pag	Les salines		Circuits VTT
PN de Paklenica	Grotte (Manita Peč), orphelinat des ours (Kuterevo)		Randonnée (Velika Paklenica)
Île de Pelješac		Monastère franciscain N.- D.- des-Anges	Baignade (plage de Trstenica)
PN de Plitvice			Randonnée autour des lacs
Poreč	Grotte (Baredine), fjord de Lim	Basilique euphrasienne et son musée	Promenade à Eko Park Umag
Požega		Citadelle (Slavonski Brod)	
Pula	Safari park (PN des Brijuni), aquarium (Pula)	Amphithéâtre romain, Kastrum byzantin (Brijuni)	Randonnée en petit train au PN des Brijuni
Ile de Rab			Baignade (Paradise Beach, Lopar)
PN de Risnjak			Randonnée (sentier de découverte Leska)
Rovinj		Maison de la Batana	Randonnée (parc Zlatni rat), visite de Mini-Croatie
Split	Colline Marjan	Musée ethnographique	Plage de Bavice
Sisak	PN de Lonjsko Polje	Ethnomusée de Čigoč	Balade en barque (Lonjsko Polje), promenades à vélo et à cheval
Šibenik		Forteresse St-Michel	Aquarium de Vodice
Trogir		Forteresse Kamerlengo et montée au Campanile	
Varaždin		Château et musée, collection d'enthomologie	
Ile de Vis	Grotte Bleue (îlot de Biševo)		Baignade (plage de Srebrena), randonnée (forteresse King George)
Zadar	PN de Vransko Jezero (Novigrad)	Orgue marin	Baignade
Zagorje		Châteaux de Trakošćan et Veliki Tabor, musée du Vieux Village (Kumrovec), site de Krapina	
Zagreb		Musée d'Art naïf, Musée ethnographique, musée de la Mine (Medvedgrad)	Funiculaire, randonnée dans la montagne de Medvednica

Les thermes de Daruvar.

P. Plantier / MICHELIN

cinéma. C'est le cas à **Tuheljske Toplice** (Zagorje), **Bizovačke Toplice** près d'Osijek, et **Istarske Toplice**, au pied de Motovun (Istrie).

THALASSOTHÉRAPIE

Trois centres en Croatie :

Šibenik avec l'institut de thalassothérapie du complexe Solaris – *Naselje Solaris bb - ✆ (022) 363 970, fax (022) 361 800.*

Thalassoterapija Opatija – M. *Tita 181/1, 51410 Opatija - ✆ (051) 202 600, fax (051) 271 424 - thalassotherapia-opatija@ri.htnet.hr, www.thalassotherapia-opatija.hr.*

Thalassoterapija Crikvenica – *Gajevo šetalište 21, 51260 Crikvenica - ✆ (051) 407 666, fax (051) 785 062 - thalassotherapia-crikvenica@ri.t-com.hr, www.hupi.hr/talaso.*

Que rapporter de Croatie ?

Force est de reconnaître (pour le regretter) que vous trouverez peu d'objets d'un artisanat pourtant de qualité, en particulier en Slavonie. Le cadeau le plus courant est constitué par les **petits cœurs en pain d'épice** *(licitarsko srce)* de Zagreb, dont il existe différentes versions et que vous trouverez un peu partout.

La **dentelle de Pag**, un des fleurons de l'artisanat croate, est d'une qualité exceptionnelle. Il est préférable de l'acheter dans l'île, ne serait-ce que pour être certain de son origine.

Vous aurez la possibilité de trouver à Dubrovnik des **costumes traditionnels**… sans doute difficiles à porter dans la vie courante ! Quelques **tissages** de qualité sont également proposés à Krk.

Bien entendu, vous rapporterez une **cravate** : les Croates ne sont pas peu fiers de vous expliquer qu'ils sont les inventeurs de cet accessoire masculin (d'où son nom). Jadis offerte par sa femme ou sa fiancée à l'homme partant se battre, elle était attachée autour de son cou par un nœud symbolisant leur engagement mutuel. Passée ensuite dans le costume national, elle est devenue à la mode au 17e s., quand les Français de Louis XIV découvrirent l'élégante cavalerie croate. De la cour de France, la cravate fit ensuite des émules à Londres, puis dans tout l'Empire britannique.

Un peu partout sur le littoral, de la Dalmatie à l'Istrie, les nombreux **bijoutiers** proposent des bijoux traditionnels en filigrane d'or ou d'argent, parfois rehaussés de corail, pour les femmes, ainsi que, pour les hommes, des pinces qui tomberont à pic pour garnir les cravates. Il faut bien avouer cependant que le travail est souvent assez médiocre.

Vous pourrez également, dans une galerie ou dans un atelier de la région de Hlebine, faire l'acquisition d'un **tableau naïf** représentant un paysage hivernal… Les œuvres sont souvent réalisées à la chaîne et les peintres paysans d'aujourd'hui connaissent la valeur des choses, mais qui sait : peut-être tomberez-vous sur le nouveau Generalić ou le Rabuzin du 21e s. !

Les produits de l'**herboristerie dalmate**, à base d'essence de lavande ou de romarin, souvent élaborés et distribués par Aromatica (goûtez donc à leur *Jadranski čaj* ou thé de l'Adriatique*)*, sont réputés. Quant aux **produits du terroir**, ils remporteront tous les suffrages, du moins ceux qui sont transportables. Il vous suffira de flâner dans les allées d'un marché pour faire votre choix parmi les charcuteries, du *pršut* dalmate au *kulen* de Slavonie, en passant par les saucisses de Samobor. Vous pourrez y joindre un pot de *muštarda*, la fameuse « moutarde » de Samobor et une bouteille d'**huile d'olive** d'Istrie, à moins que vous ne la préfériez aromatisée au millepertuis. Si vous allez en Istrie, impossible de manquer les préparations à base de **truffes** blanches ou noires ! Et si vous avez affaire à un gourmand, les biscuits *paprenjak*, comme le miel que l'on trouve partout, devraient le plonger dans le ravissement.

Une bonne bouteille ? Là aussi, vous n'aurez que l'embarras du choix.

Broderies de Dubrovnik.

M. Guillochon / MICHELIN

Apéritifs (comme le *Bermet*, lui aussi de Samobor), **eaux-de-vie** (*rakija, šlivovica* ou *grappa*, dont celle de Vis, à la caroube), **liqueurs** (dont le fameux *maraschino*, liqueur de cerises de la région de Zadar), devraient satisfaire les amateurs. Quant aux **vins**, ils sont légion : du *prošek*, vin cuit de Pelješac, au *traminac* d'Ilok, en passant par les *žlahtina* de Krk, les *malvazija* et les *teran* d'Istrie, les blancs de Kutjevo, ou encore le fameux *dolac*, ils sont à même de satisfaire les plus difficiles.

Fêtes et festivals

Les Croates aiment faire la fête : villes et villages, tant sur le continent que sur les îles, rivalisent d'imagination et de créativité. Participer à l'une de ces fêtes est une bonne occasion de « sentir » l'âme de ce pays.

Tout est prétexte à fête : raisons religieuses avec, notamment la célébration des saints, et tout particulièrement le 15 août en l'honneur de la Vierge pour laquelle les Croates ont une grande dévotion, ou raisons plus païennes telle la Fête des pêcheurs, ou des manifestations gourmandes. En effet, les événements gastronomiques permettent la découverte de nouvelles saveurs, la dégustation de vins, de sardines grillées ou de bouillabaisse, de grenouilles (à Lokve, en avril), d'asperges (en avril à Lovran), de fruits de montagne (dans le Gorski Kotar, en été) ou de marrons (à Lovran, en octobre).

Février

Dubrovnik – Fête de la Saint-Blaise *(le 3)*.

Opatija, Rijeka, Samobor, Ludbreg, Zadar – Saint-Valentin *(le 14)*, occasion d'agapes très arrosées dans tout le pays.

Carnaval *(3ᵉ sem. du mois)*.

Zagreb – « Zagreb Dox » : festival international du film documentaire.

Županja – Festival « Traditions et coutumes » en Slavonie. Mise en scène montrant la vie d'autrefois, chants et danses traditionnels, costumes, défilés équestres et promenades en calèche sont au programme.

Mars

Zagreb – Revue du film d'amateurs (RAF) : festival de films des jeunes artistes qui s'expriment par la vidéo.

Avril

Split – « Croatia Boat Show » : salon nautique international.

Zagreb – Fête des fleurs.

Biennale de musique contemporaine.

Avril-mai

Samobor – « Salamijada » : dégustation de charcuteries locales.

Mai

Poreč – « Vinistra » : salon du vin autour du cru local, le *malvazija*.

Požega – « Grgurevo » : commémoration du départ des Turcs *(le 12)*.

Vukovar – « le Ciel de Vukovar » : manifestations culturelles au profit de la reconstruction de la ville et du musée.

Juin

Krk – Vino Forum.

Motovun – Rencontre internationale de montgolfières.

Požega – « Kulenijada » : fête gourmande autour des saucisses aromatisées au paprika, les fameux *kulen*.

Rab – Soirées musicales médiévales *(merc. jusqu'à sept.)*.

Slavonski Brod – « Brodsko kolo », festival de danses traditionnelles qui s'accompagne de concours équestres et d'une foire aux gâteaux maison.

Šibenik – Festival international de l'enfant *(jusqu'à déb. juil.)*.

Zagreb – Festival de danse contemporaine.

Zagreb – Festival international de théâtre d'avant-garde.

Zagreb – Festival du film d'animation de Zagreb *(tous les 2 ans, années paires)*.

Juillet

Dubrovnik – Festival d'été *(mi-juil.-fin août)*.

Đakovo – « Broderies de Đakovo » *(déb. du mois)*. Festival dédié à la broderie et aux costumes traditionnels. Démonstrations de danses par des groupes folkloriques, manifestations équestres, musicales et gastronomiques.

Lovran – « Liburnia Jazz Festival ».

Motovun – Festival du Film de Motovun consacré au documentaire et au film d'auteur *(juil.-août)*.

Omiš – Festival de chants polyphoniques dalmates *(tout le mois)*.

Opatija – Régate internationale.

Osor (Krk) – Soirées musicales *(mi-juil.-fin août)*.

Pula – Festival du Film de Pula – Festival du film croate et européen.

Poreč – Annale de Poreč : salon d'art contemporain.

Rab – Jeux chevaleresques.

Rovinj – Festival d'été : concerts de musique classique.

Split – Été culturel *(mi-juil-mi-août)*.

Umag – Tournoi de tennis ATP de Stella Maris, internationaux de Croatie *(3ᵉ sem.)*.

Zadar – Soirées musicales de Saint-Donat.

Zagreb – Festival international du folklore *(19-23)*.

Zagreb – Festival baroque de Zagreb.

Août

Dubrovnik – Festival des arts scéniques *(fin août-déb. sept.)*.

Dugi Otok – Festival « Saljske Užance » : course d'ânes, nuit des pêcheurs *(mi-août)*.

Iž – Fête populaire « Iška Fešta » qui retrace les Bacchanales antiques avec l'élection du roi d'Iž *(le 3)*.

Našice – Festival de la céramique où, durant une semaine, des artistes réputés exposent leurs créations.

Pula – « Histria Festival » : musique classique et danse.

Rovinj – Grisia : grande foire à la peinture en plein air *(2ᵉ dim.)*.

Sinj – « Alka » : tournoi de cavalerie de l'Anneau *(le 5)*.

Carnaval de Zadar.

Ch. Barrély-Legrand / MICHELIN

Starigrad – Fête de la Vierge. Pèlerinage dans le Velebit, à 1 000 m d'altitude *(le 15)*.

Ugljan – N.-D.-des-Neiges : procession de bateaux *(le 5)*.

Septembre

Daruvar – Fête des moissons : festivités organisées par la minorité tchèque de la ville avec des spectacles et costumes colorés.

Požega – « Cordes d'or de Slavonie » : festival qui réunit des groupes de musique populaire slavonne à base de *tamburica (3ᵉ w.-end du mois)*

Šibenik – Saint-Michel *(le 29)*.

Varaždin – Soirées baroques *(fin sept.-déb. oct.)*.

Vinkovci – Fête de l'automne *(les 20-22)*.

Octobre

Dubrovnik – Rallye sportif.

Motovun – Journée de la truffe : dégustations et démonstrations de recherche avec des chiens.

Zagreb – « Zagreb Film Festival » consacré aux œuvres de jeunes auteurs.

Novembre

Pula – Tribune musicale internationale de Pula. Ce festival réunit des artistes reconnus et des jeunes compositeurs.

Buje, Buzet, Tar, Fažana – Saint Martin *(le 11)*. Dégustation et célébration des premiers vins accompagnées de grands banquets avec musique et danses traditionnelles.

POUR PROLONGER LE VOYAGE

Quelques livres, quelques disques

« La Croatie n'est pas la terre, la pierre, l'eau,

La Croatie est le verbe que j'appris de ma mère

Et ce qui dans ce verbe en est bien plus profond

[…]

Et en tant que Croate je suis le frère de tous les hommes

Et où que j'aille je porte en moi

La Croatie. »

Drago Ivanišević (1907-1981).

La Croatie semble, hélas, peu intéresser pour le moment les éditeurs francophones. Aussi, dans cette brève sélection, nous avons inclus quelques titres en anglais et en italien, langues plus souvent lues par les Français que le croate…

GÉNÉRALITÉS

La Croatie, par G. Castellan et G. Vidan, coll. Que sais-je ? (PUF, 1998).

Le Croate de poche (Assimil'évasion 2001).

La Première Géographie de l'Occident, par Idrîsî (Flammarion, 1999). Rédigé au 12e s. pour le roi de Sicile, cet ouvrage comprend une brève description de la côte adriatique croate, d'Umag à Dubrovnik.

PAYSAGES

Croatia, Coast and Sea, par Ivo Pervan. La poésie et le graphisme des photos, la qualité intimiste des lumières et l'humour des portraits résument parfaitement le caractère attachant de la Croatie (textes en anglais).

The Natural Heritage of Croatia (en vente à Zagreb).

Korčula vue d'Orebić.

A. Padioleau / MICHELIN

HISTOIRE

Croatia, a History, par Ivo Goldstein, (Hurst & Co, London).

Histoire de la Croatie et des nations slaves du Sud 395-1992, par G. Peroche, F.-X. de Guibert (L'Œil, 1992).

Histoire de l'Adriatique, par P. Cabannes, (Seuil, 2001).

La Croatie et la France, 797-1997, par Gregory Peroche, F.-X. de Guibert (L'Œil, 1998).

Louis XIV et les Croates, par L. Orecković, F.-X. de Guilbert (L'Œil, 1997)

Le Discours balkanique, par P. Garde (Fayard, 2004).

Atlas des peuples d'Europe centrale, par André et Jean Sellier (La Découverte, 2002).

Les Conflits yougoslaves de A à Z, par J.-A. Dérens et C. Samary (Éd. de l'Atelier, 2000).

ART

Trésor artistique de la Croatie, par Radovan Ivančević (ITP-Motovun, 2e éd., Zagreb, 1993).

Croatie. Trésors de la Croatie ancienne (AGM Zagreb/Académie croate des sciences et des arts/Somogy, 1999).

Les Anges de Croatie, par Keiichi Tahara, texte de C. Marković, (éd. Assouline, coll. Mémoire de l'Art, 1995). Voyage en photos parmi les plus belles églises baroques de Croatie (Zagreb, Samobor, Varaždin, Belec…) et de Slovénie.

Giulio Clovio (éd. Laurana). Tout sur l'œuvre du peintre miniaturiste croate de la Renaissance.

VILLES ET SITES

Dubrovnik, par Ivo Pervan. Détails insolites ou secrets de la ville vus par un photographe qui sait être parfois impertinent.

Palmižana, the Saga of the Quintessence, par Dagmar Meneghello. Un envoûtant mariage de photos et des reproductions d'art contemporain, racontant l'histoire d'un collectionneur hors norme et de son île (en vente à Hvar).

Le Goût de la Croatie, par S. Massalovitch (Mercure de France, 2005). Recueil de textes littéraires ou non ayant trait à la Croatie, par Marguerite Yourcenar, Lajos Zilahy, Paul Morand…

Librairie à Zagreb.

P. Plantier / MICHELIN

LITTÉRATURE

Dubravka Ugrešić : *Le musée des redditions sans condition* (Fayard, 2004).

Marica Bodrožić : *Tito est mort* (l'Olivier, 2004).

Marko Marulić : *Judith*, poème épique. Traduit par Charles Béné (Most).

Miroslav Krleža : *Le Retour de Philippe Latinowicz, Mars, dieu croate* (nouvelles), *Banquet en Blituhanie* (Calmann-Lévy, 1994), *Les Ballades de Petritsa Kerempuh* (Publications Orientalistes de France, 1975) et *Je ne joue plus* (Seuil).

Ivo Andrić : *Le Pont sur la Drina* (LGF) et *La Chronique de Travnik* (Le Serpent à Plumes).

Slavenka Drakulić : *Je ne suis pas là* (Belfond), *Peau de marbre* (Robert Laffont) et *Les restes du communisme sont dans la casserole* (J. Bertouin).

Auteurs balkaniques

Miljenko Jergović : *Sarajevo Marlboro*. Les déchirements des trois communautés de Bosnie jusqu'à la spirale infernale de la guerre.

Mirko Kovač : *La Vie de Malvina Trifković* (Rivages, 1992). Tensions et incompréhensions dans la première moitié du 20e s.

La Croatie dans la littérature internationale

Marisa Madieri : *Vert d'eau* (trad. de l'italien par P.-C. Buffaria), Paris, L'Esprit des Péninsules, 2002. Une jeunesse à Rijeka, alors Fiume.

Jules Verne : *Mathias Sandorf*.

Curzio Malaparte : *Kaputt*. L'auteur italien évoque (de façon saisissante !) la Croatie de la Seconde Guerre mondiale et la personnalité d'Ante Pavelić.

Isabel Ellsen : *Le Diable a l'avantage* (Paris, éd. Nil). Trois grands reporters dans la Croatie en guerre. C'est de ce roman que s'est inspiré le cinéaste Élie Chouraqui pour son film *Harrison's Flowers* (2001) interprété entre autres par Andie MacDowell.

POÉSIE, THÉÂTRE

Angle nord, recueil de poésies, par H. Pejaković (Atelier de l'Agneau, 2004).

La poésie croate : des origines à nos jours (Seghers, 1972).

Cinq Drames, par Miro Gavran (Theatroom Noctuabundi, 2003).

En ces temps du terrible, Autres Temps/ Écrits des Forges. Anthologie de la poésie croate de guerre, 1991-1994.

Ville interdite, par *Hrvoje Pejaković* (Éd. Est-Ouest Internationales, 2001).

Personne ne parle croate. Branko Čegec, Miroslav Mićanović, Ivica Prtenjača (Meandar, 2002).

Mars poetica/Le Printemps des poètes. Anthologie. Krešimir Bagić, Zvonko Maković, Renata Valentić, Zvonimir Mrkonjić et Lidija Bajuk : cinq poètes croates présents à Paris lors de l'édition 2003 de cette manifestation (Paris-Zagreb, Le Temps des Cerises/ SKUD, 2003).

Poèmes (Gallimard, 2004).

ET POUR LES ENFANTS

Lapitch, le petit cordonnier, film d'animation réalisé par Milan Blažeković, 1996, d'après Ivana Brlić-Mažuranić, à défaut de pouvoir lire en français les contes de « l'Andersen croate » (cassette vidéo distribuée par TF1).

MUSIQUE

Tradition

Croatie, musiques d'autrefois (Ocora-Radio France, distr. Harmonia Mundi). Florilège de musiques traditionnelles, instrumentales ou vocales.

Lijepa naša tamburaša (Narodni Radio-Croatia Records). Sélection de chants slavons accompagnés à la *tamburica*.

Omiš 1967-1975 (Croatia Records). Un résumé, à travers les meilleurs ensembles vocaux, de l'histoire de ce festival de *klapa*.

Pripovid O Dalmaciji (Croma Co.). Splendide sélection de *klapa* : on y retrouve l'influence du chant liturgique.

Voiture-librairie à Zadar.

Za Križem, les chantres de Pharos (Arcana). Rare enregistrement de chants glagolitiques exécutés par les confréries de Hvar.

Terra Adriatica, chants sacrés des terres croates au Moyen Âge interprétés par le groupe féminin *Dialogos* (élu « Diapason d'or » et « Choc du Monde de la Musique » en 1999).

Classique

Musica Croatica : Lisinski, Bersa, Panadopoulo, Gotovac interprétés par différents orchestres de Zagreb ou de Slovénie (Croatia Records, 1992).

Dubrovnik Gala : Luka et Antun Sorkočević et Ivan Mane Jarnović. Interprètes divers : Zagrebački puhački trio, Quatuor à cordes de Zagreb, Solistes de Zagreb (Croatia Records, 1992).

Contemporain

Maksim Mrvica : Geste. Œuvres pour piano de compositeurs croates contemporains (Cantus, 2001).

Ivo Malec : Œuvres pour orchestre et formations de chambre (Motus, coll. MFA Livres-CD).

Variétés

Oliver : Trag u Beskraju (Croatia Records). Contient le fameux *ti si meni sve*, le dernier grand « tube » du célèbre crooner dalmate Oliver Dragojević.

Gibonni : Mirakul. Un disque plein d'espérance dans lequel le chanteur croate est accompagné de grands

noms de la *world music*, tels que le batteur Manu Katche et le chanteur Geoffrey Oriema.

Boris Novković : Ko je Kriv (Croatia Records).

Kate : Susret. Une chanteuse de Split tentant un original mélange entre des chants inspirés de la *klapa* et des arrangements réunionnais (distribué par la FNAC).

Retrouver la Croatie

Office national croate de tourisme

48, avenue Victor-Hugo, 75016 Paris, ✆ *01 45 00 99 55, fax 01 45 00 99 56, www.ot-croatie.com.*

Librairie

L'Âge d'Homme – *5 r. Férou, 75006 Paris.* Librairie consacrée à la littérature slave où l'on trouve des livres en croate ainsi que des ouvrages traduits.

Association

Amitié sans frontière (ASF) France-Croatie – *28 r. Daguerre BP 2074, 68059 Mulhouse Cedex,* ✆*/fax : 03 89 43 21 11, ass.asf@evhr.net.* Échanges entre jeunes Français et jeunes Croates.

Restaurant

Le Petit Paris – *32, r. Rennequin - 75017 Paris,* ✆ *01 46 22 62 42, M° Ternes ou Pereire.* Cuisine franco-dalmate.

Sport

Football Connexion – *34 r. Dauphine, 75006 Paris,* ✆ *01 43 25 64 40, fax 01 43 25 72 25, M° Odéon.* Ce spécialiste parisien du football croate possède des maillots des sélections nationales et des grands clubs de football.

Jeunes

Bagnolet Café – *124 r. de Bagnolet, 75020 Paris, www.macroatie.com.* Rencontres mensuelles des jeunes Croates de Paris, chaque 1er vendredi du mois, de 20h à 1h, salle des fêtes de la mission catholique croate de Paris.

Archipel des Kornati.

Davor Saric

MARITIME ET CONTINENTALE, LATINE ET SLAVE

Soudain, au détour d'un virage, la mer apparaît : étincelante plaque d'argent scintillant sous le soleil, ponctuée d'îles aux rochers ocre, elle est là, avec toute la force d'une évidence. Cette mer, si transparente, a quelque chose d'éternel : nul ne s'étonnerait d'y apercevoir les rames d'une trirème soulevées en cadence, portant une cargaison d'amphores emplies d'ambroisie vers le port d'Épidaure…

Des cormorans à Kopacki rit.

La côte

Cette mer est avant tout une voie de communication et d'échanges : avec les marchandises négociées et les armées conquérantes, ce sont des dizaines d'influences, hellènes, romaines, orientales, byzantines, vénitiennes, turques, qui sont venues peu à peu modeler ces rivages. De là, les monuments, les cultures de la vigne ou de l'olivier, les ports minuscules aux façades colorées et aux jalousies mi-closes, ou encore les clochers taillés dans la pierre blanche.

LA TRANSPARENCE INOUÏE DE L'ADRIATIQUE

Pour le voyageur qui longe la route côtière, de Cavtat à Zadar, et au-delà jusqu'au golfe de Kvarner et Rijeka, la mer est à la fois un enchantement et un supplice de tous les instants : des paysages somptueux, illuminés par une eau qui joue de toute la palette des bleus, du turquoise au bleu sombre, sans parler des verts, à peine ourlée par quelques moutonnements d'écume ; et la tentation de plonger pour d'interminables bains dans cette fabuleuse transparence. Et pourtant, l'Adriatique croate ne se laisse pas facilement amadouer ! Rançon de la spectaculaire beauté de ses côtes où la moindre île n'est que le sommet d'une ancienne montagne, elle a peu de plages à vous offrir ; et, quand il en existe, elles sont le plus souvent constituées de galets ! Il vous faudra donc, chaussé d'indispensables sandales, vous contenter de rochers, plus ou moins aplanis, de plages artificielles de ciment ou d'un « lungomare » accueillant pour entrer dans l'eau. Mais qu'importe, après tout ! Si la plage fait défaut, le bain est tout aussi bon !

Cingler vers le large

Cette mer, nul, mieux que les navigateurs, ne peut en profiter. Que vous cabotiez de port en port ou que vous cingliez vers les îles, que vous choisissiez de mouiller dans un port de pêche oublié du temps ou dans une marina équipée de tout le confort, que vous naviguiez à la voile ou non, vous découvrirez des paysages somptueux : sur des flots le plus souvent aussi tranquilles que ceux d'un lac (mais attention : les tempêtes des lacs savent être redoutables), vous explorerez des criques désertes, longerez d'impressionnantes falaises, découvrirez d'étonnantes baies et des fjords comme à Lim ou Bakar, aborderez des îlots déserts, saluerez des dauphins amicaux, jetterez l'ancre pour, loin de la foule, piquer une tête.

Vous n'êtes pas marin ? C'est grand dommage… Mais inscrivez-vous au moins une fois à ces excursions proposées dans tous les ports : exploration d'îles autrement inaccessibles, baignades en des lieux peu fréquentés, grillades de sardines sur le rivage sont au programme : de quoi susciter bien des vocations !

Vers les abysses

Particulièrement pure, cette mer attire les plongeurs confirmés : ils n'ont que l'embarras du choix, d'autant que les centres de plongée les emmènent souvent au large. Là, ils trouveront des fonds marins inviolés où, parmi les herbiers de Posidonie, évolue une faune venue trouver son refuge à l'abri de la pêche industrielle. Rançon de l'histoire, nombre d'épaves gisent depuis des siècles de par le fond : navires grecs ou romains, galères vénitiennes ou ottomanes, vous attendent. Et, si vous n'en rapportez pas un trésor, vous approcherez le mélancolique mystère des navires engloutis : et cela seul vaut toutes les richesses !

Dilettantes et sybarites

Mais vous n'êtes pas forcément un loup de mer aguerri ni un plongeur confirmé. Pour autant, l'Adriatique ne vous est pas interdite. Dans les ports, des balades en bateaux munis de fond transparent vous permettront, le temps d'une excursion, de jouer au commandant Cousteau. De même, vous pourrez vous adonner aux sports nautiques, du parachute ascensionnel au surf, en passant par le scooter des mers ou le ski-lift, ce compromis entre le ski nautique et le tire-fesses que seule une mer aussi calme permet de pratiquer. Enfin, plus paisiblement, vous pouvez varier les angles de vue et les lieux de baignade en louant un pédalo ou un « kayak de mer ».
Les moins sportifs ne sont pas oubliés : de longues promenades sur les quais permettent de rêver aux traversées que l'on ne fera jamais ; celles sur les « lungomare » d'Opatija à Lovran, de Krk, de Cres sont particulièrement agréables lorsque le soleil se pose et qu'un silence paisible revient sur le littoral, seulement troublé par les appels des goélands, et les rires des enfants retardant l'heure du retour. Après quoi, vous vous poserez à une terrasse, et tout en observant le ballet des chalutiers ou des ferries, tandis que le ciel se met à rougeoyer, devant un apéritif, vous vous abandonnerez au plaisir tout simple d'être là. Face à la mer.

DENTELLE LITTORALE…

Escarpé et spectaculaire en raison de la proximité des montagnes, le littoral adriatique se caractérise par ses 1 185 îles et îlots : rares sont les endroits où, depuis la route de la corniche, vous apercevrez un horizon dégagé ! Le long de la côte dalmate, ces îles s'étirent parallèlement au relief montagneux : leur forme longue et étroite, que parcourt une ligne de crête, reproduit la forme des chaînes montagneuses dont elles sont issues : il s'agit de la partie la plus basse du relief, submergé par la mer. Elles sont séparées du continent par d'étroits canaux.

Comme des cailloux dans l'eau…

Une jolie légende explique que l'archipel des Kornati ne serait qu'une poignée de pierres que Dieu jeta dans la mer après avoir construit le monde. Nombre d'îles croates pourraient prétendre à cette origine, tant elles ressemblent à des cailloux à fleur d'eau.
Plus que toutes, les Kornati ou Pag exposent au soleil leur attachant désert pierreux, à peine piqué d'une végétation avare qui sent bon la garrigue. D'autres îles sont plus vertes et plus escarpées (Krk). Mais c'est la pierre qui est ici l'élément essentiel : plongeant à pic dans les eaux vertes ou bleues, formant d'impressionnantes corniches dominant la mer (Cres, Mljet ou Dugi Otok), ne concédant qu'avec parcimonie la place à une herbe rare vite jaunie par le soleil ou à une végétation épineuse, bâtissant des maisons aux couleurs du paysage, pavant les ruelles des villages,

Sur la riviera de Makarska, la montagne plonge dans la mer.

Ch. Barély-Legrand / MICHELIN

RELIEF

0   60 km

alignant des milliers de kilomètres de murets autour d'un damier de champs clos, elle est partout ! Et elle constitue parfois (en certains lieux de Pag ou de Rab) d'étranges et envoûtants paysages minéraux, lunaires dirait-on si la lumière ne venait la parer de couleurs parfois somptueuses, que l'intensité de la mer ne fait que rehausser. Dur environnement pour les paysans contraints de bâtir patiemment des terrasses pour leurs cultures à l'aide de ces innombrables cailloux extraits du sol. À Vis, Krk ou Korčula, elles accueillent des vignobles, dans les Kornati, ce sont quelques oliviers soigneusement protégés du vent par les murets, à Hvar, on trouve aussi de la lavande et du romarin. Comme sur le continent, les plages sont rares, presque toujours de galets (comme à Pag, Brač, Dugi Otok, Krk), très rarement de sable (Rab). Rien d'étonnant si cer-

taines de ces îles produisent des pierres de construction d'une rare qualité : Brač et Korčula en sont les exemples les plus connus.

Les montagnes

UNE MONTAGNE PIEDS DANS L'EAU

Difficile, en **Dalmatie**, de dissocier le littoral de la montagne qui plonge le plus souvent presque directement dans la mer, comme le long du Velebit, où les versants gris et désertiques dévalent vers un rivage d'une incroyable beauté mais inhospitalier. À cet endroit, pas de plaine côtière : les villages semblent accrochés de façon précaire aux rares échancrures du rivage. Plus au sud, les montagnes sont en retrait d'un ou deux kilomètres, mais les pentes sont tout aussi escar-

monts Učka, entre Opatija et Labin, une riviera qui n'a rien à envier à la Côte d'Azur. Étroite péninsule triangulaire et montagneuse, l'**Istrie** compose des paysages on ne peut plus méditerranéens : sur cette terre d'un rouge profond, la vigne et l'olivier sont présents partout, amoureusement cultivés entre les murets de pierre entrecoupant des maquis et quelques forêts de chênes. Sur les sommets, les villages perchés achèvent de conférer une touche italienne au paysage. Moins accidenté qu'en d'autres lieux, le littoral occidental, que borde une plaine côtière, sait se montrer spectaculaire, avec l'étonnant fjord de Lim (entre Poreč et Rovinj) et ses ports qui ont investi des presqu'îles.

LA BARRIÈRE DINARIQUE

Traversant le pays en retrait du littoral, le massif montagneux des **Alpes dinariques** s'étend sur près de 650 km entre l'Italie, au nord-ouest, et l'Albanie, au sud. Le point culminant en Croatie, le **mont Dinara** (1 831 m), est à cheval sur la frontière avec la Bosnie, près de la ville de Knin, mais la partie la plus accidentée du massif se trouve en Dalmatie (massif du Velebit).

C'est le parallélisme des lignes de crêtes qui donne sa physionomie si particulière à la montagne croate. Vu du ciel, c'est un long ruban plissé formant une barrière désertique presque infranchissable par endroits : barrière climatique, entre le littoral, méditerranéen, et l'intérieur, continental, elle peut aussi être considérée comme une barrière culturelle, entre terres latines et slaves.

Sur le territoire croate, le massif rassemble une série de sommets dépassant les 1 700 m, dont le Sveto brdo qui culmine à 1 751 m. Malgré la proximité du littoral et un versant maritime ensoleillé, ces montagnes bénéficient d'un climat montagnard, enneigé en hiver : on peut faire du ski dans le Velebit, par exemple dans la petite station de Baške Oštarije, à moins de 20 km de la mer ! Le froid peut y être rigoureux, surtout lorsque souffle la **bora** (ou *bura*), une bise glaciale du nord-est. Les étés, en revanche, y sont secs et chauds. C'est à sa **nature karstique** que le massif doit sa couleur gris-beige et ses formes tourmentées.

Le Gorski Kotar

À l'arrière de Rijeka, on pénètre très vite au cœur de cette montagne karstique, avec ses vallées profondément encaissées et ses rivières au cours facétieux (comme la Dobra, à Ogulin, qui

pées et infranchissables, composant un impressionnant arrière-plan aux villes et aux ports.

Dubrovnik, Makarska, Trogir bénéficient de cet écrin rocheux. Le moindre élargissement de la bande côtière est mis à profit, comme autour de Zadar ou Ploče, par les vergers et cultures maraîchères. Les estuaires des fleuves (Cetina, Krka…) sont encaissés dans de profonds canyons et le rivage lui-même est découpé et rocheux. Sur la côte du Velebit, on peut ainsi parcourir plus de 100 km sans trouver d'accès facile à la mer, pourtant juste en contrebas de la route.

Une touche italienne

Dans le **golfe du Kvarner**, malgré l'arrière-pays montagneux, la végétation est nettement plus exubérante : palmiers, cyprès, pins, lauriers-roses, bougainvillées composent, à l'abri des

Irrigation dans le delta de la Neretva.

disparaît dans un gouffre et ne ressort qu'à 15 km de là…). Les paysages sont cependant moins austères qu'ailleurs : une superbe couverture boisée où les hêtres cèdent peu à peu la place aux sapins, des maisons construites sur le type du chalet, quelques lacs, parfois artificiels, donnent à l'ensemble une allure de montagne suisse. Ne vous y trompez pas, cependant : dans cette région peu peuplée, protégée (comme le parc de Risnjak) et vouée depuis des temps immémoriaux à l'exploitation du bois, la nature a su rester sauvage et impénétrable.

Les hautes terres de la Lika

Au sud du Gorski Kotar, séparée de la mer à l'ouest par la chaîne littorale, de la Bosnie à l'est par la chaîne dinarique, la Lika est un haut plateau karstique aux paysages parfois désolés de prairies rases ponctuées d'affleurements rocailleux, comme autour d'Otočak ou de Gospić, où se pratiquent une petite agriculture d'élevage et la sylviculture, alternant avec des sommets boisés comme les massifs de Velika Kapela et de Mala Kapela, hauts lieux de l'alpinisme croate. Joyau incontesté de cette région, le **parc national des lacs de Plitvice**, est enchâssé dans un superbe moutonnement de forêts.

Du Biokovo au Velebit

Dans ces deux spectaculaires massifs ont été aménagés des parcs naturels qui font le bonheur des amateurs de randonnée et d'escalade. Pentes abruptes et désolées ou infranchissable chaos de pierres grises et vallées retirées sont le refuge des animaux sauvages. Sur les versants maritimes plantés de chênes verts, de

pins d'Alep, de myrtes, de genévriers et de tous les arbustes du maquis, l'aspect est tout à fait méditerranéen, alors que sur les versants continentaux, à quelques kilomètres seulement, on retrouve les paysages de la montagne, ponctués de hêtres, charmes et sapins. Dans les deux cas, l'unité provient de la nature karstique du relief, qui, sous l'effet de l'eau, prend des formes extrêmement variées. À l'exception de quelques hameaux et de cabanes de bergers, ces deux massifs sont presque déserts.

L'intérieur du pays

ENTRE SAVE ET DRAVE

Les régions intérieures de la Croatie font partie du **bassin pannonien**, une large zone dépressionnaire de plaines et de collines basses, encadrée par les Alpes dinariques, au sud, et les Carpates, au nord. La partie croate de ce bassin est délimitée par le Danube (à l'est), qui fait frontière avec la Serbie, la Drave (au nord), qui la sépare de la Hongrie, et la Save (au sud), limite de la Bosnie-

Le sabot de Vénus

Le parc national de Plitvice comprend près de 1 150 espèces végétales. Le sabot de Vénus, la plus grande orchidée d'Europe, devenue rare en France, est l'une d'elles. Peut-être aurez-vous la joie de la contempler en été, dans un lieu ombragé ? Mais sachez que la croissance de cette orchidée est très lente. Il se passe environ douze ans avant que la graine donne une plante capable de s'orner de fleurs.

Herzégovine. Ce bassin est constitué de plusieurs régions de plaines : la Slavonie, autour de la ville d'Osijek, et la plaine de Zagreb, mais aussi de zones au relief plus tourmenté. Le climat y est continental, avec des hivers froids et enneigés, et des étés secs et chauds.

Le plat pays slavon

Parfois un peu mornes bien que verdoyantes au printemps, les plaines de Slavonie, de la vallée de la Drave ou des environs de Zagreb, sont à l'image de la grande plaine hongroise, vouées à la monoculture du maïs et jalonnées de villages-rues interminables. Seuls les greniers à maïs en atténuent la monotonie…

Une partie de la plaine est inondable (en raison de l'absence de relief et de la présence des grands cours d'eau), et peuplée d'oiseaux, migrateurs ou non. C'est le paradis des pêcheurs qui y puisent carpes, brochets, perches et autres silures. Le parc de **Kopački rit**, par exemple, au nord d'Osijek, protège un tel espace, que l'on peut visiter en barque lorsque le Danube l'envahit. Du côté de la vallée de la Save, vers Sisak, il en va de même avec le **Lonjsko polje**, aux maisons de bois qu'investissent les cigognes.

Vertes collines

Au nord de Zagreb et au sud de la route qui relie Varaždin à Osijek, les paysages sont plus tourmentés, barrés au nord par les Alpes de Slovénie. C'est le **Hrvatsko Zagorje** (ou « Piémont croate ») dont les moindres versants ensoleillés sont occupés par des vignes et à qui les sommets, ponctués des élégants clochers à bulbe des églises des villages, confèrent leur personnalité particulière. Au centre du pays, la chaîne des **Papuk** ne culmine qu'à 953 m : il faut toutefois lui reconnaître une certaine allure, avec ses pics acé-

rés, ses vallées encaissées, ses forêts de résineux et ses villages escaladant des pentes parfois raides…

Un environnement préservé

L'un des aspects les plus séduisants du pays est sa richesse en espaces naturels protégés, offrant un large éventail de tous ses paysages. Plus du tiers du pays est couvert de forêts, principalement sur les collines du bassin pannonien et les basses pentes continentales des Alpes dinariques. Les plus beaux espaces ont acquis le statut de parcs nationaux ou naturels.

LES PARCS NATIONAUX

Zones maritimes

Parmi les huit parcs nationaux, trois protègent des zones maritimes. L'archipel des **Kornati**, s'étend sur 140 îles disposées en labyrinthe. Renommées pour leurs falaises, elles sont surtout le paradis des amoureux de la voile et de quelques Robinsons cherchant leur île.

Proche de Dubrovnik, l'île de **Mljet** (100 km²) abrite dans sa partie ouest le parc national, qui couvre un tiers de sa surface. On y découvre deux lacs salés reliés par un défilé à la mer, et dont le niveau varie selon le régime des pluies. Sur le plus grand des lacs, un îlot abrite un couvent bénédictin et une église édifiés pour la première fois au 12e s.

Face à l'Istrie, les îles **Brijuni** forment le troisième parc national maritime. Ses deux îles principales sont entourées par douze îlots. Sa végétation méditerranéenne préservée et son parc zoologique en font l'une des destinations les plus prisées de la Croatie. De nombreux chefs d'État ont visité ces lieux depuis le début du 20e s.

Murets et oliviers à Korcula.

Ch. Barely-Legrand / MICHELIN

Le karst

Le karst est un type de relief créé par l'action de l'eau sur le calcaire. Les infiltrations dissolvent le carbonate de calcium et modèlent des gouffres et des rivières souterraines. En surface, ce phénomène est visible sous la forme de doline (dépression fermée de forme ovale ou circulaire), d'*ouvala* (réunion de dolines), de *poljé* (dépression allongée) et de *lapié* (rainures superficielles).

Montagnes et forêts

Trois autres parcs couvrent des espaces montagneux et constituent un paradis pour les randonneurs. Le **Nord Velebit**, fait partie depuis 1978 du réseau international de réserve de la biosphère de l'Unesco. C'est la partie la plus intéressante de la montagne du Velebit, qui culmine à 1 757 m. Elle comprend les réserves naturelles de Rožanski et d'Hajdučki kukovi et l'une des grottes les plus profondes du monde, la grotte Luka. Son jardin botanique, situé à 1 480 m d'altitude, près de la station météorologique de Zavižan, attire aussi bien les botanistes que les touristes.

Plus au sud, le parc de **Paklenica** s'étend sur 36 km². Il est réputé notamment pour ses deux canyons vertigineux et la paroi Anića Kuk, haute de 712 m, escaladée par des alpinistes de tous niveaux.

Proche de la frontière avec la Slovénie, dans la région la plus boisée du pays, le parc de **Risnjak** étend à perte de vue ses forêts de feuillus (hêtre, orme, érable) et de conifères (sapin, épicéa).

Cours d'eau et cascades

Enfin, deux parcs nationaux sauvegardent les phénomènes hydrographiques exceptionnels. Le parc national de **Plitvice**, inscrit au patrimoine mondial de l'humanité, et le plus connu des joyaux naturels de la Croatie. Avec ses seize lacs reliés par quatre-vingt-douze cascades, il fera autant la joie des randonneurs que des moins sportifs, un train et des bateaux permettant de le découvrir confortablement installé.

Quant au parc national de la **Krka**, situé entre Šibenik et Knin, il accueille au fond d'un canyon creusé dans un plateau calcaire la plus belle rivière karstique de Croatie. Les chutes d'eau de la Krka, et surtout celle de Skradinski Buk, sont particulièrement impressionnantes. L'îlot de Visova et son monastère franciscain sont un autre moment fort de la visite du parc.

LES PARCS NATURELS

D'autres grands espaces ont mérité le classement en parcs naturels. Parmi les sites d'altitude figurent, non loin de la côte, le massif du Biokovo au sud de Split, et, bien plus au nord, le mont Učka qui surplombe la station balnéaire d'Opatija. Dans les terres, les monts de Samobor, le massif de Žumberak et les montagnes de Medvednica entourent Zagreb. Dans la plaine de Slavonie, le parc des chaînes du Papuk s'élève face à Našice.

Plusieurs parcs naturels sont réputés pour leur faune avicole : le Kopački rit ou le Lonjsko polje et leurs marécages, ainsi que le Vransko jezero, le plus grand lac de Croatie, près de Zadar, où font halte de nombreux migrateurs. Au large, sur l'île de Dugi Otok, le parc de Telašćica et ses falaises prolongent l'archipel des îles Kornati.

Une faune unique

La diversité des milieux naturels et la politique de protection de l'environnement mise en place dès la période yougoslave ont favorisé en Croatie la présence d'une faune variée et endémique. À côté des animaux européens habituels, 380 espèces protégées profitent, maintenant, d'un véritable havre de paix.

SUR TERRE

Les montagnes

Comptant parmi les derniers territoires vraiment sauvages d'Europe, les montagnes croates abritent de nombreuses espèces menacées, dont certaines ont disparu ailleurs. Bien que peu nombreux, les plus grands carnivores d'Europe sont tous représentés. Les **loups gris** sont estimés à 150, et les **ours** à environ 400. Le **lynx**, exterminé au milieu du 19e s., a été réintroduit en Slovénie en 1973. Il s'est ensuite peu à peu réapproprié son ancien espace

L'orphelinat des ours

Au cœur du massif montagneux du Velebit, le village de Kuterevo (16 km au sud-ouest d'Otočac ou 59 km au sud-est de Senj) accueille, depuis 2002, un orphelinat pour de jeunes ours ayant perdu leur mère dans différentes circonstances. Les visiteurs sont les bienvenus et des guides leur raconteront l'histoire de chaque ourson. *8h-20h. 4 €.* ℘ *(053) 799 222.*

Ch. Barely-Legrand / MICHELIN

À Cigot, « captitale européenne de la cigogne, » il n'est guère de toit sans pensionnaires.

naturel et repeuple désormais le massif dinarique. Moins rares, les **chats sauvages**, **sangliers**, **cerfs**, **chamois** et **mouflons** se partagent les différents espaces de la montagne. Pour les observateurs avertis, il existe également une autre faune, plus discrète mais tout aussi originale, notamment parmi les insectes, reptiles et batraciens.

Les plaines

La région de la plaine pannonienne, s'étendant à l'est du pays, est peuplée d'animaux plus communs. Sous les forêts de chênes et de charmes vivent des chevreuils, des renards roux, des chats sauvages, ou encore des martes des pins.

DANS LES EAUX

L'Adriatique

Le littoral est peuplé de nombreuses espèces qui enchanteront les plongeurs. Les fonds marins tapissés d'herbiers de posidonie et de cavités sont des refuges et des garde-manger pour les mérous, murènes, sars, rougets, oursins, gorgones, éponges, poulpes, thons, poissons-scies, requins… Malgré cette profusion de vie, certains sont menacés d'extinction. Le dauphin à nez en bouteille de l'Adriatique, par exemple, n'est plus estimé qu'à 220 spécimens. Avec un peu de chance, vous pourrez peut-être l'apercevoir, dans la baie de l'île de Krk.

Les lacs et les rivières

La qualité des eaux sur l'ensemble du territoire croate est particulièrement bonne. Les rivières, les lacs et les marécages regorgent de poissons. Accompagnant la truite, cohabitent des saumons, gardons, chevaines, carpes, brochets, silures, mais également des tritons, crapauds, couleuvres à collier, cistudes d'Europe (une tortue aquatique)… Dans les parcs nationaux de Plitvice et Krka, se trouve une espèce rare et protégée de loutre marine. Elle se nourrit des poissons et des écrevisses qu'elle chasse dans ces zones marécageuses.

DANS LES AIRS

Pour l'observation des oiseaux, il est conseillé de parcourir la réserve ornithologique de Kopački rit au nord d'Osijek. Rassemblant 260 espèces différentes, elle accueille, lors des migrations, cigogne noire, grande aigrette, spatule blanche, grand cormoran… Le parc de Risnjak abrite quant à lui une cinquantaine de grands tétras, qui exécutent des parades spectaculaires à la saison des amours.

Les oiseaux de proie sont également bien représentés sur l'ensemble du pays. Aux aigles, faucons pèlerins, pygargues à queue blanche, éperviers, circaètes jean-le-blanc, buses et chouettes s'ajoutent deux communautés de vautours fauves. Ce charognard, dont l'envergure peut atteindre 2,60 m, loge dans le parc national de Paklenica et sur le versant est de l'île de Cres.

Sur la côte et dans le millier d'îles longeant la Croatie vivent durant toute l'année mouettes, sternes, cormorans, merles bleus des roches… Quant à l'île de Mljet, elle résonne, à la période des migrations, du chant des grives, des fauvettes, des pinsons, des canards, hérons et autres oiseaux venus passer l'hiver.

NAISSANCE D'UNE NATION

Avec le recul historique, l'histoire de la Croatie peut se lire comme celle d'une longue marche vers la naissance d'une nation : mais celle-ci, constituée au cours du 10e s., connut bien des avatars, souvent tragiques, avant d'être enfin reconnue, en 1992, comme un État pleinement indépendant.

Amphithéâtre romain de Pula.

Idée d'un pays

La Croatie s'est construite comme un trait d'union entre de nombreuses civilisations et cultures : Empire romain d'Orient et d'Occident, Francs et Byzantins, chrétienté de l'Est et chrétienté de l'Ouest, ou encore islam et chrétienté. Ajoutons-y les puissances (Venise, Vienne, la Hongrie) qui s'assurèrent, au cours des siècles, la domination sur tout ou partie du pays et vous obtenez la recette, parfois explosive, de l'étonnante diversité de ce véritable carrefour historique et culturel.

L'ILLYRIE

À l'âge du bronze, le territoire de l'actuelle Croatie est surtout peuplé de tribus dites « illyriennes » structurées en royautés indépendantes : les Histres, les Dalmates, les Liburnes…

4e s. av. J.-C. – Les Grecs fondent les comptoirs d'Issa (Vis), de Pharos (Hvar), Corcyra Melæna (Korčula) et Tragurion (Trogir).

239 av. J.-C. – Intervention des Romains, irrités par la piraterie des Illyriens.

9 - Fin de la conquête romaine, au terme de deux siècles de guerres. Devenue *provincia romana*, l'Illyrie se romanise rapidement et se couvre de villes comme Zara (Zadar), Salona, Mursa (Osijek), Siscia (Sisak), Pula, Parentium (Poreč)…

Les Romains tracent des routes, développent la culture de la vigne et de l'olivier, organisent l'économie. De nombreux vestiges architecturaux rappellent cette époque brillante.

395 – Partage de l'Empire romain par Théodose le Grand : la frontière entre l'empire d'Orient et l'empire d'Occident est placée sur le Danube et la Drina.

Des empereurs venus d'Illyrie…

Cette terre de rudes guerriers qui perpétuaient les valeurs fondamentales des Romains, un peu oubliées dans la mère patrie, a donné bien des empereurs au Bas-Empire romain : si le premier d'entre eux, un Dalmate dénommé **Claude le Gothique**, n'a guère laissé de traces dans les mémoires, il en va autrement de son fils **Aurélien**, né à Sirmium, qui régna de 270 à 275 ; suivirent **Probus**, lui aussi originaire de Sirmium (277-282), l'énergique **Dioclétien**, né à Salona, qui créa la Tétrarchie en nommant trois compatriotes aux postes d'Auguste et de César et, enfin, **Constantin le Grand**, le premier empereur à se convertir au christianisme (306-337).

Les grandes dates de la Croatie

Début du 7e s. – Les Croates (Horvat) s'installent sur l'ancienne Illyrie.

925 – Tomislav se proclame roi et fonde le royaume de Croatie.

1102 – Les rois de Hongrie deviennent par traité souverains de Croatie.

1202-1797 – Venise s'empare de la Dalmatie. Sa suprématie culmine au 15e s., avant de disparaître durant la période napoléonienne.

1493 – Les Ottomans occupent près de la moitié du pays.

1527 – Le *Sabor* (diète croate) donne le trône de Croatie à Ferdinand Ier de Habsbourg.

1593 – Le territoire croate correspond à un tiers de sa surface actuelle.

1699 – Les Ottomans se retirent de Croatie.

1809-1913 – La Dalmatie et l'Istrie sont rattachées aux Provinces illyriennes créées par Napoléon.

1918-1929 – Création du royaume des Serbes, des Croates et des Slovènes.

1941 – Les forces de l'Axe installent à Zagreb l'État indépendant de Croatie, avec à sa tête Ante Pavelić, leader des Oustachis.

1945 – Création de la Yougoslavie communiste.

1971 – Tito brise le « printemps croate ».

1991-1995 – La Croatie proclame son indépendance et entre en guerre.

1999 – Mort du président Tuđman.

2005 – Début des négociations d'adhésion à l'Union européenne.

---

476 – Chute de l'empire d'Occident. L'Illyrie passe sous le contrôle de l'empire d'Orient.

535-555 – Reconquête de l'empire d'Occident par **Justinien** : dernière période de splendeur antique en Illyrie.

Début du 7e s. – Les Avars, originaires de l'Asie centrale, dominent le Danube moyen (Pannonie). Pour reconquérir la région, l'empereur byzantin **Héraclius** (610-641) fait appel aux peuples slaves du nord des Carpates. Parmi ceux-ci, les Croates (Horvat), population probablement d'origine iranienne, qui s'étaient établis au 6e s. av. J.-C. en Europe centrale où ils s'étaient peu à peu slavisés. Ils s'installent entre la Drave et l'Adriatique.

8e-9e s. – Rapidement christianisés et romanisés, les Croates constituent peu à peu des banats (duchés) plus ou moins indépendants, mais confrontés à des pressions extérieures, dont celle de Charlemagne qui revendique la Dalmatie.

812 – La paix d'Aix-la-Chapelle établit la souveraineté franque sur les duchés croates et l'Istrie, tandis que la Dalmatie demeure sous la dépendance de l'empereur byzantin.

DES DUCS ET DES ROIS

Vers 845 – Théoriquement vassal des Francs, le prince **Trpimir** (745-864) est le premier souverain indépendant de Croatie, de fait sinon de droit, et prend le titre de *dux Croatorum*. Son domaine a alors pour berceau la région de Nin et de Salona.

880 – Fondation du duché de Croatie et de Slavonie par le duc **Branimir** (879-892).

925 – Le duc **Tomislav** (910-928) fonde, en accord avec le pape Jean X, le royaume indépendant de Croatie. La frontière Nord est établie sur le tracé de la Drave. Après avoir volé au secours de Constantinople contre les Bulgares, Tomislav reçoit en récompense la Dalmatie. Pour la première fois depuis les Romains est réalisée l'unité politique entre le littoral et l'arrière-pays.

1058-1075 – Le règne de **Pierre Krešimir IV** marque l'apogée du royaume croate : reconquête des villes dalmates, rétablissement de l'autorité royale sur l'actuelle Slavonie, conquête de la Neretva, fondation de Šibenik.

1075-1089 – Règne de **Zvonimir** qui obtient la reconnaissance internationale du royaume de Croatie et de Dalmatie.

Une république à Dubrovnik (1205-1797)

Moins célèbre que la république de Venise qui domina une partie du bassin méditerranéen pendant plusieurs siècles, celle de Dubrovnik, alors nommée **Raguse**, fut tout de même très prestigieuse et réussit à échapper à l'hégémonie vénitienne. De sa proclamation à son annexion par Napoléon (1809), sa flotte navigua de l'Atlantique à l'océan Indien, ouvrant des comptoirs jusqu'à Lisbonne.

1089 – Zvonimir meurt sans héritier. La querelle dynastique entraîne la prise du pouvoir par les Magyars.

1102 – La conquête des villes dalmates par **Koloman** entraîne l'adhésion de la noblesse croate et la signature des *Pacta Conventa*. Le monarque hongrois est reconnu comme souverain légitime de Croatie et de Dalmatie ; l'État croate, qui conserve son indépendance de principe, est administré par un vice-roi désigné par le souverain, le **ban**, et une diète, le **Sabor**. Désormais, et jusqu'en 1918, l'histoire de la Croatie se confond avec celle de la Hongrie.

1137 – La Bosnie (Rama) s'associe au royaume de Hongrie-Croatie.

1202 – Venise s'empare de Zadar.

1242 – Zagreb reçoit du roi **Bela IV** le statut de « ville libre et royale ».

1308 – **Charles-Robert d'Anjou** devient roi de Hongrie-Croatie.

1358 – Victoire de Louis le Grand sur les Vénitiens : par la **paix de Zadar**, la Dalmatie rejoint le royaume croate, dont la république de Raguse reconnaît la suzeraineté.

L'expansion de la Sérénissime

Puissance militaire et maritime, la république de Venise ne pouvait tolérer la concurrence des ports istriens et dalmates. En 1205, les Vénitiens avaient déjà conquis une partie de l'Istrie et Zadar. Si la défaite de 1358 marqua un coup d'arrêt dans leur expansion, celui-ci ne fut que provisoire : au 15e s., Venise profitait de l'affaiblissement du pouvoir magyar, rudement frappé par l'avancée ottomane, pour établir son pouvoir sur les îles et le littoral, à l'exception notable de Raguse (Dubrovnik). Cette domination a duré jusqu'en 1797.

1377 – La Bosnie devient un royaume indépendant englobant une partie de la Dalmatie.

1397 – **Diètes sanglantes de Križevci**. En 1396, le roi de Hongrie et de Croatie, **Sigismond de Luxembourg**, essuie une lourde défaite devant les Turcs, à Nicopolis. On le croit mort. Les nobles croates, menés par **Stjepan Lacković**, élisent Ladislas de Naples. Mais Sigismond reparaît soudain, tandis que le *Sabor* se réunit en session à Križevci. En pleine séance, des soudards passent au fil de l'épée Lacković et ses acolytes. Quant à Sigismond, il règne jusqu'en 1437.

LE « REMPART DE LA CHRÉTIENTÉ »

1463-1482 – Les Ottomans s'emparent de la Bosnie, puis de l'Herzégovine.

1493 – Coup de tonnerre sur l'Europe chrétienne : les armées hungaro-croates sont battues à plate couture par les Ottomans à Krbava. La noblesse croate est décimée et une partie du territoire croate occupée (l'actuelle Slavonie).

1526 – **Soliman le Magnifique** écrase les Hongrois à Mohács : le roi Louis II Jagellon périt dans la bataille. Le *Sabor* désigne l'empereur d'Autriche, Ferdinand de Habsbourg, comme roi de Hongrie-Croatie. Les Ottomans s'emparent de Klis aux portes de Split. L'essentiel de la Hongrie et le reste des Balkans sont occupés par les Ottomans. La Croatie constitue le « rempart de la chrétienté ».

1566 – **Nikola Šubić Zrinski** arrête les Turcs à Siget ; la mort de Soliman survenue entre-temps permet de sauver Vienne de l'avancée ottomane.

1573 – Révolte de **Matija Gubec** provoquée par la brutalité du régime féodal qui affame les populations. S'étendant comme une traînée de poudre, elle est réprimée avec une violence inouïe.

Pour protéger leurs terres, les Habsbourg mettent en place un système de fortifications, et des mercenaires (les *Uskoks*) y sont positionnés pour contenir l'avancée ottomane. Une frontière militaire (Vojna Krajina) émerge donc, de Zadar au lac Balaton. Jusqu'en 1699, elle représente la frontière orientale de la chrétienté.

1593 – Victoire contre les Turcs remportée à Sisak par une armée croate conduite par **Toma Erdődy.**

1615-1617 – Guerre des *Uskoks* entre l'Autriche et Venise. Ces francs-tireurs luttant à l'origine contre les Turcs, s'étaient fait une spécialité de détrousser les navires vénitiens.

1630 – « **Confins militaires** » et « **restes des restes** ». Pour mener la lutte contre les Turcs, Vienne prend sous son administration directe une partie du territoire croate, abandonné par ses populations, où elle édifie des places fortes autour desquelles se développent de petites villes peuplées par des immigrants souvent d'origine serbe, attirés par des exemptions fiscales. Quant au royaume croate, toujours théoriquement autonome

L'art de choisir ses voisins

Entre les bouches de la Neretva et Dubrovnik, face à la presqu'île de Pelješac, les voyageurs rencontrent sur la route côtière un poste de douane : il marque l'entrée de **Neum**, seul accès maritime de la Bosnie-Herzégovine. Aujourd'hui devenu une zone très commerciale, ce territoire a été cédé à l'Empire ottoman en 1718 par les Ragusains qui préféraient encore avoir les Turcs pour voisins que les Vénitiens…

et administré par un vice-roi, il se limite à la région située à l'ouest d'une ligne Karlobag-Karlovac-Virovitica : c'est les *reliquiae reliquiarum* ou les « restes des restes ».

1671 – La noblesse croate en révolte contre Vienne : **Petar Zrinski** et **Fran Krsto Frankopan**, les meneurs, sont attirés en Autriche et exécutés.

1687 – Défaite des Turcs à Harkany. La Slavonie est libérée. Autrichiens et Ottomans signent en 1699 la paix de Karlowitz fixant leur frontière.

1718 – Le **traité de Passarowitz** détermine la frontière croato-bosniaque à peu près dans le tracé actuel.

1809-1813 – **Un intermède français**. La chute de Venise (1797) entraîne la domination française sur l'Istrie et une partie de la Croatie intérieure. La Dalmatie tombe dans l'escarcelle française lors des traités de Presbourg (1805) et de Vienne (1809), sans conflit armé. Les territoires croates du sud de la Save, unifiés, sont administrés, sous le nom de **Provinces Illyriennes**, par le général Marmont, futur duc de Raguse. Outre la construction de routes et de ponts, l'organisation de l'administration et l'introduction de lois et de réformes sociales, les historiens attribuent à la présence française l'éclosion du sentiment national croate. Le traité de Vienne (1815) met les Provinces Illyriennes sous la domination austro-hongroise.

LA RENAISSANCE NATIONALE CROATE

Le sentiment national croate émerge au 19ᵉ s. dans le contexte européen de l'éveil des nationalités. Dans un premier temps, ce sont les intellectuels qui affirment la singularité de leur culture. Cet effort est rapidement relayé par des partis politiques qui se constituent afin d'obtenir l'autonomie du pays.

1830-1848 – L'opposition des Croates à la domination hongroise se radicalise. En effet, les Hongrois cherchent à imposer l'usage de leur langue. C'est l'occasion pour les intellectuels de manifester leur volonté d'indépendance. **Ljudevit Gaj** (1809-1872) fonde le Mouvement illyrien, de renaissance nationale, et codifie la langue. Le comte **Janko Drašković** rédige en dialecte stokavien sa *Dissertation* (1832) réclamant l'adoption du croate comme langue officielle. Des œuvres littéraires et lyriques, exaltant la nation croate, déchaînent l'enthousiasme.

25 mars 1848 : le *Sabor* de Zagreb promulgue les « Revendications du peuple » qui témoignent de ses aspirations indépendantistes. Il réclame l'autonomie par rapport à Budapest, le rattachement de la Dalmatie à la Croatie, et propose le général **Josip Jelačić** (1801-1859), connu pour ses convictions patriotiques, au poste de *ban*.

Le *ban* abolit le servage, rompt les relations administratives avec la Hongrie et mène de nombreuses réformes. Parmi celles-ci, l'adoption du croate comme langue officielle du *Sabor* à la place du latin. Mais la révolution hongroise précipite les événements. Les Hongrois se révoltent contre Vienne pour obtenir un roi et une diète indépendants. Ils promulguent les « lois de mars » dans lesquelles ils affirment (entre autres) leur volonté d'incorporer la Croatie à leur royaume. L'empereur fait appel à Jelačić pour mater les révoltés : celui-ci, à la tête d'une armée de 40 000 Croates, participe à la prise de Budapest et à la capitulation des Hongrois à Vilagos, le 13 août 1849.

« L'Histoire des Croates », par Ivan Meštrović. (Sculpture devant l'université de Zagreb).

Le ban Josip Jelačić, par Ivan Zasche (1860).

Musée de la ville de Zagreb

1851-1860 – L'absolutisme de Bach. Si le *ban* espérait ainsi servir la cause nationale, il fut bien déçu : L'empereur François-Joseph nomme le chancelier Bach qui établit un gouvernement absolutiste. En Croatie, le vice-roi est remplacé par une administration impériale ; les privilèges sont abolis, de même que les provinces historiques.

La lutte continue

Cependant, les différentes forces du pays s'organisent en partis politiques. **Josip Juraj Strossmayer** (1815-1905) fonde l'Académie des sciences et des arts en 1866 et prône l'union des Slaves du Sud (Jugo), élaborant ainsi le concept de « Yougoslavie ». Les nationalistes comme **Eugen Kvaternik** (1825-1871) et **Ante Starcević** (1823-1896) luttent pour la libération de tous les territoires croates. En 1871, Kvaternik tentera même un soulèvement. Ce n'est qu'en 1881 que la Croatie sera réunifiée avec l'abolition des Confins militaires.

1867 – Le « compromis » signé entre la Hongrie et l'Autriche place à nouveau les Croates sous l'autorité de la Hongrie. Il faudra la **Nagodba**, conclue l'année suivante entre Croates et Hongrois, pour réaffirmer le statut particulier de la Croatie.

Octobre 1905 – Des députés croates établissent à Rijeka les **résolutions de Fiume** pour une révision de la Nagodba visant le rattachement de la Dalmatie au royaume de Croatie.

Le ralliement de députés serbes de Croatie à ce projet permet la victoire d'une coalition croato-serbe (HSK) aux élections de 1906.

D'UNE YOUGOSLAVIE À L'AUTRE

La Première Guerre mondiale bouleverse la configuration des Balkans. L'idée d'un État yougoslave commun fait son chemin, et le rapprochement s'accentue entre les nationalistes serbes et croates.

1914-1918 – En 1915, plusieurs députés serbes, croates et slovènes, dont Frano Supilo et Ante Trumbić, fondent le Comité yougoslave afin de constituer un « royaume tri-unitaire » au lendemain de la guerre. La « déclaration de Corfou » en 1917 pose les bases d'un futur État serbo-croate. La fin de la guerre entraîne l'éclatement de l'Autriche-Hongrie.

1er décembre 1918 – Fondation du royaume indépendant de Serbie, de Croatie et de Slovénie. Le roi des Serbes, **Pierre**, prend la tête de ce nouvel État. Dans le camp des vainqueurs de la Grande Guerre, les Serbes sont confortés dans leur ambition de constituer une « grande Serbie » ; les Croates, eux, cherchent à obtenir une forme d'autonomie au sein de ce royaume.

1921 – La constitution centralisatrice renforce le leadership serbe sur le gouvernement yougoslave. **Alexandre Ier** accède au trône.

1922 – Fondateur du Parti paysan croate, **Stjepan Radić** adresse un mémorandum à la Société des Nations pour obtenir un soutien à son projet de Croatie indépendante.

1928 – Assassinat de Stjepan Radić au Parlement de Belgrade.

ROGER VIOLLET

Stjepan Radić, héros et martyr de la cause croate.

6 janvier 1929 – Le roi proclame la dictature et donne au pays le nom de Yougoslavie. L'administration sert avant tout les intérêts serbes. Les brimades contre les Croates sont nombreuses.

1934 – Le roi est assassiné à Marseille par un nationaliste de Macédoine. Dirigés depuis l'Italie par un député de Zagreb, **Ante Pavelić**, les ultra-nationalistes reçoivent le soutien de Mussolini et se constituent en mouvement terroriste qui prend le nom d'*Oustacha* (« insurgé »). Leur influence croît à mesure que les forces de l'Axe s'imposent en Europe.

1941-1944 – Le régime oustachi. L'offensive germano-italienne du 6 avril 1941 dans les Balkans signifie l'éclatement de la Yougoslavie et l'établissement de régimes collaborationnistes, en Serbie comme en Croatie, qui tombe sous la coupe des Oustachi d'Ante Pavelić. Ce régime laissera une trace sanglante dans l'histoire : un génocide est mis en œuvre, contre les Serbes, les juifs, les Tsiganes et les opposants croates. De leur côté, les Tchetniks (royalistes serbes) sèment la terreur parmi les populations croates et bosniaques. La violence des Oustachis suscite l'opposition d'une majorité de Croates qui rejoignent la Résistance.

1944-1945 – Mené par Tito, le mouvement antifasciste libère le pays. Un million de personnes au total avaient péri durant la guerre, dont près de 100 000 Serbes, Juifs, Tsiganes et Croates qui ont trouvé la mort dans le seul camp de concentration de Jasenovac.

La synthèse de Tito

Au lendemain de la guerre, un nouvel État yougoslave est reconstitué sur le principe d'une fédération socialiste regroupant six républiques : Serbie, Croatie, Bosnie-Herzégovine, Slovénie, Macédoine et Monténégro. Les garants de l'unité sont le parti communiste et,

Josip Broz, dit Tito.
ROGER VIOLLET

surtout, le **maréchal Tito**. Le choix d'une langue de compromis comme principal idiome officiel, le « serbo-croate », vise à renforcer cette unité.

Novembre 1945 – Proclamation de la République populaire fédérale de Yougoslavie et adoption d'une Constitution. Les communistes issus du mouvement antifasciste s'emparent progressivement du pouvoir et appliquent les méthodes soviétiques : création d'une police politique, lutte contre l'église catholique, nationalisation des moyens de production, planification de l'économie, culte de la personnalité et purges.

1945-1947 – Le camp de Jasenovac est utilisé par le régime pour éliminer les opposants.

1948 – Tito rejette le diktat de Staline : le « titisme », accusé de révisionnisme et de nationalisme par l'orthodoxie communiste, est né. En comparaison avec les autres « démocraties populaires », le système titiste, basé sur une forme d'autogestion, se révèle relativement libéral, en matière artistique notamment où les créateurs ne se voient pas imposer le carcan du « réalisme socialiste ».

19 juillet 1956 – Signature à Brijuni du **pacte des pays non alignés** entre Tito, Nasser et Nehru. Cependant, Tito ne parvient pas à établir une véritable égalité entre les républiques constituant la Yougoslavie. Les tensions s'intensifient entre les Croates et le gouvernement central, dominé par des Serbes. Les Croates revendiquent l'utilisation de leur langue, ainsi qu'une meilleure répartition des richesses, accaparées par Belgrade, qui récupère les devises du tourisme florissant de Dalmatie.

1971 – Le « **printemps croate** ». La société civile s'élève contre le centralisme. Les étudiants se mobilisent

Bande à part

L'Istrie et une partie du golfe de Kvarner, jusqu'à Rijeka (Fiume), ne font pas partie de la première Yougoslavie. Revendiqués par l'Italie et aussitôt occupés, ils seront officiellement rattachés à celle-ci en 1920 et en partageront le destin jusqu'à la Seconde Guerre mondiale. Après la chute de Mussolini, ces territoires seront envahis par les Nazis puis libérés par les forces alliées anglo-américaines, et remis à la seconde Yougoslavie en 1947.

dans la rue alors que les représentants de la Société littéraire croate (Matica Hrvatska), revendiquent avec la presse locale la reconnaissance des particularités croates. Tito met fin à la révolte. Les dirigeants croates sont contraints à la démission, les étudiants sont dispersés, le Parti communiste croate est purgé, des dissidents sont assassinés, etc. Le souvenir du « printemps croate » jouera un grand rôle en 1991.

4 mai 1980 – Mort de Tito. Avec lui disparaît l'idéal d'une Yougoslavie unifiée. Une présidence collégiale composée d'un représentant de chacune des républiques, et d'un président nommé pour un an, succède au défunt maréchal. L'attribution des postes s'effectue en fonction de critères ethniques, ce qui contribue à la désagrégation de l'État fédéral.

NAISSANCE DANS LA DOULEUR

6-7 mai 1990 – Les élections générales en Croatie, premières élections libres en Yougoslavie, voient la victoire éclatante de **Franjo Tuđman** à la présidence, et celle de son parti le HDZ *(Hrvatska Demokratska Zajenica)* aux élections législatives.

Décembre 1990 – La « **Krajina** » (région bordant la frontière bosniaque) se révolte contre Zagreb. L'armée fédérale, en majorité serbe, loin de s'interposer, aide les séparatistes. Le *Sabor* adopte une nouvelle Constitution le 22 décembre qui entérine un État croate « unitaire et indivisible ». Les forces croates tentent de reprendre les territoires occupés qui, au début de 1991, prennent le nom de « république de Serbie-Région autonome serbe de Krajina ».

Mars 1991 – La Slavonie occidentale s'embrase à son tour.

15 mai 1991 – La présidence fédérale doit revenir à la Croatie. L'opposition de Milošević entraîne la vacance du poste : la Fédération yougoslave cesse *de facto* d'exister. Le 25 juin, le *Sabor* proclame l'**indépendance de la Croatie**.

Août 1991 – L'armée fédérale, désormais entièrement serbe, déployée en Slavonie orientale, butte devant Vukovar, qui devient le symbole de la résistance croate.

7 octobre 1991 – Bombardement du palais présidentiel à Zagreb. Le conflit s'étend sur plus de 1 000 km de front.

La montée des nationalismes

Le nouveau gouvernement décide d'une série de mesures : choix d'un nouveau drapeau, promotion du croate écrit en caractères latins comme langue officielle. Mais les changements décidés par Tuđman, notamment au sein de la police, en réduisant le rôle des communistes et des Serbes, alimentent un sentiment de discrimination exploité par Belgrade, ce qui engendre un climat de tensions dans les régions de Croatie à forte minorité serbe. La pression est amplifiée par une montée des nationalismes, qui s'exprime lors des meetings de Milošević dès 1988, et de Tuđman lors de la campagne électorale de 1990. Si les deux leaders abordent les mêmes thèmes (nationalisme, critique du « titisme »), l'un défend la création d'une Grande Serbie, l'autre le droit de la Croatie à l'indépendance. Suite à l'exacerbation de ces sentiments nationaux plusieurs communes de la région de **Knin**, à forte minorité serbe, proclament leur autonomie, et des miliciens serbes appuyés par l'armée yougoslave prennent possession de la région, ce qui conduit à la confrontation armée.

Dubrovnik est bombardée en novembre ; Vukovar tombe le 18.

3 janvier 1992 – Une 16ᵉ tentative de cessez-le-feu est acceptée par les parties en présence. Les douze pays européens reconnaissent l'indépendance de la Croatie le 15 janvier. L'ONU déploie 14 000 hommes pour pacifier les zones occupées. La guerre a tué 13 000 Croates, un quart du pays est occupé et la politique de « nettoyage ethnique » a engendré l'expulsion de 500 000 Croates des territoires occupés.

22 mai 1992 – La Croatie devient membre de l'ONU.

1992 – Guerre de Bosnie. Si le cessez-le-feu est plus ou moins respecté en Croatie, les hostilités se poursuivent en Bosnie-Herzégovine où la minorité serbe réclame le rattachement du pays à la Serbie. Croates et Bosniaques s'allient face à l'invasion des troupes de Milošević. Le siège de Sarajevo révèle la dérive ethnique du conflit. Colonnes de réfugiés, massacres, camps de concentration alertent l'opinion internationale sur le drame de l'épuration dont sont victimes Croates et Bosniaques.

1993-1994 – Conflit croato-bosniaque. La coalition entre Croates et Bosniaques se brise au début de 1993. La

P. Plantier / MICHELIN

Au cœur du monde politique croate : l'église St-Marc de Zagreb.

guerre éclate entre anciens alliés, à la suite de l'arrivée massive de réfugiés en Bosnie centrale, et des désaccords sur l'avenir de la Bosnie-Herzégovine. Les deux parties concluent la paix le 18 mars 1994 à Washington, et unissent leurs troupes sous un commandement commun.

Mai-août 1995 – L'opération « Éclair » qui aboutit à la reconquête de la Slavonie occidentale, est suivie de l'opération « Tempête ». La Croatie réinvestit l'ensemble des territoires perdus en 1991. 90 000 civils serbes partent pour l'exil.

Novembre 1995 – Les pressions internationales, ainsi que l'évolution de la situation militaire contraignent les parties à se rencontrer à Dayton pour signer un accord de paix général en présence des présidents bosniaque, croate et serbe, **Alija Izetbegović, Franjo Tuđman** et **Slobodan Milošević**. Les accords de Dayton-Paris du 21 novembre mettent un terme définitif à la guerre. Plusieurs officiers croates et serbes sont inculpés par le Tribunal pénal international pour crimes de guerre.

LA CROATIE INDÉPENDANTE

13 avril 1997 – Le HDZ gagne les élections législatives et Tuđman est réélu président le 15 juin.

1998 – La Slavonie orientale est définitivement réintégrée à la Croatie.

10 décembre 1999 – Mort de Franjo Tuđman.

Janvier-février 2000 – Victoire de la coalition d'opposition (centre gauche) aux élections législatives du 3 janvier. Le 7 février, **Stipe Mesić** est élu président de la République.

21 février 2001 – Réforme constitutionnelle : la Croatie est une république parlementaire avec un régime de type semi-présidentiel. Le président est élu au suffrage universel direct pour 5 ans, et nomme un Premier ministre issu de la majorité politique du *Sabor* élu tous les quatre ans.

14 mai 2001 – La Croatie signe l'accord de stabilisation et d'association avec l'Union européenne.

21 février 2003 – Lancement du processus d'adhésion à l'Union européenne.

Septembre 2003 – La rencontre des présidents croate et serbe à Belgrade marque la volonté de dépasser les conflits du passé.

9 décembre 2003 – Ivo Sanader est nommé Premier ministre après la victoire du HDZ aux élections législatives.

18 juin 2004 – La Croatie obtient le statut de candidat officiel pour l'entrée dans l'Union européenne.

16 janvier 2005 – Stipe Mesić est réélu président de la République

Mars-octobre 2005 – Le manque de progrès dans l'arrestation du général Gotovina, en fuite depuis 2001, freine les négociations d'adhésion à l'Union européenne. Mais, en octobre, un rapport favorable du TPIY (Tribunal pénal international pour l'ex-Yougoslavie) sur les efforts de la Coatie relance le processus.

7 décembre 2005 – Le général Gotovina est arrêté dans les îles Canaries et transféré à La Haye.

Ils ont fait la Croatie

Voici une liste non exhaustive de personnages dont le destin ou les exploits sont liés à la Croatie. Enfants du pays ou étrangers, vivant sur place ou exilés, ils ont tous par leurs œuvres ou leurs actions participé à la construction de la nation croate et à son rayonnement sur la scène internationale.

Ruđer Bosković (1711-1787) – Ce jésuite né à Dubrovnik a été l'un des penseurs les plus prolixes de son siècle, développant des hypothèses et des théories sur des sujets aussi divers que la physique, l'astronomie, les mathématiques, l'architecture, la philosophie et la diplomatie. Ce savant fut également l'inventeur de la lunette achromatique et l'un des précurseurs de l'atomisme moderne reconnu par Faraday et Heisenberg (le père de la bombe). Il participa aussi à la découverte d'Uranus, et un cratère de la Lune porte son nom.

Jurav Dalmatinac (15e s.) – Plus connu sous le nom de Georges le Dalmate, cet architecte travailla des deux côtés de l'Adriatique. Ses œuvres sont visibles dans les villes d'Acône, Šibenik, Split, Venise et Zadar. Son style évolue entre le gothique tardif et la Renaissance. C'est le principal maître d'œuvre de la cathédrale Saint-Jacques à Šibenik, classée au Patrimoine mondial de l'humanité.

Dioclétien (245-313) – Empereur romain de 284 à 305, il créa la tétrarchie (partage du pouvoir à quatre) en 293. Connu pour sa politique de réforme, il persécuta les chrétiens à partir de 303. En 305, il abdique et se retire dans son palais de Split.

Goran Ivanisević (1971-) – Originaire de Split, le vainqueur de Wimbledon en 2001 est l'un des Croates les plus connus dans le monde. Son style de jeu agressif, porté par ses *aces* dévastateurs, ont mené ce gaucher au 2e rang mondial en 1994.

Dora Maar.

A. Rogi / RMN

Ivan Illich (1926-2002) – Penseur croato-austro-américain, théoricien de la « contre-productivité », c'est l'un des pères de la notion de décroissance. Ses deux livres les plus célèbres sont : *Une société sans école* et *La Convivialité*.

Josip Jelačić (1801-1859) – En 1848, il devient ban de la Croatie, et mate la révolte hongroise. Sa statue, absente durant la période du titisme, orne à nouveau la place centrale de Zagreb.

Janica Kostelić (1982-) – En 2006, à l'âge de 24 ans, elle est devenue la première skieuse à totaliser 4 médailles d'or aux jeux Olympiques d'hiver (3 à Salt Lake City en 2002 et 1 à Turin en 2005). La même année, elle a remporté pour la troisième fois le championnat du monde de ski alpin après ses victoires de 2001 et 2003.

Miroslav Krleža (1893-1981) – Auteur le plus célèbre de la littérature contemporaine croate. Il écrit des œuvres pour le théâtre, des poèmes et des romans, dont le plus connu est *Le Retour de Philippe Latinowicz*. Il a fondé en 1950 l'Institut de lexicographie et supervisa la rédaction de l'Encyclopédie yougoslave.

Léon X (1475-1521) – Né Jean de Médicis, il fut élu pape en 1513. En 1519, il qualifie la Croatie de rempart de la chrétienté (*Antemurale christianitatis*).

Dora Maar (1907-1997) – Fille d'un architecte croate et d'une Française, Teodora Markovic fut élevée à Buenos Aires. En 1926, à Paris, elle étudie la peinture et rencontre les grands photographes de l'époque. Puis elle découvre le surréalisme et se rapproche de Georges Bataille et d'André Breton, qui influencèrent une partie de sa production photographique. Mais elle est surtout connue pour la liaison qu'elle entretient durant dix ans avec Picasso (1935-1945). Durant cette période, elle inspire le peintre qui réalise de nombreux tableaux d'elle, dont *La femme qui pleure* en 1936. Elle photographie les différentes étapes de la fabrication de *Guernica*. Elle ne se remit jamais réellement de sa rupture avec Picasso. Elle s'éteignit en 1997 à Paris.

Antun Gustav Matos (1873-1914) – Exilé à Belgrade, Paris, Vienne et en Suisse, il chante sa ville natale de Zagreb dans de nombreux textes.

Ivan Mažuranić (1814-1890) – Premier roturier à accéder au poste de ban de Croatie en 1873. Son poème *La Mort de Smaïl-Aga Cengić* est un classique de la littérature. Il est considéré comme l'un des pères de l'État croate.

Ivan Meštrović (1883-1962) – Élève de Rodin, il passe pour le plus grand sculpteur croate du 20ᵉ s. Ses œuvres jalonnent le pays tant dans les musées que dans les rues. En 1962, il meurt aux États-Unis, où il vivait depuis 1947.

Stjepan Radić (1871-1928) – Homme politique, il fut l'un des fondateurs, en 1905, du Parti paysan croate. Défenseur actif de la fondation d'une « république croate neutre et paysanne » à la période du royaume des Serbes, Croates et Slovènes, il est assassiné en 1928 au Parlement de Belgrade. Après avoir été l'un des héros de la cause croate, il en devint l'un des martyrs.

Lavoslav Ružička (1887-1976) – Né à Vukovar, il étudie à l'université de Karlsruhe, en Allemagne. Diplômé en 1910, il part pour la Suisse où il effectue la plupart de ses recherches. Ils reçoivent avec Adolf Butenandt le prix Nobel en 1939 pour leurs travaux portant sur les stéroïdes et la synthèse partielle des hormones mâles (testostérone et androstérone). Pendant la Seconde Guerre mondiale, il prend comme assistant un jeune Croate et futur prix Nobel en 1976, **Vladimir Prelog** (1906-1998). La fin de sa carrière est marquée par un intérêt croissant pour la biochimie ainsi que pour l'apparition et l'évolution de la vie.

August Šenoa (1838-1881) – Surnommé le « Victor Hugo croate », il peut être considéré comme l'inventeur du roman dans ce pays. Ses œuvres les plus connues sont *L'Or de l'orfèvre* (1871) et *La Révolte des paysans* (1877). Travailleur infatigable, il se distingua dans tous les aspects de la vie culturelle et publique, ses activités le menant du théâtre à la politique.

Alojzije Stepinac (1898-1960) – Personnage controversé, le cardinal Stepinac a été archevêque de Zagreb (1934-1946) durant le régime pronazi des Oustachis d'Ante Palević. À la suite de son emprisonnement par Tito en 1946, il devint l'une des figures de la résistance croate et il mourut en 1960 à Krašic où il vivait en résidence surveillée. Sa béatification en 1998 par le pape Jean-Paul II relança le débat entre pro et anti-Stepinac.

Tomislav Iᵉʳ (910-928) – Ce duc est couronné roi de Croatie par le pape Jean X. En 925, il fonde le premier État croate indépendant, en unifiant le littoral et l'arrière-pays. Ce royaume culmine sous le règne de **Pierre Krešimir IV** (1058-1075).

Josip Juraj Strossmayer (1815-1905) – Évêque de Đakovo à partir de 1850, il participa activement au développement

Le plus vieil homme de Croatie

C'est en 1899 que fut découvert l'homme de Krapina, quand le Dr. Dragutin Gorjanović-Kramberger mit au jour des restes humains datant du paléolithique moyen. Ce Néandertalien d'environ 1,55 m utilisait le feu et se tenait parfaitement droit. C'est la célébrité la plus ancienne de Croatie, car il vivait dans la région entre 80 000-50 000 av. J.-C.

de la culture croate. Il fonde l'Académie des sciences et des arts en 1866, et l'université de Zagreb en 1874. Il fut un défenseur actif de l'idée de création d'un État réunissant les Slaves du Sud.

Nikola Tesla (1856-1943) – Physicien serbo-croate (né en Croatie de parents serbes) naturalisé américain, il fut l'un des plus illustres génies de son époque et consacra sa vie à l'électricité.

Tito (1892-1980) – Né à Kumrovec, près de Zagreb, d'un père croate et d'une mère slovène, **Josip Broz** devint militant du parti communiste dès 1923. Tito prit une dimension internationale lorsqu'il organisa la Résistance aux forces de l'Axe et, avec les Partisans, libéra le territoire yougoslave avant de prendre le pouvoir et de proclamer la République en 1945. Son charisme, sa légitimité historique, son intransigeance face à Staline, son rôle à la tête du mouvement des pays non-alignés, et son habileté (non exempte de fermeté) lui ont permis de tenir à bout de bras cette seconde Yougoslavie, qui ne lui a pas survécu.

Franjo Tuđman (1922-1999) – Résistant pendant la Seconde Guerre mondiale, son parcours politique l'oppose à Tito notamment lors du Printemps croate (1971). Emprisonné à plusieurs reprises, il revient sur la scène politique à l'occasion de l'instauration du multipartisme en 1989, en créant l'Union démocratique croate (HDZ). En 1990, il est le premier président élu de la Croatie. Il s'éteint en 1999 sans avoir quitté le pouvoir.

Goran Višnjić (1972-) – Issu d'une famille modeste, il commence le théâtre à 9 ans. Après l'Académie des arts de Zagreb, ce jeune comédien se fait connaître dans le rôle d'Hamlet. Son interprétation lui vaut trois prix nationaux du meilleur acteur. Après une carrière théâtrale et ses débuts au cinéma (*Bienvenue à Sarajevo*, 1997), c'est grâce au petit écran qu'il atteint la renommée mondiale en incarnant le docteur Luka Kovać dans la série *Urgences* (1999).

ART ET CULTURE

La richesse du patrimoine culturel croate n'a rien à envier à celui de l'Autriche, de la France ou de l'Italie. Qu'il s'agisse de monuments, de peinture, de sculpture, la Croatie ne compte plus ses chefs-d'œuvre romans, baroques, réalistes… Comme les arts plastiques, la littérature, la musique, la photographie et le cinéma réinterprètent de manière originale les grands courants européens.

M. Guillochon / MICHELIN

La loggia du palais du Recteur à Dubrovnik.

Un entrelacs de styles

De la Colombe de Vučedol à l'abstraction lyrique d'Edo Murtić, des entrelacs préromans au trompe-l'œil d'Ivan Ranger, du palais de Dioclétien aux vaches rouges de Generalić, l'art en Croatie est le reflet des cultures que cette terre a su assimiler pour en faire une étonnante synthèse, symbolisée par l'œuvre d'Ivan Mestrović.

L'ENVOL DE LA COLOMBE

Les cultures néolithiques sur le territoire croate ont livré plusieurs trésors, dont le plus spectaculaire provient de la **civilisation de Vučedol**, en bordure du Danube, qui atteint son apogée au cours de l'âge du cuivre (3 000 av. J.-C.). Elle a laissé des vases décorés de figures géométriques dans lesquels certains ont voulu voir le premier calendrier. Mais la figure emblématique reste la **Colombe de Vučedol**. D'autres traces des cultures néolithiques ont été retrouvées en Istrie et en Dalmatie, ainsi que dans les îles.

Les **âges du bronze et du fer** voient apparaître en Istrie des gradina (oppidums), dont la plupart (hors Nesactium) ont disparu sous les agglomérations

qui leur succédèrent. Les tribus illyriennes (Iapodes, Dalmates, Histres, Liburniens…) ont laissé outils, armes et fibules, celles des **Iapodes** étant les plus réussies.

Le site archéologique de Vučedol (voir p. 397), le musée archéologique d'Istrie à Pula (voir p. 341).

SPLENDEURS ANTIQUES

C'est au 1er s. av. J.-C. que les Romains, succédant aux **Grecs** d'Issa et de Tragurion, affirment leur emprise sur l'Illyrie : ils construisent une trentaine de villes auxquelles ils appliquent le plan en damier caractéristique de leur urbanisme, qui s'est parfois perpétué jusqu'à nos jours (Poreč, Zadar). Parmi leurs cités, citons Senia (Senj), Arba (Rab), Curicum (Krk), Albona (Labin), Siscia (Sisak), Aquæ Iasæ (Varaždinske Toplice) ou Mursa (Osijek).

Pola (Pula) a conservé des monuments quasiment intacts : l'amphithéâtre, le temple d'Auguste, l'arc des Serge. Dévastée par un séisme, **Salone** n'est qu'un champ de ruines. Mais c'est à **Split** que les Romains ont laissé la plus étonnante trace de leur passage avec le palais où Dioclétien se retira (4e s.).

Les sites antiques de Pula (voir p. 337), le palais de Dioclétien à Split (voir p. 186).

Les derniers feux de l'antiquité

La chute de l'empire d'Occident (495) ne signifie pas décadence artistique. Passé dans l'orbite de Byzance, le littoral croate voit s'édifier d'admirables monuments, comme les basiliques de Salone, de Pula (Sainte-Marie Formose) et la somptueuse **basilique euphrasienne de Poreč**. Dans cet âge d'or, le décor est exceptionnellement travaillé : mosaïques très proches de celles de Ravenne, incrustations de marbre, stucs, chapiteaux de pierre dentelés… Les décors sculptés des sarcophages sont d'une remarquable finesse et les reliquaires témoignent du talent des orfèvres dans cette période à laquelle mettront fin, au 6ᵉ s. les invasions des Avars et des Slaves.

📷 *La basilique euphrasienne de Poreč (voir p. 324).*

Mosaïques de la basilique euphrasienne de Poreč.

L'ART « VIEUX CROATE » (9ᵉ-11ᵉ S.)

Rares sont les pays qui ont conservé tant de témoignages d'un art préroman : sur la côte dalmate comme en Istrie, près d'une centaine d'églises témoignent d'un passage de relais, entre l'Antiquité tardive et l'époque romane (9ᵉ-11ᵉ s.). Souvent petites (à l'exception de **Saint-Donat** à Zadar), ces églises se présentent sous diverses formes : des rotondes constituées d'une suite de six ou huit lobes semi-circulaires (région de Zadar) ou des sanctuaires longitudinaux à trois travées parfois dotés d'une coupole (au sud).

C'est dans ces sanctuaires au mobilier de pierre, que l'on observe les fameux entrelacs, ou **pleter**, faits d'une tresse à trois brins entrelacés qui recouvrent

la moindre surface et dont le dessin devient de plus en plus complexe. Les motifs des mosaïques font appel au répertoire antique : cercles et losanges entrecroisés, nœuds, tresses et volutes. Au 11ᵉ s., avec le retable de St-Dominique de Zadar (vie du Christ) et la dalle de Split (« un roi croate ») apparaissent les figures humaines oubliées depuis l'Antiquité : l'art roman est en marche.

📷 *La cathédrale Saint-Donat à Zadar (voir p. 230).*

MOYEN ÂGE ET RENAISSANCE

L'époque romane voit la construction des **cathédrales** de Trogir, Zadar et de Rab. À Split, **maître Buvina** sculpte en 1214, sur le portail de la cathédrale, la Vie du Christ en 28 reliefs. Mais c'est **maître Radovan** qui réalise le chef-d'œuvre de la statuaire romane en Croatie, avec le portail de la cathédrale de Trogir (1240). L'**orfèvrerie** donne quant à elle quelques chefs-d'œuvre avec le sarcophage doré de Saint Simon de Zadar, par **François de Milan**. L'architecture **gothique** fait son apparition à la fin du 13ᵉ s., avec l'église franciscaine de Pula et le début de la construction de la cathédrale de Zagreb, inspirée de celle de Troyes. L'architecture civile a laissé nombre de palais, très vénitiens d'allure, à Dubrovnik, Split ou Poreč. Dans le domaine militaire, il faut citer la forteresse de Medvedgrad sur les hauteurs de Zagreb.

C'est à l'époque romane qu'apparaît la **peinture** en Croatie : la linéarité des fresques de Ston (11ᵉ-12ᵉ s.) montre une influence byzantine. On voit des Crucifixions sur bois, des icônes mêlant les styles roman et byzantin : parmi celles-ci la Vierge de Zadar et les icônes de Split, attribuées au Maître de N.-D.-du-Clocher. Du début de l'époque gothique, peu de traces, sinon plusieurs fresques en Istrie dans la manière de Giotto. Quelques

Matière première et savoir-faire

Le palais de Dioclétien à Split, le Reichstag à Berlin, la Maison-Blanche à Washington… Ce qui unit ces monuments, par-delà les époques et les distances, c'est la pierre qui les constitue, le fameux calcaire blanc, d'une finesse évoquant le marbre, extrait depuis l'Antiquité sur l'île de Brač. Tradition ininterrompue puisque l'existence des tailleurs de pierre est mentionnée au 15ᵉ s. Des dynasties de sculpteurs, comme les **Stambuk,** perpétuent la renommée de la **pierre de Brač** et le savoir-faire de ses artistes. Quant à la transmission de leur savoir, elle est assurée, depuis 1956, par l'**École des industries et des arts de la pierre** de Pučišća.

L'euphorie baroque : fresques de l'église de Kutina.

noms apparaissent comme Blaž Jurjev ou **Paolo Veneziano** : le coloris raffiné, la stylisation des plis, l'apparition des volumes démontrent qu'une nouvelle manière de peindre est advenue.

🕭 *La cathédrale Saint-Laurent de Trogir (voir p. 216), l'église franciscaine de Pula (voir p. 340).*

La Renaissance

La proximité de l'Italie allait favoriser l'introduction de la Renaissance sur le littoral : la galerie du palais du Recteur de Dubrovnik par Micheluzzo (1463) en est un superbe exemple. Sculpteur et architecte, Juraj Dalmatinac (**Georges le Dalmate**, 1410-1473), encore marqué par la flamboyance du gothique vénitien, introduit des valeurs de la Renaissance en Dalmatie : son œuvre majeure reste la cathédrale de Šibenik. Ses élèves, **Andrija Alexi** et **Nikola Firentinac** réalisent à la fin du 15e s. la chapelle de Jean de Trogir, avec la complicité du sculpteur **Ivan Dukovnić**, plus connu sous le nom de Giovanni Dalmata. D'autres artistes dalmates s'expatrient et se rendent célèbres en Europe : c'est le cas de Juraj Čulinović (**Giorgio Schiavone**), du miniaturiste Julije Ković (**Giulio Clovio**), du peintre Andrija Medulić (**Andrea Schiavone**) et du sculpteur Franjo de Vrana, *alias* **Francesco Laurana** (1430-1502), qui a laissé nombre d'œuvres à Naples, Messine, Marseille et Avignon. Les peintres Lovro Dobričević, puis **Mihajlo Hamzić** (16e s.) hésitent entre tradition et modernité. Nikola Božidarević réalise quant à lui des polyptyques d'autel. La Renaissance est également marquée par la conception de la « **cité idéale** » de **Karlovac** et la construction des villas de Dubrovnik.

Quant au nord, sous la menace des Ottomans, il se couvre de **forteresses** à Varaždin, Veliki Tabor ou Đurđevac.

🕭 *Le palais du Recteur à Dubrovnik (voir p. 121), la cathédrale de Šibenik (voir p. 208).*

LE BAROQUE : UN ART TOTAL

Né de la Contre-Réforme mais encore imprégné par l'humanisme de la Renaissance, l'art baroque se veut un art total : il intervient sur l'architecture et sur l'espace qui l'environne.

Le 17e s. voit l'essor de l'**architecture baroque** sacrée importée par les jésuites, qui font travailler artistes italiens et autrichiens (Ackermann, Andrea Pozzo, Quaglio, A. J. Quadri…). De grandes églises sont édifiées dans l'esprit du Gesù de Rome : Ste-Catherine de **Zagreb**, l'Assomption à **Varaždin**… À **Rijeka**, l'église St-Guy (1637) est le plus vaste édifice circulaire de l'époque. Les églises existantes sont modifiées par l'addition d'une chapelle de part et d'autre de la nef, pour dynamiser l'espace. La décoration est somptueuse. Des sculpteurs locaux se révèlent, comme **Ivan Jakob Altenbach** et **Ivan Kormersteiner**. Le peintre **Federico Benković** est appelé à Venise…

La reconstruction de Dubrovnik

La principale création baroque en Dalmatie est la reconstruction de Dubrovnik après le séisme de 1667, menée sur les plans d'un ingénieur italien, G. Cerutti. L'architecte Andrea Pozzo édifie l'église des jésuites, et son collègue Pietro Padalacqua, le grand escalier.

Mais c'est le 18e s. qui va voir la victoire totale de l'art baroque, tandis que les pauliniens prennent la suite des jésuites : en Slavonie, ce sera la création de villes comme Osijek, Bjelovar, Požega avec des maisons à arcades donnant sur une place dominée par deux églises se faisant face : l'une catholique, l'autre orthodoxe... Au centre de la place se dresse une colonne votive (Osijek, Požega). La noblesse urbaine fait édifier des palais (Varaždin), les châteaux deviennent des résidences luxueuses (Gornja Bistra).

Des **églises de pèlerinage** sont construites, cernées par une enceinte, le *cinctor*. On atteint là le point culminant de l'euphorie baroque. Sculpture, peinture, architecture, stucs se mêlent et se fondent dans un délire vertigineux : Belec, Trški Vrh (Josip Javonik, 1750), Kutina, Našice... **Ivan Ranger** (1700-1753) couvre les murs de fresques, de stucs, de personnages dans des paysages, d'architectures en trompe-l'œil... Parmi ses disciples, le Slovène **Franc Jelovšek**, l'Autrichien **Metzinger**, et **Antun Lerchinger**, auteur des fresques de Trški Vrh et des scènes galantes du château de Miljana.

Tout cela va s'affadir dans la grâce décorative du **rococo** (église de Sela, au plan en ellipse, palais Sermage à Varaždin).

♿ *L'église Sainte-Catherine de Zagreb (voir p. 441), l'église de l'Assomption de Varaždin (voir p. 419).*

L'EMPREINTE VIENNOISE (1800-1914)

Au 19e s., c'est de la capitale de l'Empire que viennent les modes et les styles. En 1800, triomphe le style **Biedermeier**, réponse germanique au style Empire ; à partir de 1850, s'impose l'**historicisme**, apogée des styles « néo » : les immeubles affectent des allures néoclassique, néo-Renaissance, néogothique... La fin du siècle voit une double réaction des jeunes créateurs : le **Jugendstil** (Art nouveau), tout en sinuosités et asymétries, et la **Sécession** qui parie sur la géométrie et la ligne droite.

Architecture et urbanisme

Les menaces extérieures disparues, on abat un peu partout les remparts : le paysagisme en profite avec la création de promenades publiques (Varaždin, Karlovac...), tandis que l'accroissement de la population entraîne de grandes opérations d'urbanisme. C'est le cas à Rijeka, à Sisak, à Osijek et, bien sûr, à Zagreb où les quartiers hauts se transforment sous la houlette de **Bartol Felbinger**, artisan

d'un ordonnancement néoclassique. On retrouve ce sens de la mesure et de la symétrie dans des châteaux (comme Virovitica et Našice) et quelques églises (Ste-Thérèse à Suhopolje).

Mais, bientôt, avec la construction de la ville basse, et sous l'influence du « ring » viennois, c'est l'**historicisme** qui va s'imposer. Son principal artisan est **Herman Bollé** (1845-1926), qui a profondément marqué de son empreinte la physionomie de Zagreb. Outre la restauration de la cathédrale, la capitale lui doit nombre d'édifices, dont l'école des Arts appliqués. Mais son chef-d'œuvre est sans doute le cimetière de Mirogoj, qui comprend un ensemble d'arcades et une chapelle, de style néo-Renaissance.

♿ *Le cimetière de Mirogoj à Zagreb (voir p. 450).*

Portraitistes ambulants, réalistes et pompiers

Slovène, Mihael Stroy (1803-1871) était, comme son compatriote **Matej Brodnik** (1814-1845) et le miniaturiste autrichien **Jakov Stager**, un portraitiste itinérant. Leurs œuvres sont caractéristiques du style Biedermeier : recherche de la ressemblance et personnages rigides posant sur un fond neutre.

Le réalisme naît avec l'école d'Osijek représentée par **Hugo C. von Hötzendorf** (1807-1869) et **Franjo Pfalz** (1812-1863), et surtout, à Karlovac, **Vjekoskav Karas** (1821-1858). Celui qu'on appelle « le premier peintre croate » laissa quelques excellents portraits et ouvrit la voie au réalisme pictural. D'autres peintres s'engouffrent dans la brèche, hésitant entre le réalisme « embelli » et un style plus libre : Ferdo Quiquerez (1845-1893) et Nikola Masić (1852-1902), peintre de scènes villageoises. Mato-Celestin Medović (1857-1919) se révèle comme un remarquable paysagiste. Oton Iveković (1869-1939) garde une forme classique, avec toutefois un certain flou propre au symbolisme. **Ferdo Kovačević** (1870-1927) se spécialise dans les paysages de la Save... Certains ne dédaignent pas à l'occasion, dans l'exaltation patriotique, de composer des chromos propres à illustrer des livres d'histoire... bien qu'ils ne lésinent pas sur les anachronismes !

La **sculpture** est représentée par le Viennois **Anton Dominik von Fernkorn** qui parsème Zagreb de statues (St-Georges, le ban Jelačić). Formé en Italie, **Ivan Rendić** (1849-1932) se spécialise dans les monuments funéraires, mais son réalisme excessif finit par lasser.

L'ÂGE DES RUPTURES

Symbolisme et Sécession

C'est un des disciples de l'architecte viennois Otto Wagner, **Viktor Kovačić** (1874-1926) qui introduit le style Sécession en Croatie. Rejetant l'historicisme, il défend une architecture fonctionnelle, adaptée aux besoins de ceux qui sont appelés à y vivre. Il fonde en 1906 à Zagreb le Club des architectes croates, en compagnie de **Stjepan Podhorski** et de **Vjekoslav Bastl**. Kovačić, marqué par Adolf Loos, montre un attachement aux nouveaux procédés de construction (béton armé) et aux formes pures. Bastl se situe quant à lui dans la mouvance de l'Art nouveau, par les formes et par les matériaux (céramique). Mais le chef-d'œuvre de la Sécession croate est l'immeuble des Archives nationales élevé en 1910 par Rudolf Lubynski. Le style Sécession s'implantera aussi en province : à Osijek avec le célèbre *kino* Urania (Viktor Axman) et les hôtels élevés sur l'avenue de l'Europe par **Ante Slaviček**, à Rijeka, Split ou Opatija. Parallèlement, on assiste à l'essor des arts décoratifs avec la ferronnerie, la céramique, la verrerie, et l'ébénisterie.

Mestrović et les autres

En 1908 apparurent deux sculpteurs, **Rudolf Valdec**, auteur de portraits d'une facture impressionniste, et **Robert Frangeš-Mihanović** (1872-1945), élève de Rodin, qui œuvra pour l'architecture. Les deux relèvent à la fois du symbolisme et du style Sécession. Mais leur gloire est éclipsée par celle d'**Ivan Meštrović** (1883-1962). Élève de Rodin, il se fait d'abord remarquer au sein du groupe Sécession. En 1914, il se tourne vers des sujets religieux, qu'il abandonne bientôt. Nus féminins et monuments (Grgur Ninski, Strossmayer) marqueront sa période de Zagreb. En 1938, il y construit la Maison des artistes croates, représentative du style « international ». Après avoir été emprisonné par le régime oustachi, il prend en 1942 le chemin de l'exil avant de se fixer aux États-Unis.

Trois musées sont consacrés à Ivan Meštrović : à Split (voir p. 199), à Zagreb (voir p. 451) et dans son village natal de Vrpolje (voir p. 364). Ses œuvres sont visibles dans les rues de Zagreb (voir p. 440 à 448).

La peinture : Paris entre en scène

Formé à Paris, **Vlaho Bukovac** (1855-1922) s'impose d'abord dans le style réaliste. Cependant, sous l'influence de ses amis parisiens, il adopte l'im-

« Le Puits de la Vie », par Ivan Meštrović.

B. Cvjetanovic / Avec l'aimable autorisation des Héritiers d'Ivan Meštrović et de la Fondation Ivan Meštrović, Croatie

pressionnisme qu'il introduit à Zagreb en 1893 : autour de lui se groupent de jeunes artistes qui composent **l'école « bariolée » de Zagreb**.

Les peintres du « **cercle de Munich** » s'inspirent également de la peinture française : Miroslav Kraljević est un disciple des fauves, Josip Račić peut être placé à côté des Nabis. **Vladimir Becić**, auteur de natures mortes, reste fidèle à l'impressionnisme. **Oskar Hermann** évolue vers un fondu et des couleurs très particulières.

Bela Čikos-Sesija (1864-1931), d'abord symboliste, épure de plus en plus son dessin. C'est également au symbolisme que l'on rattache Mirko Rački (1879-1932) dont les illustrations de *La Divine Comédie*, oscillant dans un halo fantasmagorique, sont saisissantes, et **Emanuel Vidović** (1870-1953) aux toiles mélancoliques, parfois presque monochromes. En 1908, il fonde à Split la société Medulić qui regroupe de jeunes artistes en rébellion contre les académismes. **Menci Clement Crnčić** (1865-1930) se situe dans la lignée de l'impressionnisme par son traitement de la lumière. Très critique sur la société, mêlant à une technique impressionniste un contenu symboliste, Ljubo Babić semble quant à lui annoncer la fin d'un monde.

L'ART AU SERVICE DU PEUPLE ?

Tandis qu'après 1918 les architectes de « l'école de Zagreb » (**Drago Ibler**, **Z. Strizić**, **M. Kauzlarić**) tentent de faire la synthèse entre les courants « fonctionnaliste » et « organique », les peintres privilégient le travail sur la couleur et sur les volumes, explorant les voies de l'expressionnisme, du futurisme et de la « nouvelle objectivité » (**Vilko Gecan**, **Marin Tartaglia**, **Tomislav Krizman**, Marijan Trepše, Zlatko Sulentić, **Jerolim Miše**). Krsto Hegedušić (1901-1975) fut parmi les créateurs du groupe **Zemlja** (« la Terre ») qui, réunissant peintres, architectes

(V. Svečenjak, O. Postružnik), et sculpteurs veut prendre une part active aux mouvements sociaux, tandis qu'**Antun Motika** (1902-1992), par son lyrisme et son talent de coloriste joyeux, déborde le cadre des écoles, comme l'antagonisme entre abstraction et figuration.

Les peintres-paysans de Hlebine

C'est Hegedušić qui fit découvrir en 1930 ces peintres-paysans dont le succès allait devenir prodigieux. Les Croates tiennent l'œuvre de leurs naïfs pour une branche à part entière de l'art moderne. Il est vrai que la première génération ne manquait pas d'artistes de grand talent, à commencer par **Ivan Generalić** (1914-1992) dont l'œuvre a évolué d'un réalisme dénonçant la dureté de la condition paysanne vers une simplification des formes confinant à l'abstraction. Parmi les pionniers figurent **Franjo Mraz** (1910-1981), **Mirko Virius** (1889-1943), **Ivan Večenaj** et, dans un style très personnel, **Ivan Rabuzin**. Ivan **Lacković-Croata** séduit par ses paysages hivernaux, baignés dans une lumière poétique. Quelques sculpteurs, sur pierre comme **Lavoslav Torti** (1873-1942), ou sur bois, tels que **Petar Smajić** (1910-1983) se rattachent au mouvement. Citons enfin la gaieté des créations de **Zvonimir Loncarić**, peintre, sculpteur, affichiste, qui n'est pas sans évoquer Niki de Saint-Phalle.

La sculpture après Mestrović

Antun Augustinčić (1900-1979), élève de Frangeš, puis de **Meštrović**, se consacra pour l'essentiel à la sculpture monumentale. Une de ses œuvres, *Le Monument de la Paix*, a été placée à New York devant le siège de l'ONU. **Vanja Radauš** (1906-1975) a parsemé les villes de portraits de personnalités réalisés dans un style évoquant parfois Zadkine. On peut lui joindre un autre sculpteur d'Osijek, **Oskar Nemon**, bien qu'il ait surtout travaillé en Angleterre. **Frano Kršinić**, quant à lui, est l'artisan du retour à une sculpture intimiste.

LES CHEMINS DE LA CRÉATION

C'est avec le groupe **Exat 51** que l'art abstrait apparaît à Zagreb. La distance prise avec Moscou s'est traduite dans l'art par une liberté de thèmes et de styles, et le rejet d'un art officiel (« réalisme socialiste »). On a pu dire que les thèses de l'Est étaient alors exprimées avec le langage de l'Ouest.

C'est ainsi que des artistes comme **Vojin Bakić**, **Dusan Đamonja**, **Oton Gliha**, **Frano Šimunović**, **Ivo Duličić** évoluent vers l'abstraction.

Né en 1921, **Edo Murtić**, le peintre croate le plus célèbre, représente une abstraction lyrique qui puise son inspiration dans les paysages de Dalmatie et la terre rouge de l'Istrie. Ses tableaux, traversés de larges paraphes, dégagent une impression de force dramatique. Fixé à Paris, **Slavko Kopač** (1913-1995) fut un des émules du maître de l'art brut, Jean Dubuffet.

En 1959, un groupe d'artistes crée le groupe **Gorgona**. Parmi eux, les peintres **Marijan Jevsovar** (1922-1988), auteur de monochromes, **Julije Knifer**, dont l'œuvre culmine dans d'austères *Méandres* noirs sur fond blanc, et le sculpteur **Ivan Kožarić**, qui emprunte des chemins parfois déconcertants, allant de l'utilisation de légumes frais à celle de serpentins d'aluminium !

De nos jours, « installations », « mises en espace », vidéos, et bruitages expriment une post-modernité, plus ou moins « conceptuelle ou « méta-artistique », s'accompagnent de performances « où l'artiste se place au centre de l'œuvre (**Antun Maracić**, **Alen Floričić**). D'autres se déclarent adeptes du minimalisme : parmi eux, **Boris Demur** et **Dubravka Rakoci**. Reléguée au second plan par ces recherches, la peinture est illustrée par des artistes de talent, comme **Boris Bućan**, **Zlatan Vrkljan**, **Sinisa Čular**, **Davor Vrankić** et **Nataša Markovinović Volk**, qui s'est révélée par sa recherche sur la couleur et sur le rendu de la matière.

Avec l'aimable autorisation d'Edo Murtić

« Phénix », par Edo Murtić.

ABC d'architecture

Les dessins présentés dans les planches qui suivent offrent un aperçu de l'histoire de l'architecture dans la région et de ses particularités. Les définitions des termes d'art permettent de se familiariser avec un vocabulaire spécifique et de profiter au mieux des visites des monuments religieux, militaires ou civils.

Antiquité romaine

PULA : Temple d'Auguste

Voué au culte de l'Empereur, ce temple fut élevé au début du 1er s.

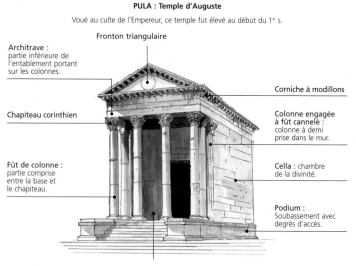

Fronton triangulaire

Architrave : partie inférieure de l'entablement portant sur les colonnes.

Corniche à modillons

Chapiteau corinthien

Colonne engagée à fût cannelé : colonne à demi prise dans le mur.

Fût de colonne : partie comprise entre la base et le chapiteau.

Cella : chambre de la divinité.

Podium : Soubassement avec degrés d'accès.

Vestibule : portique couvert.

Art préroman ou « vieux croate »

NIN : L'église Sainte-Croix

Exemple d'église préromane de la région de Zadar (9e s.) au plan en forme de croix.

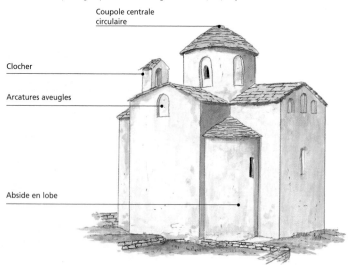

Coupole centrale circulaire

Clocher

Arcatures aveugles

Abside en lobe

R. Corbel/MICHELIN

Art roman

ZADAR : Façade de la cathédrale Sainte-Anastasie

Façade conçue à partir du 13ᵉ s. sur le modèle de celle de la cathédrale de Pise.

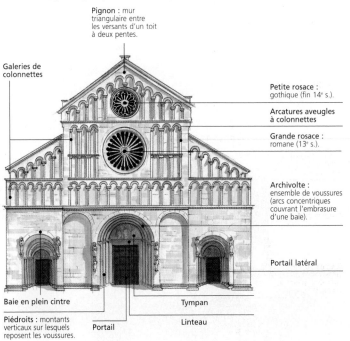

Pignon : mur triangulaire entre les versants d'un toit à deux pentes.

Galeries de colonnettes

Petite rosace : gothique (fin 14ᵉ s.).

Arcatures aveugles à colonnettes

Grande rosace : romane (13ᵉ s.).

Archivolte : ensemble de voussures (arcs concentriques couvrant l'embrasure d'une baie).

Portail latéral

Baie en plein cintre

Tympan

Piédroits : montants verticaux sur lesquels reposent les voussures.

Portail

Linteau

RAB : Campanile de l'église St-André

La taille comme le nombre des ouvertures augmentent avec les étages de ce clocher datant de 1181.

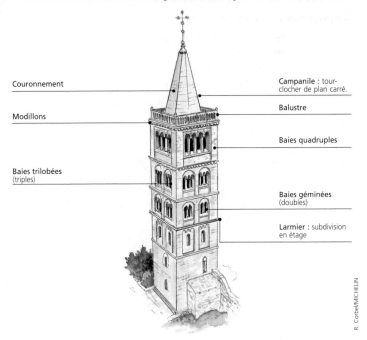

Couronnement

Campanile : tour-clocher de plan carré.

Balustre

Modillons

Baies quadruples

Baies trilobées (triples)

Baies géminées (doubles)

Larmier : subdivision en étage

R. Corbel/MICHELIN

Du gothique à la Renaissance

DUBROVNIK : Palais Sponza

Palais illustrant la transition du gothique (premier étage) à la Renaissance (deuxième étage ou attique).

Amortissement :
éléments décoratifs
placés au faîte
de l'édifice.

Niche

Fronton

Feuilles de trèfle

Attique :
étage supérieur de
proportions moindres
que l'étage noble.

Arcature gothique

Loggia centrale
trilobée

Arcature ondulée

Chapiteau

VELIKI TABOR : Forteresse

Exemple de forteresse construite au 16e s. à l'intérieur de la Croatie afin de résister à la pression ottomane.

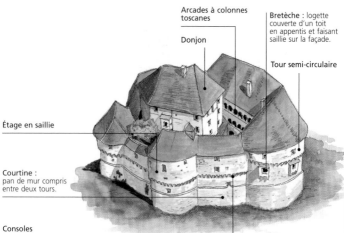

Arcades à colonnes
toscanes

Donjon

Bretèche : logette
couverte d'un toit
en appentis et faisant
saillie sur la façade.

Tour semi-circulaire

Étage en saillie

Courtine :
pan de mur compris
entre deux tours.

Consoles

R. Corbel/MICHELIN

ŠIBENIK : Cathédrale St-Jacques

Commencée en style gothique vers 1431, elle fut poursuivie par Georges le Dalmate et son toit, constitué de dalles encastrées sans utilisation de mortier, achevé par Nicolas le Florentin (1536).

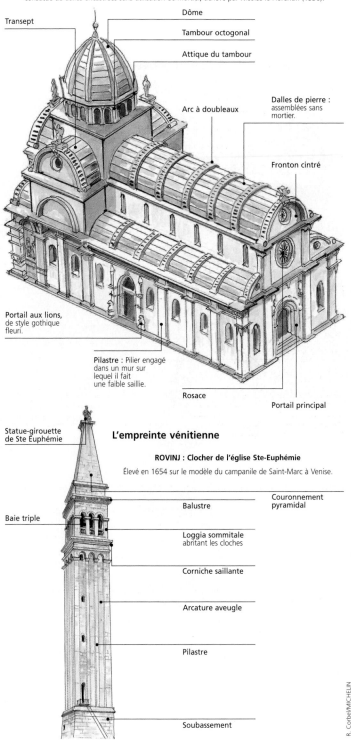

Transept

Dôme

Tambour octogonal

Attique du tambour

Arc à doubleaux

Dalles de pierre : assemblées sans mortier.

Fronton cintré

Portail aux lions, de style gothique fleuri.

Pilastre : Pilier engagé dans un mur sur lequel il fait une faible saillie.

Rosace

Portail principal

L'empreinte vénitienne

ROVINJ : Clocher de l'église Ste-Euphémie

Élevé en 1654 sur le modèle du campanile de Saint-Marc à Venise.

Statue-girouette de Ste Euphémie

Baie triple

Couronnement pyramidal

Balustre

Loggia sommitale abritant les cloches

Corniche saillante

Arcature aveugle

Pilastre

Soubassement

R. Corbel/MICHELIN

85

L'âge baroque

VARAŽDIN : Palais Sermage

Au 17ᵉ s. Varaždin se couvre de palais baroques. Celui-ci est remanié en 1759 par ses nouveaux propriétaires qui lui donnent sa façade bicolore rococo.

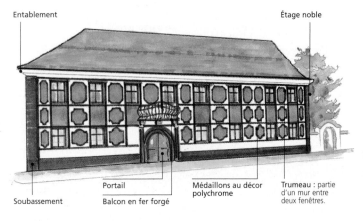

Entablement

Étage noble

Soubassement

Portail

Balcon en fer forgé

Médaillons au décor polychrome

Trumeau : partie d'un mur entre deux fenêtres.

KOPAČEVO : Clocher de l'église réformée

Inséparables du paysage de Slavonie et du Zagorje, les clochers à bulbe…

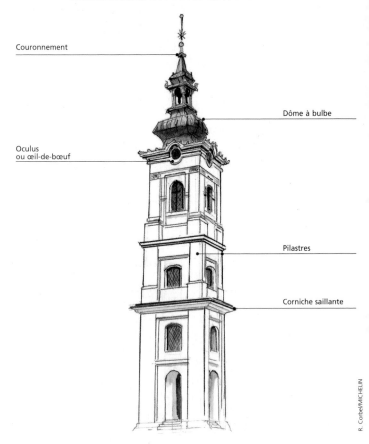

Couronnement

Dôme à bulbe

Oculus ou œil-de-bœuf

Pilastres

Corniche saillante

R. Corbel/MICHELIN

L'euphorie architecturale du 19ᵉ s.

OSIJEK : Immeuble de l'avenue de l'Europe

Les riches négociants d'Osijek font appels aux architectes historicistes pour faire bâtir de superbes hôtels : c'est l'heure des pastiches auxquels succèdent bientôt en réaction le style Sécession et le Jugendstil (Art nouveau).

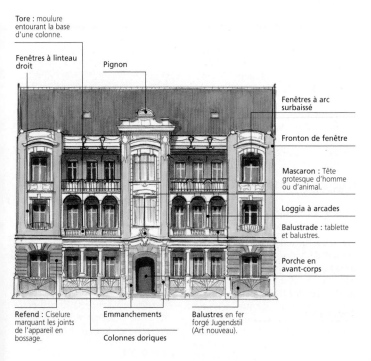

Tore : moulure entourant la base d'une colonne.

Fenêtres à linteau droit

Pignon

Fenêtres à arc surbaissé

Fronton de fenêtre

Mascaron : Tête grotesque d'homme ou d'animal.

Loggia à arcades

Balustrade : tablette et balustres.

Porche en avant-corps

Refend : Ciselure marquant les joints de l'appareil en bossage.

Emmanchements

Balustres en fer forgé Jugendstil (Art nouveau).

Colonnes doriques

Architecture rurale

Maison paysanne de SLAVONIE

Plus ou moins riches et ouvragées, les maisons de torchis ou de briques sont placées perpendiculairement à la rue sur laquelle elles présentent leur pignon. La porte donne sur une galerie latérale sur laquelle se distribuent les pièces.

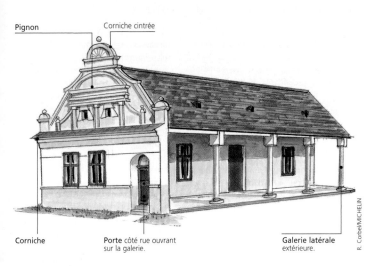

Pignon

Corniche cintrée

Corniche

Porte côté rue ouvrant sur la galerie.

Galerie latérale extérieure.

R. Corbel/MICHELIN

Du glagolitique au dessin animé

Pauvres Croates ! S'il est une culture méconnue chez nous, c'est bien la leur : on va jusqu'à nier l'existence de leur langue, souvent assimilée à un artificiel serbo-croate ! Et pourtant, la culture croate révèle bien des surprises : saviez-vous que la Croatie a inventé sa propre écriture, le glagolitique, sur laquelle nos rois prêtaient serment lors de leur sacre ? Saviez-vous bien que des dessins animés que regardent vos enfants ont été produits dans les studios de Zagreb ? Et qu'un Croate de Dubrovnik a siégé à l'Institut ? Décidément, il faut se pencher sur cette culture méconnue.

LANGUE ET LITTÉRATURE

Le glagolitique, écriture nationale

Venus de Thessalonique, saint Cyrille et saint Méthode entreprirent vers 863 d'évangéliser la Moravie. C'est à cette occasion qu'ils mirent au point l'**alphabet glagolitique** (du vieux slave *glagoljati*, « parler ») bientôt utilisé sur l'ensemble du littoral croate. Cette forme d'écriture, dérivée du grec cursif, était à l'origine arrondie, avant de devenir, au fil des siècles, de plus en plus anguleuse. Si l'écriture glagolitique, dans la vie profane, céda peu à peu la place à la graphie latine, elle fut utilisée par l'Église jusqu'au début du 20e s. Elle a donné naissance à nombre de textes fondateurs, en latin ou en croate, qu'ils soient de caractère juridique, historique ou religieux : parmi eux, la célèbre **stèle de Baška** (1100), plus ancien

Quoi ?

Kaj ? Čxa ? Šxto ? Il suffit que votre interlocuteur vous pose la question « quoi ? » pour que vous puissiez discerner de quelle région il est originaire… Dans le premier cas, il s'exprime en **kajkavien**, dialecte parlé au nord de Zagreb ; dans le second, vous avez affaire à du pur **čakavien**, dialecte de l'Istrie, des îles du Kvarner et des Croates de Bosnie ; dans le dernier, c'est en **štokavien** qu'on s'adresse à vous : vous avez donc affaire à un Slavon ou un Dalmate. Encore faut-il discerner s'il s'agit du sous-dialecte ikavien ou ijékavien, ainsi nommés selon la prononciation de la voyelle *jat* !

texte mentionnant le mot « croate » ou le **Lucidar** (12e s.), sorte d'encyclopédie des connaissances de l'époque ; enfin, un missel de 1483 fut le premier livre croate imprimé. Aujourd'hui, l'écriture glagolitique est désormais considérée comme l'un des traits caractéristiques du génie national et célébrée comme telle ; et s'il est hors de question de se mettre à l'utiliser dans la vie courante, tous les petits Croates reçoivent, à l'école, une initiation à cette écriture nationale.

🕯 *La stèle originale de Baška est exposée au palais de l'Académie croate des arts, des lettres et des sciences à Zagreb. Voir p. 449.*

Le croate

Le croate fait partie du groupe des langues sud-slaves qui se sont progressivement détachées du vieux slavon : parmi les langues de la même famille figurent le bulgare, le bosniaque, le serbe, le slovène et le macédonien, certaines d'entre elles utilisant des caractères cyrilliques.

L'écriture glagolitique, une écriture nationale (missel de 1483).

Une certaine proximité, tant dans le vocabulaire que dans la grammaire, permet à un Croate štokavien et à un Serbe de se comprendre, comme peuvent se comprendre un Danois et un Norvégien. Pour autant, il n'y a pas lieu de parler d'une langue **serbo-croate** : ce que l'on nomma ainsi était en fait une sorte de langage de compromis, vaguement compris par tout le monde mais que personne ne parlait réellement.

Codifiée et normalisée au 19ᵉ s. par le fondateur du Mouvement illyrien, **Ljudevit Gaj**, la langue littéraire croate est le štokavien-ijékavien. Le croate s'écrit en caractères latins et utilise trente lettres, dont certaines ne laissent pas d'intriguer le visiteur étranger ! L'orthographe est phonétique, ce qui signifie que toutes les lettres se prononcent et que chacune correspond à un seul son.

Résultat de sombres querelles politico-religieuses au 10ᵉ s., les Croates furent les seuls catholiques romains auxquels le Vatican autorisa l'utilisation, dans la liturgie, de leur propre langue et leur propre écriture.

👣 *Une méthode de prononciation des lettres croates est présentée en p. 37.*

Humanistes et pétrarquistes

On s'accorde à considérer l'humaniste Marko Marulić (1450-1524) comme le « père de la littérature croate » : auteur de textes latins et italiens, ami d'Érasme, traducteur de Dante et de Pétrarque, il écrivit également une œuvre poétique en croate dont se détache sa *Judith* qui, publiée en 1501, remporta un très vif succès. Ce poème épique, reprenant le thème biblique de Judith et Holopherne pendant le siège de Jérusalem, était d'une brûlante actualité à une époque où sa terre était encerclée par les armées ottomanes.

Au début du 16ᵉ s., la Dalmatie voit apparaître plusieurs poètes tels que **Džore Držić** (1461-1501) et **Šiško Menčetić** (1461-1501) qui chantent leurs amours : on a pu parler à leur sujet de « pétrarquisme dalmate ». **Marin Držić** (1508-1607) est quant à lui l'auteur de comédies, toujours jouées aujourd'hui (*Vénus et Adonis, L'Oncle Maroje, Skup*) : par leurs traits de caractère, cernés avec finesse, ses personnages sont en effet intemporels. L'acuité sans complaisance du regard de l'écrivain et son ironie mordante lui ont valu quelques problèmes, au point qu'il dut quitter Raguse pour se réfugier en Italie. La postérité l'a réhabilité, et le théâtre de Dubrovnik porte aujourd'hui le nom du premier dramaturge qu'ait donné la Croatie.

Régression

Une des conséquences de l'interminable conflit contre les Turcs fut un sévère coup d'arrêt à l'activité intellectuelle, jusque-là brillante : au 17ᵉ s., il n'y avait plus qu'une imprimerie dans tout le pays, contre plus d'une dizaine cent ans plus tôt. Quant à l'aristocratie, traditionnelle mécène des arts et des lettres, elle se consacrait à des tâches plus urgentes.

Deux siècles un peu austères

Le 17ᵉ s. est marqué par **Ivan Gundulić** (1589-1639), auteur d'une ode à l'indépendance de sa ville natale (*Dubravka*, 1628), et, en 1638, d'un poème épique relatant – avec quelques décennies d'avance ! – la fin de la puissance ottomane (*Osman*, 1638).

En Europe, philosophes et scientifiques croates acquièrent une grande réputation : le jésuite **Ruđer Bošković** (1711-1787), physicien, diplomate, poète, philosophe, astronome et mathématicien, célébré pour sa *Theoria philosophiæ naturalis* (1758), est nommé par Louis XV responsable de l'optique de la Marine. Au 18ᵉ s., une littérature croate commence timidement à éclore dans le nord du pays. Son principal représentant est **Andrija Kačić**, auteur d'un poème très populaire consacré à la lutte contre les Turcs. Citons également le poète **Marko Bruerović** : de son vrai nom Marc Bruère-Desrivaux, ce Français de Dubrovnik a adopté la langue et la nationalité de sa ville d'élection.

Un patriote en costume illyrien, par Dragutin Stark (1849).

Le renouveau illyrien

Au début du 19e s., seules quelques revues perpétuent la littérature croate. Il fallut attendre le **Mouvement illyrien** de **Ljudevit Gaj** (1808-1872), lui-même poète, pour voir se développer une véritable vie littéraire. Quelques écrivains se révèlent alors à partir de 1830 : le poète **Ljudevit Vukotinović** (1813-1893) et **Ivan Kukuljević-Sakcinski** (1816-1889), auteur du premier drame croate, *Juran et Sofija*. Mais le premier véritable écrivain est **Stanko Vraz** (1810-1851), fondateur de la revue littéraire *Kolo* et auteur de poèmes romantiques retraçant ses amours malheureuses. Cependant, le grand nom du romantisme croate est le poète **Petar Preradović** (1818-1872). Citons également **Antun Mihanović** (1769-1861) qui, outre les paroles de l'hymne national, a écrit des poèmes d'amour, et le futur ban **Ivan Mazuranić** (1814-1890) dont le poème épique (*La Mort de Smaïl-aga Čengić*, 1846), devenu rapidement un *best-seller*, est aujourd'hui un classique. **Antun Nemčić** (1813-1849) a laissé des récits de voyage pleins d'humour et quelques fragments de ce qui aurait pu être le premier roman croate, *La Destinée humaine*.

👌 *Pour connaître l'origine de l'un des poèmes d'amour les plus célèbres de la littérature croate, rendez-vous en p. 53.*

Naissance de la modernité

C'est à **Ivan Krstitelj Tkalčić** (1840-1905), que revient l'honneur d'avoir écrit le premier roman historique croate. *Severia* (1866) décrit les persécutions subies par les chrétiens sous le règne de Dioclétien. **Mirko Bogović** (1816-1893), dramaturge et nouvelliste, a longuement exploité la veine historique. Le thème de la lutte contre les Turcs fut également traité par **Luka Botić** (1830-1868). Mais le premier grand romancier est **August Šenoa** (1838-1881), qui se signala à l'attention par ses romans historiques *L'Or de l'orfèvre* (1871) et *La Révolte des paysans* (1877), évoquant la Croatie entre le 14e et le 18e s. Cet amoureux de Zagreb, émule

---

Côté labo

Énigme historique : pourquoi tant de Croates se sont-ils adonnés avec bonheur au métier d'inventeur ? Toujours est-il qu'une brève recension des principaux d'entre eux prend des allures de vrai concours Lépine ! Qu'on en juge : **Faust Vrančić** dit **Veranzio** (1551-1667) mit au point le premier parachute. **Ruđer Bošković** est considéré comme le père de l'atomisme. **David Schwartz** (1852-1897) construisit à Zagreb le premier dirigeable à armature métallique : la famille dut se mordre les doigts d'en avoir vendu les plans au comte Zeppelin. **Slavoljub Penkala** breveta en 1907 le stylo à réservoir intégré qui fit sa fortune. Le pittoresque **Nikola Tesla** (1856-1943) inventa la dynamo, le moteur à induction, la génératrice de courant et laissa son nom à l'unité d'induction du flux magnétique. Enfin, **Lavoslav Ružička** et son élève **Vladimir Prelog** ont obtenu le prix Nobel de chimie, en 1939 et 1975 respectivement.

---

de Walter Scott, surnommé le « Victor Hugo croate », fut également journaliste, poète et directeur du théâtre national et a laissé une œuvre considérable. S'ensuivit une école réaliste parmi laquelle s'illustrèrent **Eugen Kumičić** (1850-1904) et **Ante Kovačić** (1854-1889).

La génération suivante voit apparaître un autre amoureux de Zagreb, le romancier, poète et critique **Antun Gustav Matoš** (1873-1914), qui a mené longtemps à Paris une vie de bohème et a écrit des nouvelles remarquables. L'Istrien **Vladimir Nazor** (1876-1949), poète (*Les Rois croates*, 1912) et prosateur (*Contes d'Istrie, Nouvelles de Zagreb*) a encensé dans ses œuvres le passé glorieux de la Croatie. Quant à **Silvije Strahimir Kranjčević** (1865-1908), d'aucuns le considèrent comme le plus grand poète croate.

Le siècle de Krleža

De son apparition sur la scène littéraire, à l'issue de la Première Guerre mondiale, à sa mort, **Miroslav Krleža** (1893-1981) a joué un rôle central dans les lettres croates. Cet écrivain progressiste a laissé nombre de romans dans une veine réaliste (*Le Retour de Philippe Latinowicz*), polémique (*Mars, dieu croate*, vigoureuse dénonciation de la guerre) ou épique (*Les Ballades de Petritsa Kerempuh*) et lancé le projet d'une Encyclopédie croate. Il reste l'un des rares écrivains croates traduits en français. Entre les deux guerres, la littérature devient sociale : **Mihovil Pavlek Miškina** signe un tableau saisissant de

---

Contes et légendes

Les fées, les elfes et les lutins, présents depuis des temps immémoriaux dans la tradition orale, sont tout naturellement entrés en littérature : en 1538, **Petar Zoranić** dans *Les Montagnes* raconte l'amour de deux humains pour des fées. Mais le grand nom reste **Ivana Brlić-Mažuranić** (1874-1937), « l'Andersen croate », auteur des merveilleux *Contes du temps jadis*.

Antun Gustav Matoš, l'écrivain de Zagreb (dessin Étienne Bouisset, Paris 1901).

Avec l'aimable autorisation de l'Ambassade de Croatie

la vie rurale dans *Cri du village*. La poésie d'avant-garde est représentée par le symboliste **Tin Ujević** (1891-1955), l'expressionniste **Antun Branko Šimić** (1898-1925) et **Dobriša Cesarić** (1902-1980) auxquels s'opposent l'élégance classique de **Ivan Goran Kovačić**.

La Yougoslavie d'après-guerre a vu apparaître des poètes de grande valeur : lyrique et parfois satirique, **Vesna Parun**, née en 1922, est une des grandes figures de la poésie du siècle *(L'Olivier noir, Vent de Thrace)* ; pourchassé par la censure, **Radovan Ivšić**, né en 1921, s'est fixé à Paris où il a participé aux activités du groupe surréaliste. Le roman est représenté par **Antun Šoljan** (1932-1993), auteur d'*Une brève excursion*, **Ranko Marinković**, **Nedjeljko Fabrio** et **Vjekoslav Kaleb**. **Predrag Matvejević** s'est fait connaître en France par son remarquable *Bréviaire méditerranéen*.

L'époque contemporaine voit apparaître une génération d'auteurs très marqués par la guerre d'indépendance : leurs romans sont tout autant des témoignages que des œuvres littéraires proprement dites. C'est le cas d'Alenka Mirković. Mais les principaux romanciers de cette nouvelle génération sont **Pavao Paviličić**, **Slobodan Novak**, **Goran Tribuson** et **Slavenka Drakulić**. Enfin, parmi les poètes, citons **Slavko Mihalić**,

Ivo Andrić (1892-1965)

Le prix Nobel de littérature a été attribué en 1961 à cet écrivain croate né à Dolac (Bosnie), mais qui écrivait en serbe et se définissait comme « yougoslave ». Poète et nouvelliste, Ivo Andrić, dans le meilleur de son œuvre *(Le Pont sur la Drina, La Chronique de Travnik)*, a pris pour cadre la problématique de sa région natale écartelée entre les influences occidentale et orientale.

Ivan Slamnig (1930-2001) ou encore **Jure Kaštelan** (1919-1990) et, plus près de nous, **Andrijana Škunca** et **Hrvoje Pejaković** (1960-1996).

UN PEUPLE DE MUSICIENS

Slaves eux-mêmes, baignés de culture italienne ou autrichienne, les Croates ne pouvaient être que musiciens ! Outre les traditions polyphoniques des îles dalmates rappelant parfois les chants des anciennes églises d'Orient, l'espace croate a donné nombre de compositeurs de talent. Surtout au 20ᵉ s., la présence de mélodies issues de la musique traditionnelle des Balkans donne une teinte particulière à des œuvres résolument inscrites dans leur époque.

L'influence germanique

Ami de Haydn et de Gluck, **Luka Sorkočević** (1734-1789) passa une bonne partie de sa vie à Rome et à

Haydn était-il croate ?

Non au sens strict du terme, puisqu'il est né en Autriche, à Rohrau en 1732. Peut-être, car dans son village natal vivait une minorité croate. Plus sûrement puisqu'il a intégré dans son œuvre des mélodies provenant de la musique traditionnelle croate…

Vienne, en qualité d'ambassadeur de Raguse. Il a composé huit symphonies pleines d'invention mélodique et d'une exquise délicatesse. Son fils Antun (1775-1841) maria également les professions de compositeur et de diplomate. Il a composé quelques pièces de musique de chambre qui ne manquent pas d'intérêt.

Violoniste et compositeur, **Ivan Mane Jarnović** (v. 1740-1804), lui aussi ragusain, est mort à St-Pétersbourg. Violoniste adulé dans toute l'Europe, comparé à Paganini, il a écrit quelques brillants concertos pour violon et orchestre.

Au début du 19ᵉ s., la musique est sous influence germanique (Zagreb et Varaždin où l'organiste **Leopold Ignacije Ebner**, 1769-1830, a du mal à se dégager de la veine mozartienne), magyare (Osijek) et italienne (Dalmatie). Il faut attendre la double influence du romantisme et du mouvement illyrien pour voir apparaître des compositeurs d'importance, avec **Ferdo Livadić** (1798-1878), auteur de pièces pour piano : outre des morceaux « patriotiques », il a laissé un remarquable

Vatroslav Lisinski, un musicien romantique.

Ambassade de Croatie, Paris.

Nocturne (1820) qui semble annoncer Chopin. **Vatroslav Lisinski** (1819-1854), quant à lui, est considéré comme le père de la musique moderne croate. Formé à Prague, Lisinski adhéra dès son retour à Zagreb au mouvement illyrien. En dépit de sa mort prématurée, il a laissé 160 œuvres qui laissent à penser que, si la maladie l'avait épargné, il se situerait au premier rang des compositeurs slaves du 19ᵉ s. Outre son opéra *Amour et Malice*, on retiendra de lui un poème symphonique plein d'une émotion frémissante, *Matin d'été à la campagne*.

Compositeurs du 20ᵉ s.

Blagoje Bersa (1873-1934) donna sa pleine mesure dans des pièces symphoniques conçues pour faire partie d'un vaste ensemble jamais achevé, *Ma patrie* évoquant, de façon très impressionniste, sa Dalmatie natale.

Les rythmes et ses lignes mélodiques d'inspiration méditerranéenne de **Jakov Gotovac** (1895-1962) lui ont valu une grande popularité. **Ivo Tijardović** (1895-1976) a composé une œuvre tout imprégnée de la musique traditionnelle de sa région natale *(Splitski Akvarel)*. Pianiste, chef d'orchestre et compositeur, **Boris Papandopulo** (1906-1991) allie avec virtuosité la musique de chambre à l'opéra.

Parmi les musiciens contemporains, les plus connus sont **Milko Kelemen**, fondateur de la Biennale de Zagreb de musique contemporaine, et **Ivo Malec**, fixé à Paris depuis 1959. Disciple de Pierre Schaeffer, ce compositeur d'œuvres pour bande magnétique mais aussi pour orchestre est l'auteur de *Reflets* (1960), *Bizarra* (1972) ou encore *Vox, vocis* (1979) pour trois voix de femmes et neuf instruments.

Enfin, il faut citer **Mladen Tarbuk** (né en 1962), auteur de *Variations sur le Međimurje* inspirées du folklore de sa région natale, **Frano Parać**, auteur de ballets et **Srećko Bradić** (1963) qui s'est révélé avec ses *Bagatelles* où l'on note l'influence de Bartok et de Prokofiev.

👆 *Pour les moments forts des manifestations musicales consultez la liste des festivals en p. 51.*

ÉCRAN BLANC ET CHAMBRE NOIRE

Pourquoi la photographie s'est-elle imposée si tôt en Croatie ? On ne sait, mais la tradition est longue, puisque, dès les années 1850, une dizaine d'années à peine après l'invention du daguerréotype, ce nouvel art avait ses adeptes à Zagreb. Parmi les pionniers, il faut citer **Ludwig Schwoiser** (*La Cathédrale de Zagreb*, 1864) et **Julius Exner** (*Vues d'Osijek*, 1880). Quant au comte **Juraj Drašković**, il a réalisé des portraits, des nus et des scènes de genre, bien avant 1860. Premier photographe à ouvrir un atelier à Zagreb, **Franjo Pommer** s'est fait connaître par ses portraits d'écrivains publiés en 1856. Il faut citer également **Ivan Standl**, auteur en 1870 d'un ouvrage précieux, *Tableaux photographiques de la Croatie*.

Clichés de la rue

Au 20ᵉ s., après des périodes de recherches esthétisantes **(Franjo Mosinger)**, les années 1930-1940 sont placées sous le signe des préoccupations sociales : **Tošo Dabac**, anticipant le photo-journalisme, réalise des photos saisissantes de marginaux (*Mendiantes*, 1936), tandis que l'école de Zagreb se singularise par un expressionnisme dont **August Frajtić** est le principal représentant. **Mladen Grčević** est le grand nom des années 1940-1950. De nos jours, **Frank Horvat**, né à Opatija, s'est fait un renom international, tant dans la photo de mode et le reportage, que par une œuvre personnelle. Enfin, on n'aura garde d'oublier Teodora Marković (1907-1997), plus connue sous le nom de **Dora Maar**.

De grands interprètes

Outre **Ivan Mane Jarnović**, plusieurs interprètes croates se sont fait connaître du public international : c'est le cas du violoniste d'Osijek **Franjo Krežma** (1862-1881) et, plus près de nous, les pianistes **Vladimir Krpan**, **Maksim Mrvica**, et surtout **Ivo Pogorelić** dont la renommée va bien au-delà des frontières européennes.

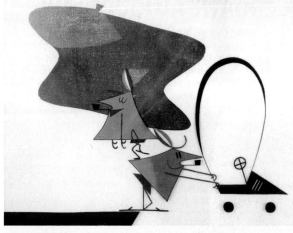

Musée de la Ville de Zagreb

« Surogat » (réalisateur Dušan Vukotić) : un oscar pour le cinéma croate.

Moteur !

C'est la création à Zagreb en 1946 de la société Croatia Film qui a permis l'émergence d'un cinéma croate de fiction clairement identifiable. Il faudra toutefois attendre 1969 pour voir produire le premier long métrage, *Ljubav i poneka psovka*, réalisé par **Antun Vrdoljak**. L'année suivante verra la sortie d'une comédie musicale, *Qui chante ne pense pas à mal*, de **Kreso Golik**, considéré comme « le film du siècle ». Depuis lors, quelques films de qualité ont été réalisés par **Krsto Papić** (*Représentation de Hamlet au village de Mrdusa Donja*, 1973, et *Une histoire croate*, 1991, évocation des suites du « Printemps croate »). **Vrdoljak** s'est spécialisé dans les adaptations littéraires (*Les Glembay, Le Cyclope*).

Citons encore **Zvonimir Berković** (*Rondo*), **Vatroslav Mimica** (*Le Prométhée de l'île de Viševica*), **Branko Bauer** (*Ne te retourne pas mon fils*) et **Rajko Grlić** (*On n'aime qu'une fois*). De jeunes auteurs pourraient donner à la production croate un salutaire coup de fouet : il s'agit de **Vinko Bresan**, auteur d'une réjouissante comédie (*Le Fantôme de Tito*) ; de **Mladen Juran** (*Le Cimetière submergé*) ; et, surtout, de **Dalibor Matanić** dont le premier long métrage, *Fine dead girl's*, a enthousiasmé la critique en janvier 2003.

L'école zagréboise de dessin animé

Il s'agit d'une vieille tradition à Zagreb puisque, dès 1930, des studios y produisaient des films d'animation. C'est après 1950 que le dessin animé allait connaître ses plus belles heures de gloire grâce à Zagreb Film qui réunit une remarquable équipe de créateurs au style original, tranchant sur les productions de l'époque, tant par le dessin (tournant le dos au réalisme) que par leur thématique. Parmi les auteurs qui se sont distingués, dans un art que l'on a pu qualifier de « peinture animée », les noms de Zlatko Bourek, Borivoj Dovniković ou Vatroslav Mimica s'imposent. Mais c'est **Dušan Vukotić** qui accéda à la gloire suprême en remportant en 1961 à Hollywood l'oscar pour son court métrage *Surogat*.

Un festival mondial du film d'animation (**Animafest**) organisé tous les deux ans à Zagreb depuis 1972 perpétue l'intérêt des Croates pour ce genre, tandis que la production, avec peut-être moins de créativité, a conservé un remarquable niveau comme en témoigne le succès du film *Lapitch le petit cordonnier* (inspiré d'un conte d'Ivana Brlić-Mazuranić) réalisé en 1996 par **Milan Blažeković**.

BD et dessin humoristique

Andrija Maurović créa sa première bande dessinée (*La Fiancée du glaive*) en 1935. Au cours d'une longue carrière, adaptant des contes, romans ou des scénarios originaux, il a donné vie, dans un style nerveux et très influencé par le cinéma, à des personnages emblématiques tels que le Vieux Chat ou Radoslav. Quant à Srečko Puntarić, alias **Felix**, il s'est fait connaître par ses dessins de presse croquant sans complaisance les personnages de l'actualité.

LA CROATIE AUJOURD'HUI

Traditionnelle dans ses fêtes, ses cuisines, son artisanat et ses terroirs, dynamique dans sa volonté de reconstruire une terre saccagée par la guerre, moderne par ses préoccupations et ses attentes européennes, la Croatie, une jeune démocratie fière de ses racines, révèle ses contradictions et ses richesses en un tableau aux multiples couleurs, saveurs et sonorités.

Des traditions qui se perpétuent au fil du temps.

La force des traditions

Culture millénaire, multiples influences extérieures et diversité des matériaux comme des terroirs : dans les arts populaires, comme dans ses traditions, la Croatie, là aussi, sait se montrer multiple.

UNE VÉRITABLE PIÉTÉ POPULAIRE

Symbole de la résistance au communisme, la pratique de la foi religieuse était très répandue, une façon discrète mais profonde de manifester sa rébellion. La religion catholique imprime sa marque sur les fêtes populaires, qui sont l'occasion de ressortir les costumes traditionnels et de s'adonner aux chants et aux danses ancestraux.

À Pâques ou à la Trinité…

La plupart des festivités sont déterminées par le calendrier religieux. Depuis le carnaval, lié au carême, même s'il est imprégné de paganisme, en passant par Pâques et sa semaine sainte (une longue succession de processions aux flambeaux, de chants et de pénitences théâtrales) jusqu'aux fêtes liées à la Vierge et, bien sûr, Noël, les fêtes donnent lieu à des pèlerinages colorés, marqués par une intense ferveur. Ainsi, la semaine sainte de Hvar et ses processions chantées en glagolitique, ou celle de Korčula, ses défilés de confréries et ses danses des épées expriment-elles la quintessence de la tradition dalmate. À Sinj, la fête de l'Assomption est l'occasion de remercier la Vierge de sa protection contre les Turcs par les épiques tournois de l'Alka (le 15 août sert un peu partout d'alibi pour fêter un miracle ou un autre…).

Par tous les saints…

Le culte des saints est une autre composante essentielle de la vie croate : chaque ville ou village vénère un saint patron (ou plusieurs !) et sa fête est prétexte à un grand renfort de processions, danses et festivités en tous genres. C'est le jour où l'on sort les reliques de l'église pour les promener en grande pompe. Parfois, comme pour la Saint-Blaise, le 3 février, à Dubrovnik, ce sont toutes les paroisses des environs qui viennent en costume d'apparat présenter leurs bannières sur le parvis. Même pour les fêtes moins spectaculaires, on observe la tradition, comme pour les feux de la Saint-Jean, le 24 juin, ou pour la Saint-Martin, le 11 novembre, quand les enfants font du porte-à-porte en chantant pour avoir des bonbons.

Tresses de palmier

Dans tout le sud de la Croatie, la tradition du dimanche des Rameaux est très vivante : chacun apporte en procession à l'église une brassée de palmes ou de branches d'oliviers tressées pour former des *poma*, que l'on fait bénir. De retour chez soi, on les accroche un peu partout, aux pignons de la maison, dans le potager, sur les étables, les ruches, pour se protéger du malheur et des maladies. Le tressage de la *poma* est très délicat et requiert de jeunes palmes, arrangées en large tresse ou en croix et fixées sur un support. Les artisans les vendent sur le chemin de l'église.

DES COSTUMES TRÈS COLORÉS

Personne, en Croatie, ne songerait à regarder avec condescendance les manifestations folkloriques, pour la simple raison que, comme pour la religion, la tradition folklorique est le symbole de l'identité nationale. Dans nombre de cas, on célèbre les victoires sur les différents envahisseurs, prenant souvent dans la mémoire collective l'allure de véritables épopées. Si depuis le début du 20e s. les costumes traditionnels ne sont plus guère sortis des armoires désormais que le temps des fêtes, des cérémonies religieuses, ou lors de certains festivals de musique et de danse, ils restent l'une des vitrines culturelles auxquelles les Croates sont les plus attachés.

Pour décrire les styles de costumes, on distingue, en général, trois grands types, déterminés par les grandes « régions ethnographiques » du pays. Pourtant, dans la réalité, les choses sont loin d'être aussi simples et on trouve de nombreux mélanges : autant de villages, autant de costumes. Infinie variété du paysage vestimentaire née du mélange des influences, au gré des migrations, des mariages et des voyages.

Le jour de la St-Blaise en Dalmatie.

Ch. Barely-Legrand / MICHELIN

Le costume pannonien (Slavonie et Centre)

Ici, l'influence de l'Europe centrale est très nette, avec l'utilisation de lin et de chanvre que complètent des pièces de draps et de fourrures. La toile blanche est richement brodée de fleurs et d'oiseaux aux couleurs vives (où domine le rouge, symbole de la santé et de la jeunesse), autant pour les hommes que pour les femmes. Celles-ci se coiffent d'un foulard coloré et portent des bijoux de perles de couleur et d'or. Les costumes de la région de Đakovo sont considérés comme les plus somptueux de Slavonie. Les hommes ajoutent à leur gilet brodé une veste courte portée négligemment sur une épaule, à la mode hongroise.

Au musée

Outre quelques fêtes traditionnelles comme les « **Broderies de Đakovo** » ou à l'occasion de la **Saint-Blaise** de **Dubrovnik**, vous pourrez admirer les costumes traditionnels dans les sections ethnographiques des musées : l'excellent **Musée ethnographique de Zagreb**, mais aussi à **Osijek, Našice, Velika Gorica, Ogulin, Karlovac, Koprivnica**… N'hésitez pas à pousser la porte de ces musées parfois confidentiels !

Dans les montagnes (Lika et arrière-pays dalmate)

Conçu en laine pour résister aux conditions climatiques de la montagne, le costume révèle parfois l'influence turque. Celui des hommes comprend des pantalons étroits, avec une large ceinture dans laquelle sont glissées les armes, plusieurs chaussettes et une superposition de vestes ornées de gros boutons en argent, un béret, voire un turban.

Les femmes portent une tunique recouverte d'une veste longue et d'un tablier en épais tissage de laine bariolée. Leurs bijoux sont le plus souvent en métal. Elles se chaussent d'**opanques**, sortes de savates en cuir non traité. Les jeunes filles cousent des pièces d'argent à leur gilet : signe extérieur de l'importance de leur dot.

Sur le littoral (Istrie et Dalmatie)

Ici, les costumes sont en laine, en toile et, parfois, en soie, reflet de la longue tradition de sériciculture. Les femmes arborent une ample jupe, une blouse, un tablier et une ceinture richement brodée de motifs souvent géométriques. Les

Ch. Barnély-Legrand / MICHELIN

Costumes du Konavle.

jeunes filles portent souvent un petit béret, tandis que les femmes portent le foulard ou une sorte de coiffe blanche amidonnée. Leurs bijoux sont superbes, déclinant les perles et boules d'or filigrané. Les hommes ont en général un pantalon large, un gilet et une ceinture très décorés (où l'on glisse négligemment un impressionnant tromblon !) et se coiffent d'un béret ou un bonnet à pompon.

MUSIQUE ET DANSES

En matière de musique, les héritages les plus marqués remontent au Moyen Âge, lorsque les Hongrois et les Vénitiens se disputaient le pays. Les instruments et les motifs musicaux sont restés relativement inchangés depuis lors et reflètent l'ancienne tradition des chœurs d'église, des danses de village et des conteurs de veillée.

Des instruments particuliers

Parmi les deux grands types, la musique instrumentale, seule ou en accompagnement de la voix, compte des complaintes et des ballades mais aussi des danses. Le plus populaire des instruments est la **tambura**, sorte de luth aux cordes pincées, introduit en Croatie par les Turcs au 17e s. La **citura** est une cithare à sept cordes que l'on joue en appliquant une baguette de bois sur trois cordes et en pinçant l'ensemble des cordes. Un peu différente, la **cimbal** est aussi une cithare dont les cordes sont frappées à l'aide de deux baguettes. Ces instruments s'associent aux violons et contrebasses. Au nombre des instruments à vent, le **svirala**, en bois, sorte de flûte, est joué par les bergers, en solo. Plus original, le **diple** est un double tube relié à un soufflet en peau de chèvre ou de mouton (le son évoque la clarinette). En Istrie, on trouve des hautbois de différentes tailles, les **sopila** qui accompagnent les

danses en duo. Parmi les instruments, il ne faut pas oublier le **mišnice**, sorte de cornemuse jouée pour accompagner les danses, notamment dans les îles.

Klapa et tambura

Les polyphonies *a capella* sont appelées **klapa**. Les chanteurs sont en général des hommes et les paroles s'inspirent de la vie quotidienne. Le style est directement hérité des chants liturgiques et des lignes mélodiques d'Italie ou d'Europe occidentale, mais on chante la klapa aussi bien à la veillée que lors des réunions familiales. Depuis 1967, le festival de klapa d'Omiš, qui anime la ville tout le mois de juillet, est devenu une référence. Très populaire en Slavonie, la tambura voit des orchestres se produire lors du festival annuel, dit des Cordes d'or, à Požega, en septembre.

Danses à l'ancienne

Lors des fêtes folkloriques, on retrouve des danses bien connues, comme la **polka**, au tempo plutôt modéré. Moins familière, la **drmeš**, au rythme accéléré, se danse en couples ou par petits groupes circulaires. Le **kolo**, typique de la Slavonie, est une ronde en cercle fermé, très enjouée et accompagnée d'un ensemble de tamburas. En Istrie, les danses sont exécutées en couples placés en cercle et formant des figures diverses à petits pas très rapides. Dans le sud de la Dalmatie, la **poskočica** se danse aussi en couples qui réalisent toutes sortes de figures variées.

À côté de ces danses festives, d'autres ont une signification plus symbolique et tiennent à la fois de la représentation théâtrale, voire des anciennes danses sacrées. C'est ainsi le cas des célèbres **danses des épées** de l'île de Korčula, la **moreška**, la **kumpanija** ou la **moštra**, véritables scénographies retraçant des épisodes légendaires de l'histoire locale. Le festival qui leur est consacré début juillet est suivi de démonstrations dans la ville et les villages alentour, où troupes amateurs et professionnelles rivalisent de brio à la nuit tombée.

EMBELLIR LA VIE QUOTIDIENNE

Très développé autrefois, comme dans toutes les sociétés rurales, l'artisanat d'art a été délaissé sous le régime communiste, au profit de l'industrie. Le tourisme de masse, de rigueur sous Tito, ne favorisait pas son éclosion et l'on reste frustré de son absence sur les marchés ou dans les boutiques. Pourtant, les savoir-faire ne demandent qu'à renaître. Ici et là, les **broderies** et les **tissages**, que l'on n'utilisait plus que pour les costumes folkloriques ou pour décorer les églises, tentent d'en sortir et de devenir des objets de collection ou de décoration à part entière. En Slavonie, outre le travail du **bois tourné** et la décoration de **courges**, la décoration sculptée des **preslica** est un des exemples d'embellissement des objets quotidiens. La confection des **cravates** (proposées dans de belles soieries assorties aux pochettes et gilets) et la **joaillerie** sont d'autres artisanats populaires. Les bijoux faisant partie intégrante des costumes, on les trouve partout : depuis les simples pendants d'oreilles en perles d'or filigrané aux lourds colliers d'argent, toujours en filigrane mais agrémenté de corail ou de turquoise, en passant par tout ce que l'on peut imaginer de pinces à cravate, ils constituent aujourd'hui le plus courant des artisanats d'art.

Perles papales

Pour encourager la renaissance des savoir-faire traditionnels, dans l'île de Brač, célèbre pour sa pierre blanche, une école de tailleurs de pierre s'est créée au village de Pučišća. Pour la venue du pape en Croatie, en 2003, ces artisans ont créé des chapelets sculptés en pierre de Brač et constitués de perles cubiques au design contemporain.

L'HABITAT, REFLET DU TERROIR

La pierre sèche et les tuiles

Le long de la côte adriatique et dans les îles, c'est la pierre blonde ou grise qui domine, taillée en gros blocs et souvent coiffée de lauzes de la même pierre, débitée en larges dalles. Même humble, la maison en impose. Elle compte le plus souvent deux étages, le rez-de-chaussée

Maisons de pierre en Dalmatie.

Ch. Barely-Legrand / MICHELIN

Les bunja

Ce sont de petites constructions circulaires, coiffées d'un toit conique, que l'on aperçoit encore en Dalmatie et en Istrie. Ces équivalents de nos bories sont construites selon des techniques remontant à l'époque néolithique.

étant réservé au stockage et l'étage à l'habitation. Lorsque le toit n'est pas en pierre, il est couvert de tuiles canal qui lui confèrent une allure très méditerranéenne. Les ouvertures sont de taille moyenne, équipées de volets de bois à lamelles pivotantes pour laisser entrer plus ou moins de lumière.

P. Plantier / MICHELIN

Maisons paysannes de bois dans le Lonjsko Polje.

Le torchis et le bois

En Slavonie, les maisons sont basses, en torchis (mélange de terre et de paille), à l'origine couvertes de toits de chaume. Elles sont placées perpendiculairement à la rue, séparées entre elles par des jardins potagers, et leur pignon visible est souvent ouvragé et décoré de moulures. Une galerie couverte longe la façade latérale, reposant sur des piliers qui peuvent aussi être décorés.

Dans les régions du Turopolje et du Lonjsko Polje, les maisons de bois sont plus imposantes, avec un étage desservi par un escalier extérieur donnant sur une galerie. Le toit peut, lui aussi, être couvert d'écailles de bois. Comme ce matériau est facile à travailler, on y applique des décors gravés et parfois subtilement sculptés.

Dès que l'on monte dans les collines ou la montagne, la forêt et donc le bois sont beaucoup plus visibles. Vous remarquerez des maisons au soubassement de pierre, mais dont l'étage est constitué de poutres de bois. Sur le plateau de la Lika, les murs ont une ossature de bois garnie d'un torchis peint ou habillée de larges plaques de bois.

Saveurs croates

Pays frontière, la Croatie marie dans sa cuisine des influences multiples, une identité préservée et des terroirs très diversifiés. Des poissons grillés servis sur la côte, aux pâtes et truffes d'Istrie, on passe aux saveurs épicées des viandes, des charcuteries et des goulasch de Slavonie, pour finir par les douceurs de pâtisseries évoquant l'Autriche.

LES ENTRÉES

La **soupe** *(juha)* figure sur la plupart des cartes des restaurants. Parmi les plus courantes, la soupe de poissons *(riblji juha)* servie sur le littoral peut déconcerter : il s'agit d'un bouillon léger avec des morceaux de poisson. Vous trouverez aussi des soupes consistantes, rehaussées de crème aigre et de morceaux de viande. Variante locale du minestrone, la *maneštra* d'Istrie est une soupe de légumes et de haricots non passés.

Parmi les **entrées froides**, le jambon fumé *(pršut)* est le hors-d'œuvre par excellence, souvent accompagné d'olives et de fromage. On présente également le fromage de Pag *(paški sir)*. En Slavonie, vous trouverez des *kulen*, saucissons aromatisés au paprika, parfois assez relevés, et servis avec du fromage caillé. Les saucisses de Samobor *(češnjovke)* aromatisées à différents degrés, et les salamis *(salamijada)* à l'ail constituent également des entrées pleines de robustesse.

Les **crudités** servies en salade *(salata)*, sont le plus souvent à base de différentes variétés de choux ; ne manquez pas, sur la côte, les délicieuses salades de calamars et de poulpes *(lignje* ou *hobotnice salata)*.

Outre les anchois et les sardines marinés, vous trouverez du **poisson** sous forme de pâté *(riblja pašteta)* : au thon sur la côte dalmate, à la morue *(bakalar)* en Istrie ou aux poissons d'eau douce en Slavonie où l'on confectionne également des « saucisses » aux œufs de poisson qui rappellent la poutargue.

Les **entrées chaudes** peuvent d'autant plus constituer un plat à part entière que les portions sont souvent pantagruéliques. Vous pourrez goûter sur le littoral aux différents risottos : risotto noir *(crni rišot)* à l'encre de seiche, aux fruits de mer, aux calmars… En Istrie, fromage, jambon, pâtes et omelettes aux truffes constituent d'excellentes mises en bouche. Dans le Zagorje, on sert des *Štrukle*, gros raviolis fourrés au fromage et aux œufs. Quant à la *Rudarska greblica*, de Samobor, elle n'est pas sans évoquer la quiche lorraine.

POISSONS, COQUILLAGES ET CRUSTACÉS…

Les Croates sont de grands amateurs de poissons et de produits de la mer : vous trouverez à Zagreb mais aussi dans toute la Slavonie, un grand choix de restaurants spécialisés – souvent assez chers. Mais vous pouvez également déguster des poissons d'eau douce : truites *(pastrva)* près des lacs de Plitvice, perches à Sisak, carpes et brochets en Slavonie…

P. Plantier / MICHELIN

Fromages

Servi en entrée, il s'agit le plus souvent de fromage de brebis ou de chèvre, produit en Dalmatie ou en Istrie. Le plus réputé est celui de l'île de Pag (Paški sir) que l'on trouve sur toutes les bonnes tables du pays. Le fromage de chèvre est souvent découpé en petits dés et mariné dans de l'huile d'olive aromatisée. En Slavonie, le fromage est servi frais en accompagnement ou entre dans la confection de plats chauds.

Le fast-food croate

Les *čevapčići*, particulièrement bon marché, sont des rouleaux de viande hachée, rehaussés d'épices, souvent accompagnés d'une délicieuse purée piquante appelée *ajvar*.

Les Croates en sont friands et les consomment à toutes heures.

Signalons également, pour une petite faim, les brochettes *(ražnjibi)*.

Ci-contre : dans le Gorski Kotar, nombre d'auberges proposent agneaux et cochons à la broche.

P. Plantier / MICHELIN

Il faut savoir que, du fait de la configuration particulière des côtes, la pêche industrielle n'est pas pratiquée, si bien que les menus dépendent de la pêche du jour. Ils proposent souvent deux catégories de poissons : la catégorie I (sole, bar, dorade : *list, brancin, orada*) et la II (maquereaux, sardines : *skuše, srdele*). La plupart du temps, vous devrez vous contenter des omniprésents calmars *(lignje)*, plus imposants en Istrie qu'en Dalmatie.

Le plus souvent, le poisson est servi grillé *(na žaru)*, parfois un peu trop cuit et souvent nageant dans un bain d'huile d'olive, mais on trouve également des ragoûts fort sympathiques. Le brodet *(brodetto)* est constitué de poissons coupés en morceaux, mijotés avec oignons, vin, tomates et aromates, et servis avec de la polenta. La *gregada*, moins fréquente, se rapproche de la bouillabaisse.

Sur la côte dalmate, vous pourrez déguster des huîtres *(kamenice)*, notamment sur la presqu'île de Pelješac, haut lieu de récolte. Vous trouverez aussi sur tout le littoral des moules *(mušule)*, des gambas et des langoustines *(skampi)*, apprêtées de différentes façons, comme la *buzzara*, une sauce relevée à base d'huile d'olive, de vin blanc, d'ail et de persil.

Les calmars grillés, omniprésents sur la côte.

M. Guillochon / MICHELIN

Enfin, les poissons d'eau douce sont le plus souvent grillés. Les carpes, dans la région de Kopački rit, sont cuites verticalement sur de petites fourches de bois *(šaran u rašljama)*.

VIANDES ET RAGOÛTS

Gros mangeurs, les Croates apprécient toutes les viandes et elles composent des plats très nourrissants, surtout dans la partie continentale du pays.

Les escalopes *(odrezak)* de veau ou de porc sont roulées et farcies au fromage, au jambon ou aux champignons et les côtes de porc au fromage *(Samoborski kotlet)* sont des recettes typiques de Zagreb et des régions continentales. Elles connaissent des variantes où la viande est en plus enrobée de lard !

Le goulasch *(gulač)* est, pour sa part, hérité de l'influence hongroise, bien que le mot ait tendance à désigner à peu près tous les ragoûts. En Istrie, on l'accommode souvent à base de gibier. La *pašticada*, très populaire, est une pièce de bœuf piquée de clous de girofle et de lardons, marinée dans du vinaigre et cuite doucement dans du vin rouge additionné de sucre, de sauce tomate et d'oignons et servie avec des pâtes ou de la polenta. Elle est parfois réalisée avec du gigot ou de l'épaule d'agneau : la viande, roulée sur une farce constituée de *pršut* et d'aromates, est présentée avec une purée d'oignons et de carottes.

Tout aussi roboratifs, les plats de viandes rôties *(pura*, dinde et *janje*, agneau) sont servis avec des *mlinci*, des pâtes entre tagliatelles et lasagnes. Ajoutons le *baranjski paprikaš* à base de *kulen* et de pommes de terre, parfait pour affronter la bise de la Baranja.

Le long des routes, dans nombre de restaurants, agneaux et porcelets sont mis à griller entiers dans de grands fours, à la manière d'un méchoui. Sur la côte, l'agneau grillé devient un plaisir gastronomique en raison du lait des brebis, salé par l'herbe du rivage.

Quant aux affamés, ils devraient demander grâce au terme d'un *čobanac* : sept généreuses portions de viandes différentes grillées leur sont en effet présentées successivement. Et le tout est parfois accompagné d'un plat de haricots !

La plupart des viandes peuvent être cuites sous *peka*, une méthode ancestrale qui, sur le feu du foyer, permet une cuisson lente qui en préserve tous les arômes. Bien entendu, au restaurant, il faut en passer commande à l'avance.

ACCOMPAGNEMENTS

Artichauts et asperges de Dalmatie, épinards, blettes et poivrons sont les légumes les plus courants. En Slavonie, le chou cède la place aux beaux jours à la pomme de terre, souvent apprêtée avec des épinards ou des blettes. Quant aux *pomfrit*, c'est un des rares mots croates que le voyageur comprend instantanément ! La tomate est utilisée dans les spécialités de poissons du littoral.

Le sel

Condiment incontournable pour la cuisine, le sel est récolté depuis des siècles sur le sol croate. Les trois sites les plus réputés pour la qualité de ce produit sont : l'île de Pag, la presqu'île de Pelješac, et la ville de Nin.

Le radis noir sert à la confection d'un condiment relevé qui accompagne des plats de viande dans le Nord. Un autre condiment très répandu est l'*ajvar*, une purée piquante à base de poivrons, piments et aubergines, dont on agrémente les viandes grillées. Signalons enfin la *muštarda* ou « moutarde » de Samobor, dont le secret de fabrication aurait été introduit par l'armée napoléonienne : son interprétation croate ne manque pas d'une vigueur toute militaire !

ET POUR FINIR...

Outre les crêpes *(palačinke)* que l'on trouve dans tout le pays, vous pourrez également déguster un peu partout des glaces *(sladoled)* dont les Croates sont friands. En Slavonie et autour de Zagreb, on vous proposera des pâtisseries souvent fourrées à la crème *(kremšnica* et

Biscuits d'amour...

Originaire de Starigrad, sur Hvar, le *paprenjak* est un biscuit au miel, aux noix, à la coriandre et à la cannelle, curieusement poivré. Autrefois, il était parfumé au safran, qui, comme la coriandre, est un aphrodisiaque reconnu. Une version moderne est fabriquée artisanalement depuis 1997, mais si elle a gagné une forme originale, elle a perdu son atout majeur : messieurs, pour honorer votre belle, vous devrez désormais vous passer de safran...

torte), mais aussi du strudel garni de pommes et de cerises, des *baklavas*, héritage direct des Ottomans, ou des gâteaux roulés au pavot, au fromage ou aux noix. En Dalmatie et en Istrie, les spécialités sucrées sont rares. Citons tout de même la *rožata*, une crème caramel, et le *maraska*, un autre entremets d'œufs à la neige, parfumé de vanille de marasquin et d'amandes. À Korčula, on prépare les *prikle*, petits beignets aux raisins et aux amandes, les *cukarini* et les *klašuni*, gâteaux fourrés aux amandes. Partout, on produit un miel de thym, de lavande ou de romarin, et les fruits, toujours de saison, sont absolument délicieux !

CÔTÉ CAVE

La vigne fut introduite par les colons grecs au 4e s. av. J.-C. sur les îles de Vis, puis Korčula et Hvar. Les Romains en étendirent la culture au continent, sur des terrains accidentés et sur des sols pauvres. Autant dire que les Croates ont une longue expérience en la matière ! La production de vins est d'une qualité plus que correcte, excellente pour les meilleurs crus qui ne cessent de s'améliorer. Parmi les 697 vins d'appellation contrôlée, plus de 70 peuvent être considérés comme de très bonne qualité. Sachez que le vin rouge se dit « vin noir » *(crno vino)* et le vin blanc : *bijelo vino*.

D. Hée/ MICHELIN

Dalmatie-USA

Parmi les cépages les plus répandus en Californie, le *zinfandel* retrouve enfin ses lettres de noblesse dans son pays natal. Importé d'Autriche aux États-Unis au 19e s., la vedette des vins californiens s'est révélée être génétiquement très proche du *plavac mali* croate (« petit bleu »). On lui a ensuite découvert des cousins encore plus proches, à Šolta, Brač et Čiovo, avant de trouver son véritable ancêtre chez un vigneron de Kaštel Novi, entre Split et Trogir.

C'est en Dalmatie que se trouvent les vins les plus réputés. Pelješac est connue pour le *dingač* et le *postup*. Korčula produit aussi de bons crus, notamment ceux issus du *grk*, un des plus vieux cépages croates. Hvar est un des meilleurs terroirs du pays.

L'Istrie, quant à elle, s'enorgueillit de son *malvazija*, un vin blanc sec, qui peut être parfois un peu âpre lorsqu'il s'agit d'un vin ordinaire. Enfin, à Krk, il serait criminel de ne pas goûter au moins une fois au *žlahtina* de Vrbnik, à la fois sec et fruité.

La Croatie continentale fournit beaucoup de vins blancs, issus des cépages *graševina*, riesling (orthographié « rizling »), sauvignon, cabernet, pinot, « burgundac ». Certains se rapprochent du tokay de Hongrie ou des vins d'Alsace. Kutjevo, Požega, Ilok, le Zagorje, le Međimurje sont parmi les terroirs les plus réputés. Ne manquez pas le *krauthaker graševina* de Slavonie et le *traminac* d'Ilok.

Certains vins blancs que les Croates appellent « dessert wines » sont des vins doux naturels et titrent autour de 15° (le plus connu est le *pošip*). Le *prošek* est un vin léger produit dans l'île de Vis.

Certaines habitudes croates pour la consommation du vin dérouteront plus d'un voyageur. Il n'est pas rare de voir le précieux nectar mélangé avec des glaçons, de l'eau, et même parfois de l'eau gazeuse. Ne soyez pas choqué, le titrage oscille habituellement entre 13,5 et 15 degrés d'alcool.

Les amateurs de **bière** sont gâtés : vous trouverez partout, ou presque, l'*ožujsko* et la *karlovačko*, des bières blondes, populaires et de bonne qualité. Quelques villes brassent leur propre bière, comme Daruvar où est produite la *staro česko*.

En ce qui concerne les **alcools**, on vous proposera au moindre prétexte et à toute heure du jour ou de la nuit, la *slivoviça* qui est une eau-de-vie de prunes, toutes sortes de *rakija* à base de poires (le fruit est parfois inséré dans la bouteille selon un procédé d'une simplicité extrême à condition d'y avoir pensé) et, en Istrie, la *grappa*, eau de vie de raisin macérée avec des herbes. Difficile de refuser une *grappa*, même si, au petit matin, cela peut s'avérer redoutable !

Le *pelinkovac* au goût amer est à base de plantes, tandis que le *maraschino*, liqueur à base de cerises fabriquée dans la région de Zadar, est connu dans toute l'Europe. Signalons enfin une liqueur, le *Brigljević*, fabriqué dans le Turopolje depuis des temps immémoriaux par la famille du même nom.

L'identité croate

Désormais République souveraine, la Croatie achève de panser ses plaies et, forte de son régime démocratique, s'apprête à rejoindre l'Union européenne. Elle ne renie pas pour autant son originalité et ses traditions.

Le pays est sorti exsangue de sa guerre d'indépendance, si bien que les traces du conflit sont parfois longues à effacer : plutôt que de s'en étonner, il faut songer qu'un quart environ du territoire a subi les combats et les destructions, et se rappeler que le jeune État n'a recouvré sa pleine souveraineté sur certaines régions qu'en 1998.

FERVEUR NATIONALE

Les Croates ont assez durement payé leur accession à l'indépendance pour ne pas éprouver un patriotisme fervent qui peut étonner ailleurs, où les grands moments de communion patriotique appartiennent souvent au passé. Il n'est que de les voir, lorsqu'on joue l'hymne national, se dresser au garde-à-vous et, la main sur le cœur, entonner *Ma belle patrie* pour s'en persuader. Et rares sont les mariages où le cortège n'est pas précédé du drapeau national.

Quelques chiffres

4,4 millions d'habitants selon le recensement de 2001 occupent un territoire dont la superficie est de 56 542 km². 56,5 % vivent dans les villes dont quatre atteignent ou dépassent les 100 000 hab. : Zagreb, Split, Rijeka et Osijek. On estime à 200 000 l'effectif actuel de la minorité serbe de Croatie. Le pays est administrativement divisé en 21 régions, les **joupanies** (*zupanija*).

Drapeau et armoiries

Avec ses trois bandes horizontales rouge-blanc-bleu, le drapeau combine les couleurs des armoiries de Croatie, de Slavonie et de Dalmatie. Il est frappé du blason de l'État croate : un damier de vingt-cinq pièces rouges et blanches (de gueules et d'argent) que surmonte une couronne stylisée composée de cinq écussons représentant les armes des pays croates.

Une histoire idéalisée

Expression parfois naïve de ce sentiment national exacerbé, les Croates s'inventent une histoire idéale visant à présenter les dix derniers siècles comme une longue marche vers l'unité et l'indépendance. Nous aurions tort toutefois de sourire : ces « pères de la nation » qui, à tort ou à raison, sont censés avoir incarné le sentiment national depuis le roi Tomislav, et en l'honneur de qui s'élèvent des statues sur les places principales des villes, tiennent ici même rôle fédérateur que celui qui fut dévolu chez nous, jadis, à des personnages comme Vercingétorix ou Jeanne d'Arc.

C'est dans le même esprit que l'**écriture glagolitique** est célébrée, comme expression du génie national croate, et que la Croatie exalte ses grands hommes, que ce soit dans le domaine des arts, avec **Ivan Meštrović** ou **Edo Murtić**,

Les pères de la nation

Le **roi Tomislav**, fondateur en 925 du royaume croate et son successeur **Petar-Krešimir IV** sous le règne duquel le royaume atteint son apogée (1058-1075) sont honorés partout, de même que **Toma Erdődy** qui défit les Turcs à Sisak (1593). **Fran Krsto Frankopan** et **Petar Zrinski**, exécutés en 1671 pour s'être révoltés contre l'Autriche, sont vénérés comme des héros nationaux. La Renaissance nationale du 19e s. est illustrée par **Ljudevit Gaj**, fondateur du mouvement illyrien, le *ban* **Josip Jelačić**, l'évêque **Josip Juraj Strossmayer**, **Ivan Mažuranić** premier *ban* d'origine roturière et **Antun Mihanović**, auteur des paroles de l'hymne national. Quant aux convulsions du 20e s. elles sont représentées par **Stjepan Radić**, leader du Parti paysan, assassiné à Belgrade en 1928, **Tito**, qui a conservé une certaine popularité (en Istrie notamment) et son adversaire, le **cardinal Stepinac**, et enfin **Franjo Tuđman**, premier président de la Croatie indépendante. Lorsque vous aurez lu ces noms sur des plaques de rue, plus de doute : vous voilà au centre-ville !

des lettres ou des sciences (**Ruđer Bošković**, **Nikola Tesla** ou **Lavoslav Ružička**). Nombre d'œuvres prouvent, si besoin est, l'enracinement croate dans la culture occidentale.

Le sport, expression du patriotisme

C'est grâce au sport que les Croates peuvent exprimer pacifiquement leur patriotisme. Il est vrai que ce pays de 4,4 millions d'âmes compte bon nombre de champions dans les disciplines les plus diverses.

Dans le domaine des sports collectifs, nul n'a oublié la 3e place obtenue par l'équipe de football emmenée par **Davor Suker** et **Zvonimir Boban**, lors du Mondial de 1998. Leurs collègues handballeurs ont fait mieux puisque, après avoir obtenu la médaille d'or aux jeux Olympiques d'Atlanta (1996), ils ont remporté à Lisbonne le titre de champion du monde en février 2003. Quant aux basketteurs, ils furent médaille d'argent à Barcelone (1992).

Dans le domaine des sports individuels, nul n'a oublié le fantasque tennisman **Goran Ivasinević**, vainqueur à Wimbledon en 2001, ni sa consœur **Iva Majoli** qui l'emporta en 1997 à Roland-Garros. Enfin, on ne présente plus la famille **Kostelić** : Janica qui domine le ski alpin depuis le début du siècle et son frère Ivica, champion du monde de slalom en 2002. Détail qui donne la mesure de leur talent : ils constituent à eux deux la totalité de l'équipe nationale ! Enfin, pour la première fois en 2003, un cycliste croate, **V. Miholjević** a participé au Tour de France.

Retour des Kostelić, place Jelačić à Zagreb.

PASSION RELIGIEUSE

La chute du communisme a contribué à renforcer la popularité de l'église catholique (symbolisée par le cardinal Stepinac, opposant à Tito et « martyr »

Diaspora

Née de l'émigration du 19e s., la diaspora croate est estimée à 2 millions de personnes dont 1,3 million pour les seuls États-Unis. Les Croates sont très fiers de ceux des leurs qui ont su se rendre célèbres : parmi ceux-ci, citons le philosophe **Ivan Illich**, Teodora Marković (plus connue sous le nom de **Dora Maar**), les comédiens **John Malkovitch, Josiane Balasko** et **Goran Višnjić**, le célèbre Dr Kovač de la série *Urgences*.

de la cause) que son implication dans le renouveau national du 19e s., avec le cardinal Strossmayer en particulier, avait déjà porté aux nues. Les Croates sont particulièrement sensibles au titre de « rempart de la chrétienté » qui leur fut décerné lors de la lutte séculaire contre les Ottomans. La guerre d'Indépendance, menée contre les Serbes en majorité orthodoxes, peut aussi être lue comme une guerre de religion. Ajoutons-y l'action du Vatican durant le conflit (ce fut le premier État à reconnaître la souveraineté de la jeune nation) et la sympathie toujours renouvelée par Jean-Paul II envers la cause croate : ce sont des foules immenses qui ont assisté aux offices célébrés par le précédent souverain pontife lors de ses trois voyages en Croatie, le dernier l'ayant conduit à Rijeka, Đakovo, Osijek, Dubrovnik et Zadar, en juin 2003.

Les catholiques majoritaires

Les Croates se déclarent à 86 % catholiques. Au-delà des statistiques, la ferveur populaire est impressionnante : il n'est que de visiter Marija Bistrica un jour de pèlerinage, assister aux fêtes de la Saint-Blaise à Dubrovnik, passer à Zagreb sous la porte de pierre convertie en chapelle, ou entrer dans une église pour découvrir des foules en prière, de toutes conditions et de tous âges, même si ce sentiment semble s'attiédir dans les couches les plus jeunes de la population.

En comparaison de ce catholicisme triomphant, les autres religions du Livre sont faiblement représentées. Il n'y a que 4,4 % d'orthodoxes, essentiellement serbes. Les musulmans représentent moins de 2 % de la population. Et les protestants sont environ 0,3 %. Quant aux juifs, même si leur implantation est très ancienne, comme en témoigne l'une des plus vieilles synagogues d'Europe (15e s.) située à Dubrovnik, ils ne sont plus que quelques milliers en Croatie, la plus importante communauté étant réunie à Zagreb.

Malgré quelques incidents qui continuent à agiter les relations interconfessionnelles – tant en Croatie que dans les autres pays de l'ex-Yougoslavie – des sommets, comme celui tenu à Tirana (Albanie) fin 2004, permettent d'espérer l'instauration d'un dialogue entre les différentes religions et ethnies présentes dans les Balkans.

LE CHANT DU COQ

Où que vous soyez en Croatie (parfois même en ville !), le chant du coq rythme la vie quotidienne, avec une telle insistance que l'on en arrive à partager les sentiments peu amènes du peintre **Ivan Generalić** à leur égard : faute de pouvoir tordre le cou au volatile de son voisin, il s'en est vengé en le peignant crucifié !

C'est que parcourir les campagnes croates constitue une vraie « leçon de choses » : poules et coqs, oies, canards, dindes circulent en toute liberté, sinon en toute quiétude, dans les interminables villages-rues de Slavonie ; dans le Lonjsko Polje, il n'est pas rare d'apercevoir des cochons noirs chercher leur pitance sur le bas-côté ou de tomber nez à nez avec une vache vaquant paisiblement à ses occupations au milieu de la route.

Tout cela indique que la Croatie est restée un pays avant tout rural : ceux que les aléas de la vie ont conduit à vivre en ville cultivent volontiers à la fois la nostalgie du terroir et un petit jardin potager : vous pourrez en apercevoir jusqu'entre les barres d'immeubles des cités entourant Zagreb.

Une économie en mutation

Comme la plupart des pays de l'ex-bloc soviétique, la Croatie a dû faire face à une transition difficile d'une économie étatique à une économie de marché. Les différents conflits qui ont ravagé le territoire ont causé 15 000 morts et durablement endommagé les infrastructures du pays (coût de la reconstruction : environ 37 milliards de dollars). Mais le jeune État dispose de nombre d'atouts qui lui permettent d'envisager l'avenir avec sérénité.

DU COMMUNISME À L'EUROPE

La Croatie était, derrière la Slovénie, la partie la plus riche de Yougoslavie. Elle était notamment connue pour les quatre principaux secteurs de son industrie : la construction navale, la chimie, le pétrole et l'aluminium. Mais, à la différence de Ljubljana, les ressources économiques et naturelles de Zagreb ont été minées par deux guerres. Le second élément expliquant la détérioration de l'économie croate a été la gestion désastreuse de la politique de privatisation par le gouvernement Tuđman. Le clientélisme flagrant de ces opérations a surtout profité aux proches du président, et effrayé les investisseurs étrangers. Sa mort, fin 1999, provoqua une alternance avec l'arrivée au pouvoir d'une coalition de centre gauche lors d'élections au début de l'année 2000.

Ch. Barely-Legrand / MICHELIN

Une infrastructure en plein essor : le pont de Dubrovnik.

Changement de cap

Depuis 2001, à la suite de la signature de l'accord de stabilisation et d'association avec l'Union européenne, des efforts notables permettent à la Croatie de s'approcher des conditions nécessaires à son entrée dans l'Union européenne. En 2005, les indicateurs économiques sont en hausse : croissance soutenue, inflation maîtrisée et augmentation du PIB. Et la réforme du système bancaire, de la santé et du budget de l'État sont sur la bonne voie. Mais certains problèmes restent encore à régler. En 2006, les chantiers problématiques pour le gouvernement restent le chômage (20 % de la population active), une réforme administrative à poursuivre et le développement des pôles économique autres que le tourisme.

Même si le gouvernement se veut optimiste en espérant une entrée dans l'Europe en 2009, certains observateurs sont plus réservés sur la date, pensant qu'à cette période la Croatie devrait, au mieux, avoir terminé la phase de négociations.

L'INDUSTRIE

On aurait tort de considérer la Croatie uniquement comme un pays agricole : l'industrie représente 20 % du PIB (ce qui est dans la norme européenne) et

emploie 25 % de la population active. Les secteurs phares de l'industrie sont dans l'ordre : l'agroalimentaire, le pétrole, la chimie, l'électricité, le papier, l'édition et la construction navale. Au niveau des exportations, ce sont les chantiers navals, l'agroalimentaire, la métallurgie et l'électricité qui dominent le marché. Ajoutons que les travaux de reconstruction et les importants efforts en matière d'équipement contribuent à l'essor du BTP et à la croissance économique. Pour exemple, quelque 700 km de routes devraient être construits d'ici à 2011… Enfin, le dynamisme des Croates se manifeste également dans le secteur des services, en plein essor.

LE TOURISME

Le développement du tourisme qui aurait pu paraître il y a quelques années comme un handicap se révèle aujourd'hui une chance. Ayant échappé à l'industrialisation à outrance et à la désertification des campagnes, la Croatie entend jouer aujourd'hui de ces atouts. Tout d'abord en profitant de son littoral fabuleux, sans pour autant y développer ces grands ensembles immobiliers qui ont défiguré une partie du pourtour méditerranéen : vous observerez comme les zones hôtelières et les camps de vacances sont souvent disséminés dans des pinèdes, à l'écart des villes historiques. Notez aussi le soin mis à préserver l'environnement : la qualité des eaux, comme celle des fonds marins, est un des soucis du gouvernement.

Ces préoccupations devraient également conduire à mettre en exergue un « tourisme vert » (déjà développé en Istrie avec les hébergements à la ferme, ou « Agroturizam »), qui vise à attirer dans les campagnes les citadins avides de retour à la nature.

Déjà très important (17 % du PIB), le poids du tourisme dans l'économie devrait se

Le commerce avec l'Europe

Dans le domaine des échanges commerciaux, les Croates ont pour principaux partenaires l'Allemagne et l'Italie. La France, pour sa part, n'occupe que le 6e rang, tout en augmentant de façon substantielle le volume de ses échanges depuis 1991. Les biens industriels constituent 95 % des exportations totales croates, le secteur naval se taillant la part du lion.

Les six merveilles de la Croatie

Sur la liste du Patrimoine mondial de l'humanité établi par l'Unesco figurent six trésors à ne manquer sous aucun prétexte.
– Le noyau historique de **Split** avec le palais de Dioclétien.
– Le parc national des lacs de **Plitivice**.
– L'ensemble épiscopal de la basilique euphrasienne de **Poreč**.
– La ville historique de **Trogir**.
– La cathédrale Saint-Jacques de **Šibenik**.
– La vieille ville de **Dubrovnik**.

développer de façon exponentielle dans les prochaines années. Depuis 1999, le nombre de touristes est en augmentation constante ; les nationalités les plus représentées sont les Allemands et les Italiens, suivis par les Autrichiens, les Tchèques et les Slovènes. Quant aux Français, même si leur nombre reste inférieur, ils ont été 400 000 à arpenter le territoire croate en 2004.

L'AGRICULTURE ET LA PÊCHE

La Croatie a su maintenir ce après quoi nous soupirons avec nostalgie : une agriculture vivrière, ayant conservé le rythme des saisons, chacun présentant les produits de sa petite exploitation sur les marchés et, parfois, sur le bord des routes : œufs du jour, fromages faits maison, fruits et légumes de saison (les étals débordent de fraises en juin, de choux en hiver !), deux ou trois bouteilles d'huile d'olive ou de vin élaboré à la propriété… La pêche n'est pas en reste : du fait de la configuration du littoral, la pêche industrielle n'a pu se développer – et l'on s'en félicite aujourd'hui : vous trouverez donc, dans les restaurants de bord de mer, la pêche du jour (calmars, fruits de mer, petite friture).
Le maintien d'une agriculture et d'une pêche traditionnelles présente un intérêt

Retour de cueillette sur le Delta de la Neretva.

Ch. Barrely-Legrand / MICHELIN

écologique certain. Il a aussi des retombées sociales non négligeables : alors que le chômage touche un actif sur cinq (un chiffre qui, malgré les critères requis pour entrer dans l'Union européenne ne diminue pas), il n'y a pas de réelle misère dans le pays, d'autant que la structure familiale traditionnelle permet de pallier les situations les plus précaires.

UN DYNAMISME VISIBLE

Certes, il reste beaucoup à faire. Mais, les traces de la guerre disparaissent peu à peu : dans les lieux très touristiques, comme à Dubrovnik, on chercherait en vain les stigmates des bombardements de 1991. Si, dans d'autres régions qui furent au cœur des combats, en Slavonie orientale ou autour de la frontière avec la Bosnie-Herzégovine, il peut vous arriver de traverser des villages en partie détruits, vous pourrez constater que la **reconstruction**, menée avec des programmes d'aide économique de différents pays de l'Union européenne, comme des États-Unis, avance : de ce retour à la vie témoignent ces innombrables maisons neuves qui n'attendent qu'un coup de peinture pour trouver un aspect pimpant. Vukovar elle-même est aujourd'hui un grand chantier et les champs de mines sont en voie de disparition.
Parallèlement, d'importants travaux d'**équipement routier**, visant à désenclaver certaines régions, sont menés : Rijeka n'est plus qu'à 2h de route de la capitale, et il sera bientôt possible de rallier Split depuis Zagreb sans quitter l'autoroute.
En cours de modernisation, la Croatie peut aujourd'hui tendre la main à ses adversaires d'hier et envisager sereinement son adhésion à la Communauté européenne.

Une jeunesse européenne

Symbole de cette future intégration à l'Europe, la jeunesse, en particulier citadine, que rien ou presque ne distingue désormais de ses homologues du continent : même musique (si l'on excepte les chanteurs locaux comme **Oliver** ou **Giboni** – mais qui eux-mêmes s'inscrivent dans des courants qui ne sont pas propres à la Croatie), mêmes habitudes alimentaires (hors les populaires *Čevapčići*), mêmes tenues vestimentaires… et mêmes préoccupations. Désormais intégrée dans le grand courant mondialiste, la jeunesse croate est le plus sûr garant du dépassement des rancœurs tenaces d'un passé que les Croates ne demandent qu'à oublier.

Le paisible port de Trsteno,
aux alentours de Dubrovnik.

Île de **Brač**★★

DALMATIE – 6 595 HABITANTS
CARTE GÉNÉRALE C4 – CARTE MICHELIN 757 F8-9 – SCHÉMA : VOIR À SPLIT

Cette carte postale d'une longue plage dorée en forme d'épée, c'est bien celle de Zlatni Rat, joyau naturel de l'île de Brač, paradis des windsurfers. Pourtant, loin des plages et du farniente, Brač cache un patrimoine original et attachant. Avec ses carrières de pierre et ses pâturages austères, piqués de cyprès et d'oliviers, entrecoupés de murets, l'intérieur des terres promet des découvertes passionnantes.

- **Se repérer** – Large et accidentée, cette grande île (la 3ᵉ de l'Adriatique) s'étend à 11 km du littoral dont elle est séparée par le canal de Brač. Longue d'environ 40 km et large de 13,6 km, elle culmine au Vidova Gora, à 780 m, plus haut sommet des îles croates. Deux lignes de crêtes encadrent un plateau central où la vigne et l'olivier le disputent aux moutons.

- **À ne pas manquer** – Le monastère de Blaca, la grotte du dragon et la plage de Zlatni Rat (pointe d'or).

- **Organiser son temps** – Comptez une après-midi pour visiter Škrip et les carrières ; une journée pour le monastère de Blaca et une demi-journée à Bol pour la plage de Zlatni Rat et le monastère dominicain, qui valent le détour.

- **Se garer** – Le centre de Supetar est inaccessible en voiture. Le mieux est de se garer juste en sortant du débarcadère ou bien de contourner la ville par le haut pour redescendre à l'ouest du port où se trouvent plusieurs possibilités de parking. À Bol, n'essayez surtout pas de vous frayer un chemin dans les étroites ruelles du vieux port, vous risquez d'y rester coincé.

- **Avec les enfants** – De nombreuses possibilités de randonnées ainsi que des activités de plongée, kayak, funboard et planche à voile spécialement conçues pour les enfants (plage de Zlatni Rat).

- **Pour poursuivre le voyage** – Voir aussi Split (*1h30 de traversée*), Makarska (*30 à 45mn de traversée*) et les îles de Hvar et de Vis, *via* Split.

Plage de Zlatni Rat, la « Corne d'or » de Bol.

Ch. Barely-Legrand / MICHELIN

Comprendre

L'île de la pierre – C'est sa pierre qui a fait la renommée de Brač depuis l'Antiquité. Il faut dire que les pierres sont partout. À tel point que, depuis des millénaires, les paysans n'ont cessé de les séparer de la terre pour dégager les maigres parcelles où planter la vigne et l'olivier. Ils en ont fait des terrasses, des murets, des monticules, presque des pyramides, silhouettes lourdes et grises qui rythment le paysage. Pour la juste mesure, ils en ont aussi fait leur richesse, car le sous-sol de Brač est constitué d'un calcaire d'une blancheur immaculée dont les vertus n'ont pas échappé aux architectes et aux bâtisseurs d'empires. Depuis le palais de Dioclétien, à Split, jusqu'à la Maison-Blanche de Washington, en passant par nombre de grandes capitales, ses blocs blancs et lisses ont servi aux édifices les plus ambitieux. Peu à peu privatisées, les carrières emploient désormais 3 000 personnes. La pierre, utilisée pour construire la plupart des villes dalmates, sert aujourd'hui aux balustrades des balcons et à toutes sortes de colonnades pseudo-antiques.

Circuits de découverte

Prévoir un à deux jours.

Supetar

Port d'arrivée des ferries venant de Split, il s'anime à leur rythme et s'organise autour d'un joli bassin carré bordé de palmiers. Vers l'ouest s'étend le quartier boisé des plages et des hôtels. Au nord, sur le continent, le massif du Mosor barre l'horizon.

Église de l'Annonciation

Au fond du port, en haut d'une volée de marches, elle a adopté le style baroque (1773) et contient quelques imposants retables de la même époque.

Juste à côté, en face de la tour d'horloge, le petit **musée** présente une modeste collection de peintures.

10h-12h, 19h-22h. 5 kn. Attention : horaires irréguliers.

Cimetière marin★

À l'ouest du port, longez la promenade au bord de la plage de galets que vous contournez en suivant la côte. 30mn AR.

Même si vous n'aimez pas ce genre de visite, ne manquez pas celle-ci pour l'agréable balade sous les pins et les tamaris, pour les mausolées extravagants du cimetière et pour le site bucolique de la pointe St-Nicolas. Dominant les autres, le pompeux **mausolée Petrinović**, de style néo-égypto-byzantin en forme de meringue est coiffé d'un ange ailé. On le doit à un sculpteur de Split, Toma Rosandić. Faites un petit tour parmi les autres tombes, comme celle de la famille Čulić (*près de l'entrée*) par Ivan Rendić ou celle de la famille Rendić (*vers le bas du cimetière*), avec son énorme sarcophage et sa coupole. Notez les décors surprenants, même sur les plus modestes stèles.

La côte ouest★

Circuit de 44 km, départ de Supetar vers l'ouest, en direction de Sutivan.

Sutivan

À 8 km de Supetar, sur la côte nord.

Rien de très spectaculaire, mais un petit port de charme, de belles maisons, des palmiers et une église à l'allure orientale, avec son clocher à bulbe.

Ložišća★

À 6 km au sud de Sutivan.

Depuis la route, c'est son clocher à bulbe d'oignon qui arrête le regard. Ce pittoresque village accroché à un canyon rocailleux piqué de cyprès s'est en effet doté de cet appendice surdimensionné pour rivaliser avec les paroisses voisines. Ivan Rendić fut choisi pour assurer un résultat impressionnant ! Indépendant de l'église, le clocher est réalisé en pierre de Brač (1920).

Le sculpteur du pays

Ivan Rendić (1849-1932), dont la famille possède l'un des plus imposants mausolées du cimetière, est un artiste né à Supetar. L'un des sculpteurs de Croatie les plus respectés au début du 20e s., il fut choisi par la plupart des grandes familles pour leurs monuments funéraires, mais aussi pour des projets architecturaux plus ambitieux. Il réalisait souvent d'étonnants mariages de styles et d'influences, mêlant sans complexe le byzantin, le grec, l'égyptien… Ironie de l'histoire : mort dans l'oubli à l'hospice des pauvres de Zagreb, ce spécialiste de l'art funéraire eut droit à deux enterrements : le premier en grande pompe à Split, avant que, trois jours plus tard, les habitants de Brač ne réclament son corps pour lui faire des funérailles solennelles. Le comble du paradoxe, c'est que personne ne sait aujourd'hui avec certitude où se trouve la tombe du sculpteur.

Douceur de peau

Curieuse pierre que celle de Brač, que sa finesse extrême fait ressembler à du marbre. Blanche, sans veines, elle se polit naturellement. Pour s'en convaincre, ramassez un fragment ou un galet roulé par la mer : la caresse du doigt suffit à le lisser et à lui donner ce doux brillant que l'on admire aux pavés de Dubrovnik, Split ou Hvar. Portez-la à vos lèvres et vous serez étonné de sa douceur de peau. Les tailleurs de pierre vous diront qu'elle durcit en vieillissant, garantissant des palais défiant le temps. Aux abords des principales carrières, dans le centre de l'île, vous apercevrez les énormes blocs quadrangulaires, empilés comme de gigantesques morceaux de sucre blanc.

Milna★

À 6 km au sud-ouest de Ložišća, sur la côte ouest.

Le plus occidental des ports de l'île est aussi l'un des plus abrités, au fond d'une longue baie très étroite. En plus de sa flotte de pêche et de ses chantiers navals, il s'est équipé d'un petit port de plaisance qui en fait un site très touristique, moins authentique que Sutivan mais plein de charme tout de même.

Carrière de Dragonjik
(Kamenolom Dragonjik)

Sur la route Milna-Ložišća-Nerežišća, 2 km après Dračevica, sur la droite.

Une grue et de gros blocs de pierre numérotés marquent l'entrée de cette petite carrière où l'on peut observer la nature de la pierre et la façon dont elle est débitée en gros cubes.

Splitska

À 5 km à l'est de Supetar, le long de la côte nord, en direction de Postira.

La dextérité des tailleurs de pierre de Pučišća : un savoir-faire transmis de génération en génération.

Ce petit port est coincé dans une étroite échancrure des collines : une église, de ravissantes maisons, quelques bateaux et un cadre superbe résument le charme de l'île.

Škrip★★

À 9 km de Supetar. Suivre la direction de Postira. À la hauteur de Splitska, tourner à droite.

Ce pittoresque village perché sur les collines au milieu des chaos pierreux fait face aux orgueilleuses crêtes du Mosor, de l'autre côté du canal de Brač. C'est lui qui conserve la mémoire de l'île et de ses liens avec les Romains. Leurs architectes organisèrent l'extraction de la pierre, notamment lors de l'expansion de Salona. Mais c'est la construction du palais de Dioclétien à Split qui a donné le signal de l'exploitation massive et de l'arrivée d'une nouvelle population de tailleurs de pierre, venus de tout l'Empire, notamment du Moyen-Orient.

Musée de Brač★★ (Brački muzej)

10h-18h (en cas de fermeture, frappez à la porte de la maison mitoyenne, ou ☎ 646 325). 10 kn.

Il est hébergé dans l'ancien **palais Radojković★**, dont la tour carrée fut bâtie au 16e s. pour résister aux Turcs. Avant d'y pénétrer, traversez la cour et contournez l'édifice pour voir les imposants vestiges de la **muraille illyrienne★** (3e s. av. J.-C., mais certains affirment qu'elle daterait de 1400 av. J.-C.) que l'on reconnaît à la taille massive des blocs de pierre : les Illyriens, qui occupaient l'île bien avant les Romains, s'inspiraient des méthodes de construction des Grecs.

Le musée, consacré à l'histoire de Brač, présente les résultats des fouilles menées tant dans une grotte préhistorique locale, que dans des ruines romaines. Parmi les objets les plus intéressants, notez deux **bas-reliefs d'Héraclès★** (Hercule), une divinité vénérée pour sa force, surtout chez les tailleurs de pierre et les soldats.

Au rez-de-chaussée, en haut des marches de bois, se trouve le **mausolée romain★** au-dessus duquel fut érigée la tour défensive du palais. Selon la tradition, la femme et la fille de Dioclétien, chrétiennes persécutées, y seraient enterrées. Rien ne permet de le confirmer, pas plus qu'une autre légende y voyant le tombeau d'Hélène, la mère de l'empereur Constantin.

L'étage est consacré à la vie dans l'île. Dans un angle, on note les **machines à polir et à étirer l'or** en fil pour le travail en filigrane, typique de la joaillerie croate. Remarquez aussi le **coffre de jeune mariée** (19e s.) : en y apportant sa dot, elle signifiait son renoncement à tout autre héritage familial.

Chapelle du Saint-Esprit★ (Sv. Duh)

Tout près du musée, le cimetière comprend deux chapelles. La plus intéressante est celle de gauche marquée par trois périodes : commencée sous l'Empire romain, sa construction a été poursuivie lorsque les chrétiens s'enfuirent de Salona (7e s.) et achevée à l'époque romane (11e-12e s.).

Au-dessus de Škrip, en direction de Nerežišća et du centre de l'île, la **route pittoresque★★** s'élève dans la montagne et devient très spectaculaire, se faufilant entre les tumulus de pierre, les murets et les capitelles. La **vue★★★** sur le canal de Brač et les montagnes de la riviera de Makarska est splendide.

Bol★

À 37 km au sud-est de Supetar, via Nerežišća, au centre de l'île. En venant de Škrip, suivre d'abord la direction de Nerežišća puis la route principale vers Bol.

Sans caractère particulier, c'est un village plaisant, avec ses ruelles en pente, sa jolie église à fronton à volutes et son quai animé. À l'est du centre, en suivant le sentier côtier, on rejoint le monastère dominicain.

Monastère dominicain★ (dominikanski samostan)

Construit sur l'avancée rocheuse de Glavica, il fut fondé en 1475, mais son couvent englobe la plus ancienne église du village (12e s.). Le musée attenant présente une petite collection archéologique, quelques peintures et icônes et une **Vierge à l'Enfant★** attribuée au Tintoret. *8h-12h, 17h-20h. 10 kn.*

Plage de Zlatni Rat★★

Vers l'ouest, le village est beaucoup plus résidentiel et s'achève par l'avancée d'une langue de galets qui s'enfonce dans une eau d'une rare clarté. On traduit son nom par « corne d'or » ou « cap d'or ». Sa forme n'est jamais totalement la même, affectée par les vents et les courants. Si sa partie ouest est fréquentée par les nudistes, elle reste dans l'ensemble une plage sportive et familiale extrêmement populaire, bondée en juillet et août.

Grotte du Dragon★★ (Dragonjina špilja)

À la sortie de Bol, avant l'arrivée à Zlatni Rat, une route carrossable longe la côte vers l'ouest, en direction de Murvica, à 5 km, où on laisse son véhicule.

Un sentier part au-dessus de Murvica et rejoint la grotte en 15mn. Elle n'est ouverte au public que sur rendez-vous pris avec Zoran qui conduit la visite. Rens. et horaires à l'office de tourisme. 50 kn.

Les spécialistes se posent bien des questions sur ce site mystérieux. Il s'agit d'une grotte sculptée de motifs fantastiques représentant des dragons et des créatures extraordinaires. On y a vu un héritage de motifs païens, mais la plupart les attribuent aux moines de Blaca qui s'y cachèrent au 16e s., avant de construire leur monastère.

Monastère de Blaca★★
(Samostan Blaca)

Tlj sf lun. 8h-17h (mais pour être sûr de rentrer, mieux vaut prendre rendez-vous à l'Office de tourisme). 20 kn.

Après le village de Murvica (voir ci-dessus), continuer à pied sur le sentier le long du rivage. Après 8 km (2h de marche), il arrive au port jadis utilisé par les moines et monte vers l'ermitage en 30mn (pas vraiment d'ombre). En saison, des bateaux mènent du port de Bol au mouillage des moines, ce qui abrège la première partie. Excursions organisées possibles à l'office de tourisme et dans les agences.

Seconde possibilité : depuis Bol, suivre en voiture la route de Supetar. À 23 km (4 km avant Nerežišća), tourner à gauche vers Vidova Gora, puis à droite, à moins de 1 km, sur une route très caillouteuse mais carrossable que l'on suit jusqu'à une aire de parking (à 6,5 km, 30mn en voiture ou 1h45 à pied).

Monastère de Blaca : un lieu de méditation.

Ch. Barrely-Legrand / MICHELIN

Un sentier muletier descend dans une gorge ombragée pour une agréable balade de 30mn. À faire en partant tôt le matin. Prévoir une demi-journée à une journée selon la formule choisie (attention, sentiers caillouteux : évitez les sandales) et beaucoup d'eau à boire.

L'un des plus beaux sites des îles dalmates, ce monastère totalement isolé dans un canyon rocheux résume parfaitement l'idéal monastique : un site austère et retiré, de maigres terres pour assurer la subsistance de la communauté et des édifices ambitieux.

Fondé au 16e s. par des moines qui fuyaient les Turcs, il abrita une école et même une petite imprimerie. Le dernier moine, féru d'astronomie, y installa un observatoire en 1926. La visite permet de comprendre la vie dans un monastère.

Vidova Gora★★

Par la route, depuis Bol : 30 km. Suivre la route de Supetar. 4 km avant Nerežišća, tourner à gauche et suivre la route jusqu'à la taverne (konoba).

À pied, un sentier y monte en 2h depuis l'église paroissiale de Bol (assez pénible, pas d'ombre, prévoir beaucoup d'eau).

Le plus haut sommet de l'île est un large promontoire qui se dresse immédiatement au nord de Bol. À 778 m, il surplombe le village en contrebas et offre un **panorama★★** impressionnant sur Zlatni Rat et les îles de Hvar et Vis. La terrasse de la *konoba* est particulièrement agréable pour déguster les spécialités locales.

Sumartin

À l'extrémité est de l'île, face à la riviera de Makarska.

Ce petit port tranquille, encadré de quelques criques, est encore peu développé et ne doit son animation qu'au ferry de Makarska. Entre chaque bateau, il s'assoupit à nouveau.

Île de Brač pratique

Informations utiles

Office du tourisme de Supetar – *Turistička zajednica, Porat 1 (quai du débarcadère)* - ✆/fax 630 551 ou 630 900 - *www.supetar.hr*- 8h-16h (22h en été).

Office du tourisme de Bol – *Turistička zajednica, porat bolskih pomoraca bb (au bout du quai)* - ✆ 635 638, *www.bol.hr* - 8h-14h (8h30-22h en été).

Indicatif téléphonique – 021.

Dentistes – *À Supetar, K. Tomislava 3* - ✆ 630 003 ou 630 609 - *à Bol, Dr Denis Karmelić-Jerčić - Gospojica b.b* - ✆ 635 698.

Urgences – *À Bol* ✆ 635 112 - *à Supetar* ✆ 640 014.

Accès internet – *Info graf*, à Bol, sur le port, en face de l'église - ✆ 718-877.

Transports

Ferries (voitures et passagers) – *Jadrolinija : Supetar* - ✆ 631 357 - *Sumatrin* - ✆ 648 224 - *www.jadrolinija.hr.* Entre Split et Supetar : de 8 à 14 passages/jour selon la saison (5h-minuit en été) ; 50mn de traversée. Entre Makarska et Sumartin (juil.-août) 3 à 5 passages/j ; 50mn de traversée.

Sem Marina - ✆ 352 553 ou 060 325 523 - *www.sem-marina.hr.* Entre Split et Supetar : 3 à 5 passages/j.

Bateaux (passagers seuls) – *Jadrolinha* : le « *Katamaran* », navire rapide entre Split et Jelsa (Hvar) fait escale à Bol, 1 bateau/jour. Celui de *Sem Marina (le « Catamaran »)* dessert Milna 1 fois/j, le lun., merc., vend. et dim.

Autobus – *Porat 12 à Supetar* - ✆ 631 122 - *www.autotrans-brac.hr.* Liaisons quotidiennes sur les lignes Supetar-Bol, Supetar-Selca/Sumartin et Supetar-Milna.

Avion – *Aéroport de Brač, à quelques km au N de Bol* - ✆/fax 559 711 - *www.airport-brac.hr.* Avr.-oct. : w.-end

1 vol Croatia Airlines entre Zagreb et Bol. Vols charters en été.

Nautisme

Port de plaisance de Milna – À l'ouest de l'île, c'est un petit port de plaisance très agréable, près d'un chantier de réparation des navires en bois.

Capitainerie – ✆ 636 205.

ACI Milna – ✆ 636 306 ou 636 366.

Bus pour Supetar. Équipement : *voir le chapitre « Nautisme » p. 38.*

Sur le port de Supetar.

Ch. Barely-Legrand / MICHELIN

Se loger

À SUPETAR

Pension Palute – *Put Pašike 16, dans le quartier à l'ouest du port* - ✆ 631 541 ou (098) 94 89 463 - 12 ch. : 490/500 kn. Pension familiale chaleureuse et bien tenue, située à l'ouest du port. Pas de vue sur la mer mais des confitures maison (kiwi, figues…) au petit-déjeuner. Possibilité de demi-pension dans le restaurant du même nom, sur le port (10mn à pied). Ouvert toute l'année.

⊖⊜ **Villa Britanida** – *Hrvatskih Velikana 26 - 𝄞 631 038, fax 630 017 - 15 ch. : 490 kn* ⌣. À l'est de l'embarcadère, dans une ruelle tranquille, cet établissement propose des chambres très correctes quoique sans cachet. Ouvert toute l'année.

⊖⊜⊜ **Svpetrvs hoteli d.d.** - *Put Vela Luke 4 - 𝄞 631 133 fax 631 344 - www.iberostar.com - 460 ch. : 930 kn* ⌣ 🏊. Entièrement rénové en 2005, ce grand complexe hôtelier est conçu pour que vous y restiez : seule la demi-pension (ou pension complète) y est proposée et 6 jours minimum sont requis. Proche de la plage, il propose un espace de bien-être et de nombreuses activités sportives, animations et excursions. 108 appartements de 2 à 6 personnes peuvent être aussi loués à la semaine (*Waterman Holiday Club - 𝄞 640 170, fax 640 320 - www.watermanresorts.com - de 796 kn à 1 971 kn/j*).

À BOL

Agence Bol Tours – *V. Nazora 18 - 𝄞 635 693/635 694, fax 635 695 - www.boltours.com*. Outre des excursions et des loisirs, l'agence propose des chambres et des appartements.

⊖⊜⊜ **Villa Nena** – *Réservation par Bol Tours - 𝄞 635 693 - 8 appart. : 2 pers. 450 kn, 4 pers. 634 kn*. Tout confort, dans une grande maison, à 50 m d'une petite plage de galets, derrière le monastère dominicain.

⊖⊜⊜ **Hotel Kastil** – *Frane Radića - 𝄞 635 995, fax 635 997 - www.kastil.hr - 32 ch. : 760 kn*. Idéalement situé, au cœur du village, sur le front de mer, cet hôtel est installé dans une belle maison ancienne. Les chambres modernes et confortables ont toutes une vue imprenable sur Hvar. Copieux petit-déjeuner en terrasse. Ouvert d'avr. à oct. Restaurant en saison.

⊖⊜⊜⊜ **Hotel Elaphusa** – *Bračka cesta - 𝄞 306 200, fax 635 477 - 300 ch. : 980/1 275 kn selon la vue et 6 suites* ⌣ - 🏊 Situé sur le chemin côtier qui mène à la plage de Zlatni Rat, ce grand hôtel réaménagé en 2006 est réparti en 4 longs bâtiments modernes de 4 étages. Son objectif est d'offrir un maximum de confort couplé à une large palette d'activités tant pour les enfants (vélo, mini-club, salle de jeux, terrains de football, handball) que pour les adultes (tennis, thalassothérapie, centre de soins, concert, boîte de nuit). Ses prix vont être revus à la hausse.

Se restaurer

À SUPETAR

⊖⊜ **Bistro Palute** – *Quai du port, près du débarcadère - 𝄞 631 730*. Attention à ne pas manquer l'entrée discrète de cette excellente adresse appréciée des locaux.

Le menu du jour permet de sortir des classiques, égayer son assiette avec des artichauts aux petits pois par exemple, ou de profitez des derniers arrivages de la mer. Les viandes grillées y sont bonnes.

⊖⊜ **Konoba Vinotoka** – *Jobova 6 - 𝄞 630 969 - poissons 70/100 kn, plats 70/90 kn*. En retrait du port, dans une rue bordée de jolies maisons, on peut y déguster risotto, pâtes, grillades. Le poisson y est une valeur sûre car il est pêché par le fils du patron. Portions très copieuses. Une grande terrasse couverte agrandit les capacités d'accueil de la taverne.

À BOL

⊖⊜ **Mali Raj** – *Put zlatnog rata - 𝄞 635 672 ou 091 524 74 39 - poissons 240 kn/kg, plats 50/80 kn*. Situé sur la colline, au-dessus de la plage de Zlatni Rat, dans un cadre agréable de terrasses couvertes de treilles, c'est l'occasion de manger une grillade ou une salade avant de redescendre à la plage. Crabes selon l'arrivage ; n'hésitez pas à demander. Bon accueil.

⊖⊜⊜ **Konoba Gušt** – *Frane RadićA 14 - 𝄞 635 911 - poissons 340 kn/kg, plats 60/90 kn - ouv. avr.-oct.* La salle est envahie d'un bric-à-brac sympathique d'ustensiles et d'objets anciens. Plats et produits croates, classiques et bien préparés. Poissons à partir de 110 kn. Bonne sélection musicale.

Achats

Bien que les objets en pierre de Brač vendus dans les boutiques ne soient guère inspirés, vous y trouverez de sobres petits cendriers ou vide-poches, à partir de 30/40 kn. Arrêtez-vous de préférence à certaines carrières comme celle de Dragonjik, sur la route de Milna à Nerežišča, pour les acheter directement.

Sports nautiques

Big Blue Sport – *En ville : Podan Glavice 2, sur la plage : en dessous de l'hotel Borak - 𝄞 306 222 fax. 635 614 - www.big-blue-sport.hr*. Planche à voile, plongée, kayak et VTT. Séance découverte : 330 kn/2h, initiation : 2 120 kn/6 j de cours (certificat inclus). Planche à voile : débutants 890 kn/8h, avancés 750 kn/5h. Location : 140 kn/h, 300 kn/1/2 j, 1 280 kn/sem. Kayak : 50 kn/h, 120 kn/1/2 j, 180 kn/j.

Fun system Bol – *Plage de Potočine, en contrebas de l'hôtel Bretanide - 𝄞 091 276 1111/095 901 0414 - www.johnnywindsurfing.com - mi-avr.-mi-oct.* Planche à voile : 890 kn/8h (débutants), 749 kn/5h (avancés), 590 kn (enf.). Funboard : 470 kn/3h (sans le matériel). Kayak : 80 kn/h.

Dubrovnik★★★

DALMATIE – 43 770 HABITANTS (LES RAGUSAINS)
CARTE GÉNÉRALE D4 – CARTE MICHELIN 757 G-H9

Perchée sur un rocher, ceinturée de hauts remparts baignés par l'Adriatique, Dubrovnik, l'ancienne Raguse, est considérée comme l'un des joyaux du patrimoine architectural mondial. Lord Byron ne la qualifiait-il pas de « perle de l'Adriatique » ? Dramatiquement éprouvée par la dernière guerre, elle a recouvré toute sa splendeur. Ruelles étroites à l'ombre bienfaisante où dansent les fils à linge, kaléidoscope des parasols des cafés, petites places fleuries aux pavés doucement lustrés lui confèrent une atmosphère toute méditerranéenne.

▶ **Se repérer** – À l'extrême sud de la Croatie, Dubrovnik occupe une étroite bande littorale, au pied des premiers contreforts des Alpes dinariques, à moins de 5 km à vol d'oiseau de la Bosnie. Au centre, la vieille ville fortifiée, bâtie sur ses falaises, concentre tous les points d'intérêt. À l'est, le faubourg de Ploče égrène les villas sur un rivage vert et escarpé. Vers l'ouest, ce sont les quartiers résidentiels et boisés de Lapad et Babin Kuk. Le port moderne, à Gruž (au nord-ouest), est placé à l'embouchure de la rivière de Dubrovnik (Rijeka Dubrovačka), où s'est développée la ville contemporaine.

👁 **À ne pas manquer** – Les deux monastères, le palais du Recteur, une promenade sur les hauteurs de la vieille ville, en bordure des remparts.

🕐 **Organiser son temps** – Prévoir une journée pour visiter la vieille ville sans oublier quelques heures, juste à déambuler. Le mieux est de s'organiser en trois demi-journées car la foule estivale de touristes peut être difficile à supporter en une fois. L'arboretum de Trsteno, le petit port de Mlini et les balades à vélo dans le Konavle peuvent constituer de parfaites coupures entre les visites. Pour les îles Élaphites, compter la journée.

🅿 **Se garer** – *Voir le Carnet pratique p 132.*

👪 **Avec les enfants** – Le tour des remparts est une très belle balade. Ne manquez pas aussi sur le port de Gruž la visite du *Kakara*, réplique d'un des fameux galions de la république de Raguse. C'est un bateau de guerre de hauts abordages de 31 m de long, tout en bois, qui composait la flotte de sa marine marchande.

⛵ **Pour poursuivre le voyage** – Voir aussi l'île de Mljet (2h de bateau), la presqu'île de Pelješac (55 km au nord-ouest) et l'île de Korčula (30mn de bateau, depuis l'extrémité de Pelješac).

Comprendre

Un îlot refuge – Les Romains investirent d'abord la cité grecque d'Épidaure (l'actuelle Cavtat) pour y développer un riche comptoir marchand. Mais un tremblement de terre et les invasions barbares en chassèrent les habitants. En 614, ils s'installèrent sur un îlot escarpé, séparé de la terre ferme par un étroit bras de mer. Le village, nommé

Dubrovnik, la fière Raguse, vigie sur les eaux de l'Adriatique.

Ragusium, s'agrandit et se fortifia de remparts. Pour se défendre contre les Arabes, il se plaça sous la protection de Byzance. Dans le même temps, un hameau croate, **Dubrovnik** (d'après le mot *dubrava* qui désigne les « chênes verts ») occupait le rivage continental, face à l'îlot. Les deux communautés comblèrent le bras de mer au 11e s. (l'actuel Placa) pour ne plus faire qu'une seule ville, à partir du 12e s. Peu à peu, le nouvel ensemble devint principalement croate, tout en restant un comptoir commercial dynamique.

L'âge d'or de la République – À partir du 12e s., Dubrovnik, encore nommée Raguse, possède une organisation politique et sociale très structurée. Elle est représentée par un **recteur** élu par les citoyens et gouvernée par deux conseils. En 1205, Raguse passe pourtant sous la coupe de **Venise**, alors toute-puissante république. Mais les Ragusains, marins et marchands entreprenants, réussissent peu à peu à alléger le joug vénitien en nouant des traités avec la plupart de leurs voisins. Libérée en 1358, la ville se proclame bientôt **République** indépendante, sous la férule des grandes familles aristocratiques. Son territoire s'étend de Cavtat et du Konavle, à l'est, à la péninsule de Pelješac, à l'ouest, ainsi qu'aux îles de

> ## Drame et renouveau
>
> Après la proclamation d'indépendance de la Croatie, l'armée yougoslave assiège Dubrovnik durant plus de six mois. Entre le 1er octobre 1991 et juillet 1992, les bombardements venus des crêtes voisines font une centaine de victimes parmi la population civile (dont une partie s'enfuit) et endommagent gravement le patrimoine de la cité. Mais Dubrovnik a su trouver la force de tourner la page et de se reconstruire, avec l'aide internationale et une ardeur difficile à imaginer. Aujourd'hui, il ne reste pratiquement plus de traces de la guerre.

Mljet et de Lastovo. Pour conserver sa puissance elle soigne ses rapports avec les **Turcs** qui, après la bataille de Mohács (1526), deviennent de plus en plus menaçants. Durant cet âge d'or, les aristocrates se bâtissent de splendides palais et des résidences secondaires le long de la côte. La ville close compte alors 6 000 habitants (pour 3 500 aujourd'hui). Une **flotte marchande** d'environ 250 navires sillonne les mers, au service du commerce de minerai de plomb, d'argent, de sel et d'orfèvrerie, produite dans les environs. Au sommet de sa puissance, aux 15e et 16e s., Raguse est un foyer artistique et intellectuel rayonnant, posant certains des fondements de la culture croate.

Le grand tremblement de terre – Le 16e s. est celui des grandes découvertes, de l'ouverture de nouvelles routes maritimes et de la concurrence des puissances rivales. Le dynamisme des navigateurs ragusains aurait peut-être permis à la ville de résister si un tremblement de terre d'une rare violence n'avait précipité son déclin, le **6 août 1667**. Plus de 5 000 habitants périssent sous les décombres de la ville anéantie. Même les navires à l'ancre dans le port sont détruits. Des édifices romans, gothiques ou Renaissance, il ne reste presque rien. Seuls les remparts, le palais Sponza et quelques fragments permettent d'imaginer les trésors évanouis. Tout sera reconstruit, dans le style baroque. La ville sera repensée, mais elle ne retrouvera jamais totalement sa puissance passée. C'est l'annexion de la Dalmatie par Napoléon, en 1806, qui met une fin officielle à la République. Puis, l'Empire austro-hongrois étend sa domination, de 1815 à 1918. Dubrovnik n'est plus qu'une petite ville de province. Elle doit sa renaissance au tourisme, qui explose à partir des années 1950.

Se promener

La promenade à l'intérieur de la ville et le tour des remparts débutent au même endroit, porte Pile. Selon l'heure de la journée, commencez par l'un ou l'autre, en sachant qu'il vaut mieux éviter les remparts à l'heure la plus chaude.

LA VILLE FORTIFIÉE★★★ plan I C2

Se garer à l'ouest ou au nord de la porte Pile, par où l'on commence la promenade. 2h environ, ou une demi-journée en visitant les principaux musées.

Avant de pénétrer à l'intérieur de la ville close, arrêtez-vous sous les palmiers de la **place Brsalje**, devant la mer, pour un premier **panorama★** sur la ville fortifiée et la **tour Bokar (tvrđava Bokar)**, à gauche, et sur le **fort Lovrijenac (tvrđava Lovrijenac)**, à droite, perché à 37 m au-dessus de la mer. Construite aux 14e et 15e s., cette forteresse, dont certains des murs atteignent 12 m d'épaisseur, fut entièrement restaurée après le séisme de 1667. Durant le festival d'été, elle accueille des représentations théâtrales.

Rejoindre ensuite le pont menant à la porte Pile.

Laisser Dubrovnik s'emparer de vous…

Bien sûr, on peut visiter Dubrovnik de palais en musées, d'églises en monastères, et nous vous donnons ci-après de précieuses clés pour en découvrir les trésors. Mais ne vaut-il pas mieux, si vous disposez de temps, laisser le charme et l'atmosphère de la vieille cité s'emparer peu à peu de vous ? Ainsi, avant même de pénétrer dans l'enceinte, commencez par contourner les remparts jusqu'à la rue F.-Supila surplombant la plage : c'est de là que vous découvrirez le plus beau panorama qui soit sur le vieux port, les remparts, et les toits de tuiles hérissés de clochers. Vous descendrez alors doucement vers la porte Ploče et vous vous abandonnerez alors à une flânerie paresseuse au hasard de vos pas, sans souci d'itinéraire, attentif au moindre détail : les fenêtres élancées d'un palais d'allure vénitienne, la végétation envahissant une ruelle en escaliers, une placette biscornue où le temps semble suspendu. Vous emprunterez une rue voûtée, jetterez un regard indiscret par une porte entrebâillée révélant une belle cour intérieure ou un puits inattendu au pied d'un escalier magnifique. Peu à peu, par la grâce de cette étonnante harmonie née de la volonté des constructeurs comme de la pierre blanche de Brač, vous accéderez à la vie intime de la ville : sur le quai, un pêcheur ravaudant son filet, dans une venelle, une femme proposant quelques légumes de son potager, plus loin une brochette d'anciens commentant les derniers événements. Très vite, la magie de cette ville fabuleuse opérera et vous vous sentirez étonnamment bien. Gageons que vous n'aurez guère envie alors de briser le charme !

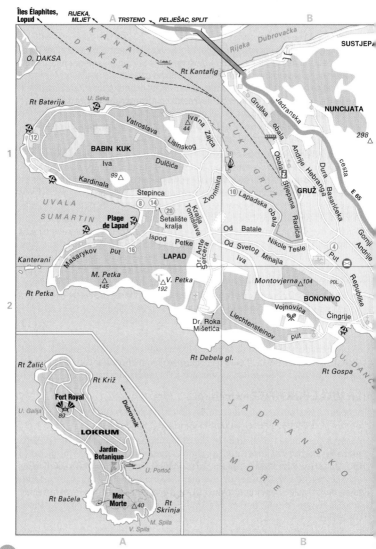

Porte Pile★★ (Vrata Pile) plan II D

C'est la plus imposante des deux portes de la ville. On y accède en traversant l'ancien fossé et le pont-levis, gardé par la **statue de saint Blaise** (Vlaho), le patron de la ville, reconnaissable à la maquette de la ville qu'il porte dans la main. Vers la gauche, en suivant les remparts des yeux, on aperçoit la masse imposante de la **tour Minčeta (tvrđava Minčeta)**. En raison du danger permanent, la cité était jadis fermée la nuit. Seuls les catholiques étaient autorisés à y demeurer. On relevait le pont-levis et on verrouillait les portes chaque soir. Les relèves de la garde de l'ancienne République de Raguse continuent d'ailleurs d'être assurées en costume d'époque durant l'été *(tlj 10-12h et 20-22h)*. La tour circulaire où est percée la porte extérieure est de style Renaissance (1537). La porte intérieure (1460) est gothique. Elle est surmontée, elle aussi, par une statue, moderne celle-ci, du saint patron, incontournable sur tous les monuments de la ville.

Autour de la fontaine

Quand on a franchi les remparts, c'est la **grande fontaine d'Onofrio (velika Onofrijeva fontana)** (1438), coiffée d'un dôme, qui attire d'abord le regard, au centre d'une pittoresque petite place. Baptisée du nom de son constructeur napolitain, elle servait de réservoir et de principal point d'approvisionnement pour les habitants. Contrairement à beaucoup de villes dalmates qui captaient l'eau de pluie, Dubrovnik consommait l'eau d'une source située à 12 km de la ville, acheminée par un aqueduc

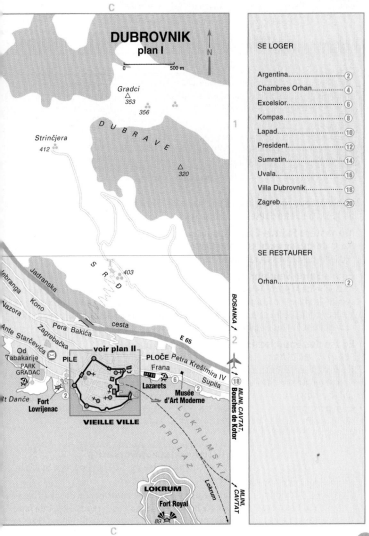

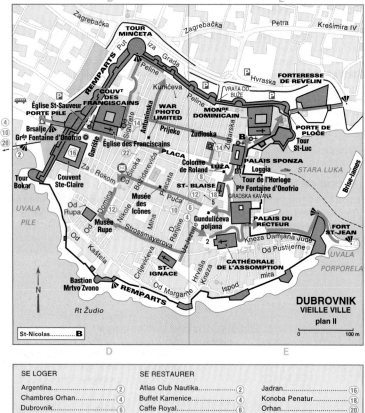

Zagrebačka — Zagrebačka — Petra — Krešimira IV

TOUR MINČETA

Put — iza — Grada — Peline

FORTERESSE DE REVELIN

COUV^T DES FRANCISCAINS — Kunićeva — Peline — Hvraska — VRATA OD BUŽE

Église St-Sauveur — PORTE PILE

WAR PHOTO LIMITED

MON^RE DOMINICAIN

PORTE DE PLOČE

Brsalje — Gr^de Fontaine d'Onofrio — Prijeko — Žudloska — Tour St-Luc

Église des Franciscains — PLACA

STARA LUKA

Colonne de Roland — LUŽA — PALAIS SPONZA — Loggia

Tour Bokar — Couvent Ste-Claire — ST-BLAISE — Tour de l'Horloge — P^te Fontaine d'Onofrio — GRADSKA KAVANA

UVALA PILE

Od Rupa — Musée Rupe — Musée des Icônes — P. Puča — Gundulićeva poljana — PALAIS DU RECTEUR — FORT ST-JEAN

UVALA PORPORELA

Kneza Damjana Jude — Od Pustijerne

ST-IGNACE — CATHÉDRALE DE L'ASSOMPTION — mira

Bastion Mrtvo Zvono — REMPARTS — Od Margarite — Ispod

Rt Žudio

DUBROVNIK
VIEILLE VILLE
plan II

0   100 m

St-Nicolas............. **B**

D   E

en partie souterrain. De la structure d'origine, détruite par le tremblement de terre de 1667, il ne reste que les mascarons sculptés d'où jaillit l'eau.

Monastère Sainte-Claire (Samostan sv. Klare) plan II D

Sur la droite, cet établissement, fondé au 13e s., servait d'orphelinat. Son cloître accueille désormais un restaurant, le Jadran.

Église Saint-Sauveur (Sv. Spasa) plan II D

À gauche de la porte, elle rappelle la triste série de tremblements de terre qui ont secoué la ville. Construite en 1528 en reconnaissance pour la survie de la ville au séisme en 1520, elle est la seule a avoir été épargnée lors du désastre suivant de 1667, et c'est donc l'unique église Renaissance de Dubrovnik.

Église des Franciscains (Franjevačka crkva) plan II D

6h30-12h, 16h-19h30.

Jouxtant la précédente, elle présente un portail gothico-Renaissance surmonté d'une *Pietà*, exécutée en 1498 par les frères Preradović, des sculpteurs locaux. L'église, de style baroque, contient un imposant mobilier dont une chaire richement sculptée et un bel orgue.

Emprunter le passage séparant St-Sauveur de l'église des Franciscains pour visiter le monastère.

Monastère franciscain★★ (Franjevački samostan) plan II D

9h-18h en été, 9h-17h en hiver. Musée et cloître : 20 kn (enf. : 10 kn). Pharmacie : tlj sf dim. 7h-16h, sam. 7h30-15h en été et tlj sf dim. 7h-13h30 en hiver.

Cloître★★ – Une grande sérénité se dégage de cette construction de style roman tardif (1360) très élégant. On admire la succession d'arcades reposant sur de fines colonnettes jumelées, aux chapiteaux sculptés de masques ou d'animaux. Sous la

La Pietà de l'Église des Franciscains.

galerie est, remarquez le sarcophage richement décoré d'un noble Ragusain, accroché en hauteur. Au premier étage, la terrasse à jolie balustrade est réservée aux moines.

Musée★ – Il abrite les souvenirs de la plus ancienne pharmacie du pays (la 3e du monde), fondée en 1317 et en activité sans interruption depuis. Ne manquez pas non plus l'imposant tableau représentant *Dubrovnik avant le tremblement de terre de 1667* et, plus proche de nous, l'obus qui a percé le mur durant le siège de 1991-1992 ainsi que le trou qu'il a fait, dûment préservé et encadré ! Parmi les objets remarquables des collections, on compte de très beaux objets sacrés, comme une **croix de procession de Jean de Bâle★★** (1440) ou le **reliquaire de la tête de sainte Ursule★★**, à la facture étonnamment moderne (14e-15e s).

Pharmacie – La pharmacie actuelle du couvent, sous ses boiseries baroques, propose des crèmes fabriquées par la communauté selon d'anciennes recettes.

En longeant Placa★★ (Stradun) plan II D-E

En quittant le monastère franciscain, emprunter, à gauche, la vaste artère qui constitue l'axe principal de la vieille ville.

Placa★★ (prononcer *platsa*, on l'appelle aussi Stradun, de l'italien *strada*) est plus qu'une rue : c'est le lieu de promenade des habitants et des touristes, avec ses boutiques et ses terrasses de cafés. Toutes les grandes fêtes et les processions l'empruntent, comme celle de la Saint-Blaise (3 février), et elle constitue l'axe reliant les deux principales portes de la ville. D'un style baroque très sobre, elle doit sa remarquable unité architecturale à la reconstruction qui a suivi le tremblement de terre de 1667, lorsque les autorités de la ville ont imposé une uniformité de matériaux (la pierre blanche de la Dalmatie), de hauteur et de façade. La succession des boutiques, au rez-de-chaussée, souligne bien l'importance du commerce pour l'ancienne république. Chaque soir, à la nuit tombée, le brillant des pavés doucement polis par les siècles renvoie la lumière et ajoute à la magie de la pierre. Pourtant, à l'origine, Placa n'existait pas : c'était un bras de mer qui isolait, au sud, l'îlot sur lequel fut bâtie la première cité. On le combla à partir du 11e s.

Le jour du saint

Chaque année, le 3 février, Dubrovnik fête son saint patron, Blaise (Vlaho), une célébration séculaire qui attire des visiteurs de toute la Croatie et même de Bosnie. Dès le matin, les fidèles des villages environnants se pressent aux portes de la ville, habillés de leur costume traditionnel et portant la bannière de leur paroisse. Chaque groupe se présente devant l'église Saint-Blaise et fait tournoyer sa bannière pour la présenter à l'évêque qui célèbre ensuite une grand-messe en plein air. Tous les groupes repartent alors en procession à travers la ville, suivis par l'évêque portant le reliquaire de la tête de saint Blaise et le clergé avec d'autres reliques, le tout au rythme des cantiques. C'est aussi le jour où les petits communiants défilent dans leur aube blanche, ajoutant à la ferveur populaire. La fête se poursuit l'après-midi par des réjouissances beaucoup plus profanes…

Ulica Garište plan II D

Juste en face de l'église des Franciscains, cette ruelle garde le souvenir des enfants illégitimes que les femmes venaient abandonner en secret. Un système de tourniquet, encastré dans une fenêtre, aujourd'hui murée, permettait de faire passer le nouveau-né à l'intérieur du bâtiment où les religieuses le recueillaient.

En suivant ensuite Placa vers l'est, vous coupez d'autres ruelles. Vers la droite et le sud, elles mènent à la partie la plus ancienne de la ville. Du côté nord, elles se font escaliers pittoresques qui partent à l'assaut du coteau.

Rue des Juifs (Ulica Žudioska) plan II D

Très nombreux à se réfugier ici après le début de l'Inquisition et leur expulsion d'Espagne, tolérés par les autorités et actifs dans la finance et le commerce, ils

Parcourir Placa : un « must » pour tout visiteur de Dubrovnik.

n'en faisaient pas moins l'objet d'une ségrégation. La rue des Juifs était en réalité un ghetto, avec des portes que l'on verrouillait la nuit. Bien que la communauté juive soit aujourd'hui très peu nombreuse (moins de 50 membres), la **synagogue★ (sinagoga)** existe toujours. Créée au 15e s., elle est la plus ancienne d'Europe après celle de Prague. Elle abrite le **Musée juif** et de rares objets sacrés, comme une torah du 14e s. *Ulica Žudioska 5. De mi-avr. à fin oct. : tlj 10h-20h, hors saison 9h-13h, 10 kn.*

Revenir sur Placa pour rejoindre la plus importante des places de la ville, la Luža.

Place de la Loge★★ (Luža) plan II E

Jadis place du marché, elle s'organise autour de la **colonne de Roland** (Orlandov stup), équipé de son épée Durandal. Selon la légende, le célèbre chevalier aurait sauvé Dubrovnik des Arabes et serait resté le symbole local de la liberté. La statue (1418) servit même d'étalon de mesure aux commerçants du marché : la longueur de l'avant-bras (51,2 cm) était la « coudée ragusaine » et, à la base de la colonne, des encoches dans la pierre permettaient de mesurer la marchandise.

Palais Sponza★★ (palača Sponza) plan II E

Eté tlj sf le dim : 10h-22h, sam. 8h-13h, 15 kn (enf. gratuit)
Ce palais *(Voir « ABC d'architecture » p. 84)*, reconnaissable à sa galerie à arcades, abritait la douane et les ateliers de la Monnaie, du temps de la république de Raguse (aujourd'hui on y conserve les archives municipales, certaines remontant à 1022). Sa façade, particulièrement remarquable, marque la jonction entre les styles gothique (nervures, feuilles de trèfle au 1er étage) et Renaissance (colonnes et frontons au 2e étage). C'est l'une des rares à avoir résisté au tremblement de terre de 1667, permettant d'imaginer les palais somptueux de la période précédente.
À l'entrée, sur la gauche, un émouvant mémorial évoque les jeunes combattants croates qui payèrent de leur vie la défense de Dubrovnik durant le siège de 1991-1992. La cour intérieure, à double galerie, accueille des expositions temporaires. Au fond, se trouve l'ancien mécanisme de l'horloge de la ville, tandis que sur la gauche sont exposés d'anciens plans et photos de Dubrovnik ainsi que de précieuses archives comme la Charte de la fondation de la ville (1358) ou le cahier des comptes du Trésor de la république de Raguse (1757-1808).

Loggia (Luža) plan II E

À côté du palais Sponza, au-dessus du passage voûté d'ogives menant à la sortie de la ville, cette loggia, construite en 1463, abrite les cloches qui servaient à sonner l'alerte ou à convoquer le Conseil de la République.

Tour de l'Horloge plan II E

Elle ferme la perspective de la Placa. Datant de 1444, elle avait été très ébranlée par les tremblements de terre et fut entièrement reconstruite en 1929. Les deux jacquemarts de chaque côté de la cloche sont des copies (les originaux des « hommes verts » sont visibles dans le palais Sponza). Accolé au beffroi se trouve l'ancien logement de l'amiral qui commandait les armées de la ville. Juste devant, la gracieuse **petite fontaine d'Onofrio (mala Onofrijeva fontana)** (1438) destinée à alimenter le marché, appartenait au même système d'approvisionnement en eau que sa grande sœur.

Église Saint-Blaise★ (Sv. Vlaha) plan II E

Cet édifice baroque (1715), dédié au patron et protecteur de la ville, offre un contraste saisissant avec la sobriété de Placa. Son imposant perron, sa façade richement ornée et son dôme cachent un intérieur chaleureux, au plan compact. On est surpris par la courte nef et par l'autel opulent, surchargé de sculptures autour de la **statue gothique de saint Blaise★** en argent doré (15e s.), dite miraculeuse, car la seule à avoir échappé à un incendie. Notez aussi la profusion de bandes, festons et linges d'autel à broderies traditionnelles rouge vif.

En quittant la place de la Luža vers le sud, on longe le **Gradska Kavana** (Café de la Ville), une institution locale pour sa terrasse où les Ragusains aiment à refaire le monde. Il occupe le rez-de-chaussée de l'ancien palais du Conseil majeur, aujourd'hui théâtre municipal, reconstruit au 19e s. en style néogothique.

Longer le Café de la Ville pour rejoindre le palais du Recteur.

Palais du Recteur★★ (Knežev dvor) plan II E

Avr.-oct. : tlj sf dim. 9h-18h ; nov.-mars : tlj sf dim. 9h-14h, 35 kn (enf. et étudiants : 15 kn) ou 12,5 kn avec le pass musée (voir carnet pratique). Cassette audio en français très intéressante (30 kn).

Sans doute le plus bel édifice de Dubrovnik, il offre un subtil mélange de tout ce qui a fait l'histoire de la ville, résultat de plusieurs campagnes de reconstruction. Au Moyen Âge, c'était une forteresse défensive. Mais les explosions dues à la poudre qu'on y entreposait, les incendies et les tremblements de terre le dévastaient régulièrement. Au 15e s., après l'un de ces sinistres, on confia sa reconstruction à Onofrio, le réalisateur du système d'adduction d'eau. Il n'y avait alors qu'un étage, conçu dans un style gothique très raffiné. Malheureusement, une nouvelle explosion de poudre, en 1463, conduisit la ville à la reconstruire en partie, ce qui fut fait en style Renaissance. Enfin, la reconstruction qui suivit le tremblement de terre de 1667 ajouta des parties baroques, voire rococo. Le mélange des genres reste pourtant harmonieux. Du temps de la République, le palais abritait les appartements et bureaux du recteur, la salle du Conseil mineur, des bureaux administratifs, une salle des gardes, l'arsenal ainsi qu'une prison.

On y accède par une très belle **galerie extérieure**. Les **chapiteaux★★**, remarquables pour leur décor Renaissance, datent de la campagne qui fit suite à l'explosion de 1463. Notez celui de l'extrême droite représentant Esculape faisant le commerce de ses médicaments. Sous la galerie voûtée d'ogives, de longs gradins de pierre courent à la base du mur : les notables s'y asseyaient pour assister aux grandes manifestations.

Cour intérieure★ – Mélange d'éléments gothiques et Renaissance avec un bel escalier baroque (campagne d'après 1667), elle faisait jadis office de place publique, autour d'une fontaine aujourd'hui disparue. Les familles des criminels incarcérés dans la prison y venaient pour les visites, les citadins pour les démarches administratives. L'atrium résonnait du brouhaha des conversations et des apostrophes des prisonniers, voire de leurs cris lorsqu'on les torturait… Sur la droite, la visite dévoile les anciens cachots. Ceux qui donnaient sur l'atrium étaient les plus favorisés, d'autant que les prisonniers dépendaient du ravitaillement de leurs proches pour survivre. La mezzanine abritait le gardien de la prison et le porte-clés. Face à la prison, à gauche de l'entrée, se trouvent les anciens bureaux de l'administration où les Ragusains venaient retirer les documents, actes notariés, etc., conservés dans les grands placards muraux aux portes de bois peint.

Une vie de recteur

Durant toute la période de la République, le recteur de la ville n'avait pas réellement de pouvoir, mais il en était le représentant. Élu pour un mandat d'un mois, reconductible une seule fois par période de deux ans, le recteur devait emménager dans le palais pour la durée de son ministère. Chaque soir, il recevait en grande pompe les clés de la ville que l'on avait fermée pour la nuit et les gardait jusqu'au matin où il se livrait au cérémonial inverse. Il pouvait y vivre avec sa famille, mais il avait interdiction de sortir, sauf pour aller à la cathédrale à Noël et à la Saint-Blaise. Il était autorisé à suivre les autres festivités depuis les bancs de pierre de la galerie extérieure du rez-de-chaussée. L'idée était qu'il échappe ainsi à toute influence extérieure, susceptible de corruption.

Appartements du recteur★ – Le premier étage était réservé aux quartiers personnels du recteur, à la salle du Conseil mineur, aux salles de réception ainsi qu'à la chapelle. C'est dans son bureau que le recteur rangeait chaque nuit les deux clés des deux portes de la ville. Parmi les objets intéressants, notez, dans le bureau, le rare **cabinet napolitain baroque★**, composé d'une multitude de petits tableaux sur verre (fin 17e s.).

En sortant du palais, retournez-vous vers le palais Sponza pour apercevoir, en arrière-plan, la crête montagneuse couronnée par le fort napoléonien.

Traverser la rue et rejoindre la place Gundulić ou place du Marché.

De la place du Marché au collège des Jésuites

Place Gundulić

(Gundulićeva Poljana) plan II E

Bordée de hautes maisons typiques de

> ### De saints restes…
>
> On ne peut manquer de s'étonner devant la profusion de reliques qui envahissent églises et musées de la ville. Que de jambes, bras et têtes ! Il faut souligner toutefois qu'un reliquaire contient rarement un membre entier, mais le plus souvent un morceau d'os ou de crâne prélevé sur le corps du saint ou un éclat de bois prétendument arraché à la vraie Croix. Cette coutume remonte au Moyen Âge, lorsque la tradition des grands pèlerinages est née : une relique hors du commun ne manquait pas d'attirer les foules ! Les sanctuaires plus modestes, souvent sur la route des précédents, se mirent à vouloir attirer eux aussi les fidèles. Un saint commerce, voire un trafic, vit alors le jour, abusant parfois de la ferveur des pèlerins, et l'on éleva des autels, des cryptes et des déambulatoires conçus pour que les fidèles puissent tourner autour des reliques pour vénérer le saint.

la reconstruction baroque, elle est le cadre, tous les matins, d'un pittoresque marché aux fruits et aux légumes. La statue centrale figure l'un des plus célèbres enfants de la ville, le poète Ivan Gundulić, œuvre du sculpteur Ivan Rendić. Les bas-reliefs du piédestal narrent des scènes de l'épopée rédigée par l'auteur.

Quitter la place par ulica Od Puča, une rue parallèle à la Placa.

Musée des Icônes (muzej pravoslavne crkve) plan II D

Od Puča 8. Mai-oct. : tlj sf dim. 9h-14h ; nov.-avr. : tlj sf w.-end 9h-14h. 10 kn (enf. 5 kn)

Il présente une intéressante collection d'icônes des 16e au 19e s. On relève, entre autres, une icône-calendrier russe (18e s.), un triptyque serbe de Dalmatie (18e s.) et une belle **Dormition de la Vierge** entre des colonnettes torsadées (Monténégro, 17e s.). Juste à côté, l'église orthodoxe (début 20e s.) rappelle que ce rite a toujours compté des fidèles dans la région, même s'ils sont aujourd'hui peu nombreux.

Continuer jusqu'à ulica Široka, où l'on tourne à gauche pour passer devant le n° 7, ancienne maison de l'un des grands écrivains croates.

Maison de Marin Držić plan II D

Avr.-sept. : 9h-18h ; oct.-mars : tlj sf dim. 9h-14h, 35 kn (enf. et étudiants : 15 kn) ou 12,5 kn avec le pass musée (voir carnet pratique).

Ce petit musée est dédié à l'autre célébrité littéraire de Dubrovnik. Ce dramaturge du 16e s. est considéré comme l'un des pères de la littérature nationale. Organisée autour d'un spectacle audiovisuel, la visite ne présente d'intérêt que pour les passionnés.

Suivre le prolongement d'ulica Široka, le long de ulica Od Domina, et monter les marches vers le haut de la vieille ville jusqu'à ulica Od Rupa où l'on prend à droite vers le musée Rupe.

Musée ethnographique Rupe (etnografski muzej Rupe) plan II D

Juin-sept. : 9h-18h ; oct.-mai : tlj sf dim. 9h-14h, 35 kn (enf. et étudiants : 15 kn) ou 12,5 kn avec le pass musée (voir carnet pratique).

Les réserves de blé étaient jadis vitales en cas de siège et on a retrouvé les traces de neuf greniers répartis dans toute la vieille ville. Le Rupe (le mot signifie « trous ») est le plus important. On stockait le grain dans une quinzaine d'immenses silos creusés dans le rocher, auxquels on accédait par des ouvertures (les fameux trous) ménagées dans les planchers. Un système de cordes et de poulies permettait de remonter le blé. Le grenier Rupe, construit entre 1542 et 1590, avait une capacité équivalant à 150 wagons de grain. Au 1er étage, une petite collection d'objets usuels évoque la vie rurale en Dalmatie (hélas mal expliquée). Le 2e étage est dédié aux costumes nationaux ; l'occasion aussi de découvrir quelques instruments de musique et une collection de bijoux en or.

En sortant du musée, suivre Od Rupa sur la droite. Après une légère bifurcation, elle devient ulica Strossmayerova et longe le haut mur du couvent des jésuites. Tourner alors à droite et monter les marches pour arriver sur le parvis de l'église.

Église Saint-Ignace-de-Loyola★★ (Sv. Ignacija) plan II D

Elle fut conçue pour la communauté jésuite par l'architecte romain Andrea Pozzo, à partir de 1699. C'est une copie de Saint-Ignace de Rome, avec sa façade baroque très caractéristique de la Contre-Réforme (formes galbées, colonnes, pilastres, frontons…) et son dôme. La décoration intérieure l'illustre tout autant, avec sa profusion de moulures et de corniches guidant le regard vers la coupole et ses opulentes **fresques murales** (1735-37) du Sicilien Gaetano Garcia figurant la vie de saint Ignace au cœur de nuages et d'angelots mêlés. Au fond de l'église, la chapelle de droite, avec sa Présentation de Marie enfant au Temple (un thème assez rare) et la **grotte de Lourdes** (inhabituelle dans une église, et l'une des premières de ce style en Europe, en 1885), à gauche, rappellent que le culte de la Vierge est essentiel pour les jésuites.

En ressortant de l'église, prenez le temps d'admirer le parvis et les volées successives de marches en arc de cercle qui redescendent vers la place Gundulić. L'ensemble de ce quartier est l'un des plus anciens de la ville et conserve, à l'exception de la place du parvis, un plan anarchique hérité du Moyen Âge et des ruelles étroites et tortueuses, coupées de passages couverts et pavées de petits galets. C'était, à l'époque de la République, plutôt le quartier des palais aristocratiques, avec leurs jardins et leurs cours intérieures.

Descendez l'escalier et tournez à droite vers la cathédrale, dont on aperçoit le dôme.

Cathédrale de l'Assomption★ (Katedrala Uznesenja Marijina) plan II E

8h-17h30, dim. 11h-17h30.

Érigée dans le style baroque du début du 18e s., elle a pris la place d'un ancien édifice roman dont la tradition veut qu'il ait été construit en remerciement à la Vierge par Richard Cœur de Lion. De retour de croisade, son navire aurait fait naufrage devant l'île de Lokrum et il aurait été miraculeusement sauvé. En fait, les vestiges découverts lors des travaux révèlent un sanctuaire encore antérieur, daté du 7e s., attestant l'importance précoce de la cité. Après le terrible séisme, on décida de s'inspirer de ce qui se faisait à Rome, avec les éléments caractéristiques du baroque, colonnes, corniches et frontons rythmant la façade, balustrade ponctuée de statues de saints et dôme percé de fenêtres. L'intérieur surprend par sa simplicité et sa clarté qui font presque oublier les énormes **retables baroques** en pierre et marbre. Sobrement mis en valeur dans le chœur, le polyptyque de l'**Assomption de la Vierge★★** est attribué au Titien.

Trésor★★★ – *Mêmes horaires que la cathédrale - Entrée : 10 kn.* Sans doute, le clou de la visite, il est conservé dans une petite pièce sécurisée par trois énormes clés confiées jadis à trois personnalités distinctes (archevêque, recteur et secrétaire d'État). Le décor baroque exubérant est surchargé d'angelots et de dorures. Vous y admirerez *(sur la tablette, devant à gauche)* les fameux **reliquaires de saint Blaise★★★** (12e s.), accueillant tête, bras et jambe du saint, que l'on promène en procession lors de sa fête. Réalisés en or, émaux et filigrane, ce sont les plus beaux éléments d'une collection fascinante. À côté des nombreux reliquaires, plusieurs peintures retiennent l'attention, comme une jolie **Madone★★**, attribuée à Raphaël *(à droite)* ou une icône romano-byzantine de la **Vierge à l'Enfant★** (13e s.).

Sortir de la cathédrale par la porte principale et traverser la rue.

Sur la façade d'une chapelle abandonnée, remarquez l'encadrement de l'ancien portail préroman aux motifs d'entrelacs, un vestige rare à Dubrovnik (11e s.).

Emprunter le passage sur le côté du palais du Recteur, en face de la cathédrale, pour rejoindre le port.

Le vieux port★ (Stara luka) plan II E

Une agréable **promenade** conduit autour du port en longeant vers la droite au pied des remparts en direction du fort St-Jean. Construit au 14e s., il gardait l'entrée du port et abrite désormais le Musée maritime *(voir « Visiter » p 127).* Contournez le fort jusqu'au bout de la petite **jetée** pour voir le promontoire, qui barre l'entrée du port et sert de **brise-lames** contre la houle du Sud, et la masse imposante des fortifications de la ville. Au fond du port,

Pêcheur au pied du fort Lovrijenac.

A. Padioleau / MICHELIN

les grandes arcades formant le Café de la Ville abritaient jadis les chantiers navals, que l'on fermait la nuit et où l'on construisait les bateaux en grand secret…

Repartir un peu en arrière, contourner le palais du Recteur, longer la tour de l'Horloge et tourner à droite en passant sous la loggia. Remonter ulica Svetoga Dominika jusqu'au large escalier du monastère dominicain, sur la gauche.

Monastère dominicain★★★ (Dominikanski samostan) plan II E

9h-18h. En hiver : 9h-17h. Musée et cloître : 15 kn (gratuit pour les moins de 14 ans).
La deuxième grande communauté monastique de la ville, celle des dominicains, rivale des franciscains, fut fondée en 1225. À l'extérieur, l'édifice est très sobre, à part le **portail Sud** qui conserve des éléments romans sous un arc brisé gothique. Malgré son **clocher** (14e-18e s.) que coiffe une coupole, l'ensemble garde une allure fortifiée, pratiquement intégrée dans le système défensif des remparts de la ville. L'**abside** est la seule partie portant encore la marque du style roman initial. On accède à l'église et au couvent en montant le large **escalier extérieur** à gracieuses colonnettes, curieusement obturé à sa partie inférieure. On dit que les interstices furent supprimés par les moines qui voulaient éviter que les badauds aperçoivent les chevilles des paroissiennes…

Cloître★★ – Passé une première chapelle dédiée à saint Sébastien (aujourd'hui une galerie d'art) et le deuxième portail de l'église dominicaine, on pénètre dans cet endroit empreint d'une fraîcheur paisible, l'un des plus magiques de la ville, loin de l'agitation de la rue. Construit entre 1456 et 1483, il est bordé sur ses quatre côtés d'arcades gothiques ajourées de baies trilobées. Au centre, un ravissant jardin d'orangers et de palmiers entoure un puits. Lorsque les troupes napoléoniennes prirent possession de la ville, le monastère fut réquisitionné pour héberger les troupes et le cloître abrita les chevaux : on voit encore entre les colonnes du côté sud les cavités creusées pour les faire boire.

Église – On y entre par le cloître. D'une grande sobriété, elle offre un contraste entre l'abside ancienne et la nef baroque. Le plus bel élément est l'immense **crucifix★★** peint (1394), d'influence byzantine, offert en ex-voto après la grande épidémie de peste de 1394. Notez aussi l'amusante chaire sculptée ou les gisants de pierre scellés dans le mur.

> ## Quand le vent tourne
>
> Malgré la protection de la montagne, la côte dalmate peut être très ventée. Le plus redoutable est un vent hivernal du nord, la **bora**, une bise glaciale refroidie par le passage des montagnes, qui dévale les pentes vers la mer et fait chuter le thermomètre. Pourtant, il était considéré comme revigorant, propice à un esprit clair. Le vent du sud, en revanche, un sirocco venu d'Afrique, est réputé plus éprouvant et censé rendre fou, au point que, sous la république, les membres du Conseil ne se réunissaient pas les jours où il soufflait, de peur de prendre des décisions peu judicieuses…

Musée★★★ – Il rassemble les collections d'art sacré du monastère et une série de tableaux de valeur.
Dans la première pièce, à droite, le **triptyque de Nikola Božidarević★** (début 16e s.) mérite que l'on s'y attarde car il figure un saint Blaise tenant la ville telle qu'elle était avant le grand tremblement de terre. On observe ainsi que les remparts étaient très différents et que les clochers étaient pointus… À côté, l'**Annonciation★** (1513), du même artiste, est superbe. En face, c'est le somptueux polyptyque du **Baptême du Christ★**, par Lovro Dobričević (1448), un artiste local, qui retient le regard pour son style Renaissance et son influence italienne. Parmi les collections de reliquaires et d'objets sacrés, arrêtez-vous devant un **encensoir★** en argent, en forme de navire (le n° 7, du 15e s.), fabriqué à Dubrovnik, pour rappeler la vocation maritime de la ville, sur le délicat **doigt reliquaire de saint Dominique★**, en argent, vermeil et champlevé (15e s.) ou encore sur les **têtes reliquaires**. La mezzanine présente quelques exemples de **bijoux** ex-voto traditionnels, donnant une idée du style régional, avec les perles et breloques en filigrane d'or que l'on retrouve encore dans les costumes folkloriques et dans les bijouteries de la ville. Au mur, un petit fragment de **tympan préroman** (10e-11e s.) arbore les tresses et motifs géométriques caractéristiques de cette période.
La seconde pièce contient un curieux assemblage, décroché d'un **ancien retable** : il s'agit d'une peinture (17e s.) de trois saints en extase devant une icône incrustée dans la première toile, et représentant une Vierge à l'Enfant d'inspiration byzantine

(16e s.). Ne manquez pas **sainte Madeleine et saint Blaise★★**, par le Titien (1550), un tableau qui témoigne de la richesse du généreux donateur (il figure d'ailleurs sur la droite de la peinture). Quelques **manuscrits★** très anciens (dont un manuscrit bénédictin du 11e s.) ont été sélectionnés dans la riche bibliothèque du monastère, qui compte plus de 200 incunables.

Sortir du monastère et reprendre ulica Svetog Dominika.

Porte de Ploče★ (vrata od Ploča) plan II E

La deuxième grande porte de la ville se compose de deux portes intérieures (période romane) et d'une grande porte extérieure (période autrichienne). La plus petite des trois est surmontée de la tête de saint Blaise. Durant presque toute l'histoire de la république de Raguse, c'était l'entrée la plus importante car elle ouvrait vers l'est, d'où arrivaient toutes les caravanes en provenance d'Orient. Au-delà de la porte, la tour Saint-Luc garde le port. Tout comme à la porte Pile, les relèves de la garde républicaine sont assurées en costume d'époque durant l'été *(10h-12h et de 20h-22h).*

Traverser le pont de pierre en direction de la forteresse de Revelin.

Fort de Revelin★ (tvrđava Revelin) plan II E

Érigé en 1462, il fut agrandi au siècle suivant, pour résister aux Turcs qui avaient envahi la Bosnie voisine. Au-delà du second pont, la route longe les anciens lazarets, une série de longues salles, où les voyageurs séjournaient durant la quarantaine qui leur était imposée par crainte des épidémies. De là, prenez le temps de suivre des yeux la crête qui barre l'arrière-pays. Au-dessus de la ville se trouvent le **mont Srđ** et la forteresse napoléonienne.

Revenir dans la ville, longer le monastère, monter son escalier et, juste avant le passage menant au cloître, tourner à gauche. La ruelle contourne la minuscule chapelle Saint-Nicolas, imbriquée dans les maisons, et mène à la rue Prijeko.

Rue Prijeko et les hauts de la ville close★ plan II D-E

Église Saint-Nicolas (Sv. Nikola) plan II E

C'est l'une des plus anciennes de la ville (fondée au 11e s.) malgré sa façade plus récente (16e s.), et chère au cœur des Ragusains car c'est la chapelle des marins.

Rue Prijeko plan II D-E

Elle forme l'axe principal de la partie la plus récente de la vieille ville, l'ancien village croate. Après la réunion des deux parties de la ville, ce quartier abritait surtout les marchands. Il est aujourd'hui investi par un grand nombre de restaurants aux terrasses animées. Entièrement redessiné après le séisme de 1667, le quartier fut ensuite occupé par les riches bourgeois. Les architectes ont alors défini la largeur des rues et des blocs, ainsi que leur plan en damier descendant vers la Placa. Chaque maison est construite selon le même modèle et remplace, en général, quatre demeures médiévales. En poussant les portes, vous remarquerez souvent le puits situé sous l'escalier *(comme au n° 8).* L'ensemble du quartier est construit sur un réseau de canalisations élaboré qui amenait l'eau dans les puits privés des plus riches. Le rez-de-chaussée sert aussi au stockage. Les pièces de réception et de vie sont aménagées dans les premiers étages, tandis que la cuisine se trouve toujours au dernier étage pour éviter les odeurs. Levez les yeux pour admirer la beauté des **façades**, les fenêtres ou les consoles des balcons *(nos 12, 17 et 24).* Après le n° 24, sur la droite, un pied de vigne noueux part à l'assaut de la façade : il est vieux de 200 ans ! Vers la droite, les ruelles qui montent en direction des remparts épousent le relief accidenté et deviennent des escaliers parfois très raides, ponctués de plantes luxuriantes (ficus, philodendron…) et de fils à linge.

Poursuivre ensuite le long des remparts jusqu'à l'extrémité et redescendre vers la gauche par Ispod Minčete qui devient ulica Celestina Medovića et rejoint la Placa près de la porte Pile.

LE TOUR DES REMPARTS★★★ plan II D-E

Avr.-oct. : 8h-19h. 50 kn (enf. 20 kn). Explications audio : 40 kn. Longueur 2 km environ, compter 1h30 au moins pour flâner. L'entrée principale se trouve à l'ouest de Placa, près de la porte Pile. À faire le matin ou en fin d'après-midi s'il fait chaud.

Commencez le tour en vous dirigeant vers la mer : la balade est plus facile dans ce sens. Vous passez en surplomb de la Placa. Admirez l'enfilade harmonieuse des façades et les incomparables toits de tuiles rondes qui ont fait la réputation de Dubrovnik. Après avoir repéré les clochers du couvent franciscain au premier plan, et du monastère dominicain, au fond, à gauche de la tour de l'Horloge, vous retrouvez les dômes de la cathédrale et de St-Ignace.

Vous passez une première tour carrée, au sommet de laquelle on accède par un étroit escalier. Elle fait partie d'un ensemble d'une douzaine de tours du même type qui furent ajoutées au système défensif lors d'une campagne d'amélioration de la sécurité, au 14e s.

Tour Bokar (tvrđava Bokar) plan II D
C'est la tour qui suit, ronde et massive (15e s.), gardant, avec le fort Lovrijenac, en face, l'accès à la porte Pile par la mer. Elle constitue l'un des quatre points forts de l'enceinte, avec le fort St-Jean, le fort Revelin et la tour Minčeta. Comme la plus grande partie des remparts, elle ne prit son aspect actuel qu'après le séisme de 1667. Les différents tableaux visibles dans les musées de la ville donnent une idée de son allure antérieure.

Ch. Barrely-Legrand / MICHELIN

La crique de Pile vue des remparts.

Bastion Mrtvo Zvono
(tvrđava Mrtvo Zvono) plan II D
Au sud de la ville, surplombant la mer, directement au-dessus des rochers, la muraille est moins épaisse que du côté des terres, mais elle est ponctuée de tours rectangulaires encadrant le puissant bastion Mrtvo Zvono (16e s.) percé de nombreuses canonnières (la ville en a compté jusqu'à 120). C'est ici, dans ce qui était un îlot, que fut fondée la première communauté, qui possédait déjà de puissants remparts au 9e s. On note à quel point les maisons et les ruelles, de ce côté-ci de la ville, sont imbriquées en un dédale tortueux, loin de la géométrie de la partie nord. Au passage, remarquez, devant la mer, les canons et, en vous penchant pour regarder les échauguettes, l'omniprésente **statue de saint Blaise** veillant l'horizon. Vers le sud, vous apercevez l'**île de Lokrum**.

Fort St-Jean et défenses du port★ (tvrđava sv. Ivan) plan II E
Pour une nation de marins, il était particulièrement vital de protéger le port et l'accès aux chantiers navals. C'est ce qui explique l'importance du fort St-Jean (14e s.) et la complexité du dispositif qui l'associe à la **tour St-Luc (tvrđava sv. Luke)** (14e s.) en face, et au large **brise-lames** (qui ralentissait aussi l'approche de l'ennemi et l'exposait au tir des canons). Lorsque l'on continue vers l'intérieur du port, on constate pourtant la vulnérabilité de la muraille à cet endroit, avec les quais, les arcades sous lesquelles on construisait les navires et les deux portes qui permettaient d'entrer dans la cité.

Fortifications terrestres et tour Minčeta★★ (tvrđava Minčeta) plan II E
Les menaces les plus importantes et les plus difficiles à repousser venaient de la terre, ce qui justifie que la muraille soit ici beaucoup plus épaisse (2 à 3 fois plus, soit entre 4 et 6 m). Pour plus de solidité, on conçut vers l'extérieur un avant-mur oblique pour résister aux boulets de canon et un fossé défensif. C'est de ce côté que l'on a la vue la plus intéressante sur la ville close, avec, au premier plan, la partie baroque et ses rues en damier, reconstruites après 1667. Notez que la porte nord, qui coupe les remparts vers la terre, ne fut percée qu'en 1908 pour faciliter l'accès à la ville. Le point culminant du système est l'énorme tour Minčeta (14e-15e s.), reconnaissable à ses créneaux et à ses mâchicoulis. Initialement carrée, elle devint circulaire, plus élevée et mieux équipée après que la Bosnie fut envahie par les Turcs, au 15e s. (le plus célèbre des architectes croates, Juraj Dalmatinac, Georges le Dalmate, participa aux travaux). Sa terrasse est le point le plus élevé des remparts d'où l'on a un **panorama★★** unique sur l'ensemble de la ville.

Visiter

War photo limited★ plan II D
Antuninska 6. Mai et oct : tlj sf lun. 10h-16h, dim. 10h-14h - juin-sept. : tlj 9h-21h - fermé nov.-avr. - 25 kn.
Un musée de la photographie de guerre en Croatie… Au-delà du symbole, cet espace d'exposition veut sensibiliser, éduquer le public à la photographie de guerre. Montrer la guerre telle qu'elle est : crue, vénale, effrayante ; à travers le regard de photographes réputés à qui il est ouvert ici un lieu pour témoigner, loin de toute exigence esthétique ou idéologique imposée par la presse… au plus près de leur histoire. Ici, pas d'ex-

position permanente autour des guerres yougoslaves. Son directeur veut interroger les représentations de la guerre dans le monde, non les asseoir, questionner leurs particularités et leurs ressemblances, de l'Afghanistan à la Sierra Leone, en passant par l'Irak et… la Croatie.

Musée maritime★ (Pomorski muzej) plan II D

Juin-sept. : tlj 9h-18h ; oct.-avr. : tlj sf dim. 9h-14h, 35 kn (enf. et étudiants : 15 kn) ou 12,5 kn avec le pass musée (voir carnet pratique p 131).

Il occupe les étages du fort St-Jean, qui défendait la ville des attaques maritimes. Au premier étage, c'est l'histoire de la marine locale qui est évoquée, expliquant la colonisation progressive de la côte adriatique. Plus attrayant, le deuxième étage s'attache à l'histoire de la marine marchande ragusaine aux 19e et 20e s. Les **maquettes★** des derniers grands voiliers, des bateaux à vapeur, des premiers paquebots sont splendides. On découvre le quotidien du bord, tels de beaux coffres de marin en bois peint, une pharmacie portable de bord et une foule d'instruments de navigation. De quoi rêver de départ, malgré l'absence d'explications en français ou en anglais.

Musée d'Art moderne (Umjetnička galerija Dubrovnik) plan I C2

Ulica Frana Supila 23. Tlj sf lun., été 10h-13h et 14h-21h, hiver 10h-19h, 20 kn.

Installé dans un palais de l'entre-deux-guerres du faubourg de Ploče, il rassemble une sélection d'œuvres croates modernes et contemporaines. Le 1er étage est réservé aux expositions temporaires. Le 2e étage présente des œuvres figuratives couvrant le 20e s. jusqu'aux années 1960, avec des peintres tels que Ignjat Job, Marco Rašica ou Milivoj Uzelac. Mais la vedette des collections est **Vlaho Bukovac** (1855-1922), né à Cavtat. Outre des portraits, dont il était un spécialiste, on découvre une série de paysages. Le 3e étage propose une sélection d'œuvres contemporaines, abstraites pour la plupart.

Circuits de découverte

Île de Lokrum★ plan I C2

Bateau au départ du port de la vieille ville. Mai-oct. : 9h-20h, ttes les 30mn, 10mn de traversée - 35 kn AR. Café-restaurant sur place. Idéal pour passer la journée.

En face de la ville close, cette petite île à la végétation luxuriante rassemble bien des atouts. Dès 1023, les bénédictins y fondèrent une abbaye, fermée sous l'occupation napoléonienne. Durant leur présence en Dalmatie, les Français construisirent le **fort royal** (1806) qui domine l'île, au nord-ouest, et offre un beau panorama sur Dubrovnik. En 1859, Maximilien de Habsbourg, le futur empereur du Mexique, décida de se faire bâtir une résidence d'été à la place de l'ancien monastère et d'aménager un **jardin botanique**, planté d'espèces exotiques importées d'Amérique du Sud et d'Australie. Pour la baignade, de nombreux rochers sont équipés d'échelles de descente dans l'eau, mais l'île ne possède aucune plage. Ne manquez pas de plonger dans la « **mer Morte** » (**Mrtvo more**), nom bien pompeux pour un lac salé miniature, dont les eaux claires et chaudes sont enchâssées entre les rochers et communiquent avec la mer.

Îles Élaphites★ (Otoci Elafiti) plan I A1

Bateau de Jadrolinija au départ du port de Gruž pour Koločep (30mn), Lopud (50mn), et Šipan (1h05). 4 dép./j, dim. et j. fériés 2 dép./j, 1er dép. 9h30 le dim., 10h en sem. Prévoir la journée pour chaque île visitée. L'île de Šipan est desservie 1 fois/j par le ferry vers Mljet (1 ferry suppl. le merc.). Les deux autres îles sont interdites aux voitures.

Une nouvelle compagnie, NoVa International, propose aussi un départ à partir du port de Gruz : 6 dép/j, 1er dép. 7h30 mais ses tarifs sont plus élevés et les billets ne peuvent être achetés que sur le port de la vieille ville.

Parmi les quatorze îles de cet archipel, trois sont habitées. Leur petite taille se prête aux excursions à la journée (mais l'on y trouve quelques hôtels et chambres d'hôte).

Koločep

(Prononcer kolochep). C'est la plus proche et la plus petite (moins de 4 km de long), riche de quelques petites plages bordées de pins, de chapelles romanes et de deux modestes villages. Elle est sillonnée de sentiers propices à la promenade à pied.

Lopud★

L'île du milieu est plus orientée vers le tourisme, tradition héritée de la grande époque de la république de Raguse, lorsque les nobles y possédaient des palais et que les navires marchands y mouillaient. Plus sinistre est le souvenir des Juifs internés sur l'île par les fascistes italiens, durant la Seconde Guerre mondiale. Plus vaste (plus de

4 km de long sur moins de 3 km de large) que sa petite voisine, Lopud conserve son village traditionnel, un joli **monastère franciscain** (15e s.), ainsi que l'agréable **plage de Šunj** (2 km environ au sud du village).

Šipan★

(Prononcer chipane). La plus éloignée des trois îles est aussi la plus grande (9 km de long, 2,5 km de large), la plus accidentée et la plus tranquille. Si les vestiges d'anciens palais rappellent qu'elle fut, elle aussi, appréciée des riches Ragusains, elle se partage aujourd'hui entre deux paisibles villages. **Suđurađ**, au sud-est, est le premier port où fait escale le ferry, gardé par la tour en pierre grise d'un ancien palais (15e s.). À 7 km de là, **Šipanska Luka** fait office de petite capitale (le ferry s'y rend aussi). Entre les deux, la route traverse un épais maquis, entrecoupé de vignes et d'oliviers. De nombreux sentiers permettent d'arpenter l'île et de rejoindre des points de baignade (rochers et petites plages de galets).

Mlini★

À 10 km de Dubrovnik, sur la route de l'aéroport. Mai-sept. : relié à Dubrovnik par des vedettes (5 à 7/j.), et par le bus, ligne 10, ttes les heures au dép. de la gare routière.
Avec son voisin **Srebreno**, ce village côtier occupe une très jolie baie orientée au midi. Une promenade ombragée longe le bord de mer sous les pins, mais le principal atout est la présence d'une succession de plages de galets et de sable. Celle de Srebreno est idéale pour la baignade en raison de son fond de sable fin.

Cavtat et le Konavle★★

À 20 km au sud de Dubrovnik. Bus, ligne 10, ttes les heures au dép. de la gare routière. 30mn en bateau (mai-sept. : 5 à 8/j.) depuis le port de la vieille ville - 60/70 kn AR. Comme les passages sont assurés par de petits bateaux privés, vérifiez la météo et les horaires. Prévoir une demi-journée par la route, une journée par bateau.
Cette ravissante station balnéaire *(prononcer tsavtate)*, noyée dans les arbres, est l'ancienne Épidaure des Grecs, prospère à l'époque romaine. Au début de la christianisation, elle fut même le siège de l'évêché, mais fut ravagée par les invasions slaves et avars au 7e s. Ses habitants émigrèrent alors vers le nord pour fonder *Ragusium*. Très populaire sous la domination austro-hongroise, elle a conservé une atmosphère de doux farniente, à l'ombre des immenses palmiers qui bordent les quais.

Commencer la visite devant l'église paroissiale, reconnaissable à son dôme.

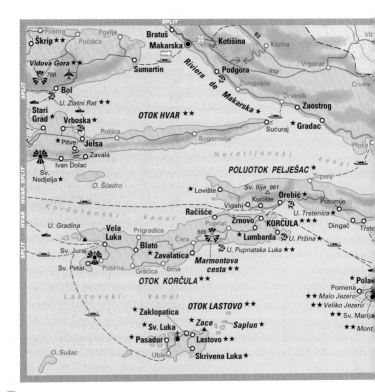

Palais du Recteur (Knežev dvor)

En restauration en 2006. Se rens. au ☏ 478 556.
À côté de l'église, cette belle maison de style Renaissance (15ᵉ s.) renferme quelques objets archéologiques et ethnographiques et un grand tableau de Vlaho Bukovac, *le Carnaval de Cavtat.*

Monter l'escalier de l'église, la pinacothèque est un peu plus loin, sur la droite.

Pinacothèque (Pinakoteka)

Juin-oct. : tlj sf dim. 10h-13h, 10 kn - ☏ 478 249 ou 098 17 82 048.
Ce petit musée présente une collection d'art sacré, dont de belles icônes et peintures italiennes.

Aux environs de Dubrovnik : Cavtat.

Emprunter ensuite le quai vers la droite, jusqu'à la ruelle, ulica Bukovčeva, où l'on tourne à droite.

Maison de Vlaho Bukovac (Vlaho Bukovac galerija)

Ouv. tlj sf lun. 9h-13h, 16h-20h dim. 16-20h - 20 kn.
Vouée à la mémoire de l'enfant prestigieux du pays, elle contient une sélection de ses tableaux, notamment des portraits.

Revenir sur le quai et le suivre vers la droite.

N.-D.-des-Neiges★ (Gospa od snijega)

Au bout du quai, entre pins et palmiers, un petit clocher pointu annonce la chapelle du monastère franciscain, et deux splendides spécimens d'art sacré : une petite **Vierge à l'Enfant** (1494) richement encadrée et surtout, au fond à gauche, le **polyptyque de Saint-Michel★★** par Vicko Dobričević (1510).

Contourner le monastère par la droite et monter la colline (10 à 15mn à pied).

Mausolée de la famille Račić

En rénovation en 2006. Se rens. au 478 646 (Maison de Vlaho Bukovac) - 5 kn.
Des ruelles en escaliers mènent au paisible cimetière que semble dominer cette ambitieuse réalisation commandée au célèbre sculpteur Ivan Meštrović par une

riche famille d'armateurs. On reste ébahi par l'étonnant mélange des styles, tantôt grec, tantôt égyptien, toujours très pompeux… De là-haut, la **vue**★ est très belle sur la montagne et la côte.

En redescendant, avant de quitter le village, ne manquez pas de suivre le **sentier côtier** qui part du monastère et contourne la péninsule sous les pins.

Cavtat est aussi la capitale du **Konavle**, une petite région de collines et d'étroites plaines, bordée de hautes falaises et riche d'une culture traditionnelle exceptionnellement vivante. L'arrière-pays regorge de hameaux aux innombrables chapelles médiévales et aux maisons typiques en pierre locale.

Trsteno★

À 19 km au nord de Dubrovnik, sur la route de Split. 1h pour l'arboretum et la promenade.

Arboretum

Mai-oct. 8h-19h ; nov.-avr. 8h-17h - 20 kn.

Principal attrait du village *(prononcer teursténo)*, il est planté autour de la résidence d'été d'un noble Ragusain. Ce beau parc, datant du 16e s., évoque à merveille l'art de vivre et de jardiner à la Renaissance. S'achevant par une agréable terrasse dominant la mer, il marie une succession de sentiers plantés de toutes sortes d'espèces exotiques ou rares, menant à de petits havres aux thèmes variés, comme celui de la fontaine de Neptune, avec sa grotte, ses statues et son eau ruisselante ou celui de l'aqueduc évoquant la présence romaine.

En ressortant, prenez à droite et descendez les marches au milieu des bougainvillées, potagers et vergers plantés d'agrumes, de kiwis, de lauriers, vers le minuscule **port** en contrebas. Les plates-formes du quai invitent à la baignade dans une eau très claire.

Escapade au Monténégro

Les bouches de Kotor★★★ (Boka Kotorska)

Circuit de 165 km au Monténégro. Frontière à 35 km au sud de Dubrovnik : se munir du passeport et des papiers du véhicule (voitures de location autorisées). Nombre de commerçants acceptent les euros. Distributeurs de billets à Kotor. Prévoir la journée (Aller : 90 km, 1h45, de Dubrovnik à Kotor. Retour : 75 km, 2h, de Kotor à Dubrovnik via le bac).

Les Bouches de Kotor, fermées par le **défilé de Verige**, forment un fjord large de 350 m, le plus profond de toute la Méditerranée, encadré, sur une centaine de kilomètres, par les derniers sommets abrupts et ravinés des Alpes dinariques (culminant à 1 749 m au-dessus de Kotor). Partie intégrante de la Dalmatie croate, Kotor fut rattachée au Monténégro en 1945 lors de la création de la seconde Yougoslavie fédérale.

Rive nord

Face au village de **Perast**, deux îlots se font face. **Saint-Georges**, l'île des morts, planté de cyprès, abrite une chapelle (12e s.) et le cimetière du village. Le second, **N.-D.-des-Rochers★ (Gospa Skrpjel)**, est un îlot artificiel dont l'église baroque (17e s.) contient une émouvante collection de plus de 2 000 ex-voto offerts par les marins.

Kotor★★★

Joyaux architectural du Monténégro, serrée entre la mer et une falaise escarpée, la ville, inscrite au patrimoine de l'Unesco depuis 1979, fut fondée sous les règnes de Dioclétien et de Justinien (3e-5e s.). Ne manquez pas son spectaculaire système de **remparts**, long de 4 km, qui fut édifié à partir du 9e s. et amélioré constamment jusqu'au 19e s. Il est fermé par trois portes massives (12e-16e s.). Les murailles, d'une épaisseur de 2 à 15 m, peuvent mesurer jusqu'à 20 m de haut par endroits. Une interminable succession d'escaliers irréguliers *(en tout 1 426 marches)* permet d'accéder à la **forteresse Saint-Ivan★**, dominant Kotor de 250 m.

Costumes et coutumes

Le costume des filles du Konavle se remarque d'abord à ses riches broderies reproduisant des motifs géométriques à dominante rouge, déclinés en longues bandes sur les plastron, ceinture et tablier. Chaque motif est symbolique et chaque pièce raconte ainsi une histoire. La femme porte traditionnellement un pompon jaune sur la poitrine, le changeant pour un noir lorsqu'elle est veuve. Les jeunes filles arborent un petit chapeau rouge, tandis que les femmes mariées se distinguent par leur large coiffe blanche, aux coins épinglés derrière la tête. De nombreuses fêtes permettent de découvrir ces costumes. Le palais du Recteur de Cavtat expose quelques broderies anciennes et chaque église s'enorgueillit de linge d'autel aux motifs traditionnels.

La ville close est sillonnée d'un délicieux dédale de ruelles et de placettes pavées, suivant un plan anarchique mais plein de charme. Outre la vénérable **tour-horloge** (1602) et la curieuse **pyramide** de pierre qui servait de pilori, on passe devant des palais aristocratiques et de ravissantes chapelles. La **cathédrale Saint-Tripun**★★ (1166), derrière sa façade baroque (17ᵉ s.), est restée typiquement romane, avec des traces de fresques murales du 14ᵉ s. et nombre d'objets sacrés (15ᵉ-18ᵉ s.). L'**église Saint-Michel** et ses fresques gothiques, l'adorable **église Saint-Luc** (1195) et, si vous avez le temps, le petit **Musée maritime**, à l'intérieur du beau palais Grgurin, retiennent aussi l'attention.

Quittez Kotor vers la rive sud, en direction de Lepetane, à 13 km.

Rive sud★★

Elle offre le plus impressionnant **panorama**★★ de Kotor et de son écrin montagneux. La route suit le bord de l'eau et rencontre de ravissants hameaux, dont le plus beau est celui de **Prčanj**★, avec ses jolis palais baroques et son église à dôme. Vous terminez le tour du fjord à **Lepetane**, où vous retrouvez le défilé de Verige.

Prendre le bac à partir de Lepetane pour Kamenari (max. 30 voitures). Juin-sept. : ttes les 15mn, 24/24h ; oct.-mai : 5h-24h (ttes les 15mn). Regagner ensuite Dubrovnik, à 60 km.

Dubrovnik pratique

Informations utiles

Offices de tourisme – *Dans la vieille ville sur la Placa (Stradun) -* ℮ *321 561 - tlj sf dim. 8h-20h ; à la porte Pile : Braniteljja Dubrovnika 7,* ℮ *427 591 ou 426 253 - tlj sf dim. 8h-20h ; à Gruž, Obala S Radića 29 -* ℮ *417 983 - tlj sf dim. 8h-20h ; à Lapad, Šetalište kralja Tomislava, tlj sf dim. 8h-20h - www.tzdubrovnik.hr.*

Code postal – 20000

Indicatif téléphonique – 020

👁 **Bon à savoir** : La brochure gratuite *Dubrovnik Guide*, en croate et en anglais, fournit une foule d'adresses, les programmes culturels, les horaires des bus et ferries, un plan schématique de circulation des bus.

Le pass musée – Il est possible d'acheter pour 50 kn un billet pour la visite de 4 musées (sans limite de jour) : le Musée ethnographique, le Musée maritime, le palais du Recteur et la maison de Marin Držić. Ce pass est vendu dans chacun des musées concernés. Tarif enf. 25 kn.

Police – ℮ *443 333 - police routière :* ℮ *443 666.*

Poste – *Put Republike 32 - 7h-20h, dim. 8h-16h. A. Starčevića 2 (Pile) - tlj sf sam. et dim. 8h-15h. Široka 8 (vieille ville) - tlj sf dim. 7h30-19h, sam. 7h30-14h. De nombreux bureaux dans les autres parties de la ville (port de Gruž, Lapad, etc.).*

Banques – *Put Republike, Placa, artère principale de la vieille ville, et S. Radića, qui borde le port de Gruž, abondent en banques et en distributeurs automatiques.*

Hôpital général – *Dr Roka Mišetića bb -* ℮ *431 777. Tous services de chirurgie, service d'urgences* ℮ *94 - 24h/24. Bus n° 9.*

Pharmacies – *Gruška obala (*℮ *418 990 - 8h-20h) et Kod Zvonika (Placa* ℮ *321 133 - 8h-20h) sont, en alternance, les pharmacies de garde.*

M. Guillochon / MICHELIN

Patrimoine de l'humanité oblige : une signalisation aussi soignée qu'homogène.

Taxis – *Pile* ℮ *424 343 - Ploče* ℮ *416 158 - quai des ferries* ℮ *418 112 - Lapad* ℮ *435 715.*

Internet – *Dans la vieille ville : Netcafé - Prijeko 21 - tlj 9h-23h. À la porte Pile : VIP, put Sv. đurđa, en face de la station de bus. À Cavtat : Teuta II, Trumbićev put 3, face à l'agence Atlas.*

👁 **Bon à savoir** – La ville de Dubrovnik devrait ouvrir un centre multimédia dans le fort Lazaret, aux portes de la vieille ville, qui sera aussi un point d'information touristique.

Transports

AÉRIENS

Aéroport – *À 20 km de la vieille ville, vers l'est à proximité de Cavtat -* ℮ *773 377 - www.airport-dubrovnik.hr. En saison, Croatia Airlines assure 2 vols directs par semaine avec Paris. Sinon, correspondance à Zagreb. Vols directs pour Amsterdam, Francfort, Londres, Rome, Vienne et, via Zagreb : Bruxelles, Istanbul, Prague, Tel-Aviv, Varsovie, Zurich. L'aéroport est desservi par une navette Croatia Airlines, et par le bus n° 11 pour Molunat (annoncez au chauffeur votre destination).*

Croatia Airlines – *Brsalje 9 -* ℮ *413 777 - fax 413 993 - www.croatiaairlines.hr - tlj sf* *dim. 8h-16h, sam. 9h-12h.* Les bureaux se trouvent à Pile.

ROUTIERS

Gare routière principale – *Obala Pape Ivana Pavla II -* ✆ *(060) 305 070 - www.libertasdubrovnik.hr - consigne ouv. 7/7j 6h-21h.* Elle se situe à proximité du port de Gruž, vers le pont après le débarcadère. Lignes quotidiennes nationales : Split (4h30) par Ploče et Makarska - Šibenik, Zadar et Rijeka - Rovinj - Zagreb - Varaždin - Osijek et Vukovar - Ston, Orebić, Korčula et Vela Luka. Le bus n° 10 relie Dubrovnik et **Cavtat** toutes les heures de 5h à minuit. Dessertes internationales : Mostar, Sarajevo, Trieste, Ljubljana, Francfort et Munich. Pour Kotor, prendre le bus d'Ulcinj (Monténégro).

Gare routière Pile (bus de ville) – *Brsalje -* ✆ *357 020.* La compagnie **Libertas** assure la desserte locale entre
la vieille ville, le port de Gruž et les presqu'îles de Lapad et de Babin Kuk.
Les lignes 1, 1a, 1b 3 et 8, desservent le port en passant par la gare routière. La ligne 4 traverse toute la presqu'île de Lapad et ses hôtels. Les lignes 5, 6 et 7 desservent les hôtels de Babin Kuk, la ligne 6 passe l'hôtel Lapad et la pointe de Babin Kuk. La ligne 9 relie Pile à l'hôpital *via* la rive ouest du port de Gruž. 7 kn le ticket en carnet au guichet, 10 kn dans les bus.

SE GARER

Les parkings autour de la vieille ville sont chers et les contrôles nombreux ; celui qui se trouve face à la porte Pile bat tous les records avec ses 10 kn/h. Préférez ceux qui bordent les remparts, vers la porte Ploče, qui ne coûtent que 5 kn/h. Si vous dépassez l'horaire autorisé, de jour comme de nuit, l'amende s'élève à 100 kn. Il est possible de laisser sa voiture au port de Gruž pour 40 kn/24h.

LOCATION DE VOITURES

Budget – *Obala S. Radića 24 -* ✆ *418 998 ou 091 201 46 28.*

Avis – *Obala Ivana Palva II. 1 -* ✆ *091 314 30 10.*

MARITIMES

Ferries Jadrolinija – *Stjepana Radića 40 -* ✆ *418 000 fax 418 111.* Il est recommandé de réserver, notamment si vous passez avec une voiture.

La ligne côtière **Bari-Rijeka** passe par Dubrovnik, Korčula, Hvar, Split et Zadar : une vraie croisière qui se termine après 22h de traversée. Dép. quotidiens (de fin juin à mi-sept.), 2 dép./sem. le reste de l'année (mar. et vend.).

Pour **Lopud** et les îles Élaphites : 4 bateaux/j. dont certains continuent jusqu'à Šipanska, 2 dép. dim. et j. fériés.

Dubrovnik-Sobra **(Mljet)** : 4 liaisons quotidiennes en juil.-août, deux le reste de l'année.

Lokrum – ✆ *427 242 -* août : dép. du port de la vieille ville ttes les 30mn ; sais. : 1 dép./h ; hiver : w.-end 3 dép.

Plusieurs bateaux assurent un service régulier avec **Cavtat** et **Mlini**, un bien agréable moyen de rejoindre ces deux ports.

Nautisme

ACI Marina – *20236 Mokošica -* ✆ *455 020, fax 455 922 - m.dubrovnik@aci-club.hr.* Situé au fond d'une étroite baie, à proximité du village de Komolac et à 2 milles marins du port de Gruž, ce port de plaisance bien équipé bénéficie d'un cadre agréable. L'arrêt du bus pour la gare routière de Gruž se trouve à la sortie. Équipement : *voir le chapitre « Nautisme » p. 38.*

Autorités portuaires – ✆ *418 988/989.*

Se loger

👁 **Bon à savoir** : la plupart des hôtels se situent à l'extérieur de la vieille ville, soit à l'est de la porte Ploče (les plus proches du centre), soit à Lapad et Babin Kuk. L'hébergement étant assez cher à Dubrovnik et les plages vite bondées, si vous voulez profiter de la mer, logez dans les petites stations alentour, comme Mlini, au sud, voire dans les îles Élaphites, ou encore à Cavtat, bien que le bruit des avions nuise à son charme.

CHEZ L'HABITANT

Les agences disposent d'appartements et de chambres chez l'habitant, aussi bien dans l'enceinte de la vieille ville que dans la ville moderne.

Agence Atlas – *www.atlas-croatia.com, atlas@atlas.hr - tlj sf dim. 8h-20h - de nombreux bureaux : Sv. Djurda 1, près de la porte Pile -* ✆ *442 574.* Parmi de nombreux services (change, excursions, billets de ferries et d'avions, location de voitures) cette agence permet de réserver une chambre d'hôte (335 kn la ch. double et 440 kn le studio).

TIC (Turistički informativni centar) – *Stradun bb -* ✆ *323 350/352, fax 323 351 - www.tic-stradun.hr. - tlj 9h-21h en été, 9h-19h en hiver.* Cette agence située à l'entrée de la vieille ville dispose d'un carnet d'adresses de chambres chez l'habitant bien rempli. Comptez entre 300 et 350 kn, la chambre double et entre 440 et 600 kn pour un appartement.

Gulliver Travel – *Obala S. Radića 32 -* ✆ *313 313, fax. 419 119 - www. gulliver.hr.* Installée sur le port de Gruž, à l'arrivée des ferries, cette agence réputée propose une large gamme d'appartements et de chambres sur Dubrovnik et sa région.

🛏 **Marija Krajl** – *Od Tabakarije 20 -* ✆ *425 485 - 4 ch. : 250 kn* 🚯. Chambres dans le vieux quartier, tranquille et agréable, en contrebas de la porte Pile. L'accueil en croate est très gentil, le prix à la mesure d'un confort ordinaire (sanitaires communs), s'entend pour un séjour de plus de 3 nuits.

🛏 **Ivana Žana Đurić** – *Kranjčevića 1 -* ✆ *356 983 et 091 585 29 55 - 4 ch. : 300 kn.* 🚯. Cette belle maison jaune se cache à côté du supermarché Tommy, au-dessus de la Put Republike, dans une rue calme. Les chambres sont propres et tout confort, Elles se partagent 2 salles de bains. La charmante propriétaire, infirmière, parle anglais. Une bonne adresse, économique, à 15mn du centre-ville et 10mn de Gruž.

🛏 **Chambres Orhan** – *Ulica Od Tabakarije 1* - ✆ *414 183* - *10 ch : 400/450 kn* 📠. Chambres louées par le restaurant du même nom, situé dans le creux de la crique du fort Lovrijenac. Réparties dans deux maisonnettes en contrebas de la porte Pile, elles sont très calmes, idéalement situées pour visiter la vieille ville et d'un confort tout à fait acceptable. Possibilité de prendre le petit-déjeuner au restaurant, face à la mer pour 50 kn.

HÔTELS

👁 **Bon à savoir** – le site Internet *(www.dubrovnik-area.com/hoteli.asp)* est pratique pour réserver dans l'un des 26 hôtels, de Dubrovnik à Cavtat, que gère le groupe **Hoteli Dubrovnik** *(Put Republike 7* - ✆ *422 933, fax 423 465).*

VIEILLE VILLE

🛏 **Hotel Stari Grad** – *Od Sigurate 4* - ✆ *322 244, fax 321 256* - *www.hotelstarigrad.com* - *8 ch. : 1 400 kn* 🍴. Dans une ruelle reliant Stradun à Prijeko c'est une maison ancienne, restaurée en douceur. Le mobilier et de beaux tapis soulignent le charme sobre des lieux, ce qui n'exclut pas le confort. Petit-déjeuner banal.

🛏 **Pucić Palace** – *Od Puča 1* - ✆ *326 222, fax 326 223* - *www.thepucicpalace.com* - *19 ch. dont 2 suites : 3 500/4 250 kn* 🍴. Installé dans une belle demeure aristocratique, ses fenêtres ouvrent sur la place Gundulićeva, au cœur de la vieille ville. L'ameublement et la décoration de chaque chambre s'accordent à ce cadre exceptionnel (hauteur de plafond, alliance raffinée du bois, de la pierre et des mosaïques ; tentures, pâtines et tapis). Dans l'une d'elles la carte blanche laissée à l'artiste décorateur donne un résultat surprenant et réussi. C'est sans doute l'un des plus beaux hôtels de Croatie.

À L'EST DE LA PORTE PLOČE

🛏 **Hotel Argentina** – *Frana Supila 14* - ✆ *440 555, fax 432 524* - *www.gva.hr* - *159 ch dont 7 suites : 1 600/2 850 kn* 🍴 - 🏊 📋. Cet hôtel fraîchement rénové dans un style ancien et raffiné (mobilier en bois, tissus aux motifs floraux cousus de fils d'or) répartit ses chambres dans deux bâtiments et deux très belles villas anciennes, aux balcons de pierre et jardins de maître. Les prix varient selon le bâtiment et la vue avec ou sans balcon. Piscine intérieure et extérieure, sauna, fitness, centre de soins (*energetic clinic*) et coiffeur complètent cette offre haute gamme. Plage privée, restaurant sur une terrasse de pierre, à l'ombre des pins.

🛏 **Excelsior** – *Frana Supila 12* - ✆ *353 353, fax 353 555* - *www.hotel-excelsior.hr, info@hotel-excelsior.hr* - *154 ch. et 18 suites : 1 671/2 620 kn* 🍴 🏊 📋. Le bâtiment ressemble davantage à un immeuble de bureau moderne, qu'à un lieu de villégiature. L'hôtel a néanmoins été complètement réaménagé dans un style ancien, le charme de la bâtisse en moins. Il propose une offre SPA très complète (piscine intérieure, sauna, massages, fitness, jacuzzi, coiffeur, bains turcs). Proche de la porte Ploče ; ses chambres avec terrasse disposent d'une belle vue sur le port de Dubrovnik et l'île de Lokrum.

🛏 **Villa Dubrovnik** – *Vlaha Bukovca 6*- ✆ *422 933, fax 423 465* - *www.villa-dubrovnik.hr* - *40 ch : 2 050 kn* 🍴 - 📋. Accroché à la falaise, ce petit hôtel, entouré d'un agréable jardin, bénéficie d'un site étonnant. Bâti sur la pente, il est comme suspendu au-dessus de l'eau. Les chambres ont un balcon sur la mer et sont très confortables mais un peu petites. Navette gratuite pour le vieux port.

À LAPAD ET BABIN KUK

🛏 **Hotel Sumratin** – *K. Zvonimira 31* - ✆ *436 333, fax 436 006* - *hot-sumratin@du.hnet.hr* - *44 ch : 779 kn* 🍴. Cet hôtel est un des moins chers du quartier mais son confort est très sommaire (mobilier des années 1970, pas de climatisation). Par ailleurs, il n'y a que 3 grands lits dans tout l'hôtel ! Réquisitionné par l'armée pendant la guerre, il n'a pas été rénové depuis. Son réaménagement est prévu pour l'été 2007 (Bus 5 et 6).

🛏 **Hotel Uvala** – *Masarykov put 6* - ✆ *433 580, fax 433 590* - *www.hotelimaestral.com* - *51 ch. : 1 690/1 920 kn* - 🍴. Cet hôtel d'architecte est très proche de la mer mais malheureusement séparé par la route. Il y remédie par un luxe sobre, japonisant. Le mobilier des chambres se veut précieux et design. Le rez-de-chaussée est entièrement consacré à un espace SPA, où bains relaxants, massages revitalisants et soins de beauté sont dispensés par des professionnels dans une ambiance zen.

🛏 **Hotel Zagreb** – *K. Zvonimira 27* - ✆ *438 930, fax 436 006* - *23 ch. : 1 080 kn* 🍴. Dans un cadre ombragé, en retrait d'une rue calme, ce charmant édifice du 19e s. réaménagé en 2005 est désormais immanquable avec sa façade rose saumon. Il est situé à 100 m de la plage et toutes ses chambres sont désormais modernes et confortables. Comptez 50 kn en sus pour la demi-pension. (Bus 5 et 6)

🛏 **Hotel Lapad** – *Lapadska obala 37* - ✆ *412 576 / 432 922, fax 417 230/ 424 782*- *www.hotel-lapad.hr* - *194 ch. : 950/1 110 kn* - 🍴. Grande bâtisse avec beaucoup de charme donnant sur le petit quai en face du port de Gruž. Elle se prolonge à l'arrière par un bâtiment moderne. On y respire, les chambres sont

Hôtel Lapad.

petites mais très hautes de plafond ; l'escalier en pierre monumental ! La cour spacieuse abrite la piscine, un jardin d'hiver et un restaurant sous les tonnelles. Préférez les chambres du 3ᵉ étage dans le vieux bâtiment pour la vue, et celles du récent pour le confort (bus 6 et 9 pour la porte Pile).

Hotel Kompas – *K. Zvonimira 56 -* ℘ *352 000, fax 435 877 - www.hotel-kompas.hr - 115 ch. dont 54 avec vue sur mer : 1 126/1 426 kn* ⌧ - ⚓. Cet hôtel moderne est bien équipé et entretenu mais n'a aucun cachet. La décoration des chambres est standard. Par contre, sa terrasse et sa grande piscine sont très agréables. Elles surplombent la mer. De là, la vue est splendide, quasi sauvage. Bus 5 et 6 pour la vieille ville.

Hotel President – *Iva Dulčića 39 -* ℘ *448 237, fax 435 622 - www.valamar.com - 182 ch. : 2 250/2 730 kn)* ⌧ - ⚓ ℗. D'un extérieur massif et sans beauté, l'hôtel President est en revanche très lumineux à l'intérieur. Les chambres, claires et sobres, et dotées d'une grande salle de bains, de parquet et de carrelage. Elles donnent toutes sur un grand balcon. C'est par un entresol que l'on accède aux équipements de remise en forme et à la grande terrasse tournée vers un magnifique panorama.

À KOLOČEP

Villas Koločep – *Koločep -* ℘ *757 025 - mai-oct. 151 ch. : 1 100 kn* ⌧ - ⚓. Étagées au flanc d'une colline boisée, au-dessus d'une plage de sable, ces villas forment un ensemble de huit pavillons rénovés en 1998, dont toutes les chambres ont un balcon. Confortable, demi-pension très intéressante. Plage nudiste à proximité. Comptez 80 kn pour la demi-pension.

À MLINI

Camping Kate – *Sur la route -* ℘ *487 006 - www.campingkate.com - ouvert avr.-oct. - adulte 25 kn, voiture 20 kn, tente 20 kn.* Proche de l'arrêt de bus, ce petit camping est beaucoup plus sympathique qu'il n'y paraît. Bien équipé, son terrain descend vers une petite chapelle puis une terrasse d'où l'on peut dominer tout Mlini. Réparti sur 2 niveaux (évitez le 1ᵉʳ très proche de la route).

Vivado Tourism Agency – *Šetalište Marka Marojice bb -* ℘ *486 471 - www.dubrovnik-online.com/vivado.* Située à droite dans un tournant sur la route qui descend à Mlini, cette agence concentre l'offre d'hébergement chez les particuliers pour Mlini et ses environs. Comptez environ 270/300 kn la chambre double.

Hotel Mlini – ℘ *486 222/471, fax 486 053 - www.hotelmlini.hr - 70 ch. : 660 kn* ⌧. Établissement sans charme au décor assez froid mais très bien situé devant la mer, à proximité de plusieurs plages. Rajoutez 50 kn/pers. pour la demi-pension.

À TRSTENO

Camping Trsteno – *Trsteno -* ℘ *751 060, fax 751 010 - www.trsteno.hr - ouv. mai-oct. - 60 empl. : 100 kn (tente + voiture + 2 pers.)* ⚑. Le camping est une succession de terrasses arborées. Bar et petite taverne à proximité avec possibilité de petit-déjeuner *(20 kn).* Le jardin botanique et la mer sont à 200 m. Très calme. Les sanitaires sont toutefois un peu sommaires.

Chambres Željka Batinić – *Trsteno -* ℘ *751 119 - 6 ch. : 300 kn et 1 appart. 400 kn -* ⌧ *25 kn -* ⚓. Située dans la rue qui conduit au jardin botanique, cette grande bâtisse traditionnelle propose des chambres aux lits et armoires de grands-mères, la poussière en moins. Le tout est très propre et la maison est conçue pour que l'on y circule, qu'on y vive ! Des cuisines sont à disposition dans les dépendances au fond d'un jardin fleuri. Fonctionne toute l'année.

À CAVTAT

Hotel Cavtat – *Od Žala 1 -* ℘ *478 246/471 515, fax 478 651 - 94 ch. : 800/1 000 kn selon la vue* ⌧ - ▤ ℗. Immeuble moderne, impersonnel mais fonctionnel, offrant une belle vue sur la baie, vers le couchant. Certaines chambres, sans vue sur mer, sont moins chères. Bar et terrasses avec chaises longues devant la mer.

Hotel Croatia – *Placa bb -* ℘ *475 555/478 055 - fax 478 213 - www.hoteli-croatia.hr - 480 ch. dont 7 suites : 1 345/1 625 kn selon la vue* ⌧ - ⚓ ℗. Situé sur le cap de Sustjepan, à l'écart du village, ce grand hôtel de 11 étages, construit tout de béton, offre de belles vues tant sur Cavtat que sur le littoral. Lors de sa rénovation, sa structure et son style des années 1970 ont été habilement respectés et investis pour le transformer en un hôtel très confortable, moderne et finalement assez design. Les larges couloirs et les volumes sont très agréables, même si, du coup, l'on marche beaucoup ! Piscines d'eau douce et d'eau de mer, piano-bar, night-club, sauna, restaurants et club de plongée sur la « plage »… le Croatia est à la hauteur des prestations des grands hôtels.

Villa Kvaternik – *Kvaternikova 3 -* ℘ *479 800 - fax 479 808 - www. hotelvillakvaternik.com - 5 ch : 935/1 276 kn -*

suite : 1 385 kn 🛏. Cette très belle maison de pierre, vieille de 400 ans, surplombe le port de Cavtat, au milieu d'une ruelle. Malgré la largeur des murs, ce n'est pas la carte de l'ancien qui a été ici jouée. Si le bois, la pierre sont omniprésents, c'est davantage le choix des matériaux (parquet marqueté, lit en bois de chêne), le volume des salles de bains (baignoires, murs recouverts de mosaïques unies et colorées), la fraîcheur des pièces, le calme du jardin et de la terrasse, qui constituent le luxe sobre de cet hôtel.

Le restaurant Orhan, les pieds dans l'eau.

Se restaurer

VIEILLE VILLE

😋 **Delfin** – *Lučarica 2 -* ☎ *426 769 ou 091 52 34 744.* Une adresse sympathique où vous pourrez acheter de bons sandwichs confectionnés avec des produits locaux à partir de 20 kn. Si vous le souhaitez, ils préparent des pique-niques à l'avance. Il suffit d'appeler.

😋🍽 **Konoba Penatur** – *Lučarica 2 -* ☎ *323 700 - plats 50/95 kn.* Cette taverne populaire entasse quelques tables dans une petite salle donnant à la fois sur l'église St-Blaise et sur la ruelle à l'arrière. La carte propose des produits de la mer dalmates. L'un des restaurants les moins chers de la vieille ville.

😋 **Buffet Kamenice** – *Gundulićeva Poljana 8 -* ☎ *323 682.* Un bel emplacement pour ce restaurant populaire aux prix stables depuis 4 ans ! La carte simple et polyglotte propose des huîtres à la pièce *(9 kn)*, du risotto *(35/45 kn)*, du poulpe *(52 kn)*, des langoustines à la *buzzara (50 kn)*, un bon vin blanc en pichet, le tout en bordure d'une magnifique place.

😋🍽 **Dundo Maroje** – *Kovačka bb -* ☎ *321 021 - 12h-0h - fermé 25-31 déc. - plats 70/90 kn.* Ce restaurant n'a rien à cacher : jetez un coup d'œil à la cuisine visible de la rue avant de goûter des plats simples dans une jolie salle tout en longueur.

😋🍽 **Domino** – *Od Domina 6 -* ☎ *323 103 - fermé nov. - poissons 360 kn/kg, grillades 100/120 kn.* La salle taillée dans le rocher, qui apparaît encore par endroits, comporte une mezzanine, tandis que la terrasse est aménagée sur la placette d'une ruelle en pente. Spécialités de grillades.

😋🍽 **Jadran** – *Poljana Paska, Miličevića 1 -* ☎ *323 405 - plats 50/130 kn, vins 135/200 kn.* Dans le très agréable cloître de Sv. Klare, cuisine croate et internationale. Très fréquenté par les groupes.

😋🍽 **Proto** – *Široka ulica 1 -* ☎ *323 234 - plats 80/140 kn.* L'abondante carte propose poissons et fruits de mer *(130 kn)*, gibier et viandes comme des filets de veau sauce aux câpres *(115 kn)* ou des assortiments plus originaux (champignons farcis aux crevettes - *96 kn)*. Les plats sont soigneusement cuisinés, copieux et présentés et servis dans une belle salle. Aux beaux jours, les repas se prennent sur une vaste terrasse surplombant les ruelles.

😋🍽 **Defne** – *Od Puča -* ☎ *326 222 - ouv. en été et le soir seult - plats 105/165 kn.* Sur la terrasse confortablement aménagée

du bar à vin Razonada, l'équipe du Pucić vous invite à déguster des plats inspirés par les traditions culinaires de la Méditerranée orientale. Au pied des tables se dresse une ravissante petite chapelle. Un lieu enchanteur pour une cuisine sophistiquée et un service apprêté.

😋🍽 **Caffe Royal** – *Gundulićeva poljana. 65/120 kn.* En terrasse sur la place ou dans la salle, le restaurant du Pucić Palace propose une cuisine raffinée mais peu copieuse. Plats végétariens à la carte.

À PILE ET À GRUŽ

😋🍽 **Orhan** – *Od Tabakarije 1 -* ☎ *414 183 - fermé déc.-janv. - poissons 120 kn - risotto 60 kn - gambas grillées 90 kn - plats de viande : 80/100 kn.* Au pied du fort Lovrijenac, l'endroit est attrayant entre les maisons de pierre et les quelques barques amarrées dans le minuscule port. La terrasse vous fera profiter de cet environnement, tandis que la grande salle avec mezzanine sera bienvenue en hiver, ou lors des fortes chaleurs. Une grande variété de prix permet de faire un repas (salade, risotto et moules à la *buzzara*) à un prix raisonnable, mais il faut compter plus de 150 kn si vous y incluez une bouteille de l'excellent dingač proposé.

😋🍽 **Atlas Club Nautika** – *Brsalje 3 -* ☎ *442 526 - 12h-0h - dîner autour de 350 kn.* La terrasse surplombe la petite anse entre la tour de Bokar et le fort de Lovrijenac. Coquillages, poissons et crustacés figurent sur une carte où l'on trouve aussi des plats de viandes, ainsi que les habituelles entrées qui permettent un repas léger. Dommage qu'il soit si cher !

AUX ALENTOURS

😋 **Buffet Atlas** – *Cavtat.* Une petite adresse fort sympathique, à l'ombre des arbres du quai, pour manger à moins de 50 kn, pizzas, pâtes ou salades diverses.

😋🍽 **Leut** – *Cavtat, Trumbićev Put 11 -* ☎ *478 477 - fermé déc.-janv. - menus 110/300 kn.* Une bonne adresse sur le port, les menus proposés sont intéressants. Choisissez plutôt les classiques : jambon fumé, calamars, risotto crème aux langoustines, salades de saison et un poisson grillé (ou rôti en sel) accompagné de légumes frais.

A. Padioleau / MICHELIN

🍴🍴🍷 **Konavoski Komin** – *Velji Do - près de Cavtat, sur la rte littorale, à Zvekovica prendre la direction de Duba/ Pridvorje, puis 5 km plus loin prendre à gauche et poursuivre sur 3 km* - ☎ 479 607 - *12h-2h - ouv. tte l'année - plats 50/80 kn.* Un belvédère précède de 500 m le hameau de Velji Do qui, entouré d'arbres et de calme, est un havre de paix. Poissons et autres grillades sont à la carte, ainsi que les délicieux *pršut* et *paški sir*. Mais il vous faudra commander l'agneau rôti, une des spécialités de la maison.

Petite pause

Caffe Festival – *Placa bb* - ☎ 420 888. Ce grand café sur Stradun propose une ambiance et un cadre agréables.

Gradska Kavana – Face à l'église St-Blaise, la salle de droite a beaucoup de cachet. La terrasse donne sur Stradun et le parvis de l'église. Celle de gauche, rénovée dans un style plus moderne, ouvre à l'arrière sur un bar/restaurant à l'ambiance intimiste, qui donne sur une terrasse avec vue sur le vieux port. Concerts vend. et sam.

Razonoda – *Od Puča*. Le bar à vins du Pucić Palace : pour déguster les meilleurs crus de Dalmatie… et d'ailleurs.

Achats

Bačan – *Prijeko 6 - tlj sf dim. 9h30-15h30, 17h30-20h30*. Nappes, serviettes, blouses, chemises, sacs en lin, coton, tous sont brodés dans la famille. Les prix varient en fonction des motifs (tourbillon, patte de chat…). Travail de bonne qualité, vendu à des prix raisonnables (blouses de 450 à 700 kn, costume à 1 500 kn) par un homme volubile.

Dubrovačka – *Sv. Dominika 3 vers la porte Ploče - tlj 9h-22h en été, tlj sf dim. 9h-20h en hiver*. Ambiance chaleureuse dans cette boutique où vous trouverez une sélection de vins dalmates, les produits *Aromatica* à base d'herbes et d'huiles essentielles, des œuvres d'art et des souvenirs de qualité.

Vinoteka Dubrovnik – *Placa bb - 9h-20h*. Grand choix de vins blancs de Brač et Korčula, rouges de Pelješac et d'alcools (rakija, šljivovica).

Pharmacie des Franciscains (Ljekarna « Kod male Braće »**)** – *Tlj sf dim. 7h-16h, sam. 7h-15h en été ; tlj sf dim. 7h-13h en hiver.*

Onguents et crèmes de beauté élaborés à partir de vieux grimoires de la pharmacopée traditionnelle. Eau de rose, crème anti-rides y ont grand succès et sont bon marché.

Cro Art Design – *Au croisement de M. Pracata bb et Od Puča* - ☎ 324 744. Véritable caverne d'Ali Baba, cette boutique réunit le travail de jeunes designers autour de bijoux confectionnés à partir de coraux croates. On y trouve de superbes pièces à des prix abordables.

Sortir

Troubadour Caffe – *Bunićeva 2, derrière la cathédrale*. La salle, exiguë, est un vrai capharnaüm, mais en soirée on sort sur la place. Consommations de 10 à 25 kn, cocktails de 40 à 60 kn. Bonne ambiance pour soirées jazz.

Festival d'été – *Od Sigurate 1 - ☎ 326 100- www.dubrovnik-festival.hr*. Il se tient de début juillet à fin août. Alternent sur des scènes de rues, représentations de théâtre, spectacles de danse, concerts de musiques folklorique et classique. Le site Internet donne le programme et permet de réserver.

A. Padioleau / MICHELIN

Orchestre symphonique de Dubrovnik – *Branitelja Dubrovnika 29 - ☎ 417 110, fax 417 060 - www.dso.hr*. Cet orchestre donne des concerts toute l'année, dans le palais du Recteur, dans le monastère franciscain ou au théâtre. Billets de 30 à 150 kn. Le site internet, en anglais, fournit les dates des concerts.

Loisirs sportifs

Plongée – *Šetalište Žal, à Cavtat - ☎/fax. 471 386 - www.epidaurum-diving-cavtat.hr*. Établi à l'extrémité du complexe hôtelier, c'est un club de plongée très rodé, où on peut louer planche à voile et parachute ascensionnel.

Vélo – *Office du tourisme de Cavtat - ☎ 478 025 -www. tzcavtat-konavle.hr*. L'office du tourisme de Konavle a déjà finalisé l'aménagement de 2 des 6 pistes cyclables, qui traverseront bientôt sa région : celle de Cavtat à Čipili, en passant par Močiči et celle de Cilipi à Ljuta où se trouve Konavovski Dvori, un restaurant réputé de la région.

Île de **Dugi Otok**★★

DALMATIE – 1 820 HABITANTS
CARTE GÉNÉRALE B3 – CARTE MICHELIN 757 C-D8 – SCHÉMA : VOIR À ZADAR

Si vous rêvez d'une île encore intacte, propice à la solitude et à la contemplation, prévoyez une étape sur cet interminable ruban de collines qui semble avoir échappé à la folie touristique pour ne conserver que le calme et la tranquillité. Pas de villages spectaculaires mais des plages de sable ou de galets, une nature sauvage et le temps qui s'écoule encore plus lentement qu'ailleurs…

▶ **Se repérer** – L'ancienne Tilagus (« île des trois lacs ») s'appelle aujourd'hui Dugi Otok, ce qui signifie tout simplement « île longue », un nom justifié par ses 43 km de longueur pour moins de 5 km de large. Comme toutes les îles au large de la Dalmatie septentrionale, c'est un mince ruban escarpé (plus haut sommet à 338 m), parallèle au continent. Bien que proche de Zadar, elle est encore peu fréquentée, excepté en août.

👁 **À ne pas manquer** – Le parc naturel de Telašćica, pour ses paysages et sa géologie similaires aux îles Kornati, le phare de Veli Rat pour ses criques de galets et le lac salé de Jezero Mir pour soigner les douleurs et les problèmes cutanés.

🕐 **Organiser son temps** – Si vous n'y passez que la journée, louez une voiture de Zadar et passez-la sur l'île avec le ferry car elle est trop longue pour être parcourue à pied et les vélos sont rares.

👣 **Pour poursuivre le voyage** – Voir aussi les îles Kornati (excursion), Zadar (1h de traversée), l'île de Pag (45 km au nord de Zadar) ou le parc national de Paklenica (50 km au nord de Zadar).

Comprendre

Îles parallèles – Tout comme l'archipel des Kornati *(voir ce nom)*, Dugi Otok est née de l'immersion de la partie basse des montagnes du littoral, à la fin de la période glaciaire. Suivant la même orientation, l'île s'étire dans l'axe du littoral dalmate et prolonge la série de ces longues crêtes émergées. La route, qui parcourt l'île de bout en bout, permet d'apprécier ses merveilleux paysages, alternance de forêts de pins, d'oliviers et de figuiers, de sommets ronds et pelés, de maquis odorants et de vues à couper le souffle sur les autres îles et le massif du Velebit, sur le continent.

Circuit de découverte

Prévoir 1 à 2 jours et 1 nuit sur place.

Božava★
Au nord-ouest de l'île, 13 km de Brbinj.
Joli petit port calé dans un repli rocheux, il cache son église, une épicerie et deux tavernes au fond d'une vallée verdoyante plantée de pins et d'oliviers. La côte y est bordée de larges rochers plats propices à la bronzette…

Plage de Sakarun★★
Sur la route de Veli Rat, passez la bifurcation vers Verunić. Moins de 1 km plus loin, à gauche, un sentier caillouteux mais carrossable mène à la plus belle plage de l'île (15mn à pied).
Mi-galets, mi-sable fin, cette plage a un petit air tropical, avec ses eaux turquoise et sa frange d'arbres. C'est la plus réputée de l'île.

Veli Rat★★
À 20 km au nord-ouest de Brbinj.
Une jolie route bordée d'arbres file entre les murets de pierre vers l'extrémité de l'île. Tout au bout se dresse le **phare** de Veli Rat, construit par les Autrichiens, avec sa minuscule chapelle. À plus de 41 m de haut, c'est le plus haut de Croatie. Pour le crépir, on utilisa un mélange additionné de 100 000 jaunes d'œufs ! De part et d'autre, vous trouverez des **criques de galets**★★ (la plus jolie est vers la gauche).

Savar★
À 3,5 km au sud-est de Brbinj.
Le village se termine par un îlot relié à la terre ferme par une digue où s'accrochent quelques barques multicolores. Il est occupé par une ravissante **chapelle préromane**, Sv. Pelegrina (9e s.), posée entre le cimetière marin et les eaux claires de la baie.

Sv. Pelegrina à Savar : une chapelle au bord de l'eau.

Sali★

À 23 km au sud-est de Brbinj.

Autrefois bourdonnant de l'activité des conserveries, ce port de pêche se voue désormais au tourisme, tout en restant encore bien tranquille. Le long du quai, il fait bon de boire un verre ou de goûter la pêche locale. C'est de là que partent en été les excursions vers les Kornati toutes proches.

Le chant des ânes

Chaque année, pour la fête de l'Assomption (15 août), Sali fait un bruit de tous les diables. On y fait courir les ânes, on boit, on chante, on danse et on y joue de la corne de brume dans un tintamarre imitant le braiment des mêmes ânes. Et comme on est très pieux, on n'oublie pas la procession, toujours très fervente.

Parc naturel de Telašćica★★
(Park prirode Telašćica)

☞ *Tourner sur la route du parc, à l'entrée de Sali. Parking à 8,5 km, puis 25mn à pied.*

Uvala Mir★ (baie de la Paix)

La première partie de la balade longe cette échancrure marine, encadrée de collines couvertes de maquis et de pins. Elle conduit au mouillage du même nom et à ses deux restaurants.

Falaises★★

Le sentier qui y mène *(5mn)* monte entre les deux restaurants. Abruptes et composées de karst, elles sont de la même nature que les *klifs* visibles sur le chapelet extérieur des Kornati *(voir ce nom)*. À la fondation du parc national des Kornati, en 1980, cette partie de l'île de Dugi Otok y était intégrée. Elle en a été séparée et déclarée parc naturel en 1988. À leur point le plus élevé, les falaises font plus de 160 m de haut.

Jezero Mir★★ (lac salé)

En longeant la baie, après les restaurants, le sentier mène à la principale curiosité du parc *(5mn)*. Sur les vues aériennes, c'est un paysage inattendu de lac au sommet d'une falaise. Il communique avec la mer sous une barrière rocheuse mais la température y est supérieure de plusieurs degrés. Ses eaux sont censées calmer les douleurs et les problèmes de peau…

Île de Dugi Otok pratique

Informations utiles

Office de tourisme – *Turistička zajednica, Sali* - ✆/fax 377 094. Turističko društvo, Božava, ✆ 377 607.

Bureau du parc naturel de Telašćica, à Sali – *Ulica Danijela Grbin bb* - ✆/fax 377 096/395 - www.telascica.hr.

Indicatif téléphonique – 023

Banques – Attention, il n'y a pas de banque sur Dugi Otok. Les bureaux de poste de Sali et Božava font office de bureau de change *(tlj sf dim. 8h-14h)*.

Essence – Une seule station-service à Zaglav.

Santé – Pas de pharmacie mais trois médecins : Sali, ✆ 377 032 ; Božava, ✆ 098 33 28 04 ; Žman, ✆ 377 050.

Transports

👁 **Bon à savoir** – Les bus et la location de véhicules étant rares, mieux vaut venir avec son propre moyen de transport, car les villages sont trop dispersés pour la marche à pied.

Zadar est le port de départ pour Dugi Otok.

Ferry (avec voitures) – *Jadrolinija Zadar - Liburnska obala 7* - ✆ 250 555 - www.jadrolinija.hr. **Zadar-Brbinj** – 3 à 4/j. selon saison - 1h30 de traversée.

Bateau (piétons) – Les catamarans de *Jadrolinija* assurent les lignes **Zadar-Sali** *(durée 1h10)*, **Zadar-Zaglav** en passant par Sali *(durée 1h35)* et **Zadar-Božava**, en passant faisant escale à Rivanj et Sestrunj *(durée 1h)*.

Bus – Un bus relie les ferries de Brbinj au village de Božava. Un autre assure la liaison entre Zaglav et Sali. Mais il n'y a qu'un bus par semaine entre le sud et le nord de l'île.

Nautisme

Pas de port de plaisance, mais possibilité d'amarrer ses bateaux aux ports de Božava et Sali. Mouillage autorisé dans les baies (Soline, Dragove, Sakarun, Žman). **Capitainerie**, ✆ 377 021. **Bureau des douanes** à Božava. **Carburant** à Zaglav.

Se loger

👁 **Bon à savoir** – Les offices du tourisme de Sali et de Božava proposent des hébergements chez l'habitant ou en appartements.

Adriatica.net – ✆ (01) 24 15 614 - www.adriatica.net. Outre des hébergements traditionnels, *Adriatica.net* se fait une spécialité d'appartements dans des phares, dont deux dans celui de Veli Rat. Le phare en comprend deux (l'un pour 3 pers., l'autre pour 4 pers.). Ils se louent en haute saison à la sem. (du sam. au sam.). Contrairement à d'autres phares, il présente l'avantage d'être accessible en voiture, ce qui facilite le ravitaillement. Le gardien du phare et sa famille vous accueilleront sur place.

😊😊💰 **Hoteli Božava** – *Božava* - ✆ 291 291, fax 377 682 - www.hoteli-bozava.hr - juin-sept. - Pavillon Lavanda 80 ch. : 500/730 kn - Pavillon Agava : 18 appart. familiaux : 570/800 kn 🛏 - 🍽 🚿 🅿. Une même direction pour deux bâtiments agréables, répartis dans les pins au bord de la mer, à 5mn à pied du port. Possibilité de 1/2 P à prix intéressant (35 kn de différence). Plongée, sauna, fitness, espace enfants, location de vélos et bateaux.

😊💰 **Hotel Sali** – *Sali* - ✆ 377 049, fax 377 078 - www.hotel-sali.hr - ouv. avr-oct. - 52 ch. : 410/510 kn 🛏 - 🍽 🅿. Quatre pavillons bleu et blanc, dispersés à l'ombre d'une pinède, au-dessus d'une baie rocheuse. Baignade depuis les rochers plats, au pied de l'hôtel. Club de plongée à 5mn à pied du village. L'hôtel étant en cours de rénovation en 2006, ses prix sont susceptibles d'augmenter.

Se restaurer

Quelques modestes tavernes à Božava et Sali, ainsi qu'au bord d'Uvala Mir, dans le parc naturel de Telašćica. Cuisine dalmate sans prétention. Fermées hors saison.

Loisirs sportifs

Excursions – Pour les Kornati *(voir ce nom p 155)*, au port de Sali. Compter 150/250 kn.

Plongée – Club réputé au pied de l'hôtel Sali *(rens. à l'hôtel)* et aux hôtels Božava.

Plages – Plages de galets dans la partie nord-ouest de l'île et sur la côte face au large (petites routes entre Savar et Dragove), mais la baignade est possible partout depuis les rochers.

Île de **Hvar**★★

DALMATIE – 10 611 HABITANTS
CARTE GÉNÉRALE C4 – CARTE MICHELIN 757 F9 – SCHÉMA : VOIR À SPLIT

Voici la plus « branchée » des îles, qui se plaît à évoquer le nom des célébrités qui y font escale. Il faut dire que la ville de Hvar a un charme fou et que ses bars et restaurants fourmillent de « beautiful people ». Mais le reste de l'île compte des villages très authentiques, des vignobles d'exception escaladant les montagnes, des champs de lavande et de romarin, une vraie vie…

▶ **Se repérer** – Tout en longueur, l'île de Hvar étire ses 68 km d'est en ouest, entre l'île de Brač, au nord, et celle de Korčula, au sud. Malgré sa faible largeur (10,5 km), elle est parcourue par une crête abrupte (628 m au mont Sv. Nikola) qui la protège des vents du large. Son épais maquis, ses côtes très découpées, sa pierre de qualité (elle rivalise presque avec celle de Brač) et son riche terroir (vin, miel et lavande) en font l'une des îles les plus visitées de Dalmatie, malgré la rareté des plages.

👁 **À ne pas manquer** – La forteresse espagnole de Hvar et ses cachots, la maison de Petar Hektorović (ou Tvrdalj) à Stari Grad et le prošek (apéritif sucré originaire de l'île).

🕐 **Organiser son temps** – Si le port de Hvar est enchanteur, ne vous y limitez pas. Accordez-vous deux demi-journées pour visiter Stari Grad, les villages de pêcheurs alentour ainsi, la grotte de Sveta Nedjelja. Pour les îles Pakleni, départ le matin, retour en fin d'après-midi. Et si vous souhaitez passer votre voiture à Korčula sans repasser par Split, sachez qu'il n'y a que deux ferries par semaine.

👶 **Pour poursuivre le voyage** – Voir aussi la riviera de Makarska (ferry Sućuraj-Drvenik en 30mn), Split (2h de traversée), les îles de Korčula, Vis et Lastovo.

La cathédrale St-Étienne, un bel exemple du style Renaissance dalmate.

Comprendre

Des Grecs aux Vénitiens – Déjà occupée par les Illyriens, Hvar doit son développement aux Grecs venus de l'île de Paros, qui y fondèrent une première cité dépendante de celle d'Issa, sur l'île voisine de Vis. Dominée ensuite par les Romains, qui implantent la vigne, elle s'enrichit du commerce du vin et de l'huile d'olive. Au Moyen Âge, avec la domination vénitienne, Hvar reçoit le siège de l'évêché et s'épanouit, prenant le pas sur Vis, sa rivale. Pêche, construction navale, commerce, culture de la lavande, du romarin, de l'olivier mais surtout le vin font sa fortune. À partir de la Renaissance, Hvar devient l'un des centres intellectuels de Dalmatie, grâce à ses poètes, écrivains et scientifiques.

Circuits de découverte

Prévoir un à deux jours.

Hvar★★

Accès en bateau possible depuis Split pour les piétons. En voiture, 20 km au sud-est de Stari Grad (25mn). Parking payant obligatoire, cher (40 kn la journée).

C'est ici que se concentre la vie touristique, voire mondaine, de l'île, au fond d'une baie gardée par l'archipel des îles Pakleni. En été, les quais ne sont qu'un alignement de yachts de luxe d'un côté et les terrasses des cafés, de l'autre, autant d'endroits où voir et être vu. Le site a pris de l'importance sous les Grecs, ainsi qu'en témoignent les nombreuses monnaies retrouvées, mais la ville doit son plus beau patrimoine à l'influence vénitienne. Au 16e s., elle fut reconstruite après avoir été ravagée par les Turcs. La ville basse s'organise autour des quais. La ville haute, dominée par la forteresse, est entièrement close de remparts.

Pjaca Sv. Stjepan★

Devant la cathédrale, la place principale s'ouvre sur le port. À l'origine, c'était une baie marécageuse, asséchée durant l'Antiquité. Ses larges pavés rappellent ceux de Split ou de Dubrovnik. Au centre, le puits (1520) distribuait l'eau d'une citerne municipale.

Cathédrale St-Étienne★★ (Sv. Stjepan)

7h-12h, 17h-19h.

Son campanile et sa façade, typiques de la Renaissance Dalmate, sont l'œuvre de deux tailleurs de pierre de Korčula. L'intérieur, en revanche, adopte le style baroque. Au fond du bas-côté gauche, deux **bas-reliefs** (15e s.) figurent la *Vierge et les Saints* et la *Flagellation du Christ*, inspirée d'un motif de Georges le Dalmate pour la cathédrale de Split. Parmi la succession d'**autels baroques**, les plus intéressants sont celui de la famille Hektorović *(bas-côté droit)* encadrant une belle Madone du 13e s. et celui du maître-autel, figurant le pape Étienne (Stjepan) et la Vierge, attribué à Palma le Jeune. Notez aussi les **stalles** du chœur en bois sculpté (1572) et, dans la chapelle latérale gauche du chœur, une effrayante momie (**reliques** du saint croate Prosper), dans un sarcophage de verre…

Trésor des évêques (riznica)

Cour adjacente à la cathédrale. 9h-12h, 17h-19h ; hors saison 10h-12h (attention, horaires parfois imprévisibles) - 10 kn.

Il est constitué de reliquaires, tableaux et vêtements sacerdotaux anciens, brodés d'or et d'argent du 15e au 19e s.

Arsenal

Ce bâtiment massif (16e s.), construit à l'angle sud de la place principale, s'identifie à sa grande arcade qui ouvrait jadis sur le chantier naval où l'on fabriquait ou réparait les navires. Sa partie nord abritait le magasin municipal. Côté mer, il est bordé par la **Fabrika**, un large quai maçonné en pierre qui fait le tour du port (1554).

Théâtre (kazalište)

Fermé pour restauration.

En 1612, on décida de créer le premier théâtre municipal d'Europe au-dessus de l'arsenal, pour célébrer un événement politique d'importance, la fin d'un siècle de lutte pour l'égalité des droits entre la population et la noblesse, un accord signé en 1610. Le décor actuel ne date, lui, que du début du 19e s.

Mandrač

Ce nom vient d'un mot grec signifiant écurie et désigne le petit bassin entouré de murs, construit devant la Pjaca au 15e s. pour abriter les petits bateaux.

Hôtel Palace

Sa partie inférieure intègre ce qui reste de l'ancien palais du Recteur de la ville. La **tour d'horloge** est le vestige le plus ancien du palais d'origine (15e s.) qui comptait cinq tours. La **loggia Renaissance**, avec ses arcades, fut reconstruite après les destructions dues aux Turcs (fin 16e s.). Juste devant, la colonne **Štandarac** (18e s.) sert toujours de porte-drapeau : on y lisait jadis les proclamations municipales.

Palais Hektorović

À l'est de l'hôtel Palace.

De nombreux palais patriciens ponctuent les ruelles de la ville, à découvrir en flânant. Curieusement, le palais Hektorović, le plus emblématique, ne fut jamais achevé mais ses façades de style gothique tardif racontent l'âge d'or de la ville (15e s.).

Couvent des Bénédictines (Benediktinski samostan)
Ulica Nikola Karkovica, au-dessus du palais Hektorović. Juin-sept. : tlj sf w.-end 10h-12h, 17h-19h (horaires irréguliers) - fermé lors de célébrations - 10 kn.
Collection de peintures, d'icônes, provenant du trésor du couvent et exposition de dentelle exécutée par les nonnes au moyen de filaments tirés de l'agave.

Forteresse espagnole★★ (Fortica španjola)
Monter les marches qui passent devant le couvent bénédictin et suivre le sentier jusqu'en haut de la colline. À faire le matin ou en fin d'après-midi. 40mn AR - 9h-22h - 10 kn.
Le sentier monte entre les agaves, au-dessus de la ville haute, permettant de découvrir au passage les portes de l'ancienne cité. Érigée au 16e s., avec l'aide d'ingénieurs espagnols (d'où son nom), elle remplaça des fortifications illyriennes antérieures à l'occupation grecque. C'est grâce au produit de la vente du sel que la municipalité réussit à financer un tel ouvrage. Lors de la grande attaque turque, en 1571, les habitants s'y réfugièrent et lui durent leur survie. Le plus intéressant reste la visite des anciens **cachots**, tout à fait sinistres, et le **panorama** sur la ville et les îles Pakleni.

Panorama sur Hvar depuis la forteresse espagnole.

Église du St-Esprit (Sv. Duh)
En redescendant de la forteresse, vers l'est, le long de Bože Domančića ulica, ce modeste sanctuaire présente, au-dessus du portail, une amusante sculpture échevelée et surtout une architecture émouvante de maladresse (porte, rosace et clocher ne sont pas dans l'axe).

Sentier côtier★
Il longe les quais vers l'ouest, passe les hôtels et les riches villas et file sous la pinède, au-dessus des rochers. Tout le long, vous pourrez vous baigner ou bronzer.

Monastère franciscain★★ (Franjevački samostan)
Juin-sept. : 10h-12h, 17h-19h ; oct.-mai : 10h-12h - 10 kn.
Au terme d'une agréable balade le long des quais vers l'est du village, il se dresse dans un site idyllique, sur le promontoire de Sridnji, devant la mer. Construit à partir de 1465 et dédié à l'Immaculée Conception, il n'est plus occupé que par deux moines.
Au fond du paisible cloître, à droite, s'ouvre le **musée★**. L'ancien **réfectoire des moines** conserve son mobilier et une impressionnante fresque de **La Cène★**, peinte au début du 17e s. par un artiste italien, peut-être influencé par Palma le Jeune. Une salle adjacente présente une collection de **monnaies**, dont certaines remontent à la période grecque, et une **horloge★** originale conçue par un moine pour égrener, non les heures, mais les cycles de travail du monastère pour les jours sans soleil. Les aiguilles tournent dans le sens contraire de celui de nos montres et la plus grande fait le tour du cadran en 90mn au lieu de 60.
Parmi les autres collections, ne manquez pas le **Mariage mystique de sainte Catherine★** par l'école de Blaž Jurjev (1430) et le précieux **Atlas de Ptolémée★★**,

imprimé à Nuremberg en 1524. Notez que certaines des **sculptures contemporaines** en bronze sont l'œuvre de l'un des deux moines résidents, Joakim Gregof.

Faites ensuite un détour par le délicieux **jardin★** pour voir son **cyprès** vieux de 400 ans (il aurait été planté par l'auteur de *La Cène*) et ses amusantes **tables de pierre** avec jeux de société incorporés.

Le tympan de **l'église** est orné d'une **Vierge à l'Enfant** de Nicolas le Florentin (une copie, l'original ayant été transféré à Zagreb). Une bonne partie de l'édifice et le clocher (15ᵉ s.) furent érigés par des tailleurs de pierre de Korčula, dont les célèbres frères Andrijić. À l'intérieur, outre les stalles en bois sculpté du chœur, les pierres tombales et les balustrades de pierre ouvragée, on ne peut manquer l'opulent **jubé baroque★★** à caissons et ses peintures de Francesco da Santacroce et Martin Benetović. La chapelle latérale est fermée par un **jubé de pierre★** finement ajouré et contient une **Crucifixion** de Bassano (début 17ᵉ s.). Dans la nef, à droite au fond de l'église, le tableau des **Stigmates de saint François★** est de Palma le Jeune *(entrée gratuite, mêmes horaires que le musée)*.

Îles Pakleni★ (Pakleni otoci)
En bateau, depuis le port de Hvar, dép. le matin vers 9h, retour en fin d'après-midi.

Palmižana★
40 kn AR.

Ce pittoresque hameau, situé sur l'île de St-Clément (Sv. Klement), la plus grande et la plus développée, attire de nombreux visiteurs pour ses restaurants, sa marina, ses rochers plats et sa plage.

Ždrilca
25 kn AR.

Les quelques maisons de ce hameau, sur l'île de **Marinkovac**, et ses deux criques en font une excursion moins fréquentée et plus sauvage.

Jerolim
40 kn AR.

Le plus proche des îlots Pakleni, Jerolim était utilisé au Moyen Âge par les moines franciscains pour produire du sel. Il est désormais réservé aux naturistes.

Plage de Dubovica★★
À un peu moins de 1 km après la sortie du tunnel de Stari Grad vers Hvar, laisser la voiture en face de l'arrêt de bus, près de la cabine téléphonique. Un petit sentier caillouteux descend entre les arbres et rejoint la plage en moins de 10mn.

Autour d'une adorable plage de petits galets, c'est un minuscule hameau avec son manoir, sa chapelle et ses quelques maisons de pêcheurs.

Côte des vignobles★
Depuis Stari Grad, prendre la route de Vrbanj et Pitve vers la côte sud.

Particulièrement actif du temps des Romains puis à la Renaissance, le vignoble local faillit disparaître lors de l'épidémie de phylloxéra de la fin du 19ᵉ s. Au début du 20ᵉ s., beaucoup de vignerons émigrent en Californie où ils jettent les bases de la viticulture moderne. Ceux qui restent reconstituent leur patrimoine pour produire aujourd'hui les meilleurs vins rouges de Croatie le long de la côte sud de l'île, au pied de la crête rocheuse, autour des villages de Zavala (réputé pour ses vins blancs) ou d'Ivan Dolac (vignobles presque inaccessibles, à flanc de montagne, les meilleurs du pays).

Pitve★
À 13 km au sud-est de Stari Grad, 2 km au sud de Jelsa.

Ce beau village de montagne s'étage à flanc de colline. Avec ses maisons tradition-nelles en pierre, ses *konobas* (tavernes) et ses jardins en terrasses, il donne une idée parfaite des villages typiques des îles.

Au sortir du village, la route en direction de Zavala traverse un incroyable **tunnel★** sommairement creusé à travers la montagne : une longue ligne droite, une seule voie (en fait, on peut se croiser à certains endroits), pas d'éclairage ni de marquage, de l'eau qui suinte, font de sa traversée une expérience un peu angoissante mais inoubliable…

Sveta Nedjelja★
Blotti au pied du plus haut sommet de l'île (Sv. Nikola, 628 m), le site s'est développé à partir d'une grotte qui abrita un petit **monastère★** augustin durant la Renaissance. ➤ Un sentier conduit à ses ruines depuis la place de l'église actuelle. **Vue★** superbe. Les vignobles alentour produisent un excellent vin rouge.

Stari Grad★

Bien que les quais du port soient très plaisants, c'est en s'enfonçant dans les ruelles du côté sud que l'on découvre le charme caché de la ville, ses escaliers fleuris, ses balcons sculptés, ses passages voûtés, ses jardins clos.

Colonie grecque

Stari Grad, la « vieille ville », fut fondée à partir de 384 av. J.-C., par des Grecs venus de l'île de Paros, alors une puissante communauté insulaire. Ils la baptisèrent Pharos. La découverte de barques grecques et romaines coulées aux environs témoigne de l'intense activité commerciale du port.

Tvrdalj★★

Trg Tvrdalj. Juin-sept. : 10h-13h, 18h-20h ; le reste de l'année : sur demande auprès de l'office de tourisme - 📞 *765 763 - 10 kn.*

Aussi connu sous le nom de **maison de Petar Hektorović**, ce palais est le monument le plus fascinant de la ville. Conçue comme une forteresse par le poète, issu de l'une des grandes familles de Hvar, sa façade austère cache un merveilleux jardin intérieur, agencé autour d'un grand bassin à poissons. Tout autour de l'eau, des inscriptions en latin résument les valeurs de l'auteur et la vanité de la vie. La construction le mobilisa une bonne partie de sa vie, de 1520 à 1569.

Palais Biankini

Dans la ruelle à côté du précédent, visite jumelée, mêmes horaires.

Pour découvrir l'**histoire maritime** de la ville, une exposition multimédia est consacrée à une barque grecque coulée devant l'île et des œuvres de peintres locaux. Le premier étage propose une exposition de peintres croates, originaires de la ville, dont Juraj Plančić.

Monastère dominicain★ (Dominikanski samostan)

Juin-sept : 10h-12h et 17h30- 19h30 - mai et oct. : 10-12h - fermé le reste de l'année.

Fondé au 15ᵉ s., il fut fortifié au siècle suivant, après l'attaque des Turcs. Petar Hektorović y est enterré devant l'autel. Parmi ses trésors, on compte une **Déploration du Christ★★** par Tintoret, commandée par le poète (il serait représenté sous les traits du vieillard). Notez aussi une petite collection archéologique, bien agencée composée d'étonnants vestiges grecs et romains.

Église Saint-Étienne (Sv. Stjepan)

Construite entre 1604 et 1708 sur le site de la première cathédrale du 12ᵉ s. (l'évêché n'était pas encore à Hvar), cette église baroque possède un clocher séparé, bâti sur les vestiges de la porte de la ville grecque de Pharos, avec des pierres récupérées sur les anciens remparts. À l'intérieur, admirez le triptyque de *La Vierge, saint Jérôme et saint Jean Baptiste*, de Francesco da Santacroce.

Chapelle Saint-Jean★★ (Sv. Ivana)

Dans la ruelle qui passe devant l'église St-Étienne, cette émouvante chapelle, le plus ancien monument chrétien de l'île, a été construite au 12ᵉ s. à la place d'un temple antique. Des marches descendent dans la **nef romane** très sobre, à l'architecture encore maladroite. Notez les **mosaïques★★** du 6ᵉ s.

Vrboska★

À 10 km à l'est de Stari Grad, sur la côte Nord.

Dominé par une curieuse église fortifiée, ce petit port s'ordonne autour d'un étroit bras de mer enjambé par trois ponts. Autrefois riche grâce aux conserveries, il ne compte plus guère que sur le tourisme et la pêche. À 2 km au nord du village, la péninsule de Glavica présente plusieurs **plages★** de galets.

Église Sainte-Marie★★ (Sv. Marija)

En arrivant au pied de l'énorme structure, on reste surpris par sa hauteur imposante et par son bastion acéré. Bien que bâtie à la Renaissance (1575), elle ressemble plutôt à une forteresse. À l'époque, les Turcs venaient de ravager l'île (en 1571) et il fallait se protéger.

Église Saint-Laurent (Sv. Lovrinac)

Moins imposante que la précédente, elle en a hérité des peintures sacrées, notamment un **polyptyque★★** attribué à Véronèse et une *Vierge du Rosaire*, de Bassano.

Jelsa

À 12 km à l'est de Stari Grad, sur la côte nord.

Longtemps simple port de pêche, Jelsa est devenue un centre touristique où se concentrent la plupart des campings, hôtels et pensions abordables. C'est une baie étroite et abritée, aux abords boisés. L'**église Saint-Jean (Sv. Ivana)** adopte un plan octogonal inhabituel.

L'est de l'île

Très peu développée, cette interminable langue de terre est rurale et sauvage, avec pratiquement aucun équipement touristique. Le village de **Sućuraj**, à l'extrémité orientale, n'est qu'un petit port sans grand caractère, permettant de regagner le continent.

Île de Hvar pratique

Informations utiles

Office du tourisme de Stari Grad – ✆ 765 763- www. stari-grad-faros.hr - été : 8h-15h, 16h-22h ; hors sais. : tlj sf dim. 8h-14h, ✆ 765 763.

Office du tourisme de Hvar – Sur la place de la cathédrale St Etienne - ✆ 741 059 - www.tzhvar.hr ou www.hvar.hr - été : tlj 8h-22h ; hors sais. : tlj sf dim. 8h-14h.

Office du tourisme de Jelsa – Sur le port - ✆ 761 017 - www.tzjelsa.hr ou www. jelsa.online.com - été : 8h-23h, hors sais. 8h-14h.

Indicatif téléphonique – 021

👁 **Bon à savoir** – De nombreux commerces et services ferment quelques heures au moment de la sieste.

Centre médical de Hvar – ✆ 742 111 - urgences ✆ 778 040/741 300/743 103/ 717 422. Entre les hôtels Pharos et Amfora.

Police (Hvar) – ✆ 741 100.

Centre médical de Stari Grad – Priko bb - ✆ 765 122 (urgences) ou Dr Planjar ✆ 766 200 la journée.

Internet – Luka Rent - dolac bb à Hvar - ✆ 742 946 - le long de l'hotel Slavija - 7 ordinateurs - 7 kn/15mn. À droite de la loggia se trouve aussi un petit local équipé de plusieurs ordinateurs, ouvert toute la journée.

Transports

👁 **Bon à savoir** – Seuls les ports de Stari Grad et de Sućuraj permettent de passer en voiture. Les ferries qui font escale dans celui de Hvar n'embarquent ni ne débarquent les véhicules. Notez aussi que le trajekt de Sućuraj est mal desservi par le bus.

Ferries (avec voitures) – Jadrolinija - face au débarcadère, à Hvar - ✆ 741 132, fax 741 036 - à Stari Grad - ✆ 765 048. Split-Stari Grad (1h40 de traversée) : 5 à 7 ferries/j en été 5h30-20h ; hors sais. 2 ou 3 ferries/j. Le ferry Rijeka-Bari fait aussi escale à Hvar, en passant par Split, Korčula et Dubrovnik, 2 ferries/sem. Dvernik-Sućuraj : de 11 passages/j en été, 4 hors sais.

Bateaux (piétons) – Deux lignes rapides font escale sur Hvar. L'une à Jelsa en provenance de Bol (île de Brač) et de Split, l'autre entre Split et Lastovo à Hvar et Vela Luka. Un bateau par jour sur ces 2 lignes.

Autobus – Entre Hvar et Stari Grad : 4 ou 6 bus/j., dim. 3 bus. Certaines correspondances avec les ferries sont assurées.

Dessertes locales régulières : Hvar-Vrboska - Jelsa-Hvar - Stari Grad-Jelsa - Stari Grad-Vrboska et Jelsa et Vrboska plus ou moins fréquentes. Sućuraj est mal desservi : 2 bus/sem. de Hvar, 7 bus/sem. de Stari Grad. En été, 1 ou 2 bus supplémentaires presque tous les jours.

Location de véhicules – Luka Rent, dolac bb à Hvar - ✆ 742 946, fax 309 11 25 - www.lukarent.com - voiture (1ʳᵉ ou 2ᵉ catégorie) 500/550 kn/j, scooter 250/300 kn/j, vélos 90 kn/j, bateaux à moteur sans cabine 1 350/1 875 kn/j, bateau de type Zodiac 600/900 kn/j.

Taxis – ✆ 098 33 88 24/098 19 20 232/ 091 52 69 289 ou 091 51 72 956.

Nautisme

Deux petits ports de plaisance, très agréables sur l'île. Un dans l'île de Sv. Klement au large de Hvar, l'autre dans le village de Vrboska.

ACI Marina Palmižana – ✆ 744 995, fax 744 985 - m.palmizana@aci-club.hr. Située dans une anse très abritée de l'île de Sv. Klement, le port est agréable sans être très pratique. Les bateaux taxis du port de Hvar assurent un service fréquent, surtout en été.

ACI Marina Vrboska – ✆ 774 018, fax 774 144 - m.vrboska@aci-club.hr. Là aussi un bel emplacement quoique très différent puisque le port de plaisance est situé à l'entrée du petit port, très abrité,

La marina de Hvar.

A. Padoleau / MICHELIN

de Vrboska. Peu de places disponibles, mais le mouillage est garanti dans le port.

Pour les équipements de ces deux marinas, voir le chapitre « Nautisme » p. 38.

Capitainerie (Hvar) – ☎ *741 007*

Capitainerie (Stari Grad) – ☎ *765 060*

Se loger

👁 **Bon à savoir** – Dans l'île, deux groupes hôteliers centralisent informations et réservations.
Pour Stari Grad : **Hoteli Helios** – ☎ *306 306 - www.helios-faros.hr.*
Pour la ville de Hvar : **Sunčani Hvar** – ☎ *745 745 - www.suncanihvar.hr.*

À HVAR

Agence Atlas – *Sur le port - ☎ 741 911/ 741 670 - ch. et appart. : 365/732 kn - majoration de 30 % pour moins de 4 nuits.*

Agence Navigare – *Dans une ruelle, qui descend à la cathédrale - Trg Sv Stjepana 1- ☎ 718 721 ou 098 72 70 70 - ch. à partir de 250 kn/pers/nuit (mini. 4 nuits).*

☺☺🛏 **Pension Laguna Lozna** – *Lozna, Hvar - à environ 5,5 km au N de Hvar, en prenant l'ancienne route de Stari Grad, via Brusje - ☎ 098 962 04 89 ou 091 151 12 02 - www. lozna.ws - 6 ch. 300/440 kn, 3 appart. (3 pers.) 550 kn, 1 appart. (4 pers.) 730 kn. Le paradis pour les amoureux de calme, de nature et de plongée sous-marine : petite pension familiale isolée dans une baie sauvage, près d'une crique de galets. Possède son propre club de plongée sur place. Possibilité de demi-pension (125 kn) ; petit-déjeuner (50 kn).*

☺☺🛏 **Hotel Palace** – *☎ 750 750 - www.suncanihvar.hr - 73 ch. : 840/940 kn ☕ - 🦞. Un bel hôtel intégré à l'architecture environnante. L'intérieur est très banal, voire décevant. Les chambres, aménagées dans le style des années 1970, sont toutefois convenables, bien entretenues, certaines ont une belle vue sur la ville. L'hôtel propose aussi sauna et massages.*

☺☺🛏 **Hotel Adriana** – *☎ 750 750 - www.suncanihvar.hr - ☕ - 🦞. Appartenant à la même grande famille Sunčani Hvar, l'ex-hôtel Adriatic, en travaux en 2006, devrait renaître sous le nom d'Adriana, et proposer un espace spa très élaboré. Prix non communiqués.*

☺☺☺🛏 **Hotel Podstine** – *Podstine bb - au N du village à 10mn à pied du centre par le chemin côtier - ☎ 740 400, fax 740 499 - www. podstine.com - 40 ch. - 930/1 900 kn selon la vue ☕. Ce récent hôtel face aux îles Sv. Klement offre confort, calme et un accueil chaleureux à 15mn à pied de la vieille ville. Une succession de petites terrasses ombragées par de grands palmiers mènent à la mer. La pierre est l'élément majeur du décor des chambres et de leur terrasse, toutes équipées de télévision satellite, climatisation et wifi. Le petit-déjeuner copieux complète cette* prestation haut de gamme. Possibilité de demi-pension.

☺☺🛏 **Hotel Riva** – *☎ 750 750 - www.suncanihvar.hr - 57 ch. : 1 280/1 425 kn ☕. Feu l'hôtel Slavija, vive l'hôtel Riva ! Idéalement située en face de l'arrivée des ferries sur le port, cette vieille batisse a été luxueusement rénovée en 2006 pour répondre aux besoins du « voyageur moderne ». Les murs des salles de bains sont transparents et des photos de Brigitte Bardot, James Dean, Audrey Hepburn, surplombent les lits.C'est désormais l'une des adresses les plus chères du centre-ville.*

À STARI GRAD

Hvar Touristik – *Kipara Jurja Škarpe 13 - ☎ 717 580, fax 717 581 - www. hvar-touristik.com - Spécialisée dans la location de chambres chez l'habitant, cette agence propose des appart. à partir de 300 kn (2 pers.) et des chambres doubles à 200 kn. Le meilleur moyen d'être logé à petit prix et dans le centre-ville. Accueil sympathique.*

☺☺🛏 **Trim** – *Réserv. ☎ 765 566, fax 765 864 - 32 appart. : 555/620 kn. Chaque maisonnette se compose d'un salon avec 2 couchages, d'une cuisine équipée et d'une chambre pour 2 personnes. Un peu à l'écart du rivage c'est neuf et plutôt coquet. Chaque bungalow dispose sur le devant d'un petit patio privatif. Réservez longtemps à l'avance.*

À JELSA

☺☺ **Résidence Romantica** – *☎/fax 761 236 - 11 ch. : 400 kn ☕. Cette adresse avec restaurant propose de grandes chambres rénovées, avec kitchenette (peu équipée). Située au nord du port, entre le parc et l'office de tourisme, c'est une pension calme et propre. Certaines chambres permettent le couchage d'une 3e personne.*

☺☺🛏 **Pension Murvica** – *☎/fax 761 405 - www.muriva.net - 3 studios (2 pers.) : 300 kn, 1 appart. (6 pers.) : 730 kn et 1 ch. avec lits superposés : 185 kn ☕ : 50 kn/pers. ; 1/2 P : 146 kn/pers. À l'entrée de la ville, la pension est indiquée sur la droite. Si le cadre est altéré par l'immeuble très laid au bout du jardin, la pension est calme et l'accueil chaleureux. Tout est impeccable et d'un bon confort. Le grand appartement et sa terrasse offrent une très belle vue sur la montagnes et les jardins.*

Se restaurer

À HVAR

☺☺ **Bounty** – *☎ 742 565 - poisson 220 kn/kg, 110 kn pour une gregada, plats 50/80 kn. Un petit restaurant sympathique et pas trop cher, bien placé sur le port de Hvar. Bon accueil.*

◔◔◉ **Hanibal** – *Trg sv. Stjepana 12, Hvar -* 🕾 *742 760 - www.hanibal.hr - poisson 350 kn/kg, plats 80/120 kn.* Dans un décor original et élégant, une bonne table qui sert les classiques dalmates revisités à la mode internationale, tels les calmars grillés farcis ou le bœuf aux figues. La fameuse *gregada* de Hvar (poisson braisé, sauce au vin blanc, oignons, pomme de terre, huile d'olive) y est aussi délicieuse tout comme les tagliatelles au homard. Un peu plus cher que la moyenne.

◔◉ **Konoba Menego** – *Dans l'escalier qui monte au-dessus du couvent bénédictin vers la forteresse.* Au choix dans l'ancienne cave ou sur la terrasse, voilà une adresse coup de cœur pour goûter les spécialités de l'île. Tout est produit sur place. Même les importations de Split sont bannies ! Essayez absolument les anchois marinés, le fromage de chèvre frais, *la skota*, avec du miel ou les figues « ivres », fourrées d'amandes et macérées dans l'alcool maison. Plats froids uniquement.

Invitation au restaurant Konoba Menego.

Ch. Barrely-Legrand / MICHELIN

À STARI GRAD

◔ **Café Antika** – *Dans une ruelle parallèle au quai, non loin de l'église St-Étienne.* Deux maisons distinctes de chaque côté de la ruelle. D'un côté le bar à cocktails et sa délicieuse terrasse pour prendre un verre, de l'autre un minuscule restaurant pour déguster de copieuses salades, des sandwiches originaux, chauds ou froids, des pâtes, des risottos ou des poissons à petits prix *(45/65 kn)*. Goûtez les crevettes à la *buzzara* ! Très bonne adresse.

À JELSA

◔◉ **Murvica** – *Plats 50/90 kn.* Le restaurant de la pension du même nom *(voir « Se loger » p146).* Si la carte est simple

et classique, elle s'appuie sur des produits d'excellente qualité, une cuisine soignée et un accueil sympathique. Goûtez le steak fourré au fromage de brebis ou laisssez-vous surprendre par les arrivages du port. Pour la cuisine sous peka, prévenir 6h à l'avance. Propose des menus enfants.

Spectacles

Festival d'été de Hvar – 🕾 *741 788 - Billets (sur place 1h av. représentations et à l'office de tourisme).* Il se déroule de la mi-juin à la mi-octobre, les spectacles ont lieu dans le théâtre, au monastère franciscain et à la cathédrale. Musique traditionnelle dalmate, musique classique et théâtre. En juillet et en août un concert tous les 2 jours environ. Ils sont organisés par la ville de Hvar et l'association musicale Uzma. Consultez le programme sur *www.tzhvar.hr.*

Excursions

Agence Atlas – *Sur le port à Hvar et à Jelsa - 8h-15h, 18h-21h30 et 10-12h hors sais. -* 🕾 *741 911.* Propose de nombreuses excursions, dont le tour de Sv. Klement ou la visite de Dubrovnik, Split, Šibenik, dont le prix par personne inclut entrées et guide.

Loisirs

Vélo et randonnée à Stari Grad – L'office du tourisme de Stari Grad propose 3 pistes cyclables VTT. Le circuit Kabal vous emmène sur la péninsule, espace écologique protégé, le circuit *Purkin Kuk* est plus sportif. Il rejoint le mont St Nicolas tandis que celui d'Ager, accessible à tous car court et assez plat, propose une balade au milieu des parcelles agricoles, typiquement croate. Enfin deux sentiers pédestres, bordés de lavande, figuiers, caroubiers, genêts, ont été imaginés pour satisfaire la vue, le goût et l'odorat des curieux, sans grands efforts. Des balades idéales en famille où l'on peut facilement trouver un petit coin pour pique-niquer au bord de l'eau. *(Brochure et cartes disponibles à l'office de tourisme en français)*.

Randonnées à Hvar – Des promenades entre Hvar et la grotte de Markova, dans la baie de Vira, sont très agréables. Tout comme la balade côtière Hvar-Milna et sur les îlots Pakleni, entre Vinogradišće et Momíca Polje en passant par Vlaka. *(Renseignements auprès de l'office de tourisme)*.

Île de **Korčula**★★

DALMATIE – 5 889 HABITANTS

CARTE GÉNÉRALE C4 – CARTE MICHELIN 757 F9 – SCHÉMA : VOIR À SPLIT

Vous serez peut-être tenté de ne faire qu'une escale dans la ville fortifiée de Korčula, l'une des plus célèbres perles architecturales de l'Adriatique. Bien que le reste de l'île apparaisse décevant de prime abord, il réserve d'agréables surprises aux randonneurs, cyclistes et amoureux des traditions qui en trouveront les beautés cachées, baies inaccessibles, pinèdes odorantes et vignobles réputés…

- ▶ **Se repérer** – Avec ses 46,5 km de long et ses 8 km de large, Korčula compte parmi les grandes îles du littoral dalmate. Comme la presqu'île voisine de Pelješac, elle est escarpée et boisée (60 % de la superficie) et culmine à 569 m. À l'exception de la ville de Korčula et d'une petite partie de la côte sud, l'île est encore peu fréquentée et conserve une vie traditionnelle pittoresque.

- 👁 **À ne pas manquer** – La visite de la cathédrale St-Marc et du trésor, la vue sur la ville de la tour Marco-Polo et la dégustation des traditionnels *cukarini*.

- 🕐 **Organiser son temps** – Prévoyez une demi-journée pour visiter la vieille ville. et une journée entière pour voir l'île.

- 🅿 **Se garer** – *Voir carnet pratique p. 153.*

- 👣 **Pour poursuivre le voyage** – Voir aussi la presqu'île de Pelješac (15mn de traversée), Split (2h de traversée), la riviera de Makarska (62 km au sud de Split ou *via* le ferry Korčula-Drvenik), ou Dubrovnik (111 km, *via* Pelješac).

Vue générale de la ville de Korčula.

Ch. Barrély-Legrand / MICHELIN

Comprendre

Danse avec les épées – Parmi les traditions les plus surprenantes, les danses des épées, exécutées par des hommes en costume rutilant, perpétuent une coutume vieille de plus de quatre siècles. La *moreška*, héritée des Espagnols et encore pratiquée en Espagne ou en Sicile, est une représentation dansée du conflit opposant le Blanc au Noir, les chrétiens aux Turcs, le bien au mal. La fiancée du roi chrétien a été enlevée par le roi maure. Pour la sauver, le roi blanc et ses troupes, en réalité costumés en rouge, se livrent à un simulacre de combat contre l'équipe noire, en dansant avec les épées. La *kumpanija* est une autre danse des épées, figurant la résistance contre les pirates et les Turcs, et le déploiement du drapeau. La *moštra*, enfin, est un combat à l'épée, rythmé par le son des cornemuses, qui s'achevait jadis par la mise à mort d'un taureau.

Se promener

Si vous arrivez sur l'île par la presqu'île de Pelješac, la ville de Korčula sera votre première étape. Même à pied ou en peu de temps, sa découverte vous enchantera. La visite du reste de l'île vous offrira quelques belles randonnées, entre vignobles et criques sauvages. La moitié orientale en est la plus belle, boisée et accidentée. La partie occidentale, malgré les collines côtières, est surtout occupée par une large vallée agricole.

Korčula★★★

À 50 km à l'est de Vela Luka, si l'on arrive par le ferry de Split. Prévoir une demi-journée.
Comparable à Trogir ou à une miniature de Dubrovnik, c'est une ravissante cité fortifiée, campée sur une presqu'île, face à Pelješac. Le plan de ses rues suit une ingénieuse disposition en arêtes de poissons : les rues transversales coupent l'axe central en biais. De plus, les ruelles du côté ouest sont rectilignes, tandis que celles du côté est (d'où vient le vent le plus froid) sont incurvées : ainsi, les bourrasques ne peuvent s'engouffrer trop brutalement entre les maisons. Séparée du continent par 1 270 m, la ville gardait l'île d'éventuels envahisseurs. À son apogée, au 16e s., elle a compté 6 000 habitants. Lorsque les menaces se sont calmées, à partir de 18e s., elle s'est étendue hors de ses murs, le long des deux baies qui l'encadrent. Partout dans les ruelles, notez les détails architecturaux, en particulier les **motifs de musiciens**, l'une des grandes traditions de l'île.

Fortifications★★

L'ensemble fut érigé dès le 13e s. et renforcé au 15e s. La **porte de Terre-Ferme (kopnena vrata)**, la principale, se trouve au sud, desservie par un **escalier-pont** majestueux (1863) et gardée par une tour carrée (13e s.). À l'intérieur des remparts, la porte est doublée d'un **arc de triomphe** baroque (1650).

Au pied de l'escalier, sur la droite, le chemin de ronde, aménagé en promenade, est bien préservé et permet de contourner la cité, entre la **tour de Tous-les-Saints (kula svih svetih)** (15e s.) et ses canons, au sud, et la haute **tour Zakerjan (kula Zakerjan)** (15e s.), couvrant l'accès nord, aujourd'hui transformée en café.

Vers la gauche, l'angle sud-ouest de la cité est gardé par l'énorme masse trapue de la **grande tour du Gouverneur (velika kneževa kula)** doublée de la haute silhouette de la **petite tour du Gouverneur (mala kneževa kula)** qui protégeaient son palais et le port (15e s.). En longeant les quais, on arrive à une tour carrée et à un gracieux **escalier** construit en 1907, dans le style Sécession. Il remplaça l'ancienne porte occidentale de la Mer. Enfin, après la loggia (1548), transformée en office de tourisme, et l'hôtel Korčula, se trouve la **tour Kanavelić (kula Kanavelić)** (15e s.), qui complète le dispositif de protection du port.

Revenir sur ses pas et entrer dans la ville par la porte de Terre-Ferme. Elle ouvre sur la rue principale rectiligne qui se poursuit jusqu'à la tour Zakerjan, au nord.

Chapelle N.-D.-des-Neiges (Gospe od snijega)

À l'intérieur de la porte de Terre-Ferme, sur la gauche, un modeste oratoire s'adosse aux remparts, sur le côté de l'hôtel de ville. Il s'agit d'une chapelle votive érigée en mémoire de la résistance aux Turcs lors d'une sanglante bataille navale en 1531. Abandonnés par les évêques et les dignitaires qui préférèrent la fuite, les habitants attribuèrent leur victoire à la protection de cette Vierge. L'icône est entourée de nombreux ex-voto.

En face se trouve la **chapelle St-Michel (Sv. Mihovil)**, de style baroque. Elle appartient à la confrérie du même nom dont le siège était à la place du restaurant.

Quitter la rue principale vers la droite par ulica Kaporova.

Musée des Icônes★★ – *Place de Tous-les-Saints (trg svih Svetih) - 9h-13h, 16h-19h - 10 kn (en cas de fermeture, demander à l'office de tourisme).* La chapelle de Tous-les-Saints est le siège de la confrérie du même nom. Avant d'y pénétrer, remarquez, sur le mur extérieur, un bas-relief

Les confréries de Korčula

Très nombreuses au Moyen Âge, les confréries rassemblaient des laïcs chargés de faire pénitence pour les autres fidèles. Outre leur participation à toutes les célébrations religieuses, ils avaient un devoir d'assistance aux plus faibles. Il y a trois confréries à Korčula, celle de la Toussaint, fondée en 1301, est la plus ancienne. La confrérie de Saint-Roch est née, en 1575, d'un vœu fait pendant la grande épidémie de peste (ce saint protège de cette maladie). La plus récente est la confrérie de Saint-Michel ou de la Vierge, fondée en 1603. Lors de la semaine sainte, les trois confréries défilent dans la plus grande ferveur, en signe de pénitence pour les péchés que le Christ rachète sur la Croix.

figurant des pénitents sous les symboles de la Passion. Dans le petit musée, vous verrez leurs aubes (les petites sont celles des bébés, qui défilent avec leurs pères) et les énormes cierges portés lors des processions (pesant jusqu'à 88 kg !). À l'exception des icônes, les plus belles pièces se trouvent dans l'église : un **polyptyque de Blaž Jurjev★★** (1439) où l'on voit les membres de la confrérie alignés devant le Christ et un **crucifix créto-byzantin★★** en bois peint (15e s.). Notez le **plafond à** caissons★ peints (17e s.), le **baldaquin** gothico-Renaissance (1500), une **pietà** en bois de noyer de l'Autrichien Raphaël Donner (18e s.) et, au fond, la **tribune baroque**.

Revenir sur ses pas et remonter la rue principale en admirant les façades des maisons.

Chapelle de l'Immaculée-Conception

Sur la gauche, aujourd'hui transformée en boutique, elle servait de mausolée aux riches familles locales (on en voit encore au sol les dalles funéraires). Autour de l'ancien autel, la jolie mosaïque en pâte de verre fut exécutée par un artiste hollandais (entre 1964 et 1967).

Dans la ruelle adjacente qui rejoint la mer, derrière la haute colonne, le **palais Ismaelić** (16e s.), identifiable à son imposant blason, sur la droite, possède une cour intérieure exceptionnelle.

Revenir sur la place centrale de la ville, avec la cathédrale et les musées.

Les maîtres tailleurs

Moins connue que celle de Brač, la pierre de Korčula et des îlots avoisinants, plus blonde, est cependant très belle. Elle fut exportée vers Dubrovnik, mais aussi à Istanbul, en Europe et même en Amérique. Mais ce sont les tailleurs de pierre qui en ont assuré la célébrité. Le plus prestigieux, **Marko Andrijić**, à qui l'on doit le clocher de la cathédrale, a aussi réalisé celui du monastère franciscain de Hvar. Bien d'autres sculpteurs et ateliers de l'île fournirent des maîtres tailleurs, durant l'âge d'or dalmate, de la Renaissance au baroque, pour l'édification des plus beaux monuments du littoral, à Šibenik, Zadar, Kotor ou encore Venise ou Ancône…

Cathédrale Saint-Marc★★★ (Sv. Marko)

Sur la partie supérieure de la façade, ne manquez pas la **rosace★**, la splendide **frise sculptée★★** de motifs fantastiques (éléphant, sirènes écartelées, dragons…) et le campanile, œuvres de Marko Andrijić, l'un des meilleurs tailleurs de pierre de l'île (fin 15e s.). L'horloge avec sa boule noir et or indique les phases de la Lune. Le **portail central** s'encadre de deux lions curieusement soutenus par Adam et Ève en posture plutôt indécente (1412, par le Milanais Bonino qui a aussi œuvré à la cathédrale de Šibenik). Au-dessus de la porte de gauche, qui ouvre sur la chapelle latérale, ajoutée après la grande épidémie (1525), on reconnaît saint Roch, montrant sa blessure à la cuisse.

À l'intérieur, outre sa triple nef (15e s.), l'édifice s'élargit du côté nord, à gauche, par la grande chapelle St-Roch (16e s.). À droite de l'entrée, une **collection d'armes votives** est accrochée au mur, offerte en remerciement pour les victoires navales de 1483 et 1571. Dans la nef latérale sud, à droite, ne manquez pas le **diptyque de l'Annonciation★★**, attribué au Tintoret ou à son atelier, ainsi qu'une icône miraculeuse de la **Vierge de l'île★** (13e s.), provenant du monastère franciscain de l'îlot de Badija tout proche et responsable des victoires navales contre les Turcs. Notez aussi le **baldaquin★** gothique Renaissance du maître-autel, sculpté par Marko Andrijić (1486) et abritant un **tableau du Tintoret★★** figurant les trois patrons de la ville, Marc, Jérôme et Bartholomé (1550). À gauche du chœur, la **porte gothique de la sacristie★★**, richement sculptée, porte des musiciens jouant de la cornemuse et du tambour, instruments accompagnant les danses des épées.

Dans le fond de la nef, une porte conduit au rez-de-chaussée du campanile : au sol, deux dalles différentes marquent l'ancien emplacement de l'urinoir où se soulageaient les sentinelles, du haut du clocher !

Trésor★★ (Riznica muzej)

À côté de la cathédrale. Mai-oct : 9h-16h - le reste de l'année sur demande à l'office de tourisme - 15 kn.

Installé dans l'ancien palais des évêques, il renferme de rares objets d'art, notamment des **peintures sacrées★★** de Blaž Jurjev (15e s.), des icônes et peintures italiennes (15e-16e s.), des **dessins★★** italiens (Vinci, Raphaël, Tiepolo…), des manuscrits anciens comme un merveilleux **codex enluminé★★** (12e s.), des albâtres (15e s.), une ravissante **statuette ouvrante de Marie Stuart★★** (1600). Dans la pièce du milieu, la grande fenêtre gothique a été récupérée dans un autre palais et témoigne du savoir-faire des tailleurs de pierre locaux. À côté des vêtements sacerdotaux (certains remontant au 15e s.), vous serez amusé par de curieux pêle-mêle exposant des **collections privées de reliques miniatures★**, preuves de la richesse de leur propriétaire (jadis, les reliques coûtaient très cher !).

Musée municipal★ (gradski muzej)

En face du trésor. De mi-juin à fin sept. : 9h30-21h ; reste de l'année : 9h30-14h - fermé dim. - 10 kn (enf. 5 kn).

Hébergé dans le **palais Gabrielić** (16ᵉ s.), il présente les particularités de la vie locale, avec le métier de tailleur de pierre, la marine et le quotidien, au travers d'objets usuels, d'outils, de meubles. Dans l'escalier, le curieux présentoir soutenu par des hippocampes servait à déposer sa carte de visite pour signaler son passage.

Reprendre la rue principale et suivre, à droite, les panneaux vers la maison de Marco Polo.

Maison de Marco Polo (kuća Marka Pola)

Musée : 9h30-13h30 et 16h30-19h30 en été, 9h30-13h30 en hiver - 10 kn.

Il ne s'agit que d'une ruine, mélange de styles gothique et Renaissance, lieu de résidence improbable du célèbre navigateur qui vécut au 13ᵉ s. La légende veut pourtant qu'il soit né à Korčula et on vous en donne pour preuve le nombre de De Polo qui habitent encore la ville. La maison, proprement dite, a été rachetée par la mairie et devrait être restaurée d'ici deux ans, tandis que la tour, qui appartient encore à un propriétaire privé, abrite une petite exposition permanente sur le navigateur : gravures anciennes de sa maison natale, mappemonde retraçant ses différents voyages, textes anciens de ses voyages en Chine. La vue★ du haut de la tour offre une tout autre vision de la ville.

O. N. T. Croatie

Aux alentours

Lumbarda★

À 6 km au sud-est de Korčula.

Rien de très spectaculaire ne distingue ce long village de pêcheurs, séparé en petits hameaux distincts par plusieurs baies. Pourtant, il se dégage un charme tranquille et on se plaît à flâner le long de ses interminables quais. Mala Postrana est le quartier le plus plaisant, avec une jolie plage de sable et des vignes. Lumbarda est l'un des hauts lieux de la viticulture, avec de nombreuses caves de dégustation.

Plage de Pržina★ – En suivant la route vers l'est, vous arrivez à une petite chapelle plantée entre les vignes. À droite, le chemin mène à une grande plage de sable fin, très recherchée en été (des bus y conduisent depuis Korčula).

Račišće

À 13 km à l'ouest de Korčula, sur la côte nord.

Au terme d'une agréable route côtière, on atteint ce port tranquille, niché dans une étroite baie, face aux montagnes de Pelješac, de l'autre côté du bras de mer.

Žrnovo

À 3 km au sud-ouest de Korčula.

L'un des villages les plus authentiques de l'île conserve la plupart de ses maisons de pierre et ses abris de vignerons aux toits couverts de lauzes. Étiré entre des collines, jonché de chaos rocheux et de cyprès, parcouru de murets et de terrasses caillouteuses, il résume parfaitement la physionomie du vignoble de Korčula.

Circuits de découverte

Route de Marmont★★ (Marmontova cesta)

Au village de Pupnat (13 km à l'ouest de Korčula), tourner à gauche en direction de Pupnatska Luka. La route de Marmont rejoint Čara en 12 km. Elle est carrossable mais comporte des passages impressionnants pour qui est sujet au vertige. Idéal pour les vététistes qui ont de solides mollets ou les randonneurs courageux.

🕊 Les locaux l'appellent ainsi car on la doit au général napoléonien Marmont qui s'est attaqué à la construction des routes, ici comme un peu partout en Dalmatie.

C'est la plus spectaculaire et la plus sauvage de l'île, conduisant à travers les vignobles, les oliveraies et d'épaisses forêts de pins. La zone qu'elle dessert était traditionnellement consacrée à la sylviculture et fournissait bois, résine et charbon de bois. Elle offre des **panoramas**★★ époustouflants, au pied des plus hauts sommets de l'île (plus de 500 m). Une bifurcation descend vers la **plage de Pupnatska Luka**★★, la plus belle de Korčula.

Zavalatica★
À 3 km au sud de Čara et 26 km à l'ouest de Korčula.
En venant du centre de l'île et du village viticole de Čara, vous déboucherez sur ce port attrayant, encore préservé mais en passe de devenir une véritable station balnéaire en miniature. On aime son bout de quai et ses quelques terrasses de café où il fait bon prendre le frais. De larges rochers plats permettent de prendre le soleil au bord de l'eau.

Blato
À 40,5 km de Korčula et 8,5 km de Vela Luka.
Il est facile de manquer ce gros bourg agricole du centre de l'île car la route principale le contourne. Outre sa jolie **église baroque de Tous-les-Saints (Svih svetih)**, contenant des stalles Renaissance et un tableau du Vénitien Santacroce (1540), et sa **loggia** à colonnes, la ville est surtout connue pour son incroyable **rue centrale★ (Zlinja)** bordée de tilleuls et d'acacias formant, sur deux kilomètres, un superbe tunnel vert et bruissant. Chaque 28 avril, la ville fête sa patronne, sainte Vicence, et se livre à une représentation de la *kumpanija*, l'une des danses des épées.

Côte Sud
À 7 km au sud de Blato, puis 8 km le long du rivage jusqu'à Brna.
Bien exposée, tournée vers le grand large et l'île de Lastovo, cette portion de littoral attire de plus en plus de touristes. De belles villas s'y construisent entre les arbres, au-dessus des criques rocheuses où descendent des escaliers. Bien que moins sauvage que la côte Nord, elle est plus riante et compte de jolis villages, tels Grščica, Prižba ou Brna, au fond d'une anse protégée.

Vela Luka
À 48 km à l'ouest de Korčula.
Le plus gros village de l'île est aussi son port principal, celui par lequel on arrive en venant de Split, Hvar ou Lastovo. Près d'un site occupé dès la préhistoire, il s'est développé tardivement, au 19e s., autour des constructions navales et des conserveries. Détail amusant : les rues ne portent pas de nom, mais des numéros, à l'américaine. L'arrière-pays est l'une des plus importantes zones de production d'huile d'olive de Croatie.

Environs – Vela Luka est encadrée par deux presqu'îles découpées d'innombrables baies rocheuses. La baignade y est difficile sans sandales de plastique mais les paysages sont sauvages et préservés. Vers le nord, préférez la petite baie de **Gradina** (*env. 5 km au nord-ouest de la ville*), fermée par un îlot. Au sud, passé Potirna, le hameau de **Sveti Petar** est un joli petit havre rocheux (*9 km de Vela Luka*). Au passage, un sentier pédestre permet l'ascension vers la **chapelle de Sv. Juraj** et son panorama.

Rencontre du troisième type

Dans les vignobles, tout près de Čara, au centre de l'île, une modeste chapelle dédiée à la Vierge évoque la légende d'une bergère mystique qui aurait rencontré Marie au bord de la mer. La Madone lui aurait demandé d'aller chercher le curé. À deux reprises, celui-ci renvoie l'enfant, ne la croyant pas. La Vierge décide alors de monter à pied au village où elle s'endort dans les vignes. Obligés de se rendre à l'évidence, les villageois décident aussitôt d'ériger un sanctuaire là où elle s'est assoupie. Depuis, chaque 25 juillet, jour de la Saint-Jacques, le patron de Čara, on se livre à un grand pèlerinage avec procession dans les vignes et jusqu'à la baie, où l'on bénit les bateaux.

Des vins réputés

Importée très tôt dans l'île par des Grecs venus de Syracuse, la vigne s'est vite imposée comme l'une des cultures principales. Pour surmonter le problème de l'escarpement, les vignerons ont planté les vignobles en terrasses, parfois étroites et vertigineuses, sillonnées de murets et ponctuées de cabanons de pierre sèche composant l'un des paysages les plus attachants de l'île. Ses vins blancs secs, le *grk*, le *pošip* et le *rukatac*, sont les plus réputés, mais le *plavac* et le *plavac mali* sont parmi les rouges les plus recherchés de Croatie.

Île de Korčula pratique

Informations générales

Office du tourisme de Korčula – *quai ouest, près de l'hôtel Korčula -* 715 701 - fax 715 856 - www.korcula.net - *lun.-sam. 8h-14h, en été tlj 8h-22h.*

Office du tourisme de Lumbarda – */fax 712 005.*

Indicatif téléphonique : 020

Police – 444 333.

Hôpital – 711 137. *Soins dentaires.*

Internet – *Les agences de tourisme de Korčula proposent presque toutes un accès internet.*

Marina de Korčula.

Transports

MARITIMES

Jadrolinija – *À Korčula -* 715 410, *fax 711 101 - 8h-14h, sam. 8h-13h, dim. 9h-13h - à Vela Luka -* 812 015.

Ferries (avec voitures) – Orebić-Dominče *(3 km à l'est de Korčula) : été 18 passages/j; oct.-mai 9/j.* **Korčula** : *été 2/sem. (ferries « Marco Polo » de la ligne côtière Rijeka-Split-Hvar-Korčula -Dubrovnik-Bari) et 3/sem liaisons avec Dubrovnik en passant par Mjlet (« Liburnjia »).* **Vela Luka** *sur la ligne Lastovo-Split : 1 ferry/j le matin en direction de Split (3h), tlj sf lun. et merc. 1 ferry vers 14h.* **Vers Lastovo** : *1 ferry/j vers 18h, 5 ferries/sem. vers 14h. En été, la ligne Ancone-Split se prolonge sur Stari Grad et Korčula (2 ferries/sem.).*

Bateaux (piétons) – *La navette passagers entre Korčula et Orebić (voir à Pelješac) arrive sur le quai ouest. Un catamaran/j toute l'année sur le trajet Split-Hvar-Vela Luka-Lastovo.*

ROUTIERS

Autobus – *Informations* : **Korčula Bus -** 711 216. *L'intérieur de l'île est assez bien desservi.* **Pour Lumbarda** *(Dominče) : tlj sf dim. 7h-18h15 (1 bus/h), 18h45.* **Pour Vela Luka** *(1h) : 6 bus/j (4h-18h30), sam. 5 bus, dim. 4 bus.* **Pour Račišće** : *6 bus/j (5h45-19h), sam. 3, dim. 2.*

SE GARER

Il y a peu de places de parking autour de la vieille ville. Vous pouvez tout de même essayer entre la marina et la vieille ville ou sur l'autre rive, sur le quai face à l'office de tourisme.

LOCATION DE VÉHICULES

Cro Rent – 711 908/715 120 ou *(098) 661 273 - www.korcula-rent.com. Loue des automobiles (3 j : 1 110/1 460 kn), des scooters (185 kn/j) et des bateaux à moteur (sem. : 2 775/5 110 kn).*

Nautisme

Port de plaisance – 711 661, *fax 711 748 - m.korcula@aci-club.hr. Dans la partie est du port, il se situe au pied de la vieille ville. Idéalement placé entre Hvar et* Mljet, c'est un petit port où les anneaux disponibles sont très rares en août. Carburant au port de Dominče. Équipement : *voir le chapitre « Nautisme » p. 38.*

Capitainerie – 711 178.

Se loger

Bon à savoir – L'office de tourisme vous permettra de contacter les propriétaires de chambres ou d'appartements.

Marko Polo Tour – *Biline 5 -* (020) 715 400, fax 715 800. *Sur le port est. Comptez 280 kn pour 1 ch. double et à partir de 360 kn pour un appartement.*

À KORČULA

Gostiona Hajduk – *Sur la route du débarcadère (Orebić), juste avant la bifurcation vers Lumbarda -* /fax 711 267 *ou (098) 287 216 - olga.zec@du.htnet.hr - 20 ch : 335 kn* . *Voici une petite pension familiale aux chambres confortables. Ici pas de satellite, ni de climatisation, mais une ambiance simple et conviviale. La propriétaire prépare ses macaronis sur la terrasse, dans le jardin. Une piscine et une salle de fitness concurrencent le potager. La cuisine est traditionnelle (brodet à la polenta, peka) et les produits frais.*

Vila Depolo – *Grande maison jaune sur le quai en face de la vieille ville, côté office de tourisme - Sv. Nikola bb -* 711 621 - *tereza.depolo@du.t-com.hr ou viladelo@hotmail.com - 1 ch : 220 kn et 3 appart. familiaux : 240 kn (3 j mini.) - 25/35 kn. Appartements spacieux et propres, 2 donnent sur le port, le dernier sur grande terrasse et la chambre sur le jardin. Accueil très gentil et confiture d'orange délicieuse.*

Hotel Korčula – *Šetaliste Frana Kršiniza 102 -* 711 078, fax 711 746, *réservations :* 726 336 - *20 ch. et 4 suites : 960 kn au 2e étage/1 200 kn au 1er . Sur le quai ouest, c'est un immeuble hybride aménagé en hôtel depuis 1912. L'intérieur est un peu vieillot, mais propre et confortable. Les chambres du 1er étage* ont de grandes fenêtres et une belle vue sur le port. Évitez celles du 2e étage, dont les ouvertures sont minuscules et le confort sommaire. Comptez 75 kn/pers. pour la demi-pension.

À LUMBARDA

Pansion Bebić – ☎ *712 183, fax 712 505 - 6 ch. : 300 kn et 7 appart. : 350/580 kn – 🔲 30 kn.* 🅿 Une pension familiale qui propose chambres, appartements et table d'hôte en demi-pension et pension complète. La vue sur la baie y est magnifique. L'endroit est calme et la cuisine d'excellente qualité. Attention, l'air conditionné n'est pas inclus dans le prix : 50 à 75 kn. Réservez longtemps à l'avance, ouvert mars-oct.

Se restaurer

À KORČULA

Morski Konjić – *Šetalište Petra Kanavelića -* ☎ *711 811 - plats 60/90 kn, poissons 120/160 kn le plat, vins locaux 90/130 kn.* Bien situé sur la rive ouest, entre murailles et mer, sous les arbres, c'est un lieu agréable pour goûter à une bonne cuisine de la mer.

Gradski Podrum – *Kaporova ulica -* ☎ *711 222 - ouv. avr.-oct. 11h-14h et 18h-22/23h. Plats 30/80 kn, poissons 270 kn/kg, vins 75/135 kn.* Dans la vieille ville, sa terrasse sur la place de la mairie est attrayante. On y propose une cuisine copieuse, dans un cadre élégant.

À VELA LUKA

Restaurant Pod Bore – *Plats autour de 50 kn, poissons 200/240 kn/kg, vins 95/120 kn.* Sur le port, spécialités de poissons et fruits de mer. Accueil agréable et bonne qualité. Fermé en janvier.

Loisirs

Randonnée – Une carte des circuits de randonnée, numérotés et balisés en jaune, est disponible à l'office de tourisme, en anglais uniquement (*Korčula rambling paths*).

Plongée-MM Sub – *À Lumbarda, Tatinja 65 -* ☎ *712 321/288 - www.mm-sub.hr.* Le long du rivage, ce petit club très sérieux est installé dans un endroit tranquille. Il propose aussi quelques appartements *(300/555 kn)* simples, spacieux dans des maisonnettes étagées par des terrasses arborées de citronniers. Les plongeurs y sont prioritaires.

Canoë-kayak – *À Korčula, Zoran -* ☎ *098 344 183 - www.korcula-adventures.com - 300 kn/pers./j (-12 ans : demi-tarif).* Cette agence propose des 1/2 journées de canoë-kayak (9h-15h) pour découvrir les îlots, criques et plages entre Korčula et Lumbarda.

Manifestations

👁 **Bon à savoir** : Programme précis de la saison d'été à l'office de tourisme.

Festival de danses des épées – La 1re semaine de juillet à Korčula avec des

O.N.T. Croatie

Danse des épées.

représentations tous les soirs dans la vieille ville (places limitées, environ 50 kn). Également pour toutes les fêtes religieuses : 25 juillet à Čara, 29 juillet à Korčula, 15 août à Zrnovo, Blato et Smokvica, 19 mars à Vela Luka et 28 avril à Blato.

Démonstrations de moreška – En été, c'est un festival qui commence fin juin ou début juillet. Il accueille des groupes venus de Croatie et de nombreux pays européens, qui ont pour dénominateur commun l'utilisation d'armes médiévales au cours de danses « guerrières ». Ces spectacles donnent lieu à des défilés et des animations dans la ville. À Korčula, à 21h au cinéma d'été (50 kn) : juil.-août : lun. soir et jeu. soir ; juin et sept. : jeu. soir.

Kumpanija – Blato, Čara, Pupnat, Smokvica, Vela Luka, de nombreux villages ont leur *kumpanija*. Ces spectacles nocturnes, qui s'apparentent à la *moreška*, seront réservés à ceux qui ont un moyen de locomotion.

Semaine sainte – Du dimanche des Rameaux au lundi de Pâques, les processions des différentes confréries se succèdent tous les jours dans la vieille ville. Un spectacle animé et coloré, mais aussi plein de ferveur.

Festival Marco Polo – Durant une semaine, en mai, la ville de Korčula joue le retour de l'enfant célèbre, avec force défilés en costumes, concerts, expositions et dégustations gastronomiques.

Achats

Friandises – **Cukarin** (à Korčula) est la boutique où acheter les douceurs de l'île, notamment les biscuits traditionnels, *cukarini, klašuni*…

Vins et produits du terroir – **Branko Cebalo**, *Vela Glavica, Lumbarda, en contre-bas de l'église -* ☎ *712 044,* pour ses vins blancs, surtout le célèbre « grk ». **Vinarija Šain-Marelić**, *Čara,* ☎ *833 166,* pour son « pošip » (possibilité de visiter les vignobles). **Vinarija Toreta**, *Paval Baničević, Smokvica -* ☎ *832 100,* pour ses « pošip », « rukatac » et autres produits du terroir, miels, huile d'olive, anchois…

Parc national des îles **Kornati**★★

Nacionalni park Kornati

DALMATIE – CARTE GÉNÉRALE B3 – CARTE MICHELIN 757 D8 – SCHÉMA : VOIR À SPLIT

Un semis de rocaille lâché par les dieux dans une eau vert et bleu, des rondeurs arides peuplées d'ânes et de moutons, le quadrillage inlassable des murets de pierre sèche, quelques oliviers têtus qui bravent le vent marin, de rares pêcheurs, beaucoup de plaisanciers, pour des paysages envoûtants mais âpres et sans concessions…

▶ **Se repérer** – 140 îles composent cet archipel unique qui s'étire en quatre rangées parallèles à l'île de Pašman et aux côtes dalmates, entre Šibenik et Zadar. Le parc n'englobe que les deux rangées les plus éloignées du littoral, formant un véritable labyrinthe maritime. Kornat est la plus grande, encadrée d'un chapelet d'îlots. Inhabitées à l'année, les Kornati comptent cependant quelques hameaux qui se repeuplent l'été et accueillent quelques touristes en quête de robinsonnade. Elles sont surtout le paradis des amateurs de voile.

👁 **À ne pas manquer** – La petite chapelle Notre-Dame-de-Tarac sur l'île Kornat, la couronne de Mana.

🕐 **Organiser son temps** – Prévoir une journée pour la visite du parc (départ 9h retour 17) et une demi-journée pour flâner dans le port et les sentiers côtiers.

👫 **Avec les enfants** – Certains centres de plongée proposent des excursions pour les enfants *(voir carnet pratique p 157)*.

👣 **Pour poursuivre le voyage** – Voir aussi Šibenik (30 km du port de Murter), le parc national de la Krka (18 km au nord de Šibenik) ou Zadar (63 km de Murter).

Ch. Barely-Legrand / MICHELIN

Comprendre

Morceaux d'écorce terrestre – Les Kornati devinrent des îles à la fin de la période glaciaire, lorsque le niveau de la mer monta et noya les vallées littorales, ne laissant émerger que les sommets. Auparavant, elles étaient en continuité avec la chaîne dinarique du littoral dalmate et présentent la même géologie. À l'exception de l'île de Vela Smokvica (à l'entrée est) qui est de nature dolomitique, toutes sont constituées de karst et en adoptent les particularités (crevasses, grottes et dolines). Mais la végétation particulièrement pauvre en laisse apparaître tous les détails, ce qui permet d'imaginer les mouvements de l'écorce terrestre, ses strates, ses plissements, ses fractures, ses effondrements. Parmi les formations particulières, les *klifs* sont des falaises abruptes, formées par une rupture du sommet de l'île. Une partie a sombré dans la mer, l'autre est ensuite creusée, du côté du large, par les courants et le vent. Localement, on les appelle des « couronnes ». Colonisées dès le néolithique, les Kornati n'ont été peuplées que de façon saisonnière par des pêcheurs, des bergers et des oléiculteurs, principalement résidents de Murter ou Dugi Otok. Jusqu'au 17e s. elles étaient recouvertes d'une épaisse forêt, progressivement défrichée pour accommoder les pacages.

Visiter

Prévoir la journée. Uniquement en excursion organisée ou par bateau privé. L'entrée du parc n'est autorisée qu'en deux endroits précis, au sud-ouest et au nord-ouest. 50 kn par personne, vérification fréquente par les bateaux du parc. Attention, les îles sont propriété privée et il est interdit de s'y promener en dehors des sentiers marqués et autorisés. La cueillette des végétaux et la pêche sous-marine sont proscrites.

Île Kornat★★

La plus grande île de l'archipel, longue de 25 km, culmine à 235 m et commande la rangée d'îles la plus importante, dans le prolongement de Dugi Otok *(voir ce nom p 137)*, vers l'ouest.

Vrulje

Le principal hameau s'est développé ici en raison de la largeur de la baie et des pâturages qui l'encadrent. Toutes proportions gardées, il se vante de posséder trois « rues » et une cinquantaine de maisons...

N.-D.-de-Tarac (Gospa od Tarca)

L'adorable chapelle blanchie à la chaux (16e s.) cache les vestiges d'une chapelle paléochrétienne (6e-7e s.). Elle est le cadre d'un pittoresque pèlerinage des barques (*1er dim. de juil.*), qui attire 150 à 200 bateaux.

Tureta

Perché sur la hauteur dominant la mer, ce site antique fut occupé dès la première colonisation par les Liburniens. Les vestiges du fort datent du 6e s.

Île de Piškera★

Troisième de l'archipel, avec ses 10,3 km de long, elle s'étend au sud de Kornat. C'est la principale du dernier chapelet d'îlots, le plus proche du large. Face au port de plaisance, la petite **chapelle de la Nativité**, dédiée à la Vierge, fut construite en 1560 pour accueillir la messe durant la saison de la pêche. Elle servit d'hôpital de campagne aux partisans de Tito durant la Seconde Guerre mondiale.

Couronne de Mana★★ (Krune Mana)

Les falaises ou « couronne » de cette île du sud de l'archipel sont un superbe exemple de *klifs*. Du côté du large, les strates calcaires obliques forment un hémicycle de hautes falaises (70 m) de toutes les nuances de gris et de beige. À l'extrémité ouest de l'île, les ruines au sommet de la colline ne présentent aucun intérêt archéologique : elles ont été construites en 1959 pour le tournage d'un film.

Île de Žut★

Bien qu'appartenant à l'archipel, elle ne fait pas partie du parc national et n'est soumise ni à son tarif ni à son règlement.

Deuxième de l'archipel par la taille (11,7 km de long), axe du troisième chapelet d'îles (le 4e est encore plus proche des côtes de l'île de Pašman), elle n'est pas plus peuplée et présente les mêmes caractéristiques. Mais comme elle s'étend hors des limites du parc national, elle n'est pas frappée des mêmes restrictions et offre plus de liberté aux visiteurs.

De la pierre, encore de la pierre...

Le fascinant feuilleté de pierre des îles compose des paysages graphiques et dépouillés, à peine piqués de chênes verts rabougris, de sauge ou de romarin. D'innombrables murets de pierre sèche (250 km au total) les sillonnent de rayures, courent d'un bord à l'autre et délimitent des enclos déserts, des petits champs circulaires ou carrés. Ils doivent être assez hauts pour retenir les moutons et protéger les plantations du vent du large. La pierre sert aussi aux abris de berger *(stan)* et aux môles privés que le pêcheur utilisait pour amarrer sa barque, sécher ses filets, réparer ses nasses...

Robinson aux Kornati

Vous avez rêvé de jouer les aventuriers sur une île déserte ? Les Kornati vous l'offrent et l'expérience est inoubliable. Mais avant de vous décider, mesurez bien que vous vous engagez pour une semaine sur des îles isolées, presque désertes, sans végétation ni plage. Principale contrainte : il n'y a pas de nappe phréatique et l'eau douce provient uniquement de la collecte de l'eau de pluie dans les citernes ou les fosses naturelles ou de l'approvisionnement par bateau. Vous devrez donc vous montrer particulièrement économe, alors que la chaleur et le sel vous donneront peut-être l'envie lancinante de passer sous la douche...

Parc national des îles Kornati pratique

Informations générales

Bureau du parc national et office du tourisme de Murter – *Rudina bb, Murter* - ☏ 434 995 - www.kornati.hr et www.murter.com.

Indicatif téléphonique – 022

Accès

Autobus – Pour rejoindre le port de Murter depuis Šibenik : 5 à 9 bus par jour, 45mn.

Excursions – Les deux ports de départ des excursions sont ceux de Murter, à l'est *(voir Environs de Šibenik)* et de Sali, sur l'île de Dugi Otok. De nombreuses compagnies proposent différentes formules, avec ou sans déjeuner sur place. Prix entre 250 kn et 320 kn, incluant l'entrée dans le parc. Nous déconseillons les excursions au départ de Zadar ou Šibenik, car le long trajet en bateau diminue d'autant le temps passé sur place.

Bateau privé – La meilleure façon de découvrir l'archipel, ce qui ne dispense pas d'acquitter les droits d'entrée. Les tickets sont à retirer au bureau du parc à Murter, dans les marinas, auprès des compagnies charter, aux agences touristiques accréditées, ainsi qu'aux bureaux d'accueil à l'intérieur du parc : îlot de Ravni Žakan, îlot Vela Panitula, la baie Vrulje de l'île Kornat. Règlement très strict quant aux mouillages autorisés (zones marquées d'une ancre sur la carte qu'il est recommandé d'acheter en même temps que les tickets).

Nautisme

Poste frontière – Pour les bateaux arrivant en Croatie par les Kornati, l'entrée officielle dans l'aquatorium du parc national des Kornati sont Opat et Proversa.

Port de plaisance de Piškera – ACI marina - ☏ 091 470 00 91- m.piskera@aci-club.hr. Sans réservation longtemps à l'avance, impossible d'y faire escale en été. 120 anneaux. Carburant à Zaglav, île de Dugi Otok.

Port de plaisance de Žut – ☏ 786 02 78 - m.zut@aci-club.hr - avr.-oct. Un peu moins recherché que le précédent mais peu de place en haute saison. Carburant à Zaglav (Dugi Otok).

Équipements – *Voir le chapitre « Nautisme »* p. 38.

Location de bateaux – Réservez à l'avance pour l'été. Vous pouvez louer un hors-bord *(comptez entre 130 à 270 € par jour, selon la puissance du bateau, essence en sus)* auprès d'**Eseker Tours** *(Majnova bb, Murter* - ☏ 435 669 ou (098) 480 950 - www.esekertours.hr)* qui propose aussi des hébergements.

Se loger

👁 **Bon à savoir** – L'hébergement est très rare, cher et sommaire dans le parc national et l'approvisionnement est très coûteux. Il peut être préférable de loger à Murter (environs de Šibenik).

🛏🍴🛁 **Atlas Murter** – *Ul. Hrvatskih Vladara 8, Murter* - ☏ 434 999/434 017 - www.atlas-croatia.com. Agence spécialisée dans l'hébergement « Robinson ». Location à la semaine uniquement. Un bateau épicerie passe deux fois dans la semaine. Compter 2 000 kn la semaine pour deux personnes en cottage avec un confort spartiate. Les prix comprennent le transfert Murter-Kornati. Possibilité de louer en plus une barque à moteur.

Murter Kornati Arta – *Prodvrtaje 21* - ☏ 436 544, fax 436 545 - www.murter-kornati.com. Agence située à l'entrée du village (avant le restaurant Papillon), proposant des appartements ou chambres à Murter et des locations en Robinson sur les Kornati.

🍴🛁 **Colentum** – *Put Slanice bb* - ☏ 431 100, fax 435 255 - www.hotel-colentum.hr - 78 ch : 350/440 kn. Malgré des chambres au confort un peu sommaire, c'est un établissement agréable, à l'écart du village. Une succession de terrasses noyées dans la verdure mènent à une ravissante plage. Idéal en famille. La demi-pension est intéressante (45 kn/pers.).

Se restaurer

👁 **Bon à savoir** – Plusieurs *konobas* sommaires ponctuent les îles. Chaque compagnie d'excursion a ses habitudes et vous devrez manger dans celle où le bateau fait escale. Si vous êtes en bateau privé, essayez la marina Piškera ou le hameau de Vrulje.

🍴🛁 **Klif** – *Marina Piškera - avr.-oct.* Agréable terrasse surplombant la petite marina, service étonnamment raffiné dans un site aussi rustique. Délicieux poissons grillés tout frais. En dessert, goûtez les beignets de pommes à la cannelle.

🍴🛁 **Tic Tac** – *Hrokešina 5, Sur la droite dans la rue Luke* - ☏ 435 230 / 098 278 494 . Ravissante petite taverne de pêcheurs aux volets bleus au-dessus d'un petit porche. Un décor chaleureux et authentique où déguster de très bons plats de poisson.

Loisirs

Plongée – *Najada diving, ulika Luke 57, Murter* - ☏ 436 020/98 95 92 415 - www.najada.com - 220 kn la 1/2 j, baptême 4 j : 2 325 kn. La plongée est un excellent moyen de découvrir le parc des Kornati. De nombreuses épaves, des coraux jaunes, rouges jonchent les fonds. L'occasion aussi de voir les poissons autrement que dans votre assiette ! Des sorties spéciales sont organisées pour les enfants. N'hésitez pas à pré-réserver pour avoir des tarifs réduits.

Parc national de la **Krka** ★★
Nacionalni park Krka

DALMATIE – CARTE GÉNÉRALE B3 – CARTE MICHELIN 757 E8 –
SCHÉMA : VOIR À ZADAR

Imaginez de hautes collines rocailleuses se resserrant en étroits défilés dans lesquels se précipite une rivière tumultueuse. Imaginez encore une végétation luxuriante encadrant des successions de chutes d'eau que suivent, sous les arbres, de jolis pontons de bois, de vieux moulins. Rêvez d'un monastère sur un îlot…

- ▶ **Se repérer** – Créé en 1985 autour de la Krka, ce parc splendide couvre une surface de 111 km², entre Šibenik, au sud et Knin, au nord. Il regroupe des chutes d'eau spectaculaires et un lac occupé par le célèbre îlot de Visovac. En bordure du parc, le village de Skradin en constitue la base de départ.

- 👁 **À ne pas manquer** – L'îlot de Visovac, la vue des chutes depuis le belvédère impérial, goûter au poisson de Skradin, mi-d'eau douce, mi-d'eau de mer.

- 🕐 **Organiser son temps** – Prévoir au minimum 3h pour visiter le Parc, la journée en incluant l'îlot de Visocac.

- 👣 **Pour poursuivre le voyage** – Voir aussi Šibenik (18 km au sud), les lacs de Plitvice (190 km au nord-ouest, *via* Knin), Trogir (64 km au sud-est) ou Zadar (85 km à l'ouest).

Ch. Barrely-Legrand / MICHELIN

Un fabuleux moment de détente au pied des cascades aux eaux tumultueuses.

Comprendre

L'eau et le karst – La Krka prend sa source au pied du mont Dinara, le plus élevé de Croatie, au nord-est de Knin, aux confins de la Bosnie-Herzégovine. Son cours, long d'environ 72 km, a creusé de profondes gorges dans le massif karstique. Durant sa course, la rivière s'est chargée de sédiments calcaires, qui, en se déposant dans les irrégularités du terrain et en s'agglutinant avec la végétation aquatique, ont formé des barrières de travertin. L'eau ainsi retenue franchit les barrières en cascades. Sur la Krka, sept séries de ces arrières de travertin provoquent des successions de chutes d'eau.

Une faune et une flore exceptionnelles – La position du bassin de la Krka à la jonction des montagnes dinariques et du littoral méditerranéen, entre un milieu humide et un climat sec, favorise une faune et une flore originales d'une très grande diversité. On dénombre ainsi 860 espèces et sous-espèces de plantes dans le parc national, 18 espèces de poissons, 222 espèces d'oiseaux (notamment aux saisons migratoires) et, pour les mammifères, 18 espèces différentes de chauves-souris, dont certaines en voie d'extinction.

Se promener

Skradin★

Au sud du parc, à 18 km au nord de Šibenik.

Niché dans un méandre de la Krka, ce paisible village est encore situé au début de l'estuaire, où se mêlent l'eau douce et l'eau salée. Un port de plaisance, un bout de quai planté des sempiternels palmiers et des maisons aux enduits patinés en font une étape idéale. C'est de là que partent les **bateaux** et le **sentier pédestre★★** menant aux chutes de Skradinski Buk.

Église de la Petite-Madone★ (Mala Gospa)

Très endommagée lors de la guerre d'Indépendance (on voit au sol les impacts de balles et d'obus), elle possède un rare **autel★★** (18e s.) recouvert d'innombrables petites plaques d'argent et de vermeil martelées représentant différentes parties du corps, un patchwork d'ex-voto offerts pour s'assurer de la protection de la Vierge contre les maladies diverses. La présence, sur la gauche, d'un sarcophage de verre contenant un gisant de bébé et la fresque de sainte Anne tenant Marie dans ses bras font allusion à la Vierge enfant à qui est dédiée l'église. Les fresques un peu criardes qui ornent le plafond et les parois datent de 1996.

PARC NATIONAL DE LA KRKA★★

Pour la balade autour de Skradinski Buk, comptez 1h30. Si vous faites la randonnée à pied depuis Skradin, une demi-journée. Si vous rajoutez la balade en bateau vers Visovac et Roški Slap, prévoyez la journée.

Souvent comparé au **parc national des lacs de Plitvitce★★★** *(voir ce nom p 280)*, il offre un saisissant contraste avec le littoral tout proche et une parenthèse de nature luxuriante après les plages et le maquis du bord de mer.

Skradinski Buk★★★

Entrée : 70 kn (enfants : 55 kn), incluant le bateau depuis Skradin (très conseillé) ou le bus-navette (paiement à l'arrivée sur place). Buvette et snack sur place. Prévoyez un maillot de bain si vous voulez plonger au pied des chutes.

Accès par bateau depuis Skradin : mai-sept. 8h-17h.

Accès à pied, en 45mn, depuis Skradin, le long de la berge de la rivière (juste au nord du pont).

Accès en voiture par Lozovac, ouvert toute l'année. En venant de Šibenik, prenez la route de Knin. À 9 km, tournez à gauche vers Skradin, puis presque aussitôt à droite vers l'entrée du parc. En venant de Skradin, prenez la route de Šibenik. À 8,5 km, tournez à gauche vers l'entrée du parc. Une navette de bus assure le transfert depuis le parking, sauf en hiver, où vous pouvez descendre en voiture jusqu'aux chutes.

Sur une distance de 800 m et un dénivelé de 45,70 m, la rivière dévale 17 paliers naturels, constitués par les barrières de travertin. L'eau s'écoule en grondant dans un fin brouillard de gouttelettes. Si la moyenne du débit à cet endroit est de 55 000 litres par seconde, en période de fortes pluies, il peut atteindre 300 000 litres ! Un ravissant sentier de découverte réunit une série de pontons qui longent les chutes d'eau au plus près. En bas des dernières chutes, le plan d'eau s'élargit et s'assagit : la baignade est même autorisée.

En remontant de l'autre côté des chutes, vous passerez une série de bâtiments traditionnels en pierre, parfaitement restaurés, dont un moulin, un atelier de tisserand, un lavoir et un petit musée ethnographique.

Îlot de Visovac★★

Accès en bateau depuis Skradinski Buk. Juin-sept. : 3/j 70 kn.

En voiture, pour le point de vue sur le lac et l'îlot : prendre la route Šibenik-Knin. Dépasser la bifurcation vers Skradin : 11,5 km plus loin, tourner à gauche et suivre en direction de Visovac pendant 14 km.

Fondé au 14e s., le **monastère** fut occupé par des moines franciscains venus de Bosnie et fuyant les Turcs. L'église date du 16e s., tandis que les bâtiments conventuels ne remontent qu'au début du 20e s. Le monastère abrite une belle collection de manuscrits et de livres anciens dont des *Fables* d'Ésope illustrées (1487), des documents datant de l'occupation turque et des **peintures italiennes** des 16e et 17e s.

Roški Slap★

En bateau, depuis Skradinski Buk. Mai-sept. : 3/j 100 kn (avec escale à Visovac).

En voiture : quitter Skradin vers le nord et tourner à droite sur la petite route de Dubravice et Rupe. À 14,5 km, tourner à droite en direction de Roški Slap, 3 km plus loin.

Moins impressionnante, mais plus étendue que la précédente, cette série de **12 chutes** (le dénivelé n'est que de 25,50 m) se situe à 10 km en amont de Skradinski Buk, au-delà du lac de Visovac. Le long des berges, notez les vestiges des **anciens moulins**.

Monastère St-Archange (Krka sv. Arkanđela)

À 35 km au nord de Skradin par les routes 56, sur 17 km, puis 509, sur 15 km, jusqu'au village de Kistanje, où l'on tourne à droite. Parcourir 3 km jusqu'au monastère.
Surplombant l'étroite vallée de la Krka et un beau **panorama★**, ce monastère orthodoxe, fondé au début du 15e s. par des moines bosniaques, porte la marque de l'architecture byzantine. La chapelle possède une intéressante **iconostase★**.

Parc national de la Krka pratique

Informations utiles

Office de tourisme – Turistička zajednica, Skradin - *Trg Male Gospe 3 - ☎ 771 306 - www.skradin.hr.*

Bureau du N.P. Krka : trg Ivana Pavla II, Šibenik - ☎ *217 720 - www.npkrka.hr.*

Indicatif téléphonique : 022

Banques – Distributeur de billets sur le quai de Skradin.

Transports – Des bus venant de Šibenik desservent Skradin et Lozovac, en 15mn.

Nautisme

Marina de Skradin – ☎ *771 365 - carburant à Šibenik (8mn).* En juil.-août, arriver en début d'après-midi pour être sûr d'avoir une place. Équipement : *voir le chapitre « Nautisme » p. 38.*

Se loger

Apartmans Slavica – *Skradin - ☎ 771 094 ou 098 939 11 45 - www.tssibenik.hr/slavica - 4 appart. (3/5 pers.) : 375 kn.* Propres et bien aménagés, dans la rue principale du village, non loin de la place, mais au calme.

Pension Zlatka – *Skradin - Maison rouge derrière la place du village. ☎ 771 391 ou 98 905 39 09 - appart. 2 pers. : 230 kn ; 4 pers. 350 kn.* Entièrement rénovée, cette maison propose 6 appartements au cœur de la ville. Certains ont vue sur la marina. La pizzeria prévue en contrebas est susceptible de les rendre bruyants.

Skradinski Buk – *Burinovac bb, Skradin - ☎ 771 771 - www.skradinskibuk.hr - 24 ch. : 600 kn ⊡.* Sur une agréable placette ombragée, un petit établissement tout confort, juste rénové. Les chambres les moins chères sont vraiment petites !

Se restaurer

👁 Bon à savoir – À Skradinski Buk, une buvette propose des snacks et des tables à l'ombre.

Konoba Marco Polo – *Ruelle derrière le minimarket.* Dans une vieille maison bien restaurée, tout en pierre et en bois, de bons plats traditionnels rustiques *(50/100 kn).*

Konoba Cantinetta – *S. Svilara 7 - entre 50/100 kn.* Cuisine simple : poisson grillé, légumes du jardin, produits de la ferme. Œufs brouillés aux asperges et soupes de tomates feront le bonheur de ceux que les féculents ont lassé. Pour le vin, le propriétaire sert un babić croisé au cépage espagnol grenache, produit sur les collines attenantes. Il n'est réservé qu'aux clients !

Bonaca – *Rodovača 5 - ☎/fax 771 444 - 80/150 kn -* Située au-dessus de la marina, la réputation de la Bonaca, tenue par une famille de pêcheurs n'est plus à faire. Le patron part lui-même pêcher ses dorades, bars, moules, anguilles, saint-pierre dans les eaux mi-salées, mi-douces du contrebas de la rivière, celles qui donnent au poisson un goût si particulier. Murs en pierre apparentes, cartes marines, photos noir et blanc des pêcheurs du village donnent le ton à ce restaurant traditionnel. Une adresse très prisée. Réserver en été pour avoir une place en terrasse.

Konoba Toni – *Au bout de la rue principale - ☎ 771 177 - www.konoba-toni.hr.* Table familiale où déguster la viande cuite sous cloche *(peka),* selon le mode de cuisson ancestral dalmate.

Achats

Vinoteka – Le restaurant Zlatne Školjke a ouvert une petite boutique attenante à son restaurant juste au-dessus de la place. On peut y acheter le vin de la région de Šibenik issu de cépages croates (Babić, Plavina) ou français (cabernet sauvignon, etc.).

Vue de l'hôtel Skradinski Buk, à Skradin.

A. Padioleau / MICHELIN

Île de **Lastovo**★★

DALMATIE –835 HABITANTS
CARTE GÉNÉRALE C4 – CARTE MICHELIN 757 F9 – SCHÉMA : VOIR À DUBROVNIK

Imaginez un gros caillou escarpé, loin de la terre ferme, mal desservi par les ferries, oublié du tourisme de masse et vous aurez ce minuscule paradis pour plongeurs infatigables ou pour marcheurs contemplatifs. Peu de plages, d'épaisses forêts, de multiples criques et une côte spectaculaire et découpée…

- **Se repérer** – La plus éloignée du continent avec l'île de Vis, Lastovo est aussi l'une des plus petites (11 km sur moins de 5 km). Son plus haut sommet s'élève à 415 m. Comme Vis, elle abrita une base militaire et fut fermée au tourisme jusqu'en 1989. Selon la tradition, on dit qu'elle compte 46 îlots, 46 églises et 46 petits vallons agricoles. L'agriculture est en effet la seule activité de cette île peuplée d'à peine 700 habitants.

- **À ne pas manquer** – La baie de Zaklopatica, la randonnée de Zace, la fête du Poklad.

- **Organiser son temps** – Prévoir au moins une journée et deux nuits sur l'île, en raison des horaires de bateau.

- **Pour poursuivre le voyage** – Voir aussi Split (5h de traversée), l'île de Korčula (1h30 de traversée) ou la presqu'île de Pelješac (via Korčula).

Vue générale sur la magnifique baie de Zaklopatica.

Se promener

Les bateaux arrivent à Ubli, un port sans aucun charme malgré une jolie baie. Vous serez donc tenté de partir aussitôt pour le village de Lastovo ou ceux de Zaklopatica ou Pasadur.

Lastovo★★

10 km d'Ubli.
Superbe village en amphithéâtre au pied de sa forteresse, il tourne le dos à la mer, protégé des invasions par une haute colline. Les rues dévalent les gradins de la montagne en larges volées de marches usées où lézardent les chats. L'ensemble conserve un charme fou, malgré les maisons en ruine d'où jaillissent les figuiers et où se dorent les couleuvres.

Église St-Côme-et-St-Damien★★ (Sv. Kuzma i Damjan)

Ouverte aux heures de messe : 7h-9h, 18h-19h.
De style Renaissance (15e-16e s.), elle trône au milieu d'une ravissante petite place enserrée entre les maisons et domine le fouillis des ruelles du village. À l'intérieur,

Les cheminées de Lastovo

Souvent énormes, presque disproportionnées avec la taille de la maison, les hautes cheminées circulaires que l'on voit partout sont celles des cuisines. Elles servaient à montrer la richesse de la maisonnée, ce qui explique leur inflation…

notez un **diptyque** de la Vierge et du Christ (15e s., *à gauche*), une *Déploration* d'un peintre espagnol (1545, *à droite*) et le **maître-autel** et sa peinture italienne des saints patrons. Devant l'édifice, la **loggia★** servait de tribunal. Sur la place, on concluait les accords et les ventes, on faisait la fête et les condamnés étaient mis au pilori. Le bruyant défilé du carnaval s'y achève. En contrebas, remarquez la jolie **chapelle romane N.-D.-du-Rocher★ (Sv. Marija)** et son toit de lauzes.

Musée

Visite sur rendez-vous à l'office de tourisme, incluant une visite guidée de l'église et du village. Il abrite une petite collection d'ethnographie locale.

Forteresse de Glavica (Kašćel)

Ch. Barrely-Legrand / MICHELIN

Prendre les escaliers en face de l'église, vers le haut du village. 10 à 15mn.

Le village de Lastovo adossé à sa colline.

Les Illyriens en furent les premiers occupants, à l'âge du bronze. Le château ultérieur, construit sous la république de Dubrovnik, fut détruit en 1607 et remplacé par une forteresse napoléonienne en 1808. C'est aujourd'hui une station météorologique. Beau **panorama★★**.

Skrivena Luka★

À 7 km au sud de Lastovo par la route. *Un ancien sentier muletier, montagneux et partiellement ombragé, relie Lastovo à Skrivena Luka. Compter 2h de marche.*

Au bout d'une paisible route agricole, cette profonde baie est bordée de larges rochers plats (*à côté de la balise rouge*). Encore tranquille, le site est appelé à se développer sur le plan touristique et il est prévu d'y aménager une plage.

Zace★

1h de marche vers l'est, à partir du bas du village de Lastovo, sur la route de Prgovo.

Une adorable crique rocheuse, bordée de quelques maisons de pierre désertées. Très bien pour un pique-nique et pour plonger dans l'eau claire.

Zaklopatica★

À 3 km de Lastovo.

C'est la plus belle baie de l'île, presque fermée par un îlot. On y descend par une jolie route noyée dans les pins. Le long du quai tranquille, outre les barques des pêcheurs locaux, se pressent les voiliers des plaisanciers, au pied de tavernes agréables.

Chapelle Saint-Luc★ (Sv. Luka)

À environ 4 km de Lastovo, en direction d'Ubli, un panneau de bois indique sur la gauche la direction de la chapelle, à 10mn à pied.

Édifié sur un site néolithique, cet exemple d'architecture croate sacrée du 11e s. est le plus ancien sanctuaire chrétien de l'île.

Pasadur★

À 3 km d'Ubli.

Situé à l'extrémité nord-ouest de l'île, le village est relié à l'îlot de Prežba par un pont. L'ensemble forme, de chaque côté, deux splendides baies bien abritées et ourlées de pins.

La fête à Poklad

Le carnaval de Lastovo est certainement le plus pittoresque de Croatie. Poklad est un mannequin grossier que l'on perche sur un âne et que l'on promène en fanfare dans les ruelles. La procession s'arrête devant chaque maison à grand renfort de cris et de chants. Ici et là, on exécute la danse des épées (similaires à celle de Korčula). Ensuite, on fait glisser la pauvre marionnette sur une corde tendue du haut en bas du village, on la perfore à l'épée avant d'y mettre le feu devant l'église. Le Cérémonial évoque le sort réservé au messager envoyé jadis par les pirates catalans qui comptaient envahir l'île. On y voit aussi un héritage païen des rites de purification et de rédemption du mal. En juillet et août, une présentation des costumes et des danses est donnée une fois par semaine sur la place de l'église.

Îlot de Saplun★

Excursion au départ de Zaklopatica (9h-18h), 150 kn avec déjeuner (100 kn sans).
Cet îlot, isolé au nord-est de Lastovo, est très recherché pour sa plage, la seule digne de ce nom sur l'archipel, puisque la plupart des sites de baignade sont rocheux.

Île de Lastovo pratique

Informations utiles

Office du tourisme de Lastovo – ✆/fax *801 018 - www.lastovo-tz.net.*

Indicatif téléphonique : *020*

Banques – Une banque à Lastovo et un distributeur de billets à Ubli.

Essence – Station-service à Ubli, près du débarcadère.

Santé – Pharmacie ouverte une heure par jour *(13h-14h)*, à Lastovo. Deux médecins et un dentiste.

Transports

Attention, le ferry arrivant en fin de journée et repartant aux aurores (4h30 ou 4h45), vous serez obligé de passer au moins deux nuits sur l'île. Une astuce : le ferry propose quelques cabines si vous souhaitez embarquer la veille du départ (120 kn/pers.), mais la réservation s'impose en saison.

Jadrolinija *à Ubli* – ✆ *805 175 - www.jadrolinija.hr.*

Ferries (voitures) – Ligne Split -Hvar - Vela Luka - Ubli : 1 dép/j hors sais.; en été 2 dép/j le mar., vend. et dim. 5h de traversée à partir de Split, 1h30 de Korčula (Vela Luka).

Catamarans (piétons) – Ligne Split - Milna (Brač) - Hvar - Vela Luka - Ubli - mai-sept. : 1 dép/j - 2h45 de traversée à partir de Split, 45mn de Korčula.

Bus – Une seule ligne Pasadur - Ubli - Lastovo, 5 à 6 bus/j. Le bus passe toujours à l'arrivée du ferry.

Location de vélos – Le Lounge Lizard Café, à Ubli, près du débarcadère, loue des VTT et des planches à voile - ✆ *801 412.*

Nautisme

Pas de port de plaisance mais de nombreux mouillages dans les baies. Pour les amarrages à quai, appeler la **capitainerie du port**, ✆ *805 006.*

Se loger

👁 **Bon à savoir** – L'hébergement est rare sur l'île. L'office de tourisme fournit une liste de chambres chez l'habitant sur son site Internet. Une agence devrait prochainement s'ouvrir et prendre les réservations. En raison de l'arrivée tardive du ferry, il est préférable de les contacter au moins la veille, plus longtemps à l'avance pour juil. et août.

🍽 **Venera Antica** – *Zaklopatica* - ✆ *801 214 - 3 ch. : 200 kn* 🛏 - 🍴. On réside dans la maison avec la famille de Venera qui parle anglais. Accueil très aimable. Bien tenu. Les chambres partagent deux salles de bains. Possibilité de commander les repas *(75/90 kn).*

🍽 **Adriatica.net** – ✆ *(01) 36 44 461 - www.adriatica.net.* Quelques appartements et studios, notamment dans le phare de Struga à l'entrée de la baie de Skrivena Luka. Construit en 1839, il est accessible par la route et peut accueillir 15 personnes réparties en 4 appartements *(100 à 150 kn/pers.).*

🍽 **Apartmans Milan Frlan** – *Zaklopatica* - ✆ *801 127 - 6 appart. : 260/420 kn* - 🍴. Presque tous neufs, bien aménagés et clairs, devant la baie, au milieu d'un joli jardin en terrasse. Ceux du haut sont les plus agréables avec un grand balcon.

🍽🛏🏨 **Hotel Solitudo** – *Pasadur* - ✆ *802 100/805 002, fax. 802 114 - www.lastovo-hotel.com - 114 ch. : 440/790 kn.* Ensemble luxueux fonctionnant uniquement en pension complète (prix indiqué pour 2 pers). Décoration raffinée, chambres avec vue sur la mer, au cœur d'une pinède. Baignade devant l'hôtel, club de voile et de plongée, spectacles, excursions…

Se restaurer

🍽 **Konoba Triton** – *Zaklopatica* - ✆ *801 161 -* 🍴. Dominant la baie, cette auberge est populaire chez les navigateurs qui viennent amarrer leur bateau juste devant. Poissons grillés et fruits de mer. Quelques chambres.

🍽 **Konoba Portorus** – *Skrivena Luka* - ✆ *801 261 -* 🍴. Un grand préau bien frais et la vue sur la baie pour déguster grillades et poissons.

Loisirs sportifs

Plongée – Diving Paradise Ronilački Raj - ✆ *805 179 - www.diving-paradise.net.* Ce centre de plongée situé juste à côté de l'hôtel Solitudo, à Pasadur, propose des initiations à la plongée et sorties.

Randonnée – Plusieurs circuits balisés permettent de découvrir les vieux villages et les sentiers muletiers. Infos à l'office de tourisme.

Riviera de **Makarska** ★

DALMATIE – CARTE GÉNÉRALE C4 – CARTE MICHELIN 757 F-G/8-9
SCHÉMA : VOIR À DUBROVNIK ET À SPLIT

Si vous aimez le mariage spectaculaire de la mer et de la montagne et les pittoresques routes en corniche, si vous rêvez de paresser dans une crique avant de déguster du poisson grillé à la terrasse d'une taverne, faites étape sur la riviera de Makarska. C'est une longue guirlande de villages de pêcheurs ombragés de palmiers et de pins, de plages de galets et d'un maquis odorant. Et pour changer, la montagne, la vraie, vous attend à quelques kilomètres des plages.

▸ **Se repérer** – Du delta de la Neretva, au sud, à l'estuaire de la Cetina, au nord, cette portion de côte est coincée entre la mer et une montagne abrupte. Sur plus de 100 km se succèdent les plus beaux panoramas de Dalmatie. Les stations au sud de Makarska sont populaires et authentiques, tandis que celles du nord sont nettement plus élégantes. L'arrière-pays est occupé par le massif du Biokovo dont le plus haut sommet, le mont Sveti Jure, culmine, tout près de la mer, à 1 762 m. Au large, l'horizon est bordé par les îles de Hvar et Brač.

👁 **À ne pas manquer** – Les plages, le parc Biokovo, le pont de Mostar.

🕐 **Organiser son temps** – Il faut compter 4h30 en voiture pour aller de Dubrovnik à Split, sans s'arrêter. Compter 2 jours, si vous souhaitez flâner et ne pas passer votre temps sur la route, souvent embouteillée.

👪 **Avec les enfants** – Pour les plus grands, rafting sur la rivière Cetina.

🔥 **Pour poursuivre le voyage** – Voir aussi les îles de Brač (30mn de bateau depuis Makarska) et de Hvar (30mn de bateau depuis Drvenik, à 28 km au sud de Makarska), ou Split (65 km au nord de Makarska).

Adossée à la montagne, Makarska se mire dans la mer.

Comprendre

Un nid de pirates – Bien que les **Romains** aient fondé une ville sur un site occupé depuis la préhistoire, c'est au 7ᵉ s. que la région trouva son originalité. Des **tribus slaves** s'installèrent le long du rivage, entre les fleuves Neretva et Cetina. Ces pirates téméraires s'attaquaient aux Vénitiens avec une telle efficacité que, malgré leur puissance, ces derniers durent un temps leur payer une sorte de péage ! Mais ils finirent par céder et plusieurs puissances se succédèrent comme dans le reste de la Dalmatie : hongroise, bosniaque, turque, vénitienne, française, autrichienne…

Se promener

Makarska

Au centre de la riviera, cette station balnéaire recherchée est toujours très vivante. Elle sert aussi de base aux passionnés de nature et de randonnée, grâce à la proximité du parc naturel du Biokovo. Le port est abrité au fond d'une baie encadrée de deux presqu'îles boisées. Celle de l'ouest, la presqu'île St-Pierre *(Sveti Petar)*, délimite une longue plage (près de 2 km), l'une des plus belles des environs, évidemment très courue en été.

Front de mer

Particulièrement animé aux heures des ferries pour Brač, il mêle sans complexe les vestiges de la période baroque vénitienne, de l'époque autrichienne et les édifices modernes. Mais l'ensemble ne manque pas de charme, avec ses terrasses de cafés, ses vénérables palmiers, le claquement des drisses le long des mâts et les couleurs éclatantes des barques. Vers l'ouest, les pontons du port de plaisance et la **presqu'île St-Pierre** offrent un beau **panorama** sur la ville et le Biokovo en arrière-plan. Sur le côté du port de plaisance, une allée ombragée abrite les joueurs de pétanque et des attractions pour les enfants. Elle conduit à la **plage** bordée de pins.

Musée de la Ville (Gradski muzej)

Obala kralja Tomislava 17 (à côté de l'office de tourisme, près de l'embarcadère). Tlj sf dim. et vacances 9h-13h, 17h-19h (18h-21h l'été) - gratuit.
C'est surtout l'extérieur de cette belle demeure baroque, le **palais Tonoli** (18e s.), qui retient l'attention, car il témoigne de l'influence vénitienne. Le musée lui-même contient une très modeste collection de photographies et objets évoquant le passé de la ville.

Musée des Coquillages (Malakološki muzej)

Franjevački put 1 (derrière l'église franciscaine, à l'extrémité est du quai). Tlj sf dim. 11h-12h - 10 kn.
C'est le cloître du monastère franciscain qui abrite cette intéressante collection de coquillages.

En ressortant, poussez la porte de l'église moderne pour voir la gigantesque **Descente de Croix** en mosaïque, derrière l'autel.

Circuits de découverte

VERS LE NORD★ 1

De Makarska à Brela, 12 km. Compter une demi-journée pour prendre le temps de flâner dans les villages. À faire le soir, pour prendre l'apéritif devant un port.

Bratuš

À 3 km au nord de Makarska.
Plutôt qu'un véritable village, voici une longue succession de villas noyées dans les pins et quelques chambres à louer, le long d'une plage étroite. Un endroit charmant, à l'écart de l'agitation de la route, comme oublié du temps.

Une route piétonne longe le bord de mer et conduit à Promajna.

Promajna

À 6 km au nord de Makarska, par la route côtière.
Encore une plage de petits galets où mouillent quelques barques, un clocher qui pointe au milieu des arbres, de petites pensions de famille et une atmosphère sans prétention : une étape idéale pour le pique-nique et la baignade.

Retourner sur la route côtière principale et tourner à gauche.

Baška Voda

À 9 km au nord de Makarska.
Ici, la scène s'anime : le port fourmille de vie et mêle joyeusement barques de pêche, bateaux d'excursion et voiliers. Une longue plage permet aux adeptes de la baignade et du bronzage de lézarder au soleil, tandis que les terrasses des restaurants proposent un ample choix pour goûter la cuisine locale. Évidemment, en été, la cohue y est à son comble.

Il est possible de rejoindre le village suivant, Brela, en longeant la mer, sans reprendre la route principale.

Brela★

À 12 km au nord de Makarska, suivre les panneaux « Brela-Soline ».
Imaginez un adorable petit port de plaisance et une jolie plage au pied d'un village aux ruelles abruptes envahies par la verdure et les fleurs : vous y êtes et l'endroit a le charme de la Côte d'Azur d'autrefois.

Parc naturel du Biokovo★★

Circuit en voiture et à pied. Sommet du Sveti Jure à 31 km de Makarska, par la route. Compter une journée. Prévoir des chaussures de marche, de l'eau et un pique-nique.
Ce trésor de la côte dalmate est classé parc naturel depuis 1981, en raison de son intérêt géologique et de l'exceptionnelle richesse de sa faune et de sa flore.

De nature karstique, le Biokovo présente tous les phénomènes de ce type de formation géologique, y compris des grottes et des galeries recherchées par les spéléologues. Les passionnés de faune des montagnes peuvent espérer voir chamois, mouflons, loups ou sangliers, mais aussi aigles royaux ou vautours fauves.

En voiture, quitter Makarska vers le sud. À 1,5 km, bifurquer sur la route 512 en direction de Vrgorac. Après 1 km, tourner à gauche vers le parc botanique. 🐾 *Un sentier pédestre part de la place centrale de Makarska et conduit au jardin en 45mn.*

Jardin botanique de Kotišina

Juste au-dessus du hameau de Kotišina, ce jardin étagé entre 350 et 500 m d'altitude, le long de plusieurs sentiers, constitue un parfait résumé du parc naturel. Falaises et petits défilés servent d'écrin à une sélection de **300 espèces de plantes**, typiques du Biokovo, depuis les espèces méditerranéennes, jusqu'aux plantes alpines qui caractérisent les sommets. Les ruines qui gardent l'entrée sont celles d'un ancien château du 17e s.

En voiture, reprendre la direction de Vrgorac durant 5,5 km. L'entrée du parc est bien signalée sur la gauche.

Parc du Biokovo et mont Sveti Jure★★

Entrée : 15 kn/pers. Route très escarpée, étroite et tortueuse : 23 km jusqu'au sommet (compter 1h). 🐾 *L'ascension à pied du Sveti Jure est possible au départ de Makarska, en 5h30 à 6h, mais elle demande un très bon entraînement (voir carnet pratique p 169).*

Sentier géologique★★ – 🐾 Après avoir passé la grande série de virages en épingle à cheveux, guettez, sur la droite, le sentier balisé pour permettre en 20mn de découvrir les différentes formations karstiques. Des schémas expliquent (en anglais) l'origine et la constitution de la montagne. Vous verrez ensuite les traces et les formes étranges laissées par l'érosion du calcaire, constituant trous, fissures, voire sculptures.

Grotte Tučepska Vilenjača – À 1 180 m d'altitude, au pied d'une falaise, cette grotte présente stalactites, stalagmites et draperies, ainsi qu'une étonnante faune souterraine *(visite guidée uniquement, voir carnet pratique)*.

Mont Sveti Jure – La route atteint enfin (après des virages à vous faire dresser les cheveux sur la tête !) le sommet du mont Sveti Jure, délivrant un **panorama★★★** époustouflant sur les montagnes plissées dévalant vers la mer et les îles. La petite **chapelle Saint-Georges (Sv. Jure)** accueille chaque année un pèlerinage *(dernier sam. de juillet)*.

Tour du Biokovo★★

Circuit en voiture de 130 km. Compter une journée et prévoir un pique-nique.

Quitter Makarska comme précédemment et dépasser l'entrée du parc. Après 8 km de route spectaculaire, tourner à gauche en direction de Kozica.

Traversée du massif

Le contraste est total entre le littoral verdoyant et l'austérité des sommets ravinés et rocailleux. L'arrière du massif domine une large vallée, bordée au nord par une seconde ligne de crêtes.

Après une dizaine de kilomètres, rejoindre la route 62, que l'on prend à gauche, en direction de Šestanovac. On arrive à Zagvozd après 23 km.

Zagvozd

À la sortie ouest du village, au bord de la route, sur la gauche, de superbes **sarcophages médiévaux** (14e s.). Posés sous les arbres, ces parallélépipèdes massifs présentent un couvercle à pignon, en forme de toit et de belles sculptures aux motifs géométriques.

Poursuivre jusqu'à Šestanovac, à 15 km. Tourner à gauche vers Zadvarje, 3 km plus loin.

Zadvarje et les gorges de la Cetina★

Au village de Zadvarje, vous rejoignez la rivière Cetina. Au milieu du village, près de la station-service, un chemin défoncé mène, vers la droite *(suivre le panneau « Vodopad », chute d'eau)*, à un belvédère surplombant les **chutes de la rivière**, au fond des gorges creusées dans les falaises calcaires.

Sortir du village et passer devant l'énorme Crucifix. Tourner à droite 300 m plus loin, en direction de Kučiće.

Passé la centrale électrique, la route, très pittoresque, longe la Cetina et un **défilé** boisé, à l'écart de la circulation. La rivière est particulièrement sauvage et se prête à la découverte en kayak ou en rafting *(voir carnet pratique)*. L'**estuaire de la Cetina**, aux abords de la ville d'Omiš (à 21 km), se faufile de façon spectaculaire entre les hautes **falaises du Biokovo**, au sud, et celles du **massif du Mosor**, au nord. Pour bénéficier d'une vue impressionnante de l'estuaire, en arrivant à Omiš, traversez le pont sur la Cetina et tournez à droite vers Gata. La route mène à un **belvédère★**.

Omiš

La silhouette du Biokovo domine la ville. Des ruelles escarpées grimpent à l'assaut de cet éperon impressionnant, couronné par les ruines d'une double **citadelle vénitienne**. La vieille ville, au pied de cette muraille rocheuse, fut jadis un nid de pirates, à l'époque où les marins locaux tenaient tête aux puissants Vénitiens.

Reprendre la route de Makarska qui se trouve à 36 km au sud-est ou remonter au nord-ouest vers Split, à 26 km.

VERS LE SUD★ 2

De Makarska au delta de la Neretva : comptez la journée si vous le faites en boucle avec retour à Makarska (142 km). Une demi-journée suffit si vous parcourez le circuit (72 km) en continuant vers le sud. Vous pouvez prévoir des arrêts à la plage, dans l'une des nombreuses criques entre Podgora et Drvenik.

Podgora

9 km au sud de Makarska par la route côtière.

C'est l'une des stations balnéaires typiques de la riviera, avec son **port de pêche**, son quai animé, ses bateaux de plaisance et sa promenade ponctuée de terrasses de cafés et de restaurants. Les maisons aux façades fanées se suivent au cœur d'une végétation luxuriante. Plusieurs jolies **plages** de galets en constituent l'atout majeur.

Crique à Podgora.

Ch. Barrély-Legrand / MICHELIN

Zaostrog

32 km de Makarska (127 km de Dubrovnik).

Un agréable front de mer bordé de pins, de tamaris et de palmiers, des hôtels et chambres chez l'habitant, quelques baraques de jeux pour les jeunes composent cette petite station populaire (seulement 350 habitants en hiver), nichée au pied du massif du Biokovo. Le centre du village se presse autour du **monastère franciscain (franjevački samostan)** (16ᵉ s.), le long d'une étroite plage de galets.

Gradac ★

40 km de Makarska.

Voici encore une jolie baie encastrée entre les montagnes et un **front de mer** ombragé. Une très agréable plage de galets complète le tableau.

Reprendre la route côtière, passer Ploče et Rogotin. Un peu plus de 1 km après le pont sur la Neretva, une petite route mal indiquée, à gauche, repart en arrière le long de la rivière (dans l'autre sens, elle est marquée « Autocamp Rio ») et repasse sous le pont.

Delta de la Neretva★★

56 km de Makarska. Tour du delta : 30 km.

Sur votre droite, le cours principal de la rivière s'étire et, sur la gauche, de vastes étendues de cultures fruitières et maraîchères occupent le delta. À l'origine, cette zone n'était qu'un grand marécage. Ingénieusement drainé par un système de canaux, délimitant une multitude de parcelles cultivables, le marais est devenu un immense verger d'agrumes. Au moment de la récolte, les cultivateurs vendent leur production au bord de la route.

Après avoir longé une plage caillouteuse, vous passez **Blace**, paisible hameau de pêcheurs. La route s'élève ensuite, adossée au versant boisé de la montagne, au-dessus du delta. Vous voyez clairement le système de drainage des canaux. En contrebas de la falaise, les villages sont organisés en fonction de ces voies d'eau, qui font office de rues. Chaque maison possède son embarcadère et son garage à bateau. Avec un peu de chance, vous verrez les cultivateurs revenir de leurs parcelles dans des barques lourdement chargées de leur cueillette.

Au fur et à mesure que vous avancez, le dessin géométrique des parcelles se précise, pour adopter finalement un tracé en rayons autour des promontoires rocheux qui surgissent de l'étendue plate du marais. Les parcelles sont reliées par de petits pontons de bois et soigneusement entretenues comme des jardins. Le reflet du ciel dans l'eau immobile des canaux, le bruit du vent dans les roseaux et le vert profond des orangers composent un paysage particulièrement original.

Rejoindre la route principale, après 16 km. Tourner à gauche pour rejoindre le pont sur la Neretva (à environ 14 km) et Ploče, via Opuzen.

Si l'on découvre cette région dans le sens inverse, en venant du sud de la Dalmatie vers Makarska, tourner à gauche (virage très serré) en direction de Blace, dans la grande descente vers le delta, 500 m après avoir aperçu les parcelles entourées d'eau. Le détour n'est rallongé que de 4 km, mais il est nettement plus pittoresque que la route principale.

Escapade à Mostar★★

56 km de Ploče. Frontière avec la Bosnie-Herzégovine à Metković (10 km après Ploče). Se munir de ses papiers d'identité (passeport ou carte d'identité, permis de conduire et papiers de la voiture). À Mostar, boutiques et restaurants acceptent l'euro et la kuna au taux bancaire, mais généralement pas les cartes de crédit. Prévoir une demi-journée.

Trésor de l'architecture ottomane médiévale d'Europe, Mostar, capitale d'Herzégovine, fut l'une des villes martyres du conflit des Balkans : les faubourgs et la ville moderne en portent encore d'épouvantables stigmates. Plus de dix ans après sa dévastation, la ville reste déchirée entre ses trois communautés : les Croates catholiques et les Bosniaques musulmans en composent la majorité, tandis que la minorité serbe orthodoxe joue le rôle d'arbitre. Si les quartiers sont bien distincts, le passage de l'un à l'autre ne présente cependant pas de risque pour le visiteur. Un énorme effort international vise à réhabiliter peu à peu le patrimoine, mais les tensions et conflits d'intérêts ont jusqu'ici empêché le classement de la vieille ville au patrimoine de l'Unesco, limitant la protection du site. Le charme de la vieille ville justifie cependant la visite. En revanche, hormis un poignant témoignage sur la folie de la guerre, la ville moderne ne présente pas d'intérêt. Géographiquement partagée en deux par la Neretva, elle reproduit cette division sur le plan ethnique : rive droite chrétienne, rive gauche musulmane. L'absence de panneaux de signalisation référant de l'une à l'autre est assez déconcertante.

La vieille ville turque★★ (Stari grad)

L'arrivée dans Mostar se fait par la rive gauche. Traverser la rivière et entrer en ville par le bd Ante Starčevića. Au niveau de la grande église catholique grise (à gauche), tourner à droite vers Stari Grad ou demandez le « old center ».

C'était avant la guerre l'une des plus belles images de l'ex-Yougoslavie, avec celle de Dubrovnik. Accrochées de guingois aux falaises escarpées de la Neretva, les maisons ottomanes étagent leurs terrasses mangées par les treilles.

Vieux Pont (stari most) sur la Neretva★★★ – Symbole de la ville depuis sa construction en 1566 (Mostar signifie « gardien du pont »), il fut entièrement détruit le 9 novembre 1993 par les bombardements croates. Il aura fallu attendre plus de dix ans pour que sa reconstruction soit achevée et qu'il soit inauguré le 23 juillet 2004. Si quelques pierres d'origine ont pu être repêchées dans la rivière, la plupart ont dû être retaillées pour reproduire le pont à l'identique. Plus encore que sa valeur patrimoniale, c'est un symbole de réconciliation entre les deux rives que les instigateurs espéraient ériger, pour en finir avec la douloureuse partition de la ville. Sa particularité architecturale est son arche unique enjambant une largeur de plus de 28 m et les solides tours quadrangulaires qui l'encadrent (côté droit, c'était une prison, côté gauche un entrepôt de munitions).

Quartier médiéval de Kujundžiluk★★ – Avec ses ruelles en pente pavées de galets ronds et ses échoppes traditionnelles, c'est le quartier des artisans, dinandiers, selliers et tisserands. C'est ici, au milieu des étals abrités sous les auvents de pierre, que l'on goûte l'atmosphère turque.

Riviera de Makarska pratique

Informations utiles

Office de tourisme – *Obala kralja Tomislava bb, Makarska* - 🕾 *616 288/ 612 002* - *www.makarska.hr*. Sur la partie ouest du quai, après l'embarcadère des ferries. Juin-sept. : lun.-sam. 8h-21h, dim. 6h-21h; oct.-mai : lun.- sam. 7h-14h., dim 8h-12h.

Bureau du parc de Biokovo – *I/I Ulica Tina Ujevića* - 🕾/fax *616 924* - *www. biokovo.com*.

Indicatif téléphonique – 021

Banques – Distributeurs de billets à Makarska et dans les principales stations de la riviera.

Poste – *Trg 4, svibnja 533 (derrière l'hôtel Biokovo)* - tlj sf dim. 7h-21h.

Santé – Urgences - 🕾 *613 494/616 355*. Centre médical (Dom zdravlja) - Stjepana Ivičevića 2 - Makarska - 🕾 *612 033*.

Dentiste –*Obala kralja Tomislava 17* - Dr Praljak -🕾 *615 305*.

Transports

Gare routière – *Ante Starčevića 30* - 🕾 *612 333*. Lignes nationales pour Split (1h15), Zagreb (8h), Dubrovnik (3h15), Mostar. Lignes locales pour Brela, Baška Voda, Podgora.

Ferries – Makarska-Sumartin (Brač) : 3 à 5/j, 30mn. Drvenik -Sućuraj (Hvar) : 6 à 12 dép./j, 30 à 45mn de traversée.

Capitainerie du port – 🕾 *611 977*.

Se loger

MAKARSKA

🛏 **Chambres chez l'habitant** – Plusieurs agences concentrent les offres de chambres. **Agence Atlas** – *Kračićev trg 9*, 🕾 *617 038*. **Agence Kompas** – *Obala kralja Tomislava 17* - 🕾 *615 411*. **Agence Bakros Tours** – *Kralja Zvonimira 7a* - 🕾 *613 885*.

🛏🍽🛎 **Porin** – *Marineta 2* - 🕾 *613 744*, fax *613 650* - *www. hotel-porin.hr* - 7 ch. : 800 kn 🛏. Sur le front de mer, petit hôtel pimpant à la façade orangée. Chambres claires, décorées avec goût. Cuisine simple et fraîche. Moins cher (30 %) pour les séjours de plus de 3 nuits. Ouvert toute l'année.

BRATUŠ

🛏🍽 **Villa Babin Ranč** – *Bratuš* - 🕾 *621 333* - *www.makarska-bratus.com* - 10 ch. : 510 kn 🛏 - 5 appart. (4 pers.) : 510 kn -🍴. Vous apprécierez cette pension très bien située, au calme devant la mer. Chambres sans caractère mais confortables, avec balcon et vue. Accueil chaleureux. Petit-déjeuner copieux et possibilité de pension ou demi-pension (75 kn/pers.).

PROMAJNA

🛏🍽🛎🛎 **Hotel Conte** – *Promajna, Baška Voda* - 🕾 *695 444*, fax *695 445* - *www.promajna-hoteli.hr* - 27 ch. : 990/1 100 kn 🛏 - 🖳 ⚒ 🅿. Petit établissement flambant neuf, bien équipé (fitness, sauna, jacuzzi…), à deux pas de la plage. Les chambres avec vue sur la montagne sont les moins chères. Ouvert toute l'année.

BAŠKA VODA

🛏🍽🛎🛎 **Hotel Slavija** – *Zrinsko Frankopanska 71* - 🕾 *620 003*, fax *604 999* - *www.hoteli-baskavoda.hr* - 73 ch. : 1 000/1 180 kn en 1/2 P - 🖳. Beau bâtiment de pierre entre les pins, face à la plage. Grande terrasse agréable et tout le confort malgré un décor un peu austère. Ouvert toute l'année.

BRELA

Bonavia Tourist agency – *Obala 18, Brela* - 🕾 *619 019* - *www.bonavia-agency.hr*. Au milieu du quai. Chambres chez l'habitant à Brela (et Baška Voda).

🛏 **Villa Marija** – *Obala Kneza Domagoja 56, Brela* - 🕾 *619 059* ou *098 187 56 42* - 6 ch. : 350 kn 🛏. Un emplacement en or, du côté calme de Brela, pour cette maison cachée dans les arbres, devant la mer. Décoration basique mais confort suffisant. Pour juil. et août, réserver longtemps à l'avance.

🛏🍽🛎🛎 **Soline** – *Trg Gospe od karmela 1, Brela* - 🕾 *603 207*, fax *603 208* - *www.bluesunhotels.com* - 206 ch. dont 4 suites : 832/1 180 kn 🛏 - 🖳 ⚒ 🅿. Grand immeuble de 1983 construit au milieu des pins, devant la plage. Très bien équipé, il a été entièrement rénové en 2006. Bars, animations, mini-golf, centre de thalassothérapie, salle de gym, sauna… tout est là. Les prix s'en ressentent !

🛏🍽🛎🛎 **Berulia** – *Trg Gospe od karmela 1, Brela* - 🕾 *603 444*, fax *619 005* - *www.bluesunhotels.com* - 155 ch. : 1 124/1 430 kn - 🖳 ⚒ 🅿. Entièrement rénové en 2005, cet hôtel n'accueille plus ses clients qu'en pension complète. À l'écart du centre du village, moderne, il propose tous les services d'un établissement de luxe, avec son restaurant de plage, ses bars, mini-golf, sauna, fitness… et la plage juste en bas.

PISAK

🛏🍽 **Anja** – *Zapadna ulica 9* - 🕾 *878 398* - *anja_pisak@hotmail.com* - 4 appart. (4 pers.) : 330/480 kn -🍴. Dans un hameau à mi-chemin entre Makarska (16 km) et Omiš, la famille Bokšic propose une prestation de qualité. Petits appartements tout confort, avec terrasse, possibilité de barbecue et criques en contrebas. Réservez à l'avance pour juil. et août.

PODGORA

🛏🍽 **Primordia** – *Branimirova obala 111* - 🕾/fax *625 144* - *www.hotel-primordia. com* - 9 ch. : 420/600 kn, 16 appart. (4 pers.) : 730 kn - 🛏 46 kn - 🖳. On ne peut pas manquer la façade jaune orangé de ce joli immeuble entièrement remis à neuf. Aménagement intérieur très confortable, en face de la plage, du côté calme de la ville. Idéal en famille.

⊜⊜🍴 **Hotel Aurora** – *Branimirova obala bb* - ☎ *625 766, fax 625 322 - 150 ch. : 720/860* 🛏 - 🔲 🛁 🏊 🅿️. Malgré sa taille imposante et son style froid d'hôtel pour groupes, il est bien situé au calme, au-dessus d'une agréable plage et surtout très bien équipé.

ŽIVOGOŠĆE

⊜ **Autocamp Dole** – *10 km au S de Podgora* - ☎ *628 749, fax. 628 750 - www.hoteli-zivogosce.hr - mai-sept. - 200 empl., voiture 18 kn, tente 29 kn, 29 kn/pers., électricité 18,50 kn.* Bien que proche de la route, il est ombragé, près d'une belle plage de galets. Pratique pour une étape.

ZAOSTROG

⊜ **Chambres et Camping Dalmacija** – *Hrvatskih domoljuba bb* - ☎/fax 629 300, - *www.zaostrog.net - mars-oct. - 60 ch. : 350 kn* 🛏 *et 70 empl., voiture 19 kn, tente 29 kn, pers. 29 kn, électricité 19 kn* - 🅿️. Site agréable et ombragé, juste à côté de la plage. Sanitaires biens tenus et rénovés. Les chambres sont réparties dans des bungalows basiques mais avec tout le confort et en retrait du camping.

GRADAC

⊜ **Travel Agency Paškal** - *Obala 15,* ☎ *697 563.* Chambres et studios.

⊜⊜🍴 **Marco Polo** – *Obala 15* - ☎/fax 697 502/060 - *www.hotel-marcopolo.com* - 🅿️ *20 ch. : 600/840 kn* 🛏 - 🔲. Idéalement situé sur la promenade le long de la mer, un petit hôtel de charme, au décor néorustique soigné. Choisissez votre chambre pour sa taille plus que pour sa vue car très peu donnent sur la mer. Par contre, la terrasse devant la plage propose des repas de qualité. Un centre de fitness au dernier étage offre aussi une vue superbe. Petit-déjeuner copieux et excellent. Accueil d'une grande gentillesse. Ouvert toute l'année.

Se restaurer

MAKARSKA

⊜⊜ **Susvid** – *Kačićev trg 9 (sur la place centrale, à l'E de l'église)* - ☎ *612 732.* Pour voir l'animation de la place depuis la terrasse. Cuisine traditionnelle, plats entre 60 et 90 kn, steaks ou calmars frits.

⊜⊜🍴 **Pečkera** – *Kralja Zvonimira 7-* ☎ *613 028.* À l'ombre des arbres, sur le chemin de la plage, une adresse sympathique où goûter des poissons grillés (*compter 100 kn*) et les plats de la région.

GRADAC

⊜⊜🍴 **Marco Polo** – *Obala 15 -* ☎ *695 060.* L'une des meilleures tables de la région, avec une carte riche en salades

Assiette de jambon dalmate.

Ch. Barely-Legrand / MICHELIN

composées. Essayez aussi les calamars frits au prošek (proche du muscat) ou les viandes grillées (*50/80 kn*).

DELTA DE LA NERETVA

⊜⊜ **Villa Neretva** – *Krvarac 2, Metković* - ☎ *(020) 671 199.* Sur la droite, au bord de la route de Ploče à Mostar, une dizaine de km après le pont sur la Neretva, vous trouverez les spécialités du marais : anguilles ou grenouilles grillées.

⊜⊜🍴 **Restaurant Lopoč** – *Momići* - ☎ *(020) 693 034.* À Rogotin, tournez à gauche avant le pont, vers Komin. 8 km après ce village, tournez à gauche vers Vrgorac. Le restaurant se trouve à moins de 2 km, au bord d'une partie très sauvage du marais. Outre les produits du potager et les anguilles, grenouilles et poissons locaux, il organise des dîners dans le marais. Une excellente adresse.

Loisirs

PLONGÉE

More Sub – *Kralja Petra Krešimira IV 43 - Makarska* - ☎ *611 727.* Outre les sorties en plongée, l'agence propose aussi des chambres chez l'habitant.

Birgmaier Sub – *Podgora* - ☎ *625 134.*

Club Posejdon – *Baška Voda* - ☎ *620 263.*

SPORTS

Biokovo Active Holidays - *Gundulićeva 4, Makarska* - ☎ *679 655/675 657 ou 098 225 852 - www.biokovo.net.* L'adresse où organiser randonnées, visite guidée du Biokovo et de ses grottes, faire de la spéléo ou observer la faune et la flore.

Rafting club Slap – *Poljički trg bb, Omiš -* ☎ *757 336 - Agence de Zlavarje -* ☎ *871 108.* Le meilleur site pour le rafting sur la Cetina se situe autour du hameau de Penčići, sur la route reliant Zadvarje à Omiš. Locations de canoës, sorties en raft.

EXCURSIONS

Travel Agency Paškal – *Obala 15, Gradac -* ☎ *695 060.* Tenu par le dynamique patron de l'hôtel Marco Polo qui propose des excursions originales (petit-déj. en montagne, rafting sur la Cetina, dîner romantique dans les marais de la Neretva…).

Île de **Mljet**★★

DALMATIE – 1 111 HABITANTS
CARTE GÉNÉRALE C4 – CARTE MICHELIN 757 G9 – SCHÉMA : VOIR À DUBROVNIK

Dépêchez-vous d'aller découvrir ce paradis sauvage, que les aménagements touristiques n'ont pas encore gâché : randonnées romantiques sous les pins odorants, escale au monastère oublié sur un îlot, farniente sur le sable fin d'une plage perdue, dégustation du rouget que les pêcheurs viennent de ramener…

◗ **Se repérer** – La plus méridionale des grandes îles croates tire un trait montagneux (37 km sur une moyenne de 3 km de large), à l'ouest de Dubrovnik et à 8 km au sud de Pelješac. Avec l'île de Lastovo, c'est l'une des plus boisées, riche d'une flore et d'une faune abondantes. En raison de son étroitesse, la longue crête qui lui sert d'axe central (entre 300 et plus de 500 m d'altitude) accentue l'impression d'escarpement et d'isolement.

◉ **À ne pas manquer** – Le monastère bénédictin, la vue de Montokuk sur les lacs salés et la plage de Saplunara.

◔ **Organiser son temps** – Prévoir une nuit sur place, une journée pour le parc national et une autre pour la partie orientale de l'île et ses plages. Si vous vous en tenez au parc, il est possible de se passer de voiture. Pour le reste, les distances sont trop grandes pour faire sans.

◔ **Pour poursuivre le voyage** – Voir aussi Dubrovnik (2h de traversée), la presqu'île de Pelješac (55 km au nord-ouest de Dubrovnik) et l'île de Korčula (15mn de traversée depuis Orebić, sur la presqu'île de Pelješac).

Le cadre enchanteur du monastère bénédictin posé sur son île.

O. N. T. Croatie

Découvrir

Vous arriverez sur l'île à l'est du village de Sobra, un port de pêcheurs sans attrait particulier, bien abrité au fond d'une baie escarpée. Vers l'est, la route parcourt la partie la plus déserte de l'île, presque inhabitée, jusqu'à Saplunara, en s'élevant à flanc de montagne et en déroulant des **panoramas**★★ superbes. Vers l'ouest, vous prendrez la direction de la petite capitale de l'île, **Babino Polje**, curieux village étiré comme un maigre chapelet, le long d'une route très étroite. Là aussi, vous traverserez des paysages spectaculaires et sauvages, avant de pénétrer dans le périmètre du parc national.

PARC NATIONAL DE MLJET★★★ (Nacionalni park Mljet)

Limite du parc à environ 17 km à l'ouest de Sobra. Point infos touristiques et guichets sur la route de Polače-Goveđari-Pristanište, à Vrbonica et à Pomena au bout du quai, sur le chemin pédestre allant au petit lac salé. Le prix d'entrée est 90 kn, 30 kn pour les étudiants et retraités, gratuit pour les enfants de moins de 6 ans. Il inclut un passage en bateau vers le monastère Ste-Marie. Pour les randonnées, nous vous conseillons d'acheter la carte du parc et de l'île.

Il couvre le tiers occidental de l'île et englobe plusieurs villages et deux lacs salés.

Polače★ – *26 km à l'ouest de Sobra*. Bien que les Illyriens aient déjà occupé les hauteurs à l'arrière du village, Polače fut utilisé par les marins grecs comme mouillage et point de ravitaillement en eau, sur la grande route commerciale de l'Adriatique. Pourtant, ils n'établirent jamais de communauté sur place, puisqu'ils avaient leur colonie sur l'île voisine de Korčula, à Lumbarda. Ce sont les Romains qui fondèrent le premier village, au 1er s. av. J.-C. Ils construisirent un important **palais**, dont on voit encore les vestiges : la route traverse même l'un des murs ! Les fouilles ont montré qu'il y avait également des thermes et de nombreuses villas. Avec la christianisation, on construisit deux **basiliques**, aujourd'hui en ruine. Le **port** actuel séduit surtout par son cadre exceptionnel, au fond d'une baie très abritée, enchâssée entre les collines verdoyantes et recherchée par les plaisanciers. Un **sentier de randonnée★**, partant derrière le palais, permet de rejoindre le hameau de Pristaniště et le grand lac salé en 30mn (embarcadère pour le monastère) ou de bifurquer vers le sommet du Montokuc.

Montokuc★★ – Ascension en 45mn depuis Polače. Bien que peu élevé (253 m), ce modeste sommet offre le plus beau panorama des deux lacs salés, dans leur écrin de verdure, et de l'îlot du monastère Ste-Marie.

Pomena – *30 km à l'ouest de Sobra*. Cet autre ravissant mouillage ne s'entoure que d'un hôtel, d'un quai et de quelques maisons, mais c'est le principal centre touristique de l'île, point de départ le plus facile pour découvrir le parc.

Grand et petit lac salé★★ (Malo jezero et Veliko jezero) – *Accès pédestre en 10mn, par un escalier montant dans la forêt, à la sortie de Pomena, à côté de la pension Matana*. Il est abusif de nommer lacs ces deux larges plans d'eau qui sont en réalité en communication avec la mer et alimentés par elle. Il s'agit en fait de vallées inondées par la mer, jadis partiellement remplies d'eau saumâtre avec les marées. Au Moyen Âge, les moines du monastère bénédictin installé sur l'îlot améliorèrent l'arrivée de l'eau en approfondissant le canal d'entrée. En s'engouffrant dans la brèche, l'eau forme un courant puissant que les moines utilisaient pour actionner un moulin. Le sentier de la **rive nord** mène jusqu'à Soline (moins de 5 km), tandis que celui de la **rive sud**, à peine plus long, offre de beaux points de vue sur les collines. Les amateurs de baignade apprécieront la température de l'eau des lacs, supérieure de 2 ou 3 degrés à celle de la mer, et ses vertus thérapeutiques concernant les rhumatismes et les problèmes cutanés.

Monastère bénédictin★★ (benediktinski samostan sv. Marija) – *Passage en bateau en 10mn, assuré entre mai et oct., à partir du point de jonction entre les deux lacs. Aller, toutes les heures entre 9h et 19h, retour 45mn plus tard puis toutes les heures. Fréquence moindre en début et fin de saison. Prix inclus dans l'entrée du parc.* Voici la plus célèbre carte postale de l'île : un ravissant monastère roman, isolé sur un gros rocher boisé, au milieu d'un lac. Les moines bénédictins arrivèrent sur l'île au 12e s., y construisirent ce petit joyau de l'architecture romane italienne, avec son **église** à voûte de pierre. Pour en apprécier la structure extérieure et les motifs romans typiques (arcades aveugles et dents d'engrenage), passez dans le **cloître**, puis contournez l'église par l'extérieur. L'intérieur est conçu sur un plan en croix, avec un beau dallage en rosace, une coupole de pierre et des balustrades ouvragées. Les autels baroques peints forment un mélange de styles un peu naïf. En faisant le tour de l'îlot, ne manquez pas les émouvantes **chapelles votives** miniatures et leurs ex-voto rustiques, croix de bois mort ou d'herbes.

Prožurska Luka★

À 5 km à l'Est de Sobra, une route carrossable plonge vers la gauche.
Si vous n'êtes pas un conducteur émérite, ne tentez pas la descente en voiture vers cette ravissante baie, creusée entre les montagnes : elle ménage de superbes points de vue, mais elle est étroite et très sinueuse. Un escalier y descend (*15 à 20mn, beaucoup plus dur au retour*) en dévalant la montagne. Tout en bas, isolé du large par un îlot, vous découvrirez un minuscule port très apprécié par les plaisanciers.

Okuklje★ (Porto Camera)

À la sortie du hameau de Maraović, à 8 km à l'est de Sobra, une petite route carrossable y conduit en 3 km. À faire à pied, en moins de 1h, pour les conducteurs timides.
Encore un havre intact, enserré entre les pentes boisées des montagnes, c'est le plus protégé de l'île, quasiment invisible du large, ce qui explique qu'il soit si populaire parmi les navigateurs. Son autre nom, Porto Camera (chambre, en italien), confirme son caractère intime et préservé.

Saplunara★★

À 16 km à l'est de Sobra.

Le plus oriental des villages de l'île, presque à son extrémité, n'est en fait qu'un groupe de maisons, mais ses **plages** de sable fin, si rares en Croatie, semblent donner des idées aux investisseurs. Les villas qui se construisent peu à peu entre les arbres ne gâchent pas encore le paysage. Vous arrivez ici au bout du monde : il ne se passe rien et vous n'aurez qu'à vous allonger sur la plage (celle du village est très bien) ou nager dans l'eau claire.

Plage de Blace★★ – *Accès par la route carrossable qui part vers le sud, derrière la plage principale du village, puis 5mn à pied à travers la pinède ou 30mn pour la totalité à pied.* On croirait presque un lagon tropical, une baie en arc de cercle, fermée par une barrière de rochers tout juste franchissable en barque. Avec sa frange de pins et son sable fin, elle serait parfaite sans les détritus amenés par les courants. Heureusement, le développement touristique a parfois du bon : on s'attache à l'entretenir plus régulièrement et à en faciliter l'accès.

Île de Mljet pratique

Informations utiles

Office de tourisme – à Bobino Polje - ℘/fax. 746 025 - tzinfo@mljet.hr - www.mljet.hr; à Goveđari – ℘ 744 086, fax. 744 186 - tz-mjesta@du.hnet.hr.

Parc national de Mljet, à Goveđari – pristanište 2 – ℘ 744 041/058, fax. 744 043 - www.np-mljet.hr.

Indicatif téléphonique – 020

Banques – Attention, pas de banque sur Mljet et un seul distributeur de billets, dans le hall de l'hôtel Odisej, accessible même si vous n'êtes pas client.

Santé – Deux médecins et un dentiste. Pharmacie à Babino Polje, le village central de l'île.

Transports

Ferries (voitures) – Jadrolinija à Sobra - ℘ 746 134 - www.jadrolinija.hr.
Au départ de Dubrovnik : 1 ferry/j fait escale à Suđurađe (Šipan), 2h15 de traversée. Il arrive à à Sobra, au centre de Mljet en fin d'après-midi (17h30). La ligne Bari-Rijeka, qui passe par Dubrovnik, Korčula, Hvar et Split, dessert aussi Mljet (mar., jeu., dim.).
Au départ de Peljesac, à Prapratno, situé sur la côte sud, une nouvelle ligne rejoint Sobra 4 à 5 fois/j, selon le jour.

Bateaux (piétons) : en saison, des catamarans rapides desservent l'île depuis Dubrovnik jusqu'à Polače.
L'agence Atlas à Dubrovnik organise des excursions à la journée sur Mljet en bateau rapide.

Bus – Un bus dessert l'arrivée et le départ des car-ferries, en direction de Babino Polje, Polače et Pomena. Attention : la partie orientale de l'île, vers Okuklje et Saplunara n'est pas desservie.

Location de véhicules –Il est possible de louer des vélos un peu partout (Sobra, Polače et Pomena). Location de voitures (Fiat 126, entre 260 et 370 kn/j) et scooters (210 kn/j) chez **Mini Brum** à Babino Polje (antennes sur les ports de Sobra, Polače et Pomena) : Sobra 33 - ℘ 745 084 ou 098 285 566 - ouv. 9h-19h.

Nautisme

Pas de port de plaisance, mais possibilité de s'amarrer à Sobra, Polače, Pomena et de jeter l'ancre dans les baies de Prožurska Luka, Okuklje et Saplunara. Carburant à l'embarcadère des ferries de Sobra (accepte les cartes de crédit).

Se loger

◉ **Bon à savoir** – l'hébergement est rare et mal organisé : en saison, il est fréquent que tout soit complet. Téléphonez à l'avance à l'office de tourisme qui pourra vous réserver une chambre ou un studio chez l'habitant. Vous trouverez aussi une liste fournie de chambres sur le site www.croatia-vacation.hr. En général, les cartes de crédit ne sont pas acceptées.

⊜ **Pension Galija** – À Godveđari - Pomena bb - ℘ 744 029 - ivana.matana1@du.t-com.hr - 10 ch. : 365 kn - ⊑ 45 kn - ⊨. Un emplacement idéal devant la mer. Des chambres propres et confortables (demandez la vue sur mer) et un bon restaurant de fruits de mer. Ouvert de mai à oct.

⊜⊜ **Pension Franka** – À Saplunara - ℘ 746 177 - 6 ch. : 400 kn (1/2 P), 4 studios : 300 kn - ⊨. Simples mais bien aménagées, les chambres donnent sur la baie. On y sert une cuisine familiale de produits frais et locaux. Plage en contrebas. Ouvert de mai à oct. Le fils parle bien anglais.

⊜⊜ **Villa Mungos** – À Sobra - ℘ 745 224/ 98 208 968- www.mungos-mljet.com - 8 ch. 282/400 kn ⊑ et 4 appart. (2/3 pers.) 407/482 kn. Hôtel familial situé au bord de l'eau. Les chambres avec vue et les appartements sont très bien. Par contre, celles qui ne donnent pas sur la mer, ne conviennent que pour dormir.

Agréable restaurant en front de mer avec possibilité de demi-pension.

Autocamp Mungos – À Sutmiholjska - ✆ 745 224/98 208 968 - www.mungos-mljet.com - env. 100 pl : 53 kn/pers., électricité : 20 kn/pers. Situé à 50 m de la plage de sable de Sutmiholjska, à l'ombre des oliviers, ce camping n'accueille que les tentes. Il propose un minimarket et loue des scooters. Comme il est relativement difficile d'accès, le camping assure les transferts jusqu'au port.

Hotel Odisej – Pomena - ✆ 362 111, fax 744 042 - www.hotelodisej.hr - ouv. avr.-oct. - 157 ch. : 720/1 070 kn 🖵. Le seul hôtel de l'île se partage en plusieurs bâtiments agréables et très confortables, le long du quai de Pomena. Les chambres avec vue sur mer ou balcon sont plus chères. Une plage bétonnée est aménagée au pied de l'hôtel avec piscine pour enfants, chaises longues et bar.

Se restaurer

Konoba Laura – Sobra - ✆ 745 101 et 091 769 75 50. Petit établissement familial bon marché, pour des viandes grillées, salades de poulpes et autres spécialités locales. Loue aussi des studios (450 kn) avec balcon et vue superbe, pratiques pour attraper le ferry du matin.

Palatium – Polače. Au milieu du quai, sur un ponton de bois, vous mangerez au-dessus de l'eau. Formules déjeuner très bon marché, salades, risottos, spaghettis.

Restoran Ana – Pomena. L'une des tavernes du quai, juste devant la mer : moules, calmars et poissons du jour conservés dans un vivier.

Restoran Melita – Sur l'îlot Ste-Marie - ✆ 744 145 - mai-sept. : 10h-0h. Situé à l'intérieur du monastère bénédictin, ce restaurant offre, outre son cadre, une délicieuse cuisine traditionnelle. La salade de poulpes et le risotto noir y sont particulièrement bons.

Loisirs sportifs

Randonnée – L'île se prête particulièrement à la randonnée et aux balades à pied. La carte détaillée vendue par le parc national permet de repérer les circuits. Les amateurs de vélo devront être très courageux car les montées sont dures !

Plongée – L'hôtel Odisej ainsi que le patron de la pension Franka proposent des initiations et sorties sur des sites archéologiques et des épaves.

Île de **Pag** ★★

DALMATIE – 8 398 HABITANTS
CARTE GÉNÉRALE A-B3 – CARTE MICHELIN 757 C-D7. SCHÉMA : VOIR À ZADAR

De toutes les îles croates, celle-ci ne ressemble à aucune autre : on la dirait décrochée de la lune ! C'est un âpre désert de pierre blanche dont le chaos est zébré de mille murets. Hantée par les moutons et les ânes qui y cherchent un abri dérisoire, elle possède aussi quelques plages enchâssées entre des pentes à l'herbe rare, de petits ports serrés entre les falaises et quelques champs d'oliviers. Ici, les hommes vivent de la terre et de la mer, du fromage et du sel, et les femmes font de la dentelle…

▶ **Se repérer** – Longue (63 km) et fine (5 km) comme un poignard, cette île parallèle à la côte du Velebit semble un fragment de montagne égaré dans la mer. Bien que relativement peu escarpée, elle présente la même structure géologique que la chaîne montagneuse dont elle est issue.

👁 **À ne pas manquer** – Le fromage de Pag, les marais salants.

🕐 **Organiser son temps** – Pag mérite une visite de sa vieille ville mais pour la plage et la plongée, mieux vaut se diriger vers Novalja.

👪 **Avec les enfants** – Découverte ludique de l'île à VTT.

⛏ **Pour poursuivre le voyage** – Voir aussi Zadar (30 km), le parc national de Paklenica (50 km), l'île de Rab.

Comprendre

Du sel, du fromage et de la dentelle – Difficile d'imaginer qu'une île aussi austère et désolée, balayée par le souffle acéré de la bora, puisse aussi être l'une des plus riches de la côte. C'est pourtant le cas, et cela tient d'une curieuse alchimie, un subtil dosage entre la terre, l'eau et la pierre, qui permet la production de sel, l'élevage des moutons et la fabrication du fromage (le paški sir), la culture de la vigne (le vin blanc local est le paška žutica) et de l'olivier. Autant d'atouts qui firent de Pag l'une des plus florissantes possessions de Venise sur la côte dalmate. À cela, il faut ajouter le savoir-faire ancestral des dentellières dont le travail faisait fureur à la cour d'Autriche.

Se promener

Sitôt franchi le pont, on découvre de somptueux **paysages minéraux★★**, avec, en toile de fond, la barre du Velebit plongeant dans les eaux bleues de la mer.

Pag ville★

À 23 km au nord-ouest du pont.

Bien qu'occupée dès la préhistoire, la paisible capitale de l'île est en fait une ville relativement récente, puisque les habitants de Zadar l'avaient mise à sac et détruite à la fin du 14e s. Sa richesse et son prestige expliquent que l'on ait confié les plans de sa reconstruction, au

L'or blanc de Pag

Depuis des siècles, le sel de Pag a contribué à la richesse de l'île. Deux zones sont toujours en activité, l'une à l'arrivée sur l'île, l'autre, nettement plus importante, juste avant l'entrée dans la ville de Pag. Elles sont exploitées de façon semi-industrielle. On pompe l'eau de mer pour l'amener dans les bassins quadrangulaires où l'évaporation commence. Lorsque la concentration en sel atteint le niveau de la cristallisation, on recueille la saumure et on achève l'évaporation de manière industrielle, avant de sécher le sel et de le conditionner. Le sel de Pag est surtout destiné à l'exportation, principalement vers le marché italien.

milieu du 15e s., à Georges le Dalmate (Juraj Dalmatinac), le plus respecté des architectes croates de l'époque. Il a imaginé alors un plan régulier très rationnel, tout en damier, à l'image des villes romaines, autour de deux rues principales qui se croisent à angle droit et forment la place centrale dominée par l'église paroissiale.

Église Notre-Dame★ (Sv. Marija)

La façade est typique de la Renaissance dalmate, avec son fronton très sobre et sa jolie **rosace**. Un gradin de pierre longe la partie inférieure et permettait aux notables de suivre les festivités sur la place. Au-dessus de la porte, notez le **bas-relief de la Vierge** qui étend son manteau pour protéger symboliquement les habitants. À l'intérieur, on admire la triple nef et ses colonnes en pierre à **chapiteaux sculptés**, ainsi que le **plafond** baroque sculpté de scènes de l'évangile et de martyrs. Dans la chapelle latérale de droite, notez le curieux **Crucifix** naïf en bois peint, très expressif avec sa couronne métallique. Ne manquez pas non plus le beau **buffet d'orgue**.

Musée de la Dentelle

De mi-juin à mi-sept. : 20h-22h. Gratuit.

Sur la place, c'est en fait une petite boutique présentant (et vendant) des dentelles traditionnelles à l'aiguille.

Repassez devant l'église et continuez tout droit dans Zvonimira ulica. Tournez à droite dans la deuxième rue, Koludraška ulica.

Couvent bénédictin Sainte-Marguerite
(benediktinski samostan sv. Margarita)

Sa chapelle possède un joli clocher-mur Renaissance. Le couvent abrite une communauté de nonnes qui gardent jalousement un trésor de reliques et de peintures sacrées. Elles fabriquent aussi de petits biscuits croustillants et parfumés, appelés

Ch. Barrely-Legrand / MICHELIN

L'arrivée sur Pag révèle de somptueux paysages minéraux.

Baškotini. Leur recette est bien sûr tenue secrète. Mais en ville, on se laisse dire que le croustillant tiendrait à une cuisson en deux fois…

Revenez sur vos pas et reprenez Zvonimira jusqu'au bout.

Remparts et tour de guet

Il ne reste qu'une partie des anciens remparts, du côté nord-ouest. Il faut souligner qu'à l'origine la mer venait baigner le pied de la ville fortifiée.

Sortez de Pag en direction de Novalja. Passé la lagune, tournez à gauche, le long des salines et avancez vers Stari Grad, jusqu'au pied de l'église, à 900 m.

« Vieille ville »★ (Stari grad)

Perché sur une butte au-dessus des salines, ce lieu isolé dégage un charme particulier, empreint d'une grande séré-

---

Fromage de Pag

Kolan et Povljana sont les deux villages les plus réputés pour leur fromage. Chaque ferme ou presque en propose à la vente et vous êtes assurés de sa fabrication artisanale. Son goût particulier provient de l'alimentation des brebis qui paissent dans la rocaille et se nourrissent d'herbes aromatiques. Mais le détail qui change tout est la très forte salinité de cette végétation, en raison des vents puissants qui amènent en permanence des nuées d'embruns. En marchant dans les champs, vous remarquerez que l'herbe est craquante et très salée. La chair des bêtes est particulièrement goûteuse, à l'image de nos moutons de prés salés, ce qui permet des grillades savoureuses.

---

nité. C'est ici que s'était établie la ville originelle de Pag, à l'époque où elle était riche du commerce du sel, l'or blanc du Moyen Âge. Une cinquantaine d'années après le raid mené par les Zadarois, les habitants désertèrent le site pour déménager dans la ville nouvelle. La très jolie façade de l'église inspira d'ailleurs celle de la ville nouvelle qui en reprend la disposition et les thèmes. On retrouve le même bas-relief (encore mieux conservé) de la Vierge protégeant les habitants sous son voile. À l'intérieur se trouve la très ancienne statue de la Vierge protectrice de Pag. Chaque veille de 15 août (montée de Marie au ciel), on la descend en fervente procession à l'église paroissiale, où elle demeure ensuite jusqu'au 8 septembre (date de la nativité de Marie), avant de regagner ses pénates pour le reste de l'année.

La **vue sur les salines★** et le massif du Velebit est superbe, notamment lorsqu'on s'élève sur la route, à la sortie de Pag, en direction de Novalja.

Aux alentours

Mandre★

À 17 km au nord-ouest de la ville de Pag.
Les amoureux de petits ports tranquilles ne manqueront pas ce village encore préservé du tourisme. Juste quelques maisons au milieu des pins, un joli mouillage où dansent les barques et un quai où prendre le café *(le village possède un turist biro)*.

Novalja

À 23 km au nord-ouest de la ville de Pag.
Cette station balnéaire très bien entretenue concentre la clientèle aisée, en raison de ses restaurants, ses hôtels et ses jolies villas.

Uvala zrće – Juste avant l'entrée de Novalja, cette grande plage bien équipée doit à son sable, presque fin, et à ses buvettes d'être l'une des plus populaires de l'île.

Ch. Barrely-Legrand / MICHELIN

Mandre : un paisible petit port.

Uvala Caska – Entre Pag et Novalja, avant la précédente, indiquée par un panneau. Moins fréquentée et pas encore équipée, au bout d'une route à peine carrossable, cette longue plage de galets aux eaux peu profondes permet la baignade sans risque.

Lun★

À 23 km au nord-ouest de Novalja.
À l'extrémité de l'île vers l'ouest, c'est sans conteste l'endroit le plus charmant de l'île. On y accède par une petite route bordée de murets de pierre et encadrée par des oliviers centenaires et quelques vignes. Vous remarquerez aussi des ruches : le

miel de Pag est réputé. Juste à l'entrée du village, une minuscule chapelle de pierre et de petites parcelles cernées de hauts murs restituent une atmosphère paisible et totalement authentique.

Tovarnele – *1 km après Lun*. Passé le village de Lun, ce petit port de pêcheurs est adorable, avec juste quelques cafés, tavernes et chambres chez l'habitant *(le village possède un turist biro)*. En face, on aperçoit l'île de Rab.

Île de Pag pratique

Informations utiles

Offices de tourisme – À Pag – *Ulica od Špitala 2* - ℘ *(023) 611 286* - *www.pag-tourism.hr.* **À Novalja** – ℘ *(053) 661 404* - *www.tz-novalja.hr.*

Indicatif téléphonique – 023 (Pag et Šimuni) et 053 (Novalja et Stara Novalja).

👁 **Bon à savoir** – L'île de Pag est administrativement coupée en deux, entre Zadar, pour la ville de Pag et la partie sud-est, et la Lika-Pays de Senj, pour Novalja et la partie nord-ouest.

À PAG

Centre médical – ℘ *(023) 611 001.*
Dentiste – ℘ *(023) 611 003.*
Police – ℘ *(023) 611 032.*

À NOVALJA

Centre médical – *Braće Radić* - ℘ *(053) 661 367* ou *662 097.*
Dentiste – ℘ *(053) 662 604.*
Police – ℘ *(053) 661 212.*
Poste – *Trg Loža 1* - *tlj sf dim. 7h-20h, sam. 8h-14h.*
Taxi – À Novalja - ℘ *(053) 661 366* ou *098 282 872.*
Internet – À Pag – Caffe Buža - *Kralja Tomislava 5.* Dans la rue principale, à droite de l'église Notre-Dame, deux ordinateurs sont installés derrière le bar.
À Novalja – Deux postes dans le hall de l'hôtel Loža. Le Kalypso Beach Club, sur la plage Zrće propose également un accès internet.

Transports

L'île est accessible en voiture par un pont, à 30 km au nord de Zadar.

Ferries (voitures) - De Pizna (côte du Velebit) à Žigljen, le trafic est intense : 5 passages de minuit à 8h, navette continue de 8h à 20h, puis 4 passages jusqu'à 23h. Hors saison, de 9 à 13 passages dans la journée (15mn de traversée). Jadrolinija à Žigljen - ℘ *098 299 133* - *www.jadrolinija.hr.*

Bateaux (piétons) – Toute l'année, un catamaran de *Jadrolinija* assure tous les jours une liaison entre Novalja et Rijeka, en passant par Rab. La traversée jusqu'à Rijeka dure 2h30, entre Novalja et Rab 45mn. Infos et billets à Novalja à l'agence Chery – *Braće Radić* - ℘ *(053) 662 174* - *chery@vip.hr.*

Un autre catamaran de la compagnie *Rapska Plovidba* relie Lun (Tovarnele) à l'extrémité de la presqu'île et l'île de Rab (Luka Rab) 1 fois/j hors sais. et 3 fois/j en été, les mar., jeu., et vend. Rapska Plovidba à Rab - ℘ *(051) 724 122* - *www.rapka-plovidba.hr.*

Autobus – En été 9 bus (hors saison 4/5 bus) entre Pag et Novalja (25mn env.) de 5h à 22h au départ de Pag et de 5h à 19h30 au départ de Novalja. Le trajet se prolonge jusqu'à Zadar (3 bus, 50mn de Pag), Split (1 bus, 4h environ), Zagreb (7 bus en été, 5h environ). Pour Rijeka 2 bus (3h30) au départ de Novalja.

Nautisme

Capitainerie de Pag – ℘ *(023) 611 023.*
Capitainerie de Novalja – ℘ *(053) 661 301.*
ACI Marina Šimuni – ℘ *(023) 697 457* - *fax (023) 697 462.* Un petit port de plaisance dans un joli site. Carburant au port de Novalja (7mn.). Équipement : *voir le chapitre « Nautisme » p. 38.*

Se loger

À PAG

🍽🛏 **Hotel Tony** – *Dubrovačka 39* - ℘/fax *(023) 611 370* - *www.hotel-tony.com* - 20 ch. : *400/470 kn* 🍴 - *ouv. mai- oct.* - *suppl. de 30 % pour une seule nuit.* Un peu à l'écart de la ville, face à la mer, ce petit hôtel propose un bon confort et un accueil efficace et chaleureux. Si le petit-déjeuner est très ordinaire, le restaurant est de bonne qualité (30 kn/pers. en 1/2 P). Bon rapport qualité/prix.

🍽🛏 **Hotel Pagus** – *À. Starčevića 1* - ℘ *611 310,* fax *611 101* - *www.coning.hr* - 117 ch. 🍴. Ce grand hôtel à proximité du centre, face à la baie, a été entièrement rénové en 2006. Il est désormais doté d'un SPA et d'une nouvelle piscine. De nombreux soins et massages imaginés à partir de l'utilisation de produits locaux (sel, argile de l'île de Pag) y sont proposés. Attention, les prix sont suceptibles de grimper *(prix avant rénovation : 750 kn).*

À NOVALJA

Agence Sunturist – *S. S. Kranjčevića bb.* - ℘ *(053) 661 211* - fax *661 611* - *www.sunturist.com* - *appart. : 260/595 kn.*

🍽🛏 **Hotel Loža** – ℘ *(053) 663 380,* fax *663 430* - *www.turno.hr* - 35 ch. : *670/1 000 kn selon la vue* 🍴. Dans le centre, face à la mer, de petites chambres bien équipées, climatisées, certaines avec balcon et vue sur la mer. La décoration du hall rappelle les années 1960-1970 mais n'enlève rien à la tenue de l'hôtel. Ouvert toute l'année. Animaux acceptés. Accès internet dans le hall.

😑😑 **Hotel Liburnija** – ✆ *(053) 663 381, fax 663 430 - www.turno.hr - 130 ch. : 440/690 kn*. Un peu à l'écart du centre, dans les pins, cet ensemble de bâtiments massifs, aux grandes vitres fumées, offre des chambres standard, au confort acceptable. Construit à la même époque que l'hôtel Loža, il a moins bien vieilli que ce dernier. La proximité de la plage constitue son principal atout. L'hôtel accueille souvent des groupes.

😑😑😑😑 **Hotel Boškinac** – *Stara Novlaja, à droite à l'entrée du village -* ✆ *(053) 663 500, fax 663 540 - www.boskinac.com - 11 ch : 1 250/1 540 kn*. Belle demeure de pierre aux confins des vignobles. Le piano, les toiles de maître témoignent du raffinement de l'endroit. Le restaurant combine produits frais de l'île et saveurs méditerranéennes à des prix raisonnables. Le calme de la terrasse qui surplombe la plaine le rend très paisible.

À ŠIMUNI

😑 **Camping Šimuni** – ✆ *(023) 697 441 - fax (023) 697 442 - www.camping-simuni.hr - ouv. tte l'année : tente 57,5 kn, caravane et électricité 141,5 kn, bungalows luxe (4/5 pers) : 683 kn/j*. Ce beau terrain ombragé au bord d'une longue plage, dispose de plus de 800 emplacements, dont de nombreux loués à l'année et d'autres occupés par des bungalows tout équipés (sanitaires, coin cuisine) et climatisés (4/5 pers). Un camping à l'équipement complet et aux sanitaires impeccables, entièrement rénovés. Deux restaurants à l'intérieur.

Se restaurer

À PAG

😑😑😑 **Bistro Na Tale** – *S. Radića 2 -* ✆ *(023) 612 710 - fermé Noël - poissons 300 kn/kg, pâtes et risottos 50/60 kn, plats 100 kn*. Ce restaurant propose une longue carte croate et internationale. La petite cour arborée est agréable et le service soigné.

À NOVALJA

😑😑 **Konoba Ankora** – *Ribarska 10 -* ✆ *661 333*. Dans une petite rue calme du centre et dans un décor marin, on y propose une honnête cuisine locale à des prix raisonnables. (fermé hors saison).

😑😑 **Konoba Vitalo** – *Borovićevi Stani, à la sortie de Novalja sur la route de Lun*. Perdue en pleine campagne, cette auberge traditionnelle est une excellente adresse pour déguster l'agneau grillé de l'île, de même que du poisson, des olives et tous les fromages locaux.

😑😑 **Bistro n° 5** – *Obala P. Krešimira IV br. 5 -* ✆ *(053) 662 226 - plats 40/60 kn*. Sur une agréable terrasse, on déguste des pâtes et d'énormes pizzas, savoureuses et bon marché.

Achats

Dentelle – La véritable dentelle de Pag est réalisée à l'aiguille et il faut de très longues heures pour exécuter le plus petit dessous-de-verre. Les prix sont en conséquence. Vous en trouverez au musée-boutique, voire directement auprès d'habitantes venues les proposer sur la place. Attention toutefois à ne pas la confondre avec d'autres ouvrages, jolis, mais réalisés au crochet et de bien moindre valeur (on vous le désigne parfois en disant « Pag, Pag… »). Nombreuses pièces autour de 300 kn, comptez 400/450 kn pour une nappe de 6 pers.

Fromages – Bien que vendu partout, le fromage de Pag connaît lui aussi ses terroirs d'excellence. N'hésitez pas à vous arrêter directement dans les fermes, surtout dans les villages de Kolan et Povljana, ou sur les marchés. Comptez environ 160 kn le kilo.

Vins – *Boškinac - Stara Novlaja, à droite à l'entrée du village -* ✆ *(053) 663 500, fax (053) 663 501 - www.boskinac.com*. Au cellier, de grandes tables de bois se succèdent pour une dégustation des derniers crus du vignoble accompagnée de fromage de Pag, de *prosciutto* dalmate et d'anchois marinés.

Loisirs

Randonnée-VTT – L'île est sillonnée par 115 km de sentiers que se partagent les randonneurs et les cyclistes. Les 14 parcours VTT déjà balisés permettent une découverte de l'île ludique et sportive, sans que les différences d'altitude n'en fassent un parcours du combattant. Attention, le nombre de bicyclettes à louer sur l'île étant souvent insuffisant face à la demande, il peut être judicieux d'en louer sur le continent.

Plongée – **Submarine** - *Obala Petra Krešimira IV - Novalja -* ✆ *(053) 661 746*.

Presqu'île de **Pelješac**★

Poluotok Pelješac

DALMATIE – 8 234 HABITANTS
CARTE GÉNÉRALE D-C4 – CARTE MICHELIN 757 F-G9 – SCHÉMA : VOIR À DUBROVNIK

Séparée du continent par un étroit chenal, la presqu'île verdoyante et montagneuse de Pelješac a conservé ses traditions agricoles et maritimes. Son
ostréiculture, ses délicieux petits vins, ses ports de pêche et ses marais
salants en font une étape de choix pour goûter la gastronomie de la côte
adriatique. Quelques plages et de pittoresques villages ajoutent à son charme
préservé.

▶ **Se repérer** – Longue d'environ 70 km, mais jamais plus large que 8 km, cette
étroite presqu'île est reliée à la terre ferme à 59 km au nord de Dubrovnik. Articulée
autour d'une chaîne de hautes collines, culminant à 961 m, elle égrène les villages,
depuis Mali Ston et Ston en passant par Potomje et ses caves viticoles, jusqu'à
Orebić et l'extrême ouest. Encore préservée, elle possède plusieurs plages de
petits galets, notamment autour d'**Orebić.**

👁 **À ne pas manquer** – Monter au monastère franciscain d'Orebić, la vue sur Korčula
et Peljesac y est splendide. Déambuler dans le village de Mali Ston, sorte de ville
fantôme, déguster des huîtres.

🕐 **Organiser son temps** – La découverte de Pelješac nécessite un véhicule car
les transports en commun sont lents et peu fréquents. Compter 1h pour le
trajet de Ston à Orebić, mais une journée pour visiter les villages, faire une
étape à la plage et goûter les vins (le postup d'Oskorušno ou le dingač autour
de Potomje).

👣 **Pour poursuivre le voyage** – Voir aussi Dubrovnik, l'île de Korčula (30mn de
bateau depuis Orebić) ou la riviera de Makarska (102 km au nord de l'isthme
reliant la presqu'île à la terre).

Vue sur les salines depuis la forteresse de Ston.

Ch. Barely-Legrand / MICHELIN

Se promener

Mali Ston★

À 6 km de la grande route côtière de Dalmatie, ce très ancien village est le premier
que l'on traverse en abordant la péninsule. Il fut intégré à la république de Dubrovnik
à partir de 1333, ainsi qu'en témoignent les remparts qui partent à l'assaut de la
montagne.

Forteresse – On pénètre dans le village par une porte, appartenant à la puissante
forteresse (14ᵉ s.), conçue par les mêmes architectes que les remparts de Dubrovnik.
À cette époque, il s'agissait de défendre la limite nord du territoire ragusain. Le village
lui-même conserve ses anciennes ruelles, où flotte le linge qui sèche, et ses vieilles
maisons de pierre.

Port – L'ostréiculture et la mytiliculture sont la première richesse de Mali Ston, avec un petit port pittoresque (15ᵉ s.), où déguster des fruits de mer (parmi les meilleurs du pays). Les parcs à huîtres et à moules et les cabanes des conchyliculteurs sont nombreux autour des baies du chenal séparant la presqu'île du continent. Les fouilles archéologiques ont mis au jour des piquets fossilisés où s'accrochaient des huîtres, attestant l'existence d'une très ancienne ostréiculture dans les environs.

Reprenez la route vers Ston, à 1 km.

Ston★

La route qui mène de Mali Ston à Ston passe par un défilé entre deux hautes collines. Celle de droite est coiffée par une immense forteresse défendant à la fois Mali Ston et Ston, dont les murailles, d'une longueur totale de plus de 5 km, sont remarquablement conservées.

Forteresse★ – Construite au 14ᵉ s., elle domine le village et on y accède par un escalier, le long de la route principale. C'est ici que l'on remarque l'originalité du système défensif et sa forme inhabituelle en triangle. La base englobe le village au pied de la pente, tandis que la pointe s'élève à flanc de montagne et s'achève en une **tour de guet** d'où l'on bénéficie d'un beau **panorama★** (notez le plan régulier du village, à angles droits) et sur le damier des salines. Ce dispositif triangulaire est lui-même intégré à un ensemble beaucoup plus vaste, dont les murailles escaladent la montagne pour englober Mali Ston, sur le versant nord. En raison de son importance stratégique, la forteresse de Ston a bénéficié de nombreuses améliorations durant les trois siècles qui ont suivi sa construction.

Redescendez de la tour de guet par la droite pour longer le côté ouest du village, en passant au-dessus du monastère franciscain.

Église Saint-Nicolas (Sv. Nikola) – Au fond d'une ruelle, derrière le monastère franciscain, cette église très sobre contient un beau **Crucifix★** en bois peint par Blaž Jurjev (14ᵉ s).

Sortez de la ville en direction d'Orebić. Après 500 m, arrêtez-vous juste avant le panneau de sortie de Ston, en face du grand portail des salines. Sur la droite, un chemin de terre conduit à la chapelle Saint-Michel (sv. Mihovil), à 1 km, 15mn à pied.

Chapelle Saint-Michel (Sv. Mihovil) – *Vérifiez les horaires d'ouverture à l'office de tourisme, car ils sont irréguliers. Entrée libre.* Perchée sur sa colline, bien visible depuis la route, cette petite chapelle, fondée au 9ᵉ s., possède des **peintures murales★** du 12ᵉ s.

Quittez Ston en direction d'Orebić.

Les terres viticoles et la route vers l'ouest

À l'intérieur des terres, entre Ston et Orebić, la longue plaine centrale s'abrite entre les crêtes montagneuses. La terre y est pauvre et rocailleuse, mais l'ensoleillement généreux a encouragé le développement de **vignobles**, parmi les plus réputés de Dalmatie. Remarquez le dessin ingénieux des parcelles : on extrait minutieusement les cailloux du sol pour composer un damier régulier autour des pieds de vigne et élever terrasses et murets de protection contre le vent et le ravinement de la terre. De nombreux oliviers alternent avec les vignes et fournissent aux paysans une richesse supplémentaire.

À 23 km à l'ouest de Ston, au village de Dubrava, tournez à gauche en direction de Žuljana, à 5 km.

Žuljana★

À l'issue d'une jolie portion de route escarpée, ce village de pêcheurs (prononcer *jouliana*), dominé par une chapelle toute blanche noyée dans les pins, offre une halte aux amoureux de bains de mer. Un quai minuscule, quelques bateaux de pêche, une étroite plage de galet et des eaux claires se prêtent, soit au farniente, soit à la plongée (club).

Revenez sur la route principale et tournez à gauche en direction d'Orebić. Rejoignez Trstenik (bifurcation à gauche à 14 km, puis 2 km).

Or blanc

La production de sel conférait jadis une richesse incontestable à la presqu'île de Pelješac. Déjà à la période romaine, la récolte du sel est encouragée dans toutes les colonies. C'est alors, et jusqu'au 19ᵉ s., le seul moyen de préserver les aliments. Le sel fait l'objet d'un important commerce durant tout le Moyen Âge et sous la république de Raguse. Les salines de Ston, toujours en activité, sont les vestiges de cette intense activité. Au début de la saison chaude, on retient l'eau de mer dans les bassins des salines où elle se concentre lentement en sel, jusqu'à la cristallisation, sous l'effet du soleil et du vent.

Des vignobles parmi les plus réputés de Dalmatie.

Trstenik

Visitez ce petit port le matin, car il est blotti au pied d'un énorme promontoire rocheux qui le met à l'ombre l'après-midi. Sa petite plage se prête parfaitement à une baignade matinale. Ne manquez pas de visiter l'exploitation viticole de la **maison Grgić**, dont le *plavac mali* est reconnu comme l'un des meilleurs du pays.

Retournez sur la route principale et poursuivez jusqu'à Potomje, à 8 km.

Potomje

C'est ici que sont rassemblées la plupart des caves viticoles dont on aperçoit, depuis la route, les immenses cuves en inox. Les points de **dégustation** se succèdent. L'un des vins les plus célèbres de l'île est produit à partir des vignes de **Dingač**, un hameau au sud de Potomje.

Poursuivez jusqu'à Orebić, à 19 km.

Orebić★

Avant de descendre vers Orebić, la route traverse un spectaculaire paysage montagneux, escarpé et très boisé, et rejoint le bord de mer par une extraordinaire **corniche★**, offrant un panorama sur la petite ville et sur l'île de Korčula, en face.

Orebić est bâtie le long du rivage, au pied des pentes abruptes du **mont Sveti Ilija** (961 m), le point culminant de la presqu'île. C'est un petit port très actif, dont la prospérité remonte aux grandes heures de la république de Dubrovnik. C'était alors un important comptoir commercial, une petite ville qui s'enorgueillissait de compter de nombreux capitaines. Au 19e s., les marchands locaux décidèrent même de se faire armateurs et de lancer leur propre compagnie maritime, qui compta jusqu'à 33 navires, tous baptisés de noms bibliques.

Musée maritime (Pomorski muzej) – *Trg Mimbeli 12, près de l'office de tourisme, ℰ (020) 713 009 - tlj sf lun. 9h-12h, 18h-21h en été, tlj sf w-end, 9h-12h en hiver - 5 kn.* Ce modeste établissement conserve quelques amphores et poteries romaines, des instruments de navigation, des ex-voto et une quinzaine de tableaux de la compagnie maritime locale.

Front de mer★ – Bien que la compagnie maritime ait rapidement fait faillite, il reste un petit air de splendeur le long des **quais**, notamment sur la partie orientale où se concentrent les **demeures baroques** des capitaines construites sous la République. À l'ombre des palmiers, la promenade longe les villas enfouies dans une végétation exubérante. Vers l'est, elle conduit *(15mn à pied)* à la **plage de Trstenica★**, la plus belle des environs.

Quittez le centre-ville en direction de l'ouest. Juste avant les grands hôtels, une petite route mène à droite au monastère franciscain, à 1 km de la route principale.

Monastère franciscain N.-D.-des-Anges★★ (Franjevački samostan gospa od anđela) – *La route est raide, étroite mais praticable. Accès libre à l'église et au cloître. Musée : 9h-12h, 17h-19h - 5 kn. En hiver, si la porte est fermée, sonner car il y a toujours* *quelqu'un pour ouvrir le musée*. Fondé au sommet d'un éperon rocheux au 15ᵉ s., pour accueillir une Vierge à l'Enfant miraculeuse, le monastère domine la ville. Le site tout entier semble dédié à la mer et aux marins. De la terrasse la **vue★★** est splendide sur la côte et sur l'île de Korčula. La tradition veut que les navires passant en contrebas actionnent trois fois leur sirène pour saluer la Vierge. La chapelle abrite toujours la fameuse **icône de N.-D.-des-Anges**, apportée de Kotor pour servir de protection aux marins. Le cimetière aligne les orgueilleux tombeaux des capitaines et des riches négociants. Quant au pittoresque petit **cloître**, semé de pierres tombales, il conduit au **musée des Ex-Voto**, installé dans l'ancien réfectoire des moines. Vous y verrez une collection hétéroclite d'images pieuses ou de peintures maladroites offertes en ex-voto par les marins rescapés d'un naufrage ou par les familles implorant la protection de la Vierge.

Sortez d'Orebić vers l'ouest, en direction de Kućište et Viganj.

L'extrême ouest★

À la sortie d'Orebić, la route épouse de près le bord de l'eau, ombragée de tamaris et longeant d'étroites langues de galets, entrecoupées de petits mouillages pour abriter les barques des pêcheurs. De paisibles hameaux bordés de campings s'étirent, sur une dizaine de kilomètres, **Kućište**, **Viganj**. La route, très spectaculaire, s'élève ensuite vers l'intérieur des terres et conduit à travers le maquis à **Lovište★**, le dernier port de la presqu'île, à l'extrême Ouest (18 km d'Orebić). Bien à l'abri au fond d'une baie presque fermée, la vie y semble suspendue au rythme de la pêche et des récoltes d'olives ou de figues.

Or rouge

Importée par les Grecs, puis systématisée par les Romains, la culture de la vigne est très ancienne à Pelješac. Il est bien connu qu'une terre caillouteuse n'empêche pas de produire de bons vins. Ceux que l'on produit ici en sont l'une des meilleures preuves. Parmi les plus célèbres, le *dingač*, blanc ou rouge, est produit autour de Potomje. Certaines cuvées sont considérées comme pouvant rivaliser avec les vins des pays connus pour leur production de qualité. Autres stars locales, le *postup* ou le *plavac mali* (vins rouges) réservent d'excellentes surprises. Mais n'oubliez pas que le degré d'alcool est aussi au rendez-vous, avec des vins titrant à plus de 13°.

Presqu'île de Pelješac pratique

Informations utiles

Offices de tourisme – Turistička Zajednica, Mali Ston *(bord de route face à l'église)* - ☎ 754 452 – *juil.-août : tlj sf dim. 7h-13h, 17h-19h, sam. 7h-13h – mai-juin et sept.-oct. : tlj sf w.-end 7h-13h.* **Turistička Zajednica, Orebić** – *Trg Mimbeli bb (à côté du musée de la Marine)* – ☎/fax 713 718 - *www.tz-orebic.com – juil.-août : tlj 8h-20h ; juin et sept. 8h-13h et 15h-21h, dim 8h-14h, reste de l'année 8h-13h.*

Indicatif téléphonique – 020
Centre médical – *Orebić* ☎ 713 690/ 025/410 - *Orebić, Dentiste* - ☎ 714 190/233.

Transports

AUTOBUS

De Dubrovnik, peu de bus desservent la presqu'île : 3 bus pour Ston, dont 2 continuent jusqu'à Orebić. De Orebić à Trpanj 2-3 bus/j, pour Lovište, 2 bus/sem.

FERRIES

Ferries (voitures) – *www.jadrolinija.hr.* Au départ de Trpanj, sur la côte nord de la presqu'île, s'atteint en partant de Ploče. Si vous venez de Split, cette ligne vous évitera 120 km de route. 7 liaisons en été de 5h à 20h au départ de Ploče, de 6h à 21h au départ de Trpanj. Hors-saison, 3 passages/j Jadrolinija à Trpanj : ☎ 743 911.

Au départ de Prapratno à Peljesac, sur la côte sud, avant Ston, une nouvelle ligne rejoint Mljet (Sobra) 4 à 5 fois/j selon le jour.

Entre Orebić et Dominče (Korčula) – Vous arriverez à Dominče, 3 km à l'est de Korčula. En saison, 18 AR de 0h30 à 22h30. Le reste de l'année cette fréquence diminue de moitié. Jadrolinija à Orebić : ☎ 714 075.

Bateaux (piétons) – Un bateau assure le service passagers d'Orebić (20mn) au port de Korčula : de 13 liaisons en été, on passe à 9 puis à 5 hors saison.

Se loger

À MALI STON

🅿🅿 **Vila Koruna** – ☎ 754 999, fax 754 642 - *vila-koruna@du.tel.hr* - 6 ch. : 465 kn et 2 appart. (3 et 4 pers.) : 900/1 050 kn -

⌑ 80 kn ! Petit établissement familial à l'entrée de la ville, les chambres sont sobres et confortables, décorées, voire surchargées, de tableaux de peintres croates. Mansardées, la plupart n'ont pas de vue. Le tout est bien tenu et le service est agréable. Reste que le petit-déjeuner est trop cher !

⌑☕🛏 **Hotel Ostrea** – ☏ 754 555, fax 754 575 - www.ostrea.hr - 10 ch. : 850/990 kn ⌑. Ce petit hôtel a été raffinement aménagé et décoré dans un style ancien. Mobilier en bois et élégant dessus-de-lit. Il donne face au petit port de Mali Ston. Une adresse de charme.

À OREBIĆ

⌑ **Hotel Orsan** – Obala pomoraca 36 - réserv. ☏ 713 193 - hôtel ☏ 713 026, fax 713 267- 94 ch. : 590/630 kn ⌑ - 🛶 **P**. Sur la route de Viganj, c'est le plus petit des hôtels du complexe, bordé d'une forêt de pin. il propose des chambres bien tenues, avec balcon et une vue magnifique sur Korčula. Comptez 380 kn/pers./j pour la demi-pension. L'hôtel accueille souvent des groupes.

⌑☕ **Camping et appartements Adriatic** – À Mokalo, 4 km à l'E d'Orebić - ☏/fax 713 420, 714 328 - www.adriatic-mikulic.hr - 15 appart. (2 ou 4 pers.) : 365/620 kn - camping : 32 kn/pers., tente : 30 kn/pers. ⌑ 60 kn. Bien indiqué à droite sur la route de Ston. Les appartements donnent sur le jardin avec vue sur la mer. Le terrain ombragé qui accueille le camping descend vers le rivage rocheux, bordé de paillottes, où se trouvent le centre de plongée, une piscine, un bar de plage et un dernier appartement. Crique au sable fin à quelques dizaines de mètres du terrain.

À LOVIŠTE

⌑☕ **Pansion Gradina** – Lovište bb, le long du rivage vers l'O - ☏/fax (020) 718 017 - www.icmore/gradina.de - 10 ch. : 2 700 kn/sem. en 1/2 P et 2 appart. 3/4 pers. 4 275 kn/sem. en 1/2 P. L'endroit est isolé, c'est son charme. Les chambres, assez grandes, sont d'un confort convenable, le mobilier fatigué devrait être changé.

Les appartements, salon et chambre, sont bien équipés : vraie cuisine avec micro-ondes et salon avec TV, magnétoscope et chaîne stéréo. L'un d'eux a une cheminée. Ce sera l'occasion de goûter les productions de la famille Jerković : vins, huile d'olive, légumes et poissons. Sur place vous pourrez louer ou emprunter, vélos, barques, voiliers et planches à voile.

Petite pause

Bistro Jadran – Trg Mimbeli, Orebić. Dans une maison au bord de l'eau, cette pizzeria possède une terrasse sur la mer calme et ombragée. Un endroit tranquille où siroter un verre en attendant le ferry.

Se restaurer

À MALI STON

👁 **Bon à savoir** – De nombreux restaurants se succèdent le long du quai, ils proposent tous poissons, crustacés et coquillages.

⌑☕🛏 **Restaurant Solana** – Pelješki put 1 - plats 70/130 kn - vins 150/400 kn. Le restaurant de l'hôtel Vila Koruna est particulièrement réputé pour la fraîcheur de ses poissons. Vous pourrez aussi y déguster des grenouilles panées (80 kn), des huîtres à la menthe ou au vin blanc Posip (72 kn).

⌑☕🛏 **Kapetonova Kuća** – Risottos 60/85 kn, plats 85/110 kn, poissons 350 kn/kg, vins 130/240 kn. C'est le plus élégant de l'endroit, on y choisit et déguste du poisson, des fruits de mer, mais aussi l'habituel risotto à l'encre de seiche ou un plat de viande.

À OREBIĆ

⌑☕ **Restaurant Amfora** – Kneza Domagoja 6 - ☏ 713 779 - poissons 300 kn/kg, plats 60/100 kn, vins 70/260 kn. Une terrasse au-dessus de la promenade, pour une cuisine sans surprise. Certains poissons peuvent être chers.

Achats

Matuško Vina – Potomje - ☏ (020) 742 393. Au milieu des vignes, ce grand cellier vous permettra de goûter les meilleurs crus locaux et toutes sortes de liqueurs et d'alcools (dingač, rukatac et plavac).

Split★★★

DALMATIE – 188 694 HABITANTS
CARTE GÉNÉRALE C4 – CARTE MICHELIN 757 E8

Se perdre dans un invraisemblable dédale, lever les yeux sur un péristyle digne des Césars, pénétrer dans le mausolée d'un empereur romain, croiser des sphinx importés d'Égypte, s'asseoir à l'ombre d'un campanile roman, boire un café dans un temple antique : flâner dans le vieux Split, c'est suivre le fil de deux mille ans d'histoire. Imaginez un immense palais romain abandonné, peu à peu envahi par la population qui y construit ses maisons. Ainsi grignoté par le temps, l'ancien palais ne se devine plus qu'ici ou là, au détour d'une ruelle, au-dessus des étals du marché, à la sortie d'un souterrain. Mais quelle surprise alors que cet étonnant mélange où palais vénitiens, architecture autrichienne, et bars branchés ont investi le monde romain !

- **Se repérer** – Au cœur de la côte dalmate, Split, deuxième ville du pays, est un important centre économique et culturel. Construite sur une péninsule qui se termine à l'ouest par la colline de Marjan, elle garde une longue plaine côtière très urbanisée. L'arrière-pays est fermé par deux massifs montagneux, le Mosor, à l'est, et le Kozjak, à l'ouest.

- **Se garer** – *Voir carnet pratique p 204.*

- **À ne pas manquer** – La galerie Meštrović, la balade sur la colline de Marjan en passant par le Veli Varoš, le péristyle.

- **Organiser son temps** – Comptez 3h pour la visite du palais de Dioclétien, une journée pour les villages environnants et les musées.

- **Avec les enfants** – La plage de Bavice et le Musée archéologique.

- **Pour poursuivre le voyage** – Voir aussi Trogir (24 km à l'ouest), Šibenik (88 km au nord-ouest), les îles de Brač (7-12/j, 1h), Hvar (2-5/j, 1h30), Vis (1/j, 2h), Korčula (1-2/j, 3h), Lastovo (1/j, 4h30).

Le péristyle, au cœur du palais de Dioclétien (4ᵉ s.)

Comprendre

Premiers Dalmates – Bien que peuplée dès le paléolithique, c'est à partir de l'âge du bronze que la région a trouvé sa véritable identité, lorsque les Dalmates, une tribu illyrienne, s'y installent. Ils fortifient leurs villages sur les hauteurs et occupent la plaine côtière. À partir du 4ᵉ s. av. J.-C., les Grecs, qui colonisent le pourtour méditerranéen, fondent *Tragurion* (Trogir), vers l'ouest et *Salona* qui, de simple village illyrien, devient la capitale commerciale de la côte. Non loin de cette grande ville, un village, nommé *Aspalathos* (« fleur de genêt ») voit le jour. Après la conquête romaine (à partir du 2ᵉ s. av. J.-C.), il devient *Spalatum*, le futur Split (« Spalato » en italien). Salona, quant à elle, prend encore de l'importance et s'étend.

Retraite impériale – C'est parce qu'il est né à Salona, en 245, d'une modeste famille illyrienne, que l'empereur Dioclétien joue un rôle considérable dans l'histoire de la région. Cet officier dalmate, proclamé empereur par les militaires en 284, doit affronter les terribles tensions qui agitent l'empire déclinant. Pour faciliter la gestion du pouvoir, il le scinde en deux sous-empires, d'Orient et d'Occident, gouvernés par deux augustes (lui-même et Maximien). Les dangers se multipliant, il va plus loin et nomme deux césars, instituant ainsi une **tétrarchie**. Pour sa part, il conserve le pouvoir sur l'empire d'Orient. Cela lui laisse

Les armes de la ville de Split.

le temps de parfaire les réformes et de réorganiser la vie politique et administrative. Pourtant, en 305, alors qu'il n'a que 60 ans, il décide d'abdiquer et de se retirer dans le somptueux palais qu'il s'est fait bâtir au bord de la mer, tout près de sa ville natale. Il a même prévu le mausolée où il sera enterré. Après son abdication, le système de tétrarchie ne perdure pas longtemps. Dioclétien meurt en 313. Le palais demeure possession impériale jusqu'à la chute finale de l'empire, au début du 5ᵉ s.

Fuir les Barbares – Dès le 4ᵉ s., les Goths déferlent sur les Balkans. Au 7ᵉ s., ce sont les Avars et les Slaves qui envahissent la baie et détruisent Salona. Les habitants fuient vers les îles ou se réfugient à l'intérieur des murs du palais de Dioclétien. Les immenses pièces sont peu à peu divisées en logements plus petits. Des murs sont élevés, des terrasses transformées en maisons. Le palais devient une petite ville et même le siège de l'archevêché, au 8ᵉ s. Le mausolée de Dioclétien est devenu une cathédrale. Seul le péristyle est conservé en l'état et devient la place centrale. Lorsque l'espace vient à manquer, un nouveau faubourg voit le jour à l'ouest de l'enceinte.

De la domination croato-hongroise à la république de Venise – À partir du 10ᵉ s., Split entre dans le giron des rois hongrois. La ville est florissante et frappe sa monnaie. Pourtant les menaces extérieures existent, notamment de la part des Mongols. On décide de ceinturer le faubourg occidental d'un rempart. De 1327 à 1357, puis après 1409, la ville passe sous le contrôle de la puissante république vénitienne et y restera jusqu'en 1797. Durant cette période, une intense vie culturelle s'épanouit et de nombreux palais sont construits. Mais, comme dans tous les Balkans, la menace turque empoisonne régulièrement la paix de la ville, que l'on doit toujours mieux fortifier.

De la Yougoslavie à l'indépendance – Le 19ᵉ s. est celui de l'éveil patriotique croate à Split, ainsi que celui des créations culturelles que sont les musées, théâtres et écoles. En 1918, Split rejoint ce qui constituera le royaume de Yougoslavie, puis, après la Seconde Guerre mondiale, la Républi-

L'empreinte française

À la chute de Venise, Split revient brièvement aux Autrichiens mais en 1806, Napoléon, qui a conquis la Dalmatie, nomme le général **Marmont** à la tête de la province. Sa gestion a laissé d'excellents souvenirs aux Splitois. À ce jour, les liens culturels avec la France sont très vivants, ainsi qu'en témoigne la présence d'une importante Alliance française et de cercles de lecture. La chute de l'Empire napoléonien marque le début de la domination autrichienne qui se poursuit jusqu'en 1918.

que fédérale yougoslave. Très éprouvée par les bombardements et les occupations italienne et allemande, elle devient, après la guerre, le premier centre économique et culturel du littoral. Durant la guerre d'indépendance de la Croatie, entre 1991 et 1995, Split assure efficacement sa défense et accueille le flot des réfugiés croates et bosniaques fuyant la Serbie ou la Bosnie. Les hôtels de la ville sont alors mis à leur disposition.

Se promener

Les faubourgs un peu sinistres de Split ne doivent pas vous décourager car le centre historique réserve en effet des découvertes passionnantes. Avant d'y pénétrer, nous vous conseillons d'en faire le tour, pour mieux vous représenter son évolution au fil des siècles.

AUTOUR DE LA VIEILLE VILLE (STARI GRAD) ET DU PALAIS DE DIOCLÉTIEN★

Commencer au grand marché qui se déroule chaque matin, près du front de mer, à l'angle sud-est de la vieille ville. Compter 45mn.

Marché (tržnica) plan II E2

Vibrant de sons, de couleurs et d'odeurs, ce marché quotidien est la meilleure introduction à la ville. Marchands de légumes et de fruits des environs, de jambons ou de fromages traditionnels, grands-mères proposant leur huile d'olive, leurs figues ou leur miel, bazars ou étals de fripes vendant le maillot de l'équipe locale de football rappellent que Split est avant tout une cité vivante et animée. Installé sur une vaste place, il s'adosse directement à la façade est du palais de Dioclétien.

Façade est du palais★ plan II E2

C'est le meilleur endroit pour découvrir l'énorme structure. Malgré les modifications, on peut encore voir la façade sur toute sa longueur.

Tour sud-est plan II E2

Marquant l'angle sud-est, elle est de section carrée et conserve ses fenêtres, même si celles des étages ont été murées. Au Moyen Âge, les archevêques l'incorporèrent à leur palais. C'est l'une des trois tours subsistant du système originel.

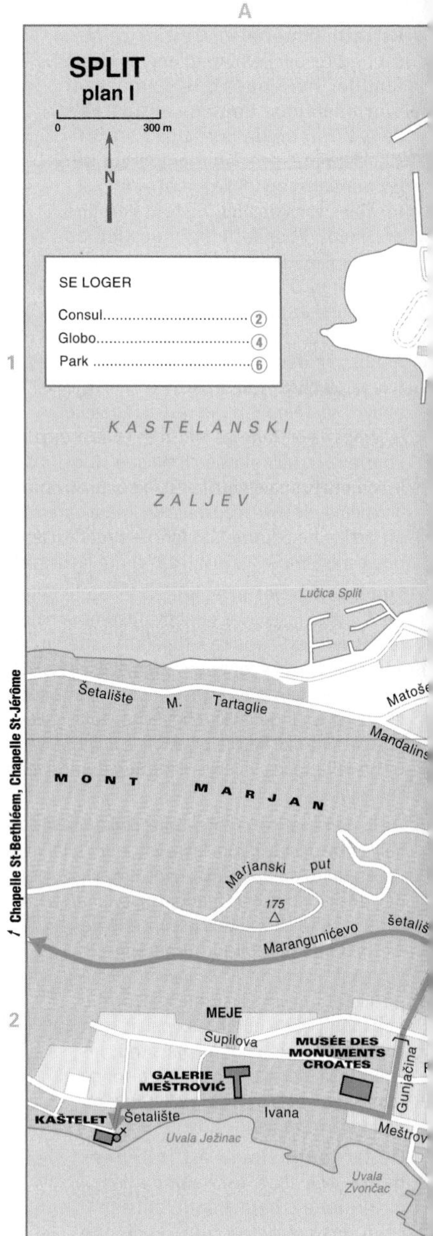

Porte d'Argent (porta argentea ou Srebrna vrata) plan II E2

Au milieu de la façade, elle fait partie du système de quatre portes conçu lors de la construction. Lors de la période médiévale troublée, quand on craignait les attaques turques, on décida de la murer. Elle fut rouverte et restaurée après la Seconde Guerre mondiale.

La petite porte, un peu au nord, date du 18e s., après le déclin de la menace turque.

Tour nord-est plan II E1

Pendant de celle du sud-est, elle ne conserve que le premier étage d'origine.

Bastion Contarini (branik Contarini) plan II E1

De l'autre côté de la rue, cette fortification massive date de la période vénitienne (17e s.), quand la menace turque se précisait. Son pendant à l'ouest existe toujours, de l'autre côté du parc municipal.

SPLIT
plan I

0   300 m

N

SE LOGER

Consul .... ②
Globo .... ④
Park .... ⑥

KASTELANSKI

ZALJEV

Lučica Split

Šetalište   M.   Tartaglie

Matoše

Mandalins

↑ Chapelle St-Bethléem, Chapelle St-Jérôme

MONT   MARJAN

Marjanski   put

175
△

Marangunićevo   šetališ

šetališ

MEJE

Supilova

MUSÉE DES MONUMENTS CROATES

Gunjačina

GALERIE MEŠTROVIĆ

KAŠTELET   Šetalište   Ivana

Meštrov

Uvala Ježinac

Uvala Zvončac

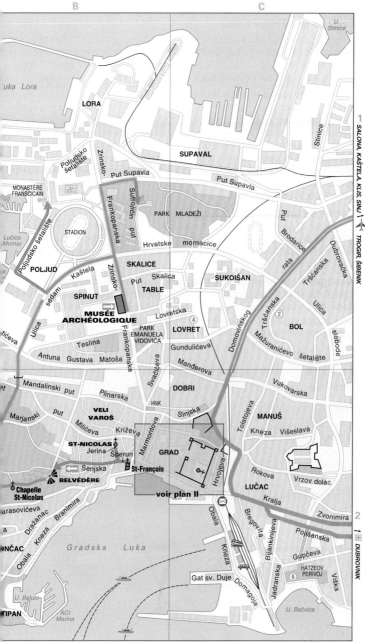

voir plan II

Aux marches du palais...

Vraisemblablement construit à partir de 298, le palais de Dioclétien n'était pas tout à fait terminé lorsque l'empereur s'y retira, en 305. Il occupe un immense quadrilatère de 180 m de large (façades nord et sud) et 215 m de long (façades est et ouest), soit une superficie d'environ 30 000 m². Son style était celui des villas romaines de l'époque, un mélange abouti de maçonnerie de pierre, de marbre et de brique, avec des toits de tuiles. Un chemin de ronde couronnait le sommet des murs. L'ensemble était ponctué de 16 tours défensives. Quatre tours carrées marquaient les angles. Les trois façades terrestres étaient rythmées chacune de deux autres tours carrées, les trois portes étant encadrées de tours octogonales. Seule la façade sud, celle des appartements impériaux, n'était pas renforcée de tours mais occupée par une longue galerie à arcades entrecoupée de trois loggias.

Façade nord★ plan II E1

C'est la façade la plus intéressante car on peut prendre du recul pour l'observer. C'est aussi la plus importante stratégiquement, celle que l'on découvrait en arrivant par la route depuis Salona. Bien que ses tours aient disparu, on en devine encore l'emplacement, et on aperçoit nettement le tracé des fenêtres aujourd'hui murées.

Porte d'Or★ (porta aurea ou Zlatna vrata) plan II E1

La richesse de son décor sculpté, consoles, chapiteaux, niches, en fait la plus remarquable des quatre. En haut du mur, on voit la base de quatre socles où devaient se dresser les statues des tétrarques. Du côté intérieur, elle est doublée d'une sorte de sas, une petite cour fortifiée qui améliorait la défense du palais. Elle aussi fut condamnée au Moyen Âge, par crainte des attaques turques.

Au-dessus de la porte, on construisit au 12e s. la minuscule **chapelle Saint-Martin** qui abrite une Vierge noire et un superbe chancel préroman en pierre orné de motifs géométriques et d'entrelacs.

Statue de Grégoire de Nin (Grgur Ninski) plan II E1

Elle dresse un doigt imprécateur, juste en haut des marches, à l'extérieur de la porte d'Or. Réalisée en 1929 par Ivan Meštrović, elle célébrait le millénaire du synode de Split, où l'évêque Grégoire de Nin demanda à remplacer le latin par le slavon croate dans la liturgie.

Vestiges du couvent bénédictin (benediktinski samostan) plan II E1

Derrière la statue de Grégoire de Nin s'élève le **clocher** de la chapelle du Bienheureux Arnir (18e s.). Il appartenait jadis au vaste ensemble du couvent des bénédictines, situé le long du mur nord du palais, sur l'emplacement d'un édifice préroman. Il ne reste quasiment rien de l'ensemble, à l'exception des vestiges de l'église préromane

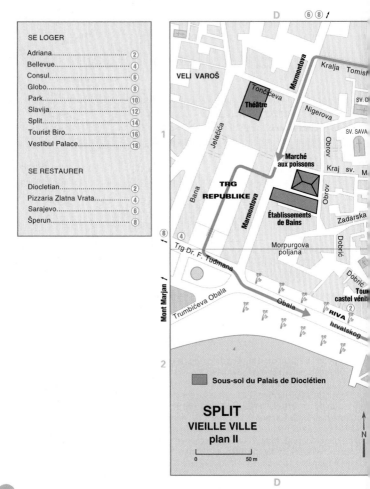

SE LOGER

Adriana	②
Bellevue	④
Consul	⑥
Globo	⑧
Park	⑩
Slavija	⑫
Split	⑭
Tourist Biro	⑯
Vestibul Palace	⑱

SE RESTAURER

Diocletian	②
Pizzaria Zlatna Vrata	④
Sarajevo	⑥
Šperun	⑧

Sous-sol du Palais de Dioclétien

SPLIT
VIEILLE VILLE
plan II

0   50 m

de Saint-Benoît ou Ste-Euphémie (Sv. Eufemije) (11e s.) et d'une partie de la **chapelle du Bienheureux Arnir** (15e s.). Derrière ses portes vitrées, on aperçoit une copie d'un autel exécuté en 1444 par Georges le Dalmate (Juraj Dalmatinac), aujourd'hui conservé dans l'église de Kaštel Lukšić *(voir « Aux alentours »)*.

Tour nord-ouest plan II E1

Elle marque la fin du mur nord. On observe clairement ici que le mur ouest du palais est complètement invisible, tant il est imbriqué dans les constructions ultérieures. On le retrouve ici et là en flânant dans les ruelles, à l'intérieur de la ville. Au-delà de la tour, à l'ouest, on aborde le faubourg médiéval fortifié à l'époque vénitienne.

Continuer tout droit sans rentrer dans la vieille ville et longer Kralja Tomislava jusqu'à Marmontova, puis tourner à gauche.

Rue Marmont (Marmontova) plan II D1

Cette large rue piétonne marque la limite occidentale de la ville vénitienne. Elle doit son nom au général Marmont qui présida à la modernisation de l'urbanisme et à la construction de routes. Avant son arrivée, Split était bridée dans son développement par les remparts. Marmont les fit raser, remplacer par un jardin et par l'axe de Marmontova qui ouvrait la ville vers la mer. C'est la rue commerçante à la mode, où les jeunes aiment se montrer. Sur la droite s'étend la ville du 19e s.

Descendre Marmontova vers la mer.

Marché aux poissons (ribarnica) plan II D1

Ne manquez pas de passer par ici le matin, lorsque les étals regorgent des produits de la pêche nocturne et que les négociations vont bon train. Brouhaha, odeurs de marée et couleur locale garantis !

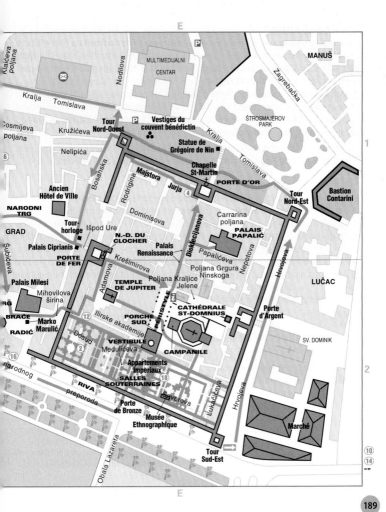

Établissement de bains plan II D1

À l'angle sud du marché et de Marmontova, ce grand bâtiment jaune porte une série de naïades échevelées. Dessiné en 1903 par un architecte local, il est un exemple du style Sécession. L'établissement est réputé pour sa source d'eau sulfureuse. Ce sont d'ailleurs ses vapeurs soufrées qui tiennent les mouches à l'écart du marché, même au plus chaud de l'été.

Descendre la rue jusqu'à la mer et tourner à droite.

Place de la République★
(Trg Republike) plan II D1

Conçue pour imiter la place Saint-Marc de Venise, bordée d'édifices à arcades et élégante façade orangée, les **Procuraties (Prokurative)**, de style néo-Renaissance, ornées de têtes de lions vénitiens (fin 19e-déb. 20e s.), cette place occupe l'emplacement du jardin aménagé par Marmont. Le

Les Procuraties : une étonnante ressemblance avec celles de Venise.

Ch. Barrely-Legrand / MICHELIN

côté nord accueillit le **théâtre**, tandis que les ailes abritaient des services municipaux. Malgré son allure grandiose, l'endroit reste aujourd'hui à l'écart de l'animation, sauf en été, lorsqu'elle accueille des spectacles en plein air.

Vers l'ouest, un lacis de ruelles monte vers la colline du Marjan.

La Riva★★ plan II D-E2

C'est sous ce nom que les Splitois désignent la **promenade du front de mer★** (*Obala hrvatskoga narodnog preporoda*, quai de la Renaissance-Nationale-Croate). Le **quai** actuel et son large remblai n'existent que depuis le 19e s., bien qu'il y ait un port depuis le Moyen Âge. L'aménagement de la rive fut lancé par Marmont, et poursuivi durant tout le 19e s. Avec ses hauts palmiers, l'animation de ses terrasses de café, le va-et-vient des promeneurs et le ballet des bateaux dans la baie, c'est le second salon des habitants, à toute heure de la journée. On y flâne, on y discute, on y prend le café en lisant le journal, on y regarde passer le monde…

En longeant la Riva vers l'est, on passe une petite porte percée sous les Vénitiens, puis, après la place Braće-Radić, on retrouve la façade sud du palais de Dioclétien.

Façade sud★★ plan II E2

La dernière façade du palais impérial était baignée par la mer. C'est ici que l'on mesure le mieux la façon dont il a été investi par les constructions ultérieures. Notez le tracé des anciennes arcades : à l'origine, cet étage du palais était une **galerie** ouverte, sorte de longue terrasse couverte où l'empereur pouvait se promener en regardant la mer. À chaque extrémité et au milieu, trois loggias, dont on peut voir les colonnes, venaient rompre la régularité de l'architecture. Lors de la transformation progressive du palais en habitations, les vides furent murés et de petites fenêtres insérées à la place. Au 19e s., des boutiques ouvrirent leurs portes au pied du mur. Il en résulte un pittoresque mélange des genres, à l'image de cette corde à linge tendue à la fenêtre du palais et où flottent parfois des sous-vêtements contemporains.

Porte de Bronze (porta aenea ou Mjedena vrata) plan II E2

Beaucoup plus petite que les autres, elle se cache entre les boutiques, entre les n°s 22 et 23 de la Riva. Du temps de Dioclétien, elle ouvrait directement sur le débarcadère. À la différence des autres, elle ne permet pas de pénétrer dans le palais mais seulement de descendre vers les salles souterraines.

Les débuts du commerce portuaire

En 1492, l'Inquisition commence en Espagne et les juifs en sont expulsés. Ils se disséminent en Europe. Bon nombre d'entre eux arrivent sur la côte dalmate et deviennent très vite des acteurs dynamiques de l'économie locale. À Split, c'est un certain Daniel Rodrigo qui lance le premier l'idée de développer le port, au pied de la façade sud du palais. Cette initiative sera à l'origine de l'orientation résolue de Split vers le commerce maritime.

AU CŒUR DU PALAIS
DE DIOCLÉTIEN★★★ plan II E1-2

Comptez 3h.

Entrez à l'intérieur de la vieille ville par la porte de Bronze, sur la Riva : de là des marches descendent vers la partie souterraine du palais.

L'intérieur du palais était organisé selon un plan en croix, desservi par deux axes perpendiculaires : le *decumanus*, rue transversale de la porte de l'est à celle de l'ouest, et le *cardo*, reliant la porte nord au péristyle. La partie nord du palais comportait les logements des soldats et des serviteurs, ainsi qu'une fabrique de vêtements où travaillaient les chrétiens condamnés. La partie sud abritait le péristyle, les temples et les appartements impériaux. Aujourd'hui, cette rigueur est beaucoup moins visible puisque l'on évalue à 900 le nombre d'appartements qui se serrent dans le palais, pour environ 3 000 habitants.

> ### Décharge publique
>
> Au Moyen Âge, pour transformer le palais en habitations, on procéda à d'importantes démolitions et on utilisa les souterrains comme décharge. Le sous-sol fut ainsi peu à peu comblé de gravats jusqu'aux voûtes. Le premier à s'intéresser au sujet fut l'architecte écossais **Robert Adam** (initiateur du style georgien), au 18e s. Malgré l'intérêt que plusieurs archéologues prêtèrent au sous-sol par la suite, les fouilles et le déblayage ne commencèrent qu'en 1956.

Sous-sol★★

Il n'existe que sous la partie sud du palais pour rattraper la déclivité du terrain.

Salles souterraines★★ (podrum)

Accès par la gauche, en bas de l'escalier. Juil.-août : 9h-21h ; mai-juin et de début sept. à mi-oct. : 10h-18h ; de mi-oct. à fin avr. : 10h-14h. 10 kn.

Leur visite permet de s'imaginer la configuration intérieure des appartements impériaux juste au-dessus, car les deux plans en étaient similaires. On suppose qu'elles abritaient les logements des esclaves.

On y observe en détail les modes de construction, l'harmonie des **voûtes**★ et l'incroyable épaisseur des murs. Vous verrez les vestiges médiévaux d'un **pressoir à olives** en pierre. Plus loin, dans la partie est, qui correspond à la salle à manger de l'étage supérieur, une ancienne **table romaine** de marbre, en forme de demi-ellipse : la partie circulaire était encastrée entre des couchettes sur lesquelles les convives mangeaient allongés, tandis que le service se faisait par la partie rectiligne.

Galerie marchande

La partie centrale des salles souterraines mène de la porte de Bronze au péristyle du palais. Elle accueille des étals d'artisanat d'art. On y observe le travail de maçonnerie des voûtes.

Suivre ce large couloir vers le nord et remonter à l'air libre par l'imposant escalier menant au péristyle.

Péristyle★★★ (peristil)

Symbole parfait de l'heureux mariage des styles, il a gardé tout son caractère romain en y associant les ajouts successifs de l'Histoire.

Le péristyle est le prolongement du *cardo* venant de la porte d'Or. Il est bordé de colonnades sur trois côtés. Les appartements de l'empereur se trouvaient au sud, le mausolée impérial, à l'est, et les trois autres temples de la ville, dédiés à Vénus, Cybèle et Jupiter, à l'ouest.

Colonnade ouest et café Luxor★

Parfait exemple d'intégration dans l'architecture du palais, la façade de ce café historique (en restauration en 2006) s'inscrit dans la colonnade ouest qui séparait jadis le péristyle de l'esplanade des temples. Au-dessus, l'étage Renaissance est celui d'un **palais du 15e s.**, sans doute dû à Nicolas le Florentin (Nikola Firentinac).

Colonnade est★

Séparant le péristyle de l'esplanade du **mausolée** de Dioclétien (aujourd'hui la cathédrale), elle abrite un **sphinx** (15e s. av. J.-C.). Dioclétien le rapporta de sa campagne victorieuse d'Égypte (297-98), tout comme de nombreux éléments architecturaux intégrés aux différentes parties du palais.

Prothyron ou porche sud★

Côté sud, la colonnade est surmontée d'un fronton et forme le porche d'**entrée des appartements** de Dioclétien, qui lui servait de tribune lors des célébrations. De chaque côté, les deux petites **chapelles** datent des 16e et 17e s.

Emprunter la porte du fond du porche pour pénétrer dans les appartements.

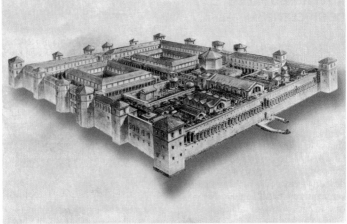

Reconstitution du palais de Dioclétien.

Appartements impériaux

Cantonnés dans la partie sud du palais, ils s'étendaient le long de sa façade maritime. Leur superficie et leur distribution correspondent à celles des salles souterraines.

Vestibule★★ – Les visiteurs y attendaient d'être reçus par l'empereur. De forme circulaire, initialement coiffé d'une coupole et entièrement décoré de mosaïques, il présente la **maçonnerie romaine** typique, avec son alternance de pierre et de brique. Les **dalles des seuils**, à chacune des entrées, sont de l'époque romaine. Dans l'axe du péristyle, une porte conduit du vestibule à ce qui était une salle centrale desservant les appartements.

Appartements – Il n'en reste pratiquement rien, tant les constructions ultérieures les ont altérés, mais une lente restauration a commencé. Vers la droite de la salle centrale se trouvait la **salle de réception**, suivie des appartements privés. En face, une porte à l'encadrement ouvragé ouvrait sur la longue **galerie couverte** donnant sur la mer. Ses arcades sont aujourd'hui murées.

Tourner à gauche.

Vers la gauche de la salle centrale, on entrait dans une immense **salle à manger** ou *triclinium*. Cette partie du palais est peu à peu remise en valeur et on a remonté les départs de murs pour une meilleure représentation des volumes. À l'ouest se trouvaient les antiques chambres des Patriciens, qui étaient mitoyennes de la salle à manger. Cette aile encore peu investie du palais de Dioclétien abrite désormais le Musée ethnographique.

Musée ethnographique (etnografski muzej)

Serenova 1 - fermé dim. - juin : mar.-vend. 9h-14h, 17h-20h ; sam. 9h-13h - juil.-sept. : mar.-sam. 9h-21h - oct.-mai : mar.-sam. 9h-13h - 10 kn - explications en anglais.

Le Musée ethnographique rouvre ici ses portes avec une collection restreinte, sur le thème des costumes traditionnels. L'accent a été mis sur ceux de la ville de Split et ses environs (Veli Varoš, Lucac, Manus et Dobri), témoins de la lente intégration de ces faubourgs nés autour des fortifications sous la pression turque, à la ville-palais. Le reste de la collection de ce musée historique (1870) sera petit à petit intégré à la muséographie existante.

Revenir dans la « salle à manger », la traverser et emprunter à gauche le passage menant sur le côté du mausolée que l'on contourne pour se retrouver à l'entrée de la cathédrale.

Cathédrale St-Domnius★★★ (Sv. Duje)

Tlj sf dim. 7h-12h, 16h-19h. 5 kn.

Elle occupe l'ancien mausolée octogonal de Dioclétien, transformé en église au 7e s. À ce moment-là, le sarcophage impérial fut déplacé dans l'une des tours du palais (on a perdu sa trace au 11e s.). Initialement placée sous la protection de la Vierge, elle fut très vite dédiée à saint Domnius, patron de la ville et premier évêque de Salona. Le 7 mai, jour de sa fête, est la plus grande célébration de la ville, avec messe en plein air et processions.

L'entrée est précédée d'un portique dont les colonnes soutiennent le plafond à caissons.

Campanile★ – *Mêmes horaires que la cathédrale - 5 kn*. Sa construction débuta à la fin du 13e s., dans un style roman tardif. Les étages supérieurs, ajoutés plus tard en style gothico-Renaissance, furent reconstruits en style néoroman au 19e s. À l'extérieur, ne manquez pas, de part et d'autre, au premier niveau, les délicats **bas-reliefs★** de l'*Annonciation* et de la *Nativité* (13e s.), avec la Vierge abritée par un rideau. La **vue★★** depuis le sommet (60 m) est très intéressante car elle permet de repérer le périmètre du palais dans le fouillis des maisons.

Vantaux★★★ – L'entrée dans la cathédrale se fait par une lourde porte à vantaux de chêne, considérés comme l'un des joyaux de la sculpture médiévale mondiale, réalisés en 1214 par **Andrija Buvina**, un artiste de Split. Animés de 28 caissons, ils illustrent la vie de Jésus en autant de scènes, bande dessinée archaïque, encore influencée par le style byzantin. Le battant de gauche va de sa naissance à la résurrection de Lazare. Celui de droite couvre la Passion et l'Ascension. À l'origine, la porte devait être encore plus opulente car le fond était rouge et les personnages dorés.

Mausolée★★ – Octogonal à l'extérieur, il conserve son entourage de **colonnes romaines** et une collection de **sarcophages** paléochrétiens.
À l'intérieur, on est surpris par son plan circulaire compact et par l'exceptionnel état de conservation de la structure romaine, notamment les **colonnes**, les **chapiteaux**, la frise et la **voûte** de la coupole. Les matériaux ne sont évidemment pas de la région, sans doute importés par Dioclétien après ses campagnes d'Égypte, voire prélevés sur certains temples égyptiens. La **frise figurative★** qui borde la base de la coupole affiche les bustes de Dioclétien *(à droite de la colonne, près de la fenêtre)* et de l'impératrice Prisca *(à la symétrie de l'autre)*, portés par des amours, ainsi que des scènes de chasse (chars, Hermès, cerfs, sangliers…) souvent associées aux rites funéraires.

Mobilier★★★ – D'une somptuosité rare, il témoigne de la succession des styles à travers les siècles.

Commencer par la gauche de l'entrée et suivre le tour du sanctuaire.

Admirez d'abord la **chaire romane★★** (13e-14e s.), aux chapiteaux finement ouvragés en marbres de différentes couleurs.
Passez ensuite l'**autel de Saint-Domnius**, une lourde réalisation baroque (1767) de la Foi et la Constance soutenant un reliquaire. Le devant de cet autel porte un bas-relief de la décapitation de Domnius. Le plafond de la niche est occupé par une série de huit peintures de **scènes de la vie de la Vierge** (Capogrosso, 17e s.).
En continuant, vous abordez, sous un incroyable dais sculpté, l'**autel de Saint-Anastase★★★ (Sv. Staš)**, un contemporain de Domnius, martyrisé lui aussi par Dioclétien et l'un des protecteurs de la ville. Ce splendide sarcophage, abrité par un drapé de pierre, est l'œuvre de Georges le Dalmate (Juraj Dalmatinac). On reste ébahi par la délicatesse et le réalisme de la sculpture, notamment à la Flagellation du Christ, sur le devant. Détail à relever : le gisant du saint garde près de lui une meule de pierre figurant son martyre (il fut jeté à la rivière avec une pierre attachée autour du cou).
Juste à côté, une arche menant au chœur abrite le **maître-autel**, sous un riche plafond à caissons peints.
Toujours en tournant dans le sens des aiguilles d'une montre, vous découvrez ensuite le second **autel de Saint-Domnius**, sarcophage et gisant exécutés par l'artiste milanais Bonino (1427) pour accueillir la dépouille du saint, d'abord enterrée à Salona, puis transférée ici au 9e s.

Chœur – Au 17e s., comme la cathédrale devenait trop petite, on l'agrandit vers l'est pour bâtir le chœur rectangulaire baroque, dans lequel on pénètre en passant derrière le maître-autel. Il recèle l'un des plus beaux trésors de la cathédrale : ses **stalles★★★** en bois sculpté, d'une finesse extraordinaire. On y remarque de nombreux détails et des motifs géométriques ou figuratifs, traduisant des influences artistiques très diverses, du style lombard au style byzantin en passant par celui de l'Islam.

Persécutions

Pour les premiers chrétiens, les périodes de tolérance alternèrent avec les persécutions. Pour éviter que le pouvoir quasi divin des empereurs ne soit sapé, Dioclétien lança à partir de 303 une campagne contre les chrétiens qui refusaient de rendre un culte à l'empereur et aux dieux païens. Il fit ainsi décapiter saint Domnius dans l'amphithéâtre de Salona, en 304. L'impératrice Prisca et sa fille Valéria, qui s'étaient converties à la nouvelle religion, furent expulsées du palais après sa mort. La légende veut qu'elles aient été enterrées sur l'île de Brač.

Trésor★ (riznica) – Conservé dans la sacristie, il rassemble des vêtements sacerdotaux, des pièces d'**orfèvrerie sacrée**, des bustes reliquaires des patrons de la ville, des icônes et surtout le rare **évangéliaire de Split★★★**, un manuscrit enluminé (6e s.).

Crypte★ – *Mêmes horaires que la cathédrale - 5 kn*. Située sous le mausolée, elle adopte le même plan circulaire. La tradition veut que durant la construction du palais, elle ait servi de prison aux chrétiens. Depuis le 13e s., elle est dédiée à sainte Lucie, protectrice des aveugles. Selon la légende, cette jeune chrétienne aurait voué sa vie à Dieu, mais, obligée de se marier, elle se serait arraché les yeux de désespoir, avant de les retrouver par miracle. Au fond de la crypte, une source miraculeuse est censée rendre la vue. Le jour de sa fête, le 13 décembre, la crypte est ouverte au public, une messe est dite et chacun peut emporter un flacon de l'eau magique.

En ressortant de la cathédrale, traverser le péristyle et emprunter la ruelle juste en face, sous les poutrelles de bois. Elle mène au temple de Jupiter, devenu baptistère.

Temple de Jupiter★★
8h30-20h30 - 5 kn.

Pour asseoir son pouvoir, Dioclétien se prétendait le descendant de Jupiter. Entre le *decumanus* et les appartements impériaux, l'espace était réservé aux édifices religieux. D'un côté, le mausolée, voué au culte de l'empereur, de l'autre, les temples de Vénus et Cybèle, aujourd'hui disparus, et celui de Jupiter. Ce dernier fut transformé en baptistère pour la cathédrale à la fin du 9e s. À l'extérieur, le sphinx vient d'Égypte, comme celui du péristyle. À l'intérieur, on découvre une **statue en bronze de saint Jean Baptiste** par Ivan Meštrović (1954), veillant sur les fonts baptismaux.

Fonts baptismaux★★★ – En forme de croix, ils surprennent par leur taille imposante. Aux débuts du christianisme, le baptême se donnait en effet par immersion totale. L'ensemble fut réalisé au 12e s. avec des dalles récupérées sur un chancel préroman antérieur (11e s.). La plus belle est celle du devant, figurant un roi croate assis sur son trône.

Revenir dans le péristyle et rejoindre vers le nord l'intersection de Dioklecijanova et Krešimirova.

Rue Dioclétien (ulica Dioklecijanova)

Intersection du cardo et du decumanus
L'intersection est celle du *decumanus* (ulica Krešimirova) et du *cardo* (ulica Dioklecijanova), l'ancien cœur du palais. C'est ici que convergeait toute la circulation en provenance des quatre portes. De ce point, on les apercevait clairement. Les deux artères étaient alors presque aussi larges que le péristyle.

Palais Renaissance
Le long de Dioklecijanova, surtout sur la gauche, se succèdent plusieurs palais Renaissance à l'architecture typique : élégante cour intérieure, puits ouvragé, escalier extérieur menant à l'étage de réception. Au-dessus se trouvaient les appartements privés et enfin, au dernier étage (pour éviter les odeurs), la cuisine.

Tourner à droite dans Papalićeva, en direction du musée de la ville (muzej grada).

Palais Papalić★ (palača Papalić)
Ce palais somptueux, de style gothique flamboyant, abrite le musée de la Ville. Construit au 15e s., il fut conçu par Georges le Dalmate pour l'une des plus riches familles de Split. On y retrouve l'organisation traditionnelle des palais, avec une belle cour, le puits, un **escalier extérieur** ouvragé, une loggia et une grande **fenêtre sculptée** magnifique (visible depuis la rue). Papalić était un ami du poète Marulić. Tous deux rassemblèrent une collection d'antiquités romaines récupérées à Salona.

Musée de la ville de Split (muzej grada splita)
Papalićeva 1 - Mai-sept. : tlj sf lun. 9h-21h ; w.-end 9h-16h ; oct.-avr. : tlj sf lun. 9h-16h, w.-end 10h-13h. 10 kn.

La visite permet de se représenter l'architecture intérieure d'un palais. Le rez-de-chaussée est consacré aux **collections lapidaires**. Une salle est réservée à **Emanuel Vidović**, peintre splitois du 20e s., en attendant qu'un musée lui soit consacré. Le 1er étage présente le **manuscrit des statuts de la ville** (1395). Au second, série imposante d'**armes anciennes** (17e-19e s.).

Revenir sur ses pas et reprendre Dioklecijanova en direction de la porte d'Or. Juste avant la porte, emprunter le passage couvert, sur la gauche, pour rejoindre la rue Majstora-Jurja.

Rue Majstora-Jurja (ulica Majstora Jurja)

Elle est également bordée de palais, tel celui occupé par une pizzeria, sur la gauche, avec tous les éléments traditionnels. Aujourd'hui, les terrasses de cafés envahissent la ruelle et ses petites cours pittoresques. Sur la gauche s'étend l'ancien ghetto juif.

À son extrémité, la rue oblique vers la droite et ressort du palais de Dioclétien. Tourner alors à gauche dans Bosanska et aller jusqu'à Narodni trg (place du Peuple).

Place du Peuple★★ (Narodni trg) plan II E1

Beaucoup plus vaste que le péristyle, elle est le centre de la ville vénitienne. Initiallement, elle s'était constituée autour d'une petite chapelle St-Laurent aujourd'hui disparue. Avec la construction de palais municipaux aux 14ᵉ et 15ᵉ s., elle est devenue le poumon administratif de la vieille ville. Plutôt que par son nom officiel, les habitants la désignent par celui de **Pjaca** *(Prononcer piatsa)*.

Ancien hôtel de ville

Il trône au centre de la place, reconnaissable à sa **loggia** à triple arcade et à ses fenêtres gothiques. Construit au 15ᵉ s., il porte sur sa façade les armes de la ville, figurant le palais de Dioclétien et le campanile. Il abrite aujourd'hui des expositions temporaires.

Ne manquez pas de contourner l'édifice : au-dessus des tables des cafés, remarquez sur le côté sud, la porte murée de l'**ancienne poste** et les mots « boîte aux lettres » gravés dans la pierre en français : il s'agit d'un vestige du réseau postal créé par le général Marmont.

Palais Ciprianis (palača Ciprianis)

À l'angle sud-est de la place, ce palais de style roman tardif (fin 14ᵉ s.) conserve de superbes fenêtres et une statue de saint Antoine. Le comte Ciprianis, qui avait financé la sculpture, est représenté agenouillé dans les robes du saint. Notez aussi, juste au-dessus, le couple se disputant : il s'agit d'une sculpture plus ancienne, utilisée en remploi comme c'est souvent le cas dans les édifices de la ville.

Tour-horloge

Le long d'Ispod Ure, l'étroit passage menant à la porte ouest du palais, en face du palais Ciprianis, cette maison-tour romane porte l'horloge de la ville depuis le 15ᵉ s. À la même époque, la tour fut coiffée d'un petit clocher gothique. Juste derrière, vous apercevez le clocher roman qui surmonte la porte de Fer.

Porte de Fer★ (porta ferrea ou Željezna vrata) plan II E1

Quatrième des portes du palais, à l'ouest, elle est devenue la plus importante à partir du 16ᵉ s., lorsque le faubourg vénitien a pris de l'ampleur et qu'elle constituait le point de jonction entre la ville du palais et le nouveau quartier. Bien que noyée dans les constructions ultérieures, elle conserve son sas de sécurité à **double entrée** et permet de constater la structure massive des murailles du palais. Les gardes logeaient au-dessus de la porte extérieure. Au Moyen Âge, elle fut la seule, avec celle du port, à rester ouverte.

Devant la porte de Fer, la tour-horloge et son cadran.

Ch. Barrely-Legrand / MICHELIN

Emprunter l'escalier sur la gauche : il conduit à la chapelle qui surmonte la porte.

Notre-Dame-du-Clocher★ plan II E1

À partir du 9ᵉ s., nombre de petites chapelles furent fondées un peu partout à Split et dans ses environs immédiats. On en construisit ainsi au-dessus de chaque porte du palais. Celle-ci date du 11ᵉ s. et conserve le plus ancien **clocher préroman** de la côte dalmate. L'intérieur est d'une émouvante simplicité.

Revenir sur la place du Peuple et la traverser vers l'ouest. Tournez à gauche dans Šubićeva et ses nombreux palais, pour rejoindre Trg Braće Radić.

Place des Frères-Radić★ (Trg Braće Radić) plan II E2

Beaucoup l'appellent toujours la **place aux Fruits** car jusque dans les années 1960, c'est ici que se tenait le grand marché aux fruits et légumes.

Palais Milesi

Fermant la place sur le côté nord, ce palais baroque (18e s.) présente une façade harmonieuse et équilibrée, conservant encore des caractéristiques du style Renaissance.

Statue de Marko Marulić

Le poète Marko Marulić est né à Split, dans un palais voisin de celui du musée de la Ville. La statue est l'œuvre de **Ivan Meštrović**.

C'est marqué La Poste !

Le visiteur curieux ne peut manquer de remarquer que de nombreux bureaux de poste de Dalmatie portent très officiellement des panneaux de guichets bilingues, en croate et en français. Ce détail, bien pratique pour nous, est une trace du prestige de la langue française, utilisée comme langue diplomatique lorsque la région fut libérée de la tutelle italienne. La courte période de domination française est associée par certains historiens à l'éveil du sentiment national croate, car pour la première fois on désignait la région par le nom de son peuple d'origine : Provinces illyriennes.

Tour du castel vénitien (Kaštel)

Jouxtant une petite porte qui conduisait jadis à la mer, cette tour hexagonale (1435) appartenait au système défensif érigé sous la domination vénitienne pour résister aux Turcs.

Quitter la place par l'angle nord-est et la petite place Mihovilova širina. Prendre les escaliers sur le côté du café Shook et tourner à gauche dans Buvinina. On arrive derrière le temple de Jupiter. Prendre Adamova à gauche, puis, à droite Krešimirova (ancien decumanus) qui ramène au péristyle.

BALADE SUR LA COLLINE DU MARJAN★★ plan I A-B2

Commencer à l'extrémité ouest de la Riva, près de l'église franciscaine. Compter 3h à pied, en incluant un arrêt au café du belvédère.

Cette presqu'île boisée et escarpée est l'un des buts de promenade favoris des habitants, qui y viennent pour marcher, mais aussi pour leur jogging (le sport est une valeur très prisée à Split). Des sentiers en sillonnent la crête, tandis que ses pentes abritent un quartier résidentiel réputé et quelques-uns des plus beaux musées de la ville *(voir visiter)*.

Le quartier des pêcheurs★

Église Saint-François (Sv. Frane) plan I B2

À l'extrémité ouest de la Riva, le monastère franciscain et son église actuelle ont remplacé les édifices originels. De nombreuses célébrités locales y sont enterrées, dont le poète Marko Marulić ou le compositeur Ivan Lučić. Lors de sa fondation, au Moyen Âge, le monastère fut construit hors des murs de la ville, tout comme celui des bénédictins, au nord.

Veli Varoš★★ plan I B2

Peuplé à partir du 14e s., ce quartier, situé à l'ouest de la ville close, abritait les plus pauvres, notamment les pêcheurs, qui n'avaient pas les moyens de loger à l'intérieur des remparts. Il faut imaginer qu'à l'époque la mer baignait les versants rocailleux du Marjan. On voit la trace de ces falaises en suivant le bord de mer, à gauche de l'église St-François. À droite du monastère, au-delà de la rue Šperun, un dédale de **ruelles escarpées** part à l'assaut de la colline. Elles ont gardé toute l'atmosphère pittoresque des quartiers populaires.

Au bout de Šperun, remonter Jerina, légèrement vers la droite jusqu'à l'église St-Nicolas.

Église St-Nicolas★ (Sv. Nikola) plan I B2

Toute petite, cette chapelle préromane (11e s.) est un exemple d'architecture archaïque, avec son plan en croix et son petit **porche** au linteau ouvragé. À l'intérieur, notez les **chapiteaux**.

Une flânerie dans les ruelles environnantes permet de découvrir l'architecture populaire.

Redescendre Jerina et tourner à droite dans Senjska pour monter la colline du Marjan. En haut, prendre à gauche jusqu'au belvédère.

Belvédère★★ plan I B2

À côté de la terrasse du Vidilica Caffe, il offre un point de vue unique. Le port, la Riva, le palais et le campanile se détachent devant la ville moderne et sa forêt d'immeubles. Au loin, vous apercevez les deux massifs montagneux, le Mosor, à droite et le Kozjak, à gauche. Entre les deux se dresse l'éperon rocheux de la citadelle de Klis *(voir plus loin)*. Derrière le café se trouve le cimetière juif. Vers le large se dessine la silhouette de l'île de Brač.

Promenade des Chapelles★

plan I A-B2

À faire tôt le matin ou au coucher du soleil, car la chaleur peut y être pénible. Prévoir 1h30 AR. Attention, l'été, pour prévenir les incendies, il est strictement interdit de fumer sur tout le sentier (surveillance permanente et amendes assurées).

Quartier juif

La plupart des immigrés juifs élurent domicile dans la vieille ville, à l'intérieur du palais, où ils implantèrent la synagogue, juste au nord de la porte de Fer. On appelait ce quartier le ghetto. Par extension, cette appellation désigne désormais toute la partie nord du palais. Les plus riches, pour leur part, préféraient la colline du Marjan, qu'ils finirent par posséder en partie. C'est ce qui explique que le cimetière juif y soit installé.

Un très agréable sentier part du belvédère vers la pointe de la presqu'île. Il surplombe la mer entre les cyprès, les pins, les lauriers-roses, les genêts. Sur la gauche, en contre-bas, vous apercevez la mer, le ballet des ferries vers les îles et la route côtière où se trouvent les musées. Le sentier lui-même est ponctué de petites chapelles construites par des ermites qui recherchaient le calme pour méditer et prier.

Chapelle Saint-Nicolas (Sv. Nikola) plan I B2

Toute petite et modeste, elle est la première que vous verrez le long du chemin, construite au 13e s.et reconnaissable à son petit clocheton latéral.

Le sentier rejoint une route bitumée. Continuer tout droit en reprenant le sentier qui longe la péninsule, côté sud.

Chapelle de Bethléem (Gospe od Betlehema) plan I A2

On l'atteint par un escalier sur la droite. Datée du 14e s., mais restaurée depuis, elle se blottit entre les cyprès, tout contre la falaise.

Plus loin, dans un grand virage, le sentier continue en face, au pied de la falaise, et atteint la chapelle St-Jérôme.

Chapelle Saint-Jérôme★ (Sv. Jere) plan I A2

Plaquée contre la paroi, entre les cyprès et les plantes grasses, c'est celle qui dégage la plus grande sérénité (15e s.). Ne manquez pas, en la contournant, de lever les yeux pour apercevoir au-dessus une seconde chapelle, troglodytique, celle-là. Occupée par des ermites durant le Moyen Âge, elle fut réaménagée au 16e s.

On peut poursuivre la randonnée vers la pointe de la presqu'île en suivant la route bitumée. Sinon, revenir au belvédère et redescendre par les escaliers conduisant par paliers successifs au quai, à l'ouest de St-François.

Visiter

La plupart des grands musées sont situés à l'extérieur du centre-ville. À part le Musée archéologique, tous sont concentrés sur la presqu'île de Marjan et nécessitent un moyen de transport. Les lignes de bus sont signalées pour chaque site.

Musée archéologique★★★ (Arheološki muzej) plan I B2

Zrinsko-Frankopanska 25 - ☎ 318 721/762 - tlj sf lun. 9h-14h, w.-end : 9h-13h - 10 kn - brochure en français : 20 kn (recommandée) - compter 1h au moins. À 20mn à pied, au nord-ouest du centre-ville, sur la grande avenue menant au stade (stadion). Bus depuis le centre-ville, à côté du marché.

Le meilleur moyen de compléter la découverte du passé antique de la ville : il rassemble des collections d'objets sacrés et profanes découverts lors des fouilles dans les environs, notamment à Salona. Très bien présentées, elles résument le passé illyrien, grec et romain de Split. Elles couvrent également la période paléochrétienne du Haut Moyen Âge.

Musée lapidaire★★★ plan I B2 – Installé dans les jardins, sous la galerie couverte, il dégage un charme fou. En commençant par la gauche de l'entrée, on passe successivement une **stèle grecque★** (2e s. av. J.-C.) découverte dans l'île de Vis et rappelant une porte de temple, puis des **stèles liburniennes et romaines★** (ces dernières ornées des portraits des défunts).

Dans la tour d'angle, ne manquez pas l'exceptionnel **sarcophage de Phèdre et Hippolyte★★★** (2e s.), découvert à Salona, mais sans doute fabriqué en Asie Mineure et inspiré du style grec.

Les deux galeries suivantes contiennent d'autres sarcophages et stèles d'intérêt (2e s. av. J.-C. au 4e s.).

Passez devant le bâtiment du musée pour rejoindre les galeries de l'aile droite.

Après plusieurs sarcophages et urnes excavées à Salona, vous passez des vestiges de **mosaïques** issus du mausolée d'un jeune garçon (Salona, 4e s.), des fragments de chancel, d'autel et de dalles funéraires.

Le second joyau du Musée lapidaire (et le plus célèbre) se trouve dans la tour d'angle de droite : le **sarcophage du Bon Pasteur★★★**, ainsi nommé pour le thème sculpté en son centre (début 4e s.).

De chaque côté, un homme et sa femme représentent les défunts, entourés de la communauté des chrétiens de Salona. À côté, le **sarcophage du Passage de la mer Rouge★★★** provient sans doute lui aussi de Salona. On le pense réalisé par un atelier de Rome. On y suit les détails de la fuite des Juifs sous la conduite de Moïse et l'armée du pharaon engloutie dans les flots.

Dans la dernière des galeries, notez l'évolution des motifs ornementaux et l'apparition sur les sculptures des motifs de tresses et d'entrelacs typiques de l'art préroman. Enfin, notez les deux grandes **mosaïques★** (2e-3e s.) récupérées au palais du gouverneur de Salona *(près de l'entrée).*

Sarcophage de Phèdre et Hippolyte (2e s.).

Ch. Barely-Legrand / MICHELIN

Salles d'exposition★★ – *Les vitrines sont organisées par ordre chronologique et par thème, de la préhistoire au Moyen Âge. Chaque objet est numéroté et légendé en anglais sur des panneaux récapitulatifs de chaque vitrine.* On découvre ainsi l'art des Illyriens, puis les objets usuels ou sacrés des Grecs et surtout des Romains. Tout est traité, depuis les ustensiles de premiers soins ou de pharmacie aux boîtes à maquillage, peignes, pinces à cheveux, ou aux strigiles (racloirs en forme de cuiller incurvée, prévus pour enlever la crasse et la sueur après la gymnastique et le bain). Éléments de costumes, pièces de jeux (jetons pour entrer au théâtre, dés), monnaies, ustensiles de cuisine ou consacrés au rites funéraires : c'est tout le quotidien qui défile de façon passionnante. La période chrétienne, jusqu'au Moyen Âge, est évoquée par des objets sacrés (encensoirs, croix…) mais aussi militaires (épées, casques…).

Poljud plan I B2

Au nord-ouest du centre-ville, suivre Zrinjsko-Frankopanska en direction du stade (stadion).

Ce quartier occupe d'anciens marécages (son nom vient du mot *paludo*, « marécage » en italien). Les moines franciscains s'y établirent au 15e s. Avec l'implantation d'un immense stade, d'une piscine olympique et d'équipements sportifs, c'est devenu le quartier favori des athlètes et des supporters.

Monastère franciscain★ (Franjevački samostan) plan I B2

Entre le stade et la mer. Visite sur demande - ☎ 342 254.

L'église contient un beau **polyptyque vénitien★** du 16e s., figurant saint Domnius tenant la ville dans sa main, attestant qu'il en est le patron. On y observe la structure de la cité à l'époque. Mais le monastère abrite surtout une **collection d'art sacré★**.

Revenir sur ses pas et reprendre Zrinjsko-Frankopanska, à gauche, en passant devant le stade. Tourner à droite dans Put Supavla, puis encore à droite dans Sutrojičin Put.

Allez Hajduk !

Le stade de Split est celui de l'un des plus célèbres clubs de football de Croatie : le Hajduk Split, dont on trouve le maillot sur tous les étals du marché. Le club fut fondé en 1911 par des étudiants qui en firent l'un des phares de l'éveil national contre la domination autrichienne. Champions de Yougoslavie à de nombreuses reprises, ses joueurs sont soutenus par des supporters particulièrement enthousiastes, qui ont fait du club le symbole de l'identité dalmate et du sentiment nationaliste croate. Depuis l'indépendance, il n'a de rival que le Dinamo Zagreb !

Chapelle de la Ste-Trinité★ (Sv. Trojica) plan I B2

Érigée à la fin du 8e s., c'est un remarquable édifice paléochrétien. La petite nef hexagonale est entourée de six absidioles semi-circulaires.

Revenir sur ses pas et, après le stade, tourner à droite dans ulica Sedam Kaštela. Continuer tout droit en direction de Marjan et traverser le tunnel.

Musée des Monuments croates★★ (Muzej Hrvatskih Arheoloških Spomenika) plan I A2

Šetalište Ivana Meštrovića 18 - ☎ 358 455 - continuer tout droit après la sortie du tunnel, tourner à droite dans Šetalište Ivana Meštrovića, où se trouve le parking du musée. En bus, ligne 12 au départ de Trg Republike, à l'ouest de la Riva - 9h30-16h, sam. 9h-13h - 15 kn - se rens. sur les expositions temporaires du moment.

Ce bâtiment moderne presque entièrement vitré rassemble les vestiges du patrimoine médiéval croate, principalement la période préromane, que les collectionneurs ont longtemps négligée, lui préférant l'histoire romaine et paléochrétienne. Seul un quart des collections sont exposées. On trouve toutefois dans cette immense salle lumineuse des trésors rescapés des 9e et 10e s. Un excellent moyen de récapituler tout le **répertoire décoratif de l'art roman archaïque**, sur des fragments de chancels, de baldaquins, de linteaux, d'autels ou de sarcophages.

À l'extérieur, ne manquez pas les sarcophages médiévaux avec leur couvercle à pignon.

Suivre Šetalište Ivana Meštrovića vers l'ouest jusqu'à la galerie Meštrović.

Galerie Meštrović★★★ (galerija Meštrović) plan I A2

Šetalište Ivana Meštrovića 46 - ☎ 340 810 - mai-oct. : tlj sf lun. 9h-21h et dim. 12h-21h. 20 kn (inclut la visite du Kaštelet) - en hiver : tlj sf lun. 9h-16h et dim. 10h-15h.

À partir de 1931, le célèbre sculpteur se fit construire cette pompeuse villa néoclassique. Il y emménagea en 1939 mais n'y vécut que deux ans, avant de fuir l'occupation italienne en 1941. Les jardins sont ponctués de sculptures mais les plus intéressantes se trouvent à l'intérieur. Bien que l'artiste ait gagné la célébrité par ses œuvres monumentales, on découvre ici un travail plus intimiste, voire spirituel et même tourmenté. Notez au rez-de-chaussée et dans l'escalier les différentes pietà ou une expressive *Après l'accouchement*. Au premier étage, ne manquez pas la *Femme souffrant*★ (1928) et surtout le *Job*★★ (1946) au visage torturé par la douleur.

Kaštelet★★ plan I A2

Šetalište Ivana Meštrovića 39. Un peu plus loin, à gauche, sur la même rue que le précédent. Tlj sf lun. 9h30-16h et dim. 12h-17h - entrée comprise dans celle de la galerie.

Meštrović acheta cette ancienne résidence d'été pour y installer ses sculptures. Il y fit construire la chapelle Sainte-Croix pour y accrocher l'une de ses réalisations les plus personnelles. Il s'agit d'une suite de grands bas-reliefs sculptés dans le bois et figurant la **vie du Christ**★★. Comme une longue succession de tableaux, les scènes conduisent le regard vers un saisissant **Crucifix**★★ décharné. L'artiste commença cet énorme travail durant la Première Guerre mondiale, en écho à la terrible souffrance qu'elle causa.

Salona★★ (Solin)

Entrée libre dans les ruines. Musée - ☎ 211 538 - tlj sf dim. 9h-16h -10 kn. Compter 1h. Quitter le centre-ville en direction de Trogir et de l'aéroport. À la sortie de la ville, bifurquer à droite en direction de Solin. Suivre ensuite les panneaux vers la gauche pour Salona, à 2 km. En bus, ligne 1.

Initialement port de la tribu des Dalmates, Salona devient une grande ville sous César. Comme ce fut le cas pour toutes les colonies, la ville suit le modèle romain et est gardée par des légions. Outre les nombreux bâtiments administratifs et privés, elle possède un forum, des thermes, un théâtre et un amphithéâtre, des temples, un aqueduc, un système d'adduction d'eau et des remparts. Sous Dioclétien, on y recense 60 000 habitants. L'économie florissante et le caractère cosmopolite de la cité favorisent l'éclosion des idées nouvelles. Le christianisme s'y organise dès le 2e s. et des lieux de culte sont érigés, notamment dans la partie est de la ville.

Manastirine

Premier site sur la gauche, avant d'arriver au musée.

Il s'agit d'une vaste **nécropole** où furent exhumés nombre de sarcophages aujourd'hui exposés au Musée archéologique de Split. Selon la tradition, c'est ici que furent enterrés saint Domnius et, par la suite, les nombreuses victimes des persécutions lancées par Dioclétien. Cette partie de l'agglomération était située hors des remparts.

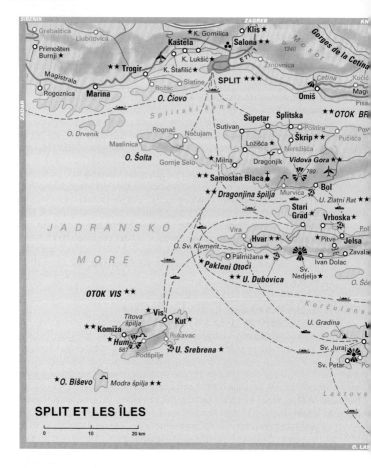

SPLIT ET LES ÎLES

0   10   20 km

Musée ou Tusculum★

La jolie demeure qui abrite le musée fut construite par Frane Bulić, un archéologue passionné qui consacra sa vie à fouiller le site. Notez les nombreux éléments romains utilisés en remploi, sous les fenêtres et les terrasses où l'on peut même s'asseoir sur des fragments de colonnes… À l'intérieur, vous verrez d'autres fragments issus des fouilles.

Suivre ensuite l'allée bordée de cyprès, menant vers le sud.

Remparts et ville orientale★

Une bonne partie des remparts romains est toujours visible et encadre encore l'ensemble de la cité sur son côté nord. Le sentier en longe le sommet. En le suivant vers la droite, on surplombe, au premier plan, l'ancien centre épiscopal, avec les vestiges de deux grandes **basiliques** à triple nef.

Derrière les basiliques, vous verrez les restes des **thermes** de la ville. Cette partie constitue les quartiers est de Salona, principalement habités par les premiers chrétiens. C'est ici que s'installa l'évêque de Salona, à partir du 5e s. En continuant vers le sud-est, vous rejoindrez une partie bien visible du **système d'approvisionnement en eau**.

Nécropole de Manastirine.

Remonter vers les deux basiliques et se diriger vers l'ouest.

Porta Cæsarea et vieille ville – Percée dans les remparts, cette énorme porte conduisait à la vieille ville que traverse un

sentier. Sur la gauche se trouvaient le **forum**, le **théâtre** et deux autres **basiliques**.

Suivre le sentier vers l'ouest pour rejoindre l'amphithéâtre (10mn à pied).

Amphithéâtre★★
La partie occidentale de Salona fut ajoutée au noyau primitif au 2e s. Construit vers 170, l'amphithéâtre pouvait accueillir plus de 15 000 spectateurs. Bien que très endommagé, il conserve sa structure. Sur son bord sud, on voit, sous des dalles, les souterrains qui menaient directement à la mer. On y faisait entrer les fauves (importés par bateau), qui accédaient ainsi à l'arène.

Aux alentours

Kaštela
Quitter Split en direction de Trogir et de l'aéroport. À la sortie de la ville, quitter l'autoroute en direction de Kaštela, pour prendre la route côtière. Les villages se situent à gauche de la route, après une zone industrielle peu esthétique. Attention, pour les découvrir, il faudra tourner à gauche vers la mer, à chaque village. Ils sont aussi desservis par les bus pour Trogir et pour l'aéroport.

Durant l'âge d'or de la domination vénitienne, entre le 15e et le 16e s., les riches familles de Split se faisaient construire des palais d'été (kaštel) le long du rivage, au fond de la baie. Sept manoirs s'égrenaient ainsi entre Split et Trogir. Peu à peu des villages se sont constitués autour, chacun prenant le nom de son castel. Depuis 1995, les sept villages sont administrativement réunis mais gardent leurs caractères propres.

Kaštel Gomilica★
C'est le 2e en venant de Split, environ 5 km après avoir quitté l'autoroute.
Son palais fortifié fut construit sur un minuscule îlot par une communauté de bénédictines, en 1529, qui y accueillirent 16 familles des environs.

Kaštel Lukšić★
2 km plus loin, c'est le 4e village, le plus touristique.
Le **palais Vitturi**, qui ouvre directement sur la mer par une petite porte, fut construit en 1564. À l'origine, il était entièrement entouré par la mer. Très bien restauré, il abrite désormais un centre culturel. *Juin-sept. : 8h-15h, 18h-20h ; oct.-mai : 8h-15h - gratuit.*

Tout près, vers l'ouest, l'église paroissiale baroque renferme l'original de l'**autel★★** sculpté par Georges le Dalmate pour la chapelle du Bienheureux Arnir, à Split.

Entre Kaštel Lukšić et Kaštel Štafilić, vous pouvez suivre le **bord de mer★** presque

De Damas à Rome

C'est l'apôtre Paul, qui, après sa conversion miraculeuse sur la route de Damas, entreprit de prêcher le long de la Méditerranée orientale, tout en faisant route vers Rome. Il fut le premier à apporter la bonne parole aux Dalmates, donnant son départ à la christianisation. À l'époque, Salona est une cité très cosmopolite, où les juifs se mêlent aux Romains. D'abord confidentielle, la conversion des Dalmates au christianisme devint de plus en plus répandue au cours des 2e et 3e s. La vague de persécutions du début du 4e s. ne réussit pas à stopper cet essor.

sans interruption. Le rivage est ponctué des petits ports des villages suivants, Kaštel Stari et Kaštel Novi. Tamaris et palmiers rythment la balade. Seul regret : la vue imprenable sur les installations industrielles de Split…

Kaštel Štafilić★

Dernier des sept villages, 17,5 km de Split, 3 km après Kaštel Lukšić.

C'est surtout son long **front de mer** animé qui en fait le charme. Le **manoir** (1508) est le seul qui ne fut jamais pris par les Turcs. Le village se vante de posséder un **olivier** vieux de 1 500 ans. Ses racines s'étendent sur un rayon de 50 m, le tronc mesure 6 m de circonférence et l'arbre, haut de 10 m, étend son feuillage sur un diamètre de 22 m. Les habitants essaient même de le faire inscrire au patrimoine de l'Unesco…

Klis★

À 8 km au nord de Split, en direction de Sinj. Bus de la ligne Split-Sinj.

Perchée tout en haut d'un éperon rocheux, la citadelle de Klis et son village gardaient le passage stratégique vers l'intérieur des terres. C'était aussi le dernier verrou contre les envahisseurs turcs venus de Bosnie. Aujourd'hui, Klis est constitué de trois villages blottis autour de la citadelle, qui s'animent au printemps, lorsque vient la saison de l'agneau grillé. Il est alors de tradition de venir y déjeuner le week-end.

Forteresse★★ – *Entrée par Klis-Megdan, sur le versant nord, à gauche après le tunnel. Tlj sf lun. 9h-19h : 10 kn.* Très bien préservée, elle est formée de **trois enceintes** concentriques, rajoutées au fil des occupations successives. La première entrée date des Autrichiens. La seconde est vénitienne, de même que l'enceinte centrale, qui remonte à une première domination vénitienne, avant l'arrivée des Turcs. Au 9e s., la citadelle est déjà une véritable petite cité, avec son recteur et sa petite **église**, qui fait temporairement office de mosquée sous les Turcs, après 1537. Notez l'ingénieux système de récupération et de distribution de l'eau dans les **citernes** en terrasses.

Église paroissiale – *Dans le village de Klis-Varoš, sur le versant sud de la citadelle. Ouverte en été, sinon, demander à la forteresse. Entrée libre.* Son décor intérieur vaut le détour : une immense **fresque★** colorée et réaliste recouvre entièrement les murs. Peinte en 1938-1939 par l'artiste Vjekoslav Parać, elle représente l'histoire de la forteresse.

Sinj

À 25 km au nord-est de Split.

Peuplé depuis la préhistoire puis occupé par les Romains, ce gros bourg agricole est célèbre dans toute la Dalmatie pour deux raisons : son pèlerinage à la Vierge miraculeuse et sa pittoresque **fête de l'Alka★★ (Sinjska alka)**. La ville elle-même est desservie par une agréable rue principale piétonne, très vivante.

Église franciscaine – Impossible de la manquer : elle se dresse en bas de la rue principale. Vous remarquez d'emblée sa **porte sculptée** en bronze, offerte en 1987 pour le tricentenaire du pèlerinage. Elle figure la fameuse bataille de 1715, quand la Vierge miraculeuse sauva les habitants des Turcs. À l'intérieur, sur la gauche de la nef, un autel est réservé à l'**icône miraculeuse de Notre-Dame de Sinj★ (Sinjska gospa)** (début 16e s.). Chaque année, pour la fête de l'Assomption, le 15 août, un très important pèlerinage amène des fidèles de toute la Dalmatie. La coutume veut que les Splitois quittent leur ville la veille au soir, à pied, pour arriver à Sinj au petit matin. Une grand-messe est célébrée et l'icône est sortie en procession.

Île de Šolta

4-5 traversées/j, au dép. de Split. 45mn.

Au sud-ouest de Split, cette petite île verdoyante est une destination idéale pour la journée. Longue d'environ 17 km, pour 4 km de large, elle offre quelques agréables criques rocheuses et des villages tranquilles, à l'image de Maslinica, à l'extrémité nord (environ 8 km du débarcadère).

Fête de l'Alka

Célébrée le premier dimanche d'août, c'est l'une des plus pittoresques de Dalmatie. Sorte de joute de cavalerie, elle commémore la victoire, en 1715, de 600 cavaliers aidés miraculeusement par la Vierge dans leur combat contre l'armée turque. Pour honorer leur souvenir, des cavaliers émérites, en costume folklorique de gala, s'élancent au grand galop dans une rue de Sinj. Ils doivent planter leur lance dans des anneaux *(alka)* métalliques accrochés à un filin, à 3 m du sol. Le tout se déroule en musique et au son du canon. Selon l'endroit des anneaux qui est touché, on gagne plus ou moins de points. Le vainqueur remporte pour un an le trophée, un ancien bouclier.

Split pratique

Informations utiles

Office du tourisme de Split – Péristyle – ☎ 342 606, fax 339 898 - www.visitsplit.com, lun.-sam. : 9h-20h ; dim. : 9h-13h.

Indicatif téléphonique : 021

Hôpitaux – Hôpital Križine -Šoltanska 1 - ☎ 557 511. Hôpital de Split - Spinčićeva 1 - ☎ 556 111.

Centre dentaire Marušić – Zadarska 6 - ☎ 362 659.

Pharmacies – Dobri, Gundulićeva 52 - ☎ 348 074.

Poste – K. Tomislava 9 - lun.-vend. 7h-20h, sam. 7h-12h - ☎ 356 990. Domagojeva obala 3, sur les quais - lun.-sam. 7h-20h - ☎ 338 541.

Laverie – Modrulj - šperun 1, à droite de l'église St-François (Sv. Frane).

Internet – Internet Mriža - Kružićeva 3 - ☎ 321 320 - ouv. 9h-21h. Sept ordinateurs dans un espace chaleureux où la moitié de la pièce a été aménagée en atelier d'artiste. Un petit salon pousse à la discussion.

👁 **Bon à savoir** : la Splitcard, vendue au prix de 5 € dans les offices de tourisme, donne accès gratuitement à certains musées, offre des réductions de 50 % sur d'autres, ainsi que –20 % sur les places de théâtre, location de voitures et divers services (hôtel, restaurant, excursions, etc.). Elle est valable 72h et gratuite si vous séjournez à Split plus de 3 jours.

Transports

AÉRIENS

Aéroport – à Kastela, 17 km de Split en direction de Trogir - ☎ 203 555 - www.split-airport.hr. Plusieurs vols quotidiens pour Zagreb. Vols directs pour Paris et Bruxelles deux fois par semaine. Nombreux vols, via Zagreb, pour Amsterdam, Francfort, Istanbul, Londres, Manchester, Munich, Paris, Prague, Rome, Vienne et Varsovie. Pour rejoindre l'aéroport, prendre la navette de la compagnie Pleso Prijevoz, qui part 90mn avant les vols de Croatia Airlines d'obala Lazareto à l'entrée des quais Jadrolinija (Pleso Prijevoz - ☎ 203 119 - www.plesoprijevoz.hr). Le bus 37, qui part de la gare routière de Domovinskog, mène à Trogir via l'aéroport (passage toutes les 20mn - www.promet-split.hr).

Croatia Airlines – Preporoda 9 - ☎ 362 997/608 - www.croatiaairlines.hr.

MARITIMES

👁 **Bon à savoir** : Split est une bonne base pour rallier les îles dalmates, surtout si vous comptez passer avec votre véhicule. Deux compagnies assurent la majeure partie des liaisons : Jadrolinija et Sem Marina.

Agence Jadrolinija – ☎ 338 333 ou 060 321 321 (1,69 kn/mn) - www.jadrolinija.hr. Un kiosque Jadrolinija se trouve à l'entrée des quais au niveau de la station de bus d'obala Lazareto.

Ferries (voitures) – Les ferries de la ligne côtière **(Rijeka-Dubrovnik-Bari)** font escale à Split : en provenance de Rijeka tôt le matin ; de Dubrovnik en début de soirée. En juil.-août, deux ferries assurent la liaison : le Marko Polo les mar., vend. et sam. et le Liburnija les lun., merc., vend. et sam. Hors sais., 3 ferries/sem. avec le Marko Polo, les mar., vend. et sam.

De Split à Ancone, en été 6 ferries/sem. (4 hors sais.), env. 10h de traversée de nuit.

Pour Brač (Supetar) : 7, 9 ou 14 ferries/j de 6h15 à 21h hors sais. et de 5h15 à 0h durant l'été - 45mn de traversée.

Pour Hvar (Stari Grad) : 6 ferries/j en été (5h-20h30), 3 hors sais. (8h30-20h) - 1h40 de traversée.

Pour Vis : 2 à 3 ferries/j en été (celui du mar. après-midi fait escale à Hvar, passagers uniquement). Hors sais., 1/j, 2 les lun., jeu., vend.

Bateaux (piétons) – Pour **Hvar- Korčula- Lastovo** : lun.-sam. : 1 ferry/j (dim. : 2 ferries). Ces ferries accostent à Hvar (passagers uniquement). Sur cette ligne il y a aussi un catamaran/j (3h de traversée) qui fait escale à Vela Luka et Hvar.

Pour Šolta (Rogač) : lun.-sam. 3 à 5 bateaux/j.

Sem Marina – Boktuljin put bb - ☎ 325 533 - www.sem-marina.hr. Bateaux rapides vers Šolta (35mn), Brač/Milna et Supetar (45mn), Hvar et Vis (1h30 à 2h). Ferries pour Ancone (9h) : de mi-juil. à déb. sept. 1 ferry/j les mar., merc., jeu., vend., et 2 les sam., dim., lun. Hors sais. la fréquence est de 1 ferry/j.la sem, et 1 le w.-end.

En été 1 ferry/j les vend., sam. et dim. entre Ancone et Stari Grad (Hvar). Une autre ligne saisonnière entre Ancone et Vis, 1 ferry le w.-end.

TERRESTRES

Gare routière – Obala Knesa Domajgoja 12 - ☎ 060 327 327 - www.ak-split.hr. En face des quais Jadrolinija, la gare routière de Split déploie une intense activité. À proximité, poste, cafés, magasins et gare ferroviaire. Guichets ouverts toute la nuit. Consigne de 6h à 22h.

Zagreb est relié par des dizaines de bus, via Knin, ou via Zadar. Nombreux bus quotidiens pour Zadar et Šibenik, Rijeka, Makarska, Dubrovnik, Pula et Sinj, via Klis et Knin (ligne desservant ensuite Plitvice et Karlovac).

Bus locaux – Les lignes 1 et 16 partent du HNK et desservent Solin (Salona) en passant par Domovinskog rata. Le bus 37 dessert de la gare routière de Domovinskog, le littoral de Kaštela, l'aéroport et Trogir.

ITR rent a car – *Obala Lazareta 2 -
℘ (021) 343 070, fax (021) 343 825*. Une
agence sérieuse (365 kn/j pour un véhicule
de 2ᵉ catégorie et au moins une semaine
de location). Comptoir à l'aéroport.

Gare ferroviaire – ℘ *060 333 444 -
www. hz.hr.* En saison 5 trains/j pour
Zagreb (9h env.) *via* Knin (1h40) et
Karlovac, 2 s'arrêtent à Ogulin (chgt.
pour Rijeka).

SE GARER

Le parking situé à l'extrémité de la Riva,
à l'entrée sur la droite de l'Obala Kneza
qui mène aux ferries est le plus cher
(10 kn/h). Vous aurez des tarifs plus
intéressants *(50 kn/j)* en laissant votre
voiture dans celui qui se trouve derrière
la gare routière, ou, si vous avez de la
chance, sur les boulevards autour de la
vieille ville ; n'oubliez pas alors de prendre
un ticket !

Nautisme

ACI Marina Split – *Uvala Baluni bb -
℘ 398 548, fax 398 556*. Dans la partie
sud-ouest du port. Magasins Boltano et
Brodomerkur. Réparations moteurs
Mercury, Tohatsa, Mariner, Force,
merCruiser et réparation mâture.
Équipement : *voir le chapitre « Nautisme »*
p. 38.

Location de bateaux : **Bavadria** à la
marina Kaštela (Kaštel Gomilica) :
℘ *204 020 - www.bavadria.com -*
Yacht Charter Club à l'ACI Marina de Split
- ℘ *398 980 www.ultra-sailing.hr -*
Yachting Pivatus à l'ACI Marina de Split -
℘ *321 300*.

Se loger

CHAMBRES CHEZ L'HABITANT

👁 **Bon à savoir** : la présence des
propriétaires (généralement des femmes)
à la descente des ferries et des bus, peut
rendre superflu le passage dans une
agence.

⌂ **Tourist Biro** – *Preporoda 12 -
℘/fax 347 271 - lun.-vend. 8h-20h30,
sam. 8h-13h.* Sur Riva. Réservation de
chambres : dans la vieille ville comptez
280/320 kn pour un séjour d'au moins
4 nuits, appart (2 pers.) : 450 kn. Baisse de
30 % hors saison.

HÔTELS

⌂⊜⊟ **Hotel Slavija** – *Buninova 2 -
℘ 323 840, fax 344 868 - www.hotelslavija.
com - 30 ch. : 790/950 kn*. Dans le palais, cet
hôtel propose des chambres ordinaires,
dans une maison qui ne l'est pas. En prise
directe avec la chaude ambiance du
quartier, elles peuvent s'avérer, pour
certaines, assez bruyantes. Évitez les
vendredi et samedi soir.

⌂⊜⊟ **Hotel Bellevue** – *Bana
J. Jelačića 2 - ℘ 347 499, 345 644 -
www.hotel-bellevue-split.hr - 50 ch. :
670/960 kn*. Au bout de Riva, avec une vue
magnifique sur la place de la Republique,

Ch. Barrely-Legrand / MICHELIN

ce bâtiment ne manque pas de cachet. Les
chambres en ont moins. Propriété du
gouvernement, l'hôtel n'a pas encore été
racheté par un privé, ce qui explique son
absence de rénovation. Il garde tout de
même ses allures de palace austro-
hongrois à l'image de ces vieux garçons au
complet noir qui assurent le service de
voiturier. Des tissus raffinés et boiseries
foncées habillent élégamment les couloirs.

⊜⊟ **Hotel Adriana** –
*Preporoda 8 - ℘ 340 000, fax 340 008 -
www.hotel-adriana.hr - 15 ch. : 850 kn* ⊡.
Cet hôtel, ouvert toute l'année, donne
dans la partie piétonne de Riva. Réception
dans le restaurant. Les chambres sont
récentes, grandes, convenablement
insonorisées, confortables et toutes
équipées de jaccuzis.

⊜⊟ **Hotel Consul** – *Trščanska 34 -
℘/fax 340 130/133 - www.hotel-consul.net -
19 ch. dont 4 appart. : 880 kn* ⊡. À 10mn à
pied du centre ancien, dans une petite
rue, un établissement calme, élégant et
confortable, entouré d'un jardin. Copieux
petit-déjeuner.

⊜⊜⊟ **Hotel Split** – *Put Trstenika 19 -
℘ 303 111 - www.hotelsplit.hr - 204 ch. :
940/1 240 kn* ⊡ - ⌣. Cet hôtel est situé
après l'hotel Park, en longeant la côte,
à 25mn à pied du centre-ville. Il est moderne
et très bien équipé. Il propose un superbe
buffet de petit-déjeuner ainsi qu'une bonne
cuisine à des prix abordables.

⊜⊜⊟ **Hotel Globo** – *Lovretska 18 -
℘ 481 111, fax 481 118, www.hotelglobo.com
-20 ch. : 850/1 100 kn* ⊡. En amont de la
vieille ville, l'hôtel s'avère bien plus luxueux
que sa facade n'y paraît. Entouré de tours
d'immeubles, façon « grandes villes qui se
sont développées trop vite »,
l'environnement n'est pas très gai mais de
là, on descend à la vieille ville en 10mn ;
l'accueil est sympathique et les prix stables
toute l'année.

⊜⊜⊟ **Hotel Park** – *Hatzeov perivoj 3 -
℘ 406 400/406, fax 406 403 -
www.hotelpark-split.hr - 57 ch. dont
3 suites : 1 120 kn la double* ⊡. *La suite
présidentielle : 2 600 kn*. À 10mn du centre,
derrière les quais Jadrolinija, cette
élégante bâtisse abrite une salle à manger
ou un petit salon, dont le volume des
pièces et le raffinement du mobilier sont

dignes des grands hôtels. Les chambres, tout en étant très confortables, ont été rénovées dans un style moderne et finalement assez impersonnel. Une terrasse aérée ombragée de glycine ainsi qu'une petite plage (en contrebas) permettent de profiter du bord de mer.

Hotel Vestibul Palace – *Iza Vestibula 4* - ℘ *329 329, fax 329 333 - www.vestibulpalace.com - 7 ch. dont 2 suites : 1 640/1 950 kn.* Situé au calme juste derrière le musée ethnographique, à quelques mètres des antiques chambres du palais, ce petit hôtel a investi les vieux murs d'un luxueux mobilier design.

À KAŠTELA

Hotel Kaštel – *Kaštel Lukšić, Uz Sv. Ivana 8* - ℘ *228 445, fax 228 099 - www.hotelkastel.com - 23 ch. : 450 kn.* À l'écart de la route, ce joli immeuble neuf abrite des chambres claires et confortables à un prix raisonnable. Un bon choix si vous êtes motorisé.

Villa Žarko – *Kaštel Lukšić, obala K. Tomislava 7a* - ℘ *228 160, fax 228 141 - www.villa-zarko.com -16 ch. : 555 kn* ☐*.* Idéalement placé face à la mer entre Split et Trogir, ce petit hôtel récent est très bien aménagé. Le service est efficace et sympathique, les chambres claires et spacieuses sont reposantes. Certaines disposent de grandes terrasses.

Se restaurer

Šperun – *Šperun 3* - ℘ *346 999.* Salle intime et bien décorée : planchers, tissages et murs de pierre. Carte simple de produits frais. Sardines grillées, plats de poissons et vins locaux, excellent café.

Diocletian – *Dosud 9* - ℘ *346 683 – plats 20/60 kn.* Ambiance locale garantie dans ce restaurant populaire : salle minuscule et terrasse installée dans le mur sud du palais, dont les fenêtres ménagent une vue sur le port. Carte restreinte, mais plats bon marché.

Sarajevo – *Domaldova 6 - ℘ 347 454 - poissons 320 kn/kg, viandes grillées 95 kn, Pašticada 50 kn, pâtes 45/60 kn.* Une vaste salle proche de Narodni trg. Une adresse plus classique, avec toutes les spécialités croates, dont la très populaire *pašticada*, à des prix abordables.

Pizzaria Zlatna Vrata – *Majstora Jurja. Pizzas et pâtes : entre 35/40 kn, salade : 25 kn.* Manger italien chez les Croates pourquoi pas ! C'est surtout l'occasion de pénétrer dans la cour du cloître de l'ancien monastère dominicain calme et romantique. La galette de Vis, sorte de calzone fourrée aux sardines salées, tomates et oignons, est délicieuse.

Prendre un verre

Puls 2 – *Mihovilova Širina.* Quelques tables basses installées dans les ruelles en escalier ; musique soul et R & B.

Ghetto Club – *Mihovilova Širina.* En face du précédent, un lieu animé où l'on écoute une excellente musique jazz, world ou R & B. Clientèle jeune et bonne ambiance.

Vidilica Café – *Marjan.* À côté du belvédère de Marjan, on l'apprécie pour sa terrasse qui domine la ville.

Caffe Gaga – *Iza Lože.* Petit café authentique, derrière l'ancien hôtel de ville. Très fréquenté par les locaux qui apprécient son calme et sa fraîcheur.

Caffe Teak – *Majstora Jurja 11* - Une terrasse très calme, à l'ombre des ruelles au nord de la ville (vers la porte d'Or).

Caffe Equador et Zbirac – *À Bačvice, face à la mer en dessous de l'hôtel Park.* Ces cafés sont l'occasion de sortir un peu de la vieille ville. Face à la mer, l'Equador est jeune et branché. Sa terrasse en arrondi au-dessus de la mer est aérée et agréable. Le Zbirac, un peu plus loin, propose des concerts en fin de semaine.

SPECTACLES

HNK-Théâtre national – *Trg Gaje Bulata 1* - ℘ *363 014 - www.hnk-split.hr - billetterie lun.-vend. 9h-12h30 et 18h-20h, sam. 9h-12h30.* Théâtre, opéra, ballets, comédies musicales et concerts.

Festival d'été – *Infos et réserv. - ℘ 363 014 - www.hnk-split.hr.* De la mi-juil. à la mi-août, représentations d'opéras, de ballets et de concerts en plein air.

Achats

International Bookshop – *Preporoda 21.* Sur Riva. Bon choix de journaux français.

Studio Naranča – *Masjtora jurja 5 - ℘ 352 457.* Un atelier-galerie dont le propriétaire, artiste lui-même, expose régulièrement des artistes croates. Photographies, sérigraphies.

Bijouterie Mjeda – *Krešimirova 10 - ℘ 344 645.* Grand choix de bijoux traditionnels en or et en argent, de pinces de cravate originales. Prix raisonnables.

Vinoteka Sv. Martin – *Mastorja Jurja 17 - ℘ 343 430.* Vins et liqueurs croates, confiseries de qualité, mais aussi quelques modèles de cravates.

Dancing Bear – *Dioklecijanova 6 - ℘ 344 309.* Petite boutique de CD où l'on trouve de la *klapa musikh* ou des musiques instrumentales traditionnelles. Possibilité d'écouter sur place.

SPLITSKI ĐIR

Studio Naranca

Šibenik★

DALMATIE – 51 553 HABITANTS
CARTE GÉNÉRALE B3 – CARTE MICHELIN 757 E8 – SCHÉMA : VOIR À ZADAR

Au cœur de la Dalmatie centrale, cette jolie ville pétrie d'histoire a conservé son noyau ancien, malgré des abords peu esthétiques. On la visite surtout pour sa cathédrale, mais ses ruelles dallées et son lacis d'escaliers lui confèrent un charme tout italien. C'est aussi un point de départ pour quelques très belles excursions.

▶ **Se repérer** – Bien abritée au fond d'une rade, à l'embouchure de la Krka, Šibenik, adossée à de rondes collines plantées de maquis, de vignes et d'oliviers, ouvre la porte vers le bassin de la Krka et la Krajina de Knin, verrou historique de la Dalmatie. Côté mer, sa côte est bordée d'un semis d'îlots dont le parc national des Kornati.

👁 **À ne pas manquer** – La cathédrale de Šibenik, déambuler et se perdre dans les ruelles escarpées de la vieille ville, admirer la vue depuis la forteresse mais aussi l'« ascension » jusqu'à l'église de Primošten et le calme des petites rues de Zlarin, Prvić et Krapanj.

🕐 **Organiser son temps** – Attention, la capacité réduite d'hébergement de Šibenik, risque de vous conduire à dormir dans les alentours. Prévoyez les distances à parcourir. La visite de la vieille ville mérite une bonne journée.

▦ **Se garer** – *Voir carnet pratique, p. 213.*

♻ **Pour poursuivre le voyage** – Voir aussi le parc national de la Krka (14 km au nord, l'archipel des Kornati (excursions au départ du port de Murter, à 32 km au nord-ouest), Trogir (64 km au sud-est) ou Zadar (85 km à l'ouest).

Comprendre

Une ville croate – À la différence de la plupart des villes dalmates, Šibenik ne fut pas fondée par les Romains mais par les Croates, installés dans la région au 7e s. La ville elle-même fut édifiée au 9e s. sur une butte rocheuse dominant la mer. Ville de pêcheurs et de pirates, elle fut le théâtre de la lutte séculaire entre Venise et Byzance. Après avoir envahi la Bosnie, les Turcs, maîtres de l'arrière-pays, assiégèrent en vain Šibenik aux 16e et 17e s. Sa situation stratégique obligea les Vénitiens à constamment la renforcer. Après la chute de Venise, la ville perdit de son prestige et, au 20e s., se tourna vers l'industrie.

Se promener

L'arrivée à Šibenik, envahie par de tristes immeubles et des zones industrielles, est décevante. Ne négligez pas pour autant le centre médiéval, pittoresque et escarpé, sillonné de ruelles pavées et d'escaliers, et dominé par une imposante forteresse.

Laisser la voiture place Tito (Poljana maršala Tita), où démarre la balade, ou sur l'un des parkings à proximité des gares.

FLÂNERIE
DANS LA VILLE MÉDIÉVALE★★

Au départ de la place Tito, tout le centre médiéval est réservé aux piétons. Il s'organise le long de deux rues principales, Zagrebačka et Tomislava qui divergent en quittant la place vers l'ouest

Vieille ville au-dessus de la place de la République.

Ch. Barrely-Legrand / MICHELIN

Place du Maréchal-Tito (Poljana maršala Tita) B2

Plus souvent appelée tout simplement Poljana, elle se situe à l'extérieur des **anciens remparts**, dont on ne voit plus qu'un seul pan, à l'ouest de la place. Les architectes ont audacieusement intégré ce dernier à un énorme bâtiment moderne (jadis les bureaux de l'armée fédérale yougoslave), hélas protégé de toute démolition, car autrefois primé. Le pan de muraille conserve, caché derrière les arbres, la **statue gothique de saint Michel (sv. Mihovil)**, patron de la ville, qui gardait au Moyen Âge ce qui était la porte principale. À part quelques pans disséminés, les remparts ont été rasés à la fin du 19e s. Juste au nord, le **théâtre** néo-Renaissance date de 1870.

Quitter la place, à gauche du théâtre. Traverser la petite place et prendre à droite de la fourche, la rue Zagrebačka.

Autour de Zagrebačka★
(Zagrebačka ulica)

En longeant Zagrebačka, on arrive très vite à une étroite petite place, sur la droite.

Église de l'Ascension (Usperije Bogomatere) B2
Ouverte aux heures de messes.
Consacrée au culte orthodoxe serbe par les Français, lors de leur occupation, elle contient une belle iconostase et des icônes intéressantes.

Un peu plus loin, à droite, prendre la ruelle qui monte vers l'église du St-Esprit.

Église du Saint-Esprit (Sv. Duha) B1
De style Renaissance, avec un fronton orné d'une colombe symbolisant le Saint-Esprit et sa jolie rosace, elle habille l'une des petites places de la ville. Notez le joli **escalier gothique** ajouré, sur le côté gauche.

Revenir sur ses pas et reprendre Zagrebačka, jusqu'à la place Ivana-Pavla-II.

Église Saint-Jean★ (Sv. Ivan) B1
Ouverte aux heures de messes.
Construite dans la seconde moitié du 15e s., c'est l'une des églises les plus attachantes. La balustrade de l'escalier latéral fut exécutée par Nicolas le Florentin. On lui doit aussi une fenêtre sculptée d'un ange et d'un agneau, à la base du clocher, et une petite sculpture de saint Jean, au-dessus du portail principal. En 1648, on équipa le clocher de la première horloge mécanique de la ville. L'intérieur possède un riche plafond peint.

Reprendre la balade en continuant dans la rue Krste-Stošica jusqu'aux marches.

Église Saint-Chrysogone (Sv. Krševan) A1
En haut des marches, sur la droite, ce n'est qu'un modeste sanctuaire, construit initialement pour les franciscains (13e, 15e s.) et désormais consacré à des expositions temporaires. On prétend que la grosse cloche posée à l'angle est la plus ancienne de Croatie (1266). Coulée après un naufrage, elle fut retrouvée par des pêcheurs d'éponges de Krapanj.

Reprendre Krste Stošica et monter à droite dans ulica Sv. Luce, le long des hauts murs de la communauté bénédictine.

Couvent Sainte-Lucie (samostan sv. Luce) A1
Il abrite une communauté de religieuses cloîtrées, qui subviennent à leurs besoins en faisant des travaux de tricot, couture et broderie pour les costumes traditionnels.

En montant les escaliers, un peu plus loin, à droite *(no 10)*, une simple enseigne orange et noir indique l'atelier d'une modiste à l'ancienne qui fournit les bérets des costumes locaux.

Suivre les escaliers vers la droite, puis à gauche, le long du cimetière, pour rejoindre le pied de la forteresse.

Forteresse Saint-Michel★★ (tvrđava sv. Mihovil) A1
De mi-mai à mi-oct. : 9h à 21h, 10 kn. Le reste de l'année : ouvert et gratuit.
Dominant la mer de 70 m, elle fait partie du dispositif de protection construit dès le Moyen Âge. Les Vénitiens lui ont donné sa forme actuelle, à partir du 15e s. Les fouilles archéologiques ont révélé que le site avait déjà été occupé par les Illyriens, puis par les premiers occupants croates. La visite ne révèle rien de ce passé, mais la **vue★★★** est splendide sur toute la ville, avec la cathédrale et la rade. Du côté ouest, on aperçoit nettement les **vestiges de remparts** dévalant la butte vers la mer. Bien que le plan des ruelles semble confus, tous les escaliers descendent en fait de la forteresse vers la mer, ce qui permettait à ses occupants de s'enfuir rapidement en cas d'invasion par les Turcs.

Reconversion

Entre 1991 et 1995, la ville subit les bombardements de l'armée yougoslave, ainsi que les tirs de snipers. La destruction du parc industriel a décidé Šibenik à entamer sa mutation vers le tourisme et à valoriser son centre historique, heureusement préservé, bien que la coupole de la cathédrale ait été gravement endommagée.

Motif local

Des volutes noires brodées sur fond orange, vous en verrez un peu partout à Šibenik. Il s'agit du motif qui orne le béret du costume régional. Stylisé, il est incorporé au logo de la ville et reconverti de façon originale sur les petits panneaux indicatifs, fixés aux murs de la vieille ville. Pour pointer la direction, ces mêmes panneaux se terminent par des cabochons pointus qui reproduisent les riches boutons d'argent qui parsèment les gilets des hommes.

En redescendant, faites un détour par le **cimetière** qui dégage une grande poésie. Vous noterez que la plupart des noms ont une consonance italienne…

Redescendre jusqu'à l'angle du couvent bénédictin et tourner à droite dans Andrije Kačića.

Les hauts de la ville★ A1

Au n° 3 de Andrije Kačića, sur la gauche, observez bien les fenêtres : avançant en surplomb, elles avaient un fond vitré. On voyait ainsi le visiteur et on pouvait lui ouvrir le loquet par un système de chaînes, sans avoir à descendre.

Après le palais, juste avant le joli passage couvert en brique, descendre à gauche dans stube Jurja Čulinovića.

Vous êtes dans l'une des parties les plus anciennes et les plus pittoresques de la vieille ville. Observez chaque recoin et levez les yeux pour admirer les **détails architecturaux★** (notamment vers la droite, les fenêtres et les gargouilles).

Chapelle de Tous-les-Saints★ (Svi Sveti) – Minuscule, blottie sur un palier entre deux volées de marches, elle semble veiller sur la cathédrale en contrebas et offre une **vue★★** intéressante de la structure du toit.

Descendre les marches pour rejoindre la place de la cathédrale.

Place de la République-Croate★★ (trg Republike Hrvatske)

Sur le côté nord de la cathédrale, elle est entourée de palais baroques d'époque vénitienne, étagés à flanc de colline. Ne manquez pas d'observer les jolies lucarnes sculptées.

Ancien hôtel de ville★ (Gradska vijećnica) – Il déroule ses arcades ombragées et sa loggia (aujourd'hui vitrée), d'où étaient jadis lancées toutes les déclarations officielles. L'édifice, du milieu du 16e s., fut détruit par les bombardements alliés en 1943. Restauré à l'identique, il abrite un restaurant.

Cathédrale Saint-Jacques★★★ (Sv. Jakov) A1

Avr.-sept. : 8h30-20h ; oct.-mai : 8h30-12h, 16h-18h30.

Considérée comme un chef-d'œuvre architectural (*Voir « ABC d'architecture » p. 85*), elle a mobilisé les talents des deux plus grands artistes de Dalmatie : Georges le Dalmate (**Juraj Dalmatinac**) et Nicolas le Florentin (**Nikola Firentinac**). Sa construction s'est étalée entre 1431 et 1536. Durant les dix premières années de travaux, c'est le style gothique qui prévaut, mais sans enchanter les commanditaires. À partir de 1441, ils font appel à Georges le Dalmate, connu pour son sens du monumental et ses innovations stylistiques, qui annoncent déjà la Renaissance. C'est à lui que l'on doit l'ajout d'un transept, la conception de l'abside et du dôme et l'introduction d'une profusion de sculptures. Mais le manque chronique de subventions et un incendie retardent les travaux. Lorsqu'il meurt, son élève Nicolas le Florentin achève la toiture et la partie supérieure de la façade, dans le plus pur style Renaissance.

Façade ouest★ – Sa partie inférieure et le **portail principal★** portent la marque du gothique. Les arcades et les sculptures des apôtres sont l'œuvre du Milanais Bonino. Les dais (comme ceux du portail nord) sont dus à Georges le Dalmate. En revanche, la partie haute (par Nicolas le Florentin) est typiquement Renaissance et reprend le profil des trois nefs. Les vantaux du portail, figurant la vie du Christ, datent de 1968.

Devant la cathédrale, la **statue de Georges le Dalmate** est une œuvre de Meštrović.

Façade nord★ – Rythmée par des pilastres et des corniches, elle s'ouvre sur la place par un **portail★** richement orné dans le style fleuri affectionné par Georges le Dalmate, encadré par deux lions de Venise et de pudiques Adam et Ève, sculptés par Bonino.

Chevet★★ – Constitué de trois absides à pans coupés, son principal attrait est la **frise★★★** qui court à mi-hauteur : 72 personnages aux expressions étonnamment vivantes et aux types physiques, coiffures et costumes variés : autant d'instantanés de l'époque de la construction. Elle souligne le caractère très cosmopolite de Šibenik à l'époque, quand des artisans de toutes nationalités avaient ouvert des ateliers

---

La tour prend garde

Constamment menacée par des invasions, Šibenik s'est toujours donné les moyens de sa défense. Outre celle de Ste-Anne, la ville était alors défendue par trois autres forteresses : St-Jean (sv. Ivan) et Šubićevac, du côté nord, et St-Nicolas (sv. Nikola), côté mer, sur un îlot gardant l'entrée de la rade. Auparavant, la défense maritime revenait à deux tours, construites de part et d'autre de l'entrée de la rade et réunies par des chaînes pour empêcher tout navire de s'approcher du port.

pour la construction de la cathédrale. Au-dessus de la frise, deux angelots tiennent un parchemin à la gloire de l'évêque, mais à sa base, Georges le Dalmate a précisé que la conception et l'exécution du monument lui reviennent.

Sur la frise de la cathédrale,
un des citadins d'autrefois veille sur la ville.

Sacristie★ – En passant derrière le chevet, on rejoint le corps quadrangulaire de la sacristie, reposant sur un **passage voûté à caissons★** de pierre, entièrement assemblé sans aucun joint. C'est ici que le génial architecte a testé la technique qui devait ensuite être appliquée au toit. Comme le reste du chevet, elle porte la marque de la Renaissance.

Toiture★★ – Cet immense berceau a fait la célébrité de la cathédrale, car il est entièrement réalisé en pierre, de même que le **dôme**, qui culmine à 38 m de haut. La structure fut mathématiquement conçue pour que les grandes dalles du toit s'encastrent les unes dans les autres sans nécessiter de joints. Mais l'architecte mourut avant de mener le projet à bien et c'est Nicolas le Florentin qui réalisa l'exploit. Il sculpta aussi les trois statues qui gardent le toit : **saint Michel anéantissant le dragon★** *(face à l'hôtel de ville)*, saint Jacques et saint Martin.

Nef★★ – L'intérieur est constitué d'une triple nef en berceau qui repose sur 12 **colonnes gothiques** surmontées d'un triforium très sobre. En levant les yeux, on analyse mieux la **conception de la voûte★★**. Notez que la coupole est beaucoup plus claire, car elle fut endommagée durant la dernière guerre et refaite en pierre de Brač. Malheureusement, on ne fut pas capable de retrouver la technique de Nicolas le Florentin et on dut ajouter des joints. À droite de l'entrée, un **sarcophage★** porte l'effigie d'un évêque du 15ᵉ s., sculptée par Georges le Dalmate. Sur la gauche de la nef, ne manquez pas la **balustrade** finement sculptée et surtout le **Crucifix gothique★** (1455) en bois peint, très expressif. La **barrière du chœur** porte un décor délicatement ouvragé.

Baptistère★★★ – Sur la droite de l'autel, quelques marches y descendent. Sorti du ciseau de Georges le Dalmate, il illustre bien la transition vers la Renaissance, avec le mariage des dentelles de pierre gothiques et des coquilles. On y retrouve le décor excessivement orné de l'artiste et ses personnages expressifs. Détail amusant : les délicates sculptures des chapiteaux sont si fines, que chacune produit un son différent quand on la frappe du doigt.

Contourner la cathédrale pour visiter le musée de la Ville, face à la sacristie.

Palais du Prince (kneževa palača) et musée de la Ville (Šibenski muzej) A1-2
10h-13h, 18h-21h. Gratuit.
Le palais se constitue de deux ailes, l'une incorporée aux remparts, l'autre, à l'arrière de la cathédrale. Il héberge un modeste musée présentant les résultats des fouilles des environs et des expositions temporaires.

Regagner la place et tourner à droite dans Kralja Tomislava pour rejoindre une autre petite place.

Église Sainte-Barbe (Sv. Barbara) et Musée sacré★★ (Djecezanski muzej) A1-2
De mi-juin à mi-sept. : 8h-12h, 18h-21h. 10 kn.
Ce petit sanctuaire gothique (15ᵉ s.) au charme discret abrite surtout une très belle collection d'art sacré, ustensiles, manuscrits, **icônes★★**, couvrant les périodes allant du 14ᵉ s. au 18ᵉ s. Tous les styles artistiques qui se sont succédé dans la ville y sont mis en valeur. Les plus belles pièces sont le polyptyque de la *Vierge et les Saints★★*, par Nikola Vladanov (début 16ᵉ s.) et surtout le polyptyque de la *Vierge à l'Enfant★★* de Blaž Jurjev, dit Trogiranin (de Trogir), du 15ᵉ s.

En ressortant, reprendre Kralja Tomislava.

Autour de la rue du Roi-Tomislav★ (Kralja Tomislava) A-B/1-2
La seconde grande rue de la ville médiévale mérite que l'on y flâne, sans hésiter à faire des détours dans les ruelles avoisinantes, telle **Vodička ulica** où l'on aperçoit, en contrebas, l'entrée d'un ancien palais. Plus loin, après l'entrée d'un passage voûté, sur la gauche et juste avant d'arriver sur la petite place, observez, en bas du mur de

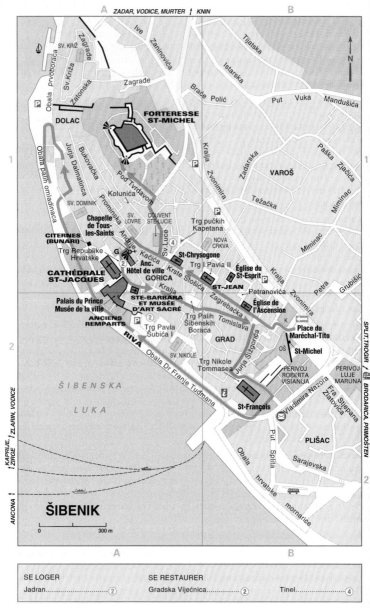

ŠIBENIK

0   300 m

SE LOGER

Jadran.............................(2)

SE RESTAURER

Gradska Vijećnica................(2)   Tinel.........................(4)

gauche, de petites cavités circulaires, dont la première est marquée *amor cani* : il s'agit d'abreuvoirs pour les chiens et chats.

Place Palih Šibenskih Boraca A2 – Un marché s'y tenait au Moyen Âge. Sur la gauche, un mur porte encore les rainures d'un double **système de mesures**, à gauche celles de Venise, à droite, celles de Šibenik. Notez la présence d'un **puits** communal.

Rue Dobrić (ulica Dobrić) – En face de la place, cette ruelle descend par un escalier : les nos 2 et 4 conservent les vestiges d'anciens palais.

Reprendre Tomislava.

Prenez le temps d'observer les détails des maisons, balcons, portes et fenêtres en surplomb, ainsi que les ruelles perpendiculaires, telle ulica Jurja Barakovića.

Au bout de Tomislava, à l'endroit où elle rejoint Zagrebačka, descendre vers la droite dans ulica Jurja Šižgorića, jusqu'à la place Nikole-Tommasea et à l'église Saint-François.

Église St-François (Sv. Frane) B2

Ouverte aux heures de messe.

Très sobre, cette église est rattachée au couvent franciscain. L'intérieur recèle un beau **plafond baroque vénitien** à caissons peints (1674), racontant la vie de saint François, autour d'une scène de l'Annonciation. Parmi les **retables baroques**, trois portent des tableaux d'un peintre dalmate réputé au 17ᵉ s., Matej Pončun.

LE LONG DE LA RIVA★ A-B2

C'est ainsi que les habitants désignent le front de mer, leur promenade favorite. Empruntez-la depuis les jardins situés au sud de la place du Maréchal-Tito.

Anciens remparts★ A1

Les vestiges les plus visibles s'étendent entre l'hôtel Jadran et la cathédrale. Encadrés de deux tours et ultérieurement percés de fenêtres, ils datent des 14ᵉ et 15ᵉ s. La porte de style gothique entre dans la ville en traversant le palais du Prince. Un peu plus loin, après la grosse tour carrée, une autre entrée (15ᵉ s.) conduit à l'arrière de la cathédrale.

En suivant le quai vers l'ouest se trouve le point de rencontre des jeunes et des bars bruyants et animés. Plus loin encore, en direction de l'embouchure de al Krka, l'ancien site industriel détruit durant la guerre d'Indépendance doit accueillir un complexe touristique et une marina.

Aux alentours

Vers le sud★

Île de Zlarin

À 30mn de traversée depuis Šibenik.

Réputée pour ses coraux, elle est située juste en face de l'entrée de la rade de Šibenik. Longue de moins de 6 km, elle invite à la balade à pied. Son village, ses **plages** et ses pins évoquent la détente, tandis que son **église gothique** (15ᵉ s.) renferme d'émouvants ex-voto offerts par les pêcheurs.

Île de Krapanj

À 10mn de traversée par bateau-navette à partir de Brodarica, 6 km au sud-est de Šibenik.

Cette petite île (moins de 1 km de long) est la plus peuplée de la région. C'est aussi la plus plate, à peine une large dalle surgissant de la mer. Elle s'est spécialisée dans la pêche aux éponges, ainsi qu'en atteste le petit **musée** local. Le pittoresque village mérite une escale. Ne manquez pas le **monastère franciscain** pour ses collections d'art sacré (peintures, icônes, crucifix).

Primošten★

À 28 km au sud-est de Šibenik, par la route côtière.

Station balnéaire réputée, célèbre pour son vin, le *babić*, elle se répartit sur deux presqu'îles. La première porte le vieux village serré sur une butte. Ne manquez surtout pas de suivre le joli sentier qui en fait le tour ou de lézarder à la terrasse d'un café, devant le port de pêche. La seconde péninsule, plus verdoyante, abrite les hôtels.

Primošten Burnji★

À 34 km au sud-est de Šibenik. À Primošten, longez la plage de galets jusqu'au fond de la baie et passez sous la route principale. Après 1 km, prenez à droite à la fourche, passez la discothèque Aurora. Un peu plus de 1 km plus loin, tournez à gauche en direction de Šibenik et Primošten Burnji. Arrêtez-vous au village de Draga (à 3,5 km). Empruntez le chemin juste avant le minimarket. À 50 m, un grand portail coulissant à droite ouvre sur un groupe de maisonnettes traditionnelles. Ouvert à la visite sur demande préalable, ℘ (022) 574 106. Entrée libre, dégustation payante de vin (babić) et produits locaux (jambons, anchois).

Jurlinovi Dvori est un hameau traditionnel, restauré par un curé passionné, don Stipe Perkoy. Il abritait jadis toutes les générations de sa famille (16 personnes). On y voit la chambre, la cuisine, la salle commune, les hangars, la cave et même une émouvante chapelle. En haut du village, le chemin de croix vient d'être complètement réaménagé. À chaque station, le peintre zagrebois **Zvanimir Vila** a consacré un tableau, que l'on découvre en ouvrant les volets qui le protègent.

Quitter le village en direction de Grebaštica. Après environ 8 km, on retrouve l'autre flanc de la montagne qui descend vers Šibenik et offre un splendide panorama.

L'ensemble de l'arrière-pays de Primošten est consacré à la culture de la vigne et de l'olivier. Il est parsemé de hameaux édifiés en pierre locale, y compris les lauzes du toit. Le long des routes, observez la curieuse disposition des vignobles : les parcelles

Aperçu enchanteur sur le vieux village de Primošten posé sur sa presqu'île.

sont entièrement couvertes de cailloux et seuls des rectangles sont dégagés pour accueillir les pieds de vigne ou d'olivier, transformant le flanc des collines en un étonnant damier.

Rogoznica

À 36 km au sud-est de Šibenik.

Construit au fond d'une baie abritée et sur un îlot, ce pittoresque port de pêche accueille désormais une marina recherchée, car très abritée. Bien que relié à la terre ferme par un pont, l'îlot conserve son atmosphère tranquille et son ancien quai bordé d'arbres.

Vers l'ouest★

Vodice

À 12 km à l'ouest de Šibenik.

Cet ancien port de pêche s'est tourné vers le tourisme et le nautisme, et attire une importante clientèle étrangère. Si le vieux centre garde son charme, les quais sont envahis par les boutiques et les restaurants, vibrant d'activité en été.

Un grand **aquarium** *(10h-14h et 17h-24h - 20 kn (enf. 15 kn)* vient d'y ouvrir ses portes. Il est possible d'y découvrir les poissons de l'Adriatique, de faire un tête-à-tête avec les requins, les raies, sans oublier le très rare poisson étendard, qui ne circule qu'au large des côtes croates, aux abords de l'île de Jabuka.

Tribunj

À 15 km à l'ouest de Šibenik.

Moins touristique que son voisin Vodice, mais peu à peu colonisé, ce petit port tranquille reste authentique. Son originalité : un minuscule îlot au milieu de la baie.

Île de Murter

À 23 km à l'ouest de Šibenik.

Reliée à la terre ferme par un pont, cette île est la meilleure base de départ pour les îles Kornati et c'est ce qui en fait l'intérêt. Les villages de Tisno, à son point de rencontre avec le continent, de Jezera et Bettina misent sur le tourisme, tout en conservant leur traditionnelle activité de construction navale.

Vers le nord

Knin

56 km au nord de Šibenik.

Verrou de la Dalmatie et de la Lika face à la Bosnie, cette petite ville, fortifiée dès le Moyen Âge, fut la capitale de la Croatie, sous le roi Tomislav, avant d'être

Knin et la Krajina

Peuplée à 90 % de Serbes, Knin fit sécession lors de la déclaration d'indépendance de la Croatie, en 1991, et devint la capitale de la République serbe de Krajina. Le tristement célèbre Ratko Mladić en commanda la garnison et y entama le nettoyage ethnique. La plupart des villages furent bombardés, désertés et brûlés. Le 5 août 1995, l'opération « Tempête » permet aux Croates de reprendre la ville. Craignant les représailles, 12 000 Serbes fuient la région. Une vaste campagne de déminage et de reconstruction efface peu à peu les stigmates de la guerre. Ancien nœud ferroviaire, Knin reste toutefois une naufragée économique.

Ch. Barely-Legrand / MICHELIN

conquise tour à tour par les Turcs et les Vénitiens. Construite au 10e s., la **forteresse (tvrđava)** *(du lever au coucher du soleil, 10 kn)*, ancien siège du royaume croate, est une des plus impressionnantes du pays, avec ses puissantes murailles concentriques couronnant un large éperon rocheux. De là-haut, large panorama sur la plaine agricole et, au fond, sur les Alpes dinariques qui marquent la frontière avec la Bosnie.

Šibenik pratique

Informations utiles

Office du tourisme de Šibenik – *Fausta Vrančića 18 -* ☏ *212 075 - www.sibenik-tourism.hr - mai-sept. : lun.-vend., 8h-20h ; sam. : 8h-12h, fermé dim., oct.-avr. : tlj sf w.-end, 8h-15h.* Sur la riva : *obala Dr Franje Tuđmana 5,* ☏ *214 411/448.*

Indicatif téléphonique – 022.
Hôpital – ☏ 246 246.
Poste – *Vladimira Nazora 51 -* ☏ *324 200. Tlj sf dim. 7h-21h.*

Internet

U.O. Castello – *Božidara Petranovića 8 -* ☏ *336 385 -* Trois ordinateurs à l'étage. La connexion n'est pas payante, il suffit de consommer.

Transports

Se garer – Le parking le plus proche du centre-ville se trouve place Poljana Maršala Tita**.** Évitez celui le long de la riva (Obada Dr. Franje Tuđmana), c'est le plus cher de la ville : 5 kn/h. Il n'est gratuit que pour les clients de l'hôtel Jadran. Le moins cher (à 5 kn/j.) se trouve en bord de mer, après la gare routière.

Autobus – Gare routière *-* ☏ *(060) 332 367. Consigne ouverte tlj de 6h à 21h.* Bus quotidiens fréquents pour Split et Zadar 26 bus/jour toute la journée, Rijeka, Makarska et Dubrovnik, Zagreb. Quelques liaisons pour Varaždin, Osijek, Slavonski Brod et Rovinj. Ces derniers temps, le bus quotidien pour Ljubljana et Trieste n'existait plus. Se renseigner à la gare.

Trains – Ligne Zagreb-Split : trois trains quotidiens dans chaque sens.

Bateaux et ferries – *Jadrolinija -* ☏ *213 468 - www.jadrolinija.hr.* Les bureaux ouvrent 1h avant le départ des ferries et des bateaux.

Des bateaux relient Šibenik à Vodice en desservant les îles piétonnes de Zlarin et de Prvić, ainsi que Žirje, *via* Kaprije.

En été, une ligne de ferry permet de passer les voitures sur l'île de Žirje, mais celle-ci les « supporte » difficilement (2 passages, le merc.).

Nautisme

ACI Marina Vodice *-* ☏ *443 086, fax 442 470 - m.vodice@aci-club.hr.*

ACI Marina Kremik à **Primošten** – ☏ *570 068, fax 571 142- www.marina-kremik.hr - 3 km au S du village.*

Marina Frapa à **Rogoznica** *-* ☏ *559 900, fax 559 932 - www.marinafrapa.com.* Très bien équipée, dans une baie agréable et très abritée. Location de bateaux : **Zander Yachting** – ☏ *559 977, fax 559 964 - www.zander-yachting.com.*

Pour les équipements de ces trois ports de plaisance, voir le chapitre « Nautisme » p. 38.

Se loger

👁 **Bon à savoir** : malgré d'ambitieux projets d'aménagements, la ville de Šibenik ne possède encore qu'un seul hôtel. Comme les environs méritent la visite, préférez séjourner dans les petits ports environnants, Primošten, Brodarica ou encore Murter, pour visiter les Kornati. Si vous recherchez le calme, les abords de la Krka et les îles de Zlarin et de Prvić sont un bon choix.

Renseignez-vousé galement à l'office de tourisme pour les chambres chez l'habitant, notamment celle de Vjera Karadole, située à deux pas de la vieille ville *(P. Grubišića 13 - 35 € -* ☏ *330 421/714 493), longa@net.hr).*

⊝ **Camping Solaris** – *Solaris Holiday Resort à 6 km de Šibenik -* ☏ *361 007 - adulte 42 kn, enfant 32 kn, emplacement (véhicule, tente, électricité) 63 kn.* Un terrain (700 emplacements) très boisé, doté d'installations complètes et de sanitaires récemment rénovés.

⊝⊜ **Villa Solaris** – *64 appart. pour 2 et 70 pour 4 pers : 575/760 kn,* 🅿. Répartis dans 16 villas, ces appartements sont attenants au camping Solaris. Conçus pour 2/3 personnes et 4/5 personnes, ils peuvent être un bon choix pour les familles et les amateurs de sports nautiques. Ces logements sont toutefois loin du centre, légèrement exigus et sans vue directe sur la mer.

⊝ **Pansion Zlatna Ribica** – *Krapanjskih spužvara 46, à Brodarica -* ☏ *350 300/351 160, fax 350 877 - 22 ch. : 360 kn* 🍽 *et 4 appart.(2 à 4 pers.) : 350/585 kn.* Cette agréable maison rose, bénéficie de la vue sur l'île de Krapanj juste en face. Bien tenue, la pension propose quelques places de camping et loue canoës, bateaux et vélos. Pas de véritable plage mais une aire de baignade aménagée au pied de l'hôtel et, dernier atout, un excellent restaurant. Certaines chambres possèdent un très grand balcon pouvant faire office de salon.

Hôtel Jadran – *Obala Dr. Franje Tuđmana 52, à Šibenik -* ✆ *242 000/090, fax 212 480 - www.rivijera.hr - 57 ch. : 690 kn* ⌷. Reconnaissable à ses volets coulissants, à quelques mètres de la cathédrale, sur la riva, c'est le seul hôtel de la vieille ville. Entièrement rénové, ses chambres claires, propres et confortables donnent sur les quais où se dressent les mâts des voiliers. Petit-déjeuner copieux. Pas de climatisation.

À VODICE

Hôtel Kristina – *Šetalište M. Sladojeva 3, à côté de l'hôtel Punta -* ✆ *444 173/443 892 - www.hotel-kristina.hr - 20 ch. : 400 kn* ⌷. Petit hôtel familial, donnant sur un jardin paisible, face à la mer, à l'extrémité de Vodice, à côté de l'hôtel Punta. Simple, sans prétention mais plein de charme. Demandez l'une des chambres du premier étage avec balcon.

À PRIMOŠTEN

Apartmani Maja Gracin – *À Primošten, Put Murve 4 -* ✆ *571 137 - leo.gracin@zg.tel.hr -* Demandez à la boutique qui vend du miel. *2 appart. de 4 pers. : 440 kn.* Au cœur de la vieille ville, ces appartements bien équipés, de style rustique, sont dotés d'une terrasse et de la climatisation. Agréable lieu de séjour ; accueil sympathique.

Hotel Zora – *À Primošten - Raduča, bb -* ✆ *570 048, fax 571 120 - www.azalea-hotels.com - 300 ch. : 700 kn en demi-pension* ⌷ *-* 🅿. Ce grand complexe hôtelier moderne, perdu au milieu d'une pinède et d'un bon standing, dispose d'une grande capacité d'accueil. Il offre une vue imprenable sur la vieille ville. Idéal en famille. Une piscine couverte a été aménagée au milieu des rochers. De l'autre côté de la baie, des jeux nautiques sont à la disposition des enfants.

Vila Koša – *à Primosten, au bout de la place au sud de la vieille ville -* ✆ *570 365, fax 571 365 - www.villa-kosa.htnet.hr - 1 ch : 490 kn /appart (2 à 4 pers.) : 375/415 kn* ⌷. ✉. Rajouter un supplément de 45 kn pour la climatisation. Très propres et confortables, la moitié des appartements de cette maison rose donnent sur l'eau. Petit-déjeuner copieux, service efficace et discret. La vieille ville est à 5mn à pied au bout du quai.

À PRVIĆ LUKA

Hôtel Maestral – *à Prvić Luka -* ✆ *448 300, fax 448 301 - www.hotelmaestral.com - 12 ch : 350/437 kn* ⌷. Comptez entre 70 et 90 kn en sus pour la demi-pension. Idéal pour qui souhaite se reposer loin de l'agitation de la ville. L'imposante bâtisse de pierre, située sur le port, a été entièrement réaménagée dans le respect des vieilles pierres. Elle sont apparentes, jusque dans les chambres.

Se restaurer

Ristoran Tinel – *Trg Pučkih Kapetana -* ✆ *331 815.* Une terrasse ombragée au-dessus d'une chapelle, une très belle maison ancienne au décor raffiné mettent en valeur une cuisine variée : goûtez au steak tartare à la dalmate, au poisson à la Tinel ou au bar aux palourdes, le tout accompagné d'un *babić* de Primošten.

Gradska Vijećnica – *Trg Republike Hrvatske 3 -* ✆ *213 605 - plats 65/120 kn.* Face à la cathédrale c'est la plus belle terrasse de la ville ! L'excellente cuisine propose, dans une salle au décor élégant, des fruits de mer et des poissons, pâtes et grillades.

Restaurant Barun – *Podsolarsko 24, à proximité du complexe Solaris -* ✆ *350 667. Plats 80/100 kn, crustacés 160/180 kn/kg, poissons 260/400 kn/kg, vins 100/150 kn.* Un restaurant haut de gamme à 5 km au sud de la ville, où l'on propose des produits de la mer de bonne qualité. Grande salle au 1er étage, parking.

Zlatna Ribica – *Krapanjskih spužvara 46, Brodarica, 100/150 kn.* Considéré à juste titre comme l'une des meilleures tables de la région, ce restaurant au bord de l'eau, propose une cuisine à base de poissons et de fruits de mer de grande qualité. Au dessert, essayez la *torta Ribica*.

Bistro Panorama – *À Primošten, Ribarska 26, accès par le chemin côtier ou derrière l'église - Plats 50/80 kn.* Légèrement en hauteur du chemin côtier dominant les toits, face aux îles Kornati, la terrasse de ce restaurant offre un exceptionnel coucher de soleil sur la mer. N'y venez donc pas trop tard. Lotte, langoustines, homards et calamars se disputent l'assiette. Attention les garnitures sont en sus ! Ambiance conviviale.

Restaurant Kornat – *Butina 6, à Murter -* ✆ *435 275.* À l'écart des quais, une grande cour sous les arbres. Carte riche, où l'on apprécie particulièrement le pâté de calmar, les calmars frits très légers, ou le carpaccio de thon. Poursuivez avec le *brodet,* savoureux ragoût de poissons.

Excursions

Agence Atlas – *Trg Republike Hrvatske 2 -* ✆ *330 232/233, fax 312 506 - atlas-sibenik@si.htnet.hr.* Cette agence organise nombre d'excursions à partir de Murter, du complexe Solaris, de Vodice et de Primošten. Excursion d'une journée aux Kornati *(370 kn/pers. au départ de Šibenik incluant le transfert en bus jusqu'à Murter, le guide, l'entrée et le repas).* Excursion en bateau ou en bus dans la Krka (320/375 kn). Rafting 540 kn sur la rivière Cetina, matériel et transfert en bus inclus. Excursions à Split, Trogir, Hvar. De plus, l'agence de Šibenik et celle de Murter s'occupent de la location de maisons de pêcheurs (Robinson) dans les Kornati. Le directeur de ces agences est francophone.

Trogir

DALMATIE – 12 995 HABITANTS
CARTE GÉNÉRALE C4 – CARTE MICHELIN 757 E8 – SCHÉMA : VOIR À SPLIT

Posée sur un îlot, cette attachante cité médiévale est classée au patrimoine mondial de l'Unesco. Ses étroites ruelles pavées, bordées de hautes maisons de pierre blanche, et ses quais où s'amarrent les bateaux gardent l'atmosphère d'un autre temps et beaucoup de charme, malgré l'afflux des touristes. Mais, surtout, elle possède l'un des joyaux du patrimoine sacré de Croatie, sa somptueuse cathédrale romane.

▶ **Se repérer** – À l'ouest de Split, au pied des derniers contreforts littoraux des Alpes dinariques, Trogir occupe un îlot, séparé de la terre ferme, au nord par un étroit chenal et protégé du large, au sud par l'île de Čiovo. Ces trois éléments sont réunis par des ponts et l'agglomération a pu ainsi s'étendre au-delà du périmètre de la cité médiévale.

👁 **À ne pas manquer** – Le portail de la cathédrale sculpté par maître Radovan, le couvent St-Nicolas, la tour St-Marc qui abrite désormais la maison de la Musique dalmate.

🕐 **Organiser son temps** – La vieille ville de Trogir est d'une grande richesse architecturale. Comptez une demi-journée. Un programme idéal avant de prendre son avion.

👥 **Avec les enfants** – Le tour de la forteresse Karmerlengo.

🅿 **Se garer** – *Voir carnet pratique, p. 219.*

♿ **Pour poursuivre le voyage** – Voir aussi Šibenik (64 km au nord-ouest, par la route littorale) ou Split (24 km à l'est).

Dans les ruelles de la vieille ville.

Ch. Barely-Legrand / MICHELIN

Comprendre

Une forteresse vénitienne – Fondée par les Grecs puis occupée par les Romains qui la nommaient *Tragurium*, la ville s'est convertie au christianisme à peu près en même temps que Salona, dont elle dépendait. À la fin du 7e s., Trogir devient un évêché et les églises s'y multiplient. Successivement dominée par les Francs, les Byzantins, puis les Hungaro-Croates, elle tombe dans l'escarcelle de Venise en 1420. Malgré la constante menace turque, la cité se développe et bénéficie de l'éclosion de la Renaissance. Elle renforce ses fortifications. Les riches habitants font construire des palais. Le déclin de la puissance vénitienne entraînera celui de la ville.

Répertoire des styles – Trogir, en dépit de sa taille modeste, possède les plus beaux fleurons de l'art croate. Elle conserve des vestiges de la période grecque, mais surtout une cathédrale qui a, au fil des siècles, mobilisé le savoir-faire des plus grands architectes et sculpteurs, tels Radovan, le maître roman, Nicolas le Florentin (Nikola Firentinac) ou Andrija Aleši, tous deux élèves de Georges le Dalmate (Juraj Dalmatinac). Les palais eux-mêmes déclinent l'histoire des styles gothique, Renaissance et baroque.

Se promener

AU FIL DES RUELLES★★

Compter 2h.

Porte de la Terre-Ferme★

C'est le plus impressionnant vestige des remparts du 13ᵉ s. que le général Marmont fit raser durant l'occupation française car, très endommagés, ceux-ci contribuaient à l'insalubrité de la cité. Cette porte date du 17ᵉ s. Elle est coiffée de la **statue de Jean de Trogir**, évêque de la ville (1062-1111), dont il devint le saint patron, par le sculpteur milanais Bonino (15ᵉ s.).

De l'autre côté de la petite place se trouvent le palais Garagnin et le musée de la Ville.

Palais Garagnin

Comme de nombreux palais de Trogir, il mélange agréablement les styles. Initialement roman, il s'est enrichi d'éléments gothiques et surtout baroques. Il abrite le musée municipal.

Musée municipal (Gradski muzej) – *8h-15h - 10 kn.* Sa visite permet de découvrir l'architecture intérieure du palais. Une collection lapidaire rassemble quelques fragments de différentes époques, depuis les Grecs jusqu'au baroque. Modeste section ethnographique et œuvres de peintres locaux. Mais le plus intéressant reste la **bibliothèque Garagnin★**, créée au 18ᵉ s. et comptant 5 581 ouvrages.

Prendre vers la droite en ressortant, suivre la ruelle, passer sous l'arche et tourner à droite dans ulica Gradska, la rue principale de la ville. Aller jusqu'à Trg Ivana Pavla II, la place centrale où se dresse la cathédrale.

Cathédrale St-Laurent★★★ (Sv. Lovro)

9h-18h en été et le dimanche en hiver, à l'heure des messes.

Sa construction s'est étendue du début du 13ᵉ s. au début du 17ᵉ s.

Portail occidental★★★ – Abrité sous le vaste porche qui mène au campanile et au baptistère, c'est le joyau du sanctuaire, sculpté à partir de 1240 par Radovan avec une incroyable richesse de détails. De chaque côté, il est encadré de deux lions surmontés des **statues d'Adam et Ève**. Les colonnes supportant les arcades sont soutenues par des Turcs et des Juifs, comme pour symboliser leur condition inférieure aux yeux de l'Église de l'époque. Les colonnes extérieures figurent des apôtres. Celles du milieu représentent les **travaux des quatre saisons** par de petites scènes très vivantes, comme l'abattage du cochon sur celle de gauche (avec, juste en dessous, un homme cuisant une saucisse…). Les colonnes intérieures sont rondes et envahies par d'autres petites **scènes quotidiennes** médiévales, entrelacées des créatures fantastiques traditionnelles de l'imagerie romane.

Le **tympan** est occupé, en haut, par une Nativité, avec la Vierge et l'Enfant encadrés par des rideaux, au-dessus de la même Vierge baignant le jeune Jésus. De part et d'autre, l'Annonciation aux bergers et les Rois mages. À la base, maître Radovan a signé et daté son œuvre.

Le long des **voussures** se déroule toute la **vie de Jésus**, depuis l'Annonciation à Marie jusqu'à la Résurrection, en passant par la Fuite en Égypte, l'Entrée dans Jérusalem ou la Crucifixion. Enfin, au sommet, une niche abrite la **statue de saint Laurent** portant le gril de son martyre.

Nef – L'intérieur surprend par son manque de clarté et par la teinte sale de la pierre (une restauration, déjà réalisée pour la chapelle latérale, est prévue). À noter la **chaire★** octogonale en pierre aux chapiteaux finement sculptés (fin 13ᵉ s.). Ne manquez pas le grand **Crucifix peint★** (1440) suspendu dans la nef, ni le curieux **chandelier**, en forme de croix, copié sur celui de la basilique Saint-marc de Venise (il fut offert par les marins de Trogir).

Maître Radovan dans ses œuvres : le portail de la cathédrale, un chef-d'œuvre de la statuaire romane.

M. Guillochon / MICHELIN

Chapelle de Jean de Trogir★★★ – Rajoutée au 15e s. sur un plan de Nicolas le Florentin (Nikola Firentinac), aidé d'Andrija Aleši et d'Ivan Duknović, cette chapelle latérale est le second joyau de la cathédrale. Restaurée en 2001, elle a retrouvé toute la luminosité de sa pierre blanche. Conçue pour accueillir le **sarcophage de Jean de Trogir**, elle présente les caractéristiques de la Renaissance : plafond à caissons, colonnes antiques, niches en coquille. La voûte, réalisée en utilisant des pierres taillées en biseau, sans aucun joint, annonce celle que Nicolas le Florentin réalisera à la cathédrale de Šibenik. La base est occupée par une série de **chérubins portant des torches** : sortant de portes entrebâillées, ils figurent le passage entre la vie et la mort. Au niveau intermédiaire, **les apôtres et les saints** représentent la vie sur terre, tandis que, au-dessus, le Couronnement de la Vierge et le plafond, dominé par un Christ Pantocrator et une foule d'anges, sont le symbole de la vie spirituelle. Les anges baroques qui protègent le sarcophage ont été rajoutés au 18e s.

Chœur – Le maître-autel est surmonté d'un **baldaquin de pierre** sculpté au 14e s., figurant l'Annonciation. De chaque côté, les **stalles**★★, en bois, (1439) richement ornées, sont inspirées du gothique vénitien.

Trésor★ – *Mêmes horaires que la cathédrale. 5 kn.* Installé dans la sacristie, il est protégé à l'intérieur de splendides **armoires**★★ (15e s.). On y admire des vêtements sacerdotaux, des reliquaires et des ustensiles sacrés, dont certains très rares, comme une **croix d'Avignon**★ (1310).

Baptistère★★ – *Entrée par le porche, incluse dans la visite du trésor.* Réalisé au 15e s. par Andrija Aleši, il porte nettement la marque du style de Georges le Dalmate, son maître, notamment aux frises et guirlandes de fleurs, fruits et angelots. Son plafond à caissons est un bel exemple de style Renaissance. Au-dessus de l'entrée, un bas-relief représente le **baptême du Christ**. Notez aussi la sculpture de **Saint Jérôme (sv. Jerolim) au désert**.

Campanile★★ – *8h-20h - 16 kn.* Son ascension offre un beau **panorama**★★ sur la ville et l'île de Čiovo, à 47 m de hauteur. C'est lui qui résume le mieux les différentes périodes de construction : du premier étage gothique, on passe au gothique vénitien, beaucoup plus maniéré à l'étage suivant. Le troisième niveau est typiquement Renaissance, tandis que la toiture s'orne de sculptures baroques. Tout en haut, la sphère dorée abrite les reliques des saints protecteurs de la ville.

À l'extérieur, la petite pyramide de pierre marque l'emplacement de l'ancien cimetière, démantelé par les Vénitiens.

Place Ivana-Pavla-II★★

Sur le côté sud de la cathédrale, elle est depuis toujours le centre de la vie locale et décline, elle aussi, tous les styles architecturaux.

Palais Cipiko★
Ulica Gradska 41.

Face à l'entrée principale de la cathédrale, c'est le plus beau de Trogir. Il était autrefois composé de deux parties, réunies par une passerelle : le grand palais, au n° 41, et le petit palais, de l'autre côté de la ruelle. Les deux palais ont été édifiés au 15e s. par trois des maîtres de la cathédrale. Les fenêtres gothiques à triple baie sont le fait d'Aleši. La porte est due à Duknović. Sous le porche, la sculpture d'un coq est un trophée récupéré à la proue d'un bateau turc, capturé en 1571. La cour intérieure du petit palais fut réalisée par Nicolas le Florentin.

Hôtel de ville★
Côté est de la place.

Autrefois palais des recteurs (les gouverneurs), il date du 13e s. mais sa façade fut refaite à la Renaissance. Vu du ciel, il se présente comme un énorme quadrilatère, avec les quatre corps de bâtiments encadrant une cour fermée. Ne manquez pas d'y pénétrer pour en voir l'architecture typique, avec l'escalier et le puits d'époque romane. Sur les murs ont été apposés les blasons des familles nobles de Trogir.

Pinacothèque★★
Mai-sept. : 9h30-13h30, 16h30-19h. 5 kn.

Au sud de l'hôtel de ville, à l'écart de la grande place, l'**église romane St-Jean-Baptiste** (13e s.) abrite ce musée d'art sacré. Parmi les collections, notez de belles **peintures de Blaž Jurjev**★★ (15e s.) ou d'artistes italiens, des **crucifix peints**★ et de précieux manuscrits, dont l'**évangéliaire de Trogir** ou le **lectionnaire de Trogir**★★ dans sa reliure d'argent (tous deux du 13e s.).

Ancien tribunal★

La loggia qui borde le côté sud de la place faisait jadis office de tribunal pour les hommes du peuple (les nobles étaient jugés dans des lieux privés, et les femmes dans une église voisine). La grande sculpture figurant un évêque croate est d'**Ivan Meštrović**. Celle qui surplombe la table est de Nicolas le Florentin : il s'agit d'une **allégorie de la Justice**, entourée de Jean de Trogir portant la maquette de la ville et de saint Laurent avec son gril. À l'extérieur, la **tour d'horloge** est ornée d'un saint Sébastien, qui protégea Trogir de la peste.

Chapelle Ste-Barbara (Sv. Barbara)

Adossée au côté droit du tribunal, sous le passage couvert de ulica Gradska, c'est un vestige du tout premier style roman. Admirez le sobre **linteau sculpté★★** de motifs archaïques de croix et d'entrelacs.

Juste en face, la cour intérieure du petit palais *(no 35)* présente un balcon de pierre particulièrement original.

Suivre ulica Gradska vers le sud.

Couvent dominicain St-Nicolas★ (samostan sv. Nikola)

Mai-sept. : 10h-12h, 16h-18h. 10 kn. Sur rendez-vous le reste de l'année, ☎ 881 631.
Fondé en 1064 et toujours occupé par une communauté de bénédictines, il présente la particularité d'être construit entre une partie des remparts remontant à l'Antiquité et une autre de la période vénitienne, ce qui lui valut le nom de monastère « entre les remparts ».

Église St-Nicolas – Son ravissant clocher, qui répond à celui de la cathédrale, fut rajouté au 16e s. Ses ouvertures sont occultées par une fine dentelle de pierre blanche, exécutée par un artiste de l'île de Brač. L'intérieur est du plus pur style baroque maniériste.

Collection Kairos★★ – Elle porte le nom de son plus célèbre objet, un bas-relief hellénistique (3e s. av. J.-C.) représentant la recherche de l'instant propice. Les collections rassemblent aussi des peintures intéressantes (13e-16e s.) et des objets profanes ou sacrés.

Poursuivez votre balade en flânant à l'aventure dans les étroites ruelles. Leur ombre bienfaisante, les petites places animées de terrasses de cafés ou de restaurants, les chats lézardant au soleil ou le linge claquant dans la brise méritent que l'on s'y perde.

TOUR DES QUAIS★

Commencer au pont vers Čiovo et longer le quai vers l'ouest.

Remparts

Il n'en reste qu'une très petite partie et la seule section intacte est celle qui constitue la muraille extérieure du couvent bénédictin.

Loggia des Voyageurs

Adossée aux remparts, elle servait d'abri aux voyageurs qui débarquaient après la fermeture des portes, à minuit. Aujourd'hui, les anciens se la sont appropriée, et en ont fait un lieu d'observation stratégique où les commentaires vont bon train.

Porte de la Mer

Construite à la fin du 16e s., elle se remarque surtout par sa lourde porte cloutée.

Longer le quai, passer le bâtiment néogothique de l'école primaire, continuer jusqu'à l'église St-Dominique.

Église St-Dominique (Sv. Dominik)

Au-dessus de la porte de cette église du 15e s., notez le **bas-relief de la Vierge à l'Enfant**, entourée d'un évêque de Trogir (sa statue se trouve devant l'église), mais surtout d'une amusante **Marie-Madeleine**, entièrement revêtue de ses longs cheveux bouclés.

Forteresse de Kamerlengo★

8h-20h - Visite des remparts : 10 kn.
Barrant l'extrémité du quai, elle fut érigée entre 1420 et 1437. Initialement entourée d'un fossé et équipée de son propre puits, elle pouvait ainsi résister en cas de révolte populaire (elle abritait le responsable des finances de la ville…). La vue sur la ville y est magnifique.
Suivre le bord du quai vers l'ouest.

Gloriette de Marmont

Solitaire et incongru, face à la mer, ce vestige inattendu de la présence française fut conçu comme un monument à la gloire de la France. On y célébrait les mariages civils. Parmi les travaux qui rendirent Marmont populaire, l'assèchement des marécages, qui bordaient le littoral jusqu'à Solin, contribua à assainir la région. Depuis cette extrémité de la ville, on aperçoit les chantiers navals qui se développèrent au début du 20e s.

Tour St-Marc

8h-20h - Musée : 10 kn.

Dernier vestige des fortifications vénitiennes du 15e s., cette grosse tour ronde et trapue gardait la ville du côté nord-ouest. Elle abrite aujourd'hui la maison des Musiques dalmates, composée d'une boutique où l'on trouvera un large choix de disques de musiques traditionnelles. Au 1er étage, un petit musée présente les différents instruments de musique qui entrent dans leur composition, tandis que sur le toit, on peut se détendre ; un café y a été aménagé.

Achevez votre tour de l'îlot en longeant le pittoresque bras de mer où sont amarrées des dizaines de barques colorées.

Aux alentours

Île de Čiovo

C'est ici que les Grecs venus de l'île de Vis fondèrent *Tragurion*. Elle est reliée à la vieille ville de Trogir par un pont. On y trouve la marina de Trogir et plusieurs petites stations balnéaires. Son atout est la présence de quelques plages et des coûts d'hébergement plus raisonnables qu'à Trogir.

Côte est

À gauche après le pont, en direction d'Arbanija et Slatine.

C'est la partie la moins prisée en raison de son orientation au nord et de la vue sur la partie industrialisée de Split, mais aussi la plus pittoresque.

Côte ouest

À droite après le pont, en direction de Rožac et d'Okruk.

Nettement plus touristique, cette portion de l'île est bordée de villages animés où pullulent les chambres à louer. Quelques petites plages et une meilleure orientation au soleil en font une alternative pour ceux qui ne veulent pas séjourner à Trogir.

Marina

À 15 km à l'ouest de Trogir par la route de Šibenik.

Abrité dans une profonde échancrure marine, ce petit port est construit au cœur d'une côte boisée, interrompue de minuscules criques et bordée de rochers. Sa haute tour fortifiée vénitienne est devenue un hôtel.

Trogir pratique

Informations utiles

Office du tourisme de Trogir – Turistička zajednica : *Trg I. Pavla II, dans l'hôtel de ville* - ℘/fax 881 412 - www.dalmacija.net/trogir.htm - 8h-21h en été, puis 8h-14h.

Indicatif téléphonique – 021.

Police – ℘ 309 139.

Centre médical – ℘ 881 461. Soins dentaires.

Dentiste – H. Prolječa – ℘ 885 665.

Internet - KOT internet – Ribarska 6 - ℘ 885 269 - à côté du restaurant Capo.

Transports

Se garer – N'hésitez pas à garer votre voiture dans le grand parking dont l'entrée est située avant le pont qui mène à la vieille ville. Une passerelle en bois le relie directement au centre. Par contre, si vous souhaitez loger dans un des hôtels de la vieille ville, passez le pont et tournez tout de suite à gauche, le stationnement sera alors gratuit avec le tampon de l'hôtel.

Gare routière – *Sur la route littorale.* Sur l'axe Zadar-Split, la fréquence des bus est, dans la journée, de l'ordre de 20 à 30mn dans les 2 directions. Pour l'aéroport, Kaštela et Split, prendre le bus 37.

Aéroport – Split-Kaštela, à 7 km de Trogir (voir à Split, p. 203).

Nautisme

👁 **Bon à savoir** : le port de Trogir est réservé, en été, aux bateaux de plus de 25 m.

ACI Marina Trogir – ✆ 881 554. Sur la rive de Čiovo, face à la vieille ville. En été, il est prudent de prévenir 24 ou 48h à l'avance.
Capitainerie – ✆ 881 508.

Agana Marina à **Marina** – ✆ 889 411, fax 889 412.

Équipement : *pour ces deux ports de plaisance, voir le chapitre « Nautisme » p. 38.*

Se loger

À TROGIR

◉ **Chambres Karagić** – *Mornarska 26 -* ✆ *796 460/ 099 21 22 2 333/ 091 76 32 963 - biljana.karagic@hi.t-com.hr - 2 ch. : 438 kn et 365 kn si plus de 4 jours.* Derrière les remparts, dans l'enceinte de la vieille ville, à droite du palais Lučić, quelques vastes chambres dans une maison ancienne. Ici, rien n'est droit, pas même le parquet, peint en jaune. Les chambres sont meublées de manière hétéroclite, ce qui leur confère un petit côté « bohème », plein de charme.

◉◉ **Hôtel Concordia** – *Obala B. Berislavića 22 -* ✆ *885 400, fax 885 401 - www.tel.hr/concordia-hotel - fermé vacances de Noël - 14 ch. : 600 kn* ▱. Ce confortable petit hôtel familial, aux chambres propres et claires, est idéalement situé dans la vieille ville, sur les quais, face au Čiovo.

◉◉🛏 **Hôtel Fontana** – *Obrov 1 -* ✆ *885 744, fax 885 755 - www.htnet.hr/ fontana-commerce - 13 ch. et 1 suite : 700/1 040 kn* ▱. Les chambres sont belles, grâce à d'agréables volumes et de beaux tapis. Les salles de bains, un peu clinquantes, sont très confortables. Bon accueil.

◉◉🛏 **Hotel Pašike** – *Sinjska bb -* ✆ *881 629/ 885 165, fax 797 729 - www.hotelpasike.com - 7 ch et 1 suite : 700 kn* ▱. Demeure du 15ᵉ s., au cœur de la ville. Chaque chambre possède sa particularité, avec souvent du mobilier 1930. Dommage que les murs des cloisons entre les chambres ne soient pas aussi épais que ceux de l'extérieur. Le petit-déjeuner est copieux et l'accueil chaleureux.

◉◉🛏 **Vila Sv. Petar** – *Ivana Duknovića 14 -* ✆/*fax 884 359 ou 091 73 80 454 - www.villa-svpetar.com - 4 ch et 2 apparts : 485/900 kn* ▱. Au centre de la vieille ville, ce petit hôtel est agréable et élégant. La pierre en façade contraste avec le design des chambres. L'établissement joue la carte de la simplicité et de la modernité. Le faible nombre de chambres du petit-déjeuner fait un moment convivial. L'accueil est sympathique et discret.

◉◉🛏 **Vila Sikaa** – *Obala K. Zvonimira 13 -* ✆ *881 223, fax 885 149 - 6 ch. et 2 suites : 590/800 kn* ▱. Sur le quai de Čiovo, cette demeure abrite un petit hôtel au confort sophistiqué. Les chambres côté rue offrent une jolie vue sur la vieille ville mais sont très bruyantes. Les petits-déjeuners se prennent à l'arrière de l'hôtel, sur une petite terrasse.

À ČIOVO

◉◉ **Vila Tina** – *Arbanija -* ✆/*fax 888 401, 888 305 - www.vila-tina.hr - 23 ch. : 570 kn* ▱. 🍴. *Fermé en hiver.* Hôtel familial, propre et élégant. Les chambres sont carrelées, confortables (climatisation). Certaines chambres ont une belle vue sur la mer et le continent et bénéficient d'un grand balcon. Les autres donnent sur un petit jardin. Fermé en hiver. Pour la demi-pension, comptez 52 kn/pers.

◉◉ **Hotel Sveti Križ** – *Arbanija, Put Sv. Križa bb -* ✆ *888 118, fax 888 337 - www.hotel-svetikriz.hr - 20 ch. et 21 appart. : 540 kn* ▱. 🍴. Assez bien intégré au-milieu des pins, au-dessus de la ravissante église de Sveti Križ, cet hôtel n'en demeure pas moins peu chaleureux avec ses murs en béton peint, et ses moquettes au bleu criard. Les chambres sont toutefois confortables (climatisation). Grande salle de restaurant et courts de tennis.

Se restaurer

Restaurant Fontana – *Obrov 1 - Plats entre 60 et 100 kn.* On y propose une excellente cuisine, fraîche et authentique, servie sur une très agréable terrasse sur le quai.

Tri Volta – *Ribarska 8 - Plats et grillades 35/60 kn, pâtes et pizzas 35/40 kn.* Une petite salle dans une ruelle du centre ancien. Un restaurant sans fioriture, mais qui propose une cuisine honnête. On peut s'y contenter d'une salade ou d'un sandwich.

◉◉ **Monika** – *Budislavićeva 12 - crustacés 160 kn/kg, Poissons 350/480 kn/kg, plats et grillades 70/100 kn -* Belle carte de spécialités et délicieuses grillades. Service attentif. Terrasse fraîche et fleurie.

◉◉ **Konoba Capo** – *Ribarska 11 -* L'idée est originale : réinvestir une ruine, telle quelle. Construire un bar en bois, faire la cuisine à ciel ouvert, tout en laissant la vigne vierge courir sur les murs. Des bouées et des filets de pêche viennent parfaire le charme de ce décor « authentique ». Par contre, les spécialités dalmates y sont assez chères (même le pain est payant) et la qualité de l'assiette assez moyenne.

Achats

Vinetoka – *Vallis Aurea - Matice Hrvatske 37.* Si vous souhaitez rapporter du vin croate avant de prendre l'avion, voilà votre boutique. Ce caviste, très bon connaisseur du terroir viticole croate, vous guidera facilement dans votre choix.

Spectacles

En juillet et août, des groupes folkloriques se produisent dans les rues et dans le fort de Kamerlengo, tandis que des concerts ont lieu dans l'église Sv. Petar.

Île de **Vis**★★

DALMATIE – 1 960 HABITANTS
CARTE GÉNÉRALE C4 – CARTE MICHELIN 757 E9

Ne manquez pas Vis si vous recherchez l'authenticité : elle n'a pas été défigurée par les grands hôtels et s'éveille doucement à un tourisme soucieux des traditions. On y rencontre navigateurs, plongeurs et sportifs qui apprécient ses côtes découpées. Un charme qui se médiatise car les célébrités commencent à y faire escale…

▶ **Se repérer** – 16 km dans sa plus grande longueur, 7 dans sa largeur, Vis est une île de petite taille, sauvage et escarpée (culminant à 587 m), la plus éloignée du littoral (45 km), avec celle de Lastovo.

👁 **À ne pas manquer** – La nécropole grecque de Vis, la grotte Bleue de l'îlot de Biševo, le village de Komiža.

🕐 **Organiser son temps** – L'île vaut que l'on y séjourne un minimum de 1 à 2 jours (2 nuits). Comptez une journée entière pour l'excursion sur l'île de Biševo.

🐾 **Pour poursuivre le voyage** – Voir aussi Split, d'où se font les transferts maritimes vers les îles de Brač et Hvar.

Comprendre

Le rayonnement grec – C'est au néolithique, à partir de 3 000 av. J.-C., que les premiers occupants de l'île la baptisent Issa et commencent à ériger les innombrables tumuli qui parsèment les collines, pour se protéger et ménager l'espace pour les cultures. Par la suite, durant l'âge du fer, les Illyriens utilisent ces monticules de pierre pour marquer leurs tombes. Au début du 4ᵉ s. av. J.-C., les Grecs envahissent l'île et en font la base de leur colonisation de l'Adriatique, contrôlant les routes maritimes et fondant des colonies à Korčula, Trogir et surtout Salona. Mais Issa, devenue cité, conserve le siège du pouvoir. Pour contrer la résistance illyrienne, elle se tourne pourtant vers Rome et finit par perdre sa prédominance et devenir une simple mais florissante colonie romaine. Le déclin s'amorce avec l'invasion des Croates, à partir du 7ᵉ s. puis la domination vénitienne, dès la fin du 10ᵉ s. Les dominations successives des Hongrois, Français, Anglais et Autrichiens la confinent ensuite à un rôle d'avant-poste défensif. Après avoir compté 14 000 habitants (sous les Romains et au début du 19ᵉ s.), l'île en recense désormais moins de 5 000.

Un paradis préservé – Durant la Seconde Guerre mondiale, elle sert de base aux Alliés et de fief pour Tito et ses résistants. Après sa prise du pouvoir, il y installe d'ailleurs une base militaire et interdit le séjour des étrangers. La population vit alors principalement de l'armée et l'île échappe totalement au « boom » touristique. Durant la guerre d'Indépendance, l'armée yougoslave quitte enfin Vis qui commence à accueillir ses premiers touristes étrangers. Aujourd'hui, à côté de cette activité naissante, l'île vit de la pêche et de la viticulture. 20 % des terres cultivables sont consacrées à la vigne, pour moitié au réputé *plavac mali*. Une partie de la production, vendangée tardivement, donne aussi un délicieux prošek.

Se promener

Vis★

Compter 2h30 avec la balade à pied.
Au 15ᵉ s., deux villages furent fondés au fond de la baie. Vis, le plus riche d'histoire mais le moins pittoresque, occupe la rive ouest, à l'ancien emplacement de la cité grecque. Au fil des siècles, les deux hameaux ont fini par n'en plus former qu'un seul.

Nécropole grecque★

Le long du quai, 50 m à l'ouest du débarcadère, derrière le terrain de tennis. Entrée libre.
Ce n'est qu'un flanc de coteau envahi d'herbes folles, mais il aligne d'émouvantes stèles intactes, sobres portes vers l'au-delà (3ᵉ-2ᵉ s. av. J.-C.).

Thermes romains (Terme)

Le long du quai, 80 m à l'ouest du débarcadère, face à la station-service. Entrée libre.
On peine à imaginer, en voyant ces quelques vestiges de mosaïques et de murs (2ᵉ s.), que la ville romaine compta jusqu'à 14 000 habitants…

Monastère St-Jérôme (Samostan sv. Jeronima)

Sur l'avancée rocheuse à l'ouest du débarcadère. Fermé à la visite.

Au 16ᵉ s., les franciscains utilisèrent les fondations du théâtre romain (3 500 places à l'origine) et ses pierres pour édifier leur monastère, dont l'intérieur a conservé certaines courbures des gradins.

Forteresse King George (Fortica)

À l'ouest du port, en longeant la côte après le monastère. 45mn AR.

Cette agréable balade permet de découvrir l'un des deux forts construits en 1812 par les Anglais, au moment où ils investirent Vis pour lutter contre la toute-puissance de Napoléon. Le second fort garde l'autre côté de la baie, à l'est de Kut.

Église N.-D.-de-la-Grotte (Gospa od Špilica)

À l'est du débarcadère, le long du quai vers Kut.

Dominant le milieu de la baie de sa lourde silhouette, cette église doit son nom à la grotte qui marquait son emplacement. Construite à partir de 1579, mais achevée au 18ᵉ s., elle mélange les styles gothique, Renaissance et baroque. À l'intérieur, *La Vierge et les Saints* est une peinture de Girolamo da Santacroce.

Fortifications

La valeur stratégique de l'île lui a valu d'être solidement fortifiée à toutes les époques. Les exemples les mieux conservés sont répartis le long du quai vers l'est. Avant l'église, on a ainsi passé les restes d'une **tour vénitienne**. Au-delà, ce sont la **forteresse vénitienne** (16ᵉ s.) et la **batterie de la Madone** (Gospina baterija) édifiée en 1830 par les Autrichiens, qui sont les plus imposantes.

Musée municipal et collections archéologiquesa (Gradski muzej)

Tlj sf lun. 10h-13h, 17h-20h, dim. 10h-13h. 10 kn.

Installé dans la batterie, il retrace la vie quotidienne dans l'île et les épisodes de la résistance de Tito. Mais, surtout, il héberge les résultats des fouilles locales et témoigne du riche passé grec et romain. Le clou de la visite est la célèbre **Tête d'Artémis★★**, une sculpture grecque en bronze (4ᵉ s. av. J.-C.).

Kut★

À 20mn à pied du centre de Vis, vers l'est. Compter 1h sur place.

Le second village de la baie, sur sa rive orientale, est le mieux préservé, à l'écart du débarcadère des ferries. Petit paradis de vacances pour les nobles de Hvar qui y firent construire leurs résidences secondaires. Il conserve de splendides **maisons baroques★** aux balcons et fenêtres ouvragés et un quai paisible où il fait bon lézarder au soleil du soir.

Église des St-Cyprien-et-St-Justina (Sv. Ciprijana i Justine)

Coincée entre les maisons, en haut d'un bel escalier, cette charmante église baroque (1742) coiffée d'un campanile affiche aussi des éléments gothiques, illustrant le mélange propre aux églises dalmates.

Komiža★★

À 9 km à l'ouest de Vis. Prévoir 1h30 pour le village et le monastère.

Forteresse (kaštel) et musée de la Pêche★ (Ribarski muzej)

Juin-sept. : 9h-12h, 17h-22h (attention, les horaires peuvent varier). 10 kn.

Le long du quai, la haute silhouette de la forteresse vénitienne (1592) est surmontée d'une tour d'horloge. Sa construction fut largement due aux contributions des pêcheurs. Le musée présente les techniques et traditions locales de pêche, l'histoire des conserveries (il y en eut jusqu'à 7 au 19ᵉ s.) et celle de la construction navale, avec la *falkuša*, barque traditionnelle ingénieuse, à bords amovibles.

N.-D.-des-Piratesa (Gospa Gusarica)

Ribarska ulica, la ruelle qui longe la baie vers l'ouest, mène à une plage de galets, gardée par cette chapelle originale à trois pignons. Selon la légende, la Vierge serait apparue aux pirates qui avaient volé son icône, pour les persuader de la rendre. Selon une autre version, les malfrats auraient fait naufrage et l'icône aurait flotté jusqu'à la plage. La nef centrale est la plus ancienne (1515), les autres datent des 17ᵉ et 18ᵉ s. La chapelle abrite le plus vieil orgue de Dalmatie.

Monastère St-Nicolas (samostan sv. Nikola)

Fermé à la visite mais mérite la balade pour l'extérieur et la vue sur la baie.

Perché sur la colline, il fut fondé au 13ᵉ s. par des bénédictins chassés de Biševo par les pirates. Au 18ᵉ s., il fut renforcé de puissants bastions pour servir de refuge en cas

Le village de Komiža : un balcon sur la mer.

d'attaque. Pour la fête du saint patron des marins et des voyageurs, le 6 décembre, on y amène une barque que l'on brûle en grande cérémonie.

Île de Biševo★

Bateau depuis Komiža. 80 à 90 kn selon la formule choisie, incluant le prix d'entrée dans la grotte Bleue (25 kn). Seulement par beau temps. Une demi-journée pour la grotte, la journée avec la plage. Possibilité de départ de Vis, mais plus long et plus cher.

La deuxième île de l'archipel est célèbre pour sa **grotte Bleue★★ (modra špilja)**, éclairée d'une lumière irréelle qui y parvient à travers l'eau, par une entrée latérale submergée. Accès possible seulement en barque. La couleur bleutée y est la plus belle en milieu de journée. Les excursions longues conduisent ensuite à une agréable plage (tavernes sur place).

Mont Hum★

Accès par la route sud de l'île, via Podspilje et Borovik, puis un chemin carrossable.

Sur le flanc sud, après le hameau de Borovik, le chemin passe l'escalier qui conduit à la **grotte de Tito (Titova špilja)**. Cet ensemble de cavités abrita le futur chef d'État et ses partisans, durant la Seconde Guerre mondiale, et fut son quartier général. Le sommet, point culminant de l'île (587 m), offre le plus vaste **panorama★★**.

Plage de Srebrena★ (uvala Srebrena)

Sur la côte sud, suivre la direction de Rukavac, puis Srebrena. Continuer ensuite vers la droite et un parking ombragé. Le sentier de droite descend à la plage. Prévoir un pique-nique et une demi-journée pour la baignade.

La côte sud de l'île est celle des criques, principalement rocheuses. La plus agréable est celle de Srebrena, des galets d'un blanc éblouissant et de larges rochers plats, bordés d'une pinède idéale pour le pique-nique ou la sieste…

Île de Vis pratique

Informations utiles

Office du tourisme – *Turistička zajednica - Šetalište stare Isse 5* - ℘ 717 017, *fax 717 018* - *www.tz-vis.hr.*

Indicatif téléphonique – 021.

Banque – Agences et distributeurs sur les quais de Vis et Komiža. Prévoir tout de même quelques kunas d'avance en cas de panne d'un distributeur.

Santé – Vis : **Medical Centre** (médecins et dentiste) - *Poljana Sv. Duha 10* - ℘ 711 633. Komiža : **médecin**, ℘ 713 122.

Pharmacies à Vis et Komiža.

Laverie – **Lušija**, *Obala Sv. Jurja 1*. Linge lavé et repassé en une demi-journée ou une nuit. Tlj 8h-13h, 17h-22h. Hors saison, sonner au n° 5 du même quai.

Internet – **Cybercafe Biliba**, korzo 13 à Vis.

Transports

Ferries – *Jadrolinija- Agence de Vis* - ℘ 711 032 - *www.jadrolinija.hr.* Au départ de Split, 2h à 2h30 de traversée. Toute l'année, 1 à 2 ferries par jour (selon les jours de la semaine) et 2 à 3 de juin à septembre. Liaison bihebdomadaire avec Ancone en été.

Bateau (piétons) : Liaison quotidienne pour les passagers piétons entre Vis et Hvar.

Autobus – 4 à 5 bus font chaque jour, toute l'année, le trajet entre Vis et Komiža. En saison, des bus supplémentaires assurent le transfert vers et depuis chaque ferry.

Location de véhicules – Ionios Tourist Agency, *Obala Sv. Jurja 37*, ✆ 711 532, loue à l'heure ou à la journée des vélos *(90 kn/j)*, scooters *(190 kn/j)* et voitures *(400 kn)*.

Nautisme

Pas de port de plaisance, mais des anneaux équipés à Vis et Komiža. S'ils sont tous occupés, on vous proposera un amarrage alternatif. Accastillage à Vis et Komiža. Carburant à Vis.

Se loger

L'excellent site Internet de l'office de tourisme permet de réserver son hébergement, y compris chez l'habitant. Voir aussi : *www.info-vis.net*.

● **Ionios Tourist Agency** – *Obala Sv. Jurja 37, Vis* - ✆ 711 532, fax 711 656 - *ionios@st.htnet.hr*. Chambres ou studios chez l'habitant, à Vis, à partir de 200 kn. Comptez 300 € pour un appart. (2/3 pers.)

●● **Darlić & Darlić** – *Riva Sv. Mikule 13, Komiža* - ✆ 713 760/ 098 784 664 - *www.darlic-travel.hr*. Choix de chambres chez l'habitant, à Komiža, à partir de 250 kn la chambre double. Propose aussi à ses clients le transfert en minibus depuis Vis *(25 kn)*.

●●🍴 **Issa** – *Šetalište Apolonija Zanelle 5*, ✆ 711 124, fax 711 740 - *vis@st.t-com.hr* - *Réservations* ✆ 711 443. 125 ch : 730 kn ▭. Situé à l'O du quai près d'une petite plage de galets, il est bien placé, mais n'a aucun charme. Il convient pour dépanner. Ouvert de mai à octobre.

●●●🍴 **Tamaris** -*Obala Sv Jurja 30*, ✆ 711 350, fax 711 349 - *tamaris@st.t-com.hr* - *Réservations* ✆ 711 443. 26 ch : 800 kn ▭. Sur le quai principal, l'hôtel Tamaris est un bon choix car climatisé et très bien tenu. Ouvert toute l'année.

●● **Biševo** – *Ribarska 72, Komiža* - ✆ 713 095, fax 713 0898 - 120 ch. : 730 kn ▭ - **P**. Grand hôtel agréablement situé au calme, au-dessus d'une jolie crique de galets. Déco impersonnelle démodée, mais tout confort. Demander la partie la plus ancienne pour ses chambres rénovées. Transfert depuis le ferry sur demande. Ouvert toute l'année. Prix dégressif si le séjour dépasse 3 jours.

●●●🍴 **Paula** – *Obala kralja P. Krešimira IV à Kut* - ✆ 711 362/717 503, fax 717 501 - 10 ch. : 680/1 130 kn ▭ - ▤.

Hôtel de charme, réparti entre plusieurs maisons anciennes agréablement décorées, à deux pas des quais de Kut. Toutes les chambres sont différentes. Petit-déjeuner raffiné et copieux. Restaurant de qualité. Ouvert toute l'année.

Se restaurer

●●🍴 **Konoba Vatrica** – *Riva, Kut*. Devant la mer, sur le joli quai de Kut, une sympathique taverne où goûter tous les plats traditionnels, à partir de 40 kn. Poissons grillés (80 à 120 kn).

●● **Restaurant Pojoda** – *Don Cvjetka Marasović 8, Kut*. Dans une ruelle parallèle au quai de Kut, jolie cour intérieure verdoyante et cuisine dalmate traditionnelle (viandes entre 50 et 85 kn, poissons autour de 100 kn).

●● **Konoba Jastožera** – *Gundulićeva 6, Komiža* - ✆ 713 859. Un coup de cœur pour ce restaurant original. On dîne sur les pontons de bois d'un ancien vivier à homards au-dessus du bassin, sur une avancée rocheuse au milieu de la baie. Viandes grillées à partir de 40 kn. Goûtez les médaillons de dinde au caroube et la *rožata*, traditionnelle crème caramel particulièrement réussie. Terminez par une *grappa* au caroube…

Sports-Loisirs

Plongée – Les abords de l'île sont particulièrement propices à la plongée en raison des nombreuses grottes sous-marines, des sites archéologiques grecs et romains et des multiples épaves de navire ou même d'avion. **Issa Diving Center**, *Ribarska 91, Komiža (sur la plage devant l'hôtel Biševo)*, ✆ 713 651. **Dodoro Diving Center**, *Obala Sv. Jurja, Vis*, ✆ 711 695, *www.dodoro-diving.com*.

Randonnée-excursions – Darlić & Darlić, *Riva Sv. Mikule 13* - ✆ 713 760/ 098 784 664 - *www.darlic-travel.hr*. Propose plusieurs types d'excursions vers l'île de Biševo et la grotte Bleue ainsi que des circuits de randonnée.

Alter Natura, *Hrvatskih muèenika 2*, ✆ 717 239/091 250 38 09 (Pino) - *www.alternatura.hr*. Cette agence s'est spécialisée dans la découverte sportive (parapente, cheval), la randonnée dans des villages traditionnels et les excursions en bateau.

Shopping

Plusieurs boutiques, sur le quai de Vis, en direction de Kut, proposent les alcools locaux. Ne manquez pas le *plavac mali*, la *grappa* à la caroube (*rogač*) ou encore le *prošek*.

Zadar★★

DALMATIE – 72 718 HABITANTS
CARTE GÉNÉRALE B3 – CARTE MICHELIN 757 D8

La plus septentrionale des grandes villes fortifiées de Dalmatie est aussi l'une des plus vivantes. Très éprouvée par la Seconde Guerre mondiale, elle offre cependant un centre historique attachant, confiné à une étroite péninsule, autrefois citadelle close et imprenable. Cernée par la mer sur trois côtés, elle conserve d'inestimables souvenirs de deux millénaires d'histoire, du forum romain aux trésors baroques, en passant par de ravissantes églises romanes et une bonne partie de ses fortifications.

▶ **Se repérer** – Au nord de la Dalmatie, la ville est encadrée par une large plaine côtière extrêmement fertile, célèbre pour ses cerisiers et ses cultures maraîchères. Vers le sud, le relief de collines usées est planté d'oliviers, de figuiers et d'un maquis très dense. Le Nord, beaucoup plus spectaculaire, est barré par la haute silhouette du massif du Velebit. Laisser la voiture à l'un des parkings, au pied des remparts face au port.

👁 **À ne pas manquer** – L'église St-Donat, l'orgue marin, le coucher de soleil sur la Riva.

🕐 **Organiser son temps** – La vieille ville n'est pas très grande, vous en ferez assez vite le tour. Ugljan, à 20mn en ferry, peut constituer une destination sympathique pour une après-midi. La ville de Nin, proche de Zadar, constitue aussi une excursion de choix, envisageable sur une demi-journée.

⛵ **Pour poursuivre le voyage** – Voir aussi l'île de Dugi Otok (1h30 de traversée depuis Zadar) ; au sud, Šibenik (85 km), le parc national de la Krka (100 km) ; au nord, l'île de Pag (45 km) et le parc national de Paklenica (50 km).

Vieille ville de Zadar.

Comprendre

La citadelle de la mer – L'histoire de la ville se résume à celle de tout le littoral dalmate : occupée par les tribus illyriennes, la ville fut colonisée par les puissances successives. Les Romains s'en emparèrent les premiers, suivis par des envahisseurs slaves. Après la chute de Salona, Zadar devient la capitale de la Dalmatie (elle l'est restée jusqu'en 1918). Un temps vassale de Charlemagne, Zadar fait au Moyen Âge l'objet des querelles entre les croisés venus d'Occident et les Ottomans de Byzance. Mais ce sont les Vénitiens qui lui donneront son allure de citadelle, car ils comptent sur sa résistance pour contrer les ambitions des Turcs en Dalmatie. Quatre siècles de domination vénitienne laissent leur trace dans le patrimoine architectural et sacré exceptionnel de la ville. Malgré ces soubresauts politiques, Zadar est l'une des villes les plus prospères et les plus rayonnantes du pays, ainsi qu'en témoigne la fondation d'un embryon d'université dès 1396. Après la chute de l'Empire autrichien, la ville retrouve le giron italien en 1920, ce qui explique l'incontestable atmosphère latine que Zadar a toujours conservée, même si la plupart des Italiens ont quitté la ville lors de son rattachement à la fédération yougoslave en 1947.

Se promener

AU CŒUR DE LA CITADELLE★★

Commencer la balade à l'est, au port de Foša, devant la porte de Terre-Ferme. Compter 2h30.

Foša A2

Foša et porte de Terre-Ferme

Ce petit port n'existe en l'état que depuis la suppression du pont-levis qui franchissait le chenal qui entourait la cité. Un édifice fortifié, devenu un restaurant, barrant l'entrée du mouillage, abritait le poste de douane et un corps de garde. De l'autre côté du port, le puissant système de remparts et de bastions défensifs fut érigé par les Vénitiens au 16e s.

Porte de Terre-Ferme★ A2

C'est au milieu du 16e s. que les Vénitiens décidèrent de renforcer l'abord de la ville, pour mieux se défendre contre d'éventuelles attaques turques. Dessinée par le Vénitien Michele Sanmicheli (1543) et rythmée par quatre colonnes, la porte se partage en trois ouvertures : large au centre pour les attelages, petites sur les côtés pour les piétons. L'arc central porte une statue de saint Chrysogone (Krševan), patron de la ville, surmontée du lion ailé de Venise.

Tourner à droite juste après la porte et monter les quelques marches jusqu'à la place des Cinq-Puits.

Place des Cinq-Puits★ (trg Pet Bunara) A-B2

Cinq puits

Parfaitement alignés au centre de la place, ils fournissaient jusqu'à la fin du 19e s. l'eau d'une citerne construite au 16e s., à la place des anciennes douves.

Tour du Capitaine

De forme pentagonale et intégrée à des vestiges de remparts crénelés (13e s.), elle constitue la seule partie encore debout des fortifications médiévales qui encerclaient entièrement la ville.

Bastion et parc municipal

Face à la tour, l'agréable parc boisé est le plus ancien jardin public du pays. Pour le créer, en 1890, on remblaya l'un des bastions de la citadelle, rajouté par les Vénitiens au 16e s.

Descendre les marches, à l'ouest, vers une autre petite place. En face, noter les vestiges romains, semi-enterrés dans une fosse.

Ancienne porte romaine

Dans la fosse, les quelques ruines sont les vestiges de la porte de la forteresse construite par les Romains. La haute **colonne** dressée à proximité, provenant d'un temple romain proche du forum, ne fut placée ici qu'en 1729. Elle marque le départ de l'axe majeur de la ville. Sur la gauche se dresse le **palais du Recteur**, avec ses murs jaune pâle, remanié au 19e s. dans le style néoclassique, tandis qu'à droite se trouve la longue façade orangée de l'église St-Siméon.

Église Saint-Siméon★ (Sv. Šimun) B

L'édifice, à la façade typiquement baroque (17e s.), est bâti sur l'emplacement d'une basilique paléochrétienne du 5e s., dont subsistent la partie inférieure du mur sud et une rangée de fenêtres géminées. L'église fut consacrée à saint Siméon, en 1570, lorsque le sarcophage contenant les reliques y fut transféré.

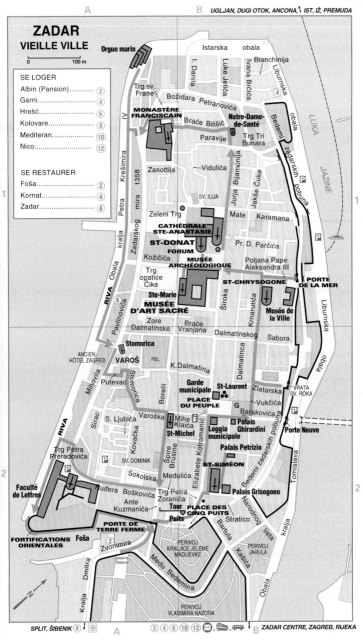

ZADAR
VIEILLE VILLE

0   100 m

SE LOGER

Albin (Pansion)............ ②
Garni.......................... ④
Hrešć......................... ⑥
Kolovare..................... ⑧
Mediteran................... ⑩
Nico........................... ⑫

SE RESTAURER

Foša.......................... ②
Kornat....................... ④
Zadar........................ ⑥

SPLIT, ŠIBENIK ⑧   ② ④ ⑥ ⑩ ⑫   ZADAR CENTRE, ZAGREB, RIJEKA

Sarcophage de saint Siméon★★★ – Principal intérêt de la visite, il trône au centre de l'autel, soutenu par deux anges baroques, en bronze récupéré sur des canons pris aux Turcs. Il fut commandé en 1377 par Élisabeth de Bosnie, reine de Hongrie et de Croatie, épouse de Louis Iᵉʳ le Grand. Pour le réaliser, l'orfèvre milanais Francesco, qui résidait alors à Zadar, utilisa 250 kg d'argent et une généreuse quantité de feuilles d'or. Finalement achevé en 1380, le sarcophage est fabriqué en bois de cèdre entièrement recouvert d'argent et d'or, à l'extérieur et à l'intérieur. Le **gisant** du saint repose sur le couvercle, tandis que les côtés sont ornés de **13 bas-reliefs** en argent repoussé et doré, figurant des légendes liées au saint. Sur le devant, le motif central illustre la présentation au Temple de l'Enfant Jésus (inspirée d'une fresque de Padoue par Giotto). Sur la droite, c'est l'entrée du roi Louis le Grand à Zadar, sur la gauche, on voit des moines déterrant le corps du saint. À l'intérieur, outre les reliques, on trouve plusieurs ex-voto, dont la couronne de la reine.

Nef et bas-côtés – Dans le bas-côté gauche, on voit encore des traces de fresques murales du 14e s. Au fond de la nef, notez aussi, à gauche, une icône de la **Vierge à l'Enfant en marbre doré** (13e s.), incluse dans un retable baroque, et, à droite du chœur, une **icône de la Vierge à l'Enfant** (15e s.) presque entièrement recouverte d'argent, à la manière byzantine.

Sortir de l'église vers la droite et tourner tout de suite à gauche dans ulica Don Ive Prodana.

Le doigt sacré

Selon la légende, Élisabeth de Bosnie, qui vénérait saint Siméon, voulait absolument en posséder personnellement une relique. Elle s'arrangea pour arracher un doigt et le cacha dans son giron. Las ! Le doigt s'infesta d'asticots ! Il ne retrouva son intégrité qu'après que la reine l'eut remis en place. Pour se faire pardonner le sacrilège, elle décida de faire don d'un reliquaire à la hauteur de sa vénération.

Palais Petrizio B2

Au n° 7, voici un superbe exemple de palais du 15e s., mélangeant harmonieusement les styles. Le portail et les fenêtres sont gothiques, le balcon est Renaissance, les deux styles se retrouvent dans la belle cour intérieure, malheureusement un peu altérée.

Revenir sur ses pas et suivre Don Ive Prodana le long de la façade latérale de St-Siméon jusqu'à l'angle de la rue Ilije-Smiljanića.

Palais Grisogono B2

Superbement restaurée, cette élégante demeure médiévale conserve de beaux éléments gothiques et Renaissance (fenêtres et portes).

Repasser devant St-Siméon et prendre à droite la rue Elizabete-Kotromanić, axe principal de la vieille ville.

Place du Peuple★ (Narodni trg) B2

C'est la seule grande place de Zadar qui ait gardé son patrimoine intact. C'est aussi celle où se trouvent les terrasses de cafés les plus agréables. Au Moyen Âge, elle concentrait toute la vie de la cité. Côté nord, elle est bordée par l'hôtel de ville, lourd édifice néo-Renaissance.

Garde municipale

Du côté ouest, ce bâtiment fermé par des grilles date de 1562 et son style Renaissance tardive annonce déjà la période maniériste. On en doit les plans à l'architecte Sanmicheli, qui dessina la plupart des fortifications de l'époque. La tour fut surélevée en 1798 pour accueillir l'horloge. Les trous ronds, le long du mur d'enceinte, servaient à placer les canons.

Église Saint-Laurent (Sv. Lovro)

Pour en voir les vestiges, il vous faudra entrer à l'intérieur du café Lovre *(entrée libre)*. Ce qui reste du sanctuaire est visible à l'arrière : il s'agit d'une petite église romane du 11e s. à l'architecture très harmonieuse. On y observe encore l'influence byzantine, notamment sur les sculptures.

Loggia municipale

Face à la garde municipale, ce bâtiment Renaissance (Sanmicheli, 1565) qui accueille désormais des expositions temporaires, servait jadis de tribunal. On y rendait les jugements, on y donnait lecture des décrets et on y ratifiait les contrats officiels.

Palais Ghirardini B2

Au nord-est de la place, à l'angle des rues Ive Prodana et Jurja Barakovića, cette haute maison romane se remarque à son balcon gothico-Renaissance sculpté, exécuté par Nicolas le Florentin (15e s.).

Quitter la place vers le nord en suivant la rue Jurja-Barakovića jusqu'à la deuxième porte de la ville.

Porte Neuve B2

Percée en 1931, elle ouvre directement sur le port de Zadar et la passerelle piétonne qui assure la jonction avec les quartiers modernes au nord du plan d'eau.

Revenir sur ses pas et prendre la première ruelle à droite, Hrvoja Šubića Hrvatinića, pour pénétrer dans le marché.

Marché★ B2

7h-13h. L'un des plus pittoresques de Dalmatie, il est connu pour la qualité de ses primeurs, car Zadar est entourée d'une plaine très fertile. Vous y goûterez les produits du terroir, huile d'olive pressée à la maison, figues enfilées à la main sur des cordelettes, jambons de pays, mais surtout les fromages des environs, à commencer par celui de l'île de Pag. Sur le côté nord-est du marché, près de la petite porte St-Roch (sv. Rok), remarquez les vestiges de la **muraille médiévale**, contemporaine de la tour du Capitaine.

Reprendre Hrvoja Šubiča Hrvatiniča vers l'ouest. Continuer tout droit dans Brne Krnarutiča qui mène à l'arrière de l'église St-Chrysogone.

Église Saint-Chrysogone★★ (Sv. Krševan) B1

Consacrée en 1175, c'est un ravissant exemple d'art roman italien. C'était initialement l'église d'un monastère bénédictin aujourd'hui disparu. L'**abside** et la façade latérale sont les parties les plus spectaculaires. Les rangées d'arcatures aveugles et la succession de fines colonnettes évoquent l'influence des artistes lombards et toscans. La structure générale et le décor rappellent ceux de la cathédrale, commencée à la même époque.

L'intérieur★ – Très simple, à triple nef, il conserve des vestiges de **fresques romanes★★** d'inspiration byzantine (12e s.), du côté nord et dans les chapelles latérales du chœur. Le **maître-autel baroque** en marbre blanc (1701) porte les statues des quatre saints protecteurs de Zadar : Chrysogone, Siméon, Anastasie et Zoïle. À l'origine, la voûte du chœur était couverte d'une immense mosaïque.

En sortant de l'église, prendre à droite Poljana Pape Aleksandra III pour rejoindre la porte du Port.

Porte Saint-Chrysogone★★ (vrata sv. Krševana) B1

Aussi appelée porte du Port (1573), elle est intégrée à une portion des remparts datant du 16e s. Côté ville, on lui a incorporé les restes d'un **arc de triomphe romain★★**, surmontés d'un fronton Renaissance et de la statue équestre de saint Chrysogone. Côté port, elle est ornée des armoiries de Venise. De part et d'autre, des escaliers mènent au sommet des remparts remblayés et occupés par une rue. Le long du quai, les embarcadères des ferries permettent de se rendre dans les îles. À l'intérieur des remparts, à droite avant la porte, se trouve le **musée de la Ville** *(voir « visiter »)*.

Revenir sur ses pas et suivre l'axe de la porte vers le sud, le long de la rue Šimuna-Kožičiča-Benje, entièrement reconstruite.

Espace romain★ B1

La rue Šimuna-Kožičiča-Benje mène à l'ancien forum, face à l'actuel Musée archéologique *(voir « visiter »)*.

Forum★

Son aménagement commença au 1er s. av. J.-C. et se prolongea jusqu'au 3e s. D'une longueur de 95 m pour une largeur de 45 m (le plus vaste de Croatie), il est partiellement envahi par des édifices ultérieurs mais a conservé son dallage et de nombreux vestiges. Sur trois côtés *(nord, est et sud)*, le forum était bordé par un **portique monumental** surmonté d'une galerie. Les côtés est et nord du portique étaient occupés par des rangées de **boutiques**, dont on a conservé quelques murs. Le côté sud accueillait une **basilique** (salle municipale utilisée pour les réunions publiques et les séances du Conseil de la ville). Vers l'ouest, sur une zone surélevée de 2 m, se dressait le **capitole**, au-delà de la seule colonne encore debout. On y trouvait le plus grand **temple** de la ville, dédié à Jupiter, Junon et Minerve. Après la chute de l'Empire romain et un violent tremblement de terre, au 6e s., les édifices encadrant le forum furent détruits. Beaucoup d'éléments et de pierres furent récupérés pour des constructions diverses. Avec la christianisation, plusieurs sanctuaires ont été bâtis sur une partie du forum : l'**église Saint-Donat**, la cathédrale et le **Palais des archevêques** (bâtiment ocre jaune).

Une ville romaine

L'urbanisme des Romains répondait à une géométrie bien définie, reposant sur les angles droits. Deux axes majeurs organisaient la ville : le *cardo* (aujourd'hui la rue Šimuna Kožičiča Benje) qui la partageait dans la largeur du nord au sud, et le *decumanus* (rue Široka), perpendiculaire. Leur intersection se trouvait à l'angle nord-est du forum, le cœur de la ville romaine. Toutes les autres rues constituaient un quadrillage à partir de ce croisement central.

Colonne de la honte

En arrière du Palais de l'archevêque, cette haute colonne servait de pilori au Moyen Âge. Les pitons servaient à y attacher les voleurs et les femmes adultères. À l'époque romaine, avec une seconde colonne similaire (celle que vous avez vue sur la place des Cinq-Puits), elle marquait l'accès au capitole.

Église Saint-Élie (Sv. Ilije) B1

Au fond du forum, derrière le Palais des archevêques, cette petite église fut consacrée au culte orthodoxe sous Napoléon, sans doute parce que son armée comptait des mercenaires grecs et serbes.

Église Saint-Donat★★★ (Sv. Donat) B1

Mai-juin et sept. : 9h-13h, 17h30-19h30 ; juil.-août : 8h-22h. 8 kn. Sinon, voir au Musée archéologique, en face, pour l'accès.

L'un des monuments les plus célèbres de Croatie et l'emblème de Zadar. Elle date du début du 9e s. et fut initialement consacrée à la Sainte-Trinité. Son style et son plan circulaire sont un mélange des premières églises carolingiennes et des sanctuaires byzantins. L'évêque Donat, à qui elle est consacrée, était un diplomate en relation avec la cour de Charlemagne et avec celle de Byzance. C'est lui qui ramena à Zadar les reliques de sainte Anastasie, l'une des patronnes de la ville.

Extérieur★★ – Il est particulièrement intéressant du côté sud. On est frappé par la hauteur de l'édifice et par son allure compacte. La nef en rotonde est flanquée de trois absides également circulaires. À la base, on voit nettement les fragments de colonnes, frontons et corniches romains, récupérés sur le forum et utilisés pour les fondations.

Intérieur★★★ – Parfaitement circulaire, il comporte un déambulatoire rythmé par six piliers massifs à section rectangulaire et deux colonnes romaines marquant l'emplacement du chœur. Au niveau supérieur, une galerie suit

Vestiges romains, St Donat et le clocher de la cathédrale.

le même schéma. Les absides sont voûtées en cul-de-four, tandis que la rotonde centrale est couverte d'une charpente. Comme à l'extérieur, on remarque le remploi de matériaux antiques pour la base des murs.

Traverser le forum.

Église Sainte-Marie (Sv. Marija) B1

Église de la communauté des sœurs bénédictines fondée en 1066 (toujours en activité), elle marie une **façade Renaissance** très sobre (début 16e s.) à un **campanile roman** séparé, beaucoup plus ancien (12e s., restauré au 15e s.).

Intérieur – Son **décor rococo** (1744), les grilles de fer forgé, les moulures et les stucs élaborés, d'une blancheur immaculée, offrent un contraste étonnant avec la simplicité extérieure. La nef conserve cependant ses **piliers** romans à chapiteaux et ses arcades d'origine. Au fond de la nef, la statue gothique de **Notre-Dame-des-Sept-Douleurs** date du 15e s. Les bâtiments du couvent abritent le musée d'Art sacré.

Musée d'Art sacré★★★ B1

10h-13h, 18h-20h, dim. 10h-13h. 20 kn. ☎ 250 468. Demandez le dépliant explicatif.

L'un des plus beaux musées de Croatie, il rassemble les plus précieux trésors de la ville, patiemment amassés et préservés par les bénédictines au fil des siècles, remarquablement présentés et mis en valeur dans les bâtiments du couvent, selon un ordre chronologique. On reste admiratif devant la persévérance et la lucidité des religieuses qui ont su préserver ces inestimables collections en dépit des guerres et des changements de régime.

Rez-de-chaussée – Collections lapidaires : sculptures préromanes et romanes, comme le **bas-relief de sainte Anastasie★** (13e s.) ou des fragments récupérés à la cathédrale. On y a reconstitué l'**intérieur de la chapelle St-Dominique (Sv. Nedeljica)** du 11e s., première chapelle bénédictine détruite en 1890 (l'original du chancel se trouve au Musée archéologique).

Premier étage – Il est consacré à l'art sacré des périodes romane et gothique, dont de splendides reliquaires en or et en argent.

Dans la première vitrine, remarquez le **reliquaire cylindrique de saint Jacques**★★★ (11ᵉ s.), le **bras reliquaire de saint Isidore**★★, et ses délicats filigranes (12ᵉ s.) et le plus ancien objet du musée, la **petite croix de Čika**★★★ (Palestine, 7ᵉ-8ᵉ s.). La vitrine suivante contient, entre autres, un étonnant **buste reliquaire de Marie-Madeleine**★ (1332) et une ravissante **miniature de la Crucifixion**★ entourée d'or (13ᵉ s.). Les autres vitrines recèlent de nombreux reliquaires, tous plus beaux les uns que les autres, comme celui du **buste de saint Sylvestre** (1367), et de splendides **croix de procession** (13ᵉ et 14ᵉ s.).

Les murs portent des **icônes de la Vierge à l'Enfant**★★ (13ᵉ s.), un **triptyque de la Vierge**★ (14ᵉ s.), des peintures italiennes et de jolies **statues gothiques** en bois polychrome.

Deuxième étage – Il présente la période allant du gothique tardif au baroque. Ne manquez pas l'extraordinaire ensemble de **dix statues de saints en bois polychrome**★★ qui ornaient la clôture du chœur de la cathédrale (1426-1431), ou cet émouvant **crucifix** peint (1380). Plus originaux sont ces **portraits de saints brodés** en relief au fil d'or (16ᵉ s.) ou ces **dentelles au fuseau** exécutées par les nonnes (16ᵉ-18ᵉ s.). Enfin ne manquez pas le **polyptyque de Vittore Carpaccio**★★★ (15ᵉ s.) récupéré sur l'autel de Saint-Martin, à la cathédrale. Le reste des collections comporte nombre de peintures italiennes (16ᵉ-18ᵉ s.).

En ressortant, traversez la place pour monter au campanile de la cathédrale.

Campanile de la cathédrale

Bien que situé près de St-Donat, ce haut campanile est celui de la cathédrale. Seul le premier niveau est ancien (15ᵉ s.), le reste ayant été rajouté en style néoroman à la fin du 19ᵉ s. Depuis le sommet, le panorama sur la ville permet d'imaginer la citadelle imprenable qu'elle devait être lorsqu'elle était presque entourée d'eau.

En sortant du campanile, tourner à gauche, vers l'ouest, en suivant Široka ulica, et longer la façade latérale de la cathédrale.

Cathédrale Sainte-Anastasie★★ (Sv. Stošija) B1

L'édifice actuel *(Voir « ABC d'architecture » p. 83)* a remplacé au 12ᵉ s. une basilique paléochrétienne à trois nefs.

Façade★★★ – Édifiée au 13ᵉ s., lorsque l'on a rallongé la nef, elle rappelle celle de l'église Saint-Chrysogone, avec la même influence toscane. Au premier niveau, les trois **portails** sont décorés de motifs typiquement romans. Les statues des évangélistes, ainsi que celles de Marie et de l'ange Gabriel, sont plus anciennes (12ᵉ s.), sans doute récupérées sur la façade antérieure. Les sculptures du **tympan**, en revanche, datent de 1324. Mais c'est dans sa partie supérieure que la façade est la plus remarquable : l'espace est entièrement occupé par des **arcatures** aveugles à fines colonnettes (13ᵉ s.). La grande rosace est de la même époque, tandis que la petite, au-dessus, est plus tardive (fin 14ᵉ s.) et de style gothique.

Nef★ – Impressionnante (trois fois plus large que les nefs latérales), elle est rythmée par une succession d'arcades, alternant colonnes et piliers. Au-dessus, la **galerie** s'ouvre par des arcs à balustrade ajourée.

Mobilier – Dans les bas-côtés, notez plusieurs **autels** intéressants, comme celui dont le devant est sculpté de têtes de morts et d'un ange s'adressant aux pécheurs brûlant en enfer, ou, un peu incongru, celui du Christ naïf, en céramique moderne multicolore.

Chœur – Les **stalles**★★ très richement décorées, réalisées par un sculpteur vénitien, illustrent le style gothique fleuri à la mode au début du 15ᵉ s. Le **baldaquin gothique**, qui surmonte l'autel, fut exécuté en 1332. Dans les chapelles latérales du chœur, on aperçoit des traces de fresques murales.

Crypte – Datée du 12ᵉ s., elle est soutenue par des rangées de colonnes et une belle voûte. Elle contient un autel orné du martyre de sainte Anastasie, ainsi qu'un sarcophage contenant des reliques.

Baptistère – En forme d'un trèfle à six feuilles, il fut initialement construit au 6ᵉ s. Détruit durant la Seconde Guerre mondiale, il fut reconstruit à l'identique en 1990. Les fonts baptismaux octogonaux ne remontent qu'au 12ᵉ s.

En ressortant, suivre ulica Jurja Bijankinija vers l'ouest.

Église N.-D.-de-Santé (Gospe od zdravlja) B1

Toute rose, cette modeste chapelle baroque ferme la perspective de la grande rue de la ville. Elle contient la copie d'une icône miraculeuse, supposée rendre la santé aux malades, peinte au 15e s. par **Blaž Jurjev** (l'original est au musée d'Art sacré).

Au nord du petit jardin qui entoure l'église se trouve la place des Trois-Puits.

Place des Trois-Puits (trg Tri Bunara) et ancien Kaštel B1

Elle doit son nom aux **trois puits** dont on voit encore les margelles du côté nord. Ils permettaient de distribuer l'eau d'une citerne construite en dessous, à la place des douves qui isolaient jadis une forteresse médiévale, le **Kaštel**. Cette puissante citadelle, flanquée de cinq tours, gardait l'angle nord-ouest de la ville dont elle était séparée par des douves. Les gardes pouvaient ainsi surveiller l'entrée du port mais aussi se défendre contre toute insurrection venue de la ville elle-même. Des dispositifs fortifiés de ce quartier, il ne reste que le **Grand Arsenal**, réaménagé en restaurant.

Traverser le jardin derrière l'église et emprunter, en face, ulica Braće Bilišić qui mène au monastère franciscain.

Monastère franciscain★ A1

La plus ancienne église gothique de Dalmatie ne présente qu'un extérieur austère et simple. L'intérieur contient des autels baroques et des stalles de chœur gothiques (1394).

Église★ – *Tlj sf dim. ap.-midi, 8h-12h et le soir à l'heure de la messe entre 18h-20h.* Ne manquez pas, à l'arrière du chœur, les **stalles★** sculptées (1394) en bois sombre. Dans la nef, sur la gauche, notez la curieuse icône de la Vierge couronnée, incluse dans une niche intégrée à une autre toile.

Cloître – Très sobre, avec son puits central sculpté, il dégage une grande sérénité.

Sacristie et collections d'art sacré★★ – *Juin-sept. : mêmes horaires que l'église. Sur rendez-vous le reste de l'année. 10 kn. (023) 250 468.* Elles constituent le principal intérêt de la visite. C'est dans la sacristie, richement décorée de **boiseries★** sculptées, que fut signé le traité de 1358, entre Louis Ier le Grand et la république de Venise. Dans les collections, on admire surtout un **crucifix★★★** roman byzantin peint (12e s.), un **polyptyque d'Ivan Petrov★★★** (1450), des icônes et peintures, dont une jolie *Vierge allaitant*, très gironde, et de splendides **manuscrits enluminés★★** (13e et 14e s.).

En sortant du monastère, gagner le bord de mer, vers le sud, et la Riva.

Riva★ A1-2

Comme dans toutes les villes côtières, les habitants désignent le front de mer sous le nom de Riva. C'est à Zadar la promenade favorite, surtout quand il fait chaud et que l'on y goûte la brise marine. En face, vous apercevez l'île d'Ugljan

Longer la Riva vers l'ouest.

> ## Un Anjou roi des Croates
>
> Louis Ier d'Anjou (1326-1382) appartient à la lignée des capétiens d'Anjou, issue du frère de Louis IX (Saint Louis) et dont les descendants régnèrent sur Naples et la Sicile, la Pologne et la Hongrie. Connu dans l'Histoire sous le nom de **Louis Ier le Grand**, roi de Hongrie et de Pologne, il tenait sa cour à Buda et fonda l'université de Pécs. Après un premier échec, il réussit à arracher Zadar aux Vénitiens et leur fit signer en 1358, dans la sacristie de l'église franciscaine, un traité d'abandon de la cité et du littoral dalmate. Mais, une cinquantaine d'années plus tard, toutes ses possessions dalmates seront revendues à Venise.

Orgue marin – À l'extrémité, avant qu'elle ne fasse un coude, des escaliers descendent en cascade et, de là, montent des sons étranges. Vous êtes sur le dos d'un **orgue marin** : 35 tubes de différentes longueurs ont été aménagés à fleur d'eau et répondent différemment à l'agitation de la mer, selon une gamme de 7 cordes et 5 tons. Lorsque le vent monte et que la mer « clapote », le son de l'orgue imiterait presque le Kapla (ce chant *a cappella* à quatre voix, typique de Dalmatie). Face à de vraies vagues, il sonne comme une énorme cloche et dès que le vent tombe, la mer devient plate et il gémit. Un lieu de relaxation, contemplation et conversation.

Faites demi-tour, empruntez désormais la Riva côté est.

Dans sa première partie, elle n'est bordée que d'immeubles modernes très laids, construits après la Seconde Guerre mondiale. À partir de l'**hôtel Zagreb**, on retrouve la ville ancienne, ou plutôt ce qu'elle était au 19e s., sous la domination autrichienne. À cette époque, on rasa les remparts qui enfermaient la ville. Au Moyen Âge, ils étaient ponctués de tours et percés de deux portes menant à la mer. Après leur démolition vint la mode des bains de mer et des villégiatures : la Riva se transforma alors en promenade mondaine, bordée de cafés et de restaurants, où l'on venait voir arriver les grands paquebots qui s'amarraient le long de la jetée. Malheureusement, ce fut la partie de la ville la plus touchée par les bombardements.

Traverser l'avenue Mihovila-Pavlinovića, derrière l'hôtel Zagreb pour pénétrer dans le quartier de Varoš.

Varoš A2

Le plus ancien quartier de la ville est devenu celui des jeunes de Zadar, en raison de la proximité de la faculté de lettres et de l'École de la marine marchande.

Avant d'y entrer, notez, sur le bord de l'avenue Mihovila-Pavlinovića, une fosse exposant les vestiges de la **chapelle paléochrétienne Stomorica**, avec son plan caractéristique en feuille de trèfle.

Longer ensuite l'avenue vers l'est et tourner à gauche dans ulica Putevac. Prendre ensuite à droite dans ulica Stomorica et enfin à gauche dans ulica Varoška.

Ulica Varoška – C'est la plus animée, une étroite ruelle où les bars et les restaurants bon marché se succèdent et où les tables et les chaises envahissent les pavés. Au Moyen Âge, chaque ruelle du quartier était affectée à une corporation.

Suivre ulica Varoška jusqu'à l'angle de ulica Špire Brusine.

Église St-Michel – Cette petite église serrée dans sa ruelle mérite un coup d'œil pour sa façade gothique. Le **tympan** du portail porte un saint Michel pesant les âmes tout en les protégeant du dragon. Sur les côtés se trouvent les figures de sainte Anastasie et saint Chrysogone, patrons de la ville. Au-dessus, le bas-relief est un fragment de stèle romaine : on a gravé autour des trois visages sculptés de vagues auréoles pour en faire des saints…

Suivre ensuite ulica Špire Brusin vers l'est jusqu'à ulica Ruđera Boškovića où l'on tourne à droite.

Faculté de lettres A2

En suivant la rue, vous passez d'abord devant l'entrée imposante du nouvel espace culturel de la faculté, avec son dôme néoclassique, son portique à colonnes et sa façade jaune et blanc. En longeant les bâtiments vers la mer, vous retrouvez la Riva. La façade maritime de la faculté illustre parfaitement le style des grands édifices construits à Zadar par les Autrichiens. C'est ainsi qu'il faut se représenter l'ensemble de la Riva, avant que les bombardements de 1943 ne la défigurent.

Longer la Riva vers l'est pour rejoindre l'entrée de Foša.

Fortifications orientales★ A2

En arrivant à l'extrémité de la Riva, après la faculté, vous retrouvez les remparts vénitiens du 16ᵉ s., qui n'ont pas été rasés à cet endroit. En contournant le bastion circulaire marqué d'un lion ailé, vous rejoignez le port de Foša, devant la porte de Terre-Ferme. En arrivant par là, vous remarquez bien le système de porte supplémentaire qui barrait autrefois le bâtiment des douanes et contrôlait le canal d'accès à l'entrée de la ville.

Visiter

Musée archéologique★★ B1

Tlj sf dim. 9h-13h, 17h30-19h30, sam. 9h-13h. 10 kn. Dépliant succinct disponible en français, mais les panneaux sont en croate.

Jusqu'à sa colonisation par les Romains, Zadar était une cité liburnienne (une tribu illyrienne du nord de la Dalmatie). De nombreux vestiges de ces deux civilisations ont été découverts lors des fouilles, à Zadar et dans les environs.

Pour suivre l'ordre chronologique, commencer par le 2ᵉ étage.

2ᵉ étage – Il est consacré à la préhistoire et présente les résultats des fouilles des environs de Zadar, depuis le paléolithique jusqu'au dernier néolithique.

Ch. Barrely-Legrand / MICHELIN

La fuite en Égypte (11ᵉ s.), pièce centrale du devant d'autel de l'église Saint-Dominique.

1er étage – Vous y découvrirez la **période liburnienne** avant la conquête romaine et la période romaine. Notez une émouvante **stèle du Pêcheur★★** (3e s.) dont l'effigie brandit un trident, découverte à Bol, dans l'île de Brač.

Rez-de-chaussée – Outre des maquettes de la ville de Zadar, sous les Romains et les premiers chrétiens, et d'églises romanes, on y découvre surtout de splendides vestiges de l'art paléochrétien, notamment le merveilleux **chancel de pierre★★★** récupéré dans l'église Saint-Dominique, avec ses scènes de l'Évangile (admirez la Fuite en Égypte), ou des baldaquins, frontons, sculptures. Notez aussi, à côté des **stèles funéraires★** romaines, celles en vogue chez les Liburniens, en forme de bornes.

Musée de la Ville A1
Tlj sf dim., 9h-14h, 17h-19h, sam. : 9h-12h. 5 kn.

Il rassemble quelques meubles et objets usuels, ainsi que des peintures et vestiges lapidaires. Son principal intérêt réside dans ses **maquettes de la ville** à travers les âges, qui permettent de mieux se représenter sa structure avant les démolitions et destructions successives.

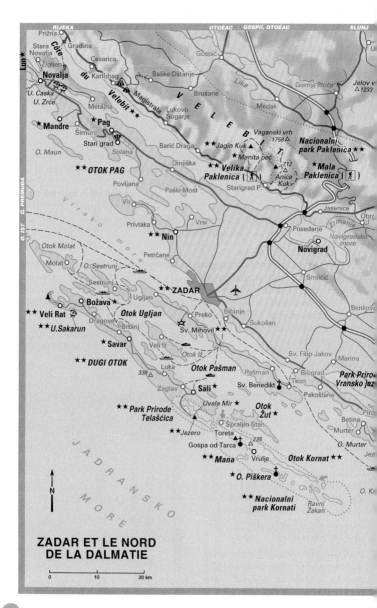

ZADAR ET LE NORD DE LA DALMATIE

Aux alentours

Nin★★

À 15 km au nord-ouest de Zadar. Compter 2h.
Cette minuscule cité médiévale est bâtie sur un îlot, au cœur de l'une des innombrables rades et lagunes abritées que compte la côte des environs de Zadar. Durant l'Antiquité, c'est une véritable petite cité romaine, un port très actif nommé *Aenona*.

Porte Basse

Un vieux pont de pierre conduit à l'ancienne porte fortifiée du village (15e-18e s.), tandis que l'on aperçoit, sur la droite, les vestiges des remparts.

Église Saint-Anselme

Identifiable à son clocher isolé du corps principal, elle a remplacé un sanctuaire préroman, datant du temps où Nin possédait une cathédrale. Le principal intérêt de l'église est son petit **trésor★** conservé dans un local adjacent. À noter les reliquaires bourses (8e-9e s. et 13e s.) destinés à recueillir l'omoplate de saint Anselme, plusieurs

Nin : le quai et ses barques de pêcheurs.

autres reliquaires (13ᵉ s.) et l'anneau papal de Pie II (15ᵉ s.). *Visite du trésor, de mi-juin à mi-sept. : tlj sf dim. 10h-12h, 17h-21h. 10 kn.*

À droite, vers l'arrière de l'édifice, la **statue de Grégoire de Nin** est une réplique, en plus petit, de celle que Meštrović réalisa à Split. Cet évêque se distingua en obtenant du pape l'utilisation du croate dans la liturgie.

Église Sainte-Croix★★

Tout près de la statue, voici le plus bel édifice du village, une ravissante église *(Voir « ABC d'architecture » p. 82)* paléochrétienne (9ᵉ s.), la plus ancienne de Croatie. Au-dessus de la porte, les motifs archaïques du linteau attestent le style préroman.

Au-delà, vers la droite, vous apercevez d'autres vestiges des anciens remparts de Nin.

Revenir devant l'église Saint-Anselme et reprendre la rue principale en passant le puits communal.

Collection archéologique★

Juin-août : 9h-13h, 18h-21h ; sept.-mai : tlj sf dim., 8h-13h. 10 kn.

Dépendant du Musée archéologique de Zadar, elle présente les résultats des fouilles locales et en résume l'histoire. On y mesure l'importance de Nin à l'époque romaine ainsi que les débuts de la culture croate (7ᵉ-12ᵉ s.).

> ### Moissons salées
>
> Tout comme dans l'île de Pag, la production de sel fit la richesse de Nin. Mais à la différence de sa grande voisine, Nin conserve ses méthodes traditionnelles. L'eau de mer est d'abord pompée pour remplir les bassins, puis on laisse le sel cristalliser. On le récolte manuellement à l'aide de larges râteaux sans dents. Le sel est alors séché en petits tas le long des bassins. Les micro-algues de la lagune lui assurent une haute teneur en minéraux et oligoéléments.

Poursuivre la visite en flânant dans les rues du village, à gauche du musée.

Vestiges romains

Vous serez surpris par l'importance des fouilles entreprises à travers le village. On découvre l'ampleur des vestiges datant de l'époque romaine et témoignant de l'existence d'une communauté florissante, telles les traces d'un **temple** du 1ᵉʳ s.

Regagner la porte Basse et longer le quai vers la droite.

Balade sur le quai★

Très pittoresque, avec ses tamaris, ses vieux pontons et ses rangées de barques traditionnelles en bois peint bleu ou vert, il contourne l'îlot de Nin et permet de découvrir la lagune qui le sépare de l'île de Pag et la longue crête du Velebit vers le nord. Vous pourrez y observer les pêcheurs, triant le poisson au bord des embarcadères.

Quitter Nin en direction de Zadar. 200 m après le panneau de sortie de la ville, s'arrêter sur la droite pour voir la chapelle St-Nicolas.

Chapelle Saint-Nicolas★

Cette minuscule chapelle de pierre à l'étrange silhouette se dresse sur un mamelon herbu, à l'écart de la route. Son originalité vient de la tour de guet que l'on a rajouté au sommet d'un petit sanctuaire roman trilobé.

Novigrad

À 33 km au nord-est de Zadar : 23 km sur la route de Zagreb, puis tourner à droite.

Séparée de la mer et du canal du Velebit par un étroit défilé, la mer de Novigrad, sorte de fjord entouré de collines sauvages, reste à l'écart du tourisme de masse. Le village de Novigrad est niché dans une étroite échancrure de la rive sud du fjord, où les bateaux de pêcheurs s'alignent le long du quai. Ce fut de tout temps un site stratégique, autant quand les Vénitiens voulaient stopper l'avance des Turcs que, beaucoup plus récemment, lorsque les Serbes l'occupèrent. Les habitants qui avaient fui leur maison ne purent la retrouver que plusieurs années après. Composé de maisons de pierre traditionnelles, construites en terrasses à flanc de coteau, le village est gardé par une ancienne **forteresse vénitienne**. C'est dans ce château que la reine Élisabeth de Hongrie, l'épouse de Louis Ier le Grand, fut assassinée en 1387 par des prétendants à la succession de son mari.

Tour de la mer de Novigrad

Au sortir de Novigrad, suivre la route de Pridraga (7 km), Dubraja (12 km) et d'Obrovac (28 km). Après Obrovac, il reste 44 km jusqu'à Zadar, par la rive nord de la mer de Novigrad.

Malgré la laideur d'Obrovac et les vestiges d'implantations industrielles, la route traverse d'attachants et austères paysages, où le relief rocailleux, plissé en gradins, annonce la chaîne du Velebit. Au retour, vous franchirez le spectaculaire **goulet de Maslenica** par un pont tout neuf : le précédent a été détruit en 1991.

Parc naturel de Vransko jezero (Park prirode Vransko jezero)

À 31 km au sud-est de Zadar : 26 km jusqu'à Biograd na moru, puis tourner à gauche.

Immense lac couleur de jade (le plus vaste de Croatie), en retrait du cordon littoral, il constitue une halte de choix pour un grand nombre d'oiseaux migrateurs. À ce titre, c'est un site particulièrement intéressant pour les observer aux périodes de migration, en automne et au printemps. Très peu profond, il subit des remontées salines, en raison de la proximité du littoral. Son eau saumâtre lui permet d'héberger une faune et une flore mixte, aussi riche que variée.

Îles d'Ugljan et de Pašman

Ferry Zadar-Preko (Ugljan) : 14 à 17 par jour, 30mn de traversée. Ferry Biograd-Tkon (Pašman) : 8 à 11 par jour, 15mn de traversée

Ces deux longues îles, reliées entre elles par un pont, font face à Zadar et Biograd. Elles sont restées assez peuplées grâce à la proximité de la ville et à la fréquence des bateaux. Pas vraiment spectaculaires, elles ont conservé leur vocation agricole et ne comptent que quelques plages de petits cailloux. Ugljan est réputée pour son huile d'olive : le mois de novembre, période de la récolte, y est particulièrement actif. Le sud de l'île de Pašman, passé Tkon, offre une succession de petites plages et un camp de nudistes.

Forteresse St-Michel★★ (Sv. Mihovil)

Sur la route de Preko à Ugljan, vers le nord-ouest de l'île d'Ugljan, tourner à gauche en suivant les panneaux. À la fourche, prendre la route de droite. La forteresse est à 3,5 km de la route principale.

C'est la plus belle balade de l'île d'Ugljan, dégageant des vues superbes sur le reste de l'île, Zadar, le continent et Dugi Otok. La forteresse (13e s.) fut très endommagée lors de la guerre d'Indépendance.

Monastère bénédictin (Benediktinski samostan)

À l'extrémité sud-est de l'île de Pašman, peu avant le village de Tkon, une petite route monte à flanc de colline, à 500 m. Tlj sf dim. 16h-18h.

Installé dans une ancienne forteresse vénitienne du 13e s., il fut l'un des grands centres de la culture glagolitique. On peut y voir un rare **crucifix★** (14e s.)

Zadar pratique

Informations utiles

Office de tourisme – *Turistitčka Zajednica, l. Smiljanića 4* - 𝒫 *212 222/412, fax 211 781* - *www.zadar.hr* (excellent site en français), à Puntamika 𝒫 *332 053*, à Ist 𝒫 *372 590*, à Veli Iž, Mali Iž, Rava 𝒫 *(091) 595 888*.

Indicatif téléphonique – 023.

Hôpital – *B. Peričića 5* - 𝒫 *315 677*. Entre l'hôtel Kolovare et la vieille ville.

Soins dentaires – *A. Medulića 1* - 𝒫 *214 078/ 213 956/ 315 664*.

Poste – *Kralja S. Držislava 1* - 𝒫 *316 552*.

Police – *Zore dalmatinske 1* - 𝒫 *345 111*.

Internet – **Multinet** – *Stomorica 8, quartier du varos*. Quatre postes internet autour desquels ont été agencés de confortables canapés colorés, à l'écart de la salle de jeux en réseau. Possibilité d'y prendre un café.

Canal de Foša, devant la porte de Terre ferme.

Transport

MARITIMES

Jadrolinija – *Info. et billetterie, Liburnska obala 7* - 𝒫 *254 800, fax 250 351* - *www.jadrolinija.hr*.

Ferries – Nombreuses lignes pour les îles et archipels au large de Zadar. Le ferry de la ligne côtière ne fait escale à Zadar qu'une fois par semaine en été, 2 fois en hiver.

Pour **Ugljan** (Preko) : nombreux ferries quotidien toute l'année (20mn).

Pour **Dugi Otok** (Brbinj) : 2 à 6 ferries par jour selon la saison.

Pour **Ist** : 1 à 2 ferries par jour pour Rivanj, Sestrunj, Molat.

Pour **Iž** (Bršanj) : en été 3 ferries/jour (80mn).

Pour **Premuda** : 3 ferries/jour en semaine relie Olib et Silba.

Pour **Ancona** : plusieurs ferries par semaine, certains faisant escale à Dugi Otok.

Bateaux – Pour Dugi Otok et Ancone, agence **Miatours** – *Vrata Sv. Krševana* - 𝒫 *254 400, fax 254 401* - *www.miatours.hr*. Bateaux pour Dugi Otok (Sali/Zaglav) : 2 ferries/j., 18 kn/pers. Pour Ancone (Italie) : départs les vend., sam., dim. - 3h30 avec escale à Božava (aller : 70/80 €).

ROUTIERS

Gare routière – *A. Starčevića 2* - 𝒫 *211 555/ 211 035* - guichets et consigne 5h30-22h. Nombreux bus quotidiens pour Šibenik et Split (certains continuent sur Makarska, Ploče et Dubrovnik), Zagreb par Plitvice, Rijeka (puis Pula et Rovinj). Deux bus/jour pour Pag, jusqu'à Novalja, ainsi que pour Murter.

Bus locaux – 𝒫 *343 730*. Les bus 2 et 4, qui indiquent Poluotok, desservent la vieille ville, l'hôpital et la gare routière. Le bus 5 dessert en boucle Puntamika et le centre-ville moderne jusqu'aux gares ; le bus 8 dessert Puntamika et Diklo. Fréquence de 20mn dans la journée, service jusqu'à 23h.

Taxis – *Liburnska obala bb* - 𝒫 *251 400*.

Location de voitures – **Avis**, *à l'hôtel Kolovare*. **Autoškola Zadar**, *Liburnska obala 3* - 𝒫 *251 700, fax 254 197*.

AÉRIENS

Aéroport – 𝒫 *313 311/312 930*. À 10 km à l'est de Zadar. En été, 2 vols quotidiens Croatia Airlines, pour Zagreb. *Via* Zagreb, vols pour Paris, Zurich et Bruxelles.

Croatia Airlines – 𝒫 *250 094*.

Nautisme

Marina de Zadar – *Ivana Meštrovića 2* - 𝒫 *332 700, fax 333 917, www.tankerkomerc.hr*. Très abritée, en face de la vieille ville. Équipement : *voir le chapitre « Nautisme »* p. 38.

Capitainerie – *Liburnska obala 8* - 𝒫 *254 888*.

Location de bateaux – s'adresser à **Tankerkomerc** ou à **Pivatus** - 𝒫 *332 282*.

Se loger

⊖⊖🖳 **Hotel Kolovare** – *Bože Peričića 14* - 𝒫 *203 200, fax 203 300* - *www.hotel-kolovare-zadar.htnet.hr* - *485 ch.* : *615/965 kn* ⊑. 🔟 🅿. C'est le seul hôtel à proximité de la ville ancienne (*10mn à pied*). Immense et relativement impersonnel, il propose deux catégories de chambres, plus ou moins rénovées. Décor assez sombre : dessus-de-lit en cuir et boiseries foncées. Les chambres non rénovées sont correctes mais petites. L'ensemble est toutefois confortable.

À PUNTAMIKA

⊖⊖ **Pension Albin et Hôtel garni** – *Put Dikla 47* - 𝒫 *331 137, fax 332 172* - *26 ch.* : *450 kn* ⊑. 🔟. Dans une rue calme, une charmante pension familiale. La terrasse, le jardin et la piscine entre les deux bâtiments sont bien agréables. Une maison bourgeoise située à 500 m et dénommée « Hôtel garni » permet à l'établissement d'augmenter son volume d'accueil. Les chambres y sont propres, fraîches et gaies. L'excellente cuisine coûte, en demi-pension, 80 kn par personne. Par contre, la maison n'accepte les CB qu'au-delà de 2 nuits.

🍴💳 **Hotel Mediteran** – *Matije Gupca 19 - ☎ 337 500, fax 337 528 - www.hotelmediteran-zd.hr - 30 ch. : 649/737 kn 🛏. 🅿*. Si son environnement est moyen, l'hôtel est bien tenu et agréable. Chambres bien équipées, confortables, certaines climatisées et accueil sympathique. Bus à 300 m.

🍴💳💳💳 **Villa Hrešć** – *Obala Kneza Tripimira 28 - ☎ 337 570, fax 334 336 - www.villa-hresc.hr - 2 ch : 1 320 kn - 6 suites (1/2, 1/4 pers.) : 500 à 700 kn/pers.* 🛏. Superbe bâtisse, donnant sur l'un des petits ports entre Puntamika et la vieille ville. Elle a été entièrement réaménagée, en ménageant luxe et sobriété. Les suites sont celles qui bénéficient de la plus belle vue, des pièces les plus spacieuses. Les deux chambres sont au rez-de-chaussée, l'une donne sur l'arrière de la maison. Une adresse raffinée.

À DIKLO

🍴💳💳 **Villa Nico** – *Krešimirova obala 138 - ☎ 331 198, fax 331 960 - www.hotelvillanico.com - 20 ch. : 720/800 kn 🛏. 🅿*. Dans un faubourg tranquille, le long de la côte à 5 km à l'ouest de Zadar. Bus n° 8. C'est un petit hôtel bien tenu et très confortable : canapés larges et rebondis, lits aussi larges que longs, lustres, mobilier en bois laqué percé de mille petits miroirs, large télévision. Les petits-déjeuners sont copieux. Demandez la vue sur mer. Comptez 90 kn pour la demi-pension. Accès à internet.

Se restaurer

🍴💳💳 **Restaurant Foša** – *Foša 2 - ☎ 314 421 - fermé vacances de Noël - poissons 340 kn/kg, plats de 38/80 kn*. À gauche de la porte de Terre-Ferme, entre murailles et port de pêche, ce restaurant à la terrasse proche d'une poterne propose une bonne cuisine de poissons et de fruits de mer.

🍴💳💳 **Restauran Kornat** – *Liburnska obala 6 - ☎ 254 501 - Plats 70/160 kn* - Excellente table face à l'embarcadère des ferries. Cuisine raffinée et décor élégant. Ne pas manquer les spécialités de la maison, comme le filet de lotte à la sauce aux truffes. Il est accompagné de gnocchis fondants. Large carte des vins.

🍴💳💳 **Restauran Zadar** - *Obala Petra Krešimira IV - à côté de l'hôtel zagreb sur la Riva - 45/70 kn* - Face à mer sur la Riva, idéal pour regarder les bateaux, la terrasse à demi-ombragée de ce restaurant en fait une halte très agréable. On s'y rendra toutefois plus pour ses pizzas et ses viandes, pour que son poisson ou ses salades.

À NIN

Restoran Perin Dvor – *À droite en entrant dans le village, après le pont - Pâtes 45 kn, plats 80 kn*. Pour un dîner agréable dans une cour intérieure ombragée. Quatre chambres (simples et se partageant une salle de bains) permettent, le cas échéant, de prolonger la magie de la visite de Nin. Comptez 250 kn pour une nuit.

Prendre un verre

Café Zodiac – *Šimuna Ljubavca 2*. Dans le quartier de Varos, un petit bar chaleureux, avec quelques tables dans la ruelle. Bonne ambiance, la clientèle jeune écoute house et R&B.

Caffe Kult – *Stomorica 6A, dans le varos*. Cette grande terrasse sous d'immenses tilleuls au cœur du Varos est fraîche et ses fauteuils confortables. Idéal pour une pause en journée.

Arsenal – *Trg tri Bunara 1 - www.arsenalzadar.com - 7h-3h du matin*. Ce bâtiment du 18e s., aux épais murs de pierre, est devenu un restaurant, lounge-bar, aménagé en espace ouvert, alliant teck et vieille pierre. Le rez-de-chaussée borné par un très long bar est ponctué de duos de confortables banquettes, très basses. Des boutiques sur les extérieurs sont séparées par d'élégants paravents de bois. Un restaurant en mezzanine n'offre qu'une restauration rapide (salade, sandwich, pizzas) malgré son cadre élaboré. Le bâtiment est équipé de wifi et d'un point d'information touristique à l'étage.

Café Marex – *Obala Kneza Trpimira*. Petit bar sur le front de mer, en direction des marinas. Convivial sans être trop sophistiqué. On boit sous des paillottes en regardant les bateaux sortir du port. La vue permet d'embrasser du regard toute la baie. Un endroit reposant.

Spectacles

Concerts – Au mois d'août des soirées musicales ont lieu dans l'église St-Donat. Programme disponible en juillet. Billetterie sur place.

Achats

Bibich' – *Široka ulica bb - Vinetoka* - Cette boutique exiguë face à l'église St-Donat propose un choix de vins de la région, le *babić* en premier lieu, de liqueur (*grappa* aux herbes) ainsi que de l'huile d'olive.

Maraska – *Mate Karamana 5- tlj sf dim 8h-20h*. Il s'agit de la boutique de la maison mère dont vous pouvez apercevoir les usines de l'autre côté de la Luka. C'est ici que vous trouverez la célèbre liqueur de cerise *maraschino*, qui a fait la réputation de Zadar auprès des cours européennes. Elle est vendue dans une petite bouteille en rafia (*105/135 kn selon la taille*) et accompagne délicieusement les desserts.

*Le village de pêcheurs de Valun,
sur l'île de Cres.*

E. Darras / MICHELIN

KVARNER, LIKA ET GORSKI KOTAR

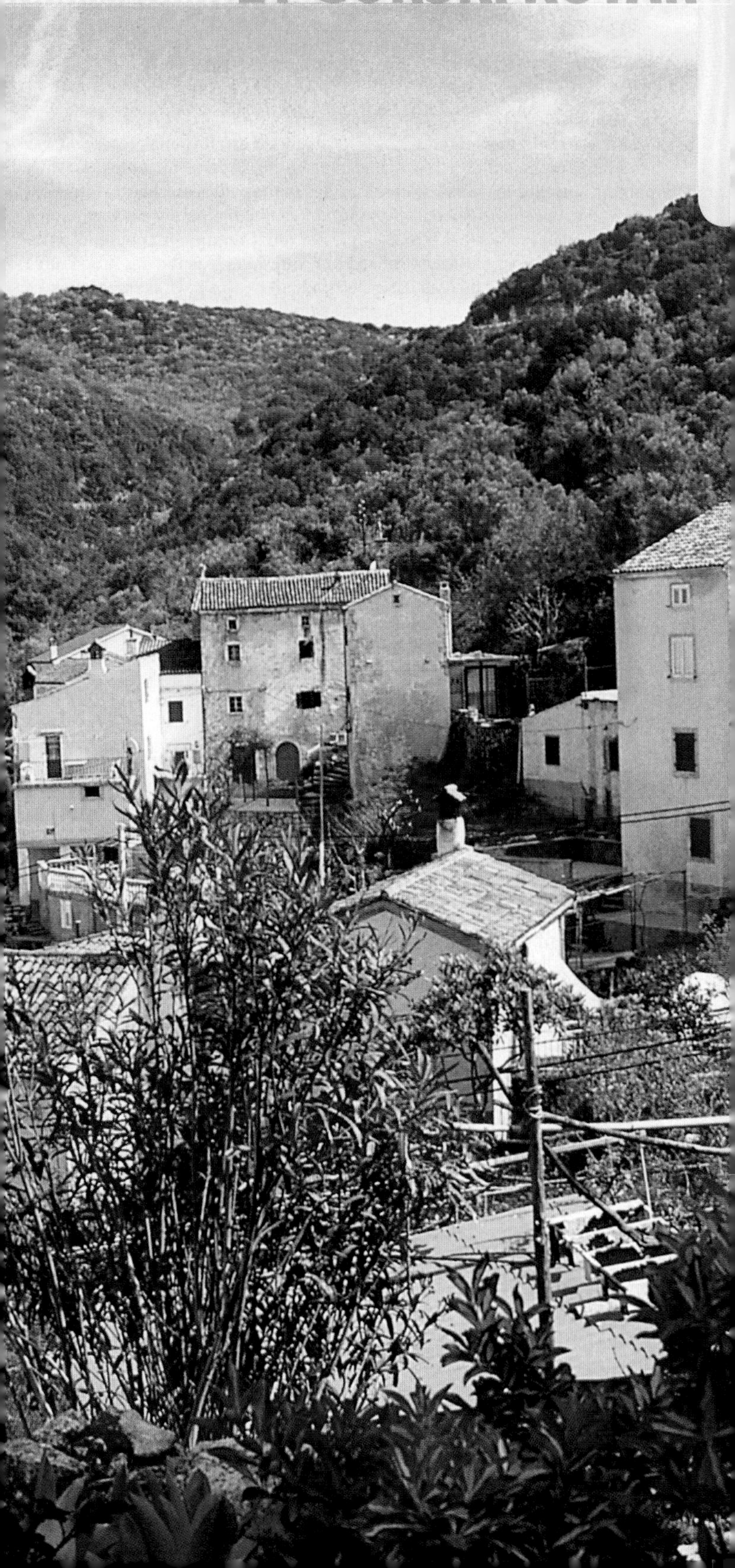

Îles de **Cres** et **Lošinj**★★

KVARNER – 11 347 HABITANTS
CARTE GÉNÉRALE A2-3 – CARTE MICHELIN 757 B-C/6-7 –
SCHÉMA : VOIR À GOLFE DE KVARNER

Serrées dans le golfe de Kvarner entre l'Istrie et les îles de Krk et de Rab, ces deux îles étroites et allongées, que seul sépare un étroit chenal, réservent des panoramas inoubliables : ici, la mer, omniprésente, apparaît de toutes parts aux moments les plus inattendus. Ajoutons des petites villes au charme fou : Beli, Cres, Valun, Lubenice, Osor ou Veli Lošinj, aux vieilles pierres dorées par un soleil sous lequel elles semblent s'être assoupies, et vous comprendrez pourquoi on ne peut que tomber amoureux de cet archipel, qui, de la légende des Argonautes aux hardis capitaines de Mali Lošinj, en passant par les navires romains et les galères vénitiennes, sait ce que naviguer signifie.

- **Se repérer** – Si elle n'est pas la plus grande île de Croatie, Cres compte parmi les plus longues : 58 km séparent en effet Porozina (où l'on aborde lorsqu'on vient de l'Istrie) d'Osor où l'on passe par un pont tournant sur l'île-sœur de Lošinj. Là, il vous faudra parcourir encore 32 km pour arriver à Veli Lošinj. Cette distance se conjugue à une certaine étroitesse : la route passe sans cesse d'un versant à l'autre tantôt côté Istrie, tantôt côté Velebit, dévoilant de somptueux panoramas toujours renouvelés.

- **À ne pas manquer** – Visite de la ville de Cres, escapade dans les charmants villages de Beli et de Lubenice, baignade à Valun, promenade sur les ports de Mali et de Veli Lošinj.

- **Organiser son temps** – Compter au moins deux jours (sans randonnées).

- **Avec les enfants** – Éco-centre Caput Insulæ à Beli, éco-sentiers et labyrinthes de Tramuntana, randonnées et baignades.

- **Pour poursuivre le voyage** – Voir aussi Krk (accès en ferry par Merag), et, par le ferry de Brestova, le golfe de Kvarner, Labin, Opatija et Rijeka.

Le port de Veli Lošinj et ses maisons colorées.

Circuit de découverte

ÎLE DE CRES★★ (Otok Cres)

Dès que l'on a débarqué à Porozina, la route s'élève en lacet sur les flancs d'un éperon rocheux, la **Tramuntana**, dominant le bras de mer séparant l'île de l'Istrie. Elle conduit à un plateau, chaos de rochers où pousse une maigre végétation de chênes verts. Un lacis de murettes de pierre sèche parcourt le plateau où il n'est pas rare de rencontrer quelques moutons. Après 9 km, on débouche sur l'autre versant, découvrant maintenant les côtes de Krk et, au loin, la tache blanche des immeubles de Rijeka. On arrive alors sur une crête (12 km) : sublime **panorama**★★★ que celui de cette sorte d'isthme d'où l'on surplombe la mer de part et d'autre : la riviera liburnienne côté droit, l'île rocheuse de Krk côté gauche.

Beli★

7 km sur la gauche par une route très étroite.

Surplombant la mer d'une hauteur de 130 m, ce village situé dans la partie nord de l'île et auquel on accédait par un pont d'époque romaine *(Rimski most)*, était nommé Caput Insulæ (la « tête de l'île ») par les Romains. Ancienne principauté, éloigné des voies de communication, Beli a conservé quelques vestiges de l'Antiquité et du Moyen Âge. En haut du village, un vaste espace pavé : l'agora où la population se réunissait pour voter les décisions importantes (comme celle qui la mit sous la protection de Venise). Dans les anfractuosités de la falaise vivent 70 couples de vautours fauves à tête blanche, protégés par une association, l'*Eko-Centar Caput Insulæ-Beli*, dont le local est aménagé en **centre d'interprétation★ (interpretacijski centar)** (👥 *8h-16h - ☏ 840 525 - 30 kn, enf. 20 kn)*. Dans ce centre, vous verrez de nombreuses photos de vautours fauves, les cartes des populations et leurs migrations. Les guides, qui sont pour la plupart des bénévoles, vous montreront l'hôpital des vautours blessés et vous raconteront l'histoire de chaque oiseau. S'il arrive qu'un oiseau soit blessé par un chasseur, la plupart, hélas, sont victimes des touristes. Venant des îles environnantes par bateau, certains se mettent à crier et à battre des mains au bas des falaises afin de voir les vautours sortir de leurs nids. Conséquence de cette conduite irresponsable : chaque été, les volontaires et les pêcheurs ramassent les petits effrayés par le bruit et tombés de leur nid dans la mer. Plusieurs se noient, les parents n'arrivant pas à les sauver… Faisons du tourisme responsable !

Connaissez-vous les vautours fauves ?

Ces oiseaux majestueux et sauvages, dont les tours dans le ciel peuvent impressionner, ont une histoire passionnante. Quelques chiffres les concernant : poids d'un oiseau adulte : 8-15 kg, hauteur : 106-113 cm, longueur du cou : 50 cm, largeur des ailes déployées : 240-280 cm. Ils possèdent une vue très développée qui leur permet de distinguer un objet de 6 cm depuis une distance de 1 km, ce qui est évidemment pratique pour chasser. Une fois séparé de ses parents, un jeune oiseau entre dans un cycle migratoire. Au bout de cinq ans de migration dans le Moyen-Orient, près de la mer Noire et jusqu'en Afrique centrale – les voyages forment la jeunesse ! – il revient dans sa région natale. C'est le temps pour lui de choisir un partenaire car il a désormais atteint sa maturité (ce qui se voit au col devenu blanc – signe de « sagesse »). Une fois le couple constitué, les oiseaux construisent leur nid souvent sur le même rocher que leurs parents. Le couple ne voyage plus et reste sur place en élevant ses petits (un œuf par an). Le vautour est très attaché à son partenaire auquel il reste fidèle toute sa vie.

Revenir à la route de Cres.

On continue à passer d'un versant à l'autre au moindre virage, avant d'entamer une descente en lacet sur Cres dont on aperçoit les toits en contrebas. Superbe **vue★★** sur l'anse étroite au fond de laquelle le petit port a trouvé abri.

Cres★

Laisser la voiture au parking (payant en été) aménagé sous les pins.

Une promenade ombragée de marronniers longe le lacis de ruelles de la **vieille ville★** à laquelle deux portes vénitiennes du 18e s. donnent accès. On prend plaisir à flâner dans ce dédale de venelles (Zagrad, Sv. Sidar), parfois voûtées, bordées de hautes maisons, et sur lesquelles débouchent des impasses et des cours : il s'en dégage en été une agréable sensation de fraîcheur et l'impression de se promener dans un quartier oublié de Venise. Au passage, on découvrira quelques beaux palais, l'**église Saint-Isidore (crkva sv. Sidara)**, romane (façade gothique) du 12e s., et l'église **N.-D.-des-Neiges (crkva sv. Marije Snježne)** avec son clocher séparé (amusante tête sculptée), dont l'**intérieur★** ne manque pas d'allure avec ses autels baroques ornés de peintures des maîtres anciens dont un polyptyque du 15e s. par A. Vivarini.

La tour de l'Horloge donne accès au port, près d'une **loggia** Renaissance abritant le matin un marché de primeurs. À côté, sur la vaste place qui porte son nom, statue de Frane Petrić Petricević (Franciscus Patricius), philosophe né à Cres (1529-1592). De forme particulièrement biscornue, bordé de façades colorées, de cafés et de restaurants, le **port★** constitue un tableau plein de charme, que l'on appréciera mieux en prenant le temps de se poser à une terrasse. Un peu en retrait, derrière l'ancien hôtel

Cres, le **palais (palača) Petris**, gothico-Renaissance, très vénitien d'allure, abrite le petit **Musée municipal** qui renferme une impressionnante collection d'amphores du 2e s. av. J.-C., un dépôt lapidaire, des icônes médiévales, ainsi qu'une collection ethnographique et numismatique.

Poursuivant par Zazid puis, à droite en direction du port de plaisance, la place St-François **(trg sv. Frane)**, on découvre l'**église du monastère Saint-François (crkva sv. Frane)**. Construite au 14e s., elle possède un double cloître : l'extérieur, de style Renaissance, qui renferme les tombes de nobles familles de Cres, et l'intérieur, plus ancien, avec un puits portant des armes du 14e s.

Quitter Cres en direction de Lošinj.

Après l'embranchement de la marina, la route s'élève. Belle **vue★★** en arrière sur le golfe de Cres et les toits roses du village.

Valun★

Accès par une route, sur la droite, à 11 km de Cres.

Tracée en corniche, la route ménage de beaux **points de vue★★** sur la mer et la côte. Bientôt le village de pêcheurs apparaît en contrebas, lové autour de son petit port. Après avoir laissé la voiture sur un parking ombragé d'oliviers, on prendra plaisir à se baigner sur l'une des deux plages de galets avant de déguster une grillade de poisson sur le port, et pourquoi pas s'y poser le temps d'une nuit si une chambre chez l'habitant est libre. L'église paroissiale du village (1851) abrite la célèbre « tablette de Valun » découverte dans la vieille église du cimetière. Datant du 11e s., cette tablette représente l'un des plus anciens témoignages de l'écriture glagolitique en Croatie.

Lubenice★

Se garer à proximité du village auquel on accède par un chemin bordé de murets.

Minuscule village autrefois fortifié surplombant la mer de plus de 350 m. La route qui y mène est en elle-même une curiosité : bordée de hauts murets de pierre, elle est tellement étroite que par endroits il est impossible de se croiser. Sur une place, posée en balcon, se dresse le campanile accolé à une petite loggia transformée en taverne. Lorsque la nuit tombe et que les tables à tréteaux sont tirées sur la place, vaguement éclairées par quelques quinquets, l'ensemble, qui a des allures de bout du monde, a un charme fou ! Au bout du village, une magnifique **vue★★★** s'ouvre sur la mer, la côte et les îles environnantes.

Revenir à la route principale.

On est sur un plateau où les oliviers cèdent bientôt la place à la garrigue puis à une forêt de sapins. Sur la gauche, on aperçoit parfois la mer, la barre rocheuse du Velebit et, au premier plan, Krk. Soudain, aux abords du village de **Vrana**, on découvre sur la gauche l'étonnant **lac Vransko★★ (Vransko jezero)**, jusque-là masqué par la végétation. Cette longue pièce d'eau occupant une cuvette, séparée de la mer par des arêtes rocheuses, est le lac le plus profond de Croatie (74 m !).

La route parcourt ensuite un paysage de maquis, que quadrillent de nombreuses murettes de pierre. On ne retrouve la mer qu'au détour d'un virage : en contrebas apparaît Osor, posée en bordure de l'isthme étroit qui sépare les deux îles.

P. Plantier / MICHELIN

Superbe aperçu sur le village de Valun, au détour de la route.

Osor★

Ville minuscule, célèbre pour son festival de musique et dont les rues sont parsemées de sculptures liées à ce thème : on aperçoit des œuvres de **Meštrović** *(Musicienne accordant son instrument)* et de **Vanja Radauš** (le violoniste *Franjo Krežma*), ainsi qu'une statue représentant **Jakov Gotovac** (1895-1981).

Immense pour une si petite ville (il est vrai que l'antique Apsorros, capitale historique des deux îles, fut abandonnée au 17e s. à la suite d'épidémies), la **cathédrale★ (katedrala)** possède un beau campanile (15e-16e s.) et une façade d'une harmonieuse simplicité. L'intérieur est coiffé d'une superbe charpente soutenue par de belles colonnes à chapiteaux. Sur la place, l'ancienne loggia municipale abrite une **collection archéologique** *(tlj sf w.-end 10h-12h)* provenant d'une nécropole située au-delà de l'isthme. En face, l'ancien **palais épiscopal** abrite une collection d'art sacré *(ouvert en juillet-août, entrée à gauche dans la rue descendant vers le canal).*

On prend plaisir à flâner dans les ruelles pavées et fleuries, en particulier sur l'ancien **chemin de ronde★** dominant le petit détroit **(Osorski tjesnac)**, chemin plus ou moins dallé, bordé de murettes sous le regard indifférent ou curieux de chats qui se prélassent au soleil les yeux mi-clos. Au passage, on découvrira les ruines de l'**abbaye bénédictine** (1625) envahies par la végétation : celles du monastère franciscain se trouvent un peu à l'écart, dans la garrigue. Dans le cimetière, ombragé par de majestueux cyprès (mais hélas fermé), on devine une **chapelle (crkva sv. Marije)**, dont on a pu apercevoir le chevet roman depuis la route.

ÎLE DE LOŠINJ★★ (OTOK LOŠINJ)

Une fois franchi le pont, on longe, sur la gauche, le Lošinjski kanal, profonde entaille entre les deux îles.

3 km au-delà du pont, le village de **Nerezine** a conservé l'église d'un ancien monastère franciscain posé en bordure de la mer. Dès lors, la mer, ponctuée d'îlots, est partout : sur la droite, devant soi, sur la gauche, au gré des sinuosités de la route, notamment à l'approche de Mali Lošinj, posée bien à l'abri dans une baie au goulet étroit.

Mali Lošinj

Après être passé devant le chantier de réparation navale, laisser la voiture sur le quai du port (parking aménagé, payant en saison).

Grand port bordé des demeures des armateurs et négociants qui firent jadis la prospérité de la ville. On se promènera le long des quais où nombre de bateaux proposent des excursions agrémentées de baignades vers les îlots voisins (Anije, Susak, Olovik) et où sont installées des terrasses de cafés.

Centre d'éducation populaire (Pučko otvoreno učilište) – *Vladimira Gortana 35, ruelle en retrait du quai, un peu avant l'ancien hôtel Istra. Tlj sf w.-end 10h-12h.* Il abrite deux collections privées : la **collection (zbirka) Piperata** de maîtres anciens (italiens, français, hollandais, des 17e et 18e s.) dont le clou est la *Rencontre avec Rébecca*, tableau attribué à Francesco Solimena ; et la **collection Mihičić** d'art contemporain croate réunit des œuvres d'Emanuel Vidović, ainsi que de membres du « groupe de Paris » comme Antun Motika.

Église de la Nativité-de-la-Vierge (Crkva Mala Gospa) – *8h-12h, 18h-20h.* On y accède, depuis l'avenue I. et S. Vidulić **(Braće Ivana i Stjepana Vidulića)** par des escaliers aux marches particulièrement coupe-jarrets, tracés parmi des villas et des jardins, avec, pour seuls compagnons, quelques lézards. Posé sur un vaste terre-plein, le sanctuaire baroque (1696-1757) impressionne par ses dimensions.

De là, des panneaux invitent à continuer par des marches vers le **château (kaštel)** mais l'intérêt est limité : il ne reste que quelques pans de murailles « tagués », et la vue à laquelle on pourrait légitimement prétendre après cet effort n'est pas au rendez-vous. On aperçoit néanmoins l'impressionnante barre rocheuse du Velebit. Il vaut mieux redescendre doucement vers le quai du port en flânant dans les agréables ruelles.

Prendre la route de Veli Lošinj et laisser de côté la dérivation conduisant au quartier hôtelier de Čikat.

Tracée en corniche, longeant criques et baies parmi les pinèdes, la route conduisant à Veli Lošinj ne manque pas de charme, d'autant qu'ici la mer semble s'amuser à jouer sur toute la gamme des bleus et des verts.

Veli Lošinj★★

À l'arrivée dans le village, laisser la voiture au parking et prendre la rue unique qui s'ouvre en face.

Après une petite place dominée par l'**église Notre-Dame (Crkva sv. Marije)** au dôme massif et au clocher latéral, on descend la tranquille rue Vladimir-Nazor (ulica Vladimira Nazora) qui, parmi villas et jardins, conduit au **quai du Maréchal-Tito (obala Maršala Tita)**.

On découvre alors un adorable **port★★** triangulaire, bordé de maisons aux teintes chaudes et littéralement envahi par les bateaux de pêche qui y ont trouvé refuge. C'est le moment de se poser à

Les îles mythiques

Le nom antique d'Apsyrtes donné par les Grecs aux îles de Cres et de Lošinj est lié au mythe de Médée, la magicienne célèbre pour ses crimes. Selon cette légende, qui appartient au cycle des Argonautes, Médée s'éprit du valeureux Jason qu'elle aida à dérober la Toison d'or à son père, roi de Colchide. Absyrtos, le fils du roi, poursuivant le voleur fut entraîné dans un piège par Médée et tué par Jason. Médée dépeça alors son frère et jeta ses membres dans la mer. Ses bras se changèrent en îles qui prirent le nom des Apsyrtes.

une terrasse de café et de laisser divaguer son imagination. On choisira le côté gauche de préférence : en face, la façade colorée de la *pansion* Saturn qui a investi une belle villa fin de siècle au goût antiquisant ; puis celle, non moins colorée de l'**église de Saint-Antoine-l'Abbé★ (crkva Sv. Antuna Opata)**, sise sur une plate-forme dominant l'entrée du port. Construite en 1774, cette église baroque conserve, au-dessus de la porte à gauche, une Vierge sculptée en bois de cèdre par Bartolomeo Vivarini, ainsi qu'une statue de marbre de la Vierge du Rosaire *(2e chapelle à droite)* exécutée par Salviati, élève de Michel-Ange.

Sur le côté opposé du port, quelques marches *(ulica Kaštel)* conduisent à la **tour (Kula)**, datant de 1455 mais un peu trop fraîchement crénelée, qui abrite une petite galerie d'art. Elle expose, entre autres, une copie de la statue en bronze de l'athlète grec **Apoxiomène**, œuvre du sculpteur Lysippe du 4e s. av. J.-C., trouvée dans les eaux de Lošinj en 1999.

Îles de Cres et Lošinj pratique

Informations utiles

Code postal – 51557 (Cres), 51550 (Mali Lošinj).
Indicatif téléphonique – 051.

OFFICES DE TOURISME

À Cres – Cons 10, ℘ 571 535 (été : 8h-22h - hors sais. 8h-15h) - www.tzg-cres.hr.

À Mali Lošinj – Riva lošinjskih kapetana 29 - ℘ 231 884 (été 8h-22h, hors sais. 8h-17h - sam. 8h-13h) - www.tz-malilosinj.hr.

AUTRES ADRESSES

CRES

Police – 20 Šetalište 8 travnja - ℘ 571 207.
Centre médical – 26 Turion - ℘ 571 247, dentistes : ℘ 572 216/217.
Poste – Sur le quai Cons, face au port - ℘ 571 155.

MALI LOŠINJ

Poste – Riva l. kapetana - tlj sf dim. 7h-20h, sam. 7h-14h.
Hôpital – Ulica D. Kozulića - ℘ 231 824 - soins dentaires : ℘ 233 731/732.

Transports

À CRES

Ferry – Depuis l'**Istrie** : De Brestova (entre Labin et Lovran) à Porozina (25 km au NO de Cres). Depuis l'île de **Krk** : de Valbiska (Krk) à Merag (12 km au N de Cres).

Autobus – 20 Šetalište travnja bb - ℘ 571 810. Par Porozina les bus relient Opatija (2h) et Rijeka (2h30) ou par Merag, Krk, Rijeka puis Zagreb (5h).

2 ou 3 bus/semaine à Cres pour Valun et Beli : renseignements et billets à l'agence **Autotrans** (Zazid 4, Cres, ℘ 572 050, fax 571 810, www.autotrans.hr). Plusieurs bus quotidiens de Cres à Veli Lošinj (1h).

Taxi – ℘ 098 947 55 92.

À LOŠINJ

Seulement séparée de Cres à Osor par un étroit chenal franchi par un pont tournant, l'île de Lošinj est aisée à rejoindre par les ferries de Porozina et Merag. Ce pont s'ouvre deux fois par jour pour laisser passer les bateaux (9h, 17h).

Depuis Rijeka – 1 ligne de catamaran rejoint Mali Lošinj.

Jadrolinija – Riva l. kapetana 20, Mali Lošinj - ℘ 231 765.

Nautisme

ACI Marina Cres – Jadranska obala 22 - ℘ 571 622, fax 571 125. Un port de plaisance bien abrité à 2 km du centre de Cres. Si les places à l'année y sont rares, les places en transit sont assurées (prévenir). Sur place, cabinet dentaire et « apartment ».

Autorités portuaires de Cres – ℘ 571 111.

Port de plaisance de Mali Lošinj – *Privlaka bb -* ☎ *231 626, fax 231 461.* À la sortie de la ville. Carburant et matériel au port de Mali Lošinj.

Capitainerie de Mali Lošinj – *Riva lošinjskih kapetana -* ☎ *231 438.*

Pour plus de détails sur les équipements de ces ports de plaisance, voir le chapitre « Nautisme » p. 38.

Se loger

À CRES

☻ **Agence Autotrans** – *Zazid 4 -* ☎ *572 050, fax 573 183 - www.autotrans.hr - été : tlj sf dim. 7h30-21h; hors sais. : 7h30-12h30, 17h30-21h30, dim. 7h30-12h30 - appart. : 48/72 € (2 à 4 pers.).* Prix majorés de 30 % pour un séjour inférieur à 4 nuits.

☻ **Cresanka** – *Cons 11 (près de l'office de tourisme et du café-bar Morena, au débouché de Zazid) -* ☎ *571 161, fax 571 163 - www.cresanka.hr - ch. : 39 €, appart. : 47/76 €.* Prix majorés de 20 % pour un séjour d'une nuit et de trois nuits durant la période des vacances de Noël et de Pâques.

☻ **Camping Kovačine** – *Melin 1 br. 20 -* ☎ *573 150, fax 571 086 - camp.kovacine@ ri.t-com.hr - 400 emplacements : 8 € (voiture, tente ou caravane, électricité), adulte 9,40 € (-12 ans : 3,40 €).* À l'O de la ville, en 5mn en voiture, 20mn à pied en suivant le rivage : une balade agréable sur le *lungomare.* C'est un grand terrain en partie ombragé. Sur place on peut louer bungalows et chambres. Les **bungalows** de 21 m² *(90/108 €)* permettent le couchage de 4 personnes, le tout est confortable, bien placé et assez coquet. Les 13 **chambres** *(39/43 € ⌷)* sont grandes et climatisées.

☻☻ **Hotel Kimen** – *Accès signalé à l'ouest de la ville -* ☎*571 322, fax 571 414 - 212 ch. : 31/35 €/pers. ⌷.* À l'écart de la ville et proche du rivage, c'est l'unique hôtel de Cres, installé dans une pinède, et accessible à pied par le *lungomare.* Prestations convenables. Préférez une chambre dans des étages supérieurs, car les autres sont un peu sombres. Et allez dîner en ville par le *lungomare* !

À BELI

☻ **Bon à savoir** – Les visiteurs désireux de participer à la sauvegarde et à la mise en valeur de l'écosystème de l'île (et notamment de la colonie de vautours fauves) peuvent participer à des stages avec hébergement dans les locaux de l'Association en s'inscrivant auprès de l'**Eko-Centar Caput Insulæ**, *www.caput-insulae.com (voir Loisirs).*

☻/☻☻ **Pension Tramontana** – *Beli bb -* ☎*/fax 840 519, 091 544 48 07 - 14 ch. : 17/30 €/pers. ⌷ - 1/2 P : 10 €/pers.* Très bien située sur la hauteur, c'est une grande maison blanche, qui abrite des chambres spacieuses avec salles de bains dans le couloir. Les six chambres ouvertes en 2006 avec salle de bains privée sont plus chères.

Sur le port de Mali Losinj.

P. Planter / MICHELIN

C'est l'endroit idéal pour les amoureux de la nature : proximité de la réserve naturelle, écosentiers. La pension fait aussi club de plongée (voir *Loisirs*). L'accueil y est chaleureux, et la cuisine familiale. En été? les places sont rares.

☻ **Agroturizam Sveti Petar** – *Sv. Petar 1c -* ☎ *840 534, 099 698 12 02, dabac-svpetar-cres@net.hr - 130 kn/ pers. ⌷.* À 3 km avant Beli (fléchage), une sympathique maison rurale à l'écart de la route, qui dispose de quelques chambres joliment décorées. Si les prix des chambres sont modiques, la demi-pension n'est pas avantageuse : le dîner coûte aussi cher que la chambre !

À OSOR

☻ **Autokamp Preko Mosta** – *51 542 Osor,* ☎ *237 350, fax 237 007 - booking@jazon.hr - adulte 46 kn (-12 ans : 25 kn), animaux 21 kn.* Posé sur la rive de Lošinj en bordure du chenal séparant les deux îles.

☻ **Camping Bijar** – *Osor bb -* ☎*/fax 237 027 - 750 pers. : 54 kn (-12 ans : 29 kn), caravane équipée 247/300 kn, animaux 21 kn.* Abrité sous une épaisse pinède, il est bordé d'un agréable rivage rocheux. Tout proche du village, il est à l'écart de la route.

À MALI LOŠINJ

☻ **Bon à savoir** – L'agence **Jadranka** centralise les réservations, et les renseignements, pour nombre d'hôtels et de campings, notamment dans le quartier balnéaire de Čikat (☎ *661 101/110, fax 231 904, www.jadranka.hr).*

☻ **Camping Poljana** – ☎ *231 726, fax 231 728 - info@baiaholiday.com, www.baiaholiday.com - ouv. avr.-oct. - adulte 7,30 € (enf. : 6,30 €), parcelle 30 €, bungalows 101/107 € (4 pers.), ⌷ 5 €/pers.* À quelques kilomètres au nord de Mali Lošinj, ce camping est installé dans une pinède sur un terrain en pente. La plage est décevante, mais le littoral rocheux est agréable.

Plusieurs agences de Mali Lošinj proposent chambres et appartements **chez l'habitant**, si vous en avez le temps, comparez les offres. Pour moins de 4 nuits, majoration de 30 %.

⊖ **Puntarka** – *Trg Zagazinjine 1* - ☎ *232 016, fax 231 011* - *puntarka@ri.t-com.hr* - *ch. double avec sanitaires : 15 €/pers., appart. (4 pers.) : 68 €.*

⊖ **Lošinska Plovidba** – *8 Riva lošinjskih kapitana* - ☎ *231 077, fax 231 611* - *www.losinjplov.hr* - *ch. double avec sanitaires : 15 €/pers., appart. (4 pers.) : 68 €.*

⊖⊖ **Pansion Ivanka** – *Bocac 19* - ☎ *231 934/618* - *13 ch : 240 kn/pers.* ☐, *demi-pension : 380 kn/pers.* Les chambres sont décorées de bric et de broc, mais plutôt sympathiques. Toutes les chambres ont des sanitaires privés. Terrasse et machine à laver pour les résidents. Bonne cuisine familiale, poissons grillés, *brodetto* et recettes locales.

⊖⊖⊖ **Villa Anna** – *Velopin 31* - ☎ *233 223, fax 233 224* - *www.vila-ana.hr* - *6 ch. : 50 €/pers.* ☐ *et 5 appart. : 150 €* ☐ - ☝. Ce petit hôtel est installé dans une grande maison jaune, un peu à l'écart de la ville, sur la rive ouest du port. Les chambres sont agréables et bien équipées, climatisation, coffre, etc. Sauna, jacuzzi, salle de gym., restaurant, complètent les prestations.

⊖/⊖⊖ **Hotel Alhambra/Villa Augusta** – *Čikat bb* - ☎ *232 022, fax 232 042* - *fermé de mi-oct. à fin déc.* - *40 ch. : 32/38 € en 1/2 P, les ch. côté mer sont + chères (3 €/pers./j.). Suppl. 20 % pour le séjour de moins de 3 nuits.* ☐. Ces deux belles bâtisses du début 20ᵉ s. sont bien situées, au bord du littoral. Les chambres, parfois très spacieuses, sont dotées de grands balcons. Fermés pour travaux de rénovation en 2006, l'hôtel et la villa devraient rouvrir très prochainement.

⊖⊖ **Hotel Bellevue** – *Čikat bb* - ☎ *231 222, fax 231 268* - *226 ch. : 43/52 €/pers. en 1/2 P* ☐, *suppl. pour une ch. côté mer (4 €/pers./j) et pour un séjour de moins de 3 nuits (20 %). Gratuit.-12 ans en ch. double* - ☐. Si son architecture manque d'attrait, on y trouve des chambres agréables, malgré un papier peint un peu fatigué. Bien situé sous les pins, près de la mer, avec une plage de galets, une plage de sable et une aire de jeux en contrebas l'hôtel dispose d'une piscine intérieure d'eau de mer chauffée *(fermée du 15/07 au 15/08)*, d'un sauna, d'une salle de sport et organise tous les jours des animations pour enfants et adultes.

⊖⊖ **Villa Hortensia** – *Čikat bb* - ☎ *231 222, fax 231 268* - *ouvert avr.-sept.* - *19 ch. et appart. : 38/43 €/pers. en 1/2 P ; appart. (pour 2 pers. avec kitchenette) : 63 €.* Annexe de l'hôtel Bellevue, elle offre les mêmes types de services. L'ensemble est un peu vieillot, mais bien entretenu.

⊖⊖/⊖⊖⊖ **Hotel Aurora** – *Sunčana uvala bb* - ☎ *231 324, fax 231 542* - *400 ch. : 45/53 €/pers. en 1/2 P, et 4 suites : 53/61 €/pers. en 1/2 P. Suppl. pour les ch. côté mer (3 €/pers./j) et pour le séjour de moins de 3 nuits (20 %).* Situé sur la baie du Soleil *(Sunčana uvala)*, à 50 m de la mer, ce grand hôtel

Vue sur la ville de Mali Lošinj.

E. Darras / MICHELIN

propose des chambres simples et doubles, sur mer et sur parc, chambres familiales et appartements, côté mer. Plage de galets avec des plates-formes rocheuses pour amateurs de bronzage, 2 plages de graviers adaptées aux enfants. La demi-pension *all inclusive light*, très avantageuse, offerte du 8 juil. au 2 août, inclut le petit-déjeuner, le dîner et un léger repas à midi.

À VELI LOŠINJ

👁 **Bon à savoir** – Deux agences situées toutes deux rue Vladimir Nazor vous permettent de trouver des chambres chez l'habitant : **Tourist Agency Val** *(Obala M. Tita 34, face à l'église Ste-Marie, ☎ /fax 236 352)* et **Tourist Agency Palma** *(Vladimira Nazora 22, installée dans une villa dont le jardin arbore un beau palmier, ☎ 236 179, fax 236 222).*

⊖⊖ **Vila San** – *Garina 15* - ☎/fax *520 213* - *14 ch. : 190/225 kn/pers.* ☐. Cette jolie pension domine le village et le port. Chambres avec sanitaires, mais d'un confort basique. Le petit-déjeuner sur la terrasse, avec une belle vue sur le port, est particulièrement agréable.

⊖⊖/⊖⊖⊖ **Hotel Punta** – *Rte de Mali Lošinj* - ☎ *662 000, fax 236 301* - *fermé de nov. à mai* - *181 ch. : 46/55 €/pers. en 1/2 P côté mer, avec balcon. Suppl. 20 % pour un séjour de moins de 3 nuits.* Tout de blanc et bleu, posé à l'aplomb de la mer, cet hôtel moderne et fonctionnel serait parfait si l'on n'avait eu la malencontreuse idée de placer son grand parking en amphithéâtre au-dessus de l'eau. L'hôtel propose aussi 48 appartements disséminés dans la pinède *(125/140 € pour 4 pers. en haute sais.)*. Piscine pour la gymnastique aquatique, tennis, etc.

Se restaurer

À CRES

⊖ **Luna Rossa** – *Palada 4a* - *ouv. avr.-oct.* La terrasse sur le quai offre une belle vue sur la ville. Pâtes et pizzas (25 à 55 kn). Service efficace.

⊖/⊖⊖ **Taverna Riva** – *Riva 13* - ☎ *571 107* - *poissons 300 kn/kg, grillades 40/50 kn.* Terrasse sur le port. Courte carte de viandes, poissons grillés, et risotto.

⊖ **Gostionica Adria** – *Zazid 7 -*
☏ *571 520 - plats 40/70 kn.* Cachée
par un mur couvert de lauriers-roses
et bougainvillées, une courette où l'on
dégustera un risotto aux fruits de mer ou
une grillade de poissons. Avis aux moins
polyglottes : le patron est fier de montrer
ses connaissances en français.

À OSOR

⊖ **Konoba Bonifacić** – *30/60 kn.*
Dominant le petit détroit, au fond d'un
jardin qui, au printemps, est illuminé par
une superbe roseraie, on pourra déguster
en toute sérénité (en salle ou dans le
jardin) des assiettes de fromage et *pršut*
aux truffes, du *rižot* aux asperges, des *fuzis*
ou encore des scampis ou des calmars
grillés.

À MALI LOŠINJ

⊖⊕/⊖⊕⊕ **Baracuda** – *Priko 31 -*
☏ *233 309 - poissons 350 kn/kg, plats
40/75 kn.* Sur le port dans un cadre
élégant, choix dans une carte axée
sur les poissons et les crustacés.

⊖⊕ **Pension Ivanka** – *Bocac bb -*
poissons 240/300 kn/kg. Dans une ruelle
tranquille derrière Trg Republike Hrvatske.
Hors saison, le plat du jour préparé par la
patronne : *brodetto* (60 kn), agneau grillé,
etc. En été, la carte se fait plus complète et
très italienne.

À VELI LOŠINJ

⊖⊕ **Restaurant Mol** – *Rovenska 1 -*
☏ *236 008 - poisson 260 kn/kg, plats
40/80 kn.* Sur le quai du petit port de
pêche. Restaurant de poissons. Accueil
sympathique.

Faire une pause

À CRES

Café Astoria – *Šetalište 20 Travnja.*
Ombragée de marronniers, sa terrasse est
installée dans le jardin d'une villa. Pause
agréable et tranquille avant la découverte
de la ville.

Restoran Cres – *Riva creskih kapetana 10.*
Il propose des petits-déjeuners bien utiles
pour les occupants des *sobe* (chambres)
du vieux village.

À MALI LOŠINJ

Pâtisserie Alfa – *Trg Republike Hrvatske -*
☏ *233 249 - 7h-0h.* Voilà un endroit où
prendre un bon petit-déjeuner, une glace
ou un gâteau.

Santé

Lošinj est connue comme une station
balnéaire et climatique réputée soigner
les affections respiratoires et les allergies.
Les hôtels Bellevue et Punta proposent des
semaines de détente et des programmes
de bien-être destinés aux personnes qui
souffrent d'asthme et d'allergies.
Possibilité d'alimentation adaptée
(« régime spécial anti-allergique »).

Sport et loisirs

EXCURSIONS

En bateau

Les patrons attendent le long du quai
de **Mali Lošinj**. D'un bateau à l'autre les
prix sont similaires. Départs à 9h en été,
vers 10h hors saison, retour en fin
d'après-midi. Unije, Susak, Ilovik, environ
90 kn par personne (baignade et *fish
picnics* à la clé) ; pour Rab, Silba et Olib
comptez autour de 140 kn.

En avion

Vol panoramique au-dessus de l'île
de Lošinj. Vue magnifique mais prix
élevés. *Aéroport : Privlaka 19,
Mali Lošinj -* ☏ *235 148, fax 231 666,
info@airportmalilosinj.hr. Vol de 15mn :
420 kn, 30mn : 840 kn, 1h : 1 650 kn (3 pers.
maximum).*

PLONGÉE

Diving Base – *Beli bb -* ☏ *840 519, 091 544
48 07 - www.diving-beli.com.* Contactez
la pension Tramontana. Tenu par des
Allemands, ce centre est à proximité de
nombreux spots. Initiation 35 €, *diving
package* 60 €/j. (hébergement en 1/2 P et
plongée), diverses formules. Promenades
en bateau également : adulte 12 €, enf.
6 €.

Diver Sport Center – *Čikat bb, Mali
Lošinj -* ☏ *233 900 - info@diver.hr -
www.diver.hr.* Sur le rivage, il propose
différentes formules. Baptême : 50 €,
cours débutants (3 jours) : 110 €, location
de matériel complet (1 j) : 30 €. Plongée
de nuit, sur épave et longue distance :
20/35 €.

Diving Center Losinj - *Hotel Punta,
Veli Losinj -* ☏ *662 000.*

VOILE

Sunbird – *Čikat bb, Mali Lošinj (même
emplacement que le club de plongée),
www.sunbird.de.* Cette agence allemande
propose cours et location de planche à
voile et de mini-catamaran. Cours de
planche à voile : 3 j/70 €, enf. 5 j/100 €,
location : 1h/7 €, 10h/56 €. Cours de voile :
2 j/75 €, 5 j/179 €, location : 1h/13/18 €,
1 j/49/60 €.

RANDONNÉE

Les pistes balisées offrent de multiples
possibilités de randonnées sur plus de
130 km. La piste d'Oscoršćica, une des
plus belles montagnes des îles de
l'Adriatique culminant à 588 m (au nord
de l'île), offre un panorama exceptionnel
sur l'archipel de Lošinj. Le « chemin des
dauphins », au sud de l'île, vous permettra
peut-être d'apercevoir ces sympathiques
mammifères jouant dans la mer. Quant
à l'Eko-Centar de Beli, ses membres ont
tracé 7 sentiers de découverte de la
nature et de l'histoire de la région. Ils
vous réservent de belles surprises, tel ce
labyrinthe, copie agrandie de celui de la

cathédrale de Chartres (sentier n° 1). Six autres labyrinthes, de toutes tailles et de toute formes, vous attendent dans la vieille forêt de Tramuntana…

VÉLO

Les monts Osorscica sont parcourus par de nombreuses pistes cyclables. Procurez-vous la carte Pistes et sentiers auprès de l'office de tourisme.

Sunbird – *Čikat bb, Mali Lošinj - mai-oct.* Location de VTT : 2.50 €/h, 10 €/j.

Agence Sanmar – *Priko 24, Mali Lošinj - ℘ 238 293.* Location de vélos et de scooters.

PATRIMOINE NATUREL

EKO-Centre Caput Insulæ (ECCIB) – *Beli 4 - ℘/fax 840 525 - www.caput-insulae.com.* L'association propose toutes sortes d'animations et d'actions, liées à la préservation du patrimoine naturel, historique et culturel. Ainsi, lors de stages d'une semaine ou deux (logement dans la maison de l'ECCIB), vous pourrez participer à la consolidation des falaises, la remise en état des sentiers, la cueillette des olives et la nourriture des vautours. Il

faut avoir plus de 18 ans et être en bonne forme physique. Suivant la saison, compter 98 € ou 149 € par sem.

Événements

Saint Grégoire (Sv. Grgur) – *Le 7 juillet.* Fête populaire à Veli Lošinj.

Soirées musicales de Lubenice – *Juil.-août.* Concerts de musique classique, instrumentale et vocale, par des interprètes venus du monde entier.

Soirées musicales d'Osor (Osorske glazbene večeri) – *Été.* Dans la cathédrale d'Osor.

Régate de Lošinj – *Début août.* Régate internationale pour la classe croisière à Mali Lošinj.

Jour des dauphins (Dan dupina) – *Le premier sam. d'août à Veli Lošinj.* Exposition de dessins et de photos, jeux éducatifs pour enfants, projection de films, le tout consacré… aux dauphins, bien sûr !

Fête de la ville de Mali Lošinj – *Le 24 août.* Activités culturelles divertissantes et sportives sont au programme.

Fête des pêcheurs à Mali Losinj – *Début septembre.*

Île de **Krk**★★

Otok Krk

KVARNER – 3 364 HABITANTS

CARTE GÉNÉRALE A2 – CARTE MICHELIN 757 C6 – SCHÉMA : VOIR À GOLFE DE KVARNER

Appréciée des amateurs de sports nautiques et de baignade (elle possède une des plus grandes plages de l'Adriatique croate), l'île de Krk ne manque pas d'atouts : des paysages spectaculaires, des petites villes perchées, un excellent vin, une « capitale » médiévale… Elle est en outre chargée d'une grande valeur symbolique pour les Croates : c'est en effet ici qu'a été mise au jour la fameuse « stèle de Baška », le plus ancien document mentionnant le nom de la Croatie.

▶ **Se repérer** – Avec ses 409 km², Krk (prononcer « keurk ») est la plus grande île de l'Adriatique. On y accède par un pont à péage, le *Krčki most*, double arche d'une longueur de 1,5 km qui franchit un bras de mer, le Vinodolski kanal, près de Kraljevica, à 22 km au sud de Rijeka. D'abord étroite et dotée d'un maquis touffu, l'île s'élargit et devient montagneuse (elle culmine à 569 m d'altitude) à mesure que l'on avance vers le sud par la route, d'où partent des embranchements conduisant aux principales localités, souvent situées sur la côte. La ville de Krk se trouve à 34 km au sud du pont.

👁 **À ne pas manquer** – La ville de Krk, le village médiéval de Vrbnik, l'église Ste-Lucie à Jurandvor.

🕐 **Organiser son temps** – La visite peut s'effectuer en une journée à condition de loger sur l'île et de se limiter à la découverte (rapide) de Krk, Vrbnik et Baška. Sinon, compter deux jours.

👫 **Avec les enfants** – Baignades à Krk et à Baška, balades en bateau à Punat, randonnées sur l'île, promenade dans les rues labyrinthiques de Vrbnik.

🕯 **Pour poursuivre le voyage** – Voir aussi Rijeka et Opatija, le golfe de Kvarner et les îles voisines de Cres et Lošinj et de Rab.

Comprendre

Le berceau des Frankopan – Au 12ᵉ s., l'île était gouvernée par les ducs de Krk, vassaux de Venise, qui devinrent bientôt l'une des plus puissantes familles de la Croatie médiévale, avant de prendre le nom de Frankopan. C'est en 1480 que le dernier Frankopan de Krk plaça son île sous la protection des Vénitiens (qui

P. Plantier / MICHELIN

C'est à Baška, sur l'île de Krk, que se trouve l'une des plus grandes plages de Croatie.

n'allaient pas tarder à l'annexer). Dès lors, le destin de la lignée s'accomplit sur le continent avec, notamment, Nikola Frankopan, *ban* de Croatie (1426). Mais la lignée disparaît tragiquement lors de l'exécution, en 1671, de Fran Krsto Frankopan, accusé avec Petar Zrinski d'avoir comploté contre Vienne. Quant à l'île, elle demeura vénitienne jusqu'à la chute de la Sérénissime (1797) avant de passer sous le contrôle des Habsbourg.

Circuit de découverte

Omišalj

Le premier village que l'on rencontre sur l'île est posé à la manière d'un balcon à 80 m au-dessus de la mer. Restes de fortifications et église de l'Assomption d'origine romane remaniée au 16e s. En face, loggia Renaissance. Du village, belle **vue** sur la côte du Kvarner et sur l'île de Cres.

Malinska

Après avoir pris la direction Vladiska-Malinska, tourner à droite, puis tout de suite à gauche à un carrefour non signalisé. La route descend à travers une luxuriante végétation méditerranéenne parsemée de villas. On laisse la voiture sur un grand parking ombragé de cyprès, en retrait du port, dont l'importance a de quoi étonner : Malinska était au 19e s. un centre d'exportation du bois vers les chantiers navals de Trieste. C'est aujourd'hui une station fréquentée toute l'année grâce à son microclimat.

Dobrinj

Village médiéval construit sur les vestiges du château Frankopan et qui a conservé son authenticité. Depuis une petite place ombragée, la rue principale conduit à une église que précède une charmante loggia. Inscription glagolitique sur la façade. Jolie vue depuis la terrasse sur les toits, le petit port de **Šilo** en contrebas et, au loin, Rijeka et la côte du Kvarner.

Krk★

Capitale de l'île, Krk a conservé un centre ancien fortifié à qui sa situation, dominant la mer, confère beaucoup de charme.

À l'entrée de la ville, prendre sur la droite puis descendre à gauche vers le port par la rue (ulica) Josipa Mazuraniča puis à droite, Slavka Nikoliča. Stationnement (payant) aux abords de la place plantée d'arbres et au pied des remparts.

Remparts

La majeure partie date du 15e s. lorsque les Vénitiens ont pris le contrôle de la ville. Depuis la place Jelačić, on accède à la ville close par Vela Placa.

Grand-Place★ (Vela Placa)

Agréable place biscornue, très théâtrale, et envahie par les terrasses de cafés et de restaurants. Sur la gauche, le donjon (Glavna gradska vrata), à la fois porte de la ville et tour de garde, a été investi par un café. Sur la droite, une maison gothique abritant une galerie et, en sous-sol, un café. Au centre, le puits est orné de bas-reliefs dont l'un représente Saint Quirinus, le patron de la ville.

Rue J.- Križanić (Ulica Jurja Križanića)

Étroite rue pavée bordée de vieilles demeures puis de hauts murs de pierre sèche. Elle s'élève doucement, loin du brouhaha touristique du centre-ville : bientôt, on aperçoit des jardins cultivés et des vignes. On passe devant le monastère bénédictin avant d'arriver au point culminant de la vieille ville.

Place Glagolitique de Krk (Trg Krčkih glagoljaša)

Triangulaire et pleine de sérénité. Belle église Notre-Dame, romane aux trois nefs séparées par des colonnes à chapiteaux finement sculptés.

Redescendre vers le centre par la rue Frankopanska puis à droite la rue Dinka Vitezića.

Rue Strossmayer

Rue principale de la vieille cité, cette voie rectiligne qu'enjambent de-ci, de-là des arceaux est bordée de commerces et parcourue par nombre de touristes.

Porte de la Liberté (Vrata Slobode)

Au bout de la rue, elle défendait la ville côté ouest. Sur la droite, vous remarquerez la statue de saint Quirinus. La porte débouche sur une **plage** de ciment, aménagée au fond d'une anse, et qui offre une **vue★★** pleine d'harmonie sur la vieille ville, avec ses remparts plongeant dans l'eau, et la curieuse silhouette du campanile de la cathédrale. Depuis la plage, la promenade de bord de mer (Šetalište Dražica) conduit, parmi les pins, à la zone hôtelière (plage de ciment devant l'hôtel Koralj). Au-delà, les bons marcheurs pourront partir à la découverte de la péninsule de Prniba.

La péninsule de Prniba

Séparant les baies de Krk et de Punat, cette pointe est accessible par un réseau de sentiers qui permettent d'en faire le tour dans une végétation où se mêlent pins maritimes et oliviers : de l'autre côté de la pointe, belle vue sur Punat et l'île de Košljun. Retour par Puntarska et la porte de la Liberté.

Après le bain, franchir à nouveau la porte de la Liberté et prendre sur la gauche la rue du Cardinal Stepinac (ulica A. Stepinca).

Kamplin

Belle promenade ombragée aménagée dominant la mer.

Forteresse (Kaštel)

Posée sur la promenade, cette forteresse a fière allure avec ses remparts crénelés et ses tours rondes. Elle a été élevée aux 15e et 16e s. à l'époque de la domination vénitienne, à l'emplacement du château des comtes Frankopan. La forteresse accueille aujourd'hui, en été, des concerts.

Tribunal (Sudnica)

Cette tour carrée, massive, accolée à la forteresse, date du 11e s.

Poursuivant dans le prolongement de la place, on passe alors entre l'**évêché** (**Biskupija**) et la cathédrale qu'un passage voûté sépare du chevet roman de la chapelle St-Quirinus. Ce passage permet de jeter, par la porte, un coup d'œil sur l'intérieur de la cathédrale, avant de rejoindre la **place St-Quirinus (Trg sv. Kvirina)**.

Chapelle St-Quirinus★★ (Kapela Sv. Kvirina)

Accès par la place en contournant le clocher et en montant les marches. 9h30-13h. 5 kn.

Chef-d'œuvre de l'art roman du 12e s, la chapelle des comtes Frankopan et des évêques de Krk s'ouvrait sur la cathédrale par une large ouverture voûtée aujourd'hui murée. Elle abrite une intéressante **collection d'art sacré★**. Quelques peintures italiennes, des objets d'orfèvrerie, des vêtements sacerdotaux y sont exposés. On remarque surtout un **retable★★** en argent ciselé décoré de sculptures, œuvre du maître P. Koler (1477). Au-dessous, reliefs de pierre provenant d'une basilique préromane (7e-9e s.). Notez aussi un crucifix gothique de bois (14e s.), saisissant de réalisme.

Un passage permet de rejoindre la cathédrale par la voûte enjambant la rue.

Cathédrale de l'Assomption (Katedrala Uznesenja Sv. Marije)

Construite sur une basilique paléochrétienne des 5e et 6e s. (*vestiges visibles à l'abside et dans une chapelle à gauche*), ce vaste sanctuaire à trois nefs séparées par des colonnes à chapiteaux date, dans son état actuel, du 18e s. Décor baroque et peintures italiennes

(Mise au tombeau attribuée à Pordenone). Sur la droite du chœur, amusant tableau représentant saint Joseph à son établi… en bleu de travail tandis que la Vierge et l'Enfant prennent le frais sur le quai.
Repasser sous l'arche et prendre à gauche une ruelle au tracé tortueux, Č. Žica.

Petite porte (Mala vrata)

Percée dans la muraille en 1398, cette petite porte débouche sur le quai. De part et d'autre, restaurants, tavernes et cafés incitent à une pause agréable, face à la baie. Sur la gauche, le quai (Obala hrvatske mornarice) longe le port de pêche. En saison, il est envahi par les étals des vendeurs de souvenirs et de boissons à emporter, installés sous des tentes.
Quitter Krk en direction de Baška. Après 4 km, on arrive à la baie de Punat, à hauteur du centre de ski nautique de Supetarska Draga. Prendre à droite la route de Punat qui longe le littoral.

Punat

Abritant dans sa baie protégée (seul un étroit chenal la relie à la pleine mer) une grande marina, Punat se résume à un agréable front de mer ombragé sur lequel s'ouvrent cafés et agences. Les quelques petites rues sont, quant à elles, envahies par des restaurants de tous styles.

Île de Košljun (Otok Košljun)

Accès par bateau depuis le port de Punat, toutes les heures entre 9h et 18h. Trajet 20mn, billets AR 25 kn : directement aux bateaux ou dans les agences.
Petite île boisée posée au milieu de la baie à quelques encablures du port. Le monastère franciscain, établi au 15e s., renferme un joli cloître. Dans l'église St-Bernard (Crkva Sv. Bernardina), collections d'art sacré et d'ethnographie.

Stara Baška

14 km.
Ce hameau posé au bord de la mer, véritable bout du monde, est relié à Punat par une route qui s'élève dans un paysage rocailleux avant de retrouver le littoral après 7 km. Depuis la corniche, la **vue★★** est grandiose sur le bleu intense de la mer parsemé d'îlots rocheux. Les plages en contrebas ne sont accessibles qu'à pied en descendant à travers les éboulis après avoir garé la voiture comme l'on peut. Le hameau de Stara Baška (croisements aléatoires) traversé, on arrive au petit port où deux guinguettes proposent des rafraîchissements bienvenus.
Revenir à la route de Krk, puis prendre à droite vers Baška, et à gauche sur Vrbnik.

Vrbnik★

Parkings à l'entrée du village.
Capitale du vin (on y récolte un excellent blanc sec, le žlahtina), Vrbnik est un agréable village perché, dont on découvre une belle **vue★** depuis les derniers lacets : ce n'est hélas pas un endroit où l'on peut se garer, fût-ce le temps d'une photo !
Par ulica Vitezićeva, on s'enfonce au cœur du village. Inscription glagolitique sur l'église St-Antoine-de-Padoue (crkva sv. Antuna Padovanskog) à droite. De la petite place du Statut-de-Vrbnik (Placa Vrbničkog statuta), la rue J.A. Petrisa que poursuit la rue Saliž s'élève dans un tracé zigzaguant entre de vieilles maisons, des impasses, des passages voûtés, des venelles, des caves où s'élabore le vin et des escaliers dévoilant (sur la droite) la mer en contrebas… On débouche sur une terrasse, astucieusement aménagée en stand de dégustation. Belle **vue★★** : en contrebas, le port réfugié au fond d'un petit fjord, protégé par un brise-lames semi-circulaire ; à côté, une minuscule plage de gravier sur laquelle sont tirées quelques barques ; au loin, la côte du Kvarner, avec la barre du Velebit.
Par la rue Deverca, à gauche, ruelles en escalier et placettes intimes, courettes et impasses fleuries ramènent doucement à Placa Pod Zvonik. Après une salle gothique où se dissimule une pinacothèque, on découvre la tour de l'Horloge, puis l'église de l'Assomption (Crkva Uznesenja Marijina) qui arbore, à droite de l'entrée, une tablette glagolitique. Rien de rare, en somme, mais beaucoup de charme, du moins si l'on découvre la petite bourgade avant l'arrivée des cars.
De retour sur la place, par la rue Varoš, extrêmement étroite, on débouche sur un petit square où s'élève une église surplombant la mer : là encore, la **vue★★** est magnifique sur la côte de Novi Vinodolski et Crikvenica.
De retour sur la route de Krk, prendre la direction de Baška.

Après avoir dévoilé une belle **vue**★★ à droite sur les îles de Cres et Lošinj et, derrière encore, sur la côte montagneuse de l'Istrie, la route s'élève en lacet dans un paysage montagneux peuplé de conifères, mais révélant des traces de cultures en escalier. Puis, dès **Draga Bašćanska,** dont les habitants vendent du miel au bord de la route, elle redescend en suivant la vallée de la Suha Ričina.

Jurandvor

Peu avant d'arriver à Baška, on traverse ce village, que la découverte, puis le déchiffrement de la stèle de Baška ont rendu célèbre dans toute la Croatie.

Église Sainte-Lucie★★ (Crkva Sv. Lucije)

8h-12h, 14h-18h. Sur la gauche de la route (signalisation). Laisser la voiture au parking du cimetière et prendre les billets au pavillon d'accueil (recepcija). Visite guidée (en italien ou allemand) : 10 kn.

L'ensemble de Sainte-Lucie se compose de l'église romane du même nom et des ruines d'une abbaye bénédictine dont une partie (sans doute le réfectoire) reconstruite abrite une petite exposition consacrée aux stèles glagolitiques.

Édifiée vers la fin du 9ᵉ s. sur les ruines d'une villa romaine, l'**église Sainte-Lucie**★★ relève des débuts de l'art roman. Elle présente un beau clocher-porche carré, portant à chacun de ses angles le symbole de l'un des Évangélistes. À la nef unique, très simple, s'ajoute une chapelle latérale où sont exposées des sculptures sur bois provenant d'un autel baroque disparu. Sous une trappe *(à gauche du chœur)*, on aperçoit le pavement de terre cuite de l'ancienne villa romaine.

Mais c'est la copie de la **stèle de Baška**, qui attire l'attention. Retrouvée au 19ᵉ s., cette pierre, gravée d'une longue inscription rédigée au 11ᵉ s. en croate médiéval et en caractères glagolitiques, fut déchiffrée à grand-peine puis en 1934 transférée à Zagreb. Le fac-similé de la stèle a été installé à son emplacement d'origine, la barrière du chœur. Sur la droite, une autre stèle gravée, dont on n'a retrouvé que des fragments faisait pendant. L'importance historique et symbolique de ce document pour la Croatie d'aujourd'hui est considérable : c'est en effet le plus ancien document connu comportant le mot « croate », à propos du roi **Zvonimir** qui régna de 1076 à 1089.

Avec l'aimable autorisation de l'Académie des Sciences et des Arts, Zagreb

L'original de la stèle de Baška est exposé dans l'atrium de la galerie Strossmayer de Zagreb.

Sur la gauche de l'église, vestiges de l'abbaye bénédictine. Dans le bâtiment une **exposition** rend hommage aux chercheurs qui ont participé au déchiffrement de la stèle (Ivan Kukuljević, Franjo Rački…) et présente des répliques de documents glagolitiques : ils permettent d'apprécier l'évolution de cette graphie qui, assez « ronde » au départ, est devenue de plus en plus anguleuse.

Baška★

Parking (payant) à l'entrée du village.

D'un côté, une anse occupée par une belle **plage** (de gravier), une des plus grandes de Croatie (1 800 m de long). De l'autre, le port de pêche, auquel on arrive en longeant la rue principale du village.

Rue du Roi-Zvonimir★
(ulica Kralja Zvonimira)

Bordée de petites maisons qui, de l'autre côté, surplombent un *lungo-mare* et une étroite plage, et dont on atteint parfois la porte d'entrée par des escaliers. Cafés, étals à souvenirs, glaciers et boutiques animent cette rue parcourue après l'heure du bain par une foule d'estivants. Promenade agréable (si l'on choisit l'heure de la baignade) qui conduit à la petite place centrale.

Église paroissiale de la Sainte-Trinité (Crkva sv. Trojstva)

De 1723, à trois nefs, d'un baroque assez sobre.

Musée (Zavičajni muzej Baška)

10 kn.

Dans l'ancien presbytère. Petite collection ethnographique.

Port (Luka)

Bordé de maisons aux façades biscornues, de terrasses de cafés sympathiquement ombragées. Lieu très méditerranéen, qu'en journée seuls animent les pêcheurs ravaudant leurs filets.

Gravé dans la pierre

« Au nom du Père, du Fils et du Saint-Esprit, moi, abbé Držiha, j'ai écrit ceci à propos des terrains qu'en son temps le roi croate Zvonimir a donnés à Sainte-Lucie. En sont témoins : Desimir, gouverneur de la Krbava, Martin, gouverneur de la Lika, Pribinež fonctionnaire royal du Vinodol et Jakov, fonctionnaire royal de l'île. Et que ceux qui ignoreraient cet écrit soient maudits par les douze Apôtres, les quatre Évangélistes et par sainte Lucie, amen. Moi, abbé Dobrovit, j'ai construit cette église avec mes neuf confrères au temps du prince Côme qui régnait sur toute la région. À cette époque, les monastères de Saint-Nicolas d'Otočac et de Sainte-Lucie étaient unis. »

Île de Krk pratique

Informations générales

Code postal – *51500.*
Indicatif téléphonique – *051.*

OFFICES DE TOURISME

À Krk – *Obala hrvatske mornarice bb - 📞 220 226, tlj 9h-20h, www.tz-krk.hr.*
À Punat – *Obala 72 - 📞 854 860/970 - www.punat.hr.*
À Baška – *Kralja Zvonimira 114 - 📞 856 817/544 - www.tz-baska.hr.*

AUTRES ADRESSES

KRK

Autotrans – *Šet. sv. Bernardina 3 – 📞 222 661 - www.autotrans.hr - été : 8h-21h, dim. 9h30-13h30 ; hors sais. : tlj sf dim. 8h-15h. Dans la gare routière.* Propose également des hébergements chez l'habitant.
Poste – *Trg bana Jelačića - tlj sf dim. 7h-20h, sam. 7h-14h.*
Banques et distributeurs – *Trg bana Jelačića.*
Centre médical – 📞 *222 029.*
Pharmacie – *Vela Placa.*
Dentiste – *Ivana Zajca 4/1 - 📞 221 283.*

PUNAT

Centre médical – 📞 *854 011.*
Dentiste – *Pod Topol 2 - 📞 855 128.*

Transports

ACCÈS EN VOITURE

Pont de Krk (Krčki most) – *Péage : 30 kn.*

AÉROPORT

À **Omišalj**, sur la gauche de la route principale (📞 *842 040*). C'est l'aéroport de Rijeka où atterrit Jean-Paul II en juin 2003. Liaison hebdomadaire en saison pour Dubrovnik et Zagreb.

FERRIES

👁 **Bon à savoir** : pour les horaires et les tarifs contactez le site de Jadrolinija : *www.jadrolinija.hr.*
De Baška à Lopar (île de Rab) – *Ligne saisonnière : de fin mai à fin sept. 1 ferry/j. ; juil.-août 5 ferries 7h30-20h - traversée : 1h10 - 📞 856 136.*
De Valbiska à Merag (île de Cres) – *Été : 3 ferries 5h45-22h ; oct.-mai : 9 ferries - traversée : 25mn - 📞 863 170.*

AUTOCARS

L'île est reliée par bus à Rijeka (80mn de trajet) et Zagreb.

Nautisme

ACI Marina Punat – *Puntica 7 - 📞 654 110, fax 654 301, www.marina-punat.hr.* Sur la route d'accès à Punat, un des plus importants ports de plaisance de Croatie. Équipement : *voir le chapitre « Nautisme » p. 38.*

LOCATION DE BATEAUX

KORO Charter – *Puntica 7, Punat - 📞 654 155, fax 654 156 - www.korocharter.hr.* Dans la marina de Punat. Bateaux à moteur de type Zodiac : mai-juin, sept. à partir de 160 €/j., 850 €/sem., plus cher en juil.-août. Modèles avec cabine à partir 2 200 €/sem.

Se loger

À KRK

🛏 **Camping Bor** – *Crikvenička bb -* ☎ *221 581, fax 222 429 – 4,40 €/pers. (-7 ans : 2,50 €), voiture 2,60 €, tente 3 €, électricité 3,10 €. Camping bien tenu. Trois blocs de sanitaires impeccables sur un terrain bien ombragé, à 600 m de la plage. Restaurant.*

🛏 **Autokamp FKK Politin** (naturiste) – *Rte de Krk à Baška puis immédiatement à droite -* ☎ *221 351, fax 221 246 - 5,40 €/pers. (0-7 ans : 3,50 €), tente 2,75/3,75 €, voiture 3,20 €, caravane ou camping-car 5,50 €. Entre Krk et la péninsule de Prniba, en bordure de mer, parmi les pins.*

🛏 **Chez l'habitant** : *Appart 4 pers. : 70 €, ch. double : 26/32 €. Adressez-vous à l'agence* **Autotrans** (voir Informations utiles).

Hôtels : le site Internet *www.hotelikrk.hr* regroupe les informations pour les hôtels Marina, Tamaris, Dražica et Lovorka.

🛏🍽/🛏🍽🛏🍽 **Marina** – *Obala hrvatske mornarice -* ☎ *221 357, fax 221 128 - 18 ch. : 38/47 €/pers. selon la vue* 🖥. *Sur le port, l'une des rares options du centre-ville. Du charme, mais vite complet.*

🛏🍽/🛏🍽🛏🍽 **Bor** – *Šet. Dražica 5 -* ☎/*fax 220 200 - 18 ch. et 4 appart., ch. : 41/59 €/pers., appart. : 68 €/pers.* 🖥. *Ce petit hôtel sous les pins et au bord du rivage, propose des chambres sans charme mais d'un confort convenable. Les appartements disposent d'un balcon.*

🛏🍽🛏 **Koralj** – *V. Tomašića 6 -* ☎ *655 400, fax 221 063 - 172 ch. et 18 appart., ch. : 56/63 €/pers. selon vue et aménagement (AC). Très agréablement situé, cet hôtel de bon confort donne sur une petite anse aménagée en plage artificielle. Accès à pied à la ville par le lungomare (15mn environ).*

Niché dans la verdure, l'hôtel Koralj donne directement sur la mer.

🛏🍽/🛏🍽🛏🍽 **Dražica** – *Ružmarinska 6 -* ☎ *655 755, fax 221 022 - 125 ch. et 12 suites : 54/73 €/pers. Dans la zone hôtelière ombragée, c'est un grand immeuble anguleux et sans charme.*

🛏🍽/🛏🍽🛏🍽 **Tamaris** – *Šet. Dražica bb -* ☎ *655 755, fax 221 022 - 17 ch. et 9 suites : 54/73 €/pers. selon la vue.* 🖥. *La réception se trouve à l'hôtel Dražica, où se prennent les repas. Le long du lungomare, c'est un petit immeuble blanc et bleu, aux chambres claires, propres, refaites récemment.*

À PUNAT

🛏 **Camping Pila** – *Obala 94 -* ☎ *854 122, fax 854 020 – pila@ri.t-com.hr - de mi-avr. à mi-oct. - 5,60 €/pers. (7-12 ans : 3,70 €), tente + voiture 12,50 €. Derrière l'hôtel Park, grand camping en bord de mer. Supérette, restaurant, change, location de vélos… et petit train pour se rendre en ville.*

🛏 **Autokamp FKK Konobe** (naturiste) – *À 3 km de Punat sur la route de Stara Baška -* ☎/*fax 854 036 – konobe@ri.t-com.hr - 5,60 €/pers. (7-12 ans : 3,70 €), tente + voiture 12,50 €. Parmi les tamaris et les oliviers, en bordure de la baie. Grill, restaurant, supérette.*

🛏 **Chez l'habitant** : *S'adresser à l'agence* **More** (I.G. Kovačića 49 ou kiosque sur les quais, Obala 87, ☎ *854 033/127, fax 854 016*) *ou à l'agence* **Marina Tours** (Obala 81, ☎ *854 375, fax 854 340, www.marina-tours.hr*).

🛏🍽🛏 **Hotels Park I et II** – *Obala 102 -* ☎ *854 024, fax 854 101 - 87 et 132 ch. : 51-60 €/pers. Ces deux bâtiments situés dans une pinède proposent des chambres confortables. Copieux buffet du petit-déjeuner.*

🛏🍽🛏 **Kanajt** – *Kanajt 5 -* ☎ *654 340, fax 654 341 - www.kanajt.hr - 20 ch. et 1 suite, ch. : 90/130 €/pers.* 🖥. *Face à la marina, en retrait au fond d'un jardin, l'ancienne résidence d'été des évêques de Krk se cache derrière un rideau de chênes et de cerisiers. Confort douillet. Tennis et école de voile.*

À VRBNIK

🛏🛏 **Hotel Argentum** – *Supec 68 -* ☎ *857 370, fax 857 352 - 10 ch. : 33 €/pers.* 🖥, *en 1/2 P 36 €/pers. À l'écart du village, perché au-dessus de la mer. Toutes les chambres, de bon confort, sont dotées d'un balcon. Demi-pension intéressante. Animaux acceptés. Petite plage en contrebas.*

À BAŠKA

🛏 **Chez l'habitant** : *Plusieurs agences à l'entrée de la ville :* **Aventura** (Kralja Zvonimira 194, ☎/*fax 856 774*), **ARA** (à l'hôtel Corinthia II, ☎ *856 298, fax 864 004*). *Selon leur confort, comptez de 21 € à 36 € pour les chambres, 80 € pour un appartement pour quatre personnes.*

🛏🍽🛏/🛏🍽🛏🍽 **Hotels Corinthia I, II et III, Zvonimir** – *Prilaz Kippaštu -* ☎ *656 111, fax 856 584 - www.hotelibaska. hr. En retrait de la grande plage, vaste complexe touristique bâti en hémicycle et constitué, en fait, de quatre hôtels et d'appartements. Trois restaurants, un* grand café (le **bistro Funtana**), piscine, boutiques : tout ce qu'il faut pour passer des vacances en autarcie. **Corinthia I** *(105 ch. et 13 appart., ch. doubles : 72/78 €/pers. ☐, appart. 150/225 €)*, **Corinthia II et III** *(295 ch. et 18 appart., ch. doubles : 56/62 €/pers. ☐, appart. 130 €)*, **Hotel Zvonimir** *(70 ch. et 15 suites, ch. doubles : 74/82 €/pers. ☐, suite à partir de 153 €)*, le plus proche de la plage, dans une pinède.

☐☐🛏 **Vila Corinthia** – *E. Geistlicha 34* - 📞 *656 111, fax 856 584* - *www.hotelibaska.hr* - *20 appart. :* 100/130 €. Dans le complexe hôtelier Corinthia, quelques « villas » abritent deux appartements en duplex : un séjour-cuisine en rez-de-chaussée et une chambre double à l'étage.

Le Konoba Placa, à Baška.

Se restaurer

À KRK

☐ **Konoba Šime** – *A. Mahnića 1* - 📞 *220 042 - 30/70 kn.* Une atmosphère médiévale dans la salle et une belle terrasse donnant sur le port, à Mala Vrata. Cuisine simple (calmars et pâtes).

☐/☐🛏 **Frankopan** – *Trg sv. Kvirina 1* - 📞 *221 437 - poissons 280 kn/kg, plats 40/70 kn.* La terrasse occupe une grande partie d'une placette. Grillades et risottos. Vente des produits maison : vins, brandy, fromages.

☐ **Konoba Galija** – *Frankopanska ulica 38* - 📞 *221 250 - 30/70 kn.* Salle sympathique avec poutres et cheminée. Grand choix de viandes grillées et de pâtes.

☐ **Konoba Nono** – *Krčkih iseljenika 8 (au-delà de la porte de la Liberté)* - 📞 *222 221 - fermé d'oct. à avr. - 50 kn.* Ambiance chaleureuse avec tables et bancs de bois et décor marin. Cuisine de la mer. La propriétaire loue aussi deux appartements au-dessus du restaurant dont l'un dispose d'une terrasse avec vue sur la mer : 490/695 kn/pers. Demandez également pour les très sympathiques **Appartements Nono**, en face, gérés par la belle-mère du propriétaire.

À PUNAT

☐🛏 **Ribice** – *Travnja 95* - 📞 *854 123* - *dîner seulement.* Quelques tables dans une petite cour ombragée et une minuscule salle voûtée installée dans un ancien cellier : poissons grillés et salades.

À VRBNIK

☐ **Buffet Baćin Dvor** – *Glavača 7* - *40/60 kn.* Ici, les opposants au statut communal trouvaient jadis refuge. Aujourd'hui, les gourmets ont remplacé les proscrits devant des assiettes de *pršut* et de *sir* (fromage) accompagnées d'un pichet de *žlahtina*.

☐/☐🛏 **Restoran Nada** – *Glavača 22* - 📞 *857 06 - poisson 130/350 kn/kg, plats*

45/55 kn. Ce nom n'effraiera que les hispanistes égarés en ces lieux ! Tout en haut du village, poissons, risotto aux fruits de mer, *njoki* et *pršut*. Portions copieuses.

À BAŠKA

☐ **Bistro Lantino** – *E. Geistlicha 33* - 📞 *856 484 - 30/60 kn.* Ouvert dès le matin. Grande salle agréable, prolongée en terrasse, le long de la plage. Pizzas et pâtes, mais aussi *buzzara* et poissons grillés.

☐ **Konoba Placa** – *Gorinka 2 – 25/50 kn.* Dans une petite rue à deux pas de la Riva, petite taverne pour manger sur le pouce : *pršut*, *sir*, salades et toasts aux anchois. Possibilité aussi de boire un verre.

☐🛏 **Maretta Grill** – *Ribarska bb (Palada), juste avant le ponton d'embarquement sur l'île de Rab – poisson 200/260 kn/kg.* Restaurant de poisson où l'on choisit entre 12 sortes de poisson et déguste les fruits de la pêche du jour. Plats de viande et salades vous attendent également.

Faire une pause

À KRK

Slastičarnica Katarina – *M. Gupca 2.* Café, pâtisserie et glacier à deux pas de Vela Placa. Belle cour intérieure qu'ombrage une vigne vierge.

Caffe bar Forum – *Vela Placa.* Grand café installé dans le bastion de la Grand-Place élevé à la fin du 15e s. Belle terrasse.

Caffe Galerija Volsonis – *Vela Placa.* Au sous-sol de la galerie Stančić, deux grandes salles médiévales où l'on vous proposera toutes sortes de cocktails. Expositions de peintures.

À VRBNIK

Caffe bar Dubravka – *Trg Škujica.* Stratégiquement placé à l'entrée du village avec belle terrasse ombragée : arrêt quasi obligatoire !

À BAŠKA

Caffe Bar Marinero – *Palada 75.* Terrasse agréable face aux eaux turquoises du port de pêche.

Achats

Marché (Tržnica) – Šet. sv. Bernardina (au port).

Supermarché – Šet. sv. Bernardina, en face de la gare routière.

👫 **Arca Noa** – A. Mahnića 10 - 10h-14h, 16h-20h. Dans une ruelle de Krk, les figurines d'un bestiaire loufoque, inspiré des « comics » américains.

Souvenirs – Trg Kamplin. Parmi toutes sortes d'objets clinquants, on trouve quelques produits gourmands (vin, eaux de vie), de beauté (savons), tableaux et objets d'artisanat.

Trgovina Mina – Strossmayer 24. Cafés Barocco, en grains ou moulu à la demande.

Leut – Trg sv. Kvirina, 9h-13h, 18h-21h. Dans sa boutique transformée en petit musée de la marine, Željko Skomeršić réalise et vend des maquettes de vieux gréements.

Sport et loisirs

EXCURSIONS

À Punat, nombreux taxi-boats (sur Obala) proposent des balades panoramiques en bateau (1h et 2h : 35/70 kn) et des excursions à Krk (50 kn AR), à Plavnik sur l'île de Cres (110 kn) et à Rab (165 kn AR) - Rens. auprès des différents prestataires : ☎ 854 533/347/757.

PLONGÉE

Diving centar Ježevac à Krk – ☎ 221 876.

Squatina Diving – Zarok 88a, Baška - ☎ 856 034, 091 563 47 15 - www.squatinadiving.com. Location d'équipement complet : 25 €/j., plongée d'essai : 35 €. Plongées de nuit : 25 €. Ouvert début avril-fin octobre.

SKI-LIFT

Ski-lift Krk – ☎ 091 262 7 301. Un « tire-fesses » sur l'eau pour des sensations nouvelles.

TENNIS

Krk – Á l'**hôtel Dražica** (☎ 655 755) et aux **camping Ježevac** (☎ 221 081) et **Politin** (☎ 221 351).

Punat – Á l'**hôtel Kanajt** (☎ 654 340) et au **camping Konobe** (☎ 854 036).

Baška – Contacter **Hoteli Baška** (☎ 656 111).

LOCATION DE VÉLOS

Agence Autotrans à Krk – ☎ 222 661 - 20 kn/h, 90 kn/j.

RANDONNÉE

L'île offre près de 300 km de sentiers balisés. Cartes disponibles aux offices de tourisme. Prévoyez de bonnes chaussures, de l'eau, et faites attention aux serpents (vipères de sable) qui aiment se prélasser au soleil et grimper aux arbres…

Golfe de **Kvarner**★★

CARTE GÉNÉRALE A2-3– CARTE MICHELIN 757 B-C6

Une mer d'un bleu incroyable, un chapelet d'îles magnifiques, une côte découpée, à la végétation exubérante et spectaculaire côté Istrie, plus austère et minérale au sud de Rijeka : on comprend que ce soit autour du golfe de Kvarner que soit né, à la Belle Époque, le tourisme en Croatie… Et, s'il est parfois difficile de s'y baigner, la splendeur des paysages et l'attrait des villes et villages compensent largement cet inconvénient !

▶ **Se repérer** – Enserrant la mer Adriatique, de part et d'autre de Rijeka, le golfe de Kvarner comprend quatre îles principales : Krk, Rab, Cres et Lošinj. Au pied des monts Učka, la partie occidentale, sur la côte istrienne, est constituée par la riviera d'Opatija ; la partie orientale comprend du nord au sud les rivieras de Crikvenica et de Novi Vinodolski et, franchissant les limites administratives, s'achèvera au sud de Senj, à Jablanac, point d'embarquement pour l'île de Rab.

👁 **À ne pas manquer** – Le charmant village de Brseč, la vieille ville de Lovran et sa promenade au bord de l'eau.

🕐 **Organiser son temps** – Compter une journée pour la découverte de la partie occidentale (de Labin à Rijeka) et une demi-journée pour la partie orientale (de Rijeka à Jablanac), sans compter des randonnées et les escapades sur les îles.

👫 **Avec les enfants** – Randonnées dans les monts Učka, dans l'arrière-pays de Crikvenica et de Novi Vinodolski, visite de la forteresse de Senj.

👍 **Pour poursuivre le voyage** – Voir aussi au sud-est, Zadar et l'île de Pag ; en Istrie, Labin et Pula et, dans le Gorski Kotar, le parc national de Risnjak. Dans l'arrière-pays de Senj, vous pouvez rejoindre directement le parc naturel des lacs de Plitvice par Brinje, à travers le massif du Velebit.

Vue sur le golfe de Kvarner.

Circuits de découverte

LA « RIVIERA LIBURNIENNE », DE LABIN À RIJEKA★★

À 61 km. Compter une journée ou plus (hors les îles !).

Labin★ *(voir au chapitre Istrie p. 308)*

Quitter Labin en direction de Rijeka (attention : ne pas suivre la direction Rijeka par Tunnel Učka, mais par Trajekt Brestova).

On aperçoit bientôt sur la droite une très haute cheminée marquant l'emplacement du port industriel de **Plomin (Plomin Luka)**, installé au fond du fjord du même nom.

Plomin★

Village perché posé à l'aplomb du fjord qui porte son nom, Plomin présente une silhouette particulièrement harmonieuse, avec ses maisons de pierre sèche couvertes de tuiles roses. Dans l'hypothèse où vous pourriez garer la voiture, ne manquez pas de parcourir les ruelles de cet ancien municipe romain, avec son **église Saint-Georges-le-Vieux** qui a conservé un clocher roman avec fenêtres géminées, et, sur son mur extérieur, une **inscription glagolitique** du 11e s. qui serait l'une des plus anciennes d'Istrie. L'**église Saint-Georges**, quant à elle, est d'origine gothique, mais a été largement transformée à l'époque baroque. Lorsqu'elle est ouverte, ce qui arrive parfois, on peut y voir quelques sculptures sur bois (Vierge à l'Enfant, Saint Roch…).

Fjord de Plomin★ (Uvala Plomin)

On aperçoit bientôt, sur la droite, à travers un rideau d'arbres, les eaux vertes de l'étroit et encaissé fjord de Plomin, à 168 m en contrebas. Difficile cependant de s'arrêter pour le contempler avant le **panorama★★ (vidikovac)** aménagé à son embouchure, 3 km après Plomin. La vue y est magnifique, tant sur le fjord lui-même que sur la côte et les îles de Cres et Lošinj.

Après le point de vue, la route longe la côte istrienne, ici très abrupte. Sur la gauche, la barre montagneuse du massif de l'Učka, culminant au mont Vojak (alt. 1 401 m.). Sur la droite, en contrebas, la mer et l'île de Cres. Très ombragée, la route est parfois bordée, côté mer, de rangées de cyprès qui achèvent de conférer au paysage une touche de noblesse méditerranéenne à la fois mélancolique et pleine de grandeur. Profitez des rares possibilités de stationnement pour admirer ces paysages, toujours semblables mais sans cesse renouvelés. C'est le cas 3 km après le panorama précédent, à l'approche de la route conduisant au ferry de Brestova.

Brestova

À 4 km. Accès par une route en forte descente.

Dominant la mer, la route, étroite et sinueuse, parcourt des paysages d'oliveraies en terrasses jusqu'au point de départ des ferries pour les îles de **Cres** et **Lošinj★★** *(voir ce nom p.245)*.

De retour sur la route de corniche, c'est au village de **Zagore** qu'on entre officiellement dans la région du Kvarner.

Rêverie à fleur d'eau

Entre Lovran et Volosko, c'est sur 12 km un immense « lungomare », une belle **promenade de bord de mer**, sorte de sentier des douaniers aménagé pour la promenade et réservé aux piétons et aux baigneurs. Émaillée de quelques « plages » artificielles de ciment, ponctuée de petites criques où quelques barques de pêche somnolent paisiblement sur des flots à peine troublés par un clapotis paresseux, cette longue promenade, à peine interrompue par la traversée de quelques ports de pêche, parcourt la côte dont elle épouse les moindres courbes. À l'écart de l'animation de la route, elle est ombragée par les luxuriants jardins des villas « fins de siècle » témoignant de l'opulence et de la fantaisie de la haute société austro-hongroise, et dévoile des vues superbes sur la côte, d'Opatija à Rijeka et, en face, sur l'île de Cres. C'est un lieu paisible et hors du temps où l'on aime à flâner en rêvant aux fastes d'une époque révolue, tandis que la mer joue sur toute la gamme des bleus…

Brseč★

Dominé par le clocher de son église, ce village est posé un peu à l'écart de la route sur une falaise dominant la mer et, en face, l'île de Cres. Par une petite promenade tracée en balcon au-dessus de la mer, on accède au village en empruntant un passage sous

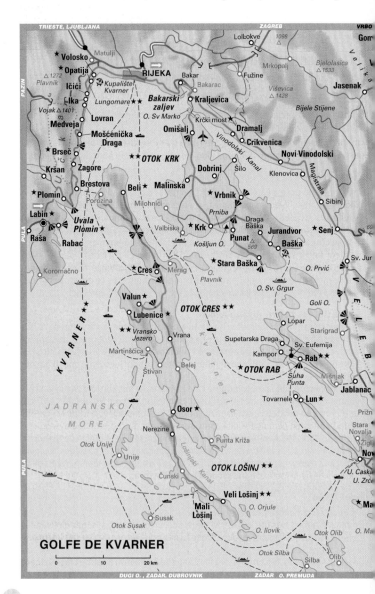

voûte, où un petit monument rappelle la mémoire d'**Eugen Kumičić** (1850-1904), auteur de romans historiques comme *Urota Zrinsko-Frankopanska (La Conspiration de Zrinski et Frankopan)*.

Niché à l'intérieur des murailles d'une forteresse aujourd'hui ruinée, le minuscule village est un véritable labyrinthe : on prend plaisir à se perdre dans ce petit dédale d'escaliers, de passages sous voûtes, d'impasses, de petites cours fleuries où les maisons de pêcheurs s'enchevêtrent dans un équilibre instable sur les pentes de la falaise. Ruelles hors du temps, peuplées de chats qui s'étirent paresseusement au soleil, et conduisant à l'humble église (remarquer, sur la base carrée du clocher, le couronnement octogonal) devant laquelle quelques barques ont été tirées depuis la mer (une bonne centaine de mètres en contrebas) on ne sait trop comment. De temps à autre, des échappées dévoilent un pan de mer d'un bleu intense. Lieu enchanteur où il fait bon se poser, d'autant que nombre de maisons proposent des chambres à louer : alors pourquoi ne pas frapper à une porte et s'abstraire un temps du fracas du monde ?

Reprendre la direction de Rijeka.

Après 3 km, un point de vue aménagé livre une superbe **vue★★★** sur le golfe : la pointe nord de l'île de Cres puis, sur votre droite, Opatija et enfin la tache blanche de Rijeka que dominent ses tours. Deux kilomètres plus loin, une autre échappée vous permet de découvrir ce même paysage sublime. Outre la mer et les îles, le paysage est embelli par une végétation très variée : aux cyprès se mêlent des chênes verts, des pins maritimes, des marronniers, d'imposantes grappes de lauriers-roses et, parfois, quelques palmiers.

Mošćenička Draga

Petite station balnéaire posée en bordure d'une plage de galets que longe une agréable promenade plantée. Le petit port de pêche achève d'en faire un endroit charmant, et on ne peut plus tranquille, du moins hors saison…

Medveja

À la pointe d'un cap, de belles maisons aux façades aux teintes chaudes plongent de façon abrupte dans la mer. En contrebas, petite plage de galets et port de pêche.

Lovran

Garer la voiture près de la jetée du port ou, à défaut, tentez votre chance dans les petits parkings aménagés du côté de la vieille ville, sur la gauche de la route.

Une végétation exubérante et volontiers exotique, des villas somptueuses (bien que parfois un peu décaties) où, du postpompéien au néotroubadour, pas grand-chose ne semble avoir bridé la fantaisie des architectes, de grands hôtels à l'architecture monumentale propre aux palaces d'autrefois, une vieille ville agréable, telle se présente Lovran, posée au pied des monts Učka et berceau du tourisme sur la côte adriatique. La station en effet connut ses premières heures de gloire à la fin du 19e s. lorsque l'empereur François-Joseph en fit un de ses lieux de villégiature préférés. Station climatique hivernale réputée, elle attira rapidement grâce à son climat privilégié le gratin de l'époque, avant de devenir, évolution des mœurs aidant, une station estivale. Seul bémol : la route, très fréquentée, qui traverse de part en part la station, rendant périlleuse toute tentative de traversée…

Le port★ (Luka)

C'est un petit port de pêche harmonieux qui se blottit au pied de restaurants et de glaciers aménagés sur des pontons, en contrebas de la route. Là se dresse une ravissante petite église romane (modifiée à l'époque gothique), vouée à la **Sainte-Trinité (Crkva sv. Trojstva)** et hélas quelque peu défigurée par un auvent supporté par des piliers de ciment. Elle est rarement ouverte, ce qui est dommage : on peut alors y voir des restes de fresques gothiques. C'est du port que part le **lungomare★★**, longue promenade piétonne au bord de l'eau qui ne s'achève qu'à Volosko, 12 km plus loin, et qui conduit à la **plage du Kvarner (kupalište Kvarner)**, artificielle (et cimentée) de la ville. Notez qu'il existe une autre plage, de galets celle-là, au sud.

La vieille ville★ (Stari Grad)

La vieille ville de Lovran.

P. Plantier / MICHELIN

On y accède par une voûte, passage percé dans les anciens remparts, en face du port. Ruelles en escaliers et passages voûtés conduisent à la place de l'église, bordée de belles maisons aux façades de couleurs vives et aux balcons fleuris. Face à l'église, l'ancien hôtel de ville dit « la **maison Saint-Georges** » porte au-dessus de l'entrée un relief représentant Saint-Georges terrassant le dragon. Remarquez le porche (1722) de la maison voisine sur lequel est sculptée une amusante tête d'un homme barbu et moustachu appelé le **Mustacón**. On plaçait ce genre de sculpture au-dessus de l'entrée pour protéger la maison des forces du Mal… De style gothique, l'**église Saint-Georges** a été réaménagée en pleine époque baroque aux 17e et 18e s., mais a fort heureusement conservé ses **fresques★** réalisées autour des années 1470-1480 par l'**atelier de Kastav** (partie supérieure : *cycle de Notre-Dame*) et par l'atelier istrien du **Maître des Couleurs** (partie inférieure : *Martyre de saint Georges*).

Ika

Banlieue d'Opatija, Ika est édifiée au fond d'une petite anse occupée par une plage de gravier, de part et d'autre du môle du port de pêche.

Ičići

Même configuration que la station précédente : plage mi-cimentée, mi en gravier, port de plaisance. Remarquez la belle villa construite à la sortie du village, dans un style évoquant l'antiquité romaine, et les nobles colonnades de son jardin aux plantations exubérantes.

On atteint alors **Opatija★**, d'où l'on peut gagner **Rijeka** *(voir ces noms, p.273 et 290)*.

LA CÔTE ORIENTALE, DE RIJEKA À JABLANAC★

À 106 km. Compter 4 à 5h (hors bien sûr les escapades dans les îles).

Golfe de Bakar (Bakarski zaljev)

D'une longueur de 4 km, il s'agit d'un fjord étroit et de forme oblongue, ouvrant sur la mer par le détroit de Bakar. Tracée en corniche, la route qui domine à cet endroit de très haut la baie permet d'en effectuer le tour. La **vue** serait sublime, si ce n'était un environnement industriel quelque peu agressif : raffineries et hautes cheminées rouges et blanches témoignent de l'activité du port de Rijeka. En contrebas, on aperçoit les toits roses de tuiles romaines de Bakar qui se serrent autour d'un clocher dominant les eaux turquoise de la mer.

Bakar

Accès par une route à droite et une descente vertigineuse en lacets serrés.
Bâti en amphithéâtre, cet ancien port de commerce et centre de pêche au thon, est dominé par l'église Saint-André et sa citadelle. Donnant directement sur l'eau, à l'ombre de vénérables marronniers et bordée de sympathiques terrasses de cafés, la promenade de front de mer permet un moment de détente agréable : l'occasion de rêver à ce que pourrait devenir le golfe si les projets actuels de démantèlement des activités industrielles sont un jour menés à bien…
Remonter sur la route et reprendre la direction de Split.

Kraljevica

C'est sur le cap fermant le golfe de Bakar, près de Kraljevica, qu'a été lancé, en 1991, sur un bras de mer (le **Tihi kanal**), le **pont de Krk★ (Krčki most)**, aux deux arches aussi élégantes qu'élancées, qui, prenant appui sur l'**îlot Saint-Marc (Otok sv. Marka)**, relie désormais le continent à l'**île de Krk★★** *(voir ce nom, p. 250)*.
Suivant la côte vers le sud, on longe alors un bras de mer, le **Vinodolski kanal**, séparant la terre ferme de Krk, tandis que la végétation se raréfie, laissant la place à un décor de plus en plus minéral.

Dramalj

Agréable petite station posée en contrebas de la route, constituée de villas modernes disséminées dans l'ombre d'agréables pinèdes.

Crikvenica★

Surplombée par le **viaduc de Bracina** supportant la route de Rijeka à Split, Crikvenica, située à l'embouchure de la Dubračina, est une station balnéaire très appréciée en été, tant des touristes étrangers que des habitants de Rijeka qui envahissent alors sa petite plage de galets.
Une rue ombragée conduit vers le port où, en bordure de la rivière, a été aménagé un vaste parking *(payant)*. Une passerelle « à la vénitienne » donne accès à la petite plage de graviers que borde une promenade piétonne conduisant au port de plaisance. Sur la gauche, l'**église paroissiale N.-D.-de-l'Assomption (Župna crkva Blažene Djevice Marije)** fut donnée en 1659 par les Frankopan aux pauliniens du monastère voisin. Elle abrite un retable baroque conçu et réalisé en 1776 par le frère Paolo Riedl et décoré d'une Vierge à l'Enfant, attribuée à l'atelier de Paolo Véronèse.
Sur la gauche de la façade, un passage couvert conduit à l'hôtel Kaštel, dont les chambres ont investi les cellules des moines de l'**ancien couvent des Pauliniens**, installé dans le château construit en 1347 par le comte Martin Frankopan et largement remanié à la fin du 18e s. sous l'égide de l'archiduc d'Autriche Joseph qui en fit une maison de santé.

Novi Vinodolski

9 km au sud.
Novi Vinodolski s'énorgueillit d'être l'une des plus anciennes stations balnéaires du littoral adriatique croate puisque c'est en 1878 qu'y fut créé le premier établissement de bains. Station balnéaire animée (bien que les plages se résument pour l'essentiel à des plates-formes de ciment), la ville est dominée par le clocher (très laid !) de son église de style composite. Novi Vinodolski n'a conservé qu'une tour **(kvadrac)** de sa forteresse élevée au 13e s. par les Frankopan. C'est ici que fut signé en 1288 le *Codex de Vinodol*, plus ancien texte juridique en langue croate. Parmi les édifices modernes, quelques villas historicistes ou de style Sécession témoignent de l'engouement pour la station au début du 20e s.

Un des « pères » de la nation

Écrivain et poète, auteur d'un poème épique connu *(La Mort de Smaïl-aga Čengić)*, membre actif du Mouvement illyrien fondé par Ljudevit Gaj *(voir à Krapina)*, **Ivan Mažuranić** (1814-1890), né à Novi Vinodolski, fut en outre le premier ban (vice-roi) roturier de la Croatie. Son action réformatrice dans le domaine social et administratif, comme sa politique en faveur de l'emploi du croate, en font un des pères du jeune État croate.

Face à l'île de Krk, la route parcourt en corniche, au pied de la barre rocheuse du **massif du Velebit**, un paysage minéral, à peine égayé par quelques touffes éparses d'une maigre végétation. Les quelques villages sont situés en contrebas, s'étageant au-dessus de la mer, comme le petit port de pêche de **Klenovica** *(10 km au sud de*

Senj, haut lieu de la lutte contre les Ottomans

Né à Senj, **Nikola Jurišić** (1490-1545) s'illustra lorsqu'en 1532 Soliman le Magnifique lança une campagne sur Vienne. Chef militaire des régions frontalières, Jurišić réussit à arrêter l'avance des forces ottomanes, près de Köszeg (Hongrie). À la même époque, c'est à Senj que se regroupèrent les « Uskoks » : venant des régions occupées par les Turcs, ils entreprirent une guerre de guérilla contre ceux-ci, tant sur terre que sur mer… avant de s'attaquer aux navires vénitiens qu'ils harcelèrent – sous prétexte que Venise commerçait avec les Turcs – sous l'œil bienveillant des empereurs, jusqu'à entraîner le déclenchement d'une guerre entre la Sérénissime et l'Autriche (1615). La paix revenue, l'empereur détruisit leur flotte et les chassa du littoral.

Novi Vinodolski), ou la minuscule station de **Sibinj** *(5 km plus loin)* qui se déploie au fond d'une anse. Les plages (de galets) sont ici relativement grandes.

Monument au 45ᵉ parallèle

Ce monument marque le point où l'on franchit le 45ᵉ parallèle : on se trouve alors à la latitude (entre autres) de Bordeaux.

Senj★

À 2 km.

Dominée par sa forteresse médiévale **(Nehaj)**, Senj est une petite ville de pêcheurs disposée en amphithéâtre au fond d'une agréable baie, en face de l'île de Krk.

On laisse la voiture sur le parking aménagé sur le port, devant une place triangulaire, ouverte sur la mer et entourée de terrasses de cafés.

Vieille ville (Stari grad)

Ulica Potok permet de pénétrer dans la vieille ville dont les ruelles tortueuses et les vieilles demeures ont conservé leur aspect médiéval. Sur la gauche, bel ensemble de maisons gothico-Renaissance, aux abords de la **cathédrale St-Mathias (Catedrala sv. Matija)**, d'origine romane mais souvent modifiée au cours des siècles. Remarquez le curieux soubassement de pierre du clocher.

Place du Marché (Trg Cilnica)

Cette vaste place rectangulaire ne manque pas d'allure, même si les façades des vénérables immeubles baroques qui la bordent portent les stigmates du conflit de 1991-1995. Au centre, la charmante fontaine est une œuvre néoclassique. Sur la gauche de la façade de l'ancien château des Frankopan, une petite rue, ornée du buste de Nikola Jurišić, conduit à la Grande Porte.

Grande Porte (Velika vrata)

Élevée en 1779, elle porte (à l'extérieur) les armes de l'empire autrichien et l'inscription *Josephinæ Finis*. Cette porte marque la fin de la « route Josephine », du nom de l'empereur Joseph II, reliant Karlovac à Senj. Remarquez les distances qui y sont indiquées en « milles germaniques » : on apprend que *Zagrabium* est à 21 milles, *Warafdinum* (Vazaždin) à 31 milles et Vienne à 63 milles.

Forteresse Nehaj (Trđava Nehaj)

Juil.-août 10h-21h ; mai-juin et sept.-oct. : 10h-18h. 12 kn.

Au sommet d'une falaise dominant la baie, cette forteresse de plan carré, munie de tours en encorbellement à chacun de ses angles, fut élevée en 1558 par Ivan Lenković, alors capitaine des Uskoks. Très restaurée, elle abrite une petite exposition consacrée à ceux-ci. De là-haut, belle **vue★** sur l'enchevêtrement des rues de la ville médiévale et, au-delà, sur Krk.

Corniche★★★

Au sud de Senj, à partir de **Sv. Juraj**, la route, tracée en corniche, remonte et domine la mer. Côté mer, les **vues★★★** sont exceptionnelles : Krk laisse peu à peu la place à des îlots (**Prvić**, **Sv. Grgur**, **Goli Otok**, bagne pour prisonniers politiques sous Tito) et, bientôt, à l'île de **Rab**. Sur la gauche, la barre du Velebit. La végétation est rare et seuls quelques hameaux, constitués pour l'essentiel de villas modernes ou en construction, viennent l'égayer. En arrière, pour peu que l'on puisse s'arrêter pour la contempler (ce qui n'est pas toujours évident !), la **vue★★** sur le fond du golfe de Kvarner (avec la tache blanche de Rijeka) est splendide.

Jablanac

Accès par une étroite route à sens unique marquée « Trajekt » ou Rab.

Minuscule port, surtout fréquenté pour être le point d'embarquement du ferry *(Trajekt)* pour l'île de **Rab★** *(voir ce nom, p. 285).* Une jolie petite église, posée au bord de l'eau, présente sur sa façade une ancre marine ainsi que les effigies des saints Cyrille et Méthode.

Golfe de Kvarner pratique

Informations utiles

Indicatif téléphonique – *051.*

OFFICES DE TOURISME

À Lovran – *Šet. M. Tita 63 - ☏ 291 740, juil.-août : 8h-15h, 18h-20h, dim. et j. fériés 9h-12h ; sept.-juin : tlj sf dim. 8h-15h.*

À Crikvenica – *Trg S. Radića 1c - ☏ 241 051 - ☏/fax 241 867.*

À Novi Vinodolski – *Kralja Tomislava 6 - ☏/fax 244 306.*

Office de tourisme de la région de Kvarner – *Nikole Tesle 2, Opatija, ☏ 272 988, www.kvarner.hr.*

👁 **Bon à savoir** – Sauf si vous tenez absolument à vous baigner, le littoral et les îles du golfe de Kvarner gagneront à être découverts hors saison, au printemps de préférence, ne serait-ce que pour des raisons d'affluence. Pour les mêmes raisons, évitez les week-ends lorsque les habitants de Rijeka délaissent la ville pour la côte, sans oublier les voisins slovènes ou italiens du nord qui franchissent alors en masse la frontière. Difficile de se garer, en effet, dans les villages et les villes, et les quelques points de vue aménagés sont généralement inaccessibles. En outre, vous serez plus ou moins contraint de parcourir ces routes à une vitesse difficilement compatible avec la contemplation des paysages, à moins de savoir rester sourd aux coups de Klaxon accompagnés de propos peu amènes des conducteurs qui vous suivent.

À LOVRAN

Hôpital – *Šet.M. Tita 1 - ☏ 291 122.*

Pharmacie – *Šet. M. Tita 48 - ☏ 291 051 - 7h30-20h, dim. 7h30-13h.*

Poste – *Šet. M. Tita 29 - tlj sf dim. 7h-20h (juil.-août : 7h-21h), sam. 7h-14h.*

Taxi – *☏ 291 007, 098 690 690.*

Internet – *Kavana Lovran, M. Tita 41.*

Transports

Bus – Entre Lovran, Opatija et Rijeka (bus n° 32), service de l'aube à minuit, 3 bus/h dans la journée. Vers Mošćenička Draga, bus réguliers de 4h à 21h le week-end.

GAGNER LES ÎLES

Krk – Prendre à Kraljevica (23 km au S de Rijeka) le pont à péage.

Rab – Depuis Jablanac (44 km au S de Senj) : dép. quotidiens pour Mišnjak. Traversée de 15mn environ.

P. Plantier / MICHELIN

Le « trajekt » Cres-Brestova.

Cres et Lošinj – Depuis Brestova (entre Lovran et Labin) : dép. quotidiens toutes les heures pour Porozina. Compter 20mn de traversée.

D'ÎLE EN ÎLE

De Rab à Krk – Ligne Lopar-Baška entre déb. juin et fin sept. *(☏ 211 444).*

De Krk à Cres – Ligne Valbiska-Merag, toute l'année.

Renseignements sur les horaires et les tarifs (ceux-ci étant variables selon la taille et le type du véhicule ainsi que le nombre de passagers) sur place, ainsi que sur le site *www.jadrolinija.hr - ☏ 060 321 321.*

Notez que les horaires officiels peuvent être assez élastiques : en fonction de la demande, il est possible qu'un ferry imprévu se mette en place avant l'heure affichée.

Notez également que s'il est possible d'acheter son billet à l'avance, ceci ne vaut pas réservation : on accède au ferry suivant l'ordre d'arrivée. Les navires pouvant généralement transporter une vingtaine de véhicules (moins, si un car ou un gros camion est de la partie, plus si un ferry de taille plus importante est mis en service), vous pouvez dès l'arrivée au port d'embarquement évaluer vos chances d'embarquer en fonction de la file d'attente. D'une façon générale, laissez la voiture dans la queue et prenez votre billet dès l'ouverture du guichet, de façon à ne pas voir des voyageurs plus prévoyants en profiter pour vous passer sous le nez. Prévoyez enfin, au plus fort de la saison, une attente assez longue… et de quoi l'occuper : l'équipement des

points d'embarquement se résume
généralement à un guichet, une buvette
et des toilettes.

Nautisme

Ports de plaisance d'Opatija-Ičići,
de Punat (Krk), de Cres, de Mali Lošinj,
de Rab et de Supetarska Draga : *voir le
chapitre « Nautisme » p. 38.*

Se loger

À MOŠĆENIČKA DRAGA

Tourist Agency Annalinea – *Stari
grad 1 - juil.-août : 7h30-22h, juin et sept. :
10h-19h., reste de l'année 8h-13h.* Chambres
et appartements, tant à Mošćenička Draga
qu'aux alentours.

Camping I – M. *Tita 85 -* ℘*/fax 737 523 -
38 kn (enf. : 26 kn), voiture 25 kn, tente 28 kn,
électricité 30 kn.* Proche de la plage,
c'est un camping bien équipé, où de
nombreuses activités sportives sont
proposées.

Hotel Marina –
Aleje Slatina 2 - ℘ *737 504, fax 737 584 -
marina@liburnia.hr - 192 ch : 70/94 €* .
Parking (payant aux beaux jours). Vaste
ensemble posé dans la verdure, quelque
peu sinistre (la décoration du bar est
digne d'une station-service) mais de
bon confort (baignoire, minibar,
sèche-cheveux, TV). Les chambres
donnant sur la mer sont les plus agréables.
Encore faudrait-il que les frondaisons des
arbres ne masquent pas l'Adriatique.

Hotel Mediterran –
℘ *737 622, fax 737 538 - fermé oct.-fin avr. -
69 ch. : 56/98 €* . Posé sur le quai du petit
port de pêche. Chaque chambre dispose
d'un balcon.

À LOVRAN

Bon à savoir : la route littorale est très
passante, évitez de choisir une chambre
qui en soit trop proche.

Hotel Bristol –
M. *Tita 27 -* ℘ *291 022, fax 292 049 -
bristol@liburnia.hr - 101 ch. : 438/738 kn* -
. Très central, mais en retrait de la route,
cet hôtel ne manque pas d'atouts. Les
chambres d'un confort simple sont claires
et agréables, celles disposant d'une vue
sur la mer sont plus chères. Chiens
acceptés.

Hotel Lovran –
M. *Tita 19/2 -* ℘ *291 222, fax 292 467 -
pol-mot@ri.htnet.hr - 54 ch : 500/790 kn
(sans AC), 630/900 kn (avec AC), suites à
partir de 515 kn/pers.* - . Hôtel
agréable avec des chambres tout confort
dont certaines disposent d'un balcon.
Belle terrasse avec vue sur la mer pour
prendre un café en toute tranquillité. La
grande salle de restaurant est décorée
de toiles de peintres polonais. Piscine et
fitness dans le voisinage immédiat
(à l'hôtel Exelsior).

Hôtel Park – M. *Tita 60,*
℘ *706 200, fax 706 213 - hotelpark@lturist.hr -
40 ch. et 6 appart. : 136/146 €* - . Difficile
de ne pas le remarquer avec sa façade bleu
ciel, en plein centre, face au port. Le
principal défaut de cet hôtel ouvert en 2005
est sa proximité immédiate de la route du
littoral : choisissez une chambre donnant
sur l'arrière, sinon vous risquez de passer
une nuit blanche. Restaurant, bar, et
bientôt piscine, sauna et fitness sont à
votre disposition.

À CRIKVENICA

Hotel Kaštel – *Frankopanska 22 -*
℘ *241 044, fax 241 490 - kastel@
jadran-crikvenica.hr - 66 ch. et 8 appart. :
582/636 kn, appart. 419 kn/pers.* . Murs
chaulés de blanc, boiseries sombres,
décoration sobre donnent son
atmosphère à cet hôtel installé dans un
ancien monastère, et idéalement situé
face à la petite plage de la station.

À SENJ

Garni-hotel Art – *Obala Kralja
Zvonimira 15 -* ℘ *(053) 884 377/78/79,
fax 884 376 - 24 ch. : 59/65 €* - .
Au-dessus de la ville, petit hôtel très
simple dont la plupart des chambres
donnent sur la mer (quoique le parking
aménagé sous les fenêtres gâche un peu
la vue). Accueil moyen. Pour dépanner.

À JABLANAC

Hotel Ablana – *Obala bana
S. Šubića 1 -* ℘ *(053) 887 216, fax 887 217 -
info@hotelablana.com - 21 ch. : 520/600 kn.*
Dominant le port, cet hôtel récent sera
bien utile si vous souhaitez prendre le
premier ferry du matin pour Rab.

Se restaurer

À BRSEČ

Konoba Batelan – *30/60 kn.* À l'entrée
du village, sur la droite de la route d'accès.
Petit café-restaurant sans prétention,
idéal pour déjeuner ou dîner d'une salade
et de calmars grillés dans le jardin fleuri.
Accueil charmant.

À MOŠĆENIČKA DRAGA

Dora – *Sur la plage. Ouv. en saison
uniquement.* Spécialités de poissons
(soles, daurades, saint-pierre), calamars
et fruits de mer.

À LOVRAN

Bellavista – *Stari Grad 22 -*
℘ *091 532 67 65 - 40/70 kn.* Il n'a pas
usurpé son nom, ce modeste restaurant
qui domine la route et le petit port de
pêche de Lovran ! Salades, poissons,
pâtes et risotto permettent d'y déjeuner
légèrement.

knezgrad – *Trg Slobode 12 -*
℘ *291 838 - poissons 140/240 kn/kg, plats
30/60 kn.* Un peu à l'écart au fond d'un
petit parc, c'est un endroit bien agréable

pour déguster une des recettes à base du légume local, l'asperge : minestrone, raviolis, risotto ou omelette. Accueil sympathique.

○○ **Kvarner** – *M. Tita 68 - ☎ 291 118 - poisson et scampi 260 kn/kg, plats 40/80 kn.* Classique restaurant de poissons posé sur le port de pêche.

À SENJ

○○/○○○ **Konoba Lavlji Dvor** – *Preradovica 2, dans une petite rue à deux pas de la cathédrale - ☎ (053) 881 738 - poisson 260 kn/kg, plats 40/80 kn.* Dans un joli patio aux arcades sculptées, on se régale du poisson et des fruits de mer, mais aussi des plats de viande accompagnés de légumes. Service attentif.

Sport et loisirs

PLONGÉE

Marina Sport Diving Center – *Hôtel Marina, à Mošćenička Draga - ☎ 091 293 24 40 - info@marinesport.hr, www.marinesport.hr.* Ce centre, proche de spots intéressants, propose de nombreuses formules de plongée.

RANDONNÉE

À pied

Lovran est le point de départ de chemins de randonnées (**Rijeka Climbing Route**, marqués **RT**) qui mènent aux sommets de la région (Učka, Platak, Risnjak, etc.) et se terminent à Crikvenica. Plusieurs chemins de randonnées au départ de Crikvenica, Novi Vinodolski, Jadranovo, Dramalj, le long de la côte et sur les plateaux au-dessus de la vallée de Vinodol : la carte avec description détaillée est disponible dans les offices du tourisme de la Riviera Crikvenica.

À vélo

Demander la brochure **Kvarner by Bicycle** éditée par l'office du tourisme de la région de Kvarner : 19 itinéraires détaillés (schéma, niveau de difficulté, graphique de dénivellation) et un tour de 7 jours dans la région sont proposés.

DANS LES MONTS UCKA

Park prirode Učka – *Liganj 42, Lovran - ☎ 293 753 - park.prirode.ucka@inet.hr, www.pp-ucka.hr.* Alpinisme, free-climbing, parapente, équitation, trekking, aventure spéléologique…

Santé

Thalassotherapia Crikvenica –

Gajevo šetalište 21 - ☎ 407 666, fax 785 062 - thalassotherapia-crikvenica@ ri.t-com.hr, www.hupi.hr/talaso. Institut spécialisé en réhabilitation des patients atteints de maladies des organes respiratoires (enfants et adultes) et de rhumatismes.

Achats

À LOVRAN

Marché (Tržnica) – Côté centre, en face du Kavana Lovran et de la Riječka Banka. Petit marché de charcuteries et de primeurs (et, en saison, de colifichets divers).

Événements

Fête des asperges (Festival šparuga) à Lovran – *Avril.* Omelettes aux asperges, musique et danses sur le port.

Journées des cerises à Lovran – *Juin.* Grand choix de gâteaux aux cerises dont le « strudel » est le plus renommé.

L'été de Lovran – *Août.* Concerts de musique classique, présentation de groupes folkloriques, de compagnies de chant et d'orchestres de jazz.

Fête des marrons (Marunada) à Lovran – *Octobre.* L'oie et la dinde farcies aux marrons et les gâteaux aux marrons sont servis dans presque tous les restaurants de la ville.

Ogulin

GORSKI KOTAR – 15 054 HABITANTS

CARTE GÉNÉRALE B2 – CARTE MICHELIN 757 C6 – SCHÉMA : VOIR À GOLFE DE KVARNER

Un grand lac pour les adeptes de la baignade, un sommet escarpé pour ceux qui préfèrent la varappe, quelques pistes à dévaler à ski, des sentiers pour explorer une campagne verdoyante et agréable… Ajoutons-y un château, un musée qui ne manque pas d'intérêt, et une curiosité naturelle peu banale : le gouffre de Đula. Cette petite ville, bien desservie qui plus est, par un train spécial, a tout pour devenir une station recherchée par les amateurs de tourisme vert. Tout, sauf un équipement hôtelier à la hauteur de ses ambitions… Gageons que cela ne saurait tarder !

▶ **Se repérer** – Au pied du massif de Velika Kapela que domine l'emblématique mont Klek et que perce la vallée de la Dobra, Ogulin est située à 62 km au sud-est de Karlovac (par la « route Joséphine » jusqu'à Josipdol) et à 28 km à l'est de Vrbovsko, localité proche de la route de Karlovac à Rijeka. On rejoint en ce cas la petite cité par la vallée de la Dobra.

👁 **À ne pas manquer** – Musée provincial d'Ogulin, gouffre de Đula.

🕐 **Organiser son temps** – Compter 1h pour la visite du musée. Tout dépend ensuite du temps dont vous disposez pour la visite des environs.

👫 **Avec les enfants** – Gouffre de Đula.

🚶 **Pour poursuivre le voyage** – Voir aussi le parc national des lacs de Plitvice (55 km au sud-est), le parc national de Risnjak (56 km au nord-ouest) et Karlovac (49 km au nord).

Comprendre

Les caprices de la Dobra – Curieux cours que celui de cette rivière qui va se jeter dans la Kupa au nord de Karlovac après être née à une dizaine de kilomètres de Delnice et effectué une descente vers le sud-ouest pour passer à Ogulin. Curieux, oui, car à Ogulin, la haute Dobra (Gornja Dobra) s'encaisse dans une gorge impressionnante avant de disparaître sous la roche, dans le gouffre de Đula et de devenir souterraine sur une quinzaine de kilomètres ! Aux alentours de Gojak apparaît la Basse Dobra (Donja Dobra) qui descend paresseusement vers son confluent.

Des peuples au bord du gouffre – Aux abords de ce gouffre, les peuples se sont succédé : les Iapodes, tout d'abord, tribu illyrienne qui dut céder la place aux Romains d'Octave Auguste. Les Slaves, ensuite, lorsque le roi hongrois Bela IV donna la région aux comtes de Krk, les futurs Frankopan (1193). Trois siècles plus tard, ce furent les Ottomans qui mirent la contrée à feu et à sang entraînant le déplacement de la population, jusque-là fixée à Modruš jusqu'à Ogulin, fondée vers 1550. La menace turque se faisant pressante, Ogulin passa dans le système défensif des Confins militaires administrés directement par l'empereur d'Autriche et peuplée d'Allemands et de Serbes. Jusqu'aux Français qui s'y établirent pour quatre ans en 1809 lorsque Napoléon créa les Provinces illyriennes.

Se promener

Château Frankopan (Kaštel Frankopan)

Sur la gauche de la rue (ulica) Stara Cesta, après le pont sur la Dobra, place Hrvatskih rodojuba.

Élevé vers 1500 par le comte Bernardin Frankopan, ce château Renaissance comporte un corps de bâtiment principal flanqué de deux tours rondes et de deux ailes enserrant un jardin. Reconverti en prison, du 18e s. à 1945 (elle eut comme illustre pensionnaire un certain Josip Broz, dit Tito), il abrite aujourd'hui le musée de la Ville. Devant le château, un monument honore les patriotes croates *(hrvatskih rodoljuba)*.

Gouffre de Đula (Đulin ponor)

Face au château, de l'autre côté de la rue.

👫 Un petit balcon, lancé sur le gouffre, permet d'apercevoir l'impressionnante muraille au fond de laquelle disparaît la Dobra pour son parcours souterrain, dont près de 16 km ont été jusqu'à présent explorés. Autre point de vue depuis le square en face… du moins lorsque la végétation ne vient pas faire obstacle au regard.

Poursuivre vers le parc.

La légende de Đula

S'appelait-elle Đula ou Zulejka, comme certains le prétendent ? Toujours est-il que cette jeune fille, noble et belle comme le jour, avait été promise en mariage à un riche vieillard, ce qui ne la réjouissait guère. Or, au cours de l'une des guerres contre les Turcs, un jeune capitaine du nom de Milan Jurajić vint à passer par Ogulin. Le capitaine étant nettement plus séduisant que le barbon, la jeune fille, dès qu'elle l'aperçut, en tomba amoureuse. Hélas ! La vie d'un homme de guerre étant souvent brève, le beau Milan tomba raide mort lors d'une bataille. Dès qu'elle reçut la funeste nouvelle, désespérée, Đula courut au gouffre dans lequel elle se jeta et disparut à jamais… Légende ? Observez avec attention la roche qui surplombe le gouffre : vous y apercevrez le visage d'un homme penché au-dessus du vide : c'est Milan, à la recherche de sa belle, vous diront les habitants d'Ogulin.

Parc du Roi-Tomislav

Délimité par la rue B. Frankopana (l'axe majeur de la ville) et, à droite, la rue V. Nazora, ce petit parc agréablement ombragé constitue le centre de la ville. Bordé de demeures dont certaines datent du 18e s., il est orné d'un **monument au roi Tomislav**. Cette œuvre du sculpteur slovène Vitburg Meck a été placée en ces lieux en 1925 pour célébrer le millénaire de la création du royaume croate. Au centre du parc, la **fontaine de Cesarovac** est un monument empreint de classicisme, élevé en 1847 pour commémorer l'inauguration du premier aqueduc amenant les eaux du Klek à Ogulin.

P. Plantier / MICHELIN

Enfin, au coin de la terrasse du café Stari-grad, un buste, œuvre de Vanja Radauš, honore avec finesse la femme de lettres **Ivana Brlić-Mažuranić**, née à Ogulin.

Église de la Sainte-Croix
(Crkva Sv. Križa)
Au fond du parc.
Consacrée en 1793, elle est de style déjà néoclassique. L'intérieur, très clair, à une nef, s'orne d'un retable peint représentant le Christ en croix.

Ivana Brlić-Mažuranić, première femme à avoir été élue à l'Académie croate.

Pont sur la Dobra
Accès par la rue Frankopana et à droite la rue A. Stepinca.
Du pont, vue sur les cascades et autres marmites de géant. La Dobra est presque à sec du fait des installations hydroélectriques effectuées en amont.

Visiter

Musée provincial d'Ogulin (Zavičajni Muzej Ogulin)

Dans le château Frankopan, trg Hrvatskih Rodoljuba. Accès par le passage sous voûte et le jardin. Lun.-vend. 8h-15h, sam. 8h-12h (en cas d'absence, frapper à la petite maison qui se situe dans le jardin). 5 kn.

Installé au premier étage du château (le rez-de-chaussée présente une collection lapidaire où l'on remarquera un gisant du comte Frankopan), ce musée présente trois collections bien distinctes.

La **collection ethnologique★** ne manque pas d'intérêt : métiers à tisser avec navette, *preslica* (quenouilles), objets de bois (bacs à lessive, ustensiles de cuisine, barattes), outils agricoles (araires, machines à semer). On s'attardera surtout devant la **reconstitution d'une maison paysanne★** avec son toit de chaume *(škopa)*, meublée et peuplée de mannequins portant le costume traditionnel de la région. Remarquez en particulier l'homme, coiffé d'un calot, vêtu d'un gilet passé sur une chemise bouffante et d'une culotte brodée et chaussé de grosses chaussettes de laine et d'*opanques*.

La **section archéologique** présente des objets en bronze et des bijoux provenant d'une peuplade illyrienne locale, les lapodes, et un joli bas-relief romain représentant un jeune couple.

La dernière section est consacrée à l'**alpinisme croate** : évocation à l'aide de documents et objets (chaussures, pics, tentes) de la conquête du Klek et des grands alpinistes croates, notamment les membres d'une expédition tragique à l'Éverest.

Une salle est consacrée à **Ivana Brlić-Mažuranić**, « l'Andersen croate », auteur de charmants contes de fées, née à Ogulin *(voir à Slavonski Brod, p. 392)* et à son grand-père **Ivan Mažuranić**, premier *ban* croate issu du peuple *(voir à Novi Vinodolski, Kvarner, p. 263 et 258)*. Enfin, vous serez invité à visiter la cellule circulaire où fut détenu pendant trois mois le futur **maréchal Tito**.

Aux alentours

Le Klek

Quitter Ogulin par le nord (direction Vrbovsko) et, à la sortie de la ville, prendre sur la gauche la direction de Jasenak.

Tandis qu'on monte au-dessus de la petite plaine dans laquelle est établie Ogulin, on aperçoit devant soi la silhouette rocheuse déchiquetée du sommet. Ce piton rocheux aux parois verticales de 200 m de haut est, avec ses 1 181 m d'altitude, le point culminant du massif de Velika Kapela. Si son ascension est réservée aux alpinistes chevronnés (c'est la proximité de ce sommet qui a entraîné la création à Ogulin de la première société d'alpinistes croates), ses versants boisés autorisent bien des randonnées.

C'est le cas notamment à partir du village de Bjelsko, point de départ de sentiers conduisant au Klek et au massif de Velika Kapela.

De Bjelsko au refuge (Planinarski Dom) du Klek

Compter 1h.

Se munir de bonnes chaussures de marche et de boissons. Balade agréable sur un sentier balisé. Si la faune se montre le plus souvent assez timide (ne comptez pas tomber nez à nez avec un ours !), la flore réserve aux amateurs d'agréables surprises, en particulier quelques orchidées sauvages.

Jasenak-Vrelo

Quitter Ogulin comme précédemment et suivre la direction de Jasenak où l'on prend à droite une petite route vers Vrelo.

Petite station de sports d'hiver dotée de plusieurs pistes (la principale, Vrelo, d'une longueur de 1 540 m, accuse un dénivelé de 451 m) et de remontées mécaniques, Jasenak abrite le Centre olympique de Bjelolasica.

Lac Sabljaci (Jezero Sabljaci)

Prendre dans Ogulin, ulica V. Nazora avant le parc du Roi-Tomislav et longer le quai de la Dobra que l'on abandonne pour continuer tout droit dans la rue Sv. Jakova. À Kučinić-Selo, suivre à gauche vers Salopek. Surnommé « la mer d'Ogulin », cet immense lac de barrage de 170 ha a été créé sur la Zagorska Mrežnica. Aux beaux jours, les habitants de la région s'y adonnent aux joies de la baignade, de la pêche (les truites y abondent), du canotage, voire de la planche à voile. En outre, les chemins tracés tout autour du lac permettent de nombreuses balades, tant à pied qu'à VTT.

Circuits de découverte

La vallée de la Dobra, d'Ogulin à Vrbovsko★

À 30 km – 1h environ. Quitter Ogulin à l'ouest en direction de Rijeka et Delnice.

Suivant la vallée sinueuse de la Dobra que suit également la voie de chemin de fer, la route longe les sommets du **massif de Velika Kapela**, en particulier le mont Klek, dont on aperçoit la silhouette caractéristique.

Une montagne de légende

La montagne de Klek est entourée de nombreuses légendes. L'une d'elles concerne son origine. Klek était un antique dieu slave qui, en se sauvant de la colère du dieu suprême, Peroun, s'effondra, exténué, dans les environs d'Ogulin et se transforma en pierre lors de son sommeil. Aujourd'hui encore les habitants d'Ogulin prétendent que la montagne ressemble à un géant endormi et détaillent sa tête, son dos, ses épaules… Une autre légende raconte que les sorcières, les fées et les elfes du monde entier viennent les nuits de tempête se réunir sur le Klek où ils dansent en faisant un bruit de tous les diables. On prétend que certaines nuits leurs cris retentissent jusqu'à Ogulin… Cette légende est si populaire qu'aujourd'hui les « sorcières d'Ogulin », en costumes, viennent accueillir les voyageurs de l'écotrain. Un festival des sorcières a lieu au mois de juin *(Voir carnet pratique, p. 272)*.

De vastes prairies précèdent le village de **Ljubošin★**. Au-delà, la route, étroite mais en bon état, serpente dans un paysage agréable, particulièrement verdoyant, à la fois riant, grâce aux prairies d'un vert tendre que le soleil illumine et où paissent chèvres et moutons, et sévère avec les frondaisons sombres, presque noires, des sapinières.

On traverse un torrent, le Ribnjak, sur un pont d'une remarquable étroitesse.

Gomirje

Sur la gauche de la route, marquant un col, se dresse un monastère fondé au 16e s. Le clocher de l'église est une ancienne tour de défense élevée par les Frankopan.

On entre alors dans un étroit **défilé★**, creusé par la Dobra, un torrent à cet endroit, sur 3 km environ.

Une vue vers l'arrière (à hauteur du pont de Luke) permet d'apercevoir encore une fois le sommet rocheux du Klek. Puis la route à flanc de coteau parcourt à nouveau un beau paysage vallonné dont les éminences sont recouvertes de forêts de sapins.

Vrbovsko

Classique village de montagne avec ses chalets, point de départ de randonnées en kayak ou en canoë sur la Dobra. Possibilités d'hébergement chez l'habitant (se renseigner à l'office de tourisme, Dobra 4).

Après Vrbovsko, on rejoint en 1 km, à hauteur de Stubica, la route de Karlovac à Rijeka.

À travers la Lika, d'Ogulin aux lacs de Plitvice

70 km – 2h30 environ. Quitter Ogulin en suivant la direction de Sinj.

Oštarije

Cette petite localité conserve un des rares souvenirs de l'occupation française de 1809-1813 : le **pont Marmont**, du nom d'Auguste Frédéric Viesse de Marmont (1774-1852), maréchal d'Empire désigné par Napoléon Ier pour administrer les Provinces illyriennes et qui fut fait duc de Raguse en remerciement de ses bons et loyaux services. Long de 7 m, ce pont comprend 16 arches, dotées de puissants contreforts côté amont. À la tête du pont, sur votre gauche, remarquez la chapelle avec son toit de tuiles vernissées.

Josipdol

Important nœud routier, l'ancienne Munjava doit son nom à une visite de l'empereur Joseph II effectuée en 1775 : il y serait, nous dit la chronique, tombé de cheval, mésaventure qu'il attribua à l'état déplorable de la route, et qui l'incita à construire la « route Joséphine » entre Karlovac et Senj. Hors son église (vouée à saint Joseph, comme de juste !) de 1785, le principal intérêt de la petite ville est de disposer d'un hôtel…

Quitter Josipdol en direction de Plaški puis, après 1 km, prendre à gauche la direction des lacs de Plitvice.

Suivant la ligne de chemin de fer, la route parcourt un paysage vallonné et serein de plateaux encadrés de montagnes boisées.

Plaški

On commence à remarquer quelques traces du dernier conflit, activement effacées grâce aux programmes d'aide à la reconstruction. Remarquez le curieux contrefort de pierre du clocher de l'église orthodoxe, qui a survécu aux restaurations historicistes. Après **Lapat**, la route s'élève en lacet dominant le plateau. On traverse quelques villages abandonnés ou en ruine, comme **Lička Jasenica**. La route continue à s'élever et doit être parcourue avec prudence à cause de son étroitesse, et en raison des chutes de pierres (voire d'arbres).

Saborsko

Village tout neuf (y compris l'église) situé sur un vaste plateau dégagé que l'on quitte pour entrer dans une épaisse forêt de sapins.

Kuselj

Agréable village posé dans une clairière exposée au soleil, Kuselj marque l'entrée dans le parc national des lacs de Plitvice. Au-delà, la route devient très étroite et descend en lacets serrés dans la forêt. L'absence d'accotement et la présence d'un précipice rendent assez périlleux les croisements.

Poljanak

C'est dans ce village que l'on sort de la forêt. Les nombreuses maisons proposant des chambres aux touristes indiquent la proximité du parc. Une descente abrupte conduit à un carrefour où l'on trouve la route de Zagreb à Split qu'on prend sur la droite sur 2 km environ pour atteindre les **lacs de Plitvice★★★** (voir ce nom, p. 280).

Ogulin pratique

Informations utiles

Code postal – 47300.

Indicatif téléphonique – 047.

Office du tourisme – B. Frankopana 2 - ✆ 532 278.

Transports

Gare ferroviaire – Trg Franje Tuđmana. Ogulin est situé sur la ligne Zagreb-Split et est donc bien desservi. Signalons l'existence du populaire **Karlek**, « écotrain » touristique partant de Zagreb et dont Ogulin est le terminus.

Gare routière – Trg Franje Tuđmana.

Stationnement – Parfois difficile autour du parc du Roi-Tomislav. Grand parking à une centaine de mètres du centre, sur la route de Vrbovsko, à droite après le château Frankopan et le pont sur la Dobra.

Se loger

À OGULIN

⊜☻ **Hotel Klek** – Otok Oštarijski bb - ✆ 819 120 - 10 ch : 300 kn 🖵 - **P**. Voici un hôtel qui ne donne point envie d'y descendre : situé dans le bâtiment d'un supermarché à l'entrée sud de la ville, précédé d'un immense parking, ce n'est pas exactement ce qu'on appelle un lieu de charme… Il peut néanmoins constituer une solution de dépannage en attendant l'ouverture d'un nouvel hôtel en construction au centre-ville. Chambres propres et confort standard.

Pour l'hébergement chez l'habitant, s'adresser à l'**office de tourisme** qui centralise les offres.

À JOSIPDOL

⊜☻ **Hotel Josipdol** – Karlovačka 4 - ✆ 581 766/767/768 - 50 ch. : 320 kn 🖵 - **P**. Grand hôtel moderne, doté d'un restaurant et d'un bar très fréquenté. Les chambres sont vastes, même si elles manquent de charme. Une adresse utile pour qui souhaite faire étape dans la région.

Se restaurer

PRÈS DU LAC SABLJACI

⊜☻ **Restaurant Sabliaci** – Jezero Sabliaci bb, ✆ 535 434 - plats 50/70 kn - poisson 150 kn/kg. À 2 km d'Ogulin, au bord du lac, voici un endroit agréable pour déguster des spécialités régionales ou une belle truite élevée dans un étang voisin.

À JOSIPDOL

⊜☻ **Restaurant Gradina** – Senjska cesta (route de Senj) 32 - ✆ 581 515 - plats 50/60 kn - poisson 100 kn/kg. Charcuteries, gibier et grillades sont les spécialités de ce restaurant qui s'enorgueillit de figurer sur la liste des cent meilleurs de Croatie.

Faire une pause

Café Stari Grad – A. Stepinca 1. Face aux frondaisons du parc du Roi-Tomislav, un lieu central, agréable et très fréquenté pour une petite pause en terrasse.

Sport et loisirs

Excursions – L'office de tourisme organise des excursions à la journée dans les environs de la ville (le lac Sabljaci, Centre olympique Bjelolasica à Jasenak).

Randonnée – Nombreuses possibilités de randonnée à pied et à vélo dans le massif de Velika Kapela et autour du lac Sabljaci.

Rent-a-Bike – Dans le restaurant Sabliaci ou au Centre olympique Bjelolasica.

Pêche – Pour obtenir l'autorisation de pêcher tant dans les rivières que dans le lac Sabljaci, s'adresser à la société locale de pêche sportive (Športsko ribolovno društvo, B. Frankopana 13 - ✆ 531 160 - 10h-12h), ou à l'office du tourisme d'Ogulin où l'on vous délivrera des permis valables une journée.

Rafting et canoé-kayak – Possibilité de pratiquer ces sports sur la Dobra accompagné par un moniteur de la société locale de rafting. S'adresser à l'office de tourisme.

Événements

Festival des sorcières et des fées – Juin. Plaisirs de la gastronomie régionale, concerts, activités sportives, et une nuit blanche sur Klek avec un bal costumé dans un refuge de montagne qui dure de minuit à l'aube. Ambiance conte de fées et nuit fantastique assurée !

Journées du folklore de la région de Karlovac – Début juin. Expositions d'artisanat, concours de carrioles, présentations d'anciennes coutumes, chants et danses folkloriques par des artistes venus de toute la Croatie.

Opatija★

KVARNER – 12 719 HABITANTS
CARTE GÉNÉRALE A2 – CARTE MICHELIN 757 B6 – SCHÉMA : VOIR À GOLFE DE KVARNER.

Un site qui évoque la Côte d'Azur, celle d'autrefois lorsque d'excentriques Britanniques venaient y passer l'hiver. Une végétation où cyprès et pins se mêlent aux palmiers, et où glycines, bougainvillées, lauriers-roses illuminent les jardins. Des villas et des manoirs, construits à la fin du 19e s. dans des styles où le néo-pompéien côtoie allègrement le néomédiéval et dont les jardins descendent jusqu'à la mer. Une extraordinaire promenade dont le tracé épouse les moindres sinuosités du littoral. Telle est Opatija, la « Nice de l'Adriatique » où semble perdurer quelque chose des fastes d'antan, ceux de l'Empire finissant, lorsque les princesses autrichiennes valsaient au bras de barons hongrois…

▶ **Se repérer** – Au fond du golfe de Kvarner, Opatija s'étage sur un versant à la végétation luxuriante plongeant dans la mer. Depuis la route de corniche, une route en lacet conduit au centre traversé par la rue du Maréchal-Tito (ulica Maršala Tita).

👁 **À ne pas manquer** – Le parc et la villa Angiolina, la promenade François-Joseph.

🕐 **Organiser son temps** – Il n'y a pas de musées à visiter à Opatija. Tout dépend donc du temps que vous voulez passer en douces flâneries au bord de l'Adriatique.

👪 **Avec les enfants** – Parc Angiolina, terrain de jeux en bord de mer au centre-ville.

👣 **Pour poursuivre le voyage** – Voir aussi Rijeka (13 km à l'est), le golfe de Kvarner, Labin (à 48 km) et le parc national de Risnjak (accès par Delnice, à 53 km sur l'autoroute de Zagreb).

Après-midi ensoleillée sur le petit port de Volosko.

Se promener

Rue du Maréchal-Tito (ulica Maršala Tita)

C'est autour de cette rue principale, tracée à mi-hauteur de la colline, que s'articule la ville : de part et d'autre, les façades des villas et des hôtels rappellent les fastes d'antan, lorsque Opatija était une station mondaine accueillant l'élite de la société austro-hongroise : il en émane la nostalgie d'une époque révolue, avivée par l'aspect décati de constructions qui ont souffert du manque d'entretien, et de la transformation de nombre d'entre elles en établissements de soins spécialisés.

Parc et villa Angiolina

👪 Parc très agréable à la végétation exubérante. L'intérieur de la luxueuse villa néoclassique est décoré de peintures en trompe-l'œil que des expositions estivales permettent de découvrir. Au pied du parc et au bord de l'eau, la statue de la **Fille à la**

Le rendez-vous « people » du temps jadis

C'est la construction de la villa Angiolina et l'aménagement du parc par Higinio von Scarpa qui marqua en 1843 les débuts du tourisme à Opatija. Ce puissant homme d'affaires y reçut le gratin de la société de l'époque, parmi lesquels le ban Josip Jelačić et l'archiduc Maximilien. Autour de 1885, Opatija était devenue une station d'été appréciée de l'élite austro-hongroise : alors s'édifièrent hôtels (le Kvarner fut en 1884 le premier hôtel du littoral adriatique), sanatoriums et villas, dessinés par des architectes qui s'en donnèrent à cœur joie, multipliant les pastiches, alternant le pompeux et la fantaisie, mêlant le néopompéien au style troubadour, et peuplant leurs façades de statues de divinités, d'atlantes, de *putti*, de pilastres, frises, volutes, balustres… tandis que de somptueux jardins dévalant jusqu'à la mer étaient aménagés. Époque fastueuse d'une station où se retrouvaient l'élite du temps (les rois Charles de Roumanie et Oscar de Suède, la princesse Louise de Saxe-Cobourg) ainsi que des artistes tels Puccini, Mahler, Tchekhov ou Isadora Duncan…

mouette, exécutée par Z. Car, est devenue l'un des symboles d'Opatija. Elle remplace depuis 1956 la statue de la *Madonna del Mare*, œuvre du sculpteur Rathausky détruite par une tempête, dont on peut voir une réplique devant l'église Saint-Jacob.

Promenade François-Joseph (Šetalište Franja Jozefa I)★★
Accès par le Yacht-Club ou n'importe quelle ruelle transversale depuis la rue Tito.
Cette promenade piétonne épousant les courbes à fleur d'eau Volosko à Lovran sur 12 km. Passant au pied des villas et de leurs jardins, qui constituent parfois un véritable tunnel de verdure, elle permet de découvrir de petites criques où attendent quelques barques, de s'asseoir sur un banc pour lire, de se poser sur les rochers pour profiter du soleil ou de céder à la tentation de l'Adriatique.

Aux alentours

Volosko
En voiture, quitter Opatija en direction de Rijeka par la route de corniche. Après avoir dépassé Volosko prendre sur la droite en direction de Volosko Centar et se garer le long de la rue principale. Des ruelles en escalier permettent de descendre vers le port.
Charmant petit port situé à 3 km d'Opatija, en contrebas de la route, et accessible également à pied par la **promenade François-Joseph** (compter 1h).
Quelques maisons aux façades colorées de teintes chaudes, comme empilées les unes sur les autres, des barques de pêcheurs, des restaurants de poissons composent autour d'un petit port un agréable tableau. Au-delà du port, le long de la promenade, de belles villas se nichent dans une verdure exubérante où les cyprès se taillent la part du lion. En face, la mer, Rijeka et Cres. Les rochers plus ou moins aménagés font office de plage.

Kastav★
6 km au nord d'Opatija. Garer la voiture sur la petite place devant la porte d'entrée du village.
Perché au-dessus du golfe de Kvarner, ce beau village fortifié conserve de nombreux vestiges. À droite de l'entrée, une charmante **loggia municipale★ (Gradska Loža)** construite en 1571 est la plus grande et la mieux préservée de la région. En passant par une belle **porte fortifiée (Voltica)** couronnée des armes de l'ordre des Jésuites (1769), on découvre un dédale de petites rues qui conduit à la place **Lokvina** où se dresse la petite **église de la Sainte-Trinité (Dvorska crkva Sv. Trojice)**. Bâtie à la fin du 14e-début du 15e s., elle conserva la plus ancienne inscription glagolitique de la région (1438). En face, le **Kaštel**, l'ancienne résidence des gouverneurs de Kastav, date de la même époque. Tout en haut du village, l'église paroissiale **Sainte-Hélène-de-la-Croix (Župna crkva Sv. Jelene Križavice)**, qui reçut un décor baroque au 17e s. abrite près du mur sud les tombeaux des gouverneurs de Kastav. De l'église, une superbe **vue★★** s'ouvre sur Opatija et le golfe de Kvarner. À côté de l'église, le haut **clocher** couronné d'une horloge **(Zvonic)** se dresse, telle une sentinelle, gardant la mémoire des siècles passés. Au pied du clocher, d'anciennes cloches et un monument aux victimes du dernier conflit en forme de croix de marbre blanc. On découvre dans le village les majestueuses ruines de l'église de l'Assomption-de-la-Vierge et une belle **vue★** sur l'arrière-pays valonné. En quittant Kastav, n'oubliez pas de jeter un coup d'œil sur le bâtiment de **Čitalnica**, la première salle de lecture fondée en Istrie en 1866, où enseigna le célèbre poète Vladimir Nazor.

Opatija pratique

Informations utiles

Code postal – 51 410.

Indicatif téléphonique – 051.

Office de tourisme – V. Nazora 3 (entre l'hôtel Millenium et le parc) - ✆ 271 710, fax 271 699, www.opatija-tourism.hr.

Centre d'information touristique – M. Tita 101/4 - ✆ 271 310 - 8h-19h, dim. 12h-19h.

Urgences médicales – V. Nazora 4 - ✆ 271 266.

Poste – Kumićičeva 1 - tlj sf dim. 8h-19h, sam. 8h-13h.

Internet – **Café La Habana** - M. Tita 122 - 10h-2h.

Transports

Autobus – D'Opatija à Rijeka, service de bus 24h/24. Les alentours (Volosko, Ičići, Lovran) sont, eux aussi, bien desservis. La gare routière est située au cœur de la ville, mais le bus pour Rijeka se prend à 100 m de là, rue Veli Jože.

Taxis – ✆ 711 618 et 711 366. Des taxis stationnent autour de la gare routière.

Ferries – Le port de Rijeka (voir ce nom, p. 290) est facilement accessible. Les bus vous déposeront auprès des quais des ferries. La proximité de Brestova permet d'envisager une escapade sur Cres et Lošinj.

Stationnement – Il est payant sur la rue M. Tita (du moins au centre) ; en saison et le w.-end les places sont rares. Le plus simple est le parking de la marina (payant à des employés communaux, rue Adeline-del-Mestri descendant le long du parc).

Nautisme

👁 **Bon à savoir** – Programme ininterrompu d'informations relatives aux conditions de navigation, prévisions météo et messages émis par Radio Rijeka, canaux 16, 24, 20 et 4.

Capitainerie – Zert 3 - ✆ 711 249 – VHF 10 et 16. Carburant à l'entrée du port.

ACI Marina Opatija-Ičići – Entrée par le NE du grand brise-lames - ouverte toute l'année - Ičići POB 60 - ✆ 704 004, fax 704 024 - canal VHF 17 - m.opatija@aci-club.hr. À 2 km au S d'Opatija (accès par le bus 35), c'est le principal port de plaisance de la région. Équipement : voir le chapitre « Nautisme » p. 38.

Marina Admiral – 45°19'06 N - 14°18'04 E - M. Tita 19 - ouvert toute l'année - ✆ 271 533, fax 271 708 - m.opatija@ri.aci-club.hr. Petit port de plaisance au cœur d'Opatija : pratique pour une escale mondaine.

LOCATION DE BATEAUX

Marine Club Mediteranian – Ičići POB 22 - ✆ 704 088, fax 704 027. Une des principales agences de location de bateaux possède un bureau au port de plaisance d'Ičići.

INITIATION

A.N.A – M. Tita 79 - ✆ 711 814 - www.anasailing.com. L'académie nautique d'Adriatique propose des cours pour débutants (7 j. : 470 €) et des courses en mer de sept jours pour différents niveaux.

Se loger

CHEZ L'HABITANT

⌖ **Da Riva** – M. Tita 170- ✆ 272 990 - www.da-riva.hr - da-riva@da-riva.hr - ch. : 15/20 €, studio 40/50 €, appart. (4 à 6 pers.) 70/100 €. Grand choix de chambres et d'appartements. Supplément de 30 % pour un séjour inférieur à 4 nuits.

HÔTELS

👁 **Bon à savoir** – La société **Liburnia Riviera Hoteli** gère nombre d'hôtels de la riviera d'Opatija. Rés. et rens. sur www.liburnia.hr.

⌖ **Hotel Opatija** – Trg V. Gortana 2/1 - ✆ 271 388, fax 271 317 - info@hotel-opatija.hr – 125 ch. : 60/96 € ☐ - ⏃. Situé au-dessus de la gare routière, au milieu des pins, cet ancien sanatorium propose des chambres d'une qualité variable, mais toutes d'un bon rapport qualité-prix, malgré un petit-déjeuner moyen.

⌖ **Villa Dubrava** – M. Tita 188/4, ✆ 202 680, fax 202 687 – villa-dubrava@ri.t-com.hr - 43 ch. : 510/676 kn ☐. Ce petit établissement propose des chambres agréables, un peu petites. Depuis certaines, belle vue sur le Kvarner.

⌖ **Hotel Istra** – M. Tita 145 - ✆ 271 299, fax 271 826 - 123 ch. : 538/800 kn - ⏃. Accès piéton par le lungomare, après la petite marina de l'hôtel Admiral. Ses chambres un peu fanées mais bien entretenues sont parmi les moins chères d'Opatija.

⌖ **Grand Hotel Kvarner-Amalia** – Tomašića 1/4 - ✆ 271 233, fax 271 202 - kvarner@liburnia.hr - 86 ch. : 500/1 110 kn ☐ - ⏃ 🅿. La magnifique façade du 1ᵉʳ hôtel d'Opatija abrite des chambres d'un confort standard. Mais sa situation dans l'agréable jardin botanique le long du lungomare, son aura historique, et ses premiers prix en font un choix intéressant. On y trouve la célèbre salle « Kristal », un sauna, une piscine intérieure et une « plage » privée.

⌖ **Hotel Galeb** – M. Tita 160 - ✆ 271 177, fax 271 349 - hotel-galeb@ri.t-com.hr - ouvert toute l'année - 12 ch : 870/940 kn, 12 suites : à partir de 1 130 kn ☐. Ce bel édifice abrite de vastes chambres, confortables et bien rénovées. Le petit-déjeuner est de bonne qualité. Demi-pension intéressante (90 kn). Remise de 10 % pour paiement cash.

Intérieur de l'hôtel Millenium.

⊖⊜⊜⊜⊜ **Hotel Millenium** – M. Tita 109 - ✆ 202 000, fax 202 020 - info@ugohoteli.hr - 125 ch. et suites : 158/190 € pour les ch., à partir de 262 € pour les suites ⊑ - 🍴 🅿. Idéalement placé, cet hôtel dispose de chambres d'un bon confort. Celles du premier pavillon ont, en étage, une belle vue sur le golfe de Kvarner. L'accueil est attentionné. Belles salles de restaurant, terrasse permettant de ne rien perdre de l'activité du centre-ville, bon petit-déjeuner. Parking payant.

⊖⊜⊜⊜⊜ **Hotel Mozart** – M. Tita 138 - ✆ 718 260, fax 271 739 - info@hotel-mozart.hr - 26 ch. et 3 appart. : 148 € pour les ch., 236 € pour les appart. ⊑. On ne peut manquer la façade rose et blanc de cet élégant hôtel de style Sécession situé en plein centre-ville. Les grands volumes des chambres, très confortables, répondent à la préciosité du décor des parties communes.

Se restaurer

À OPATIJA

⊖/⊜⊜⊜ **Bistro Yacht-Club** – A. del Mestri 1 (accès par la promenade François-Joseph) - ✆ 272 345 - 8h-1h - plats 50/80 kn, poisson 320 kn/kg. Un petit bâtiment blanc et bleu posé comme un navire sur le port de plaisance. Salades, poissons, risotto aux fruits de mer ou à l'encre de seiche, et langoustines *alla buzzara*. Une adresse très appréciée.

⊖⊜/⊜⊜⊜ **Bevanda** – Zert 8 - ✆ 712 772 - 12h30-0h - poisson 340 kn/kg, agneau 230 kn/kg, plats 60/110 kn. Sur le port, c'est le restaurant le plus réputé de la ville. Si le décor est assez clinquant, on vient ici d'abord pour la qualité de la cuisine et la fraîcheur des poissons. Belle carte de vins. Pianiste d'ambiance le soir et une grande terrasse en saison.

⊖⊜⊜⊜ **Villa Ariston** – M. Tita 179 - ✆ 271 379. Les fastes de la Belle Époque dans une villa de la fin du 19e s. Belle carte de poissons et fruits de mer.

À VOLOSKO

👁 **Bon à savoir** : les quais du petit port sont occupés par plusieurs restaurants de standing très divers : la **gostionica Ivka**, dominant le quai sur une terrasse, le

restoran Mili, plus huppé et **Le Mandrać**, le plus réputé des trois. Partout, spécialités de poissons, calmars grillés et fruits de mer.

⊖⊜/⊜⊜⊜ **Amfora** – Črnikovica 4 - ✆ 701 222 - 12h-0h - poisson 300 kn/kg, plats 60/90 kn. À gauche en haut du village, ce restaurant dispose d'une belle terrasse et d'une grande salle surplombant la mer. Une excellente adresse.

À KASTAV

⊖⊜ **Loža** – Prolaz Ante Dukića 1a (indication sur la place centrale) - ✆ 691 347 - fermé lun. - 30/70 kn. Pour déguster une bonne pizza dans un agréable jardinet avec vue sur la mer.

Faire une pause

Hemingway ou **Galija** ? Les deux cafés disposent d'une terrasse et donnent sur les quais du port de plaisance Admiral. Lequel choisir ? C'est une affaire d'ensoleillement ou d'inspiration…

Coretto – M. Tita 119 - 7h30-0h, w.-end 7h30-2h. Immense terrasse donnant sur un paysage que vous aurez tout loisir d'admirer en dégustant une glace.

Sport et loisirs

BAIGNADE

Sur la plage municipale, hémicycle de ciment surpeuplé les w.-ends d'été ou petites « plages » le long du *lungomare*.

REMISE EN FORME

Thalasso Wellness Centar Opatija - M. Tita 188/1 - ✆ 202 855 - thalassowellness.opatija@ri.t-com.hr. Piscine, sauna, jacuzzi, massages, fitness, aromathérapie…

SPECTACLES

Théâtre de plein air – Zert 2 - ✆ 271 377. C'est la salle de spectacles la plus courue d'Opatija : projections de films en VO., concerts et théâtre. Programmes et réservations sur place et dans les agences.

Santé

Thalassotherapia Opatija – M. Tita 188/1 - ✆ 202 600 - thalassotherapia-opatija@ri.t-com.hr. Ouvert en 1957, cet établissement propose des traitements des atteintes cardio-vasculaires, pulmonaires et rhumatologiques.

Événements

Carnaval – De mi-janv. à déb. mars, en alternance avec celui de Rijeka. « Maskerade », défilés de chars (corso), expositions et manifestations diverses des plus colorées…

Régate internationale – Juin.

Liburnia Jazz Festival – Juillet. Toute la ville retentit au son du jazz et du blues interprétés par des artistes du monde entier.

Parc national de **Paklenica**★★
Nacionalni park Paklenica

CARTE GÉNÉRALE B3 – CARTE MICHELIN 757 D7 – SCHÉMA : VOIR À ZADAR

Aménagé au cœur du massif du Velebit, ce parc national est avant tout le paradis des sportifs, amateurs d'escalade ou de randonnée. Mais les amoureux de la nature y trouveront aussi leur compte, en longeant les profonds canyons et en se rafraîchissant dans les eaux cristallines des torrents.

▶ **Se repérer** – Parallèle au littoral, le massif du Velebit s'étend sur 145 km. Il est constitué d'une impressionnante mais étroite barre de crêtes calcaires et d'un imbroglio de sommets aux formes insolites, dont plus d'une douzaine culminent entre 1 600 et 1 800 m. Par endroits, ses pentes arides plongent directement dans les eaux claires de l'Adriatique. À l'arrière, le Velebit protège le plateau de la Lika, zone de collines très boisées dévolue à la sylviculture, qui assure la transition entre la Croatie méditerranéenne et continentale.

👁 **À ne pas manquer** – Randonnées, randonnées et randonnées.

🕐 **Organiser son temps** – Prévoir au moins une journée.

👪 **Avec les enfants** – Canyon de Velika, grotte de Manita peć.

🐾 **Pour poursuivre la visite** – Voir aussi Zadar (50 km), l'île de Pag (50 km), et l'île de Rab (embarquement à Jablanac au nord de Karlobag).

Seigneurs de la forêt, les ours ont même leur nurserie à Kuterevo, au cœur du massif du Velebit.

Comprendre

Des loups et des ours – Outre le profil tourmenté et fantastique des formations calcaires qui caractérisent le massif du Velebit, ce sont sa flore et surtout sa faune qui en font l'un des derniers sanctuaires naturels d'Europe. Il tire son originalité de la coexistence d'espèces méditerranéennes et continentales, incluant celles de la montagne. Parmi les plus spectaculaires, on compte les vautours fauves (leur envergure approche les 3 m), plusieurs espèces d'aigles (dont l'aigle royal), des faucons… Dans les rangs des mammifères, loirs, martres et chats sauvages cohabitent avec les lynx (réintroduits en Slovénie en 1973, ils réoccupent peu à peu tout le Velebit), les loups et même les ours bruns.

Se promener

Il existe trois grandes zones de randonnées dans le parc, toutes autour du village côtier de Starigrad-Paklenica, lui-même sans intérêt. Avant de les aborder, procurez-vous les cartes topographiques et renseignez-vous sur l'état des sentiers et de la météo. Prévoyez toujours de l'eau, un chapeau et des chaussures de marche. Le sentier principal est facile.

Velika Paklenica★★

Principal accès au parc, juste avant d'arriver à Starigrad en venant de Zadar. Du Lever au coucher du soleil, 30 kn (valable 1 j. avec visite de Manita peć ou 2 j. sans), tarifs dégressifs pour plusieurs jours.

Il constitue l'entrée principale dans le massif et surtout la mieux aménagée, fréquentée par les alpinistes, randonneurs et vététistes et propice aux balades de tous niveaux et durée. Le sentier principal conduit au refuge de montagne.

Canyon de Velika★★

30mn pour parcourir le canyon, facile.

C'est par le fond de ce défilé spectaculaire (400 m par endroits), creusé par la rivière Velika Paklenica, que vous entrez dans le massif montagneux. Les parois sont aménagées pour l'escalade, mais le sentier lui-même est facile, suivant le cours du torrent. Au sortir du canyon, on aborde le pied de l'**Anića kuk**, un pic rocheux vertical de 712 m, très recherché par les alpinistes *(sentier vers la droite).*

Manita peć★

1h de marche à partir de la bifurcation. Juil.-sept. : visites guidées 10h-13h ; juin et oct. : lun., merc., sam. 10h-13h ; mai : merc., sam. 10h-13h ; avr. : sam. 10h-13h.

À peu près à mi-chemin du refuge, un sentier bifurque vers la gauche et conduit à cette grotte longue de 175 m, présentant des concrétions en abondance. Son accès et sa structure permettent de mesurer l'effet de l'eau et de l'érosion sur la roche calcaire et la complexité du sous-sol.

Refuge de montagne

8 km, dénivelé 500 m, 2h de marche à partir du parking, facile.

En s'élevant au cœur du massif, la végétation change et le paysage devient celui de la montagne. Tout le long, on remarque l'aspect torturé du karst sous l'effet de l'érosion. Le refuge lui-même offre une halte bienfaisante, si vous souhaitez aborder les grandes randonnées à l'intérieur du massif. La plupart peuvent être accomplies en boucle à partir du refuge mais exigent une excellente condition physique et une bonne carte.

Mala Paklenica★

Accès à partir de la route principale, à 3 km à l'est de l'entrée du parc, en direction de Zadar. Difficile.

Moins spectaculaire et moins fréquenté que le précédent, ce canyon est lui aussi occupé par un torrent entouré de maquis. En dehors de l'été, les rochers y sont glissants et rendent souvent le canyon impraticable. Tout cela en fait un site plus sauvage, habité par les grands vautours fauves qui nichent sur les rochers inaccessibles.

À l'ouest de Starigrad★★

Quelques très beaux circuits, de difficulté moyenne, permettent de découvrir les étonnantes formations karstiques, telle celle du **Jagin kuk★★**, mais ils demandent la journée et une bonne forme physique *(rens. et itinéraires au bureau du parc).*

Aux alentours

Côte du Velebit★★

Directement dominée par la montagne, cette côte austère et spectaculaire qui remonte vers Rijeka, *via* Karlobag et Senj, ne se prête pas au séjour. Les plages y sont pratiquement inexistantes, à peine peut-on se baigner en plongeant sportivement des rochers. Mais comment remonter ? Les panoramas à couper le souffle agrémentent la route sinueuse.

Vers la Lika★

Passée Karlobag, quittez la côte en direction de Gospić : la route s'élève au cœur du massif du Velebit en offrant des **panoramas★★★** spectaculaires des îles de Pag et Rab. À Baške Oštarije, d'autres sentiers de randonnées abordent le Velebit par sa face continentale.

L'orphelinat des ours

Au cœur du massif montagneux, le village de Kuterevo (16 km au sud-ouest de Otočac ou 59 km au sud-Est de Senj) accueille, depuis 2002, un orphelinat pour de jeunes ours ayant perdu leur mère dans différentes circonstances. Il y a actuellement 4 ours – 3 mâles et 1 femelle – qui s'appellent Brundo, Gor, Lik et Zora. Les visiteurs sont les bienvenus et des guides leur raconteront l'histoire de chaque ours. *8h-20h. 4 €.* ✆ *(053) 799 222.*

Parc national de Paklenica pratique

Informations utiles

Indicatifs téléphoniques – *023* (Starigrad Paklenica) et *053* (à partir de Lukovo Šugarje).

PN Paklenica : Bureau du parc – *F. Tuđmana 14a - Starigrad Paklenica -* ☎ *(023) 369 202/155 - np-paklenica@ zd.t-com.hr, www.paklenica.hr.*

PN Sjeverni Velebit (Velebit du Nord) : Direction du parc – *Krasno Selo bb -* ☎ *665 380*; **Bureau du parc à Senj** - *Obala Kralja Zvonimira 6 -* ☎ *884 551 - www.np-sjeverni-velebit.hr.*

Transports – La ligne de bus Rijeka-Zadar passe à Karlobag et à Starigrad Paklenica.

Essence – Attention aux pannes sèches ! Essence à Starigrad Paklenica, Karlobag, Jablanac et Senj.

Banques – Distributeurs de billets à Starigrad Paklenica, Karlobag et Senj.

Se loger

👁 **Bon à savoir** : la côte du Velebit est pratiquement inhabitée, à l'exception de Starigrad Paklenica, Karlobag, Jablanac et Senj. Prévoyez donc votre hébergement à l'avance car l'offre est très rare et la route, bien que splendide, est longue.

DANS LE PARC

🛏 **Refuge de montagne** – ☎ *(023) 213 792 - tlj de mi-juil. à mi-sept., seulement le w.-end de mi-sept. à mi-juil. - 40 lits : 65 kn/pers.* - 🚭. Un refuge traditionnel en dortoirs, sanitaires sommaires, bassin naturel pour se baigner en été. Cuisine à disposition. Apporter son sac de couchage et réserver à l'avance en haute saison. À 2h de marche de l'entrée du parc.

👁 **Bon à savoir** – Le parc met aussi gratuitement à disposition 2 refuges de montagnes. Se renseigner auprès du bureau du parc.

À STARIGRAD PAKLENICA

🛏🛏🛏 **Hôtel et villa Vicko** – *Jose Dokoze 20 -* ☎/fax *(023) 369 304 - www.hotel-vicko.hr - 37 ch. et 2 appart. : 540/660 kn les ch. (hôtel), 85/100 € (villa)* 🚭. Petit hôtel sympathique, pratique pour ceux qui veulent passer du temps dans le parc national. La villa ouverte en 2005 est située juste devant la mer et bénéficie d'une petite plage de graviers.

🛏🛏 **Hôtel Rajna** – *F. Tuđmana 105 -* ☎ *359 121, fax 369 888 - www.hotel-rajna.com - 10 ch : 340 kn* 🚭. Située à l'entrée du parc, cette auberge familiale offre de grandes chambres aménagées dans un style rustique. Si l'on peut déplorer la proximité de la route, la cuisine de la maison encline à y rester plusieurs jours. Le propriétaire propose également un hébergement de charme en pleine nature, à 10mn à pied de la mer et du parc *(175 kn/pers./j).*

À KARLOBAG

Il existe de nombreuses possibilités de location d'appartements et de logements chez l'habitant à Karlobag et dans ses environs. S'adresser à l'**office du tourisme de Karlobag** – *F. Tuđmana 2 -* ☎/fax *(053) 694 251 - ured@tz-karlobag.hr, www.tz-karlobag.hr.*

🛏🛏 **Apartmani Life** – *Obala Vladimira Nazora 24 -* ☎ *(053) 694 917, fax (053) 575 476 - www.life.hr.com - 5 studios : 365 kn- 2 appart. (1/3) : 440 kn - 1 suite : 620 kn.* Cette grande bâtisse jaune face à la mer possède des appartements frais, colorés, spacieux et clairs. Le confort et la fonctionnalité de ses équipements (machine à laver, air conditionné, etc.) font de cette rénovation un ensemble très réussi. Le restaurant et sa terrasse donnent directement sur la plage.

VERS LA LIKA

🛏🛏 **Hotel Velebno** – *Baške Oštarije (18 km de Karlobag vers Gospić -* ☎ *(053) 674 005, fax 674 045 - 39 ch. : 450 kn* 🚭. Seul hôtel d'une minuscule station de ski. Ambiance ours empaillé et table en chêne. De nombreux appartements avec chambres pour enfants. L'ensemble de l'équipement est toutefois un peu usagé. La nouvelle direction promet des rénovations et une piscine pour 2007.

Se restaurer

👁 **Bon à savoir** – Vu l'absence de ravitaillement dans le parc en dehors de la cabane forestière Lugarnica dont les horaires sont limités, prévoir des pique-niques (provisions à Starigrad).

🍽 **Cabane forestière Lugarnica** – *À 2h de marche du parking par le chemin de Velika Paklenica - juin-sept. : 10h30-16h30, avr., mai, oct. : seulement le w.-end.* Saucisses grillées, gâteaux, boissons.

🍽/🛏🛏 **Buffet Sv. Lucija** – *Lukovo Šugarje 54 -* ☎/fax *(053) 695 022 - avr.-fin oct. - poissons 150/280 kn/kg, plats 40/50 kn.* À 18 km au sud de Karlobag, ce petit restaurant se niche au chevet d'une jolie église. La cuisinière concocte poissons, grillades et risotto à petits prix. Un accueil simple et chaleureux.

Visite

👁 **Bon à savoir** – Prévoir de bonnes chaussures aux semelles antidérapantes (chemins glissants) et de l'eau. Cartes de randonnées disponibles à l'entrée de Velika Paklenica.

Bureau et entrée du parc – À 1 km de Starigrad Paklenica, après le village de Marasovići.

Prix d'entrée : *30 kn/j, (enf. 20 kn), 60 kn/3j et 90 kn/j. - Visite de la grotte Manita peć : 10 kn (à prévoir avec le billet).*

Parc national des lacs de **Plitvice**★★★
Nacionalni Park Plitvička jezera

CARTE GÉNÉRALE B2 – CARTE MICHELIN 757 D6

Seize lacs disposés en escalier, chacun alimentant le suivant par des cascades, le tout dans un paysage de montagnes couvertes de forêts : tel se présente le parc national des lacs de Plitvice. Mais ces informations ne sauraient masquer l'essentiel : la beauté, parfois tourmentée, parfois sereine de paysages qui échappent à toute monotonie, et celle de ces eaux vives qui jouent sur toute la gamme des bleus et des verts, font de la découverte de ce parc naturel, classé par l'Unesco sur la liste du Patrimoine mondial, une étape indispensable lors d'un voyage en Croatie.

▶ **Se repérer** – L'accès au parc national est situé sur la route de Zagreb à Split, à 85 km au sud-est de Karlovac et à 68 km au nord de Gradac. Venant de Zagreb, vous rencontrerez d'abord l'entrée *(ulaz)* n° 1 qui précède de 3 km l'entrée n° 2, toutes deux situées sur la gauche de la route, où vous pourrez laisser la voiture dans les grands parkings aménagés sous les arbres et prendre vos billets. L'entrée n° 1 permet d'aborder le site par les lacs inférieurs ; l'entrée n° 2, que nous conseillons, est placée entre les lacs supérieurs et inférieurs, à proximité de la zone hôtelière.

👁 **À ne pas manquer** – Tous les lacs sont beaux, chacun à sa manière. Les cascades les plus impressionnantes sont celles du lac Gradina (lacs supérieurs) et la Grande Chute (Veliki Slap) sur les lacs inférieurs.

🕐 **Organiser son temps** – Compter 6 à 8h pour découvrir la totalité du site. Essayez de vous y rendre à l'ouverture afin d'éviter les heures d'affluence.

👪 **Avec les enfants** – Voyage en « petit train » longeant les lacs, traversée du lac Koziak en bateau électrique, les chutes du lac Gradina et le Veliki Slap.

👣 **Pour poursuivre le voyage** – Voir aussi Karlovac (87 km au nord) et Ogulin (65 km à l'ouest).

Comprendre

Un monde en évolution – Creusés dans la dolomie pour ce qui est des lacs supérieurs (d'où la sérénité des paysages boisés), dans le calcaire pour les lacs inférieurs qui l'ont creusé d'impressionnantes gorges, les lacs de Plitvice sont séparés par des barrières de **travertin** ou de **tuf** : des conditions particulières, climatiques et autres, entraînent la prolifération de mousses subaquatiques et d'algues qui retiennent le carbonate de calcium contenu dans l'eau, et forment un dépôt calcaire, qui se solidifie peu à peu. Ainsi naissent les barrières de travertin qui, avec le temps, finissent par émerger et retenir l'eau, formant ainsi un nouveau lac. Poreuses, elles permettent à celui-ci de se déverser dans le lac suivant par des cascades. C'est ce processus, toujours actif, qui explique l'origine du site que l'on admire aujourd'hui. Site ô combien fragile et menacé par une évolution inexorable, le « vieillissement des lacs », que la pollution ne peut qu'accélérer. C'est pourquoi, entre autres mesures de protection, la baignade est interdite dans les lacs.

La forêt et ses habitants – Créé en 1949 par le Sabor, le parc national couvre une surface de 296 km². Ce territoire montagneux qui culmine au mont Cigelj (1 252 m) est en grande partie couvert de forêts où se mêlent feuillus (hêtres, érables, chênes, ormes) et conifères (surtout des sapins, mais aussi des épicéas et des pins). C'est dans ce décor que vit tout un petit monde qui fera le bonheur des naturalistes : papillons, batraciens (salamandres, grenouilles et crapauds), reptiles (lézards, couleuvres, quelques vipères, tortues), oiseaux, et aussi mammifères. Parmi ces derniers, outre quelques loups, des cerfs, chevreuils et sangliers, l'**ours** est la vedette incontestée : on estime à une cinquantaine le nombre de ceux qui, plus ou moins régulièrement, fréquentent le parc. S'il est assez rare de tomber nez à nez avec l'un d'eux, peut-être pourrez-vous en observer les traces : son empreinte sur un sol boueux, ses poils sur un tronc d'arbre auquel il s'est frotté, les lieux qu'il a débarrassés de feuillages et de brindilles pour s'accorder une petite pause bien méritée…

Se promener

Partir de l'entrée n° 2 et traverser la zone hôtelière jusqu'à la rive du lac Kozjak où se trouve le point d'embarquement n° 1 (P1).

Lac Kozjak

Ce premier lac plante d'emblée le décor dans lequel vous allez évoluer : des eaux vertes ou bleues composant, avec le moutonnement des collines recouvertes de forêts, des paysages majestueux. Vous apercevez en face, déjà, parmi les sapins, des cascades dont le bruit lancinant, parfois étouffé, parfois plus présent, vous accompagnera durant toute votre visite. De forme allongée (2 350 m sur une largeur variant de 135 m à 670 m), doté d'une petite île (l'**îlot Stéphanie**), le plus grand lac du parc national couvre, à une altitude de 534 m, une superficie de 83 ha et atteint une profondeur maximale de 46 m. Alimenté par les lacs supérieurs, le lac Kozjak l'est également par des sources, et par une rivière, la Rječica.

Le bateau électrique glisse silencieusement sur les eaux du lac, dans sa partie la plus étroite, jusqu'au P2. Une fois débarqué, un choix s'impose : soit continuer à pied devant vous en direction des lacs supérieurs, soit attendre à l'embarcadère le départ d'un autre bateau pour partir à la découverte des lacs inférieurs.

Les lacs supérieurs (Gornja jezera)

Dénivelé total : 102 m.

Le sentier en rondins s'élève à travers un étrange paysage mi-aquatique, mi-végétal : sous un couvert forestier, les herbes basses disparaissent en partie sous l'eau ; de tous côtés, et même sous vos pas, ce ne sont que filets d'eau scintillante, dévalant

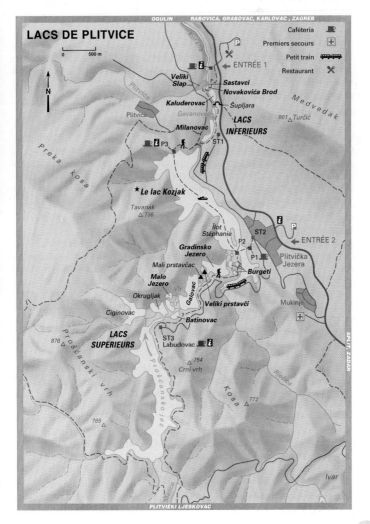

joyeusement la pente avant de se jeter par paliers successifs dans le lac Kozjak.

Les Burgeti

Trois petits lacs aux eaux agitées par un bouillonnement perpétuel, que séparent des barrières de travertin recouvert de végétation. Le sentier permet alors de grimper de façon assez abrupte jusqu'au lac supérieur.

Lac de Gradina (Gradinsko jezero)

Alt. 554 m – Superficie : 0,8 ha.

Calme et silencieux, d'un charme un peu mélancolique, ce lac est longé par un sentier tracé sur la rive. Ses eaux, d'un vert presque transparent près de la rive, foncé aux endroits les plus profonds (10 m), sont peuplées de truites. Le fond blanc caractéristique est constitué de *bjelar*, résidu de travertin vierge de toute végétation. On entend, puis bientôt on aperçoit, les grande cascades qui l'alimentent : une passerelle de rondins

Chutes d'eau au cœur du parc.

permet de passer au pied de ces spectaculaires **Veliki prstavči** avant d'accéder à un superbe bassin d'un vert profond alimenté par une autre cascade, **Mali prstavčac**.

Lac Galovac

Alt. 583 m. Superficie : 12 ha.

D'une profondeur pouvant atteindre 24 m, le troisième lac du site est longé par un agréable sentier conduisant à de belles cascades affectant la forme d'un éventail et provenant des trois lacs supérieurs : le **Petit Lac (Malo jezero)**, le lac Vir et le lac Batinovac, situé 28 m plus haut. Tandis que l'on monte vers ce dernier lac, sur la droite, l'eau ruisselle de toutes parts dans un vacarme assourdissant : c'est un véritable feu d'artifice.

Lac Batinovac

Alt. 610 m.

Petit lac longé par un sentier ombragé de hêtres. Laissant sur la droite les lacs **Okrugljak** et **Ciginovac**, on atteint **Labudovac** : là, dans une prairie parsemée au printemps de charmantes petites fleurs mauves, les scilles des prés, a été installé (à proximité de l'arrêt ST3) une aire comportant un petit café et des sanitaires. Pause bienvenue devant une stèle à la mémoire de l'écrivain Vladimir Nazor avant de partir à l'assaut du dernier lac.

Lac Prošćansko

Alt. 636 m. Superficie : 68 ha.

Accès depuis l'arrêt du petit train par la piste rouge (rondins). Dès l'approche, un concert de batraciens fait honneur au promeneur. Entouré de collines couvertes d'un mélange de sapins et de feuillus qui aiment à s'y refléter, ce lac aux eaux vert sombre, le second en dimension et le plus élevé des lacs supérieurs, alimenté par une rivière (la Matica), dégage une impression de sérénité. Le sentier qui le longe jusqu'à l'embouchure de la rivière, constitue une promenade d'autant plus romantique qu'elle est (presque) solitaire, la plupart des visiteurs n'allant pas au-delà de l'arrêt du petit train. Dès lors, on redescendra suivant son état de fatigue, en explorant de nouveaux sentiers, ou en prenant le petit train à l'arrêt ST3 : de la route panoramique, on pourra alors observer la succession des lacs et leur dénivelé.

NB – Cette découverte des lacs supérieurs peut être effectuée en sens inverse, en prenant, sur la rive du lac Kozjak (sans le traverser), le « petit train » en direction de l'arrêt ST3 et en effectuant la descente à pied depuis l'aire de Labudovac et le lac Batinovac.

Les lacs inférieurs (Donja Jezera)

Accès depuis le P2 par bateau électrique qui traverse le lac Kozjak (20mn environ) jusqu'au P3 où a été installée une aire de repos. Départs à l'heure et à la demi-heure jusqu'à 19h30 en été.

La traversée du lac Kozjak sur toute sa longueur dans ce bateau qui glisse silencieusement sur les eaux d'un vert tendre entourées d'un moutonnement de collines constitue, en été, un fabuleux moment de fraîcheur !

À l'arrivée au P3, suivre la direction « Big Waterfall » et traverser (à moins de vouloir partir à l'assaut de la falaise : des points de vue ont été aménagés à son sommet).

Lac Milanovac

Alt. 523 m. Superficie : 3 ha.

Un sentier tracé à fleur d'eau permet de longer ce lac d'une profondeur de 18 m, et aux eaux d'un incroyable bleu-vert, qu'alimente un mur de cascades provenant du lac Kozjak. Ici, les lacs commencent à s'encaisser dans un canyon qui devient de plus en plus étroit : le sentier est tracé sous les frondaisons, puis creusé dans la roche (les plus grands feront attention à ne pas se cogner !). Sur l'autre rive, une falaise abrupte plonge directement dans l'eau. De nouvelles chutes conduisent au petit lac Gavanovac (alt. 514 m), puis dans un autre, plus grand.

Lac Kaluđerovac

Alt. 505 m. Superficie : 20 ha.

Ici le canyon devient de plus en plus étroit et encaissé : la falaise atteint une hauteur de près de 40 m. Sur la droite, dans la roche, s'ouvre la **grotte Šupljara** : un escalier assez raide taillé dans la roche permet d'y pénétrer et d'accéder par un aven au sommet du plateau dominant le lac. Une passerelle de rondins permet de passer au pied des cascades qui alimentent le dernier des lacs de Plitvice, le **lac Novakovića Brod**, et de gagner l'autre rive dans un paysage fantastique : sur la droite, on est à l'aplomb des cascades alimentant tumultueusement un bassin situé 25 m en contrebas, le **Sastavci**. Sur la gauche, la rivière Plitvica se déverse du sommet de la falaise d'une hauteur de 70 m : c'est la **Grande Chute (Veliki Slap)**. Les eaux se mêlent dans un intense bouillonnement et donnent naissance à la rivière **Korana** qui s'enfonce dans d'étroites gorges ponctuées de quatre nouvelles chutes, avant d'aller se jeter dans la Kupa, près de Karlovac, après avoir suivi un cours paresseux de 135 km.

Revenant sur ses pas, on reprendra le bateau au P3, ou le petit train qui attend à la ST1, au-dessus du lac Milanovac et ramène à la zone hôtelière de l'entrée 2.

NB : L'entrée n° 1 est à environ 200 m de la Grande Chute.

Parc national des lacs de Plitvice pratique

Informations utiles

Informations – ☎ 751 026 - www.np-plitvicka-jezera.hr.

Indicatif téléphonique – 053.

👁 **Bon à savoir** – Le parc naturel n'est qu'à 2h30 par la route de l'aéroport de Zagreb-Pleso : il peut donc constituer une première étape des plus agréables sur la route de la Dalmatie.

Desserte par autobus – La desserte de Plitvice est assurée par les lignes reliant Zagreb à la côte dalmate. Les bus s'arrêtent à proximité des deux entrées du parc.

Pour continuer votre voyage vers la côte dalmate, faites signe aux bus de passage. Pour Dubrovnik, prendre les bus pour Split. Les bus pour Zadar permettent un accès aisé à Dugi Otok et au littoral très bien desservi de Šibenik à Split.

Excursions – La plupart des agences touristiques et des hôtels du littoral proposent une excursion d'une journée à Plitvice. Ce n'est sans doute pas la meilleure façon de découvrir le site qui mérite qu'on y prenne son temps.

Sur place – Un bureau à chacune des entrées fournit renseignements, change, billets. Outre de vastes parkings, on y trouve des cabines téléphoniques, des aménagements pour pique-nique, une supérette (où vous pourrez vous procurer un plan détaillé des lacs) et une guinguette.

Distributeurs – Deux distributeurs Bankomat dans la zone hôtelière : l'un devant l'hôtel Bellevue, l'autre à l'hôtel Jezero.

Glissement silencieux du bateau sur le lac.

Se loger

CHEZ L'HABITANT

👁 **Bon à savoir** – nombreuses possibilités de logements chez l'habitant dans les villages des alentours : Poljana (sur la route d'Ogulin), Rakovica (vers Zagreb), Jezerce (en direction de Split). Ces maisons sont souvent situées en retrait de la route. Deux kiosques centralisent les offres, un à chacune des entrées du parc.

CAMPING

🏕 **Autokamp Korana** – Route de Zagreb, à 6 km de l'entrée n° 1 sur la droite - ☎ 751 888 - mai-sept. - 64 kn/pers. (7-12 ans : 45 kn), tente 21 kn, voiture 14 kn, caravane et camping-car 43 kn - bungalows : 34 € pour 2 pers. - blocs sanitaires avec douches/WC, bac à lessive.

Doté d'un restaurant, d'un café-grill, d'une supérette, ce superbe camping, vaste et d'une propreté irréprochable, est posé au-dessus de la rivière Korana qui émerge de ses gorges. Petits bungalows façon chalet. De quoi convertir les plus réticents aux joies du camping (évitez cependant les abords de la nationale). Une **navette** conduit chaque jour aux lacs à 9h ; retour : 17h *(20 kn AR)*.

HÔTELS

Les 3 hôtels du site se trouvent face à l'entrée n° 2, sur la droite de la route lorsqu'on vient de Zagreb. Ils disposent de la même centrale de réservation : ℘ *751 013/14/15, reservations@np-plitvicka-jezera.hr.*

◷🍴🛏 **Hotel Bellevue** – ℘ *751 700/800, fax 751 165 - avr.-fin oct. - 71 ch. : 540 kn* ☕ - 🅿. Le moins cher des 3 hôtels du site. Très correct, mais certaines chambres sont assez tristes. Animaux acceptés.

◷🍴🛏 **Hotel Plitvice** – ℘ *751 100, fax 751 165 - 52 ch. : 630/675/750 kn* ☕ - 🅿. Le prix varie selon le type de chambres, qui ont été refaites récemment. Les plus simples sont d'un bon confort.

◷🍴🛏🛏 **Hotel Jezero** – ℘ *751 400, fax 751 600 - fermé janv.-fév. - 229 ch. : 870 kn* ☕ - 🅿 ♿. Le plus grand hôtel du site. Sauna, piscine couverte, chambres confortables.

Se restaurer

👁 **Bon à savoir** : Les grills situés à chacune des entrées du parc, proposent des grillades *(25/35 kn)* et des sandwichs *(14 kn)*.

◷🍴/◷🍴🛏 **Lika Kuća** – *À l'entrée n° 1 -* ℘ *751 382/024, avr.-oct. 11h-23h, spécialités 100/110 kn, truite 65 kn, grill 70/140 kn.* Dans un décor imitant une maison traditionnelle de la Lika, ce restaurant sert des spécialités régionales aux visiteurs. Goûtez à l'agneau cuit sous cloche *(pod pekom)*, au jarret de veau (excellent) ou encore au *scripavac*, fromage de la Lika.

◷🍴 **Poljana** – *Proche de l'hôtel Bellevue -* ℘ *751 092 - 40/100 kn.* Restaurant et self-service, une adresse pour tous les budgets. Si les tables à l'extérieur sont agréables, l'intérieur est plutôt tristounet.

◷🍴🛏 **Plitvice** – *À l'hôtel - 100/200 kn.* Le restaurant de l'hôtel propose une longue carte de spécialités dalmates ou continentales. Service très soigné, dans une immense salle aux lustres d'un design pop'art : de vraies pièces de collection.

◷🍴🛏/◷🍴🛏🛏 **Jezero** – *À l'hôtel - 120/250 kn.* Une belle carte (goûtez aux truites grillées et farcies), un cadre soigné et un service impeccable.

Visite

👁 **Bon à savoir** : c'est tôt le matin (dès l'ouverture) ou le soir, lorsque les cars de touristes sont repartis vers la côte, que la promenade est la plus agréable. Loger à Plitvice permet donc d'éviter les grandes affluences (impressionnantes, en été).

Horaires d'ouverture : 8h-19h.

Accès – Depuis les entrées, des ponts piétonniers permettent (fort heureusement !) de traverser la route et d'accéder aux lacs.

Quand y aller – Les cascades gelées en hiver sont superbes ; au printemps, lors de la floraison et, en automne, les paysages sont somptueux. En été, l'affluence est telle que la découverte de lacs ne se fait pas dans les meilleures conditions. Les heures d'ouverture des équipements (transports et autres) varient en fonction de la longueur des journées.

Billetterie – *Juil.-août : 100 kn (enf. 60 kn), mai-juin et sept.-oct. : 85 kn (enf. : 50 kn), nov.-avr. : 55 kn (enf. 30 kn). Ticket valable 2 j. : juil.-août : 130 kn, mai-juin et sept.-oct. : 100 kn.* Ils sont vendus aux entrées, mais aussi au point d'embarquement du bateau dans la zone hôtelière. Si vous séjournez sur place, vous pouvez faire prolonger gratuitement leur validité à la réception de votre hôtel.

Équipement – La découverte des lacs ne nécessite pas d'équipement particulier, hormis des chaussures confortables. Les sentiers sont pour une bonne part aménagés sur des passerelles de rondins : talons hauts, s'abstenir !

Organisation de la visite – Le billet d'entrée donne accès aux transports aménagés à l'intérieur du parc :« petit train » (en fait un bus électrique), longeant les lacs sur une route tracée en corniche, et bateau électrique traversant le lac Kozjak. De fait, vous pouvez organiser votre promenade comme bon vous semble, choisissant entre les itinéraires proposés, les combinant entre eux ou les agrémentant de trajets en « petit train » lorsque la fatigue se fait sentir.

Signalisation – Les points d'embarquement, tant sur le bateau électrique que sur le « petit train », sont abondamment signalisés. En outre, les circuits sont marqués de couleurs différentes (rouge, jaune, vert ou bleu) selon le temps nécessaire pour les parcourir.

Pauses – Des cabanes en rondins permettent aux promeneurs de se reposer devant une boisson fraîche ou chaude, voire une restauration légère, avant de reprendre la route pour de nouvelles aventures : l'une est située à l'arrêt ST3 du « petit train » (à proximité du plus haut des lacs, le Prošćansko jezero ; l'autre au point d'embarquement P3, sur les rives du lac Kozjak. Ces points sont équipés de WC, d'une boutique de souvenirs et d'un bar/grill.

Calendrier

Le **marathon de Plitvice** se déroule *début juin.*

Île de **Rab** ★

Otok Rab

KVARNER – 9 4804 HABITANTS
CARTE GÉNÉRALE A2 – CARTE MICHELIN 757 C6-7 – SCHÉMA : VOIR À GOLFE DE KVARNER

De nombreuses plages (dont quelques-unes de sable) et un climat agréable expliquent que l'île de Rab soit envahie dès les premiers beaux week-ends de printemps par une foule de vacanciers. Mais Rab ne saurait se réduire à cette image estivale de bains de mer : juchée suer un site pittoresque, la capitale de l'île, avec ses rues médiévales, ses palais, ses églises dont certaines comptent parmi les plus belles du littoral croate, est l'endroit rêvé pour une étape de charme.

▶ **Se repérer** – Allongée, l'île de Rab est parcourue de tout son long par une chaîne rocheuse qui culmine à une altitude de 410 m et plonge abruptement dans la mer. C'est au sud de cette épine dorsale que, dans une plaine côtière, se placent les principales agglomérations, toutes situées au bord de la mer : Barbat, Banjol, Rab, Kampor et Supetarska Draga. Au-delà de la chaîne, isolée dans une petite plaine face à l'île de Krk, Lopar semble faire bande à part.

👁 **À ne pas manquer** – Balade dans les ruelles de la vieille ville de Rab, vue sur les clochers de la ville depuis le campanile de l'église St-Jean-Évangéliste.

🕐 **Organiser son temps** – Une journée suffit pour faire le tour de l'île (sans baignades ni randonnées). Compter deux jours pour en profiter pleinement.

👪 **Avec les enfants** – Plage de sable à Lopar, randonnées à pied et à vélo autour de Suha Punta, sur les péninsules de Kamport et de Lopar.

👣 **Pour poursuivre la visite** – Voir aussi le golfe de Kvarner, les îles de Krk, Cres et Lošinj.

La baie de Rab.

Se promener

Après avoir abordé à Mišnjak, dans un environnement particulièrement minéral, on longe un long îlot, **Dolin otok**, que seul un étroit bras de mer, semblable à un fleuve, sépare de l'île de Rab. Bientôt apparaissent la végétation, et les villas et petits immeubles des villages de **Barbat** et de **Banjol** qui précèdent de peu Rab, la capitale de l'île.

Rab★★

La capitale de l'île est posée dans un **site★★** remarquable : un promontoire rocheux étroit qui s'allonge dans la mer (le cap de Kaldanac) : d'un côté, l'anse enserrant le port devant laquelle s'est construite la ville basse ; de l'autre, la ville haute, hérissée de ses quatre clochers disposés en enfilade, et qui domine en à-pic la baie Ste-Euphémie.

Après avoir laissé la voiture au parking, poursuivre vers la ville ancienne en longeant le port.

Place St-Cristophe (Trg sv. Kristofora)

Bordée de cafés, elle arbore une sculpture rappelant une légende locale, la légende de Carifonte. Au fond de la place, escaliers montant à travers une pinède vers la forteresse.

Rue du Milieu★ (Srednja ulica)

Pavée et rectiligne, cette rue bien nommée est bordée de vieilles demeures et de nobles palais. À l'amorce de la rue, sur la gauche, s'ouvre la petite **rue Basse (Donja ulica)** : on aperçoit le joli **portail★** baroque à putti du **palais (palača) Nimira**. Au coin, une ravissante chapelle baroque **(Kapela sv. Antuna)**, renfermant une *Vierge à l'Enfant* d'école vénitienne, fait face à un beau palais Renaissance abritant une pharmacie, le **palais Dominis★**. On poursuit dans la rue, sur laquelle débouchent, à droite, des venelles en escalier dévalant de la ville haute. Remarquez sur la gauche, occupé par une boutique de mode, le **palais Tudorini**, qui a conservé sa voûte gothique et son balcon orné de lions ailés vénitiens.

On arrive à la belle **loggia municipale (Gradska loža)**, de 1509, occupée par les tables d'un café voisin, dont la salle, au coin de la rue Radić, a investi le noble **palais Crnota**. Face à la loggia municipale, emprunter le passage sous voûte percé sous la **tour de l'horloge (Gradski Sat)**.

Place du Municipe★ (Trg Municipium Arbæ)

Ouverte sur le port, elle rappelle par son nom les origines romaines de la ville. On y voit, sur la gauche en arrivant, l'ancien **palais du Recteur★ (Knežev dvor)**, aujourd'hui hôtel de ville, un bel édifice gothico-Renaissance des 15e-16e s. : fenêtres géminées, cadran solaire et lions de Venise supportant le balcon.

Revenir à Srednja ulica. Dans son prolongement, après la chapelle St-Nicolas (expositions d'art contemporain), **Dinka Dokule** est une ruelle en partie voûtée. Là aussi, belles demeures, comme celle qui, au n° 6, abrite le restaurant Santa Maria.

Prendre la rue Plovanova sur la gauche, puis tout de suite à droite Biskupa Draga, courbe, que prolonge l'escalier (skaline) A.-Testena qui conduit à la ville haute, puis prendre à gauche, à travers des jardins, vers le monastère St-Antoine.

Monastère Saint-Antoine★ (Samostan sv. Antuna)

Très simple, la petite église du monastère a conservé de belles voûtes gothiques. L'abside date du 12e s.

Reprendre vers la cathédrale de l'Assomption, dont on contourne le chevet par la gauche. On surplombe alors la mer.

Cathédrale de l'Assomption★★ (Katedrala Uznesenja B.D. Marije)

Elle présente, sur la place, une superbe **façade★★★** romane. Très simple, avec pour seule ornementation une sculpture placée au-dessus du portail (*Pietà* exécutée dans un style rustique par Petar Trogiranin, 1514), ainsi que des arcatures lombardes aveugles, elle est constituée de couches de pierres polychromes (blanc et rose). L'**intérieur★★** de cette basilique consacrée en 1177 par le pape Alexandre III est constitué d'une grande nef centrale que des colonnes à chapiteaux séparent des collatéraux. Belles stalles sculptées.

Poursuivant devant soi dans la rue Ivana Rabljanina, on découvre le beau **clocher★★** roman à cinq étages (1181) de **Saint-André** (*Voir « ABC d'architecture » p. 83*), église du monastère bénédictin **(samostan sv. Andrije)**, transformée au 17e s. en style baroque (grand retable).

Place de la Liberté★★ (Trg Slobode)

La solitude et le silence permettent d'apprécier le charme de cette placette singulièrement harmonieuse dominant la mer *(des escaliers permettent d'accéder à une plage en contrebas)*, qu'ombrage un arbre vénérable et que borde la façade de l'église Ste-Justine (crkva sv. Justine), du 16e s. Outre sa collection d'art sacré, elle possède un précieux reliquaire qui contient le crâne de Saint-Christophe, le patron de la ville.

On poursuit dans la **rue Haute (Gornja ulica)**, laissant de côté l'église de la **Sainte-Croix (Crkva sv. Križa)** qui abrite un petit musée lapidaire. On découvre alors un chevet roman qui annonce une des merveilles de la ville.

Vestiges de l'Église St-Jean-l'Évangéliste★★
(Ostaci crkve sv. Ivana Evanđelista)

Monter sur la droite les quelques marches. Cette église paléochrétienne fut modifiée à l'époque romane avant d'être détruite : ses vestiges (colonnes de l'abside, notamment) se dressent en plein air, dans un jardin, et composent un tableau plein d'une mélancolique sérénité. Du haut du **campanile** (accès par des escaliers qui tiennent de l'échelle), **vue★★★** superbe sur le site de Rab, le port, la baie de Sainte-Euphémie, l'enfilade de clochers de la ville haute, et les toits de tuiles de la ville basse.

Au bout de la rue, quelques marches conduisent aux vestiges de la **forteresse St-Christophe (Tvrđa sv. Kristofora)** dissimulée dans un beau parc planté de pins. Ombrage particulièrement appréciable, tandis que l'on descend doucement par des allées et des escaliers vers la place St-Christophe et l'animation estivale du port.

Les clochers de la vieille ville de Rab dominent la mer comme des phares.

Aux alentours

Monastère Sainte-Euphémie **(Samostan sv. Eufemije)**
Route de Kampor, à 1 km de Rab, sur la gauche (au cimetière). Tlj sf dim. 10h-12h, 16h-18h.
Il est posé sur les rives de la baie profonde et étroite du même nom. Cloître et petit musée d'art sacré (galerija Testen).

Suha Punta
Sur la route de Kampor, une petite route vers la gauche permet de rejoindre cette presqu'île, pour une bonne part investie par des hôtels et des bungalows. Des parkings aménagés permettent aux non-résidents de découvrir le cap, que recouvre une belle pinède dans laquelle, les mois d'été, les cigales s'en donnent à cœur joie. Les multiples petites plages aménagées (douches, cabines) de galets ou de rochers, l'une d'entre elles étant réservée aux naturistes, sont reliées par un agréable *lungomare* (promenade de bord de mer), qui suit le tracé capricieux de la côte… Difficile alors de ne pas céder à la tentation des eaux turquoise !

Kampor
Au bout de la route en cul-de-sac.
Petite station balnéaire constituée de villas nichées dans la verdure, et dotée d'un port et d'une plage de sable (mais oui !) à laquelle on accède par une route très étroite construite en bordure de mer. Endroit rêvé pour la baignade des enfants, d'autant qu'on a pied très loin. Revers de la médaille : l'eau paraît un peu trouble par rapport aux autres endroits.

Revenir à Rab que l'on dépasse.

La route s'élève à flanc de coteau dominant une vallée cultivée. Paysages des plus méditerranéens avec cultures en escalier. On arrive à **Supetarska Draga**, située au fond d'une anse profonde, où s'est établie la principale marina de l'île. À la sortie du village, la route, tracée en corniche au-dessus de la mer, ménage de superbes **paysages★★**. Après avoir retrouvé l'intérieur des terres en parcourant une étroite vallée, on atteint **Lopar**, point de départ pour les ferries *(saisonniers)* se rendant à Baška (Krk). Ce village un peu isolé possède l'une des rares plages de sable de Croatie, la Rajska plaža. Et comme ici on ne fait pas les choses à moitié, elle ne mesure pas moins de 1 500 m de long… Selon la tradition, Lopar est la ville natale d'un tailleur de pierre, **Marin**. Recruté par les Romains, il déserta et se réfugia dans les montagnes où il vécut en ermite et fonda un monastère : c'est aujourd'hui le cœur de la république de Saint-Marin. L'enfant du pays est ici curieusement honoré par… un camping San Marino situé dans une belle pinède.

Île de Rab pratique

Informations utiles

👁 **Bon à savoir** – De juin à septembre : c'est la « saison » à Rab. La petite ville connaît alors une agitation frénétique, tant diurne que nocturne. Ce n'est sans doute pas le meilleur moment pour en apprécier pleinement le charme et les richesses artistiques, d'autant qu'il peut y faire très chaud.

Code postal – *51280.*

Indicatif téléphonique – *051.*

OFFICES DE TOURISME

À Rab – *Trg Municipija Arbæ bb -* ☏ *771 111 - www.tzg-rab.hr - 8h-22h en haute saison, 8h-20h en demi-saison, le matin tlj sf w.-end en hiver.*

À Lopar – *À l'entrée de la ville - ☏ 775 508 - www.lopar.com.*

AUTRES ADRESSES

Poste – *Trg Municipia Arbæ.*

Banques et distributeurs – *Sur le quai.*

Urgences médicales – ☏ *724 094.*

Centre commercial – *Mali Palit (derrière le port et l'hôtel Imperial, au-delà de la route de Kampor) :* **pharmacie**, **dispensaire**, supérettes, marché, banques et **gare routière** occupent ce petit ensemble commercial moderne.

Transport

Accès – Depuis le **continent** par le *trajekt* (ferry) de Jablanac (38 km au S de Senj) à Mišnjak : départs toutes les heures entre 6h (5h juil.-sept.) et 20h30, 21h30 ou 22h30 selon saison. Compter 15mn de traversée. Depuis **l'île de Krk**, *trajekt* de juin à sept. de Baška à Lopar (5/j en pleine saison). Rens. à Rab : **Rapska plovidba**, *Hrvatskih Branitelja, Domovinskog rata 1/2,* ☏ *724 122* ou à Jadronlinja Rijeka : ☏ *666 111.*

Parking – Sur le quai du port : Šet. Markantuna de Dominisa ; payant de juin à septembre.

Nautisme

ACI Marina Rab – *Avr. à oct. -* ☏ *724 023, fax 724 229 - m.rab@aci-club.hr - carburant sur place.* Dans le port de Rab, face à la vieille ville, ce qui en fait tout l'intérêt.

ACI Marina Supetarska Draga – ☏ *776 268, fax 776 222 - m.supdraga@aci-club.hr.*

Pour les équipements de ces deux ports de plaisance, voir le chapitre « Nautisme » p. 38.

Se loger

👁 **Bon à savoir** – Rares sont les maisons de l'île qui ne proposent pas des chambres aux visiteurs : certaines ne sont pas achevées que déjà le panneau *sobe* (chambres) est accroché ! Des kiosques d'agence sont installés un peu partout, le premier à l'arrivée du ferry. Les plus angoissés s'y précipiteront. Les autres feront du porte à porte, sachant qu'en été la recherche risque de durer.

Centrale de réservation pour la plupart des hôtels de et campings de l'île : **Imperial** – ☏ *(051) 724 204/184/227, fax (051) 724 117 - www.imperial.hr - sale@imperial.hr.*

À RAB

🛏 **Agencija Numero Uno** – *Šetalište Markantuna de Dominisa 5 (sur le port à côté de l'hôtel Istra).* Chambres et appartements.

🛏🛏/🛏🛏🛏 **Residence Astoria** – *Trg Municipija Arba 7 -* ☏ *774 844, fax 774 845 - astoria@e-mail.t-com.hr - 5 ch. : 60/110 €* 🖳. Dans une ancienne maison rénovée au cœur de la vieille ville, les chambres grand confort avec vue sur la grand-place et le port de Rab. Toutes sauf une disposent d'un balcon. Décoration sobre.

🛏🛏🛏 **Hotel Istra** – *Šet. Markantuna de Dominisa -* ☏ *742 134, fax 742 050 - hotel-istra@hi.t-com.hr - 100 ch. : 42 €/pers.* 🖳. Idéalement situé sur le port, à deux pas de la vieille ville. Chambres avec petit balcon donnant sur le port ou sur le parc.

🛏🛏🛏 **Hotel Imperial** – *Palit bb -* ☏ *724 522, fax 742 126 - imperial@imperial.fr - 134 ch. : 47/49 €/pers.* - 🖳 🗙 🅿. Situé dans la pinède du parc Komrčar donnant sur le port, au fond d'un jardin luxuriant, un hôtel un peu vieillot mais de bon confort. Tennis et mini-golf. Le bistro Taverna, dans le jardin, est particulièrement agréable.

🛏🛏🛏 **Hotel Padova** – *Banjol bb -* ☏ *724 544, fax 724 418 - padova@imperial. hr - 175 ch. : 56/67 €/pers. (selon vue)* 🖳 - 🗙 🅿. Accessible par la marina ou par la route d'arrivée à Rab, ce grand hôtel ouvert toute l'année est situé à Banjol, du côté moderne du port… Chose qu'il compense par une vue magnifique du moins pour les chambres donnant sur la vieille cité hérissée de clochers. Confort standard d'un grand établissement un peu impersonnel.

🛏🛏🛏🛏 **Hotel Ros Maris** – *Obala P. Krešimira IV bb -* ☏ *778 899, fax 724 206 - reservations@rosmaris.com - 146 ch. : 138/210 €, supp. vue : 10/12 €/pers., supp. 30 % pour un séjour de moins 3 nuits.* Un hall au design froid et des chambres grand luxe réparties dans des maisons anciennes rénovées. Le tout est très élégant mais trop cher en haute saison. Prix attractifs en dehors.

À SUHA PUNTA

🛏🛏🛏 **Hotel Carolina** – *Kampor bb -* ☏ *724 133 et 669 100, fax 669 428 - carolina@imperial.hr - 54,50/61,50 €/pers.* - 🖳 - 🅿. Piscine dominant la mer, bar avec terrasse ombragée, boutique avec journaux, tabac… Accès direct à la plage. Chambres avec balcon, certaines donnant sur la mer, d'autres sur le parking. Tennis et mini-golf à proximité immédiate.

Hotel Eva – *À proximité du bureau d'accueil des bungalows -* 🕿 *724 233 et 668 200, fax 668 518 - eva@imperial.hr - 45/48 €/pers. -* 🖳 *-* **P**. Proche du précédent, il propose des prestations comparables.

Bungalows et appartements – *Même gestion que les précédents. Tourist-village Suha Punta, Kampor bb -* 🕿 *724 060, fax 724 562 - suhapunta@ imperial.hr - bungalows : 22/32 €/pers. - appart. : 59/85 € -* **P**. Disséminés dans la pinède, les appartements, très agréables, se composent d'une chambre à deux lits, d'un salon/salle à manger avec son coin cuisine équipé, d'une petite terrasse, d'une salle de bains avec baignoire/douche. Les bungalows sont en fait des studios installés dans des petits immeubles collectifs à étage. Supérette et grill-restaurant dans la pinède.

Se restaurer

👁 **Bon à savoir** : nombreuses pizzerias et autres *gostionica* dans les ruelles en pente donnant sur Srednja ulica.

Gostiona Mali Gaj – *J. Barakovića 15 -* 🕿 *724 279 - poisson 250 kn/kg, plats 35/70 kn.* En retrait de la place St-Christophe, une terrasse ombragée pour déguster, au calme, une grillade de poisson.

Restoran Grand – *Palit 315 - poisson 350 kn/kg, « fish plate » 280 kn, plats 45/70 kn.* Grande terrasse ombragée entre le port et Srednja ulica. On y sert des grillades. Bondé en saison !

Restoran Santa Maria – *Dinka Dokule 6 -* 🕿 *724 196 - plats 50/60 kn, šcampi 330 kn/kg.* Dans le cadre raffiné de la belle salle voûtée d'un ancien palais ou sur la terrasse, vous pourrez déguster de délicieux *škampi* (grosses crevettes et langoustines) à la *buzzara* présentés avec tout le raffinement nécessaire.

Faire une pause

👁 **Bon à savoir** – Les terrasses se suivent le long du quai du port où la foule déambule devant les bateaux en dégustant des cornets de glace. Les soirs d'été, animation musicale.

Caffe Art – *Srednja ulica 1.* La salle est installée au rez-de-chaussée d'un palais, la terrasse sous la charpente de la loggia du 16e s. Le tout sera le cadre d'une petite pause sereine.

Caffe Biser – *Srednja ulica 15.* Dans le palais Dominis, agréable café avec terrasse sur la rue.

En soirée

Ljetno kino Rab - Cinéma en plein air contre l'église St-Jean.

Disko Grand – *Sur le quai.* DJ et musique d'aujourd'hui.

Achats

Vinoteka Paradiso – *S. Radića 1, sous la loggia municipale - 7h30-0h.* Bon choix de vins dans un décor post-moderne et sculptures et peintures contemporaines.

Souvenirs – En été les quais et la place St-Christophe se couvrent de petites échoppes de bois. Abstraction faite de la chaleur, on pourrait croire à un marché de Noël !

Supermarket – *Šet. Markantuna de Dominisa*, à deux pas de l'hôtel Istra.

Sport et loisirs

PLONGÉE

Kron Diving Center – *Kampor 413a -* 🕿 *776 620, www.kron-diving.com.*

EXCURSIONS

Marko DVA – *Sur le quai face au caffe Grand.* Selon les jours, excursions à Lošinj, parties de pêche en mer, tour de l'île, et « robinsonnade »… le vendredi bien entendu !

Événements

Soirées musicales de Rab – *Juil.-août dans l'église de la Sainte-Croix.*

Tournoi de Rab (Rapske viteške igre) – *9 mai, 25 juin, 27 juillet et 15 août.* Les arbalétriers de St-Marin viennent chaque année y montrer leur adresse.

Rijeka

KVARNER – 144 043 HABITANTS
CARTE GÉNÉRALE A2 – CARTE MICHELIN 757 B-C6. – SCHÉMA : VOIR À GOLFE DE KVARNER

C'est le plus grand port de Croatie, et cela fut longtemps la ville la plus importante du pays. Plaque tournante du tourisme adriatique, la ville présente au premier abord un visage un peu ingrat, que les tours juchées sur les hauteurs ne contribuent pas à améliorer. Pourtant, il serait dommage de ne pas consacrer quelques heures à la découverte de cette cité dynamique qui a conservé quelques vestiges de son passé, en particulier de l'époque pas si lointaine (celle que l'on qualifiait de « belle ») où elle dépendait directement de l'Empire austro-hongrois.

▶ **Se repérer** – Posée au pied du Gorski Kotar, au débouché de l'autoroute Zagreb-Pula, Rijeka est un gros port industriel qui se signale de loin par ses cheminées d'usine et les gratte-ciel construits en bordure de la route de corniche. Si l'on gagne le centre-ville (rude épreuve !), stationner au plus vite.

👁 **À ne pas manquer** – Promenade sur le Korzo, église Notre-Dame de Trsat, vue depuis le château de Trsat.

🕐 **Organiser son temps** – La promenade à travers la ville peut se faire en 2 h (sans la visite des musées). Compter 1h pour visiter Trsat. Pour ceux qui préfèrent emprunter les escaliers, la montée s'effectue mieux le matin à la fraîche.

👫 **Avec les enfants** – Le château de Trsat, son donjon et ses galeries, le musée d'Histoire naturelle.

🕯 **Pour poursuivre la visite** – Voir aussi Opatija (11 km à l'ouest), l'île de Krk (accès par le pont de Kraljevica, 8 km au sud-est) et le parc national de Risnjak (accès par Delnice, 43 km à l'est).

Le château de Trsat, sur les hauteurs de Rijeka.

E. Darras / MICHELIN

Comprendre

Le raid du poète – Novembre 1918 : l'Italie est dans le camp des vainqueurs ; l'actuelle Croatie, dépendant jusqu'alors de l'empire austro-hongrois, dans celui des vaincus. Que faire des territoires, vénitiens jusqu'en 1897 et revendiqués par les Italiens en qualité d'héritiers de la Sérénissime ? Les diplomates alliés tergiversent. C'est alors que l'extravagant poète **Gabriele D'Annunzio** (1863-1938) décide d'agir, sans en référer à qui que ce soit : le 12 septembre 1919, à la tête de ses fidèles, les « *arditi* », il occupe Rijeka, qui devient alors **Fiume** et y établit une république dont il se proclame le régent. Il rédige une constitution qui, sur bien des points, annonce le fascisme. De 1919 à 1921, D'Annunzio va légiférer et gouverner son territoire de façon à peu près autonome jusqu'à ce que, de guerre lasse, le Congrès accorde officiellement la souveraineté sur la région aux Italiens. L'Istrie, les îles de Cres et de Lošinj, Opatija (devenue Abbazia) et Fiume sont rattachés à la région du Frioul-Vénétie julienne. La frontière était alors très proche, puisque c'est la Rječina qui séparait l'Italie du royaume yougoslave, ce qui entraîna le développement du quartier de Sušak, situé à l'est du fleuve. Rijeka restera italienne jusqu'en 1943. Quant à D'Annunzio, il s'en va finir ses jours dans son domaine du lac de Garde où il mène une vie à la fois retirée et excentrique.

Un des plus grands carnavals d'Europe – Il existe depuis vingt ans et il a acquis une réputation telle qu'il est aujourd'hui devenu incontournable. Quelques chiffres à l'appui de cette thèse : plus de 10 000 participants, 140 groupes représentant douze pays et un nombre de spectateurs supérieur à cent mille envahissent les rues de Rijeka chaque année, entre fin février et début mars pour assister à ces défilés pleins de couleurs et d'humour. Il s'agit en fait d'une tradition plus ancienne qu'il n'y paraît puisqu'on se rappelle qu'aux temps de la monarchie austro-hongroise, des bals masqués réunissaient dans les salons la noblesse européenne. Parmi les manifestations les plus étonnantes du carnaval, citons le rallye automobile (masqué !) Pariz-Bakar, qui relie la capitale du Kvarner, depuis Parizanski Put (à Trsat) à la petite ville côtière de Bakar, située à une quinzaine de kilomètres au sud. Ceux qui ont parcouru cette route vertigineuse, sans masque, apprécieront la performance !

Se promener

LA VIEILLE VILLE (Stari grad)

A-B/1-2

Laissez la voiture sur le parking du Delta et traversez Fiumara à hauteur de la station d'autobus de Jelačićev trg. Vous arrivez à une petite place d'où part sur la gauche une rue piétonne, Ante Starčevića.

Prendre tout droit dans Užarska.

Les empereurs Léopold et Charles VI et l'aigle bicéphale, témoignages de la domination autrichienne.

P. Plantier / MICHELIN

Église de l'Assomption de Sainte-Marie (Crkva Uznesenja B.D. Marije) B2

Elle est précédée d'un élégant **clocher★** d'époque gothique (1377). Construit en brique sur une base récupérée d'édifices antiques, orné de fenêtres géminées, son inclinaison (discrète) lui a valu le surnom de tour penchée. L'église quant à elle arbore une façade théâtrale où se mêlent avec allégresse les styles : rosace Renaissance, porche baroque, colonnade néoclassique et, pour coiffer le tout, un fronton triangulaire historiciste. Un véritable manuel d'architecture ! Décor intérieur baroque, dont les stucs sont attribués à Giulio Quadrio.

Prendre dans le prolongement d'Užarska la rue Petra Zoranića.

Cette longue rue piétonne, étroite et sinueuse, conduit au centre de la vieille ville. Dans celle-ci qui a beaucoup souffert de bombardements lors de la Seconde Guerre mondiale, se mêlent bâtiments anciens, fantaisies historicistes de l'ère austro-hongroise et immeubles récents, de béton pour les années de l'après-guerre, de verre et d'acier pour les plus récents. Le tout compose un ensemble assez disparate.

Prendre à droite la petite rue Andrije Medulića qui monte vers l'église Saint-Guy.

Cathédrale Saint-Guy (Katedrala sv. Vida)★ B2

Dépité par sa malchance au jeu, un habitant de Rijeka lança une pierre sur un crucifix. Celui-ci se mit aussitôt à saigner, miracle qui justifiait amplement la construction d'une église destinée à l'abriter. C'est un architecte jésuite qui fut chargé en 1638 de construire l'édifice pour lequel il s'inspira, dit-on, de l'église de la Salute à Venise. Toujours est-il qu'il a adopté une forme de rotonde, unique en Croatie et bien visible, malgré l'adjonction ultérieure d'un portique. L'intérieur est un hymne au baroque triomphant. Près de l'entrée centrale, vous verrez un boulet de canon enfoncé dans le mur. Témoignage d'un épisode des guerres napoléoniennes, l'inscription en latin qui l'accompagne ne manque pas d'humour : « Ce fruit nous fut envoyé par l'Angleterre qui voulait évincer d'ici les Gaulois. »

Revenir à la rue Petra Zoranića.

À droite, l'**ancienne mairie (Palača komuna)** est un modeste édifice d'origine médiéval, largement retouché et agrandi à l'époque baroque. Un peu plus loin, une étroite rue est enjambée par une arche en gros appareil de pierre : c'est la **Vieille Porte (Stara vrata)**, qui date probablement de la fin de l'Empire romain.

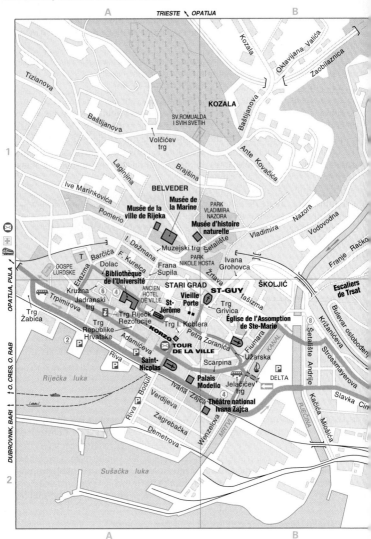

TRIESTE \ OPATIJA

En face, sur votre gauche, la **place Ivan-Kobler (trg Ivana Koblera)** communique par la voûte percée sous la **tour de la Ville★★ (Gradski toranj)** avec le **Korzo★** *(voir ci-après)*.

Après une place ombragée de beaux arbres, en obliquant sur la gauche, on contourne l'église Saint-Jérôme pour arriver sur une noble place carrée.

Place de la Résolution-de-Rijeka (Trg Riječke rezolucije) A2

Ornée en son centre d'une colonne du 16ᵉ s. sur laquelle a été sculpté un bas-relief représentant saint Guy porteur dans sa main gauche d'une maquette de la cité de Rijeka, cette place est bordée de bâtiments qui ne manquent pas d'intérêt.

Ancien Hôtel de ville (Palača Municipija) – Ancien couvent des Augustins, il arbore une façade néoclassique au balcon supporté par une colonnade. Il abrite aujourd'hui le rectorat de l'université.

Église Saint-Jérôme (Crkva sv. Jeronima) – Construite au 14ᵉ s., l'église des Augustins a été remaniée à l'époque baroque. Sobre façade, coiffée d'un agréable pignon ondulé.

Traversant la place de la République-Croate (Republike Hrvatske), on prend en face la rue Dolac.

Dolac A1

Cette rue concentre un certain nombre d'immeubles historicistes, caractéristiques des opérations d'urbanisme réalisées à Rijeka à l'époque de l'essor industriel.

RIJEKA

0   200 m

vers TRSAT ↓ DELNICE, ZAGREB

CHÂTEAU DE TRSAT

P Zrinskog
SV. JURJA
Frankopanski trg
CRKVA GOSPE TRSATSKE
Monastère Franciscain

TRSAT
Partizanski Put

Trg. Viktora Bubnja P

TRSATSKI PERIJOV
Put Vinka Valkovića Poleta

Franje Račkog

JECINA

1

Šetalište Joakima Radićeva
Vidikovac
Šetalište Ivana Gorana Kovačića
ULEVAR
Trg braće Mažuranić
Gundulićeva
Derenčinova
Šetalište
XIII divizije
BRAJDICA

PANČIĆEV PARK

SV. ĐORĐA

Mihanovićeva
Krimeja

KRIMEJA

2

Janka Polića Kamova

CRIKVENIKA, KRK, ② ⑥ ↘ ZADAR

SE LOGER	
Auberge de jeunesse Rijeka	②
Grand Hotel Bonavia	④
Jadran	⑥
Kontinetal	⑧

SE RESTAURER	
Arca Fiumana	②
Feral	④
Zlatna Školja	⑥

Bibliothèque de l'Université (Sveučilišna knjižnica) – *Au nº 1 - Tlj sf w.-end. 10h-19h - 10 kn.* Elle abrite au 1ᵉʳ étage une **collection glagolitique (Izložba Glagolitije)** consacrée à l'évolution de cette forme d'écriture et, au second, un **musée d'Art moderne et contemporain (Muzej moderne i suvremene umjetnosti)** qui présente des expositions temporaires *(tlj sf lun. 10h-13h et 18h-21h).*

Quelques mètres plus loin, remarquez sur la gauche, au nº 7, un réjouissant pastiche de « **maison vénitienne** » construit pour l'industriel anglais Robert Whitehead. Au nº 13, l'ancien **théâtre Fenice**, aujourd'hui un cinéma, fut construit en 1913 en béton armé dans un style hésitant entre Sécession et futurisme.

Poursuivre jusqu'au bout de Dolac et prendre sur la gauche Erazma Barčića qui amène au Korzo.

Korzo★ A2

Large artère piétonne, sans cesse parcourue par la foule où se mêlent touristes et autochtones à l'heure de la *passeggiata*. Le Korzo a pris son allure actuelle entre 1850 et 1930 lorsque les immeubles historicistes, Sécession, futuristes et rationalistes sont venus s'y élever.

On en voit un premier exemple (pas le plus réussi) avec la **place de l'Adriatique (Jadranski trg)** ornée de jets d'eau où s'élèvent deux immeubles assez pompeux, le palais de l'Adriatique (Palača Jadran) investi par des compagnies maritimes et le siège de la Banque de Rijeka, et le navrant « gratte-ciel de Rijeka » (Riječki neboder) dit aussi « l'armoire à tiroirs », élevé dans le style dit rationaliste à la fin des années 1930 par un architecte de Trieste.

La résolution de Rijeka

En 1905, les troubles se multipliaient en Hongrie, les Magyars revendiquant d'une voix de plus en plus forte l'indépendance de leur nation. Le 3 octobre, réunis dans le bâtiment du Korzo qui abrite aujourd'hui les studios de Radio-Rijeka, les députés d'opposition croates votaient et envoyaient à l'empereur cette fameuse résolution dans laquelle ils affirmaient leur solidarité avec le voisin hongrois, demandaient le rattachement de la Dalmatie au royaume de Croatie et exigeaient de l'Empire la liberté politique, économique et culturelle. Mais une nouvelle fois, le vieil empereur François-Joseph fit la sourde oreille.

Au-delà, au n° 28, le bar Hemingway occupe le rez-de-chaussée d'un palais du 19e s., celui de la « philodramatique » : belle façade à colonnades peuplée de divinités dénudées, et décorée de stucs et de peintures.

Une fois franchie la place de la République, dans la partie la plus large du Korzo, vous rencontrerez sur la gauche l'agréable **Petit Salon (Mali salon)** avec sa colonnade classique, des immeubles de style Sécession comme celui de la **Salle de lecture croate (Hrvatska čitaonica)** et le bel immeuble abritant les **magasins Karolina**, représentatif de l'architecture de fer du début du siècle passé.

Tour de la ville★★ (Gradski toranj) A2

Cette belle tour baroque d'harmonieuses proportions a été élevée au 17e s. et coiffée d'un dôme portant une horloge. L'arche est surmontée des bustes en bas-relief de deux empereurs autrichiens, Léopold et Charles VI. Encore au-dessus plane l'aigle bicéphale des Habsbourg.

Prendre en face la rue Ignacia Henckea.

Église orthodoxe Saint-Nicolas (Pravoslavna crkva sv. Nikole) A2

Au n° 4, sur la gauche.

Rien n'annonce de l'extérieur cette église située dans un édifice baroque. Selon la légende, le gouverneur de Rijeka fut un jour si ennuyé par les demandes insistantes de la communauté serbe pour obtenir l'autorisation de construire une église qu'il jeta une pierre dans la mer en s'écriant : « Là ! Construisez là-bas votre église ! » Courageux, les Serbes remplirent de terre l'espace devant la Tour de la ville et bâtirent leur église. Nul ne sait si l'histoire est vraie, mais elle permet de voir l'avancée sur la mer effectuée au cours des siècles. L'église possède une collection d'icônes du 18e s. en provenance de Serbie et de Bosnie.

Poursuivre dans la rue Ignacia Henckea jusqu'à la rue Ivana Zajca qu'on prend sur la gauche.

Palais Modello (Palača Modello) A2

Œuvre des architectes autrichiens Fellner et Helmer, cet imposant édifice déployant un joyeux mélange de styles était destiné à une banque. Il abrite aujourd'hui la bibliothèque municipale et le centre culturel de la communauté italienne de Rijeka.

Théâtre national croate Ivan Zajc
(Hrvatsko narodno kazalište Ivana pl. Zajca) A2

Construit par les mêmes architectes que le palais Modello, le Théâtre national croate a ouvert ses portes en 1885. Richement décoré, c'est l'un des plus beaux édifices de la ville. Les groupes sculptés évoquant *La Musique* et *Le Drame* sont l'œuvre d'un sculpteur vénitien Benvenutti. Ne manquez pas d'assister à un spectacle, ne serait-ce que pour admirer les peintures de Klimt au plafond. Dans un square aménagé devant le théâtre, la statue d'Ivan Zaic rend hommage au grand compositeur croate.

Par la rue Veslarska, on rejoint la place Jelačić et le parking Delta.

TRSAT C1

Depuis le centre-ville :

À pied par les escaliers. Longer le canal Mrtvi puis, juste après son confluent avec la Rječina, traverser Strossmayerova. Le « stube » Petra Kružića s'amorce juste en face.

En autobus : par le 1 et le 1B à la station de Jelačićev trg.

En voiture : par l'avenue Strossmayer en direction du centre, puis sur la droite le boulevard (bulevar) Oslobođenja qui monte en lacets serrés (le premier passe sous la voie ferrée) et se poursuit par les promenades (Šetalište) Ivana-Gorana-Kovačića et Joakima-Rakovca. Depuis la voie express de corniche Rijeka-Zagreb-Split : sortir par Rijeka-Est à la sortie du tunnel Trsat (lorsqu'on va en direction de Zagreb). Prendre sur la gauche l'avenue Franje Račkoga en direction du centre, puis sur la gauche, la petite route signalisée Trsat.

Escaliers de Trsat★ (Trsatske stube)

Plus de 500 marches permettent de rallier, depuis la ville basse, Trsat (à 139 m d'altitude), par des escaliers ponctués de chapelles votives, et parcourus le 15 août par une foule de pèlerins, lors d'une procession solennelle. Une partie de ces escaliers porte le nom d'un capitaine des redoutables Uskoks (voir à Senj, Kvarner, p. 264, 258), Petar Kružić, qui, en 1531, en aurait commencé la construction. S'élevant sur la colline, ils ménagent de belles **vues** sur la baie de Rijeka.

Monastère franciscain et église Notre-Dame de Trsat
(Franjevački samostan i Crkva Gospe Trsatske)

Cette église, honorant jadis la légende du transfert de la maison de la Sainte Famille à Lorette, a succédé à un premier sanctuaire édifié au 13e s. par les seigneurs locaux, les célèbres Frankopan. L'édifice d'aujourd'hui date, pour ses parties les plus anciennes, du 15e s. On y accède par le cloître baroque du monastère franciscain et une porte latérale donnant sur la chapelle où sont recueillis les dons des pèlerins. Baroque, l'église conserve une peinture de la Vierge, offerte en 1367 par le pape Urbain V. De retour au cloître, il faut visiter le réfectoire d'été et le trésor, exposé à l'étage.

En juin 2003, Jean-Paul II, lors de sa troisième visite en Croatie, qui fut également le 100e voyage officiel de son pontificat, a célébré la messe à Notre-Dame de Trsat devant une foule considérable de fidèles.

Rue Petr Zrinski (Ulica Petra Zrinskog)

Depuis la place Frankopan, cette rue est bordée de maisons basses, la plupart reconverties en cafés. C'est que Trsat est fort appréciée des habitants de Rijeka et pas seulement pour de pieuses raisons : ils aiment fréquenter les hauteurs, lors des mois d'été, lorsque la chaleur dans la ville basse devient étouffante, afin de capter le moindre souffle d'air frais. Au bout de la rue, sur la gauche, la petite église **Saint-Georges (Crkva Sv. Jurja)**, au sol pavé de galets, est la reconstruction (au 19e s.) d'une église datant du 13e s.

Château de Trsat (Kaštel Trsatska gradina)

Tlj sf lun. en basse sais. 9h-23h.

Le château, spectaculairement médiéval, que vous découvrez aujourd'hui n'a que peu à voir avec la forteresse féodale d'où les Frankopan dirigeaient leurs États. Il s'agit en effet d'une reconstitution, à faire pâlir de jalousie Viollet-le-Duc, commandée au 19e s. par un maréchal autrichien, le comte Laval Nugent de Westmeath. Du donjon (appelé la « tour romaine »), **vue★★★** splendide sur l'ensemble du golfe de Kvarner, la côte orientale d'Istrie et les îles de Cres et de Krk. Remarquez également sur la terrasse supérieure l'amusant mausolée de la famille Nugent, construit à l'imitation d'un temple grec. Le château accueille aujourd'hui des expositions ainsi que des spectacles.

Parc N.-D. de Trsat (Perivoj Gospe Trsatske)

Accès en contournant le monastère et en descendant à droite le long de Fra Serafina Schona.

Grand parc ombragé d'essences méditerranéennes, aménagé en contrebas du monastère. C'est le havre de verdure des habitants de Rijeka.

Visiter

Musée de la Marine et d'Histoire du littoral croate
(Pomorski i povijesni muzej Hrvatskog primorja) A1

Muzejski trg 1. Tlj sf dim. et lun. 9h-20h, sam. 10h-13h. 10 kn (étud., enf. 5 kn)

Placé sur une terrasse (les rues qui y montent sont particulièrement coupe-jarrets!), le musée est installé dans un palais pompeux qui fut la résidence des gouverneurs hongrois, puis de Gabriele D'Annunzio. Collections archéologiques, historiques,

---

De la torpille à la torpédo

Si Ivan Luppis proposa le principe de la torpille dès 1860, c'est une fonderie métallurgique de Rijeka qui parvint à fabriquer et à commercialiser ces munitions sous-marines. En 1866, en effet, un ingénieur anglais, **Robert Whitehead**, qui avait pris le contrôle de la société, développa le nouveau produit et lui donna son nom de torpille, torpedo, en italien. Le succès fut tel que la compagnie prit en 1876 le nom de Torpedo... sous lequel elle produisait encore des engins agricoles récemment. Rien à voir en revanche avec la fameuse voiture décapotable torpédo, ainsi nommée en référence à leur forme fuselée qui rappelait celle d'une torpille.

ethnologiques et maritimes retraçant l'histoire et le développement du port de Rijeka. Dans le petit jardin, remarquez les lance-torpilles : ces armes redoutées par les navires furent en effet mises au point (par Ivan Luppis), testées et fabriquées à Rijeka.

Musée municipal de Rijeka (Muzej grada Rijeke) A1

Muzejski trg 1/1. Dans un édifice récent à côté du précédent. Tlj sf w.-end 10h-13h. 10 kn (étud, enf. 5 kn). Il est consacré à l'histoire locale récente.

Musée d'Histoire naturelle (Prirodoslovni muzej) A1

Lorenzov prolaz 1. Tlj 9h-19h, dim. 9h-15h. 10 kn (étud., enf. 5 kn).

Histoire géologique de l'Adriatique et de la région de Rijeka, collections de reptiles et d'insectes, un centre multimédia avec un petit aquarium… de quoi amuser les enfants et intéresser les amateurs de la nature. Un jardin botanique ouvert en 2005 permet de se familiariser avec la flore de la région.

Rijeka pratique

Informations utiles

Code postal – *51000.*

Indicatif téléphonique – *051.*

Office de tourisme – *Korzo 33 - ☏ 335 882, fax 214 706 - www.tz-rijeka.hr, tic@ri.t-com.hr. - été : tlj 8h-20h, dim. 9h-14h, hiver : tlj sf dim. 8h-20h, sam. 8h-14h.*

Hôpital général – *Krešimirova 42 - ☏ 658 111.*

Hôpital pédiatrique – *Istarska 43 - ☏ 659 111.*

Clinique dentaire – *Losinjska 16 - ☏ 63 43 13.*

Pharmacie – *Jadranski trg 1 - tlj 24h/24.*

Poste – *Krešimirova 7, tlj 24h/24.* Poste principale : *Korzo 13, lun.-vend. 7h-21h, sam. 7h-14h.* Bureau de change. Les autres bureaux de la ville ferment à 19h.

Banques – Il existe de nombreuses agences bancaires avec des distributeurs le long du Korzo, sur Jadranski trg et dans la rue Frana-Supila à proximité de l'hôtel Bonavia.

Autorités portuaires – *☏ 213 222, fax 332 203.*

Visite guidée – *☏ 217 714.*

Internet – **Internet Club Cont** - *Au rez-de-chaussée de l'hôtel Continental.* Dispose de 20 ordinateurs installés dans une grande salle *(12 kn/h).*

Transports

TRANSPORTS MARITIMES

Jadrolinija – la compagnie de ferries, a son siège social à Rijeka : *Riva 16 central : ☏ 211 444, fax 213 116 - www.jadrolinija.hr, passdept_if@jadrolinija.hr.*

Pour la **Dalmatie** – par la ligne côtière **Rijeka-Dubrovnik-Bari**. Plusieurs liaisons hebdomadaires selon la saison. Escales à Split (10h), Starigrad sur l'île de Hvar (12h), Korčula (14/15h) et Dubrovnik (18/20h). En été, à Brbinj (Dugi Otok) et Sobra (Mljet).

Pour les **îles du Kvarner** – un catamaran relie quotidiennement Rijeka à **Cres**, Martinšćica, Unije, Susak et M. Lošinj. Un autre catamaran relie **Rab** (1h50), Novalja sur Pag (2h30), M. Lošinj (3h10). Pour

Sur le Korzo de Rijeka.

P. Plantier / MICHELIN

atteindre les îles en voiture, il vous faudra aller à Brestova (42 km au S par Opatija) ou passer par le pont de Krk puis prendre un ferry à Valbiska. Pour Rab, le ferry se prend à Jablanac (105 km au SE par Senj).

AUTOBUS

Il existe deux gares routières à Rijeka, la première à l'est de la vieille ville sur Žabica, la seconde sur Jelačićev trg à l'ouest de Korzo. En venant d'Opatija, l es bus desservent ces 2 gares en passant par Riva le long des quais. Terminus à Jelačićev trg.

Gare routière de Žabica (Autobusni kolodvor) – *Rens. : ☏ 660 360 ou à l'agence Autotrans - Žabica 1, ☏ 660 300, fax 211 988 - autotrans@ri.htnet.hr - consigne ouverte de 6h à 22h.* **Desserte nationale** – Nombreux bus quotidiens pour Zagreb *via* Karlovac, Labin et Pula, Rovinj, Pazin, Poreč, Zadar et Šibenik, Split et Dubrovnik, Senj, Crikvenica, Krk (et Baška), enfin quelques bus pour les points d'embarquement pour Cres, Lošinj, Rab, Pag. Les **liaisons internationales** sont nombreuses avec les villes allemandes, plus rares avec l'Autriche et la Suisse. Quelques liaisons pour Trieste, Sarajevo et Ljubljana.

Gare routière de Jelačićev trg – *7h30-19h30.* Elle assure la desserte locale : riviera d'Opatija et Trsat (bus 1 et 1A).

TRAIN

Gare ferroviaire (Željeznički kolodvor) – *Krešimirova 5 (à l'O du centre-ville)* - ☎ *213 333* - *consigne ouv. de 9h à 21h* - *Distributeur automatique.* Pas de train direct pour la Dalmatie. Trains pour Zagreb *via* Karlovac, Split, Vienne, Ljubljana, Budapest.

EN VOITURE

La circulation en centre-ville peut être difficile.

En arrivant par la voie de contournement (Zaobilaznica), vous rejoindrez facilement Trsat où vous pourrez garer votre voiture sur le grand parking de Trg Viktora Bubnja.

En arrivant par la route littorale, vous entrez dans la ville par Krešimirova et Riva où les quelques parkings sont vite complets. Le parking de Delta, après Jelačićev trg, entre le canal Mrtvi et la Rječina, est le plus pratique pour le port et la ville basse.

Taxis – *Auto-taxi Rijeka :* ☎ *332 893* (centrale de réservation pour toutes les compagnies de taxi), *Rijeka taxi : 301 301* (pas de supplément la nuit), *Auto-taxi : 335 417* (supp. 20 % la nuit).

Se loger

☺ **Auberge de jeunesse** – *Šet. XIII divizije 23* - ☎ *406 420, fax 406 421* - *rijeka@ hfhs.hr* - *13 ch., 61 lits : 17 €/pers. dans un dortoir, 20,50 €/ pers. dans une ch. double.* Dans une belle villa austro-hongroise rénovée, cet *hostel* possède des dortoirs et des chambres doubles toutes équipées d'une salle de bains. Situé dans une banlieue agréable, au-dessus d'un petit parc face à la mer, il est facile d'accès pour les motorisés. Les piétons doivent prendre le bus n° 2 au centre-ville.

☺🍴 **Hotel Kontinental** – *Šetalište Andrije Kačića-Miošića 1* - ☎ *372 008, fax 372 009* - *kontinental@jadran-hoteli.hr* - *37 ch. : 464 kn* ☕. Construit en 1888 au bord de la Rječina, cet établissement ne manque pas de charme. Chambres bien entretenues.

☺ **Hotel Jadran** – *Šetalište XIII divizije 46* - ☎ *216 600, fax 216 458* - *jadran@jadran-hoteli.hr* - *69 ch. : 405 kn.* Les chambres sont assez spacieuses, avec un balcon qui ouvre sur la mer. Murs blancs, décoration minimaliste et confort correct.

☺🍴 **Grand Hotel Bonavia** – *Dolac 4* - ☎ *357 100, fax 335 969* - *bonavia@ bonavia.hr* - *114 ch. : 1 135/1 320 kn* ☕. C'est, en plein centre-ville, l'hôtel de luxe de Rijeka. Si le bâtiment lui-même n'est pas d'une beauté fulgurante, les chambres sont agréables, certaines d'entre elles, particulièrement : belle vue sur la ville basse et décoration réussie.

Se restaurer

☺ **Restaurant Feral** – *Matije Gupca 5b (près du port, dans le prolongement de Adamićeva, juste avant le canal)* - ☎ *212 274* - *plats 30/70 kn.* Dans une jolie salle fraîche, un peu obscure, au décor rustico-marin, nombreuses spécialités *(bakalar, fuži sa tartufi).*

🍴🍴 **Zlatna Školjka** – *Kružna 12a (petite rue en retrait du Korzo)* - ☎ *213 782* - *plats 60/90 kn.* Petite salle décorée façon grotte sous-marine. Spécialités vénitiennes : délicieuses sardines en *saor* (sauce genre escabèche) et spaghettis à l'encre de seiche. Deux tables au centre de la pièce, sont réservées aux non-fumeurs…

☺/☺🍴 **Arca Fiumana** – *Adamićev gat* - ☎ *319 084* - *50/100 kn.* Dans un bâteau amarré au port de Rijeka, un restaurant simple et agréable où l'on mange du poisson et des fruits de mer au rythme des flots. Un pub en bas, bondé le soir, et bientôt quelques chambres aménagées dans la partie avant du bateau pour ceux qui sont lassés de la terre ferme.

Faire une pause

Café El Rio – *Jadranski trg 4c.* Idéalement placé aux abords de la vieille ville et sur une place animée, cette belle et grande salle sait aussi offrir quelque intimité. On peut s'y restaurer de spécialités mexicaines : *tortillas, guacamole,* etc.

Bar Hemingway (Gradska kavana) – *Korzo 28.* Au pied d'un immeuble néo-antique, c'est le grand café-glacier de la ville. La terrasse, sur le Korzo, est un point d'observation stratégique.

Café Simona – *Au coin de Korzo et de Trg Republike Hrvatske.* Décor dans les mêmes tonalités que l'office de tourisme, à proximité immédiate.

Achats

Journaux – Presse internationale à la boutique **Tisak** de Korzo, en face de l'office de tourisme. Un des rares endroits de Croatie où trouver des journaux français (*Le Monde* et *Le Figaro* de l'avant-veille).

VBZ – *Dolac 7* - *lun.-vend. 8h-20h, sam. 8h-13h, fermé dim.* Grande librairie où trouver des cartes et des guides.

Mala galerija – *Užarska 25* - *8h30-14h et 16h-20h, sam. 8h30-14h., fermé le dim.* Vous y trouverez des objets en céramique, des bijoux et les fameux *Morčići,* souvenirs en forme de tête de Maure coiffée d'un turban.

Kušaonica Frajona – *Riva 16* - *8h-21h., fermé le dim.* Vins en provenance de l'île de Krk. Dégustation proposée.

En soirée

CINÉMAS

Croatia – *Krešimirova 2* - ☎ *335 219* à hauteur de la gare ferroviaire.

Teatro Fenice – *Dolac 13* - ☎ *335 225.*

Événements

Carnaval de Rijeka – *Fév.-mars* - *www.ri-karneval.com.hr.*

Les nuits d'été de Rijeka – *fin juin-fin juil.* Festival réunissant les grands noms de la scène théâtrale et musicale internationale.

Fiumanka – *Juin* - *www.fiumanka.hr.* Régate annuelle de Rijeka.

Parc national de **Risnjak**★★

Nacionalni Park Risnjak

GORSKI KOTAR – CARTE GÉNÉRALE A2 – CARTE MICHELIN 757 C5-6

Des reliefs karstiques aux formes étranges creusés d'aven et de dolines ; de sombres forêts de sapins où s'épanouit une flore variée ; une faune abondante en oiseaux, en insectes et en mammifères (cerfs, chevreuils, sangliers, lynx, loups et ours). Nous voici au cœur des paysages majestueux du Gorski Kotar dans une région inviolée grâce à son isolement. N'hésitez pas à vous y poser, en retrait des foules du littoral, le temps de quelques promenades : vous ne le regretterez pas !

▶ **Se repérer** – À une altitude de 696 m, Delnice, installée dans une région forestière au pied du pic de Japlenški, est le principal point d'accès au parc national de Risnjak. Que l'on vienne de Rijeka (à 43 km) ou de Zagreb par Karlovac (83 km), on y accède sans difficulté par l'autoroute en empruntant la sortie « Delnice-Lokve ».

👁 **À ne pas manquer** – Sentier de découverte Leska, défilé de Zeleni Vir pour les randonneurs en bonne forme physique.

🕐 **Organiser son temps** – Compter à peu près 1h30 pour le sentier Leska, 3h pour le défilé de Zeleni Vir.

👫 **Avec les enfants** – Randonnées dans les bois.

🐾 **Pour poursuivre la visite** – Voir aussi Rijeka (43 km à l'ouest), Opatija (56 km) et le golfe de Kvarner, ainsi qu'Ogulin (55 km à l'est) en direction des lacs de Plitvice (118 km au sud-est).

P. Plantier / MICHELIN

Dans le Gorski Kotar, le parc national de Risnjak et ses paysages alpins.

Circuit de découverte

À LA DÉCOUVERTE DU PARC

Delnice

Cette paisible bourgade vouée à l'exploitation du bois, posée au pied de la montagne de Risnjak, se résume à une longue rue où les troncs d'arbres entassés attendent d'être débités à la tronçonneuse qui, ici, constitue le fond sonore. Sur la colline boisée qui sépare la cité de l'hôtel local, un **jardin zoologique (zoo vrt)**, qui a sans doute connu des jours meilleurs, a été installé : sous les arbres, quelques biches désabusées s'ébattent sans joie dans un espace grillagé plutôt à l'abandon.

Quitter Delnice en direction de Lokve puis, à 2 km, prendre sur la droite la petite route marquée « Nacionalni Park Risnjak ».

Contournant le mont Japlenški, assez étroite et sinueuse, la route parcourt pendant 9 km un beau paysage de moyenne montagne, parmi d'épaisses forêts où se mêlent conifères et feuillus. Au loin, par les échancrures des collines, on aperçoit les sommets du Risnjak aux pentes tapissées de sapins. On arrive à une clairière, vallonnée, couverte de prairies et lumineuse.

Crni Lug

Charmant village de montagne à l'orée du parc national. Nombre de chalets proposent des chambres à louer aux visiteurs de passage.

À la sortie du village, prendre à gauche sur 2 km la route conduisant au parc.

Bijela Vodica

Ce hameau est constitué de deux chalets abritant la maison du parc national de Risnjak et une auberge réputée.

Sentier de découverte Leska★★ (Povčna staza Leska) – 🔦 *4,5 km. Compter 1h30 environ. Le sentier est tracé pour partie sur une route forestière fermée à la circulation mais encore asphaltée et pour partie sur un large chemin. Prévoir donc uniquement des chaussures confortables et un peu d'eau. Il est ponctué à intervalles réguliers de panneaux explicatifs, judicieusement rédigés à la fois en croate et en anglais. Notez aussi que, par endroits, il fait office de sentier botanique, permettant ainsi d'identifier les plantes et arbres endémiques de la forêt.*

Tracé à partir de la Maison du parc, ce sentier en boucle permet de découvrir quelques-uns des phénomènes géologiques, botaniques et humains qui font l'originalité du parc de Risnjak. Pénétrant dans la forêt (sapins majoritaires auxquels se mêlent quelques épicéas, de nombreux hêtres, ainsi que de rares arbrisseaux comme le sorbier des oiseleurs ou le sureau), on découvre une **doline**, dépression en forme d'entonnoir caractéristique des régions karstiques, puis une zone de **chablis**, espaces de dépeuplement forestier dus au vent violent soufflant du sud, le *Jugo*, qui entraîne une modification locale de l'écosystème. Au-delà, on débouche dans des prairies de montagne couvertes de bruyères, de nards ou d'arnica, puis dans une **réserve de fourrage** (foin, lierre et gui) avec une mangeoire garnie de maïs destinée à éviter aux cerfs ou aux chevreuils de quitter le parc lors des époques de pénurie (l'hiver, notamment) et d'entrer dans une zone de chasse. Observez les réserves de sel dont les sangliers sont particulièrement friands… Au-delà, on découvre un **ponor** (perte), aven où disparaissent les eaux du torrent avant un cheminement souterrain plus ou moins long. Un **observatoire** sur pilotis a été installé dans un lieu de passage d'autant plus fréquenté par les habitants de la forêt qu'il est régulièrement garni de viande, d'os et de maïs : avec un peu de chance (et si vous observez le silence le plus complet), vous pourrez apercevoir un lynx, beaucoup plus rarement un loup. Quant aux ours, ils s'y rassemblent, dit-on, certaines nuits d'hiver. Près de l'observatoire, jaillit la **source karstique Klada** qui doit son nom aux troncs d'arbres (ou *klada*) dans lesquels l'eau est recueillie. À côté, enfin, se trouvent les vestiges du hameau de Leska, posé dans une clairière et constitué de maisons au rez-de-chaussée de pierre et à l'étage de bois.

Regagner Crni Lug et reprendre sur la droite la direction de Jelenje.

Étroite et parfois défoncée, la route serpente parmi de sombres forêts. De temps à autre, des hameaux ou des fermes isolées aux bâtiments de bois ont pris prétexte d'une clairière ou d'un col pour s'établir : quelques champs cultivés attestent alors l'activité humaine. Au-delà de **Zelin Crnoluški**, on arrive dans une région défrichée couverte de prairies et de champs.

Après 3 km, prendre sur la gauche la petite route de Lokve.

Comment savoir si un ours est de bonne humeur ?

Question qui peut se révéler essentielle si vous vous trouvez nez à nez avec un charmant plantigrade au détour d'un sentier ! Sachez d'abord que si l'ours est debout, cela ne présume en rien de ses intentions : c'est tout simplement par commodité et pour voir plus loin… S'il est à quatre pattes et agite la tête en grondant et en claquant des dents, ce n'est pas très bon signe. Mais si ses oreilles sont dressées vers l'arrière et si les poils derrière la tête sont hérissés, c'est qu'il est carrément d'une humeur de chien ! Dans tous les cas de figure, gardez votre calme, ne faites pas de mouvements brusques, et évitez de le regarder dans les yeux. Si l'animal n'a pas l'air de vouloir rebrousser chemin, faites demi-tour lentement et éloignez-vous calmement. Sachez que les cas d'agression sont extrêmement rares et ne peuvent venir que de la part d'une mère voulant protéger son petit.

Risnjak en bref

Centré autour du pic Risnjak, le parc national occupe une superficie de 3 400 ha, dont l'altitude varie de 290 m à 1 528 m. Cette région karstique marque une barrière, tant climatique que végétale, entre le littoral, franchement méditerranéen, et l'intérieur du pays, et constitue le lien naturel entre la chaîne des Alpes et les Alpes dinariques. À 15 km de la mer, on découvre toute une série de phénomènes naturels où se côtoient forêts vierges, cimes inviolées et reliefs aux formes fantastiques comme aux sources de la Kupa. Fondé en 1953 par un botaniste, le Dr Ivo Horvat, le parc a été préservé, du fait de son isolement, des activités économiques modernes ce qui lui a permis de conserver une flore originale (chardon bleu, lys, edelweiss) et ses paysages essentiellement forestiers que peuple une faune riche et variée où l'on peut rencontrer loups, lynx et ours. L'accès à la zone centrale du parc est sévèrement réglementé.

Cette route, très étroite, et au revêtement dégradé, grimpe parmi des prairies encadrées de forêts. Au bout de 3,5 km, on débouche sur un petit plateau verdoyant, et on aperçoit sur la droite le beau **lac de Lokve★ (Lokvarsko jezero)**, créé par la construction d'un barrage sur la rivière Lokvarka. Il atteint une profondeur de 40 m. À l'approche du village, on aperçoit l'impressionnant talus herbeux retenant les eaux.

Lokve

On aperçoit d'abord de ce village montagnard une succession de chalets (certains proposent des chambres) posés en bordure de la prairie, de part et d'autre de la route. Le bourg est voué aux activités liées à l'exploitation forestière.

Après avoir longé une chapelle curieusement tronquée, la route rejoint peu avant Delnice l'autoroute Zagreb-Rijeka.

Aux alentours

Fužine

À 17 km au sud-ouest de Delnice par la petite route de Vrata qui passe sous l'autoroute Rijeka-Zagreb.

Cette localité autrefois minière (fer) est aujourd'hui baignée par un lac de retenue, le **lac Bajer**, qui attire les amateurs de pêche, baignade et autres activités nautiques. Le lac, les chalets, le clocher de l'église dominant l'ensemble composent un tableau qui évoque un paysage suisse.

Skrad

À 16 km au nord-est de Delnice par la route de Karlovac.

Alt 700 m. Sur la **Lujzinska cesta**, ou « route Louise » ainsi nommée en hommage à l'impératrice Marie-Louise, Skrad peut, depuis l'ouverture de l'autoroute, se consacrer à sa vocation touristique, jusque-là quelque peu limitée par une circulation incessante.

Depuis cette station climatique, on domine de très haut la vallée de la Kupa, avec ses villages que surplombent les clochers à bulbe de leurs églises et posés dans un paysage où les prairies alternent avec les forêts de sapins. La **vue★** est remarquable. Rendez-vous apprécié des pêcheurs et des chasseurs, Skrad reçoit également nombre de randonneurs.

Défilé de Zeleni Vir – *Accès par une route en forte pente qui dévale jusqu'à la centrale électrique du même nom, en bordure d'un ruisseau. 3h. Réservé à des randonneurs assez entraînés et surtout non sujets au vertige.*

🔍 Le sentier conduit à une roche de 70 m de haut d'où jaillit une cascade. Au-delà, on atteint le **passage du Diable (Vražji prolaz)**, canyon que l'on parcourt, hors d'atteinte des rayons du soleil, à l'aide de ponceaux et d'escaliers taillés dans la roche. Le sentier conduit à la **grotte de Muževa hižica** (belles concrétions), avant de se terminer à la gare de Skrad, toujours en contrebas du village.

Parc national de Risnjak pratique

Informations utiles

Indicatif téléphonique – *051.*

OFFICES DE TOURISME

Maison du parc (Uprava Nacionalnog parka Risnjak) à Crni Lug – *Bijela Vodica 48 - ℘ 836 133, fax 836 116 - www.risnjak.hr (site traduit en 4 langues dont le français).*
À Delnice – *Lujzinska cesta 44 - ℘ 812 156.*
À Skrad – *Josipa Blaževica Blaža 8 - ℘ 810 680.*

AUTRES ADRESSES

Centre médical – *À Delnice -* ℘ *812 356.*
Pharmacies – *À Delnice et à Skrad.*
Banques – *Agences et distributeurs à Delnice et à Skrad.*

Se loger

👁 **Bon à savoir** – Nombreuses chambres et *apartmans* à louer dans le joli village de Crni Lug, comme dans ceux de Lokve et de Fužine.

À CRNI LUG

🛏🍽 **Motel NP Risnjak** – *Bijela Vodica 48 - ℘ 836 133, fax 836 116 - 8 ch. : 420/480 kn* 🍴. Aménagées à l'étage d'un chalet, les chambres, agréables, disposent de tout le confort. Nuit silencieuse en perspective…

À DELNICE

🛏🍽 **Motel Lovački Dom** – *Japlenški vrh 2, au-dessus de la ville et du « zoo vrt » (fléchage) - ℘ 812 440, fax 812 019 - 🅿 - 8 ch. : 400 kn* 🍴. Décorée comme il se doit de trophées de chasse, la « maison des chasseurs » présente un aspect un peu sombre et vieillot. Chambres rénovées en 2004.

🛏🍽 **Hotel Risnjak** – *Lujzinska cesta 36, au centre du village - ℘ 508 160, fax 580 170 - info@hotel-risnjak.hr - 21 ch : 580 kn* 🍴. Très agréable petit hôtel, ouvert en 2004. Chambres confortables décorées avec goût. Jacuzzi, sauna, fitness, bar et restaurant vous attendent.

Se restaurer

👁 **Bon à savoir** – vous trouverez nombre de restaurants en bordure de la « route Lujzinska » qui relie Delnice à Karlovac. Spécialités de gibiers… ainsi que de porcs et d'agneaux rôtis à la broche.

À CRNI LUG

🍽 **Auberge de la Maison du parc** – *80/100 kn.* Un rendez-vous gourmand apprécié des amateurs de gibier. En été, il est très agréable de dîner sur la terrasse, à l'orée de la forêt. Service attentif et aimable.

Découverte du parc

VISITE

S'adresser à la **Maison du parc à Crni Lug**. Si vous avez l'intention de pousser votre découverte au-delà du sentier de Leska, sachez qu'une autorisation est indispensable et qu'il faut acquitter un droit d'entrée. Demandez les services d'un guide, ne serait-ce que pour faciliter votre voyage, assurer certains transports évitant des marches inutiles… et négocier le passage avec les ours que vous pourriez rencontrer.

RÉGLEMENTATION

S'abstenir de quitter les sentiers balisés. Toute cueillette est formellement interdite. De même, il est interdit de planter sa tente dans le parc et, bien entendu, d'allumer un feu. Quant à votre chien, vous devrez le tenir en laisse.

Loisirs sportifs

ÉQUITATION

Lokve – *Toute l'année. Rens. au* ℘ *831 013/ 244.*
Scrad – *Toute l'année. Rens. au* ℘ *098 161 08 93.*

PARAPENTE

Delnice – *Rens. au* ℘ *098 501 493 et 098 337 943.*
Lokve – *Rens. au* ℘ *831 403 et 098 301 325.*

SKI

Centre olympique croate Bjelolasica – *Rens. au* ℘ *833 225.* Le plus grand centre en Croatie pour les sports d'hiver, situé sous le plus haut sommet du Gorski Kotar (1 534 m) au sud-est de la montagne de Bjelolasica : 6 000 m de pistes de ski, 3 téléskis.
Delnice (sur le mont Polane) – *Rens. à l'office de tourisme* ℘ *812 156.* Ski alpin, ski de fond, un téléski.

PÊCHE SPORTIVE

La pêche est possible sur la Kupa (de sa source jusqu'à Severin na Kupi) et sur le lac Bajer, à condition de posséder un permis journalier ou annuel. Rens. aux offices de tourisme de la région.

Événements

La Nuit des grenouilles à Lokve – *Avril.* Les grenouilles sont nombreuses dans la région et les habitants de Lokve ont eu l'idée de les célébrer… mais les pauvres bêtes ne sont pas à la fête : après avoir participé à un concours de sauts… elles se retrouvent dans l'assiette des spectateurs !
Marohlinjiada à Delnice – *Avril.* Récolte de morilles et de cèpes.
Journées des fraises et des myrtilles à Ravna Gora (à l'est de Delnice) – *Début juin.*

Le village de Motovun, dominant les fameux vignobles d'Istrie.

Mauritius / PHOTONONSTOP

Labin★

ISTRIE – 12 426 HABITANTS
CARTE GÉNÉRALE A2 – CARTE MICHELIN 757 B6 –
SCHÉMA : VOIR À MOTOVUN ET À GOLFE DE KVARNER

Une ville fortifiée perchée au-dessus de la mer : ainsi se présente Labin, avec ses façades colorées et ses ruelles en escalier. Cité parsemée de palais, ce fut aussi une ville minière : on a peine à le croire aujourd'hui, alors que les artistes ont pris la place des mineurs de fond et investi les nobles palais d'autrefois pour y ouvrir des galeries. Et, 300 m en contrebas, Rabac, haut lieu du tourisme balnéaire en Istrie, offre la possibilité de piquer une tête dans cette mer si bleue.

▶ **Se repérer** – Dominant la côte orientale de l'Istrie, Labin est une vieille ville perchée à 48 km d'Opatija par la route de corniche de la riviera liburnienne et à 32 km au sud-est de Pazin. À l'arrivée, après avoir traversé la ville basse on accède à la ville haute par une montée escarpée et pavée, jusqu'à la place Tito plus ou moins transformée en parking (payant).

👁 **À ne pas manquer** – Promenade dans la vieille ville, baignade à Rabac en saison.

🕐 **Organiser son temps** – Compter 2h pour la visite de Labin (sans escapade à la plage de Rabac).

👪 **Avec les enfants** – Balade en *Glass Boat* à fond transparent à Rabac, Musée populaire de Labin avec sa galerie de mine reconstituée.

👣 **Pour poursuivre le voyage** – Voir aussi le golfe de Kvarner, par la route qui vous conduira à Opatija (48 km) et Rijeka (61 km) ; ou bien poursuivre en Istrie en visitant Pula (44 km au sud-ouest).

La vieille ville de Labin.

Se promener

Place Tito (Titov trg)

Après y avoir laissé la voiture, et s'être désaltéré à l'agréable Velo Kafe, on se prend à regretter que cette place soit utilisée comme parking. Elle abrite en effet, sur la gauche, un **bastion circulaire** assez massif, élevé aux 16e et 17e s. et surtout, lui faisant pendant, une délicate **loggia** du 16e s. (dépôt lapidaire) qui mériterait d'être mieux mise en valeur. Derrière le bastion, la **porte S. Floro★ (vrata sv. Flora)**, 1587, ouvre sur la vieille ville.

Passant par la gauche de la loggia, on arrive à la promenade Saint-Marc.

Promenade Saint-Marc★ (Šetalište sv. Marka)

Agréable promenade aménagée en terrasse. Sur la droite, dominant la campagne plantée de potagers, de vignes et de cyprès, on aperçoit, au loin, la mer et le golfe de Rabac, avec ses maisons blanches disposées en amphithéâtre. Des fourmis dans les jambes ? Un escalier donne accès à un sentier qui permet de descendre à pied à la mer…

La promenade se poursuit par une route circulaire, le **Viale dei Illustri** : des héros de la résistance istrienne au nazisme, parmi lesquels **Aldo Negri** (1914-1944), y sont honorés par une sculture de leur buste.

De retour sur la promenade, en passant sous la **porte des Uskoks (Uskočka vrata)** de 1599, on pénètre dans la vieille cité par la rue J. Rakovca, en montée assez sensible.

Starigrad

Sur cette place, deux édifices intéressants : la **maison Scampicchio (zgrada Scampicchio)**, élevée en style Renaissance en 1535, et le **palais communal (Gradska palača)**, lui aussi du 16ᵉ s. Sur la gauche, une ruelle en pente conduit à la porte S. Floro qui ramène à la place Tito.

Prendre la petite rue qui s'élève en face et passe devant la façade du palais communal.

Rue Giuseppina Martinuzzi★ (Ulica Giuseppina Martinuzzi)

Sur le côté gauche de cette rue, bel ensemble de constructions anciennes : au nº 7 le **palais (palača) Franković**, baroque, qui date du 18ᵉ s. Il abrite un petit **musée-mémorial** (*mai-sept. : tlj sf dim. 10h-13h et 18h-20h, sam. 10h-13h ; oct.-avril : tlj sf w.-end 8h-14h*) évoquant Matija Vlačić (1520-1575), plus connu sous le nom de **Mattias Flacius Illyricus**, disciple de Martin Luther, et fondateur de la branche des « vrais luthériens ». Suivent l'**ancien hôpital (stara bolnica)**, un édifice des 16ᵉ et 17ᵉ s., et deux belles demeures baroques, les **palais Negri** et **Mancini**.

Tourner à droite dans Kranjska ulica (marches) et continuer à descendre jusqu'à la rue Pina Budicina que l'on prend sur la gauche.

Rue du 1er-Mai★★ (ulica 1. Maja)

Entrecoupée de marches, bordée de palais et d'églises, cette rue compose un ensemble aussi biscornu qu'harmonieux avec ses balcons, ses décrochements et ses façades teintées de couleurs chaudes.

Église de la Nativité de la Vierge★ (Crkva Rođenja B.D. Marije)

Commencée au 11ᵉ s., mais remodelée au 16ᵉ s. et décorée par la suite dans le goût baroque, elle présente une agréable façade à fronton Renaissance, ornée d'une délicate rosace et d'une sculpture représentant le lion de saint Marc. Sur la droite de la porte, dans une conque, remarquez le très beau **buste★★**, œuvre maîtresse d'époque baroque (1688) honorant Antonio Bollani, qui s'illustra par sa vaillance contre les Turcs. À l'intérieur, on est frappé par la belle élévation de l'édifice, la noblesse du grand autel orné d'une toile représentant la Nativité et une jolie collection de statuettes de saints, baroques, en bois polychrome.

Église N.-D.-Consolatrice (Crkva sv. Marije Tješiteljice)

Érigée en 1426 par les membres de la communauté religieuse du même nom, elle renferme une petite **collection d'art sacré** *(tlj sf dim. 10h-16h)* qui se compose de tableaux du 17ᵉ s. et d'un bel ensemble de statues en bois polychrome représentant les Apôtres

Palais Battiala-Lazzarini★
(Palača Battiala-Lazzarini)

Ce beau palais, dont un corps de bâtiment en retour vient fermer en partie la place, a été élevé au 17ᵉ s. Sa façade rouge est ornée de balcons et de deux étages de fenêtres décorées de têtes de lion. Il abrite le Musée populaire.

Musée populaire de Labin (Narodni muzej Labin) – *Mai-oct. : tlj sf dim. 10h-13h et 18h-20h, sam. 10h-13h ; nov.-avril : tlj sf w.-end 8h-13h. 15 kn.* Les **collections archéologiques** évoquent l'antique *Albona*, municipe romain fondé au 2ᵉ s. av. J.-C., à l'aide de stèles funéraires et votives, et d'amphores

Façade du palais Battiala-Lazzarini.

Ch. Barrely-Legrand / MICHELIN

retrouvées dans le fjord de Raža, au sud de Labin, ainsi que l'arrivée des Slaves au Haut Moyen Âge. Une intéressante **section ethnographique** fait revivre à l'aide d'outils paysans, de jougs, de filets de pêche, d'instruments de musique (remarquez la crécelle, l'accordéon local et un instrument évoquant les cabrettes) la vie d'autrefois. Mais le clou de la visite est la **galerie de mine★** reconstituée avec ses étais, des wagonnets, des bruitages visant à rendre le parcours plus réaliste… d'autant que l'on aura pris soin de se coiffer d'un casque pour éviter de se cogner aux poutres. Les claustrophobes apprécieront le panneau *izlaz* « sortie » qui entretient l'espoir d'une issue ! Inattendue, cette galerie rappelle que Labin fut le centre minier le plus important d'Istrie ; exploitées depuis 1785, les dernières mines ne fermèrent qu'en 1999.

Au-delà du musée, des marches assez raides conduisent, sur la droite, au bout de la rue marquée par une **maison à cariatides**, elle aussi du 16e s.

Dans ulica Rike Milejova, que l'on prend à droite, on rencontre un **campanile** solitaire, élevé au 17e s. à côté des vestiges de l'**église Saint-Just (crkva sv. Justa)**, bâtie au 10e s. En face, l'ancien archevêché (14e s.) est une construction gothique.

De là, on revient sur la rue du 1er-Mai à hauteur de l'église St-Marc et l'on peut quitter la ville par Stari Grad et la voûte de la porte S. Floro qui ramène sur la place Tito.

Aux alentours

Rabac★
À 6 km à l'est.

C'est une belle route qui descend en lacets serrés sur la station balnéaire, dévoilant peu à peu des **vues★★** sur la baie et le village de pêcheurs qui en occupe le fond. Enserrant son port, le village s'est doté de deux grandes zones hôtelières. Sur la droite, devant une plage de gravier, se sont installés trois grands ensembles à l'architecture anguleuse. Sur la gauche, les hôtels, plus discrets, sont disséminés dans des pinèdes qui dominent une série de caps, délimitant de petites plages **(San Andrea, Lanterna)**, de rochers, de graviers, ou de ciment – ce qui ne guérit pas de l'envie de se baigner dans les eaux bleues. Une promenade piétonne bordée de restaurants et cafés, le **lungomare★**, relie ces deux zones au centre-ville en longeant la côte dont elle épouse les sinuosités. Voué au tourisme, le port pourra être le cadre d'une promenade agréable, surtout au matin, lorsque seuls les pêcheurs en animent les quais. C'est le moment d'apprécier la belle **vue★** sur le golfe et les îles.

L'une des plus belles plages de Rabac.

P. Plantier / MICHELIN

Raša
À 3 km au sud-ouest.

Une bien étrange cité : ce village de mineurs fut entièrement construit, en 1936, par un architecte italien, Gustavo Pulitzer-Finali, et Mussolini en personne (l'Istrie était alors italienne) en a posé la première pierre. Le toit de l'église Sainte-Barbe affecte la forme d'un wagonnet de mine, et son clocher a été dessiné en s'inspirant des lampes de mineurs. On ne peut nier que le résultat soit curieux.

Kršan

À 18 km au nord-ouest en direction d'Opatija puis, à Vozliči, en prenant la direction de Pazin.

Sur la gauche de la route s'élèvent les vestiges d'un château médiéval : une tour quadrangulaire et un portail gothique. C'est ici que l'on a retrouvé, au début du 20e s., le parchemin porteur d'un long texte glagolitique, sorte de cadastre de l'Istrie au 13e s.

Labin pratique

Informations utiles

Code postal – *52220*

Indicatif téléphonique – *052*

Office de tourisme – *Rue Aldo-Negri 20, 855 560 - www.rabac-labin.com.*

Distributeurs – *Sur Titov trg.*

Soins médicaux – **À Labin** : *Kature bb, dans la ville basse, 855 333 ;* **à Rabac** : *Albergo Apollo - 872 030.*

Dentiste – *855 333.*

Pharmacie – *Dans la ville basse, Sv. Mikule 2, 855 509, tlj 7h-21h (w.-end 10h-17h).*

Poste – **À Labin** : *Zelenice 1, dans la ville basse, tlj sf dim. 7h-20h, sat. 7h-14h ;* **à Rabac** : *tlj sf dim. 8h-15h et 18h-21h.*

Transports

Autobus – *Istarska ulica, dans la ville moderne (en retrait de l'axe principal Pula-Rijeka) - 855 220 - guichet : 5h30-21h.* Bus fréquents pour Pula, Rijeka, Zagreb, Rovinj, Zadar, Šibenik et Split ; 1/j. pour Varaždin, Osijek, Trieste et Dubrovnik.

La **desserte locale** entre Labin et Rabac est pratique : 14 bus/j., 5h15-22h05.

Petit train de Rabac – *10 kn (enf. : 5 kn).* Il parcourt le *lungomare*, de la pointe Sv. Andrea aux hôtels Maslinica en passant par le port de Rabac.

Parking – *Place Tito (Titov trg)*, parking payant à un employé municipal qui fait aussi office de bureau de tourisme ambulant. Parking plus vaste au-delà de la route par la rue Ste-Catherine (ulica sv. Katarine) et immédiatement à gauche.

LOCATION DE VOITURE

Vetura – *Hotel Castor, Rabac - 872 129 - tlj 8h-21h.*

Apis – *Obala M. Tita 1, Rabac - 880 465, fax 880 466 - tlj 7h-15h.* S'occupe également de la location d'appartements.

Nautisme

Pas de marina à Rabac, mais quelques anneaux au port. Marinas les plus proches : Ičići (Opatija) et Pula. Grue au camping Oliva. En ville : épicerie, magasins d'équipement nautique et tous commerces. **Carburant** à 300 m du port. Enregistrement à la **capitainerie du port de Rabac** – *Obala M. Tita bb - 872 085.*

Se loger

À LABIN

Agence Veritas – *Sv. Katarine 8 - 885 007, fax 852 757 - été : 8h-21h ; hors sais. : tlj sf dim. 8h-16h, sam. 9h-12h - studio : 39 €, appart. (4 pers.) : 60 €.*

À RABAC

Centrale de réservation – *Rabac bb - 465 200, fax 872 561 - reservations-rabac@valamar.com - www.valamar.com. Pour Maslinica Hôtels : 884 150/170, fax 872 088, info@maslinica-rabac.com.*

Hotel Mediteran – *862 400, fax 862 460 - 110 ch. : 43,30/44,20 €/pers. en demi-pension.* Juste au-dessus du Marina, un grand bâtiment un peu triste évoquant les années 1970…

Hotel Marina – *862 300, fax 862 360 - 108 ch. : 57,40/61,70 €/pers. en 1/2 P.* Accès presque direct à la plage et piscine surplombant le front de mer.

Hotel Castor – *862 100, fax 862 160 - 164 ch. et 12 appart. : 66,20/70,40 €/pers. en 1/2 P.* Dans une belle pinède, un hôtel des plus convenables avec piscine et accès direct à la mer, une centaine de mètres en contrebas à hauteur d'une petite chapelle posée en surplomb du *lungomare*.

Hotel Pollux – *862 200, fax 862 260 - 165 ch. et 13 appart.* Le frère du précédent, comme son nom l'indique. Un peu moins bien situé. Tarifs identiques.

Hotel Neptun – *862 520, fax 872 569 - 155 ch. : 57,40/61,70 €/pers. en 1/2 P.* Le plus excentré des hôtels de Rabac. Certaines chambres, très correctes, ouvrent sur la mer (belle vue).

Maslinica Hotels – *ch. double 50/58 €/pers. en demi-pension.* Donnant sur la grande plage, dont ils sont séparés par des pelouses munies de piscines, mini-golf et une haie où se mêlent cyprès, pins et oliviers, il s'agit de trois hôtels identiques en forme de pyramide (pour bronzer en toute intimité, choisissez donc plutôt les étages supérieurs) ! **Mimosa**, **Hedera** ou **Narcis**. Ils ne diffèrent que par la couleur de leur façade, plus ou moins ocre ou rouge. Chambres avec baignoire, fonctionnelles et relativement vastes. Belles terrasses. Sauna, fitness, boutique…

🝢🝢🝢🝢 **Pension Nostromo** – *M. Tita 7 -*
℘/fax 872 601 - 6 ch. et 2 appart. : ch.
501,60 kn/pers., appart. 600/858 kn.
Au-dessus du restaurant du même nom,
chambres et appartements avec une vue
magnifique sur le port et la plage de
Maslinica. Pension bien tenue et d'une
propreté impeccable.

À SVETI MARTIN

Ces deux *Agroturizam* partagent l'ancienne
demeure du dernier baron Lazzarini.

🝢🝢 **Palača Lazzarini-Battiala** – *Kort,*
Sv. Martin, 52 231 Nedešćina - ℘ 856 006,
fax 880 114 - www.sv-martin.com -
mai-déc. - 6 appart. : 55/67 €, 🝱 *40 kn/pers.*
La demeure abrite dans ses murs
ocre-rouge des appartements de 2 à
6 personnes (30 m² et 60 m²). Décor sobre
et équipement complet. Ces appartements
ne manquent pas de cachet. Table d'hôte.

🝢🝢🝢 **Pineta** – *Sv. Martin 32b,*
52 231 Nedešćina - ℘ 865 688, fax 865 015 -
agroturizam.pineta@pu.t-com.hr -
6 appart. : 615/675 kn - 🝱 *49 kn/pers.* Dans
un cadre champêtre, de sympathiques
propriétaires proposent de nouveaux
appartements très confortables dans
le « château » et une excellente (et
roborative) cuisine. Le petit-déjeuner
est pantagruélique !

Se restaurer

À LABIN

👁 **Gostionica Kvarner** – *Šetalište*
San Marco bb - ℘ 852 336. Un restaurant
convivial au style rustique où, de 9h
à 12h, on sert des plats du jour *(18/25 kn)*
et toute la journée des plats à des prix
doux : *bakalar*, 30 kn, salade de poulpe,
35 kn.

🝢 **Velo kafe** – *Titov trg 12 - ℘ 852 745 -*
30/60 kn. Avec sa terrasse sous treille à
l'étage, ce sympathique établissement
situé face à la loggia, sur la place
principale de la ville haute, sera un endroit
des plus agréables pour se poser, prendre
un verre, déguster une glace, calmer
une petite faim avec un sandwich
ou une pizza, ou faire un vrai repas.

À RABAC

👁 **Bon à savoir :** le long du *Lungomare*
vers la pointe Sv. Andrea, nombreux
établissements de restauration rapide
(sandwichs, pizzas, salades) et glaciers.

🝢/🝢🝢 **Restoran Miramare** – *M. Tita*
bb - ℘ 872 146 - 12h-23h - plats 40/70 kn,
poisson 200 kn/kg. Belle villa blanc et bleu,
dominant le port avec deux étages de
terrasses à arcades. Poissons et calmars.
Service un peu lent, mais la vue sur la mer
est tellement agréable… Propose aussi la
location de chambres.

🝢/🝢🝢 **Lino** – *M. Tita 59 - ℘ 872 629 -*
12h-23h - plats 40/70 kn, le poisson 220 kn/
kg. Sur le port, une terrasse surplombant
la promenade où l'on peut déguster
une *gulaš* aux asperges, une grillade de
poissons *(miješana riba na žaru)* et les

incontournables *čevapčiči.* Menu en
français. La patronne parle français,
ce qui est suffisamment rare pour le
signaler.

🝢/🝢🝢 **Gostionica Primorje** – *M. Tita*
bb - ℘ 872 217, 10h-0h - plats 30-70 kn. En
plein centre de Rabac, poissons et fruits
de mer directement sur le quai.

🝢/🝢🝢 **Restorant Nostromo** – *M. Tita 7 -*
℘ 872 601 - 11h-23h - 45-65 kn, fish plate
80 kn, poisson 220 kn/kg. Filets de bar aux
truffes, carpaccio de poissons, filet de
dinde avec sa sauce à l'orange, homards à
l'istrienne et autres plats exquis vous
attendent dans cet excellent restaurant
qui combine la cuisine traditionnelle et
imaginative. La carte offre le choix entre
60 types de vins.

À SVETI MARTIN

🝢🝢 **Pineta** – *℘ 865 688.* Un excellent
Agroturizam à 10 km de Labin, dans un
cadre champêtre bien agréable. Excellente
cuisine locale de produits fermiers, mais
attention : les portions sont énormes.
Ouvert toute l'année le soir seulement.

Art et artisanat

Galerie de la ville de Labin – *Ulica 1.*
Maja 5 - ℘ 854 464. Œuvres d'art moderne
et contemporain par des artistes croates.

Merania – *Ulica 1. Maja 1 - tlj sf dim. 9h30-*
14h30 (sam. 13h). Poteries traditionnelles.

Galerie Alvona – *G. Martinuzzi 15 - tlj sf*
w.-end 10h-13h. Dans l'ancienne église
N.-D.-du-Carmel.

Park Dubrova – *À l'entrée de la ville de*
Labin. Collection de sculptures en pierre
qui compte près de 90 œuvres réalisées
par les participants du Symposium
méditerranéen de sculpteurs *(voir*
Événements).

Sport et loisirs

Toutes les adresses ci-dessous se trouvent
à **Rabac**.

EXCURSIONS

Agence Atlas – *Hotel Castor -*
℘ 872 268/958 - www.atlas-istra.hr -
9h-13h, 18h-21h. Excursions en bateau
vers les îles de Krk et Brijuni, en car
aux lacs de Plitvice et, beaucoup moins
raisonnable, des journées à Venise en
vedette ultrarapide : départ à 6h15, retour
à 21h, le tout pour 525 kn !

Agence Kvarner Express – *M. Tita 53,*
Rabac - ℘ 872 225, fax 872 127 -
info@kvarner-express.hr. Croisière
panoramique, pique-nique sur la plage de
l'île de Zaglav, excursions dans différentes
villes istriennes (Pula, Porec, Rovinj) et
même visite de Postojna, les plus grandes
grottes karstiques en Europe, au sud de la
Slovénie. L'agence s'occupe également de
la location d'appartements, de bateaux et
de voitures.

Monsun Excursions – *Obala M. Tita -*
℘ 872 428. Escapades en mer, *fish picnics*
à Cres, balades nocturnes.

BAIGNADE

👁 **Bon à savoir** – Les eaux de Rabac arborent fièrement le pavillon bleu indiquant leur pureté.

Plages – Ne pas rêver de plages de sable fin et donc se munir de sandales adaptées. En revanche, la baignade y est surveillée et les plages disposent de douches et de cabines. On peut également louer des parasols et des chaises longues *(20 kn)*.

FENDRE LES FLOTS

Location de pédalos et de canoës – *Sur la plage Sv. Andrea*. Pédalos et petits canoës en matière plastique *(20 kn/h pour les loups de mer solitaires, 30 kn à deux)*.

ADMIRER LES FONDS MARINS

👥 **Balades en Glass Boat** – *Explorer Excursions - sur le port de Rabac -* 📞 099 66 77 000 - info@explorer.com.hr, *www.explorer.com.hr* - 11h-12h30, 16h-17h30 - 99 kn (7-12 ans : demi-tarif). Réservations sur le quai (obala M. Tita). Excursions en bateau à fond transparent : balade panoramique le long de la côte, *diving show* avec plongeur. Snack et boisson inclus.

PLONGER

Mare-technic Diving Center – *Hotels Girandella, Obala M. Tita 9 -* 📞 872 477, fax 872 023 - mare-technic@vip.hr, *www.mare-technic.hr*. Location de matériel, permis, cours de plongée, baptême. Permis annuel 14 €, plongée 20-30 €, baptême 40 €.

MZ Diving Center – *Sur le port de Rabac -* 📞 098 723 473 - www.mzdiving.hr. Location de matériel et plongée. Prix dégressifs de 21 € (1 plongée) à 16 € (plus de 10 plongées), plongée nocturne 26 €.

PÉDALER

Location de vélos – *Plage Sv. Andrea* ou *hôtels Maslinica*.

FRAPPER...

... la petite balle jaune : **Centre de tennis Prohaska** – 📞 091 78 81 809 - avr.-oct. : 8h-20h. Douze cours de terre battue et école de tennis. Location de matériel.

Santé

Wellness Centar – *Hôtel Sanfior, Rabac -* 📞 098 938 93 67 - Massages, soins du corps, aromathérapie, sauna, piscine.

Événements

Mélodies d'Istrie et de Kvarner (MIK) Festival – *Juin*. Festival de la chanson istrienne.

Été classique de Labin - *Juil.-août*. Concerts hebdomadaires de musique classique dans l'église de la Visitation ; performances théâtrales et expositions dans les rues de la ville.

Symposium méditerranéen de sculpteurs – *Eté*. Une des plus importantes manifestations culturelles de la région. Des sculpteurs du monde entier viennent créer des œuvres en pierre dans le parc naturel de Dubrova près de Labin.

Labinske konti – *Juil*. Festival des chants populaires de Labin.

Journées de la ville de Labin – *Août*. Pendant une semaine, des événements artistiques et culturels et des divertissements de toute sorte sont organisés.

Festival de musique électronique à Rabac – *1er w.-end d'août*.

Marché de Labin – *3e merc. du mois*.

Motovun★

ISTRIE –983 HABITANTS
CARTE GÉNÉRALE A2 – CARTE MICHELIN 757 B6

Nous voici au cœur de l'Istrie verte : parmi des vallonnements boisés se succèdent des cités médiévales perchées, très marquées par la longue période de domination vénitienne : on y découvre des églises couvertes de fresques, des palais aux fenêtres géminées, de beaux puits, des stèles gravées en glagolitique… Mais ici, la culture et l'histoire ne sont pas seules à l'honneur : il s'agit également, ce qui ne gâte rien, d'une région particulièrement appréciée des gourmets, attirés en particulier par des vins remarquables et les recettes traditionnelles que l'omniprésence des truffes vient anoblir.

- **Se repérer** – Dominant la vallée de la Mirna à une altitude de 277 m, Motovun (Montona) est un beau village perché. On y accède par la route reliant Pazin à Poreč puis, entre Vela Traba et Beram, par une route en montée sensible. À l'arrivée à Motovun, suivant la saison et l'affluence, laisser la voiture au parking situé au pied du village (un petit train assure alors l'ascension) ou le long de la route d'accès, jusqu'au cimetière, placé à peu près à mi-hauteur de la colline. À partir de là, la visite s'effectue à pied.

- **À ne pas manquer** – Balade dans la vieille ville de Motovun, fresques de l'église Sainte-Marie de Beram, gouffre de Pazin, Hum, la plus petite ville du monde, dégustation de vins, d'huile d'olive et de truffes.

- **Organiser son temps** – Compter 2h pour la visite de Motovun. Prévoir une journée pour chacun des circuits proposés.

- **Avec les enfants** – Gouffre de Pazin, Musée ethnographique d'Istrie (château de Pazin).

- **Pour poursuivre le voyage** – Voir aussi Poreč (28 km au sud-ouest), Rovinj (48 km au sud-ouest), Pula (65 km au sud), Labin (50 km au sud-est) et le golfe de Kvarner.

P. Plantier / MICHELIN

Motovun, l'un des plus beaux villages perchés de l'Istrie.

Se promener

DANS LA VILLE HAUTE★★

Après avoir laissé la voiture, on accède à la ville haute par une longue rue en forte pente, grossièrement pavée.

Remparts

Sur la gauche, avant la porte citadine.
On arrive au pied de la partie la mieux conservée des remparts médiévaux de la petite cité, élevés entre le 13e et le 14e s.

Porte citadine inférieure

Frappée du lion de Venise, cette double porte surmontée d'un bastion date du début du 14e s. Reconvertie en dépôt lapidaire (lions de saint Marc de diverses époques), elle donne accès à la place Josip Ressel, disposée en terrasse au-dessus de la campagne et agrémentée de terrasses de cafés où quelques passionnés jouent aux échecs.

Porte citadine supérieure

Cette superbe porte en chicane clôt la place Josip Ressel en donnant accès à la ville fortifiée.

Place Andrea Antico (Trg Andrea Antico)

Cette belle place n'est pas sans évoquer certaines « piazzas » italiennes : la partie gauche, cernée par un ensemble harmonieux de palais, par la façade de l'église et par le campanile, est ornée en son centre d'un beau puits (14e-15e s.) ; la partie supérieure de la place, à droite, est quant à elle ombragée de beaux marronniers.

Église Saint-Étienne (Crkva Sv. Stjepana)

Début du 17e s. Façade très simple. À l'intérieur, une chaire baroque, une *Cène* (17e s.) attribuée à Stefano Celestio, des sculptures de marbre au maître-autel, et des peintures murales du 18e s. par Giuseppe Bernardino Bisson.

Tour (Toranj)

Sur la gauche de la façade de l'église, après une petite rue qui rejoint les remparts.

Un escalier, assez abrupt et aux marches quelque peu irrégulières et usées par le temps (soyez prudents, d'autant qu'un panneau indique que l'ascension s'effectue aux risques et périls du visiteur), permet d'accéder au sommet de cette tour médiévale crénelée dont le style illustre la transition entre le roman et le gothique. Du sommet, la **vue★★** est superbe, tant sur les toits de tuiles roses de la vieille ville que sur les alentours : massifs forestiers à perte de vue, villages et hameaux perchés, rangées de vignes dont le vert tranche sur l'ocre presque rouge de la terre labourée. Les habitants de Motovun affirment qu'au loin, par temps très clair, on aperçoit la mer. Croyons-les sur parole ! Ce qui est sûr c'est qu'au petit matin, l'été, lorsque la rosée s'évaporant enfouit la vallée d'un manteau de brume dont seule émerge le haut de la colline, le spectacle est aussi fantasmagorique que magnifique !

Palais communal

Face à l'église. Bel et sobre édifice d'époque Renaissance, il achève de conférer à la place toute sa noblesse.

Palazzo Polesini

Il abrite aujourd'hui l'hôtel Kaštel.

Promenade des remparts★

Il faut absolument faire cette courte promenade qui, depuis la place Andrea Antico, emprunte le chemin de ronde des remparts et permet d'effectuer en quelques minutes le tour de la cité médiévale, en longeant des maisons dont certaines sont accessibles par des ponceaux lancés sur d'anciennes douves, et parfois reconverties en boutiques de souvenirs. Elle est d'autant plus agréable qu'elle permet de profiter, les soirs d'été, d'une brise bienvenue. Belles vues sur les vallées environnantes et, en contrebas, sur les toits de tuiles s'étageant sur les versants, assez escarpés, de la colline sur laquelle Motovun a été bâtie.

Motovun intime

C'est la fin de l'après-midi : les groupes délaissent les boutiques, les bras chargés de souvenirs et quittent la cité pour rejoindre leurs cars… Un silence étonnant s'empare de la vieille ville médiévale, livrée à ses habitants et aux plus chanceux des visiteurs, ceux qui ont choisi d'y loger. C'est l'heure de s'abandonner à une flânerie intemporelle, d'aller méditer sur les remparts, ou de s'installer à la terrasse d'un café pour déguster un verre de vin local accompagné d'une tartine de pain grillé aux truffes, afin de profiter pleinement du charme de Motovun. Moment suspendu et privilégié où, l'espace d'un instant, on se donne l'illusion d'être un citoyen de la paisible cité.

La patrie de l'hélice marine

Motovun a beau être une ville éminemment terrienne, les marins lui doivent une fière chandelle ! **Josip Ressel** (1793-1857) a en effet longtemps résidé dans la cité. Le nom ne dira certes peut-être rien au profane, mais il mérite d'être tiré de l'oubli : il s'agit de l'inventeur de l'hélice marine sans laquelle nous en serions toujours à la marine à voile… Parmi les autres habitants célèbres de la ville perchée, citons le pilote italien, ancien champion du monde de formule 1, Mario Andretti, et dans un genre plus tranquille, le compositeur **Andrea Antico** (v. 1470-ap. 1539), surtout connu pour son activité de xylographe, et qui édita de nombreux motets.

Circuit de découverte

VILLAGES PERCHÉS DE L'ISTRIE★★

Circuit au départ de Motovun. 89 km. Quitter Motovun en direction de Buzet (au pied du village à droite). Après 500 m, au stop, continuer tout droit.

Oprtalj/Portole

Joli village perché dominé par le clocher de son **église Saint-Georges (crkva sv. Jurja),** du 16e s. À l'écart du village, deux petites églises (Sainte-Marie-Mineure et Saint-Roch) sont décorées de fresques exécutées au 15e s. par le maître Klerigin, de Koper (Capodistria), pour la première, et au 16e s. par Antonio da Padova pour l'autre.

Revenir à la route de Buzet et Lupoglav (indication Rijeka par le tunnel de l'Učka) et la prendre vers la gauche.

On suit alors la vallée de la Mirna qui s'insinue entre les montagnes. Le paysage, particulièrement agreste et serein, devient plus sévère à mesure que la vallée se rétrécit.

Istarske Toplice

Dérivation sur la gauche de la route.

Petite station surplombée par une falaise, au cœur de la **forêt de Motovun (Motovunska šuma),** célèbre pour ses chênes. Un hôtel, un établissement thermal et une piscine en plein air (bien agréable en été !) composent l'essentiel de cette

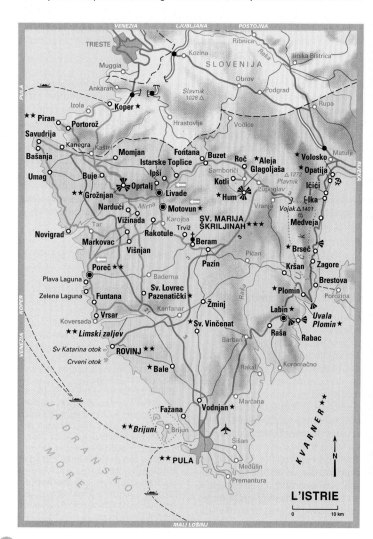

L'ISTRIE

station, connue depuis 1807 (date à laquelle l'on constata les vertus de ses eaux, aptes à combattre avec succès l'arthrite), mais qui ne fut véritablement aménagée qu'au début du 20ᵉ s.

Après Istarske Toplice, la route continue à suivre la vallée de la Mirna, qui se fraie un large passage entre deux hautes falaises rocheuses assez spectaculaires, avant de déboucher face à Buzet dans un cirque montagneux.

Fontana

Au débouché de la vallée encaissée de la Mirna, au pied de la colline supportant Buzet, cette petite ville concentre l'activité industrielle de la région (métallurgie, menuiserie…).

Buzet

Accès par Fontana, en prenant (très curieusement) sur la gauche une route en lacet qui part à l'assaut de la colline (montée assez rude et croisements aléatoires). Attention notamment au dernier lacet donnant accès à la porte d'entrée au village : il est particulièrement traître… et le pavé s'y révèle quelque peu glissant !

Capitale de la truffe et ancien siège de l'administration vénitienne en Istrie, Buzet est un de ces villages perchés dont l'allure générale séduit lorsqu'on le découvre de loin, mais qui déçoivent un peu dès lors qu'on y pénètre… Frappée du lion de saint Marc, la **porte**, datant de 1574, est un vestige des remparts élevés par les Vénitiens, qui exercèrent le pouvoir dans la petite cité entre le premier quart du 15ᵉ s. et 1797 ; elle donne accès à une promenade plantée, bordée de cafés, et qui, prenant appui sur les vestiges des murailles dominant des jardins potagers, est disposée en terrasse au-dessus de la vallée. À l'intérieur du village, vous découvrirez une jolie **fontaine** baroque (sur la place principale) ainsi que l'**église N.-D.-de-l'Assomption (Župna crkva Uznesenja Marijina)**, de 1784, précédée d'un **clocher** plus ancien puisqu'il a été élevé au milieu du 16ᵉ s. L'intérieur, très clair, a reçu une décoration baroque et présente quelques peintures d'école vénitienne.

À la sortie de Buzet, au grand carrefour, prendre à droite la direction de Lupoglav. Poursuivre jusqu'à Ročko Polje où l'on tourne à droite sur une route étroite en direction de Hum. S'y engager avec prudence : croiser un car s'y révèle une entreprise délicate !

Allée des Prêtres glagolitiques★ (Aleja Glagoljaša)

C'est sur les 7 km de la route conduisant à Hum qu'ont été aménagés les onze monuments constituant cette « allée » entre 1977 et 1985, hommage rendu aux moines qui ont assuré la préservation de l'écriture nationale. L'allée fut conçue par un poète, **Zvane Črnja**, fondateur de l'Académie *čakavienne* (du nom du dialecte parlé en Istrie et dans les îles du golfe de Kvarner), et réalisée par un sculpteur, Želimir Janeš, et un professeur de littérature ancienne, Josip Bratulić.

On rencontre tout d'abord, sur la droite, une stèle ombragée par un majestueux cyprès, élevée en l'honneur des saints Cyrille et Méthode. Notez ensuite une cathèdre posée sur la gauche de la route *(3 km après le croisement)* à l'ombre d'un chêne. Un peu plus loin, à l'entrée du hameau de **Samboriči**, une petite chapelle, à droite, est entourée d'une murette sur laquelle ont été apposées diverses stèles portant des inscriptions en glagolitique. Nouvelles stèles 1 km plus loin, avant que l'on ne découvre, à l'approche de Hum, dans un champ situé sur la droite de la route, des pierres levées constituant une sorte d'alignement qui ne manque ni de grandeur ni de sérénité.

Hum★

Laisser la voiture à l'entrée de la ville, sur un vaste terrain dégagé devant le cimetière.

Église Saint-Jerôme (crkva sv. Jeronima) – Dans le cimetière. Agréable église romane du 12ᵉ s. à la belle abside semi-circulaire. Si vous avez la chance de la trouver

Un patrimoine national

Les moines d'Istrie ont beaucoup fait pour perpétuer l'alphabet glagolitique… Créée selon la tradition par les saints Cyrille et Méthode, cette écriture reflète le privilège tout à fait exceptionnel dont bénéficia l'église croate bien avant Vatican II : celui de célébrer sa liturgie dans sa propre langue. Elle est restée en vigueur, dans la liturgie, jusqu'au 18ᵉ s. Divers documents, gravés ou imprimés, attestent l'importance de cet alphabet en Istrie médiévale : parmi ceux-ci, un document profane exceptionnel, sorte de cadastre définissant les limites des propriétés en Istrie, rédigé aux 13ᵉ et 14ᵉ s. en trois langues : latin, allemand et croate. Sortie de l'oubli, grâce en particulier aux tenants du mouvement illyrien, l'écriture glagolitique fait désormais partie du patrimoine national et est perçue aujourd'hui comme un des ciments de la Croatie, au point que les écoliers reçoivent depuis l'indépendance du pays une initiation à cette forme originale de graphie.

ouverte, vous pourrez y apercevoir des fresques, d'influence byzantine, réalisées au 13ᵉ s.

Porte★ – Une belle allée ombragée par des marronniers (très belle **vue★★** sur la campagne environnante) conduit à la porte de la ville, édifice du 16ᵉ s., aux belles portes de bronze et aménagé en chicane, que surmonte un campanile de 1552, tour de plan carré à deux étages de fenêtres géminées et couronnée d'une rangée de créneaux. Sous la porte ont été apposées plusieurs stèles gravées en caractères glagolitiques.

La ville★ – Une fois dans la ville, on ne peut que constater qu'elle est en effet minuscule ! Elle se compose de deux rues parallèles, grossièrement pavées, reliées à leurs extrémités et séparées par une rangée d'anciennes demeures, en ruine ou en cours de restauration, souvent fleuries.

Église Saints-Pierre-et-Paul (crkva sv. Petar i Pavao) – Après la porte, sur la gauche. Sa construction remonte à 1609. Remanié en 1802, c'est un édifice de style néoclassique.

Rebrousser chemin et reprendre l'allée des Prêtres glagolitiques.

Kotli

Au niveau de la chapelle de Samboriči, prendre sur la gauche une route extrêmement étroite mais au revêtement tout neuf et la suivre sur 2,5 km jusqu'à un petit pont, avant lequel on laisse la voiture.

Une sympathique guinguette avec tables et bancs posés sur une terrasse à l'aplomb de la rivière accueille, le samedi et le dimanche, nombre de citadins venus se délasser ou pique-niquer près d'un ancien moulin.

Un sentier sur la droite, après l'auberge, permet de descendre, de façon un peu abrupte, dans le lit de la rivière. Une série de petites cascades aboutit à une chute d'eau près de laquelle a été installé un moulin qui semble encore en activité. Possibilité de revenir jusqu'au pont par le lit de la rivière – du moins aux beaux jours (lorsqu'elle ne charrie que de minces filets d'eau) et de retrouver directement la voiture en escaladant les rochers avec la prudence qui sied à ce genre d'exercice.

Retour vers la route par le même chemin… en prenant garde aux croisements, aléatoires. Parvenu au terme de l'allée des Prêtres glagolitiques, au croisement, reprendre la route vers la droite en direction de Lupoglav. Soyez particulièrement attentif : la pancarte indiquant l'accès à Roč est facétieusement disposée, de sorte qu'on ne la voie dans son rétroviseur qu'après l'avoir dépassée ! En arrivant au village, le contourner par la droite et laisser la voiture près de la porte.

Près de Hum, l'une des stations de l'allée des Prêtres glagolitiques.

P. Plunter / MICHELIN

Roč

Capitale du glagolitique (nombre de « calligraphes » réputés y vécurent au Moyen Âge et à la Renaissance), ce minuscule village agréablement fleuri est encerclé de remparts, construits par les Vénitiens à partir de 1421. Après y avoir accédé par une belle **porte** sous laquelle sont disposées quelques stèles d'époque romaine ou vénitienne, on prend plaisir à flâner dans ces ruelles, bordées de maisonnettes (souvent abandonnées et assez dégradées) s'appuyant sur les murailles de la ville. On y découvrira, près de l'église, une belle maison Renaissance. L'**église Saint-Barthélemy (crkva sv. Bartula)**, maintes fois remaniée, a conservé un élégant campanile (*sur la droite de la façade*). À l'intérieur, la **chapelle Saint-Pierre/ Saint-Roch (crkva sv. Petara/sv. Roka)**, romane, conserve sur les murs de son abside semi-circulaire deux remarquables cycles de **fresques★** : l'un est consacré à saint Paul (14e s.), l'autre aux Apôtres (fin du 15e s.) ; les deux ont été réalisés par des artistes locaux. Quant à l'**église Saint-Antoine (crkva sv. Antuna)**, elle conserve le célèbre alphabet glagolitique de Roč.

Revenir à la route et, 500 m environ après avoir passé Lupoglav, prendre la direction de Pazin et Pula. On roule alors sur l'autocesta traversant l'Istrie, du tunnel de l'Učka aux abords de Pula. Étrange autoroute en vérité qui ne comporte qu'une voie dans chaque sens, et aucune séparation entre les deux chaussées, hors une ligne blanche continue qui, ici comme ailleurs, semble n'avoir été tracée qu'à titre indicatif. Sortir de l'autoroute à Cerovlje, prendre à droite dans la direction de Lupoglave, ensuite la première à gauche vers Draguć.

Draguć★

Garer la voiture à l'entrée du village près du cimetière. Demander les clés des églises à l'adorable vieille dame Zora, la gardienne des clés attitrée depuis plus de 30 ans (maison n° 20, la porte de gauche). Si vous ne parlez ni le croate ni l'italien, voici les mots salvateurs : ključe/chiave « clé », crkva/chiesa « église ».

Merveilleux petit village perché connu pour les fresques de ses églises. La rue centrale aboutit à une place bordée de vieilles maisons et dominée par le campanile de l'église paroissiale. De la terrasse, à gauche, une magnifique **vue★★** s'ouvre sur les collines vertes des alentours. L'**église Saint-Roch (crkva sv. Roko)** se trouve au bout du chemin qui passe à droite derrière la place centrale. Tous les murs de l'église sont couverts de fresques peintes entre 1529 et 1573 par le peintre istrien Antoine de Padoue. On verra les scènes de l'Annonciation, de l'Adoration des Mages et de la Fuite en Égypte. Au cimetière du village, la petite chapelle romane **Saint-Élysée (crkva sv. Elizeja),** qui date du 13e s., possède des fresques romanes inspirées du style byzantin, malheureusement à moitié effacées. On reconnaît, ou plutôt on devine, la Fuite en Égypte, l'Adoration des Rois mages, à droite, la Cène, le Baiser de Judas et la Crucifixion, à gauche. La scène de l'Annonciation orne l'arc triomphal. Remarquez, en bas à gauche de la porte, les diables dansant autour des flammes de l'enfer.

Revenir sur ses pas et prendre à droite la route de Pazin.

Pazin

Petite ville industrielle (cimenteries) animée – en particulier le dimanche, lorsque se tient un grand marché – la capitale de l'Istrie mérite d'être mieux connue en particulier pour son quartier haut (Stari Pazin) dominé par le château médiéval, posé en bordure du gouffre de Pazin.

Gouffre de Pazin★ (Pazinska jama) – ♟♙ Ici, la rivière Pazinčica disparaît dans un gouffre profond de plus de 100 m pour constituer trois lacs souterrains s'étendant sous la ville. Phénomène qui excita l'imagination de deux Français : En 1885, **Jules Verne** fit s'évader du château le héros de son roman *Mathias Sandorf*, rebelle magyar qui, s'enfonçant dans le gouffre, échappa à ses poursuivants et ne retrouva l'air libre qu'au fjord de Lim *(voir à Poreč, p. 323)*. Quelques années plus tard, en 1893, c'est le spéléologue **E. A. Martel** qui réalisa la première exploration du gouffre… Certes, personne n'a réussi à renouveler l'exploit du personnage vernien, mais l'auteur en a conservé une popularité telle dans la ville que des « Journées » lui sont consacrées chaque année.

Château★ (Kaštel) – Si une forteresse est attestée sur les lieux dès le 10e s., le château que l'on découvre aujourd'hui à Pazin a pris son aspect actuel aux alentours de 1540. Le château fort le mieux conservé d'Istrie présente un aspect massif que vient cependant alléger une galerie en encorbellement.

Musée ethnographique d'Istrie (Etnografski muzej Istre) – *Dans le château. Avr.-oct. : tlj sf lun. 10h-18h ; oct.-avril : mar.-jeu. : 10h-15h, vend.-dim. : 12h-17h . 15 kn (enf. 8 kn).* Collection de **cloches** fondues en Istrie du 14ᵉ au 20ᵉ s., ethnographie (vêtements, instruments de musique, outils et objets de la vie quotidienne), et section archéologique retraçant la vie locale, de la préhistoire à la Renaissance.

Église Saint-Nicolas (Crkva sv. Nikole) – Fondée en 1266, elle a été largement remaniée à l'époque gothique et surtout en 1659 avec la construction de chapelles latérales. Mais elle a su conserver ses belles voûtes gothiques décorées de peintures réalisées vers 1470 sur le thème du cycle de la Création.

Église Saint-Antoine (Crkva sv. Antuna) – L'église du monastère franciscain a été remodelée au 18ᵉ s. C'est ici qu'est conservée la statue de la Vierge qui donne lieu au grand pèlerinage du 2 août.

Quitter Pazin en prenant la direction de Rovinj/Pula puis, immédiatement à droite, Poreč. Peu après les cimenteries, à 4 km environ de Pazin, prendre à droite la route qui monte vers Beram et s'arrêter sur la place principale. Demander à un autochtone les clés de la chapelle.

Beram

Église Sainte-Marie★★★ (Crkva sv. Marija na Škriljinah)

1,5 km environ au-delà du village, en contrebas. Clé (kjvč) dans le village (frapper à la porte du n° 33 ou 38). On accompagne. Petite rémunération bienvenue.

Cette chapelle gothique (hors l'auvent, rajouté au 18ᵉ s.), située dans le cadre romantique d'un vallon à l'écart du village, près du cimetière, est fameuse pour ses extraordinaires **fresques★★★** réalisées en 1474 par **Vincent de Kastav** en compagnie de deux autres peintres inconnus. Cet ensemble de peintures est tout autant un témoignage précieux sur la vie quotidienne en Istrie au 15ᵉ s. qu'une œuvre d'art exceptionnelle.

L'entrée se fait par une petite porte latérale.

Sur ce mur une série de quatorze « vignettes » carrées présente différents épisodes de la vie de la Vierge et du Christ. En face, au-dessus de sept vignettes, s'étend la fameuse *Chevauchée des Rois mages*, admirable peinture de 8 m de long situant les cavaliers dans des paysages d'Istrie. Mais c'est le mur est qui attire tous les regards : d'abord

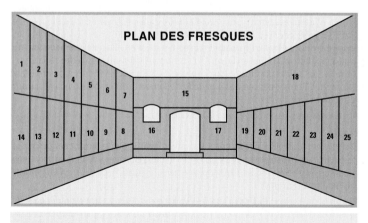

PLAN DES FRESQUES

BERAM (Église Sainte-Marie della Lastre)

1 Nativité de Marie	**10** Saint Sébastien	**19** Jésus dans le désert
2 Présentation de Jésus au Temple	**11** Saint Michel	**20** Ste Apolline, St Léonard, Ste Barbe
3 Mariage de la Vierge	**12** La Présentation au Temple	**21** Saint Martin
4 L'Annonciation	**13** Baptême dans le Jourdain	**22** Saint Georges
5 La Visitation de la Vierge	**14** Saint Florian	**23** L'entrée de Jésus dans Jérusalem
6 Nativité du Christ	**15** La Danse macabre	**24** Le Mont des Oliviers
7 Présentation de Marie au Temple	**16** Adam et Ève	**25** Le Baiser de Judas
8 Mort des Innocents	**17** La Roue de la Fortune	
9 Fuite en Égypte	**18** Chevauchée des Rois mages à travers l'Istrie	

avec deux peintures (hélas tronquées par le percement intempestif, au 18e s., de deux fenêtres) représentant *Adam et Ève (à gauche de la porte)* et la *Roue de la Fortune (sur la droite)* qui illustre le côté hasardeux du destin humain.

Hasardeux sans doute, mais au bout du compte identique pour tous : tel est le sens de l'exceptionnelle *Danse macabre* occupant la partie supérieure de l'édifice. Tandis qu'un squelette souffle avec allégresse dans la trompette du Jugement dernier, d'autres entraînent gaiement une galerie de personnages pas vraiment rassurés dans lesquels on peut reconnaître un soldat, un commerçant, un page, un prince, un évêque et une noble dame vers le lieu où se scellera leur sort. Ici comme devant les autres scènes représentées, on reste en admiration devant la finesse du trait, le rendu des plis des vêtements, la force d'expression des personnages et la fraîcheur des couleurs.

Ch. Barrely-Legrand / MICHELIN

Danse macabre dans l'église de Beram.

Regagner la route de Poreč puis, après 2 km, prendre à droite vers Motovun.

On aperçoit sur la droite le beau village perché de **Trviž/Terviso** qui culmine à une altitude de 357 m. Là aussi église à fresques, en partie du 11e s., hélas le plus souvent fermée.

Poursuivre jusqu'au gros village de Karojba puis, avant la sortie de celui-ci, prendre sur la gauche une petite route en direction de Poreč. Après 2 km, tourner à droite vers le village de Rakotule.

Rakotule

Constitué d'un ensemble de hameaux isolés d'où l'on découvre de belles vues sur Motovun, Rakotule possède (au cimetière) une **église Saint-Nicolas (crkva Sv. Nikole)** dont les fresques retracent la vie légendaire du saint.

Revenir à Karojba et prendre sur la gauche en direction de Motovun, à moins que l'on ne désire découvrir d'autres villages perchés décrits dans le circuit « L'Istrie en vert et bleu » (voir à Poreč, p. 323). Dans ce cas, continuer sur 5 km jusqu'au carrefour avec la route de Buje/Koper et prendre à droite en direction de Vižinada.

Vin, huile et truffes

Paradis gastronomique, l'Istrie est célèbre pour trois produits précieux qu'il faut venir déguster sur place : vin, huile d'olive et truffes.

Truffe **(Tartufi)**

Humide et ombragée, baignée par la rivière Mirna, la terre grise de la forêt de Motovun s'est révélée très propice à l'activité truffière et ce, dès l'Antiquité, lorsque les empereurs romains n'en voulaient point d'autre à leur table. Ce fut le seul endroit au monde où l'on trouvait (et où l'on trouve toujours) les deux variétés de truffe à la fois : la blanche et la noire. Depuis 1990, après de longues années d'oubli, la truffe d'Istrie a reconquis ses lettres de noblesse, en particulier la truffe blanche *(Tuber magnatum)*, la plus appréciée et la plus grosse, recueillie en automne (la truffe noire ou truffe d'été est moins estimée).

Huile d'olive **(Maslinovo ulje)**

Réputée pour son huile depuis les temps immémoriaux, l'Istrie est parsemée de vestiges antiques de l'activité oléifère qu'on trouve tout le long de la côte ouest. Délaissée pendant des siècles, l'industrie de l'huile renaît de ses cendres en 1990. Région productrice la plus septentrionale, l'Istrie fournit aujourd'hui quelques-unes des meilleures huiles d'olive au monde. Outre ses qualités nutritives (certains lui attribuent même des vertus curatives), l'huile istrienne se distingue par ses remarquables qualités gustatives. C'est un délice au goût d'herbe et de fleurs d'une incomparable fraîcheur. Il faut venir déguster cette merveille que les producteurs vous servent avec de l'excellent *prosciutto* istrien et du fromage de brebis maison… Paradis des pupilles !

Vin (Vino)

Encore trop méconnu en Europe occidentale, le **vin** istrien fut pourtant apprécié pendant des siècles par les gourmands les plus exigeants. L'impératrice romaine Julia Augusta lui attribuait le secret de sa longévité. Le grand voyageur Casanova passant par l'Istrie tomba sous le charme du *refosc* qu'il mentionne dans ses *Mémoires*. Quant aux monarques austro-hongrois, leur engouement pour le vin istrien était tel qu'ils firent construire en 1902 une voie de chemins de fer Poreč-Trieste afin de mieux transporter le précieux liquide jusqu'à leur table. Délaissée pendant des décennies, la culture du vin a recouvré récemment ses lettres de noblesse. Les vignobles istriens occupent quelque 15 200 ha essentiellement à l'ouest et au nord-ouest de la péninsule. Réunissant les conditions géologiques et climatiques idéales pour la viticulture, l'Istrie produit aujourd'hui plusieurs sortes de vin dont les plus réputés sont le *malvoisie*, vin blanc au bouquet délicat, et le *teran*, vin rouge au goût riche et fruité. D'autres vins istriens jouissent aujourd'hui d'une bonne réputation : *hrvatica, refosc, misal, Momjanski muscat*…

D'une propriété à l'autre, des domaines réputés aux petits vignobles récents, les viticulteurs ouvrent leurs caves aux visiteurs en leur proposant des visites guidées. Salon de vente et de dégustation, Vinistra, qui réunit les meilleurs producteurs, vaut également un coup d'œil. Le circuit proposé ne peut bien évidemment constituer qu'un bref aperçu de la richesse viticole de la région qui compte au moins sept routes des vins… À vous de poursuivre son exploration !

CIRCUIT DE DÉCOUVERTE★★

Circuit de 126 km, de Motovun à Poreč. Quitter Motovun dans la direction de Buzet. Au croisement, continuer tout droit.

Livade

À 6 km de Motovun.

Au pied de Motovun, ce village agricole a trouvé une nouvelle prospérité il y a une vingtaine d'années lorsque y ont été récoltées les premières truffes de la région. C'est ici, dans le restaurant Zigante Tartufi qu'est exposée la copie de la plus grande truffe au monde trouvée par son propriétaire **Giancarlo Zigante** aux environs de Motovun le 2 novembre 1999 : elle ne pesait pas moins de 1 310 kilos ! Aujourd'hui, ce village constitue le plus grand centre truffier de la région. Tous les ans, en octobre, le Tuberfest est l'occasion de découvrir le monde de la truffe, d'apprendre ses variétés, d'assister à la démonstration de sa recherche et au concours de la sélection de la plus belle et de la plus grosse truffe de l'année, de participer aux enchères, et bien sûr de s'approvisionner en truffes !

Ipši

À 4 km de Livade. Prendre la route de Buzet puis la 2e route à gauche qui monte au sommet d'une colline.

Minuscule village perché qui porte le nom ancestral du producteur de l'huile d'olive **Klaudio Ipša** dont le domaine s'étale au pied du village. À la tête de la régénération de la production de l'huile en Istrie en 1990, Ipša fut le premier à se consacrer à la reconstitution des anciennes oliveraies plantées par sa famille il y a des siècles. Dispersés au milieu de la colline entre 190 et 150 m au-dessus de la mer, les arbres poussent sur les anciennes terrasses réaménagées composant un paysage d'une beauté majestueuse et touchante. Avec ses cinq différentes sortes d'huile, Ipša fut le premier producteur croate à être cité dans le guide italien hautement sélectif *L'Extravirgine* (2005) consacré aux meilleures huiles d'olive du monde. Simple et généreux, il vous recevra pour une dégustation dans la salle à manger traditionnelle et chaleureuse d'où s'ouvre une **vue★★** inoubliable sur les collines vertes d'Istrie. Longtemps encore, le goût de l'huile istrienne évoquera pour vous l'image de ces collines couvertes d'oliviers et d'herbe fraîche…

Momjan

À 30 km au nord-ouest d'Ipši. Revenir à la grand-route et prendre la direction de Buje. À la sortie de Buje, suivre la direction de Momjan. 2 km plus loin, on arrive dans le village de Kremenje où se trouve la propriété de Marino Markežić dit Kabola. Poursuivre ensuite jusqu'à Momjan-Vale, vers la propriété de Kozlović.

La région de Momjan avec ses hautes collines exposées au sud-ouest est particulièrement réputée pour ses vins. Le mélange des sols rouge et gris, l'alternance des vents du sud et du nord créent ici un microclimat exceptionnel qui donne aux vins de la région toute leur richesse. Parmi de nombreuses propriétés viticoles, signalons-en deux particulièrement réputées pour les vins blancs. La première appartient à **Marino Markežić** dit **Kabola** qui est en passe de transformer le petit village de Kremenje en une destination œnologique et gastronomique incontournable. Célèbre pour ses vins blancs comme le **malvoisie (malvazija)**, il est un des meilleurs producteurs du **muscat de Momjan (Momjanski muškat)**, vin doux et liquoreux servi au dessert ou en apéritif. Il dirige également un restaurant réputé être une des meilleures tables d'Istrie, où les vins kabola sont à l'honneur.

L'autre grand producteur de la région est **Gianfranco Kozlović,** jeune viticulteur-novateur qui a transformé ses caves en un véritable laboratoire de vin. Devenu symbole d'expérimentation, son nom reste pourtant attaché au muscat de Momjan dont il est le grand maître. Les deux viticulteurs produisent également de l'huile d'olive et de la grappa, une excellente eau-de-vie locale.

En sortant de la salle de dégustation, n'oubliez pas de jeter un coup d'œil sur Momjan, village médiéval qui possède une église paroissiale Saint-Martin du 15e s. et un ancien kaštel où fut trouvé l'un des plus anciens documents juridiques rédigés en croate.

Bašanja (Savudrija)

À 17 km au nord-ouest de Momjan. Prendre la route de Savudrija. Le village est sur la même route, 2 km après la ville.

Ce village de Bašunija situé au pied de Savudrija héberge la propriété de **Marino Degrassi**, un des meilleurs producteurs de vins rouges de la péninsule. Avec lui, le **refosc (refošk)**, proche cousin de teran, a pris la place d'honneur sur les tables croates. Léger et un brin pétillant, au joli teint cerise, ce vin accompagne agréablement les plats de volaille et de viande. Degrassi produit également du **teran**, vin rouge que les Istriens appellent « noir » pour sa couleur sang de bœuf. Vin de caractère, dont le degré varie de 12 % à 13,50 %, il se marie idéalement avec de la nourriture conséquente et grasse, mais aussi avec des fromages et l'omelette istrienne aux asperges. Dans sa belle salle de dégustation décorée d'amphores antiques (trouvées dans la mer en 2001 à quelques kilomètres de là), le viticulteur vous proposera également du vin blanc (malvoisie, chardonnay), du muscat blanc san pellegrin ou du muscat rosé casanova qui serait aphrodisiaque !

Novigrad

À 24 km au sud de Savudrija, par la route côtière.

Située près de la ville de Novigrad, la petite fabrique Al Torcio gérée par la famille **Beletić** produit quelque 2 400 l d'huile d'olive par an. Citée dans le guide *L'Extravirgine*, primée par l'Université de science gastronomique de Brescia et par une quantité de grands experts, cette huile au goût céleste vous fera pousser les ailes. Les adorables propriétaires vous montreront leur domaine, expliqueront le processus de fabrication et vous feront déguster le merveilleux liquide aux reflets d'or accompagné de pain grillé et de fromage.

Narduči (Vižinada)

À 24 km à l'est de Novigrad. De Novigrad, prendre la route de Poreč jusqu'à Tar, ensuite tourner à gauche sur la route de Višnjan jusqu'à Kaštelir, au croisement prendre à gauche vers Vižinada. 2 km avant celle-ci, prendre à gauche vers Narduči.

Vous arrivez dans le domaine de **Marjan Arman**, l'un des rares viticulteurs croates connus autant pour son vin blanc (malvoisie, chardonnay, pinot gris) que pour le rouge (teran, cabernet sauvignon). Descendant de quatre générations de viticulteurs, il a complètement réaménagé les caves familiales dans le village de Narduči en 1996. On y trouve à la fois des cuves en inox et des fûts de chêne de Slavonie. Célèbre pour ses innovations dans le domaine des blancs, le nom d'Arman reste synonyme de qualité et de raffinement.

Cave à Narduči.

E. Darras / MICHELIN

Markovac (Višnjan)

À 8 km de Nardući. Revenir sur la route de Kaštelir puis prendre la 1re route à gauche menant à Markovac.

La visite du domaine de **Peter Poletti**, producteur d'excellents vins blancs (malvoisie, chardonnay) et rouges (merlot, teran), vous fournira, outre le plaisir de la dégustation, l'occasion d'apprendre l'histoire de la viticulture en Istrie. Dans son ancienne maison qui sert à la fois de salle de dégustation et de cantine, cet héritier de six générations de viticulteurs vous montrera d'anciennes photos, des documents provenant des archives familiales relatives à la viticulture et même le contrat de l'achat des terres par ses ancêtres en 1669. Vous y verrez également d'anciens outils viticoles dont le clou est l'ébullioscope français datant de 1884 (toujours en état de marche, paraît-il) qui constitue l'objet de fierté particulière du propriétaire. Avant de quitter ce domaine, n'oubliez pas de goûter au **muscat rosé (muškat ruža)** dit de Poreč, vin rare et difficile à produire, dont Poletti est un maître incontesté.

Poreč

À 16 km de Markovac. Rejoindre la route de Tar et tourner à gauche vers Višnjan. Arrivé au village, tourner à droite et continuer tout droit jusqu'à Poreč.

Pour finir en beauté, passez dans le domaine de **Đordano Peršurić**, le plus grand producteur istrien de vins pétillants. Esprit chercheur, Peršurić a observé la production du champagne en France et du *spumante* en Italie avant de créer son **misal**, vin pétillant original, qui s'est hissé en quelques années au sommet du savoir-faire vinicole croate. Léger et fruité, ce « champagne istrien » se décline en cinq variétés : le *Prestige* (extra-brut) et le *Millenium* (brut) se rapprochant du champagne « classique », le *misal noir* (brut), la dernière trouvaille du maître, accompagnant des viandes, le *misal rosé* (sec) servi avec du poisson, et le *misal rouge* (demi-sec) qu'on prend au dessert. *Živjeli !* Santé !

Motovun pratique

Informations utiles

Code postal – *52 424*
Indicatif téléphonique – *052*

OFFICES DE TOURISME

À Motovun – *Trg Josefa Ressela 1 -*
☎ *617 480, fax 617 481 - www.tz-motovun. hr.*
À Pazin – *Stari trg 8 -* ☎ *622 460 -*
www.tzpazin.hr.

Accès

2 bus relient chaque jour Pula, Motovun et Buzet. En voiture : parking payant *(10 kn)*, donnant droit – en haute saison – au « petit train » qui assure la montée jusqu'au cimetière. Hors saison, rangez la voiture sur la route d'accès. Les clients de l'hôtel ont l'autorisation de monter avec leur voiture, et de garer sous les remparts… mais il est assez délicat d'y manœuvrer en cas d'affluence !

Se loger

À MOTOVUN

☐☐☐ **Hotel Kaštel** – *Trg Andrea Antico 7 -* ☎ *681 607/735, fax 681 652 - www.hotel-kastel-motovun.hr - 28 ch et 3 suites : ch. 41/51,50 €/pers.* ☐, *suites 49,50 €/pers. Supplément 20 % pour un séjour de moins de 3 nuits. Installé dans une noble demeure, tout en haut du village Confortables, les chambres sont décorées de façon différente. La plus belle* est sans doute la 202, et la 209, un véritable petit appartement ! Dans les couloirs, exposition d'œuvres d'artistes contemporains.

À ISTARSKE TOPLICE

☐☐ **Hotel Mirna-Terme** –
Sv. Stjepana 60, ☎ *606 410/411, fax 603 403 - www.istarske-toplice.hr - 150 ch. : 225 kn/pers.* ☐. *Piscines, centre d'aromathérapie, programmes relaxation, boues médicinales… et chapelle vouée à Santa Maria della Salute : dans cet hôtel moderne voué aux soins du corps, l'âme n'est pas oubliée !*

À RAKOTULE (KAROJBA)

☐ **Agroturizam Špinovci** – *Špinovci 88 - 52423 Karojba (accès par Karojba puis la direction de Poreč à gauche et, enfin à droite, Rakotule ; suivre une petite route fléchée sur 3 km environ) -* ☎ *683 404 - 5 appart. (2 ou 4 pers.) : 19 €/pers., 30 €/ pers. en demi-pension.* Une vraie ferme avec ses animaux : vaches, basse-cour, le sympathique âne Šime (très cabotin !) et des chiens : bien sûr, il arrive que ce petit monde se mette à beugler, braire, aboyer ou lancer des cocoricos. Mais cela fait partie des joies de la campagne, et la vue sur Motovun est si belle ! Chambres propres, et cuisine gourmande concoctée par la *mama* à base de pâtes (essayez les *fuzi sa tartufima* !) et de charcuteries locales.

À BRKAČ

🛏 **Agroturizam Toni** – *Brkač 26a, 52424 Motovun (à 2 km de la ville) - 📞/fax 681 651 - 20 €/pers.* 🍴. S'adresser directement à la ferme ou, en cas d'absence, au café Momi, au bas de Motovun. Les 3 appartements peuvent recevoir 6 personnes chacun. Au dîner, produits de la ferme.

À PAZIN

🛏🛏 **Hotel Lovac** – *Route de Motovun, à la sortie de la ville - 📞 624 384 - 27 ch. : 389 kn* 🍴. Peut constituer une honnête solution de dépannage en cas d'affluence sur la côte.

Le restaurant Zigante Tartufi à Livade.

Se restaurer

À MOTOVUN

🛏🛏 **Taverna Pod Voltom** – *Sous la porte supérieure à la ville haute - 80/100 kn*. Spécialités aux truffes (fromages, *fuzis*) servies dans une salle installée dans une belle pièce voûtée de briques. Une curiosité : il s'agit de l'un des rares établissements non fumeurs de Croatie !

🛏🛏/🛏🛏🛏 **Restaurant de l'hôtel Kaštel** – *Trg Andrea Antico 7 – plats 70/130 kn*. Particulièrement agréable aux beaux jours lorsque l'on déjeune sur la place, à l'ombre des marronniers.

Le paisible hôtel Kaštel, à Motovun.

À LIVADE

🛏🛏🛏/🛏🛏🛏🛏 **Restoran Zigante Tartufi** – *Livade 7, dans le village, sur la droite lorsqu'on vient de Motovun - 📞 664 302 - 12h-23h - 20/40 €.* Classé « 1er restaurant de Croatie » en 2005, cet excellent établissement combine la cuisine traditionnelle et inventive… aux truffes, bien sûr ! De l'entrée au dessert, en passant par les raviolis, gnocchi, foie gras et côtelettes d'agneau, tout est fourré et parsemé de truffes. Même les glaces sont aux truffes (fameuses) ! Carte de vins impressionnante. Après dîner, ne manquez pas de rendre visite à la boutique qui occupe une autre partie de la maison.

À HUM

🛏 **Humska Konoba** – *À droite de la porte donnant accès à la ville - tlj sf lun. - 50/60 kn*. Sur une terrasse dominant un beau paysage de montagnes (ou, s'il fait frais, dans une salle au décor rustique), on s'y restaure de sandwichs ou, de façon plus élaborée, d'un savoureux petit menu comprenant fromage, *pršut*, saucisse à l'istrienne, ou *fuzi al gulaš*. Il s'agit en outre du seul endroit où l'on peut déguster la *grappa* locale, célébrée pour ses vertus médicinales, la *biska*.

Faire une pause

À MOTOVUN

Enoteca Barbacan – *Ulica Barbacan 1 - 📞 681 791 - 12h30-15h30 et 18h30-21h30 - tlj sf lun. et jeu. - 100 kn*. Tout en dégustant un cru local, rouge ou blanc, vous pourrez vous restaurer avec les spécialités de la maison : jambon, fromage, olives, omelettes et carpaccio aux truffes, croûtons chauds aux truffes noires, *fuzis* aux asperges.

Achats gourmands

À MOTOVUN

Eva – *Prolaz Velog JožE 2, 📞 681 915*. Vins d'Istrie (dont le teran de Motovun), apéritif (istra bitter) et eaux-de-vie, huile d'olive, fromages, produits à base de truffes, conserves, miel…

À HUM

Muzej-galerija – *Tlj sf lun*. Outre quelques dessins d'enfants inspirés par l'écriture glagolitique et des œuvres d'artistes locaux, vous découvrirez une exposition-vente de produits gourmands du pays : miel, truffes, vins (malvazija, muškat).

Sports et loisirs

BAIGNADE

À **Istarske Toplice**. Piscine en plein air. *Entrée : 10 kn*.

ESCALADE

Les fans de la varappe se donnent rendez-vous au pied des falaises qui dominent Istarske Toplice.

MONTGOLFIÈRE

Survols de l'Istrie en montgolfière au cours de la rencontre annuelle qui a lieu début juin à la fois à Zagreb et à Motovun. *Renseignements au Balloon Klub Zagreb, ☎ (01) 204 78 38, 098/41 51 61, www.baloni.hr.*

THERMALISME

Les bains d'Istrie à Istarske Toplice : eaux sulfureuses, radioactives, riches en calcium et en sodium et bains de boue. On y soigne l'arthrite depuis le début du 19e s. *Renseignements au ☎ 603 410/411 - www.istarske-toplice.hr.*

Événements

Marché de Pazin (Pazinski samanj) – *Le 1er mar. de chaque mois.* Le plus grand marché traditionnel d'Istrie.

Festival « Z armoniku v Roč » – *Mai.* Festival international de musique consacré à l'accordéon diatonique dit « triestina » à Roč.

Croatian Hot Air Balloon Rally – *Juin (1er w.-end).* Rencontre internationale annuelle de montgolfières organisée par Balon Klub Zagreb qui a lieu à la fois à Zagreb et à Motovun.

Journée de Hum (Dan Huma) – *Juin.* Célébration de la plus petite ville du monde et élection traditionnelle du préfet de la région.

Journées Jules Verne (Dani Julesa Vernea) à Pazin – *Fin juin.* Le clou ? La reconstitution du procès de Mathias Sandorf et de son évasion du château. Rens. : *www.tz-pazin.hr.*

Festival du film à Motovun – *Fin juil.-déb. août.* Un festival qui fait la part belle au film documentaire et au cinéma d'auteur ; ces dernières années, les œuvres de Takeshi Kitano, Aki Kaurismaki, David Lynch y furent programmées. Rens. : *www.motovunfilmfestival.com.*

Pèlerinage de la Madone de l'Ange à Pazin (Rim) – *Le 2 août.* Les fidèles de toute l'Istrie se rendent à Pazin pour accompagner la procession de la statue de la Vierge. Au retour, messe en plein air dans les jardins du monastère franciscain.

Subotina à Buzet – *Sept.* Journée de la ville de Buzet, ville de truffes, avec préparation d'un plat géant d'œufs brouillés avec des truffes.

Tuberfest – *Oct.* Journées de la truffe à Livade. C'est à l'époque de la récolte des plus belles truffes que les spécialistes de Livade proposent des démonstrations de recherches par chiens truffiers spécialement dressés.

Vin, huile et truffes

ADRESSES

LIVADE

Giancarlo Zigante – *Portorožka 15 Plovanija, 52460 Buje* - ☎ 777 409/410, fax 777 111 - *office@zigantetartufi.com.*

Restaurant Zigante Tartufi - *Livade bb, 52427 Livade* - ☎ 664 302 - *www.zigantetartufi.com.*

IPŠI

Klaudio Ipša – *Ipši 10, 52427 Livade* - ☎/fax 664 010, ☎ 098/219 538 - *klaudio.ipsa@pu.t-com.hr.*

MOMJAN

Marino Markežić (Kabola) – *Kremenje 96b, Momjan 52462* - ☎ 779 208, ☎/fax 779 047 - *mmarkezic@inet.hr, www.konoba-marino-kremenje.hr.*

Gianfranco Kozlović – *Vale 78, Momjan 52462* - ☎ 779 177, fax 779 188 - *info@kozlovic.hr, www.kozlovic.hr*

BAŠANIJA (SAVUDRIJA)

Moreno Degrassi – *Bašanija bb, Savudrija 52477* - ☎ 759 250, 098/259 144, fax 759 844 - *moreno.degrassi@pu.t-com.hr.*

NOVIGRAD

Beletić - AL TORCIO – *Strada Contessa 22a, 52466 Novigrad* - ☎ 758 093, 098/21 99 02 - *torci@nautico.hr, www.altorcio.hr.*

NARDUČI (VIŽINADA)

Marijan Arman – *Narduči 3, 52447 Vižinada* - ☎ 446 229, 098/255 650, fax 446 094 - *marijan.arman@pu.t-com.hr.*

MARKOVAC (VIŠNJAN)

Peter Poletti – *Markovac 14, Višnjan 52463* – ☎/fax 449 251, *vina-poletti@pu.t-com.hr, www.vina-poletti.com.*

POREČ

Đordano Peršurić – *43. Istarske divizije 27, Poreč 52440* - ☎ 431 586, 098/335 129, fax 428 438 - *djordano.persuric@iptpo.hr*

Poreč

ISTRIE – 17 460 HABITANTS
CARTE GÉNÉRALE A2 – CARTE MICHELIN 757 B6 – SCHÉMA : VOIR À MOTOVUN

Posée sur une presqu'île, à la fois romaine et vénitienne, Poreč est devenue un des hauts lieux du tourisme en Croatie grâce à un littoral qui, moins tourmenté qu'ailleurs, a permis d'implanter à proximité nombre de villages de vacances et de zones hôtelières. Ville de farniente ou ville de culture ? On ne saurait trancher, tant il est vrai que l'on peut passer de l'un à l'autre dans la même journée : il n'en est pour preuve que les foules qui se pressent pour admirer les extraordinaires mosaïques de la basilique euphrasienne, un des trésors de l'humanité aux yeux de l'Unesco.

- **Se repérer** – Une route côtière bordée de complexes de vacances, et une route perpendiculaire venant de Pazin conduisent à Poreč, Parenzo dans le dialecte local. Dès l'arrivée, en allant vers le centre, on est conduit à un vaste parking (payant) situé près de la mer. Il suffit de suivre la foule pour arriver à la ville ancienne, une étroite presqu'île traversée par une longue rue rectiligne, le *Decumanus*.

- **À ne pas manquer** – La basilique euphrasienne, promenade sur le *Decumanus*, villages des environs (Sveti Lovreč, Višnjan, Grožnjan).

- **Organiser son temps** – Prévoir une demi-journée pour la visite de la ville et une journée entière pour le circuit des villages.

- **Avec les enfants** – L'aquarium de Poreč (pour les petits), les grottes de Baredine, une excursion au fjord de Lim.

- **Pour poursuivre le voyage** – Voir aussi Rovinj (38 km au sud), Motovun (32 km au nord-est) et Pula (55 km au sud-est).

Splendeur byzantine de la basilique euphrasienne (détail de la voûte).

Ch. Barely-Legrand / MICHELIN

Comprendre

La capitale de l'Istrie

Camp militaire fondé par les Romains, Poreč devint un « municipe » au 1er s. et prit le nom de *Colonia Julia Parentium*. C'est à cette période brillante qu'elle doit le plan qu'elle a conservé jusqu'à nos jours avec une rue principale rectiligne, le *Decumanus*, conduisant au forum, et une rue transversale, le *Cardo*. Vite christianisée, elle eut comme évêque saint Maur, sans doute victime des persécutions de Dioclétien au début du 4e s. : jusqu'à cette époque, le culte était célébré dans une maison privée, à l'emplacement de l'actuel complexe de la basilique euphrasienne.

Poreč devint vénitienne dès 1262 et le resta jusqu'en 1797 : d'où la profonde empreinte laissée par la Sérénissime : nombre de palais y furent construits au début de la Renaissance comme à l'époque baroque. Période brillante où de nobles familles vénitiennes choisissaient Poreč comme lieu de villégiature estivale.

Nuit d'été à Poreč

La nuit est tombée. C'est l'heure où des milliers de vacanciers, après avoir avalé leur dîner au buffet (fin du service à 21h !), quittent les hôtels pour la rituelle promenade en centre-ville. Sur Trg Slobode, une estrade a été dressée : elle accueille des orchestres qui reprennent les standards éternels, de *Let it Be* à *Just a Gigolo*. Un cornet de glace à la main, les touristes déambulent devant les vitrines du *Decumanus*, tentant de résister à l'insistance des vendeurs qui interpellent en allemand les chalands afin de leur proposer T-shirts ou bougies sculptées. Il est utopique d'espérer trouver une table libre à une terrasse de Marafor. L'on rejoint la Riva, encombrée de stands, où l'on vous proposera toutes sortes de souvenirs, à moins que vous ne préfériez poser pour un caricaturiste local au centre d'un cercle rigolard, ou encore devenir vous-même œuvre d'art en passant entre les mains d'un tatoueur. Images de vacances qui semblent laisser indifférents les chalutiers amarrés au quai. Dans quelques heures, la foule aura disparu. Alors, dans la fraîcheur de l'aube, sans autres témoins que quelques chats insomniaques, ils cingleront vers le large.

Sous la domination autrichienne, la ville abrita à partir de 1861 le Parlement d'Istrie et devint donc la capitale éphémère de la péninsule. Si elle a perdu ce rôle, elle n'en demeure pas moins une capitale touristique, puisqu'on estime sa capacité d'accueil (hôtels, campings, villages touristiques et logement chez l'habitant) à 100 000 personnes.

Découvrir

SUR LES TRACES DE SAINT EUPHRASE

Accès par le Dekumanus puis à droite la rue Sv. Eleuterija qui conduit à Eufrazijeva face à l'entrée de la basilique.

Résidence des Chanoines★ (Kanonika)

Ce bel exemple d'architecture romane civile (1251) présente, le long de la rue St-Euphrase, un ensemble de fenêtres géminées. Sur la gauche du bâtiment, une voûte ornée de mosaïques donne accès au passage qui conduit à l'atrium de la basilique euphrasienne.

Atrium★★ (Atrij)

De plan carré, cette belle cour séduit par ses proportions et ses colonnes de marbre coiffées de chapiteaux et supportant un toit, qui furent importées de Byzance. C'est autour de l'atrium que se distribuent le baptistère surmonté du campanile *(à gauche)*, l'accès aux vestiges de la basilique pré-euphrasienne et à l'ancien palais épiscopal qui abritent le musée des Mosaïques *(en face)*, et, enfin, la basilique proprement dite *(à droite)*. De l'entrée du baptistère, on aperçoit la façade de la basilique, avec des mosaïques qui ont été largement restaurées au 19e s.

La basilique euphrasienne★★★ (Eufrazijeva bazilika)

Tlj 7h-20h.

Ce monument exceptionnel fut bâti entre 543 et 554 par l'évêque Euphrase et se rattache au style paléochrétien tel qu'on peut le découvrir à Ravenne où, à une tradition occidentale héritée de l'architecture antique, se mêlent de très fortes influences byzantines. Il s'agit d'une vaste basilique à trois nefs, séparées par deux rangées d'arcades reposant sur des colonnes de marbre importé de Constantinople, aux chapiteaux finement sculptés.

Mosaïques de l'abside★★★ – Sur fond or, cet extraordinaire ensemble représente des personnages hiératiques, caractéristiques de l'école byzantine. Tout en haut, sur l'arc triomphal, au-dessus de l'abside, le Christ trône en majesté entouré des douze apôtres.

En dessous, sur la partie concave de l'abside, Marie est assise sous la sphère céleste, entourée de deux anges ; remarquez, au-dessus de sa tête, dans les nuées, une main, celle de Dieu, la coiffant de la couronne de

Intérieur de la basilique.

P. Plantier / MICHELIN

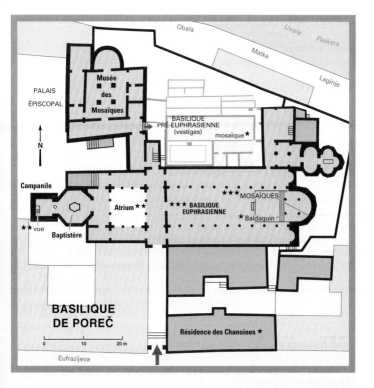

la gloire éternelle. Aux trois martyrs protecteurs de la cité, sur la droite, font pendant Claude, le frère d'Euphrase, accompagné de son fils, puis l'évêque Euphrase portant dans ses bras la maquette de la basilique, et enfin, revêtu d'une tunique blanche, le martyr Mauro, premier évêque connu du lieu. Sous les mosaïques court une inscription latine retraçant les circonstances de la construction de la basilique.

Sur la voûte de l'abside, notez les portraits en médaillon de saints entourant la représentation du Christ à l'agneau.

En dessous encore, au niveau des fenêtres, vous pouvez voir sur la gauche l'Annonciation (remarquez la finesse du visage de Marie, et l'extraordinaire rendu de la transparence de son voile), sur la droite la Visitation, avec, en arrière-plan, derrière Élisabeth, l'amusante figure de la servante écoutant, sinon aux portes, du moins au rideau ! Au centre, enfin, l'Assomption de Marie. Tout en bas, les figures décoratives géométriques sont probablement un réemploi de l'antique. Elles pourraient provenir d'un temple du 1er s.

Baldaquin★ – Au-dessus de l'autel, il a été élevé en 1267 par l'évêque Othon. Il est lui aussi recouvert de mosaïques de style vénitien représentant l'Annonciation.

Absides latérales – On y découvre des restes de mosaïques d'un style tout différent qui furent malheureusement dégradées au 15e s. Dans l'abside de droite, autel du 6e s. On distingue çà et là des vestiges des mosaïques de sol d'origine, qui ont pour l'essentiel disparu.

Baptistère (Krstionica)

De la même époque que la basilique, sauf sa partie supérieure, reconstruite en 1935. Au centre de cet édifice octogonal, traces des anciens fonts baptismaux.

Campanile (Zvonik)

Accès par le baptistère – 10 kn. Il a été élevé au Moyen Âge et achevé en 1522. Du haut, superbe **vue★★** sur le complexe de la basilique et les toits de la ville en contrebas, le site de Poreč, les îles et les presqu'îles boisées, et la mer transparente.

Musée de la basilique (Muzejska zbirka)

Accès par l'atrium. 10h-20h (16h en hiver). 10 kn.

Basilique pré-euphrasienne★ – La visite permet d'apercevoir les vestiges de la première basilique, édifiée au début du 5e s. Il ne reste de cet édifice rectangulaire (et donc, sans abside, selon un plan assez courant sur la rive orientale de l'Adriatique) que quelques pans de murs, des colonnes à chapiteaux et, surtout, une belle **mosaïque★** de sol au décor géométrique, de facture très probablement locale.

Palais épiscopal – Il daterait, du moins pour ses parties les plus anciennes, du 6e s. et serait donc contemporain de la basilique. Le rez-de-chaussée abrite l'essentiel des collections.

Musée des Mosaïques – Fragments de mosaïques de style ravennien, très inspirées de l'Antiquité romaine. Le clou est sans aucun doute la **mosaïque du Poisson★** (4e s.) provenant probablement du pavement de sol du premier édifice élevé sur les lieux par les chrétiens. Remarquez également la belle **cathèdre** (9e s.).

Se promener

BALADE DANS LA PRESQU'ÎLE★★

Après avoir laissé la voiture au parking, rejoindre, en contournant le marché couvert par la droite, la place J.-Rakovca puis, par Zagrebačka, la place de la Liberté (trg Slobode).

Dekumanus★

Parcourant la presqu'île dans sa longueur depuis la place de la Liberté (Trg Slobode) jusqu'à celle du Forum (Trg Marafor), cette rue rectiligne était la voie principale de la cité romaine. Bordée de belles maisons gothico-Renaissance ou baroques, elle l'est aussi d'innombrables boutiques de souvenirs (broderies, bougies, T-shirts…), de joailleries et de glaciers et, dès les premiers beaux jours, parcourue à toutes heures (surtout en fin d'après-midi et en soirée) par une foule compacte et souvent bruyante de vacanciers que les commerçants n'hésitent pas à héler depuis le pas de leur porte pour les inciter à consommer.

Tour pentagonale (Peterokutna kula)

Bâtie en 1447 par Niccolo'Lion, cette tour de défense des anciennes murailles marque l'entrée dans le vieux Poreč, sur la gauche du Dekumanus. Elle a aujourd'hui été investie par un restaurant.

Aquarium

F. Glavinica 4, petite rue à deux pas du Dekumanus - tlj 10h-17h - 30 kn (enf. 15 kn).

Petit et vieillot, cet aquarium donne l'impression d'étouffer les poissons qui ont eu la malchance d'y aboutir. Il amusera surtout les petits qui seront émerveillés par de grandes raies marbrées et effrayés par les méchantes moraines au regard sinistre.

Maison gothique (Gotička kuća)★

Sur la gauche de la rue.

Belle demeure vénitienne aux deux étages ornés de fenêtres de style flamboyant, agréablement fleuries, et au portail Renaissance.

Musée municipal (Zavičajni muzej Poreštine)

Dekumanus 9. Tlj 10h-13h et 18h-21h en été, dim. 10h-13h. 10 kn (enf. 5 kn).

Installé dans le palais baroque de la famille Sinčić – la découverte des salles d'apparat n'est pas le moindre de ses intérêts –, il présente au rez-de-chaussée une collection lapidaire illustrant le passé romain de la ville. À « l'étage noble », dans le grand salon, ont été rassemblés meubles et objets provenant des hôtels de nobles familles locales ; les salles latérales présentent des fragments de mosaïques, des amphores et des sculptures d'époque romaine. Au second, portraits (remarquez celui de Dragoman, interprète de Venise auprès de la cour du sultan, exécuté après 1650 par Sebastiano Bomboli), documents divers et, dans les petites salles, archéologie d'époque préromane.

Prendre sur la gauche, dans le prolongement du Cardo, la place Matija-Gubec.

Maison romane (Romanička kuća)★

Juin-sept. : 10h-13h et 18h-21h, dim. 10h-13h. Entrée gratuite avec le billet du Musée municipal.

Dans la verdure du parc Matije-Gupca, avec son escalier extérieur et son balcon de bois (celui que l'on voit date de 1930), cette maison, qui fut construite au 13e s. sur les fondations d'une villa romaine, ne manque pas d'allure. Elle abrite une petite **collection ethnographique**.

Revenir au Dekumanus.

Dans cette dernière section de la rue principale, tout autour de l'intersection avec le Cardo, on découvre une série de nobles demeures du 15e s., aux façades caractéristiques du gothique finissant. Remarquez en particulier la belle **maison aux Lions**, ainsi nommée en raison des pignons sculptés en têtes de lion surmontant les fenêtres.

Place (Trg) Matije Gupca

Cette place, qui portait le nom de Piazza dei Signori sous la République vénitienne, est bordée d'une série de beaux palais baroques (comme au n° 1, la demeure à balcon surmonté d'un fronton triangulaire) ou gothiques (la demeure voisine avec ses fenêtres vénitiennes).

Place du Forum (Trg Marafor)

Cette place rectangulaire qui a conservé une partie de son dallage romain occupe l'emplacement de l'ancien forum de Parentium. C'est ici que s'élevaient les monuments les plus prestigieux de la cité antique, en particulier le Grand Temple (ou temple de Mars).

Temple de Neptune et Grand Temple (Neptunov i Veliki hram) – *Côté ouest de la place.* On peut voir dans la verdure les vestiges (soubassements des murs et colonnes) de ces temples édifiés au 2e s.

Contourner le petit square par la rue Bernobić (M. Bernobića) jusqu'à revenir sur Trg Matija Gupca et prendre, en face, la rue St-Maur.

Rue Saint-Maur★ (Ulica sv. Maura)

Il est des choses parfois étonnantes : nous sommes ici à moins de 10 m de l'animation bruyante du Dekumanus… et seuls le silence et la solitude règnent dans cette rue oubliée des touristes, bordée de quelques beaux palais. Moments de grâce, d'autant plus précieux qu'ils sont inattendus, et dont on profitera pour détailler les façades, avant de se poser pour prendre un verre dans la cour du Lapidarium.

Maison des Deux Saints (Kuća Dva Sveca) – Elle doit son nom aux deux personnages sculptés en bas-relief à l'époque romane, au niveau du premier étage.

Lapidarium – Vaste cour servant de dépôt lapidaire et ornée du tronc (mort) d'un arbre énorme. Les tables du café, ombragées de grands parasols, invitent à une pause des plus agréables…

Continuant dans la rue, on arrive à F. Glavinića que l'on prend à droite pour gagner le front de mer (Obala) par la place du Peuple (Narodni trg).

Front de mer (Obala)

Tour ronde (Okrugla kula) – *Narodni trg.* De la seconde moitié du 15e s., c'est un vestige des anciennes fortifications.

Quai du Maréchal-Tito (Obala Maršala Tita) – Bordé de restaurants et de quelques hôtels, ombragé de palmiers, c'est le centre animé de la vie estivale de Poreč. Amarrés au quai, des bateaux de promenade ou d'excursions proposent au flâneur des escapades dans les îles ou le long de la côte, une découverte des fonds marins, voire une journée à Venise (qui n'est qu'à deux heures et demie de navigation à bord de puissantes vedettes). En face est posée l'**île** boisée **Saint-Nicolas (otok Sv. Nikola)**, qui abrite les restes du **phare** le plus ancien de Croatie (1403) et un **château** néo-gothique construit en 1886 pour Benedetto Polesini.

Poursuivre sur la Riva et contourner la pointe de la presqu'île en passant devant un bastion médiéval derrière lequel, dans la verdure, se niche l'hôtel Adriatic.

Promenade des remparts★

Au pied des remparts, un quai agréable et peu fréquenté longe la ville, derrière la basilique euphrasienne. Belles vues sur la mer, calme et silence. C'est un Poreč inattendu que seuls fréquentent quelques joggeurs, des promeneurs solitaires et des amoureux. Et la mer est si belle !

La promenade vous ramène à la rue Nikola-Tesla, toute proche du parking central. C'est le moment de chercher dans quelle poche on a glissé ce satané jeton !

Dans les environs

Grottes de Baredine (Jama Baredine)

À Nova Vas, 8 km au nord-est de Poreč. ✆ 421 333 ; www.baredine.com. Ouv. avr.-oct. - juil.-août : 9h30-18h, mai-juin, sept. : 10h-17h ; avr., oct. : 10h-16h. Visite guidée obligatoire (40mn). 45 kn (enf. 25 kn). Prévoir une petite laine (la température à l'intérieur des grottes est de 14 ℃).

Ce royaume souterrain cache un trésor de stalactites et de stalagmites aux formes surprenantes et merveilleuses. Une statue de la Vierge Marie, la tour de Pise, un bonhomme de neige, un porteur de torche ne sont que quelques-uns parmi ces chefs-d'oeuvre sculptés par la nature. En passant à travers cinq galeries situées à 132 m de profondeur, vous apprendrez l'histoire des grottes, verrez des lacs souterrains et découvrirez des organismes peuplant ce monde mystérieux : l'étonnant *Proteus anguinus*, espèce endémique de cette région, des crabes transparents, des insectes inconnus…

Circuit de découverte

L'ISTRIE EN BLEU ET EN VERT★★

Circuit de 177 km, y compris l'escapade en Slovénie. Compter une journée.

Quitter Poreč vers le sud en direction de Vrsar.

La route longe de grands complexes touristiques : hôtels, bungalows, campings, centres naturistes se succèdent, notamment à **Brulo**, posée dans une pinède, **Plava Laguna** (« lagune bleue ») et à **Zelena Laguna** (« lagune verte ») où se concentre l'offre d'hébergement de Poreč. Nombreux restaurants.

Funtana/Fontane
À 6 km au sud.

Voué aujourd'hui au tourisme, ce village autrefois connu pour ses sources, est devenu un immense restaurant. De part et d'autre de la route, des dizaines d'établissements proposent des grillades de porc et d'agneau : ceux-ci rôtissent, à la broche, dans de grands fours installés sur le bord de la route, attendant leurs consommateurs qui rôtissent, eux, sur les plages voisines.

Parc des sculptures de Dušan Džamonija (Park skulture Dušana Džamonije) – Près de Vrsar - tlj sf lun. 9h-11h, 17h-20h, en été : tlj 9h-20h. Œuvres de Dušan Đamonja, dont on peut également visiter l'atelier.

Vrsar/Orsera★
À 10 km.

Ancienne résidence des évêques de Poreč, ce petit port devenu une importante station balnéaire a conservé un agréable **centre ancien (Starigrad)** posé sur une colline dominant la mer. Au hasard des ruelles, on découvrira quelques vestiges des murailles du **palais des évêques (rezidencija porečkih biskupa)** qui ont conservé des tours du 13e s. et deux portes romanes dont l'une est porteuse du relief représentant le lion de saint Marc. Vouée à saint Martin, l'**église paroissiale (Župna crkva sv. Martina)**, du 19e s. est, en été, le cadre de concerts classiques.

Sur l'agréable port, installé dans une baie protégée par l'îlot Sv. Juraj, belle **basilique romane N.-D.-de-la-Mer (romanička bazilika sv. Marije od Mora)**.

Les résidences hôtelières et les campings sont implantés en dehors de la ville, sur les caps qui séparent Vrsar du fjord de Lim. L'immense camp de **Koversada**, relié par un ponceau à l'île du même nom, est un des plus grands centres naturistes d'Europe.

La route oblique et devient sinueuse en s'écartant de la mer. Quelques lacets permettent de s'élever assez vite. Attention aux autobus, assez nombreux, qui peuvent déboucher d'un virage, car la route est assez étroite, et les croisements ne sont pas toujours évidents.

Fjord de Lim★★ (Limski zaljev)
À 15 km de Vrsar.

C'est un mot latin *limes* (« frontière ») qui a donné son nom à ce fjord étonnant qui séparait jadis les territoires des villes de Poreč et de Rovinj. Long et étroit, il s'enfonce de 9 km à l'intérieur des terres entre des parois hautes de 100 m. Toujours visionnaire, Jules Verne n'a pas hésité, pour les besoins d'un roman, à faire communiquer le fjord avec le gouffre de Pazin, une bonne trentaine de kilomètres au nord-est. Malheureusement, nulle preuve scientifique n'a pu être apportée à cette intuition géniale ! Ses eaux protégées (il est interdit de s'y baigner) sont réputées pour leur pureté : des parcs à huîtres et à moules, ainsi que des établissements de pisciculture y sont installés.

Force est de reconnaître que, depuis la route, on ne l'aperçoit qu'épisodiquement. Le seul belvédère aménagé est en outre occupé par des vendeurs de produits locaux, assez insistants pour agacer, chose rare en Croatie.

Il faut donc descendre au fond du fjord, à 14 km de Vrsar, par une petite route sur la gauche. Là, en bordure des eaux turquoise, quelques restaurants ont élu domicile près d'aires de pique-nique, tandis que dans des petites guérites de bois sont proposés aux visiteurs miel, huile d'olive et fromages fermiers.

Amarrée à un ponton, une vedette propose aux visiteurs de naviguer sur les eaux du fjord jusqu'à son embouchure, seule manière de le découvrir, à moins d'effectuer une excursion depuis les ports voisins de Poreč et de Rovinj où de nombreuses vedettes amarrées sur les quais effectuent la navette tout au long de la journée *(compter 200 kn)*.

Prendre la direction de Baderna jusqu'à Sveti Lovreč (3,5 km, sur la droite de la route).

Le fjord de Lim : un bras de mer s'enfonçant dans les terres.

Sveti Lovreč Pazenatički★

Beau village médiéval fortifié qui fut jadis la principale commanderie militaire véni-tienne en Istrie. On accède à la place principale, ornée de l'ancien pilori, par une porte à la belle voûte d'ogives percée dans les remparts des 14e et 15e s. Face à la porte s'ouvre une petite loggia qui abrite un dépôt lapidaire. Elle s'appuie sur le mur latéral de l'**église Saint-Martin (crkva sv. Martina)**, du 11e s., au campanile roman crénelé dont l'intérieur conserve nombre de fresques. Remarquez aussi, près de la porte, la **chapelle Saint-Blaise (kapela sv. Blaža)**, du 15e s. L'ensemble, avec ses vieilles demeures souvent fleuries et ses pavés, compose un tableau absolument charmant.

Continuer sur 10 km puis, au carrefour (route de Poreč), tourner à gauche vers Višnjan.

Višnjan/Visignano

Connu pour son observatoire astronomique (on y a découvert pas moins de 140 pla-nètes, certes mineures, mais des planètes tout de même !), Višnjan est un gros village d'allure très méditerranéenne avec ses maisons de pierre sèche et ses toits de tuiles. Si l'animation se concentre autour des commerces et des cafés de sa partie basse, il ne faut pas pour autant négliger le village haut, construit sur une butte. On y aper-cevra tout d'abord *(dans le virage)* une **chapelle gothique Saint-Antoine (crkva sv. Antuna)**, décorée de fresques par un maître originaire d'Udine et de quelques graffitis glagolitiques. De là, la rue principale conduit à la grand-place, située au sommet, où l'on découvre une **loggia** posée à l'aplomb de la plaine (on aperçoit, au loin, la mer), un beau puits, et l'**église paroissiale (župna crkva)**, néoclassique, dont le clocher séparé, qui a fière allure, a été élevé au 18e s.

Revenir à la route de Buje.

Vižinada

Dès que l'on approche de ce village, on aperçoit l'immense **église St-Jérôme (crkva sv. Jeronima)** qui honore le traducteur de la Bible en latin, originaire, selon la tradition, d'Istrie. À ce vaste bâtiment néoclassique, on préférera l'**église St-Barnabé (crkva sv. Barnabe)**, construite à l'époque romane (13e s.) mais largement remaniée à l'âge baroque, qui conserve quelques fresques du 15e s. Restaurées en 2000, elles présentent les scènes de la vie de Jésus. Enfin, au cime-tière, l'auvent de l'ancienne église des Franciscains **(crkva Majke Božje)** porte une tête de bois : les autochtones prétendent avec le plus grand sérieux qu'elle représente le fameux Attila…

Au pied de la colline de Buje, une route s'élève en lacet vers Grožnjan. À l'arrivée dans ce village, laisser la voiture dans un parking aménagé.

Grožnjan/Grisignana★★

Ce village perché est un véritable enchantement ! Une esplanade ombragée de beaux châtaigniers, posée en surplomb de la plaine conduit à la porte aménagée dans les remparts dont une bonne partie subsiste encore. En toile de fond, la côte avec ses stations et la mer. La **vue**★★ est très belle, et l'impression est d'autant plus forte que la sérénité des lieux contraste avec l'agitation du littoral.

Tout petit, le village fortifié séduit par son unité architecturale (belle pierre ocre qui semble particulièrement apprécier la caresse des rayons du soleil) : rues en escaliers, passages sous voûte, placettes arborées constituent un ensemble que pas une faute de goût, pas une enseigne intempestive ne vient troubler. On y découvre une belle **loggia** Renaissance, le **fontik**, dont le nom, venant de l'arabe *fondouk*, rappelle qu'il s'agissait d'un entrepôt à grain. La chapelle St-Côme-et-St-Damien, avec son auvent, date du 16e s. L'intérieur a été décoré en 1990 par un peintre contemporain, Ivan Lovrenčić, peut-être un des nombreux artistes à avoir été assez séduit par le village pour s'y installer : une quinzaine de galeries sont aujourd'hui ouvertes en été.

Repartir sur Buje par le même chemin (attention : ne pas prendre la route dans le prolongement : vous en seriez quitte pour une dizaine de kilomètres de piste très fortement caillouteuse, sans guère de possibilité de faire demi-tour avant d'avoir atteint le bas de l'éperon sur lequel Grožnjan a été édifié).

Buje/Buie

Parmi vignes et oliviers, cette petite ville animée monte la garde, juchée sur une colline à 222 m d'altitude.

Très commerçante, la ville dispose de parkings généralement bondés et d'autres, plus discrets, posés sur des plates-formes surplombant la plaine… De la petite place centrale, une rue pavée, bordée de demeures qui ont conservé une certaine noblesse malgré les outrages du temps, conduit à l'**église Saint-Servulus (crkva sv. Servola)** du 16e s. dont la façade inachevée est ornée d'un harmonieux portail baroque.

En continuant au-delà de Buje en direction de Koper, il est possible de passer quelques heures en Slovénie en franchissant la frontière à Kaštel/Castelvenere. Si vous ne souhaitez pas le faire, prenez directement la direction de Savudrija/Salvore.

Une fois de retour en Croatie, prendre sur la droite la direction de Savudrija/Salvore.

Déception : bien que longeant la mer, on ne l'aperçoit qu'épisodiquement à travers une végétation assez fournie où abondent les tamaris. On aperçoit alors, de l'autre côté de la baie, la station slovène de Portorož et, au fond, les « tables saunantes » des marais salants. Quelques centres de vacances constitués de bungalows et de campings (« textiles » ou non) commencent à apparaître, disséminés dans les pins comme à **Kanegra**.

Savudrija/Salvore

Posé sur une pointe commandant la baie de Piran, à l'extrême nord de l'Istrie, ce petit port de pêche marque l'entrée de la « riviera d'Umag ». Un phare, un petit port à l'abri d'une baie, deux ou trois restaurants de poissons composent ce lieu d'une simplicité charmante.

On prend alors la route côtière en direction de Poreč : de part et d'autre, à l'ombre de pinèdes, s'étendent des campings, naturistes ou plus habillés, et autres lieux réservés à l'hébergement estival des touristes : ils portent les noms, parfois évocateurs, de T.N. (*Tursticko naselje* ou « village touristique ») Pineta, Polinezija, Stella Maris, Punta…

Une escapade en Istrie slovène

Koper/Capodistria★ – Assez décevant au premier abord, ce port industriel ne révèle qu'un immense parking situé à l'entrée de la vieille ville. Il faut y voir la superbe **place Tito (Titov trg)**, très italienne, avec sa loggia (occupée par un café), sa cathédrale et son campanile, ainsi que le château abritant le musée.

Piran/Pirano★★ – Très jolie cité posée sur une presqu'île escarpée et dominée par les remparts de son ancien **château (kaštel)**. Tout converge vers la **piazza Tartini**, circulaire et ouverte sur le port, ornée en son centre de la statue du violoniste Giuseppe Tartini, et bordée de demeures anciennes, dont l'une, frappée du lion de saint Marc, abrite l'hôtel de ville. Sur les hauteurs, le **Duomo (église St-Georges ou crkva sv. Jurja)** présente un clocher vénitien et un baptistère en rotonde.

Portoroz/Portorose – Agréable cité de bord de mer, annexe de Piran, située sur la rive nord du golfe de Piran (Piranski zaliv). Belle promenade de front de mer donnant sur une plage artificielle de ciment.

Sur le retour vers la frontière croate, la route passe au fond du golfe de Piran, occupé par des marais salants.

Umag/Umago

Prendre la direction du centre et garer la voiture aux abords du port.

On entre dans la ville ancienne (disposée comme Poreč sur une presqu'île oblongue) dans le petit centre piétonnier par la **rue Garibaldi (ulica Giuseppea Garibaldija)** qui conduit à la **place de la Liberté (trg Slobode)** ouverte de part et d'autre sur la mer.

Hors un joli campanile porteur de bas-reliefs (un lion de Venise et le patron de la ville, San Pellegrino), cette place est malheureusement assez disgracieuse. Néoclassique, l'église arbore sur sa façade un fronton curieusement tronqué. L'intérieur a reçu une décoration baroque assez lourde.

Depuis la place, la **rue de Rijeka (Riječka ulica)** s'enfonce dans la minuscule presqu'île. Elle est bordée de quelques maisons de style gothico-Renaissance composant un petit ensemble harmonieux et, pour la plupart, occupées par des cafés et des restaurants de poissons qui, de l'autre côté, ont installé des terrasses sur des pontons dominant la mer, ou par des boutiques de souvenirs vendant force dentelles. Très rapidement, on tombe sur des constructions modernes et le charme qu'on avait pu trouver à la rue s'évanouit aussitôt.

Novigrad/Cittanova

Posée sur une presqu'île, dans un site comparable à celui de Poreč, cette petite cité a conservé des remparts crénelés munis de tours, le tout très restauré. La voie d'accès conduit au port, où l'on laissera la voiture avant de découvrir la ville, en empruntant la Grande-Rue (Velika ulica), qui a conservé quelques demeures anciennes, comme, au n° 5, le **palais (palača) Rigo** (1760) qui présente une belle façade sculptée. La rue conduit à l'agréable Grande-Place (Veliki trg) ouverte sur la mer où se dresse l'**église St-Pélage (crkva sv. Pelagija)**, d'origine romane mais largement remaniée à l'époque baroque. Sous le sanctuaire de l'église se trouve une belle crypte romane à trois nefs (8e s.) qui abrite un sarcophage du 12e s. La pointe de la presqu'île est occupée par un parc ombragé de pins parasols qui donne accès à un *lungomare* que bordent des pensions et cafés, aux façades ravinées par le sel et les embruns. Là comme ailleurs la plage se réduit à quelques plates-formes de ciment. Le *lungomare* ramène au port de plaisance où l'on reprend la voiture pour rentrer à Poreč.

Poreč pratique

Informations utiles

Code postal – *52 440*

Indicatif téléphonique – *052*

OFFICES DE TOURISME

À Poreč – *Zagrebačka 9 -* ☎ *451 293/458 - www.istra.com/porec - tlj 8h-21h.*

À Umag – *Trgovačka 6 -* ☎ *741 363.*

À Novigrad – *Porporella 1 -* ☎ *757 075.*

À Buje – *Istarska 2 -* ☎ *773 353.*

À Vrsar – *Rade Končara 46 -* ☎ *441 746, fax 441 187.*

AUTRES ADRESSES

Police – *Gimnastička 2 -* ☎ *533 111.*

Centre médical – *Marija Gioseffija 2 -* ☎ *451 611. Tous services, urgences et soins dentaires.*

Poste – *Trg Slobode 14 - lun.-sam. 7h-21h, dim. 9h-12h.*

Transports

Gare routière – *Rade Končara 1, derrière l'hôtel Poreč -* ☎ *432 153 - 5h-21h.* Bus quotidiens pour Pula, Rovinj, Zagreb, Rijeka, et les alentours immédiats (Umag, Vrsar, Baderna, Sveti Lovrec, Buzet, Pazin), ainsi que pour Trieste.

Bateau – Ligne saisonnière Trieste-Porec-Pula. Rens. à l'agence **Sunny Way** - *Obala M. Tita 17a -* ☎*/fax 422 555 et A. Negri 1 -* ☎*/fax 431 295.*

Taxis – *Karla Huguesa bb -* ☎ *432 465.* Service 24h/24, station à côté de la gare routière.

Location de voiture – Budget - *Obala M. Tita -* ☎ *451 188 ;* **Istra Vetura** - *M. Vlašiča 39 -* ☎ *451 666, fax 451 137.*

Parking – Plusieurs parkings payants dont le grand parking du centre, près du marché : les plots d'entrée délivrent des jetons de plastique noir très faciles à perdre… Paiement avant de reprendre la voiture à la caisse (*kasa*).

Location de vélos et de scooters – Rent a motor Contigo – *Rade Končara 5 -* ☎*/fax 451 149.*

TRANSPORTS SAISONNIERS LOCAUX

Petits trains touristiques – Les mois d'été, entre 9 et 24h. Une ligne vers le sud Poreč-Zelena Laguna, l'autre vers le nord en direction de l'auberge Luna.

Navette maritime – L'été entre 8h30 et 24h toutes les heures depuis la Riva de Poreč : escales à Brulo, Plava Laguna et Zelena Laguna. Billets au bateau.

Nautisme

Marina Poreč – ☎ 451 913, fax 453 213 - marina.porec@pu.t-com.hr - Carburant sur place. Petit port situé près du centre ancien, dans l'anse séparant la presqu'île des zones hôtelières. **Capitainerie** – *Obala M. Tita 17, Poreč* – ☎ 431 663.

ACI Marina Umag – ☎ 741 066, fax 741 166 - m.umag@aci-club.hr - Situé face à la vieille ville (navette bateau), c'est le plus nordique des ports de plaisance croates. Pour l'approche, se guider sur la cheminée de la cimenterie (au S d'Umag). **Capitainerie** - *Au môle est* – ☎ 741 662.

Marina de Vrsar – *Obala M. Tita 1a* - ☎ 441 052, fax 441 062 - info@marina-vrsar.com.

Marina de Laguna-Novigrad – ☎ 757 077, fax 757 006 - marketing@laguna-novigrad.hr. Au cœur de la petite ville, c'est le dernier-né des ports de plaisance d'Istrie.

Pour les équipements de ces ports de plaisance : *voir le chapitre « Nautisme » p. 38.*

Se loger

👁 **Bon à savoir** – Nombre d'hôtels de Poreč et de ses zones hôtelières sont gérés par **Plava Laguna** - *Rade Koncara 12* – ☎ 410 101, fax 451 044 - www.plavalaguna.hr et par **Riviera** - *Vladimira Nazora 9* – ☎ 408 000, fax 451 440 - www.riviera.hr.

☎ **Adriatic Apartmani** – *Trg Slobode 2a* – ☎ 452 663, fax 452 187 - www.apartmani-adriatic.hr. Cette agence propose chambres, studios et appartements chez des particuliers à Poreč et à Vrsar. Compter 34/36 € pour une ch. double, 41/43 € pour un studio, 53/80 € pour un appart. de 4 personnes.

☎ **Euro-Tours** – *Nikole Tesle 12* - ☎ 427 754/451 511, fax 427 755 - eurotours@pu.t-com.hr, www.imf.hr. Une agence en centre-ville où choisir, sur catalogue, un hébergement à Poreč et ses environs. 32/37 € pour une ch. double, 46 € pour un studio et 77 € pour un appartement de 4 personnes.

DANS LA VIEILLE VILLE ET SES ABORDS IMMÉDIATS

☎☎ **Hotel Neptun** – *Obala M. Tita 15* - ☎ 465 100, fax 451 440 - www.riviera.hr - 145 ch. : 44/51 €/pers. 🍽. Sur le port, donc bien placé même s'il est difficile de s'y garer. Un grand hôtel à taille humaine. Les chambres sont très correctes. Bon accueil. Majoration de 20 % pour un séjour de moins de 3 jours.

☎☎ **Parentino** – *Obala M. Tita 17* - ☎ 465 100, fax 451 440 - www.riviera.hr - 14 ch. : 41/46 €/pers. 🍽. L'annexe de l'hôtel Neptun est installée dans un édifice du 19e s. Les chambres aux volumes amples sont d'un confort simple. Toutes ont la vue sur la mer. Majoration de 20 % pour un séjour de moins de 3 jours.

☎☎ **Hotel Hostin** – *Rade Končara 4* - ☎ 408 800, fax 408 857 - www.hostin.hr - 🅿 - 🍽 40 ch. - 460 kn/pers. 🍽. Dans une zone de verdure, à deux pas du port de pêche et de la marina, face à la vieille ville, un hôtel confortable et calme. Petite plage à moins de 100 m.

SUR L'ÎLE SAINT-NICOLAS

☎☎ **Fortuna** – ☎ 465 100, fax 451 440 - 187 ch. : 60/63 €/pers. 🍽. Face à la vieille ville, dans un lieu idyllique, cet hôtel offre des chambres confortables dont la plupart donnent sur la mer. De nombreuses plages à deux pas de l'hôtel et une piscine face au port de Porec.

À BRULO

Accès par la route de Vrsar puis la 1re sortie à droite.

☎☎☎/☎☎☎☎ Hôtels **Diamant, Kristal et Rubin** – ☎ 465 100, fax 451 440. **Diamant** – 244 ch. : 73/78 €/pers. 🍽, **Kristal** – 223 ch. : 57/61 €/pers. 🍽, **Rubin** – 259 ch. : 65/81 €/pers. 🍽. Les prix sont majorés de 20 % pour un séjour de moins de 3 nuits.

Trois hôtels construits à l'orée d'une pinède donnant sur la mer. Navire amiral de cette flottille, le Diamant est construit sur dix niveaux, les deux autres, jumeaux, sont moins hauts. Tous trois disposent de piscines et proposent en été des apéritifs musicaux, voire dansants.

Apartments Valamar Diamant – Même direction que les hôtels. Ils constituent un véritable village de petites maisons blanches. *128 appart. : 132/187 € selon capacité.*

À ZELENA LAGUNA

☎☎ **Hotel Parentium** – ☎ 411 500, fax 451 536 - parentium@plavalaguna.hr, www.plavalaguna.hr - 368 ch. : 60/69 €/pers. en demi-pension selon orientation et équipement - 🍽 - 🅿. Sur une petite presqu'île ombragée de pins, c'est un grand ensemble agréable et bien équipé. Chambres correctes et accès facile à nombre d'activités sportives.

☎ **Autokamp Zelena Laguna** – ☎ 410 700, fax 410 601 - ouv. avr.-sept. - adulte 6,90 €, enf. : 4,80 €, emplacement 13,10 €, voiture 9,90 €. Ce n'est pas le plus agréable des campings de Croatie, mais ce très grand terrain bénéficie de bons équipements et des nombreuses activités du lieu.

PRÈS DU FJORD DE LIM

☎ **Matošević** – *Kloštar 21* - ☎ 444 492 - 3 appart. et 4 ch. : 270/350 kn. À quelques minutes à pied du fjord de Lim, la maison se situe à 8 km à l'est de Vrsar à l'écart de la route. Tout est propre et confortable, quoique les cuisines manquent d'équipement. Accueil sympathique et cuisine à base de produits fermiers.

PRÈS DE BADERNA

Baladur – *Rakovci 22, Baderna -
☎ 431 441 - 3 maisons : 139 €.* Cet
Agroturizam s'inspire de l'architecture
romane. Une réussite due au labeur
patient du propriétaire et aux matériaux
traditionnels qui font oublier que tout
est récent. La fausse chapelle abrite un
appartement agréable où l'on dort dans
le chevet. Joli jardin, bowling, barbecue,
cave à vins. Il est prudent de réserver !

À KANEGRA

TN Kanegra – *Kanegra bb,
52470 Umag - ☎ 709 000, fax 709 499 -
kanegra@istraturist.hr - ouv. avr.-sept. -
adulte 5 €, enfant 3,50 €, empl.12/15 €,
bung. 95/120 € selon sa capacité.* Grand
complexe touristique installé dans une
pinède sur la rive sud de la baie de Piran :
il se compose d'un village de bungalows
(de 4 à 6 pers.), et de deux campings,
dont un naturiste. Restaurants,
guinguettes, supérettes, centre sportif,
aires de jeux pour les enfants et
discothèque : tout est sur place.

À UMAG

Hotel Kristal – *Obala J.-B. Tita
9 - ☎ 408 200, fax 700 499 - 85 ch. : 82 €/
pers. en 1/2 pension., 12-18 ans : demi-tarif,
enf. -12 ans : gratuit.* Dans la vieille ville, un
hôtel moderne à la pointe de la presqu'île,
face au port de pêche et à la marina.

Camping Park Umag – *Karigador bb,
52470 Umag - ☎ 725 040, fax 725 053 -
camp.park.umag@istraturist.hr – adulte
6,50 €, enfant 4 €, empl. 9,50/16 €.* Immense
camping (1 815 emplacements), au bord
de la mer, très propre. Restaurants, bars,
équipements sportifs, piscines avec
cascades et bateau pirate, terrains de jeux
pour enfants, promenade aménagée au
bord de la mer, supermarchés… tout ce
qu'il faut pour passer des vacances sans
sortir. Et en prime, un grand éco-parc
aménagé pour la découverte de la région
de l'Istrie. *(voir Sport et loisirs, p.234).*

Se restaurer

À POREČ

Gostionica Leut – *Obala Maršala
Tita 15 - 40/80 kn.* Grande terrasse
ombragée donnant sur la riva (front de
mer) de Poreč face à l'île Saint-Nicolas.
Poissons grillés, salades. Service diligent.

Barilla – *Eufrazijeva 26 -
☎ 452 742 - fermé de déc. à fin janv. -
plats 50/90 kn, poisson 250 kn.* Ce nom ne
doit pas tromper : on y mange autre chose
que des pâtes (très bonnes, du reste !).
On y déguste aussi des plats aux truffes :
tournedos et gnocchis. Ouvert toute
l'année.

Konoba Ulixes – *Dekumanus 2 -
☎ 451 132 - 12h-0h - poisson 320 kn.*
Que ce soit dans la belle salle aux pierres
apparentes ou dans la très agréable cour à
l'ombre d'un olivier, vous y dégusterez des
spécialités servies avec amabilité, telles

que carpaccio aux truffes ou thon
à la sauce aux truffes. Bon choix de vins
du pays.

Peterokutna kula -
*Dekumanus 1 - ☎ 451 378, fax 451 373 -
plats 50/100 kn, poisson 300 kn/kg.* Installé
dans la tour pentagonale, ce restaurant
est aménagé sur plusieurs niveaux avec
des tables à ciel ouvert et une belle salle
pour les frileux. Salade d'octopus et
cocktail de langoustines à l'entrée,
poisson (excellent !), plats de cuisine
istrienne, et un verre d'eau-de-vie offert
au début du repas.

AU FJORD DE LIM

Restoran Viking – *Lim
(Limski kanal) bb - ☎ 448 223. 11h-16h30,
18h30-23h - 60/100 kn, poisson 300 kn/kg.* À
l'extrémité du fjord, une des grande tables
d'Istrie : huîtres, poissons et fruits de mer
au programme.

Fjord – *Lim (Limski kanal)
bb - ☎ 448 222 - 50/100 kn, poisson
300 kn/kg.* Proche du précédent :
langoustes, fruits de mer, lasagnes
au crabe et poissons…

PRÈS DE BADERNA

Idila – *Rakovci 4, 52445 Baderna -
☎ 462 130. Plats 35/60 kn.* Cette auberge
rurale propose une cuisine à base de produits
fermiers et de spécialités locales
aux truffes. Salle en sous-sol pour l'hiver
ou les trop fortes chaleurs, terrasse
ombragée qui donne sur un paysage
champêtre. Une bonne adresse, ouverte le
soir en semaine et de 12h à 0h le w.-end.
Location de chambres également.

À GROŽNJAN

Taverna Bastia – *1. svibnja 1 -
☎ 776 370 - plats 40/80 kn.* Une belle
terrasse sous les châtaigniers. Cuisine
gourmande istrienne : à base de truffes,
c'est tout dire !

PRÈS DE BUJE

Agroturizam Volpija – *Volpija 3,
52460 Buje - ☎ 777 425, fax 777 424 - repas :
150 kn.* À 3 km au NO de la ville, sur la
route de Kaldanija. Spécialités de viande
grillée, et de fruits de mer (poulpes en
gulaš à la polenta).

À SAVUDRIJA

Taverna Porto Salvore – *Sur le port -
☎ 759 213 - poisson : 220 kn.* Dans une
petite maison donnant directement sur le
quai. Terrasse. Spécialité de poissons
(délicieux pâté de poisson – *riblji pašteta*),
fruits de mer et asperges.

Faire une pause

À POREČ

Caffe Bar Torre Rotonda – *Narodni trg 3a.*
Une des tours de l'enceinte de la ville
reconvertie en café. Salle à l'étage avec
vue sur la riva et l'île (dommage que la
tour ne soit pas plus haute d'une dizaine
de mètres !). Ambiance jazzy.

Gelateria Fontana – *Dekumanus 26*. Glaces à l'italienne. Les serveurs se sont fait une spécialité de jongler avec les boules de glace au grand ravissement des passants.

À VIŠNJAN

Café Bar Emar – *Sur la droite de la route, avant le cœur du village, lorsqu'on arrive de Stuti*. Une agréable terrasse fleurie où il fait bon se poser quelques instants pour se rafraîchir.

En soirée

Musique classique – (symphonique, de chambre ou spirituelle) - L'été, dans le cadre de la basilique euphrasienne (parfois dans l'atrium).

Jazz – Soirées musicales les mercredis soir de juillet et d'août dans la cour du café Lapidarium, via S. Mauro 10.

Discothèque – **International Club** à Zelena Laguna. Discothèques tous les soirs à partir de 22h.Les concerts des célébrités locales comme Gibonni y sont également programmés. Nightclub et bars.

Achats

À POREČ

Marché public (Tržnica) – *Mlinska bb*. 7h-14h. À côté du parking central.

Enoteca Per Bacco – *Dekumanus*. Vente de produits régionaux (truffes, vin, huile d'olive, grappa…) joliment présentés dans des coffrets ou sur des tuiles. Vous y trouverez également les produits Aromatica (savons, huiles essentielles, parfums).

Shell Shop – *Dekumanus 11*. Si vous aimez les coquillages, vous trouverez sûrement ici votre bonheur !

Matoševič – *À Krunčići, 3 km au sud de Sv. Lovreč* - ℘/fax 448 558. Cette famille de viticulteurs propose d'excellents vins issus de cépages français et fruits d'un travail de passionnés. M. Matoševič vous fera visiter ses chais et goûter sa production. Sur la propriété, on trouve quelques chambres à louer et un restaurant.

Librairie Matea (VIP) – *Trg Slobode 2*, ℘/fax 431 078 - tlj sf dim. 7h30-19h30. Bon choix de cartes et de guides d'Istrie en italien, allemand, anglais et français.

À GROŽNJAN

Enoteca Zigante Tartufi – *Gorjan 5* – ℘776 099 – 10h-20h. Bien sûr, l'Enoteca propose un grand choix de vins locaux… Mais vous y trouverez aussi miel, charcuteries, fromage et, bien sûr, truffes sous toutes les formes possibles et imaginables.

Sport et loisirs

👁 **Bon à savoir** – Que vous soyez résidents ou non des hôtels de Plava Laguna ou de Zelena Laguna, vous aurez accès à de multiples activités sportives :

sports de ballon, tennis, ski nautique, planche à voile, canoë, parachute ascensionnel, etc.

SURVOL DE LA CÔTE

D'avr. à fin oct., vols panoramiques organisés tous les jours depuis l'aérodrome de **Crljenka**, près de Vrsar - ℘ *(051) 428 130, 091/500 9 808*. 3 pers. max. Vols 30mn le long de la côte Vrsar-Rovinj-Poreč-Novigrad : 800 kn, vol panoramique 15mn : 400 kn.

RANDONNÉE

👁 **Bon à savoir** – Autour de Poreč s'étend tout un réseau balisé de pistes **cyclables,** pour vélos classiques et VTT. Si les petites routes de campagne sont agréables, méfiez-vous du trafic intense de la route littorale.

👥 **Eko Park Umag** – *Au camping Park Umag - 7h-22h. Gratuit*. Ce grand parc de loisirs éducatifs qui s'étale sur 13 000 m² est entièrement consacré à la région d'Istrie, avec ses traditions et ses curiosités. La découverte des terres blanche, noire et rouge d'Istrie, de sa végétation typique, la visite des oliveraies, des vignobles, des villages perchés avec des *kazune*, maisons typiques en pierre, et tant d'autres merveilles vous attendent.

👥 **Randonnée « Chasse au trésor » (Lov na blago)** - Cet itinéraire vous fera découvrir les sites historiques et archéologiques les plus importants de la riviera d'Umag. Carte à retirer à l'office de tourisme. Compter 1h30-2h en vélo ou en voiture pour parcourir l'itinéraire dans sa totalité.

PLONGÉE

Il est formellement interdit de plonger dans le fjord de Lim et certaines zones ne sont accessibles qu'avec une autorisation spéciale : zones des épaves du *Coriolanus* (au large de Novigrad) et du *Baron Gautsch*.

Permis – *S'adresser à la capitainerie du port de Poreč, obala Maršala Tita, Poreč*, ℘ *431 663*. Valable un an, le permis n'est délivré qu'aux plongeurs confirmés.

Diving Centar Zelena Laguna - *Zelena Laguna bb, 52440 Poreč* – ℘/fax 410 594, 098/219 335 - www.diving-porec.hr.

Roniláčki Centar Plava Laguna - *Laguna bb - 52440 Poreč* - ℘ *098/367 619*.

Ces deux centres louent le matériel, et amènent les plongeurs en bateau au large. Ils possèdent également une école de plongée. Organisation d'expéditions sous-marines nocturnes.

Adriatic Master Dive Center (A.M.D.C.) Vrsar – *Brionska 11, 52450 Vrsar* - ℘ *441 784, fax 442 164*, ℘ *091/25 12 874*.

PÊCHE SPORTIVE

Vente de permis – **Sunny Way**, *Obala M. Tita 17a* - ℘/fax 422 555 et *A. Negri 1* - ℘/fax 431 295.

Zubatac Angling Sociéty - *Rade Končara bb, Porec* - ✆ *451 850.*

Underwater activities and angling ar sea club – *Nikole Tesle bb, Porec* - ✆ *452 300.*

SKI-LIFT

Skijanje na vodi – **Hotel Galeb Sport Centar**, *Zelena Laguna* - ✆ *451 357.* Le principe du tire-fesses appliqué à la mer : vous pouvez choisir la vitesse qui vous convient et, si vous n'avez jamais chaussé de skis nautiques, vous disposez d'un moniteur pour vous mettre en confiance.

KARTING

Motodrom Karting Staza – *Poreč-Tar* - ✆ *453 210.*

Événements

Vinistra – *Avr.-mai.* Salon international du vin à Poreč, centré autour du cru local, le malvazija. Ce cépage est aussi apprécié dans d'autres pays méditerranéens (Grèce, Italie…) : c'est l'occasion de comparer tout en dégustant des produits régionaux.

Ivanja – *Juin.* Foire traditionnelle à Svetvinčenat où l'on choisit la plus belle chèvre d'Istrie, animal symbolique du pays.

Les Annales de Poreč – *Juil.* Ce grand salon d'art contemporain à Poreč réunit les principaux jeunes créateurs croates. International à l'origine (Picasso y exposa), il a révélé depuis 1960 au grand public nombre d'artistes, comme Edo Murtić. C'est en outre l'occasion de voir le salon baroque du palais de la Diète d'Istrie. *www.culture-vision.com.*

Été musical – *Juil.* Concerts classiques dans un village perché de Grožnjan.

Internationaux de tennis de Croatie (tournoi ATP de Stella Maris) à Umag – *3e sem. de juil.* Étape croate du circuit professionnel, où s'affrontent les spécialistes de la terre battue. Thomas Muster (1992-1993-1995), Carlos Moya (1996-2001-2002), Marcelo Rios (2000) et le Croate Goran Prpić ont déjà inscrit leur nom au palmarès de ce jeune tournoi dont le Français Jérôme Golmard a atteint la finale en 2001. *Rens. au* ✆ *741 704- www.croatiaopen.hr.*

Festival de sculpture de Montraker à Vrsar – *De fin août à déb. sept.* Cette carrière abandonnée, située sur la presqu'île du même nom, devient pour un mois un grand atelier de plein air.

Escapade en Istrie slovène

Passage de la frontière – Généralement pas de problème (attente possible en saison). Munissez-vous de vos documents personnels (passeport, permis de conduire) et des papiers de la voiture (carte grise, attestation d'assurance, contrat de location). Si celle-ci est immatriculée en Croatie, attendez-vous à quelques questions à votre retour.

Indicatif téléphonique – Après le 00, composer le 386.

Argent et change – Bureaux de change une fois passée la frontière. La monnaie locale est le *thaler slovène* (SIT) divisé en 100 *stotin*. 1 € correspond à 191 SIT. Il n'est pas inutile de se munir de quelques thalers, ne serait-ce que pour garer la voiture.

Conduite – Indifférents aux limitations de vitesse lorsqu'ils se promènent en Croatie, les Slovènes se montrent plus respectueux de celles-ci lorsqu'ils sont chez eux. Sur autoroute, la vitesse est limitée à 130 km/h, sur route à 90 km/h ; en agglomération à 50 km/h.

Langue – Le slovène qui ne devrait pas trop vous dépayser si vous parlez croate : « église » ne se dit plus *crkva* mais *cerkve*, « samedi », *subotom* mais *sobota*, etc. Comme de l'autre côté de la frontière, possibilité de se faire comprendre en italien, voire en anglais.

OFFICES DE TOURISME

À Piran - *Tartinijev trg 2* - ✆ *05 673 44 40 - ouv. juil.-août tlj 9h00-13h30 et 15h-21h, le reste de l'année 10h-17h, w.-end 10h-14h.*

À Koper - *Titov trg 2* - ✆ *05 664 64 03 - ouv. juil.-août : 9h-20h, dim. 13h-20h, le reste de l'année 9h-17h, dim. 13h-17h.*

ÉVÉNEMENTS

Soirées musicales piranèses – *Les vendredis d'août.* À Piran, dans le cloître du couvent St-François – **Festival Tartini** : concerts classiques en hommage au musicien local.

Koper – *Fin juillet.* Nuit blanche dans les rues et sur les places de la ville : musique, danses, défilés folkloriques, etc.

Pula★★

Pola

ISTRIE – 58 594 HABITANTS
CARTE GÉNÉRALE A2 – CARTE MICHELIN 757 B7 – SCHÉMA : VOIR À MOTOVUN

Une baie paisible aux eaux d'un bleu intense, une végétation exubérante où dominent le cèdre et l'olivier, de somptueux monuments : les Romains, en esthètes, avaient bien fait les choses ! Pula est devenue avec le temps une petite cité industrielle, siège d'importants chantiers navals… au point qu'elle semble, malgré son indéniable vocation maritime, tourner le dos à la mer. Cela ne nuit en rien au charme qui émane de cette ville sympathique et animée, très méditerranéenne, parsemée de superbes vestiges et à qui il ne manque pas grand-chose pour être tout simplement belle.

▶ **Se repérer** – À la pointe sud de l'Istrie, Pula est aisément accessible par l'*autocesta* (plus une route à grande circulation qu'une véritable autoroute) arrivant de Rijeka par le long tunnel à péage de l'Učka. À l'arrivée, suivre la direction du centre et laisser la voiture au grand parking (payant) aménagé dans le Valerijin Park, au pied de l'amphithéâtre.

👁 **À ne pas manquer** – Visite de l'amphithéâtre, balade dans la vieille ville avec ses vestiges romains, excursion au parc national de Brijuni et, si vous avez le temps, promenade dans le village de Vodnjan qui vaut assurément un coup d'œil.

🕐 **Organiser son temps** – Prévoir une demi-journée pour la visite de Pula et une journée entière pour l'excursion à Brijuni.

👫 **Avec les enfants** – Visite de l'amphithéâtre pour rappeler les leçons d'histoire, découverte de la faune et de la flore de l'Adriatique à l'Aquarium de Pula, excursion en bateau à Brijuni : safari park, randonnée en petit train et baignade au programme.

👣 **Pour poursuivre le voyage** – Voir aussi Rovinj (39 km au nord-est), Poreč (56 km au nord-est) et Labin (44 km au nord-ouest).

Les portiques à arcades des arènes sont parmi les mieux conservés du monde romain.

O. N. T. Croatie

Comprendre

De Nesactium à Pula – Tout commence à *Nesactium*, oppidum bâti sur une colline dominant la baie de Pula, dont les Romains s'emparèrent par la ruse au printemps de l'année 177 av. J.-C., ce qui leur permit de faire main basse sur la totalité de l'Istrie. Celle-ci reçoit, au début de notre ère, le statut de « colonie » : c'est à cette époque que furent bâtis les grands monuments de la cité, comme l'amphithéâtre ou le grand théâtre (disparu depuis). Région résidentielle appréciée en été (les îles Brijuni en particulier), Pula et l'Istrie connurent alors, jusqu'aux invasions barbares, une prospérité sans pareille.

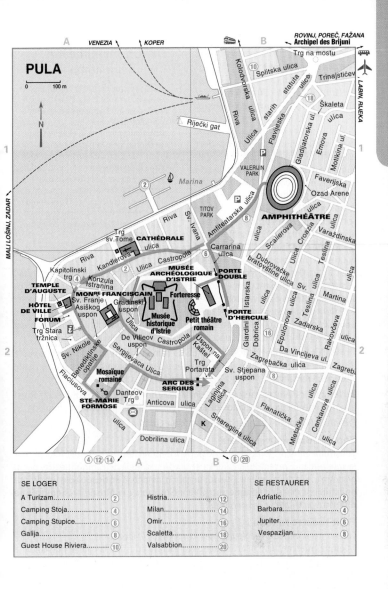

VENEZIA \ KOPER ROVINJ, POREČ, FAŽANA
Archipel des Brijuni
LABIN, RIJEKA
MALI LOŠINJ, ZADAR
MALI LOŠINJ, ZADAR

PULA

0   100 m

N

Trg na mostu

Kolodvorska ulica
Splitska ulica
Riva   Flavijska   statua
Ulica starih   Trinajstičev
Škaleta
Riječki gat
Ulica
Gladiatorska ul.   Emova
Motikina ul.

VALERIJIN PARK
Faverijska
Marina
Ozad Arene
TITOV PARK
Amfiteatarska ulica
AMPHITHÉÂTRE
Riva   Sv. Ivana
ulica   Scalierova   Croazia   Varaždinska
Trg sv. Tome   **CATHÉDRALE**
ulica
Kandlerova   Carrarina ulica
Riva   Ulica Castropole
Dubrovačke bratovštine ulica Teslina
Kapitolinski trg   Konzula Istranina
MUSÉE ARCHÉOLOGIQUE D'ISTRIE
PORTE DOUBLE
Scalierova   Sv.   Teslina   ulica
TEMPLE D'AUGUSTE   **MONRE FRANCISCAIN** **Forteresse**
Istarska   Martina
HÔTEL DE VILLE   Sv. Franje Asiškog uspon   Gradinski uspon
Istarska   Teslina ulica   ulica
FORUM   Musée historique d'Istrie   **Petit théâtre romain**   **PORTE D'HERCULE**
Epulonova   Zadarska   Rakovčeva   ulica
Trg Stara tržnica
Giardini   Dobrica
Da Vincijeva ul.   Zagreb.
Sv. Nikole   De Villeov uspon   Castropola
Zagrebačka ulica
Benediktinske opatije   Sergijevaca Ulica
Trg Portarata   Sv. Stjepana uspon
Flaciusova
Uspon na Kaštel
Mosaïque romaine
ARC DES SERGIUS
Laginjina ulica
Danteov Trg
STE-MARIE FORMOSE   Anticova ulica
Smareglina ulica   Flanatička   Mletačka   Cankatova ulica
ulica   K
Dobrilina ulica

④ ⑫ ⑭   A   B ⑥ ⑳

SE LOGER			SE RESTAURER	
A Turizam	②	Histria	⑫	Adriatic	②
Camping Stoja	④	Milan	⑭	Barbara	④
Camping Stupice	⑥	Omir	⑯	Jupiter	⑥
Galija	⑧	Scaletta	⑱	Vespazijan	⑧
Guest House Riviera	⑩	Valsabbion	⑳		

Une rivale malheureuse de Venise – Au Moyen Âge, Pula devient le siège des féodaux les plus puissants de l'Istrie, les Castropola, appelés aussi De Sergi. La confrontation avec le voisin vénitien pour le contrôle de l'Adriatique devient inévitable : Pula doit faire serment de fidélité éternelle aux Vénitiens en 1145 et, après plusieurs révoltes, escarmouches, sacs et pillages, finit par tomber aux mains de la Sérénissime au 14ᵉ s. La cité sombre alors dans la décadence, tant politique qu'économique et les épidémies déciment la population (on fait appel à des immigrants). Pula reste vénitienne jusqu'à l'arrivée des Français en 1797.

Un chantier naval autrichien – En 1813, la région passa sous le contrôle de l'Empire austro-hongrois. C'est alors que Pula prend sa physionomie actuelle, en dépassant le cadre des murailles romaines et en devenant le principal chantier naval et arsenal des nouveaux maîtres : vocation maritime qu'elle a conservé jusqu'à aujourd'hui, où il n'est pas rare de découvrir, au cœur de la ville, une énorme coque de navire en construction. Annexée en 1918 par l'Italie, Pula est victime d'une « italianisation » forcée de sa toponymie, comme du patronyme de ses habitants. Administrée par les forces alliées anglo-américaines après le départ des Italiens, ce n'est finalement qu'en 1947 que Pula, comme l'Istrie, rejoindra la Croatie, alors partie prenante de la fédération yougoslave.

Se promener

Amphithéâtre★★★ (Arena) B1

Mars-oct. 8h-20h (21h en été), le reste de l'année 9h-16h - 20 kn (étud., enf. 10 kn) - audioguide en anglais, italien ou allemand : 30 kn.

Le monument emblématique de Pula est juché sur une butte dominant le port, à l'extérieur des remparts de la ville romaine. Construit au début du 1er s. puis agrandi sous les Flaviens (69-96), c'est l'un des mieux conservés du monde romain et le 6e en taille de ceux qui nous sont parvenus. À l'extérieur, cette vaste ellipse de 132 m sur 105 présente un mur d'enceinte constitué de deux étages de voûtes et d'un troisième percé de fenê-

> ### Un amphithéâtre démontable…
>
> … ou presque. Selon la chronique, le sénat vénitien nourrit quelque temps le projet de transférer pierre à pierre l'amphithéâtre de Pula à Venise ! On ignore dans quelle partie de la cité des Doges ces dignes personnages comptaient le faire remonter (et encore plus quel usage ils comptaient en faire), d'autant plus que l'affaire ne se fit heureusement pas grâce à l'efficace opposition d'un de leurs pairs, Gabriele Emo. Il va de soi que Pula, reconnaissante, honore ce personnage comme il se doit, par une plaque portant son nom.

tres carrées. Originalité : alors que la plupart des amphithéâtres présentent un réseau complexe de vomitoires permettant aux spectateurs d'accéder à leurs places, ici ce sont quatre tours appuyées chacune contre un pilastre qui remplissaient ce rôle. À l'intérieur subsistent quelques rangées de gradin *(sur le côté droit)*. L'arène, qui pouvait accueillir 23 000 spectateurs passionnés par les combats de gladiateurs, est aujourd'hui utilisée pour des concerts, ainsi que pour le festival de cinéma.

Trois salles aménagées dans les sous-sols de l'amphithéâtre *(à gauche sous la voûte d'accès)* présentent une exposition consacrée à la viticulture et à l'oléiculture en Istrie à l'époque romaine.

Par la rue (ulica) Amfiteatarska, on atteint la place du Maréchal-Tito (Titov Park) où est exposée une maquette en laiton de la ville, faisant également office de fontaine.

Prendre sur la gauche, en haut de la place, la rue Carrarina.

Porte double★ (Dvojna vrata) B2

Construite entre les 1er et 2e s., cette porte à deux arches voûtées était franchie par la voie romaine reliant Pula à Rijeka et bordée, au-delà de l'amphithéâtre, par la nécropole. Elle ouvre aujourd'hui sur un jardin, aménagé en dépôt lapidaire devant un bâtiment massif d'époque autrichienne qui abrite le **Musée archéologique d'Istrie** *(voir ci-après dans « visiter »)*.

Petit théâtre romain A-B2

Contourner le Musée archéologique par la gauche de la façade.

Quelques marches et l'on atteint ce petit théâtre adossé à la colline que coiffe la citadelle. Ombragé de pins parasols, il a conservé trois rangées de gradins ainsi que quelques éléments de la scène.

Au-delà de la porte, le boulevard, contournant la colline du château, suit le tracé des murailles romaines dont une partie a été préservée.

Porte d'Hercule★ (Herkulova vrata) B2

Du milieu du 1er s. av. J.-C., cette porte doit son nom à la tête sculptée qui la surmonte et qui représenterait le célèbre héros grec.

Revenir à la place du Maréchal-Tito et prendre, dans le prolongement d'Amfiteatarska ulica, la rue Kandler (Kandlerova ulica) qui conduit au centre ancien de Pula.

Cathédrale★ (Katedrala) A1-2

On découvre d'abord, sur la gauche de la rue, un agréable portique avant de parvenir sur la place Saint-Thomas (Trg sv. Tome) où se dresse le clocher de la cathédrale (fin 17e s.). D'origine paléochrétienne, le sanctuaire a subi bien des destructions, pillages et restructurations, avant de prendre son aspect actuel sous les Vénitiens. Façade sobre, de style Renaissance, surmontée d'un fronton triangulaire inspiré de l'antique, et parfaitement régulière si l'on excepte, sur la droite, le portail d'une église parallèle, vouée à saint Thomas, le patron de la ville. L'intérieur présente une vaste nef centrale, séparée des collatéraux par deux rangées de colonnes à chapiteaux. Le grand autel est constitué d'un sarcophage du 3e s.

Poursuivre dans Kandlerova.

Au n° 10, remarquez la maison de style vénitien avec ses fenêtres de style gothique fleuri et son balcon au 2e étage.

Avant de déboucher sur le forum, faire quelques pas sur la droite sur la petite place Kapitolinski trg.

On aperçoit l'arrière du temple d'Auguste et, inséré dans le bâtiment de l'hôtel de ville, celui d'un édifice jumeau, l'ancien temple de Diane.

Forum★★ A2

On débouche alors sur cette belle place qui, depuis vingt siècles, constitue le cœur de la cité. Très théâtrale, elle est bordée de terrasses de cafés et de deux bâtiments phares de la cité, le temple voué à l'empereur Auguste, et l'hôtel de ville gothico-Renaissance.

Temple d'Auguste★★ (Augustov hram) – *9h-20h (w.-end 9h-15h)* – Sur la gauche de l'hôtel de ville, ce petit temple *(Voir « ABC d'architecture » p. 82)* aux proportions harmonieuses fut construit au début du 1er s. sous le règne de son dédicataire, ce qui en fait un parfait contemporain de la Maison carrée de Nîmes que, par sa simplicité, il n'est pas sans évoquer. Six colonnes corinthiennes supportant un fronton triangulaire donnent accès à la *cella* qui sert de dépôt lapidaire.

Hôtel de ville★ (Gradska palača) – Contigu au temple d'Auguste, ce palais gothique a été bâti au 13e s. sur l'emplacement d'un temple qu'il a englobé dans ses murs. Belle façade à arcades Renaissance, sous lesquelles sont disposés des blasons qui achèvent de donner au lieu une touche italienne.

Rue Sergius★ (ulica Sergijevaca) A2

C'est la grande rue animée de la cité, qui conduit du forum à la place Portarata. Bordée de maisons témoignant du passé vénitien de la ville (remarquez, au n° 18, la façade rouge avec les trois têtes représentées en bas-relief) elle concentre nombre de commerces, et rassemble une foule d'autochtones qui aiment à y flâner et y faire leurs courses.

Prendre sur la droite le sympathique petit square des Bénédictins (Beneditinske Opatije) qui conduit au quai.

Sur la gauche, dans le square, est exposée une superbe **mosaïque romaine★★** du 3e s. trouvée *in situ* : c'est le pavement d'une riche demeure romaine, dont le motif représente le *Châtiment de Dirce*.

Chapelle Sainte-Marie-Formose★ (Kapela sv. Marije Formoze) A2

Cette petite chapelle paléochrétienne, que son environnement ne contribue pas véritablement à mettre en valeur, est tout ce qui subsiste de la basilique du même nom (*formosa* faisait allusion à la beauté de sa décoration) élevée vers 566 : quelques autres vestiges de celle-ci sont visibles à proximité. En forme de croix, toute simple et émouvante avec ses *claustra*, elle était décorée de superbes mosaïques dont on peut découvrir des fragments au Musée archéologique.

Revenir à la rue des Sergius.

Arc des Sergius★★ (Slavoluk obitelji Sergi) B2

La rue Sergius aboutit à ce bel arc de triomphe, érigé à la fin du 1er s. et décoré de reliefs finement sculptés *(façade intérieure des arches)* représentant des grappes de raisin. Appelé la « Porte d'or » (Port'Aurea, d'où Portarata) par les habitants de la ville, il honore non pas quelque empereur ou général comme la plupart de ses confrères du monde romain, mais trois frères, de riches personnages nommés Sergius, en la mémoire de qui il fut élevé.

Place (trg) Portarata B2

Vaste place, à la jonction de la ville ancienne et de la cité moderne, très animée grâce à ses terrasses de café, et, les jours d'été, par toutes sortes d'activités ludiques : étals de vendeurs de souvenirs et scène où, en soirée, des musiciens locaux font danser la jeunesse sur des tubes d'aujourd'hui et des dernières décennies.

L'arc des Sergius ou « Porte d'or » de Pula.

P. Planter / MICHELIN

Arrivé sur la place Portarata, prendre, immédiatement à gauche, uspon sv. Stjepana, rue en escalier, puis poursuivre l'ascension sur la gauche dans uspon na Kaštel après un virage à angle droit.

Le Kastrum byzantin : poste militaire avec vue imprenable sur l'Adriatique.

Rue (ulica) Castropola A-B2

Cernant la colline du château, parallèle à la rue des Sergius à laquelle elle est reliée par de brèves rues en pente parfois entrecoupées de marches, cette agréable venelle est bordée, sur la droite, par les jardins de villas patriciennes, parfois quelque peu décaties, mais dont certaines ont conservé fière allure. Sur la gauche, on domine les toits de tuiles de la ville basse. Quelques échappées permettent d'apercevoir la mer et les cargos en construction. D'odorantes glycines accompagnent cette promenade solitaire.

Monastère franciscain★★ (Samostan sv. Franje) A2

Accès par la petite rue sv. Franje Asiškog, en forte pente (attention pavé glissant !)
Construite en 1314, l'**église franciscaine** présente une belle façade romane, ornée d'un porche délicat et d'une rosace octogonale, sur une petite place empreinte de sérénité. Avant d'y pénétrer, remarquez la chaire extérieure, permettant au prêcheur de s'adresser à la foule que l'on imagine massée dans la rue.
L'intérieur présente les caractéristiques du style gothique, à la fois simple et plein d'élégance, en particulier un bel ensemble de voûtes d'ogives. Près du grand autel un grand **polyptyque** de bois sculpté, pièce maîtresse de l'art gothique en Istrie (école de Vivarini, fin du 15e s.). L'église donne accès au **cloître** du monastère, ravissant dans sa simplicité, dont les murs sont ornés de stèles.
Revenir à Castropola.
Un peu plus loin, dans le jardin du monastère, glycines et oliviers encadrent un **cèdre** d'un âge plus que vénérable, à l'ombre duquel sont disposées des sculptures et stèles d'époque romaine.
Reprenant Castropola, on peut alors monter au château par un escalier assez raide qui se poursuit au-delà de Gradinski uspon, voie permettant d'accéder à la citadelle en voiture.

Forteresse (Kaštel) A2

Dotée de quatre bastions, elle fut dessinée en 1631 par un ingénieur militaire français passé au service de la Sérénissime, Antoine Deville, qui n'hésita pas à réutiliser des pierres provenant de constructions romaines. Petit **belvédère** d'où la **vue★** porte, au-delà des arbres et des toits de tuiles de la ville, sur l'ellipse parfaite de l'amphithéâtre et sur la baie de Pula avec ses chantiers navals.

Musée historique d'Istrie (Povijesni muzej Istre) – *tlj 9h-20h. 10 kn (enf. 5 kn)*. Dans les bâtiments encadrant la cour de la forteresse. Évocation du passé maritime de Pula : plans et maquettes de navires, beau coffre peint, outils de charpentiers de marine, étrave de vaisseau décorée du lion de Venise, et expositions temporaires.

Redescendre par Gradinski uspon sur la rue Castropola, puis par n'importe quelle rue transversale vers la place du Forum.
Vous pouvez alors rejoindre la voiture par la Riva, en flânant le long de la marina.

Aquarium Pula A2

Fort Verudela - été : tlj 9h-21h, hiver : uniquement le w.-end 11h-17h - 20 kn (étud. 15 kn, enf. 3-7 ans 10 kn).
Ouvert en 2002 au cœur de l'ancienne forteresse austro-hongroise, cet aquarium permet d'observer de nombreuses espèces de poissons et autres créatures fascinantes

peuplant les eaux de l'Adriatique. Les enfants seront enchantés par la possibilité de toucher (doucement!) quelques animaux marins – chiens de mer, tortues, crabes – qui se prélassent dans un bassin ouvert. L'Aquarium héberge également le Centre de sauvetage des tortues de mer qui a pour mission le marquage des tortues de l'Adriatique nord, la réhabilitation des animaux blessés ainsi que la sensibilisation du public à la survie de l'espèce.

Visiter

Musée archéologique d'Istrie★★ (Arheološki muzej Istre) B2
Carrarina 3. - mai-sept. : lun.-sam. 9h-20h, dim. 10h-15h ; déc.-avr. : tlj sf w.-end 9h-15h - 12 kn (étud., enf. 6 kn).
Très riche, ce musée présente de façon un tantinet vieillotte des collections remarquables permettant de mieux prendre la mesure de l'opulence et du prestige de l'Istrie antique. Les salles du rez-de-chaussée constituent un lapidarium où l'on remarquera en particulier une belle **mosaïque de sol★** représentant deux coqs, découverte dans une villa romaine (1er s.), des autels votifs, d'émouvants monuments funéraires (comme celui, à trois personnages, de la famille de C. Rufelius Rufus) ainsi que quelques éléments d'art « paléocroate » avec leurs entrelacs caractéristiques (superbe **pergola★★**). Le premier étage est consacré à la préhistoire : notez les objets en bronze, en poterie et en ivoire trouvés aux Brijuni, mais l'on admirera surtout la finesse des **fibules** dont celle représentant un cheval provenant de la tombe dite du « dignitaire de Nesactium » (4e s. av. J.-C.). Au 2e étage, on retrouve l'époque romaine avec poteries, verreries, lampes à huiles sculptures (tête d'Agrippine, 1er s.) et le Haut Moyen Âge avec les plus belles pièces du musée : un fragment de **mosaïque★★** provenant de Sainte-Marie-Formoze et un **coffret en ivoire★★★** orné de scènes dionysiaques (9e-11e s.) d'une époustouflante délicatesse d'exécution.

Aux alentours

Fažana
À 7 km de Pula par la route de Poreč/Rijeka, puis à gauche.
Agréable village de pêcheurs, point d'embarquement pour Brijuni. Oliviers, cyprès et pins parasols lui confèrent une allure très méditerranéenne. Une baie, ombragée de pins, un petit port bordé de terrasses de cafés, une chapelle à portique, dont certains éléments datent du 9e s. font l'essentiel du charme de ce village dont le célèbre archipel constitue l'horizon.

Archipel des Brijuni★★
Bureau d'accueil ouv. 8h-20h - 100/180 kn/pers. selon la saison (enf. demi-tarif) - Visite guidée (assez fréquente en anglais, allemand et italien – plus rare en français) - Réservations au Management Office de Fažana - ℘ 525 882/883, fax 521 124 - izleti@brijuni.hr, www.brijuni.hr - se présenter à l'embarquement (face au bureau) un quart d'heure avant l'heure prescrite. L'arrivée se fait dans un petit port placé entre les hôtels Karmen et Verige. La visite « officielle » s'effectue à bord d'un « petit train » (prix compris dans le billet) mais peut également (et bien plus agréablement !) se faire à pied (ou à vélo : location à l'arrivée) en parcourant les chemins qui sillonnent l'île.
Outre une superbe **végétation★★** (un olivier, âgé d'une quinzaine de siècles, en constitue le patriarche) où se côtoient pins, épicéas, cèdres, eucalyptus, cyprès, lauriers à l'ombre desquels folâtrent en toute liberté des centaines de biches, la baie

---

L'archipel en bref

Il est constitué de 14 îles ou îlots, d'une superficie totale de 736 ha, et dont la principale a pour nom Veli (La Grande) Brijun. Apprécié comme résidence estivale par les Romains, l'archipel a été mis en valeur par un Autrichien, **Paul Kupelweiser**, qui en fut propriétaire entre 1893 et 1919 : c'est lui qui y fit planter les magnifiques arbres que l'on découvre aujourd'hui, initia les recherches archéologiques, appela le célèbre **Dr Koch** pour lutter contre la malaria et fit édifier les premiers hôtels où se pressait le gratin de l'époque. Mais c'est plus tard que Brijuni allait acquérir sa notoriété internationale : le **maréchal Tito** qui en fait sa résidence préférée (résidence privée sur l'îlot de Krasnica), contribue à sa remise en valeur et y reçoit pas moins de 90 chefs d'État étrangers, du négus Hailé Sélassié à la reine Élisabeth, en passant par Nikita Khrouchtchev et Indira Gandhi. Et c'est dans la « maison blanche » de Brijuni que, le 19 juillet 1956, il signait avec Nasser et Nehru la déclaration qui allait demeurer célèbre sous le nom de **pacte des pays non alignés**. Toujours résidence officielle d'État, l'archipel est aujourd'hui classé parc national.

de Verige (au sud du port) abrite les vestiges d'une grande **villa romaine★** datant du 1er s. Les amateurs d'oiseaux se rendront plus à l'est, munis de jumelles, dans les anciennes salines où nombre de volatiles trouvent asile.

C'est à proximité, en bordure du rivage, que vous trouverez le **Kastrum★★** byzantin : cerné de murailles. Il émane de ce qui est plus un village qu'un castrum un charme indéniable. En face, un chapelet d'îlots contribue à la beauté du tableau. Suivant la baie vers le nord, vous pourrez si le cœur vous en dit vous rafraîchir grâce à une baignade bienvenue. Vous rencontrerez alors la **villa Blanche (Bijela Vila)** où fut signé le célèbre pacte des non-alignés *(fermée au public)*. Au-delà, à la pointe nord-ouest, le Safari Park est un zoo où furent regroupés les animaux exotiques offerts à Tito par ses collègues des pays non alignés : zèbres, dromadaires, lamas, éléphants… Enfin, avant de reprendre le bateau, vous pourrez jeter près du port un coup d'œil à l'exposition permanente de photos intitulée « Tito à Brijuni » : vous y verrez le maréchal en compagnie de ses invités, tels que Sofia Loren, ou Richard Burton (accompagné de Liz Taylor).

Vodnjan (Dignano)★
À 11 km au nord sur la route de Poreč.

De très loin, on aperçoit l'immense clocher de la cathédrale de ce gros village bâti sur une hauteur. Suivez la direction du centre et laissez la voiture sur Narodni Trg/Piazza del Popolo où se dresse la mairie, amusant bâtiment rouge théâtralement décoré. Sur la place, de belles demeures sont parfois enlaidies par des surélévations sauvages, notamment au n° 2 de la rue Castello aux fenêtres géminées gothiques.

Rue (ulica) Castello – Étroite rue pavée de grosses dalles et bordée de nobles demeures. De part et d'autre s'ouvrent des passages sous voûte conduisant à un lacis de cours intérieures.

Piazza del Duomo – Sur cette petite place se dresse le **campanile**, d'une hauteur extravagante. Du sommet, on pouvait, dit-on, communiquer par signaux avec Venise.

Église paroissiale Saint-Blaise (Župna crkva sv. Blaža) – Cet immense sanctuaire, le plus grand d'Istrie (il peut contenir jusqu'à 1 000 fidèles), fut construit par les Vénitiens sur le modèle de l'église S. Pietro in Castello de Venise.

Collection d'art sacré★★ (Zbirka sakralne umjetnosti) – *9h-19h, dim. 14h-19h - visite en partie guidée. 35 kn.* Derrière le chœur sont rassemblés dans des cercueils de verre des os provenant des catacombes romaines et des corps momifiés de saints, dans un étonnant état de conservation. Témoignant de la foi d'une époque révolue, ces saintes reliques ont été transférées ici en 1797 lors de l'entrée des troupes françaises à Venise. La collection d'art sacré possède des pièces remarquables. Outre une impressionnante collection de reliquaires, et des vêtements sacerdotaux, on découvre des sculptures paléochrétiennes provenant d'églises de la région et portant leur décor en entrelacs caractéristique. Parmi les sculptures, remarquez un très émouvant Saint-Christophe (début 14e s.) ainsi qu'une série de statuettes baroques en bois polychrome. Enfin, on s'attardera devant deux peintures : l'une, de facture primitive, de la *Madone protectrice* (école vénitienne, du 15e s.), l'autre, une *Madone* d'école véneto-crétoise (15e-16e s.).

Pula pratique

Informations utiles

Code postal – 52100

Indicatif téléphonique – 052

Office du tourisme – Trg Forum 3, ☏ 219 197, fax 211 865, www.pulainfo.hr, tz-pula@pu.t-com.hr. Tlj 9h-22h.

Poste principale – Danteov trg - ☏ 625 210, lun.-vend.7h-20h, sam.7h-14h.

Hôpital général – Zagrebačka 30 - ☏ 376 000.

Polyclinique Oxy – Kochova 1a - ☏ 217 877. Possède un caisson hyperbare pour les accidents liés à la pratique de la plongée.

Dentiste-stomatologue – ☏ 215 600.

Internet – MMC Luka – Istarska 30, tlj sf dim. 8h-0h.

Transports

AVION

Aéroport de Pula – ☏ 530 105. Nombreux charters en été, un ou deux vols quotidiens Croatia Airlines pour Zagreb.

Croatia Airlines – Ulica Carrarina 8 - ☏ 218 909.

AUTOBUS

Gare routière – *Trg Istarske brigade bb, au NE de l'amphithéâtre - billets* ☎ *502 997* - ☎ *500 012. De 10 à 20 bus/j.* pour **Zagreb**, **Rijeka**, **Rovinj**, **Poreč**, **Opatija**. Pour **Split**, 3 bus/jour dont 1 de nuit jusqu'à **Dubrovnik**. L'**Italie** est bien desservie : bus quotidiens pour Trieste, Venise, Padoue et, en été, 2 bus/ semaine pour Milan, *via* Bergame et Vérone.

Bus locaux – Ligne 1 pour Stoja. Ligne 2 jusqu'à Veruda. Les lignes 3 et 4 poursuivent jusqu'à Verudela. La ligne 6 dessert Pješčana Uvala (marina). La ligne 30 passe par Premantura, Banjole et Pomer. Ces bus pour les péninsules au sud de Pula desservent le centre (Giardini).

BATEAU

Ferries et bateau – 5 ferries/semaine sur la ligne Koper-Pula-Mali Lošinj-Zadar, de mi-juin à début sept. **Agent Jadrolinija** – *Riva 14* - ☎ *210 431.*

Venezia Lines assure de mi-mai à mi-septembre, 3 liaisons hebdomadaires avec Venise *(www.venezialines.com)*. Une ligne de catamaran relie Pula à Rimini, d'avril à oct.

TRAIN

Gare ferroviaire – *Kolodvorska 7* - ☎ *541 733.* Desserte de Buzet, Ljubljana, Rijeka et Zagreb.

LOCATION DE VOITURE

Budget – *Carrarina 4* – ☎ *218 252.*
Hertz - *Hotel Histria, Verudela* – ☎ *210 868.*
Taxis – *Giardini bb* – ☎ *223 228.*

Nautisme

ACI Marina Pula – *Riva 1* - ☎ *219 142, fax 211 850 - m.pula@aci-club.hr.* Un petit port de plaisance au pied de l'amphithéâtre.
Capitainerie – ☎ *222 037.*
Tehnomont Marina Veruda – *Cesta prekomorskih brigada 12* - ☎ *211 033 - fax 211 194 - marina-veruda@t-com.hr.* Particulièrement bien abrité, ce port de plaisance est accessible par bus.
Pour l'équipement de ces deux ports de plaisance, voir le chapitre « Nautisme » p. 38.

LOCATION DE BATEAUX

Pivatus – *Cesta prekomorskih brigada 12* - ☎ *215 155, fax 211 499, www.pivatus.hr* Dans la marina Veruda, ce loueur propose des bateaux de 9 à 16 m.

Se loger

👁 **Bon à savoir** – Abondante, l'offre est aussi très diversifiée. Les campings, les grands complexes hôteliers et les appartements de Stoja, Verudela, Pomer, Premantura et Medulin ne manquent pas d'avantages : proches du rivage, ils bénéficient d'un environnement boisé, d'équipements complets et d'un accès privilégié aux activités sportives (tennis, plongée, sports nautiques, etc.). Le

Accompagnés d'un malvazija, rien de tel que quelques calmars grillés.

centre-ville de Pula possède quelques hôtels agréables et on y trouve aussi des chambres chez l'habitant. Dans les deux cas réservez à l'avance pour un séjour estival. Enfin pour les amateurs de tranquillité, il existe quelques gîtes ruraux et chambres chez l'habitant autour de Pula.

CHEZ L'HABITANT

Arenaturist – *Splitska 1* - ☎ *529 400, fax 529 401 - www.arenaturist.hr.* Cette agence installée au rez-de-chaussée de l'hôtel Riviera gère la majeure partie du parc immobilier de cette région. Prix des chambres d'hôtel majorés de 20 % pour un séjour inférieur à 3 nuits.
A Turizam – *Kandlerova 24* - ☎ *212 212, fax 215 067 - www.a-turizam.hr.* Cette agence s'occupe entre autres de la location d'appartements et de villas. Compter 76/82 €/j. pour un appartement de 4 pers. en haute saison.

HÔTELS

😊😊 **Hotel Omir** – *S. Dobricheva 6* - ☎ *218 186, fax 213 944 - hotel-omir@ pu.t-com.hr - 19 ch. : 600 kn* 🍽. Cette excellente adresse très connue et proche de la ville ancienne comprend 19 chambres parfaitement tenues. Ambiance détendue.

😊😊 **Hotel Galija** – *Epulonova 3* - ☎ *383 802, fax 383 804 - hotelgalija@ yahoo.com, www.hotel-galija-pula.com - 16 ch. et 5 suites : 75/99 €* 🍽. Juste une rue derrière l'hôtel Omir et un peu plus cher, un nouvel hôtel dont les chambres, un peu exiguës, sont confortables (air conditionné, minibar…).

😊😊 **Guest House Riviera** – *Splitska 1* - ☎ *211 166, fax 219 117 - 67 ch. : 41 €/pers.* 🍽 - 🐾. Ce bel hôtel ouvert toute l'année, abrite, derrière sa façade impériale, de vastes chambres, un peu fatiguées, mais propres et d'un bon confort. La moitié des 120 chambres est fermée en attente d'une rénovation. Pour un séjour d'une ou deux nuits, les prix sont majorés de 20 %.

😊😊😊 **Hotel Scaletta** – *Flavijevska 26* - ☎ *541 599/025, fax 540 285 - www.hotel-scaletta.com - krtalic@pu.t-com.hr - 12 ch. :*

99 € ⬚. Près des arènes, dans une rue à escaliers qui lui vaut son nom, ce petit hôtel familial dispose de quelques chambres toutes neuves et confortables, décorées avec goût par une main féminine. Les chambres sur la rue peuvent être bruyantes. Une adresse de charme.

⊖⊟⬚ **Hotel Milan** – *Stoja 4* – ☏ 300 200, fax 210 500 - www.milan1967.hr - 12 ch. : 850 kn ⬚. Ce petit établissement excentré sur la route de Stoja (bus n° 1) propose quelques chambres de très bon standing, spacieuses, carrelées et décorées sobrement.

STOJA, VERUDELA, VERUDA

⊖ **Camping Stoja** – *Stoja 37* – ☏ 387 144, fax 387 748, acstoja@arenaturist.hr - ouvert de fin avr. à déb. nov. - adulte 7,20 €, enf. 4,50 €, empl. 13,10/17,88 €, bung. 90/101 €/j. Un immense camping qui occupe une presqu'île et bénéficie d'un excellent emplacement, à la fois tranquille et proche de Pula (bus n° 1).

⊖ **Camping Stupice** – *Premantura bb* – ☏ 575 111, fax 575 411 - adulte 6,50 €, enf. 4 €, empl. 12/16 €, bung. 90/101 €. Un autre grand camping, qui précède la belle péninsule de Premantura où les voitures sont interdites. Comptez 20 % de majoration pour le prix d'un emplacement en bord de mer. Bungalows pour 5 personnes (2 chambres, sanitaires et cuisine).

⊖⊟/⊖⊟⬚ **Stancija Negričani** – *Divšići bb, à Marčana* – ☏ 391 084/580 830, fax 580 840 - www.stancijanegricani.com - 9 ch. : 60/85 € - ⬚ 8 €. Dans une ferme ancienne, de vastes chambres dont le confort va de pair avec le respect des lieux : meubles rustiques, murs de pierre et peintures aux tons pastel. Une magnifique adresse, en pleine campagne, à 15 km de Pula, au sud de Divšići, à 1,5 km sur la droite (fléchage).

⊖⬚ **Percan** – *Krnica 34-37* – ☏ 556 011 - 11 appart : 300/510 kn. Deux gîtes Agroturizm tenus par la même famille dans un village tranquille à 22 km au nord de Pula. Les appartements sont de toutes tailles, propres et confortables, et offrent l'avantage d'être à proximité d'un littoral préservé des grosses affluences.

⊖⊟⬚ **Hotel Carmen** – *Luka Krnica bb, Krnica* – ☏ 556 272, fax 556 360 - 24 ch. : 60 €/pers. en demi-pension. À 29 km au nord-est de Pula, sur le petit port de Krnica, au milieu d'une abondante végétation, ce petit hôtel récent, posé dans un lieu paisible, propose des chambres, confortables et très propres. La demi-pension est intéressante.

⊖⊟⬚⬚ **Hotel Histria** – *Verudela* – ☏ 590 000, fax 214 175 - 240 ch. : 73/78 €/pers. - ⬚ - ⬚. La plupart de ces chambres font face à la mer. Un peu fatiguées, elles sont spacieuses et dotées d'un balcon. Sur place, on trouve sauna, casino, discothèque, tennis et, à proximité, le centre de plongée Reinhardt Gratsch *(voir plus bas).*

⊖⊟⬚⬚ **Hotel Valsabbion** – *Pješčana Uvala 26* – ☏ 218 033, fax 383 333 - www.valsabbion.hr - 10 ch. et suites : ch. 102/113 €, suite 169 € - ⬚ 11,50 €/pers. - ⬚ - ⬚. Les suites sont magnifiques, très lumineuses et largement ouvertes sur le ciel et la mer. La qualité du restaurant et le prix des repas rendent la 1/2 P très attractive. Animaux acceptés (11,50 €/j).

Se restaurer

⊖ **Pizzeria Jupiter** – *Castropola 42* – ☏ 214 333 – pizzas 23/41 kn. En montant vers la forteresse, une sympathique pizzeria.

⊖ **Barbara** – *Kandlerova 5* – 30/60 kn. Un petit bistrot avec une terrasse, au cœur de la ville ancienne. Endroit agréable pour une pause rapide (du moins si les groupes n'envahissent pas la terrasse), devant des calmars ou des sardines grillées.

⊖ **Omir** – *Dobricheva 6* – 30/60 kn. Le restaurant de l'hôtel du même nom propose une cuisine familiale à petit prix. Une bonne adresse pour se rassasier sans se ruiner.

⊖/⊖⬚ **Vespazijan** – *Amfiteatarska 6* - tlj sf dim. 10h-16h, 19h-23h – 50/80 kn. Risottos et produits de la mer : une façon de célébrer sans prétentions la mémoire du célèbre empereur Vespasien qui aurait eu, affirment avec fierté les autochtones, une petite amie native de Pula, Cenuda : ce serait pour lui plaire qu'il aurait fait agrandir l'amphithéâtre…

⊖⊟/⊖⊟⬚ **Milan** – *Stoja 4* – ☏ 300 200 - fermé vac. de Noël - repas : 95/220 kn, menu : 200/250 kn, poisson : 300 kn/kg. Sur la route de Stoja, un restaurant à l'architecture sophistiquée et à la décoration élégante mais un peu froide. Carte très complète, qui propose poissons, mais aussi coquillages, crevettes, risottos onctueux (petites portions pour la Croatie).

⊖⬚ **Adriatic** – *Riva*. Sur une digue au cœur du port de plaisance - plats 50/80 kn, poisson 120 kn. Spécialités de poissons, bien sûr, dans un cadre des plus maritimes.

⊖⬚ **Pavilion Scaletta** – *Flavijeska 26* - ☏ 541 025 – 80/100 kn. Dans la salle (au rez-de-chaussée de l'hôtel) ou dans le curieux pavillon aménagé de l'autre côté de la rue : spécialités de poissons. Pas de carte, mais on vous proposera la pêche du jour. Celle-ci étant parfois miraculeuse, l'addition risque de s'en ressentir (on paie au poids comme souvent). Mais la qualité est là.

⊖⊟⬚/⊖⊟⬚⬚ **Valsabbion** – *Pješčana uvala 26* – ☏ 281 033 – tlj 12h-24h. Menus 350/600 kn. Une des tables les plus réputées de Croatie. Une carte assez inventive qui s'appuie sur des produits d'excellente qualité (fruits de mer, poisson, truffes, etc.) et une carte des vins internationale, et chère, dans laquelle on privilégiera d'excellents vins locaux à partir de 130 kn.

À FAŽANA

Café-restoran Plavi – *Riva - 30/70 kn.*
Posé sur le quai face aux îles Brijuni,
l'endroit idéal pour déguster en toute
sérénité un calmar grillé… en attendant
le départ du bateau, par exemple.

Faire une pause

Bon à savoir – Bordée de terrasses de
cafés, la place du Forum est un endroit
stratégique pour qui souhaite observer
l'animation de la cité quand la chaude
lumière du soir vient caresser les vieilles
pierres. Vous aurez le choix en particulier
entre le **Kavana Forum**, face à la mairie,
ou le sympathique **caffe Diana** *(Forum 4)*,
placé à côté de l'office de tourisme.
Caffe Scala – *Ozad Arene 1 - lun.-sam.
8h-22h, dim. 8h-14h.* Ce café s'avère être
une halte agréable, juste à côté des arènes.
Dans la petite salle artistiquement décorée,
on écoute jazz et blues en dégustant un
cocktail *(15 kn)* ou un soda local.
Caffe Uliks – *Trg Portarata 1.* Près de l'arc
des Sergius, en haut de quelques marches,
il semble petit mais les apparences sont
trompeuses : la salle est pleine de recoins
et sa décoration d'inspiration maritime
contribue à son atmosphère agréable.

En soirée

Bon à savoir – Les nombreux
spectacles proposés en été se tiennent
sur la place du Forum, dans les arènes
et le petit théâtre romain, ainsi que dans
l'ancienne caserne Rojc. Il y en a pour
tous les publics et tous les goûts : de la
musique ancienne et classique, aux
musiques populaires contemporaines
(salsa, reggae, rock, rap, etc.), en passant
par l'opéra, la musique traditionnelle, le
cinéma et le théâtre. Deux sites Internet
fournissent les dates, qui peuvent être
assez fluctuantes, et le programme estival :
www.pulainfo.hr et *www.istra.com*.

Achats

Galerie Cvajner – *Forum 3.* Café-galerie qui
expose des œuvres d'artistes contemporains.
Librairie Algoritam – *Prolaz kod
kazališta 1 - 9h-21h.* Guides touristiques et
livres en anglais, italien et allemand.
Atelije Legović – *Kandlerova 6 - 9h30-12h,
17h-20h, sam. 9h30-13h30.* Céramiques,
peintures sur soie et raku, réalisées avec
goût et talent par Branka et Milan Legović.
Zigante Tartufi – *Smareglina 7 - tlj 9h-21h
(sam. 9h-14h, dim. 9h-13h).* Succursale
pulanaise de la célèbre maison de Livade
(voir à Motovun, p. 310) spécialisée dans les
truffes. Outre le prestigieux tubercule,
vous trouverez charcuteries, miel, vins,
fromages et huile d'olive.

Sport et loisirs

PLONGÉE

Nombreux clubs, souvent à proximité des
hôtels et campings.
Orca Diving Center Gratsh – *Verudela
bb - 📞/fax 224 422, 📞 091 524 57 00 -*

Ch. Barely-Legrand / MICHELIN

www.orcadiving.hr. En contrebas de
l'hôtel Histria, c'est un club très réputé.
Plongée sur épaves, plongée nocturne,
sortie d'une journée et cours de tous
niveaux.
Puntižela Diving Center – *Štinjan, AC
Puntižela* – 📞 *517 517/098 412 021 ;
fax 517 474.* Location du métériel, plongée
nocturne.

VÉLO

Nombreuses possibilités de balades
autour de Pula. Demander le tracé des
itinéraires **Istra Bike** à l'office de tourisme
ou consulter le site *www.istra.com*
(rubrique *Active Vacation : Bike Routes*).

GOLF

Au PN de Brijuni, sur Veli Brijun. Un
magnifique parcours de golf au bord
de l'eau au sein du parc animalier,
la pelouse étant en grande partie
entretenue par les animaux eux-mêmes !

Événements

Semaine de l'Antiquité – *Juin-juil.*
Hommage de la ville à son passé
à travers spectacles de rue, défilés et
combats de gladiateurs en plein cœur
des arènes.

Histria Festival – *Juil.-août.* Un
des événements culturels les plus
prestigieux de l'année. Concerts, ballets,
opéra et les plus grands noms du chant
et de la danse, de Pavarotti à Ramazotti
en passant par les artistes du Bolchoï.

Festival du film – *Juil.* Présentation
des derniers films croates en compétition
et projection de films internationaux
sur écran géant dans le cadre majestueux
des arènes. - *www.pulafilmfestival.hr.*

**Festival international de théâtre
alternatif (PUF)** – *1-5 juil.* Lorsque
la ville se transforme en scène de théâtre.
Consacré à la recherche, le festival
accueille essentiellement des troupes
alternatives.

Brioni Polo Classic – *Juin-juil.*
Un des événements sportifs les plus
prestigieux qui depuis quelques années
réunit les meilleurs joueurs de polo
ainsi que les membres de la jet-set
internationale dans le cadre paradisiaque
des îles de Brijuni.

Rovinj★★

ISTRIE – 14 234 HABITANTS
CARTE GÉNÉRALE A2 – CARTE MICHELIN 757 B6 – SCHÉMA : VOIR À MOTOVUN

Imaginez une mer d'un bleu intense, sur laquelle dansent quelques barques, et un port installé au fond d'une anse, que bordent des façades aux teintes chaudes ; au large, une île et quelques îlots à la végétation sombre, presque noire ; et puis une presqu'île, fermant devant vous cette anse : elle serait occupée par une colline que des maisons italiennes, ocre, rouges, jaunes escaladeraient dans un enchevêtrement indescriptible. Enfin, un campanile vénitien dominerait l'ensemble. Vous avez imaginé Rovinj. Seulement, voilà : Rovinj existe, et cela dépasse l'imagination. Courez-y vite et nul doute que vous tomberez aussitôt sous le charme.

▶ **Se repérer** – Sur la côte occidentale de l'Istrie, Rovinj (Rovigno) ne se laisse pas deviner à qui en approche par voie terrestre… Ne cherchez pas à gagner le centre en voiture, tout ayant été fait pour que cela se révèle ardu, mais garez-vous au parking gratuit situé près du commissariat de police (sur Istarska ulica), et descendez à pied par la rue Matteo-Benussi vers le port. La vieille ville apparaîtra alors soudain en face de vous… et ce sera le coup de foudre.

👁 **À ne pas manquer** – Vue sur la ville depuis le vieux port, balade dans la vieille ville, escapade à Bale.

🕐 **Organiser son temps** – Prévoir une journée. Le mieux est de dormir sur place afin de profiter de la vue sur la ville au coucher du soleil et ressentir pleinement l'atmosphère si romantique de la ville.

👥 **Avec les enfants** – Maison de la Batana, excursion en bateau au fjord de Lim, balade à vélo à Zlatni rat, visite de Mini-Croatie.

🚶 **Pour poursuivre le voyage** – Voir aussi Pula (34 km au sud par Bale), Poreč (38 km au nord par le fjord de Lim et Vrsar), et Motovun (62 km au nord-est par Pazin).

Sainte Euphémie veille sur Rovinj du haut de son clocher vénitien.

Comprendre

Récits de marin

Un sarcophage flottant – Les habitants de Rovinj, alors une île, se frottaient les yeux vigoureusement ce matin-là, autour de l'année 800, lorsqu'ils virent s'échouer sur la grève un sarcophage de marbre. Enquête menée, il n'y avait pas de doute : c'était un miracle qui avait permis au corps de sainte Euphémie de traverser la Méditerranée, de la Chalcédoine à la côte istrienne. Il n'en fallut pas plus pour que la sainte devienne la patronne de la cité.

Une ville engloutie – Vérité ou légende ? Il existait jadis une île sur laquelle était bâtie une belle cité : Cissa. Et puis, un jour, un tremblement de terre l'engloutit… Certes, l'histoire rappelle l'Atlantide et maints autres récits. Il n'empêche qu'à la fin du 19e s. une expédition sous-marine fut commanditée par la marine austro-hongroise, et ses membres rapportèrent avoir aperçu dans les fonds marins une véritable cité avec ses murs, ses palais et ses rues ; avaient-ils forcé sur la grappa ? Peut-être… pourtant les pêcheurs du cru vous affirmeront que bien des fois leurs filets se déchirent après s'être pris dans les murailles de la cité sous-marine.

Se promener

Première approche★★

Après avoir laissé la voiture au parking d'Istarska, descendre vers le port par la rue Matteo-Benussi (ulica Mattea Benussija) où se concentrent administrations et commerces. On arrive à la

> ### Une île devenue presqu'île
>
> Le centre ancien de Rovinj était une île jusqu'au 18e s. C'est à partir de 1736 que l'on entreprit de combler le chenal maritime qui la séparait du continent, à hauteur d'une ligne allant de l'actuelle place Tito à Valdeblora.

place **Na Lokvi (Trg na Lokvi/piazzale del Laco) C2**, triangulaire, où s'élève le **baptistère de la Sainte-Trinité (Krstionca sv. Trojstva) C2**, petite chapelle octogonale du 8e s., avant de rejoindre le port par **Trg Tabakina**, dont le nom évoque la manufacture de tabac voisine, principale industrie de la cité.

Vue sur la ville★★★ – On atteint alors le **quai (riva/obala) Aldo-Negri B-C2** qui honore, lui, un résistant de Labin qui donna sa vie pour la libération du pays. Prenez-le sur la droite… et, soudain, au bout du quai, vous découvrez, au-delà du bassin du vieux port, une **vue★★★** superbe sur la presqu'île de la vieille ville : et c'est le coup de foudre !

Port Sainte-Catherine (Luka sv. Katarina) B2 – Enserrant le vieux port, protégé de la houle par l'île Sv. Katarina, les quais sont bordés de demeures aux façades peintes et ravinées par le sel et le vent. C'est ici que se concentre l'animation touristique : étals et barcasses proposent toutes sortes de colifichets ou gourmandises, tandis que les gérants des bateaux de promenade vous hèlent pour vous faire découvrir le fjord de Lim. Apparaissant sous des angles sans cesse différents, la vieille ville, juchée sur sa colline, continue à séduire. Les jardins des villas du quai Aldo Rismondo sont convertis en terrasses de restaurants ; ceux-ci cèdent la place aux cafés à mesure que l'on contourne le port pour atteindre, au pied de la vieille ville, les vastes espaces de la place du Maréchal-Tito (Trg Maršala Tita) et le quai Budicin (obala P. Budičina) qui constituent le centre animé de Rovinj.

Place G. Pignaton (Trg G. Pignatona) B1 – Place allongée bordée de terrasses de cafés. Dans le prolongement, on aboutit sur la place Valdibora, ouverte sur la mer de l'autre côté de la presqu'île. C'est là que se tient chaque matin le marché en plein air, protégé des ardeurs du soleil par un auvent qui n'est pas des plus heureux.

Revenir vers le port Sv. Katarina par la rue Garibaldi.

Une pause place du Maréchal-Tito★★ (Trg Maršala Tita) B1-2

Triangulaire, largement ouverte sur le port de pêche, cette belle place à l'italienne entourée de terrasses de cafés compose un ensemble qui pourrait servir de décor à une représentation de *commedia dell'arte*. Elle est bordée de quelques édifices intéressants.

Ancien hôtel de ville★ – Ce beau palais baroque à la façade ocre rouge (1654) ne saurait nier ses influences vénitiennes. Il abrite aujourd'hui le Musée municipal.

Musée municipal de Rovinj (Zavičajni muzej Rovinja) B1 – *Trg Maršala Tita 11. Été : tlj sf dim. 9h-12h, 19h-22h, hiver : tlj sf dim. et lun. 9h-13h. 15 kn (étud., enf. 10 kn).* Vous y verrez une exposition consacrée au passé maritime de Rovinj, des collections archéologique et ethnographique, une collection de peintures (italiennes essentiellement) du 15e au 19e s., quelques tableaux d'Alexandre Kircher et une salle consacrée à l'œuvre d'un grand paysagiste croate Vilko Šeferof. Le musée organise tous les ans des expositions temporaires d'art contemporain croate.

Arc de Balbi (Balbijev Luk)★ B1 – *Trg Maršala Tita 11.* Construit en 1680 à l'emplacement d'une ancienne porte médiévale de la ville fortifiée, ce bel arc baroque est orné d'une tête de Turc enturbanné et d'un bas-relief représentant le lion ailé de Venise.

Tour de l'Horloge★ B1-2 – *Sur la gauche de la place du Maréchal-Tito.* Belle tour vénitienne de brique rouge, porteuse d'un lion ailé. Dommage que le rez-de-chaussée soit occupé par une agence de voyages dont les stores bleu canard nuisent quelque peu à l'harmonie d'ensemble de l'édifice.

Le « chemin de ronde »★★ A-B/1-2

Continuant votre découverte progressive de la ville, empruntez depuis la place le large quai Budicin puis glissez-vous dans la rue Sv. Križa dont l'entrée était jadis défendue par une porte médiévale.

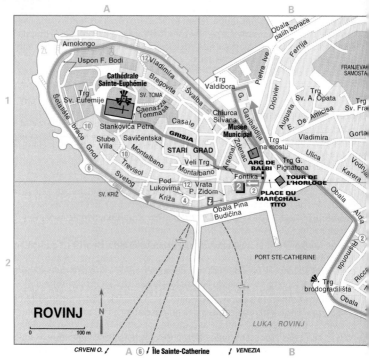

Suivant cette rue, vous contournez la colline sur laquelle le vieux Rovinj est bâti.

Sur votre droite, des ruelles entrecoupées d'escaliers partent à l'assaut de la colline. Sur votre gauche, les intervalles entre les maisons laissent découvrir la mer, toute proche, en léger contrebas. Seule une digue de rochers, endroit de choix aux beaux jours pour qui souhaite bronzer en prenant un verre, empêche les constructions de plonger directement dans l'eau.

Puis l'on arrive en contrebas de l'église ; à cet endroit, les maisons ont cédé la place à plusieurs esplanades superposées ; côté mer, c'est la « plage » : rochers et plates-formes de ciment ; à quelques encablures, un îlot solitaire attend un improbable Robinson.

Vous arrivez alors à la rue Vladimir-Švalbe que bordent quelques belles demeures. Remarquez sur la droite, le palais qui abrite aujourd'hui l'hôtel Angelo d'Oro ; plus loin, à gauche, une façade ornée d'un balcon supporté par des lions. De temps à autre s'ouvrent des impasses : avec le bleu intense de la mer pour toile de fond, elles conduisent à quelques marches devant lesquelles une barque attend tranquillement.

La rue débouche sur trg Na Mostu d'où l'on peut regagner la place du Maréchal-Tito ou parcourir Carera qui s'ouvre sur la gauche.

Rovinj, pas à pas

On ne visite pas Rovinj : on reçoit la ville d'emblée et on tombe sous le charme de ce site extraordinaire, de ces façades aux teintes chaudes, de ces venelles en escalier, tellement italiennes, où le linge pend aux fenêtres et où somnolent les chats qui daignent à peine ouvrir un œil à votre approche. À partir de là, on consacre son séjour à de longues et paresseuses flâneries sur le port ou dans les ruelles de la vieille ville, entrecoupées de pauses à une terrasse de café. On pénètre dans une cour sous prétexte de visiter une galerie. On détaille un balcon ouvragé, un escalier sculpté ou les vénérables cicatrices d'une façade. On se dore au soleil sur les rochers, un verre à la main. On ne peut s'empêcher de s'étonner de l'omniprésence de la mer, de cette insistance qu'elle met à se révéler dans les endroits les plus inattendus, au pied d'un escalier, au bout d'une impasse, entre deux maisons. On regarde la ville vivre sa propre vie, parallèle à celle des touristes, indifférente en apparence au remue-ménage des mois d'été : une *nonna*, assise sur le pas de sa porte, s'use les yeux sur son canevas, un maçon charrie une brouette de gravats, un homme repeint de vert sombre ses volets inclinables… Images paisibles d'un quotidien sans façons que l'on voudrait partager. Ici, vraiment, il faudrait que le temps s'arrête.

SE LOGER

Adriatic	②
Futura Travel	④
Katarina	⑥
Park	⑧
Rovinj	⑩
Villa Angelo d'Oro	⑫

SE RESTAURER

Konoba Kantinon	②
Konoba Veli Jože	④
La Punteleina	⑥
Maestral	⑧
Monte Casa Dekić	⑩
Plan del Fiorno	⑫

Rue (ulica) Carera – Longue rue commerçante (cafés, glaciers, ventes de souvenirs et commerces de proximité) qui, parallèle au quai, ramène à la place (trg) Na Lokvi. Quelques passages voûtés font communiquer cette rue avec le quai.

Maison de la Batana (Kuča o batani)

Obala P. Budičina 2 - juin-sept. : tlj 10h-15h et 17h-22h, le reste de l'année : tlj sf lun. 10h-13h et 15h-17h - fermé janv.-fév. - 10 kn (étud., enf. -10 ans : gratuit).

👥 Sur le quai Budicin, à deux pas de l'office de tourisme, ce petit musée est consacré à la *batana*, bateau traditionnel à fond plat, tout en rendant hommage aux pêcheurs de Rovinj. Vous y verrez de nombreux objets provenant des bateaux, filets, rames, outils de pêche, accompagnés de panneaux explicatifs qui vous feront mobiliser vos connaissances d'italien. Des documentaires sur la vie des pêcheurs sont projetés en permanence. Conçu comme un espace interactif, le musée saura amuser les enfants auxquels il propose quelques activités ludiques. Les petits seront ravis d'allumer des schémas et dessins, de déplacer un verre rempli d'une substance énigmatique afin de déclencher l'enregistrement des récits de pêcheurs en dialecte istrien, d'enfiler un casque afin d'écouter des chansons traditionnelles…

À l'assaut de la vieille ville★★ (Starigrad) A-B/1-2

De la place du Maréchal-Tito, pénétrer dans la vieille ville en empruntant l'arc de Balbi.

Place (Trg) Matteotti B1 – *Juste derrière l'arc de Balbi.* Remarquez sur la gauche, une belle maison à façade rouge et portail armorié.

On poursuit devant soi, dans des rues étroites, bordées de maisons très hautes aux volets articulés. Le linge sèche sur des fils tendus au-dessus de la rue. Les couleurs, l'atmosphère, le dialecte des autochtones (ou leur intonation lorsqu'ils s'expriment en croate) ne font que renforcer l'impression de se trouver en Italie.

Grande place (Veli trg) B1 – Place que bordent de vieilles maisons, certaines assez belles. Sur la droite, la rue Arsenal s'enfonce sous voûte. Devant s'ouvre La Grisia, rue qui monte de façon assez raide vers l'église.

Grisia★ A-B1 – Son nom signifie « l'église » en dialecte. Bordée d'échoppes et de galeries d'art proposant peintures et céramiques décoratives, elle présente de belles façades, et des cours intérieures pleines de charme. Escaliers sculptés, passages sous voûtes, fenêtres gothiques composent des tableautins vénitiens très réussis.

Cathédrale Sainte-Euphémie (Katedrala Sv. Eufemije) A1 – *Accès sur le côté droit - montée au campanile : 10 kn.* Tout en haut de la ville, posée sur une vaste esplanade dominant la mer, l'église Sainte-Euphémie *(Voir « ABC d'architecture » p. 85)* dresse son clocher vénitien (il fut construit en 1654 sur le modèle du campanile de la place Saint-Marc), que surmonte la statue en cuivre de la sainte à une hauteur de 63 m. La statue est en fait une girouette, bien utile pour indiquer la direction du vent aux navigateurs d'autrefois comme aux plaisanciers d'aujourd'hui. Construite à partir de 1725, il s'agit de la plus grande église baroque d'Istrie. Très sobre, sa façade symétrique dissimule un vaste sanctuaire à trois nefs. Remarquez dans la nef centrale le beau retable de marbre sculpté aux effigies de saint Georges, saint Roch et saint Marc. Dans la nef de droite, le sarcophage de sainte Euphémie (4e-5e s.) attire nombre de pèlerins. Depuis la nef de gauche, on peut accéder au campanile : du sommet, **vue**★★ superbe sur les toits de la ville, l'isthme, le port, l'île Sainte-Catherine et les îlots. Enfin, avant de sortir, remarquez, au-dessus de la porte principale, l'élégante tribune qui supporte l'orgue.

La tour de l'Horloge et son lion vénitien.

P. Plantier / MICHELIN

Vous pouvez alors redescendre depuis l'esplanade en retrouvant la promenade du tour de ville en contrebas… Ou bien vous abandonner au hasard de ruelles en pente qui, pour peu que vous descendiez, vous conduiront fatalement au port.

Les îles

Île Sainte-Catherine (Sv. Katarina otok) – *Navette toutes les heures depuis le vieux port.* C'est à un comte polonais qui en fit sa résidence privée au début du 20e s. que l'île Sainte-Catherine doit son abondante végétation de pins et de cyprès. L'île abrite aujourd'hui un complexe hôtelier.

Île Rouge (Crveni otok) – *Embarquement au port de plaisance. Un bateau toutes les heures de 6h à 23h. Un quart d'heure de traversée.* Cette île se compose en fait de deux îlots boisés reliés par une digue : Saint-André (Sv. Andrija) et Maškin. Le premier abrite les vestiges d'un monastère bénédictin, ainsi qu'un hôtel. Le second est le royaume des naturistes.

Aux alentours

Mini-Croatie
À 2 km du port de Valdebora en direction de Poreč – ouvert uniquement en été 9h-18h, 25 kn (enf. ne dépassant pas 1 m de hauteur : gratuit, moins de 18 ans : 10 kn).
La Croatie en miniature avec ses îles, ses lacs et ses montagnes, ses grandes villes et ses sites culturels les plus importants.

Fjord de Lim★★ (Limski zaljev)
À 4 km au nord. Voir à Poreč, p 323.

Bale★ (Valle)
À 14 km au sud-est par la route de Pula. Avant le croisement avec la grand-route, s'engager sur la gauche vers le village construit sur une hauteur. Laisser la voiture sur la petite place triangulaire (trg La Musa) à l'entrée du village et se diriger vers la cité haute par ulica San Zuian.

La Grisa – On pénètre dans le village médiéval par cette rue grossièrement pavée et bordée de hautes maisons de pierre sèche.

Trg/Piazza Tommaso Bembo – Sur cette place tranquille, on découvre, à droite, la mairie, précédée d'une élégante loggia à arcades. En face se dresse la haute silhouette du **palais Bembo (palača Bembo)**, avec sa façade gothico-Renaissance, marquée par une belle loggia aux fenêtres géminées, et encadrée de tours, vestiges d'une forteresse antérieure.
On accède au quartier du château par un passage sous voûte marqué du lion de Venise.

Quartier du château (Kaštel) – Ce quartier est né et s'est développé dans l'enceinte du château féodal. Il est parcouru par une rue circulaire (Castel), enjambée par des arceaux et bordée de vieilles demeures parfois en ruine. Par son harmonie et son homogénéité, il constitue un remarquable ensemble médiéval. L'église Saint-Julien (crkva sv. Zuiana) a succédé en 1880 à une première église romane. Peinture baroque à l'intérieur (attribuée à Matej Poncun) et sarcophage qui daterait du 8e s. Détaché de l'église, sur une charmante placette fleurie, le clocher a conservé son soubassement roman.

Revenir à La Musa et prendre la petite rue sv. Elia et un chemin de terre à gauche.

Chapelle Saint-Élie (Kapela sv. Elia) – Cette chapelle élevée au Haut Moyen Âge possède un ravissant clocher roman à deux étages d'arcatures.

Žminj

À 22 km à l'est.

Agréable village perché. L'**église** paroissiale possède une chaire et un autel baroque, ainsi qu'un retable de bois sculpté du 17e s. Près de l'église, une **chapelle de la Sainte-Trinité (kapela sv. Trojstva)** a conservé des fresques du 15e s. figurant la Vierge à l'Enfant entourée d'anges et la Cène. Vous pourrez également voir une harmonieuse **église gothique** consacrée à saint Antoine (**crkva sv. Antuna**) et élevée en 1381 par le maître Armirigus si l'on en croit une inscription latine. Le plus souvent fermée, elle est décorée de fresques (fin du 14e s.), malheureusement assez dégradées, qui représentent le couronnement de la Vierge.

Svetvinčenat★

Au centre de ce village, vous découvrirez une **belle place Renaissance★** rectangulaire. Autour du puits central se dressent la **forteresse (kaštel)**, édifice du 15e s. muni de tours d'angle, l'**église Sainte-Marie (crkva Sv. Marije)**, la belle **loggia** municipale et un ensemble de maisons de la même époque.

Au cimetière, l'**église Saint-Vincent (crkva Sv. Vinčenata)**, romane bien que quelque peu modifiée à l'époque gothique, a conservé un bel ensemble de **fresques★**.

Rovinj pratique

Informations utiles

Code postal – *52210*

Indicatif téléphonique – *052*

OFFICES DE TOURISME

À Rovinj – *Obala Pina Budičina 12 - ℘ 811 566, fax 816 007 - tzgrovinj@ tzgrovinj.hr, www.tzgrovinj.hr. En saison : 8h-22h ; le reste de l'année 8h-15h.*

À Bale – *Trg Palih boraca 3 - ℘ 824 270, fax 824 045 - tz-opcine-bale@pu.t-com.hr.*

À Svetvinčenat – *Svetvinčenat 96 - ℘ 560 005 - svetvincenat@istra-istria.hr.*

AUTRES ADRESSES

Hôpital – *Istarska bb - ℘ 811 011. Une antenne chirugicale y fonctionne 24h/24 - ℘ 813 004.*

Pharmacie – *M. Benussi-Cio bb - ℘ 813 589 - lun.-vend. 7h-21h, sam. 8h-16h, dim. 9h-12h.*

Poste centrale – *M. Benussi-Cio bb. Face à la gare routière - tlj sf dim. 7h-21h, sam. 7h-20h.*

Internet – *Café A-Mar* - *Carera 26.*

Transports

Gare routière – *Au coin de la rue Matteo Benussi-Cio et de la place (trg) Na Lokvu - ℘ 811 453.* Départs pour Dubrovnik, Rijeka, Split, Varaždin, Zagreb. Desserte locale : Pula, Umag, Poreč, Buzet, Vrsar. Liaisons internationales pour Munich, Frankfort, Stuttgart, Padoue, Trieste (Trst), Venise.

Bateau – Liaisons rapides par catamaran entre Venise et Rovinj, en saison 2 fois/ semaine, 2h30 de trajet et 495 kn l'aller- retour dans la journée. Renseignements

Venezia Lines : *℘ 00 39 (041) 522 25 68 - www.venezialines.com et dans les agences de Rovinj.*

Delfin Excursion – *Riva - ℘ 091 514 21 69 -* Pour l'île Katarina, 18 AR/jour, départ toutes les heures, de l'aube à minuit. Pour l'île de Crveni, un bateau toutes les heures de 6h à 24h.

À L'INTÉRIEUR DE LA VILLE

Autobus - Au départ de la gare routière des bus locaux desservent les complexes touristiques d'Amarin et des Villas Rubin.

Taxis – *℘ 811 100, à la gare routière.*

Location de voiture : Vetura – *V. Nazora bb - ℘ 815 209;* **Lucky Way** – *V. Nazora bb - Sur Riva, à côté du port de plaisance et de l'hôtel Park - ℘/fax 811 503.*

Location de vélos : Agence Globtour – *Sur le port - 15 kn l'heure, 40 kn la demi- journée, 60 kn la journée;* **Lucky Way** – *20 kn l'heure, 50 kn pour 6h, 70 kn pour 24h.*

Nautisme

ACI Marina – *Au pied de l'hôtel Park, face à la vieille ville que l'on gagne à pied en 10mn par les quais.*

Capitainerie – *℘ 811 132. Équipement et prestations : voir le chapitre « Nautisme » p. 38.*

Se loger

👁 **Bon à savoir** – **Maistra** - *V. Nazora 6 - ℘ 800 250, fax 800 215 - crs@maistra.hr, www.maistra.hr* - est la centrale de réservation de la plupart des hôtels de Rovinj.

Nombre d'hôtels et pensions se trouvent dans la zone hôtelière, installée dans une belle pinède au sud du port et accessible en voiture par ulica Stjepana Radića (suivre le fléchage *Hoteli*). De là, on peut gagner le centre à pied sans problème en suivant le *lungomare*.

Chez l'habitant – Nombre d'agences disséminées dans la ville proposent chambres et *apartmani*.

◒ **Futura Travel** – M. *Benussi 2* - ℘ 817 281, fax 817 282 - www.futura-travel.hr - ch 24-28 €, studio 40-50 €, appartement 4 pers. 65-70 €. En face de la gare routière.

◒◒/◒◒◒ **Hotel Rovinj** – *Sv. Križa 59* - ℘ 811 288, fax 840 575 - hotel-rovinj@pu.t-com.hr - 50 ch. - 42/52 €/pers. ⌷. Idéalement situé au cœur de la vieille ville, au-dessus des rochers surpombant la mer, cet hôtel est sur le point de fermer pour travaux de réaménagement complet. Nul doute qu'après sa réouverture prévue en 2008 ses chambres dominant la mer en feront l'une des adresses les plus agréables (et les plus chères) de la ville.

◒◒◒ **Hotel Adriatic** – *P. Budicina bb* - ℘ 815 088, fax 813 573 - hotel-adriatic@maistra.hr - ouv. avr.-mi-oct. - 27 ch. : 56/61 €/pers. ⌷. Sur la place centrale c'est un petit établissement agréable en prise directe avec l'animation du port. Récemment rénovées, les chambres sont confortables et bien équipées.

◒◒◒◒ **Hotel Park** – *Ronjgova bb* - ℘ 811 077, fax 816 977 - park@maistra.hr - 202 ch. : 71/82 €/pers. ⌷. Sans doute pas un prix d'architecture, mais les chambres, donnant sur la mer au-dessus de la marina, offrent une vue incomparable sur Rovinj.

◒◒◒◒ **Hotel Katarina** – *Otok Katarina bb* - ℘ 804 100, fax 804 111 - info@hotelinsel-katarina.com - ouv. avr.-oct. - 130 ch. : 91/98 €/pers. en 1/2 P. Situé sur la petite île Katarina dans un cadre très boisé en face du port de Rovinj, ce complexe hôtelier répartit ses chambres sur plusieurs bâtiments. De différentes catégories, elles ont toutes vue sur la mer. Les deux piscines, le restaurant, les courts de tennis, le minigolf et un littoral rocheux en font un endroit très agréable. Navette toutes les heures pour la ville.

◒◒◒◒ **Hotel Villa Angelo d'Oro** – *Via Švalbe 38-42* - ℘ 840 502, fax 840 112 - hotel.angelo@vip.hr, www.rovinj.at - fermé janv.-fin fév. - 24 ch. : 110 €/pers. ⌷, suites (2/4 pers.) 297 € ⌷. Ouvert dans une demeure aristocratique, cet établissement a su respecter la qualité des lieux, tout en offrant un excellent confort. La décoration est soignée jusque dans les moindres détails, mobilier ancien. Bref, la vie de château. Restaurant, sauna, agréable jardin intérieur. Ajoutons-y les transferts, vous évitant de vous engager à pied, vos bagages à la main, dans la zone piétonne.

Charme tout italien d'une ruelle de Rovinj.

P. Plantier / MICHELIN

À BALE/VALLE

Adressez-vous au bureau d'information touristique **Amfora**, sur la place La Musa (℘ 841 773, tlj 8h-20h, dim. 8h-14h). Signalons la dernière maison du village (à la sortie vers Pula), à côté du cimetière : de grandes chambres sont réparties le long d'un balcon. Prix à débattre et règlement en euros vivement souhaité (℘ 824 400 - 25/30 € par nuit).

◒◒ **Kamene Priče** – *Kaštel 57* – ℘/fax 824 235 - tomislav.pavleka@pu.t-com.hr. - 380 kn. 3 petits appartements pouvant loger au total 9 personnes. Ouvert avril-oct. Dans une maison ancienne donnant sur la rue par un escalier extérieur fleuri au centre du vieux village. Demi-pension possible. Animaux acceptés *(25 kn/j)*.

Se restaurer

◒ **Bon à savoir** – Les restaurants de poissons (**Amfora**, **Da Piero**…) se succèdent sur les quais du port. Ils affichent leurs menus en plusieurs langues (français exclu), voire en photos, dont l'aspect délavé ne contribue pas à ouvrir l'appétit, et attirent les clients à l'aide de portiers parfois insistants. Souvent bondés, ils sont parfois plus chers qu'ils ne le devraient.

◒ **Café Maestral** – *Riva, dans les locaux du Club de voile - 30/60 kn*. Sur des tables posées sur le quai face à la vieille ville, salades et sardines grillées accompagnées d'un pichet de malvazija composent aux beaux jours un dîner des plus acceptables…

◒ **Plan del Forno** – *Trevisol 2 - 30/60 kn.* Sur une placette de la vieille ville, c'est une étape idéalement située et économique pour se restaurer lors de votre flânerie. Selon le temps, choisissez la minuscule salle du bas, aménagée dans un ancien four ou la terrasse. À deux pas de l'animation du port, le lieu est d'un calme étonnant ! On y mange des pizzas mais aussi des assiettes composées (fromage et charcuteries).

◒ **Konoba Kantinon** – *Obala V. Nazora 6 - 30/60 kn.* Une vaste cantine sans prétention pour se restaurer à petits prix. Sardines marinées, coquillages *à la buzzara* , calmars et *skampi*.

⊜⊜ **Konoba Veli Jože** – *Sv. Križa 1 -* 🕾 *816 337*. Poissons 250 et 300 kn/kg, plats 30 à 140 kn. Le scaphandrier accoudé au comptoir attirera votre regard. L'intérieur est un capharnaüm invraisemblable d'instruments de musique, de photos, de gravures et d'outils anciens. Cuisine locale : *bakalar, buzzara, rezanci sa tartufima* (pâtes aux truffes).

⊜⊜/⊜⊜⊜ **Monte Casa Dekić** – *Montalbano 75* – 🕾 *830 203* – poisson *350 kn/kg, plats 50-100 kn*. En contrebas de l'église, restaurant à la façade rouge avec une terrasse ombragée. Spécialités de la mer, à forte influence italienne, préparées avec une certaine originalité. Cadre raffiné et service parfait.

⊜⊜/⊜⊜⊜ **La Puntuleina** – *Sv. Križa 38 -* 🕾 *813 186 - poisson 350 kn/kg, plats 50/140 kn*. Petit restaurant agréable avec une terrasse surplombant la mer. On y mange du poisson, des raviolis aux truffes et autres plats d'inspiration italienne préparés avec tout le raffinement nécessaire. Belle carte de vins d'Istrie.

À BALE

⊜/⊜⊜ **Konoba Istra** – *Trg La Musa -* 🕾 *824 396 - 40/100 kn*. Spécialités de gibier (en *gulaš*) et pâtes aux truffes. Tables dans le jardin aux beaux jours. Une adresse aussi rustique qu'agréable.

Faire une pause

👁 **Bon à savoir** – Nombreuses terrasses de café-glacier face au port de pêche sur la place du Maréchal-Tito.

Caffe Bar XL – *En contrebas de l'esplanade de la cathédrale*. S'y poser pour un apéritif, tandis que le soleil disparaît sur la mer : moment de détente et de sérénité.

Caffe Monte Carlo – *Sv. Križa 21*. Au-dessus de la mer, la petite terrasse est un endroit bien agréable pour se poser le temps d'un verre.

Caffe Bar Valentino – *Sv. Križa 28*. Aux beaux jours, vous pouvez y déguster votre apéritif, installé sur des coussins disposés sur les rochers.

Viecia Batana – *Trg Maršala Tita 8*. Une terrasse ombragée de parasols fait de ce café, institution rovignaise, un point d'observation stratégique.

Achats

👁 **Bon à savoir** – Les maisons et les cours intérieures de Grisia sont investies par des galeries proposant peintures et porcelaines. Des pseudo-naïfs débitant à l'infini des paysages enneigés ici assez incongrus aux abstraits plus ou moins lyriques, le pire y côtoie allègrement le pas très bon dans une émulation digne de la place du Tertre à Montmartre.

Marché – Tous les matins, sur trg Valdibora face à la mer : fruits, légumes, fromages, vin et huile d'olive… On trouve aussi sur cette place, à l'écart, la pêche du jour. Vous pouvez compléter ces achats par une visite à la supérette, sur trg na Lokvu *(à côté de la gare routière)*.

Nature – *Grisia, au niveau des nᵒ 18-22, dans un petit passage à gauche en descendant*. Produits gourmands d'Istrie : vins et grappa, miel, conserves à base de truffes, fromages locaux.

Tamara – *Grisia 24*. Bijoux fantaisie et tissages originaux.

Aromatica – *Carrera 33*. Tisanes, baumes, onguents à base de plantes dalmates.

Maska – *V. Švalbe 26*. Masques de Tihomir Marinković : loups, chouettes et renards, côtoient Pantalon et Arlequin. De beaux objets, pour vous préparer au carnaval de Venise.

Sport et loisirs

EXCURSIONS

Delfin Excursion – *Riva -* 🕾 *091 514 2169* – Visite en vedette du fjord de Lim (durée 4h, 20 €/pers.), excursions panoramiques autour des îles (1h30) et *Fish Picnic* (6h30).

PLONGÉE

Diver Sport Center – 🕾 *816 648 - www.diver.hr*. Situé au Villas Rubin Tourist Resort, ce club propose de nombreuses prestations.

On peut faire remplir ses bouteilles aux stations-service **Proplin**, *Braće Bozica bb*, à côté de la station-service sur Istarska, et **Gripule,** *ulica Gripule bb*.

VOILE

Rens. à l'**École de voile**, quai Aldo-Negri.

RANDONNÉE ET VÉLO

Le parc forestier de **Zlatni rat** au sud de la ville offre de nombreuses possibilités de promenade pour piétons et cyclistes. Plans disponibles à l'office de tourisme.

Événements

Fête de la Saint-Jacques (Jakovlja) à Kanfanar *(16 km sur la route de Žminj)* – *Juillet*. Une occasion de découvrir les *boškarin*, la race locale de bœufs blancs aux longues cornes en lyre.

Festival d'été – *Juil.-août*. Concerts et ballets dans la cour de l'église Ste-Euphémie et au monastère franciscain, et spectacles de rue.

Fête des pêcheurs (Ribarske fešte) – *Août*. Grillades, concerts et spectacles.

Kultfest – *Août*. Chaques année, ce festival réunit des musiciens de pays différents qui présentent chants et danses traditionnels.

Grisia – *2ᵉ dim. d'août*. Pour 24h, Grisia devient un immense marché de l'art : qu'il soient croates ou non, professionnels ou amateurs, des centaines de peintres exposent leur production. Les places sont chères, au point qu'ils doivent souvent les occuper dès la veille au soir. Prix décernés par un jury composé d'amateurs et de professionnels. *Rens. au Musée municipal -* 🕾 *816 720*.

Maison paysanne de Slavonie (Sisak).

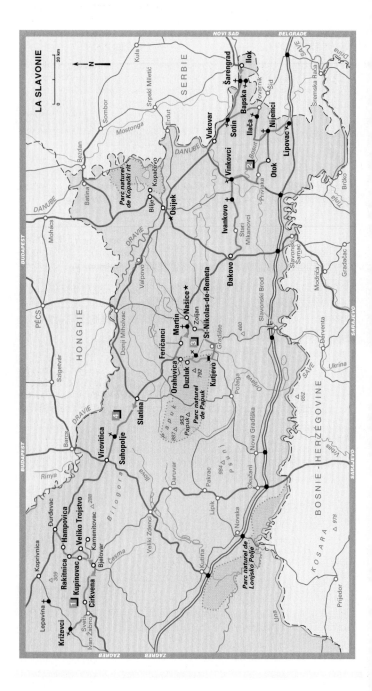

LA SLAVONIE

Bjelovar

BILOGORA – 41 869 HABITANTS
CARTE GÉNÉRALE C1 – CARTE MICHELIN 757 E4

Au centre d'une région verdoyante située au pied des Bilogora, cette ancienne cité de garnison créée à l'époque des « confins militaires » a conservé un plan d'une rigueur toute martiale. Cela ne nuit pas au charme de cette ville aux rues bordées de petits immeubles du 18e s. et à la verdure très présente.

▶ **Se repérer** – Difficile de se perdre dans cette cité tant son plan est régulier ! Le centre de Bjelovar est en effet un carré parfait dont les rues rectilignes se coupent à angle droit. Se guidant sur le clocher à bulbe de l'église, on arrive à la place centrale (Trg Eugena Kvaternika) : c'est là où tout, ou presque, se passe. Parkings (payants par horodateurs) dans les rues adjacentes, notamment ulica Vladimira Nazora.

👁 **À ne pas manquer** – La place Eugen Kvaternik et ses alentours, les beaux paysages du massif de Bilogora.

🕐 **Organiser son temps** – Prévoir 1h30-2h pour la visite de la ville et une demi-journée pour chaque circuit de découverte.

♿ **Pour poursuivre le voyage** – Voir aussi la Podravina à partir de Đurđevac (27 km au nord) ou de Koprivnica (53 km au nord-ouest) et Daruvar (51 km au sud-est).

Comprendre

Un camp militaire – Au cours du 17e s., les Ottomans exerçaient une pression de plus en plus forte sur l'Empire. Vienne créa alors, dans les vastes régions dépeuplées en raison des attaques continuelles, la zone dite des « confins militaires » que l'empereur administra directement. On y établit des garnisons, et l'on y attira des populations nouvelles, des réfugiés Serbes en particulier, par des incitations fiscales. C'est ainsi qu'en 1756 le village de Belovac fut choisi par l'armée impériale pour y installer à demeure une garnison : Bjelovar était née.

Se promener

Place Eugen Kvaternik★ (Trg Eugena Kvaternika)
Au centre de la ville, ce vaste espace carré aurait tout de la place d'armes, s'il n'avait été agréablement aménagé en parc, doté de sculptures dont l'éclectisme peut surprendre : saint Jean Baptiste et une religieuse en extase (probablement sainte Thérèse d'Avila) y côtoient en effet sans sembler s'en formaliser une déesse romaine peu vêtue. Bordée d'édifices harmonieux, la place concentre les principaux points d'intérêt de la ville.

Caserne Preradović – *Au coin de la rue V. Nazora.* Actuellement en cours d'aménagement (équipements culturels), c'est un grand édifice d'époque baroque, ouvrant sur la place par une agréable galerie à arcades.

Musée municipal (Gradski muzej) – *À côté de l'église, à l'étage. Tlj sf lun. et dim. 8h-13h, sam. 8h-12h.* Archéologie, anciennes monnaies slavonnes. Petit salon avec mobilier

Place Kvaternik : un exemple d'urbanisme baroque en Slavonie.

P. Plantier / MICHELIN

du 19ᵉ s. Histoire : panneaux retraçant le passé militaire de Bjelovar : plans anciens, uniformes, portraits de militaires.

Église Sainte-Thérèse (Crkva sv. Terezije) – Toute blanche, elle se signale par un clocher à bulbe élancé et une façade surmontée d'un élégant fronton. Elle a été édifiée en 1772 dans le style baroque. L'intérieur, sombre, a été refait au 19ᵉ s.

Église de la Sainte-Trinité (Crkva sv. Trojstva) – *Derrière la poste, en retrait de la place.* Cette église orthodoxe (fin 18ᵉ s.) est réputée pour son iconostase et ses peintures réalisées par Constantin Medović, Bela Čikoš-Sesija et Ivan Tišov.

Rue Preradović (Ulica Preradovića)
Piétonne, c'est la grande rue commerçante de Bjelovar qui conduit à la mairie. C'est ici que l'on trouve (outre le cinéma et les grands magasins) le café élégant de la ville, installé au rez-de-chaussée d'un bel immeuble à la façade rococo.

Circuit de découverte 1

Cirkvena
Quitter Bjelovar par la route de Zagreb. À 13 km environ, dans la traversée de Kuštani, prendre à gauche une petite route que l'on suit sur 1 km. Laisser la voiture sur la place, près de la poste du village.
Ce charmant village possède une jolie **église** baroque, édifiée autour de 1760. Les fresques, comme les vitraux, de facture naïve, ont été réalisées dans les années 1930 par un artiste slovène, Miha Maleš. L'œuvre est touchante et pleine de fraîcheur.

Reprendre la route jusqu'au gros bourg de Sveti Ivan Žabno où l'on tourne à droite en direction de Križevci et Koprivnica.

Križevci
Venant de Bjelovar, franchir la route Zagreb-Koprivnica et continuer tout droit vers le centre-ville. Laisser la voiture dès que possible, à proximité de la place Strossmayer d'où part la rue principale de la ville.

Église Sainte-Anne (Crkva sv. Ane) – *Dijankovečkog 1.* Élevée en 1665, et remaniée en 1741, le tout dans le style baroque. Par un vestibule vitré, on aperçoit, au fond, un grand Christ sur fond doré et, sur le mur de droite, des traces de fresques baroques.

Rue (Ulica) Ivana Zakmardija Dijankovečkog – Ensemble de maisons baroques aux alentours de la place Strossmayer, occupées aujourd'hui par des services municipaux.

Église de la Sainte-Croix (Crkva sv. Križa) – *Par Baličeva, en face de Sainte-Anne.* Sans doute la plus ancienne église de la ville, elle a été remaniée dans le style néo-gothique, au début du 20ᵉ s., par Podhorski. C'est dans cette église qu'a été placé le **retable de la Sainte-Croix★**, belle œuvre baroque de **Francesco Robba** (1756), qui se trouvait dans la cathédrale de Zagreb.

Revenir sur Dijankovečkog.

Rue Antun Gustav Matoš (Ulica Antuna Gustava Matoša) – *Perpendiculaire à la rue principale, à hauteur de la place Strossmayer.* Elle est bordée sur le côté gauche de maisons à façades baroques, abritant des cafés. Sur la droite, une énorme construction de béton pour le moins curieuse : éléments néogothiques, galerie Renaissance, vitraux : l'historicisme dans toute sa splendeur ! Ce bâtiment fut construit en 1914 par l'architecte expressionniste **S. Podhorski**. Sa façade spectaculaire donne sur une petite place ombragée : au centre, chapelle de Saint-Ladislas.

Revenir sur Dijankovečkog et la suivre sur 500 m environ, jusqu'à un coude vers la gauche.

Cathédrale uniate et ancien monastère franciscain (Obnova katedrala sv. Trojice) – C'est au 17ᵉ s. que les franciscains se sont installés à Križevci et y ont bâti leur monastère et leur église, aujourd'hui relevant du culte uniate (catholiques romains de rite grec). L'église présente une façade néogothique, agrémentée de mosaïques sur fond or néobyzantines, et pour cause : c'est à Herman Bollé qu'elle doit son apparence actuelle. Le sanctuaire fait aujourd'hui l'objet d'importants travaux, si bien que l'on n'a pas accès à l'intérieur (iconostase et peintures murales par Medović, Tišov, Čikoš-Sesija et Kovačević). Le monastère, quant à lui, possède une agréable façade classique avec un balcon à colonnades reposant sur des arcades et surmonté d'un fronton triangulaire. Le tout est dû à Bartol Felbinger en 1817, puis A. Brdarić en 1845.

À l'écart du centre, sur la route de Zagreb, les férus d'art baroque se doivent d'aller voir deux chapelles (hélas rarement ouvertes) : **Saint-Florian (Sv. Florijan)**, à hauteur de la route de Bjelovar et, dans Zagrebačka cesta, **N.-D.-de-Carinthie (Majke Božije Koruške)** : chacune d'elles abrite un retable d'**Ivan Ranger** (1700-1753), maître du trompe-l'œil.

Lepavina

À 14 km de Križevci par la route de Koprivnica. Dans un virage à droite (en épingle à cheveux), prendre vers Lepoglava, puis, après le passage à niveau, suivre à gauche la direction « manastir ». Traverser le village, puis suivre la petite route qui monte à flanc de coteau. 500 m après la dernière maison du village, un chemin à droite descend en pente assez raide vers le monastère.

Monastère orthodoxe de Lepavina (Manastir Lepavina) – Dans un vallon entouré de collines boisées, voici un lieu plein de sérénité. Devant les bâtiments monastiques s'élève l'église (1745), qui conserve une iconostase du 18e s. ainsi qu'une chapelle. L'ancienne église de bois (1632), sur la gauche, est par contre dans un état d'abandon désolant.

De là, poursuivant la route, on rallie Koprivnica, distant de 21 km.

Kamenitovac et le massif des Bilogora

Quitter Bjelovar en direction de Đurđevac et Virovitica. À la sortie de la ville, prendre à droite vers Veliko Trojstvo.

Veliko Trojstvo – *8 km au nord-est de Bjelovar.*
Long village-rue que domine sa belle église baroque de la Sainte-Trinité.

Dans le village, prendre à droite vers Mengleča. Au bout de 3 km, on arrive à un col (Državno Lovite).

Kamenitovac – Dans les sous-bois de la forêt *(šuma Jelova)* sont aménagés une aire de pique-nique, un refuge-camping *(planinarski dom Kametinovac)* et une buvette. Départ de sentiers balisés pour d'agréables balades sous les frondaisons. Pistes cyclables.

Revenir à la route de Đurđevac. La route sinueuse traverse les forêts giboyeuses, qui couvrent les collines.

Kupinovac – *À 5 km.* Village de moyenne montagne parsemé de chalets. Remarquez au passage une église au curieux clocheton de bois. La route s'élève dans un très joli paysage.

Rakitnica – *À 11 km.* On atteint le point culminant (268 m) de la crête des Bilogora. Un chalet (restoran Kokot) accueille un rendez-vous de chasse, un centre de pêche et de loisirs.

Puis l'on suit des vallons boisés, avec des chalets épars et quelques hameaux serrés autour de leur église.

Hampovica – *À 19 km.* Village aux maisons caractéristiques avec ses fermes, construites pour partie en brique, pour le reste (l'étage) en bois. Certaines sont dotées de galeries de bois finement sculptées.

Après Semovci, on atteint la route de Varaždin à Osijek par Virovitica.

Bjelovar pratique

Informations utiles

Code postal : 43000

Indicatif téléphonique : 043

Office de tourisme : *Trg Eugena Kvaternika 4 - ℰ 243 944.*

Gares ferroviaire et routière – *Masary-kova (par la route de Daruvar).* Trains quotidiens pour Zagreb d'un côté (90 km, 1h20 de trajet), Virovitica de l'autre. Trains régionaux pour Križevci et Kloštar.

Poste (Pošta) – *Trg Eugena Kvaternika.*

Se loger

☞ **Bon à savoir** – Dans cette région peu fréquentée par les touristes, l'hébergement est rare. Le seul hôtel de Križevci, fort longtemps occupé par des réfugiés, est quelque peu défraîchi.

Hotel Central – *V. Lisinskog 2 (rue donnant sur la place, à droite de l'église), Bjelovar - ℰ 243 133, fax 244 708 - 46 ch. : 450 kn* ☕. Confort standard.

Se restaurer

Bistro Carica – *Trg Eugena Kvaternika 10, Bjelovar - fermé lun.* Repas légers et pizzas dans la salle en sous-sol.

Križevačka Pivnica – *J. J. Strossmayer 6, Križevci.* Deux petites salles à manger (l'une étant réservée aux non-fumeurs, chose rare en Croatie), séparées par un salon. Parquet, décor sobrement bourgeois. L'endroit est charmant. Restauration légère et pizzas.

Faire une pause

Caffe Bar Korzo – *Preradovića 1.* Café au décor cossu où se retrouve le tout Bjelovar.

Événements

Terezijana – *Juin.* Manifestations sportives et culturelles dont la commémoration de l'arrivée de la fondatrice de la ville, l'archiduchesse Marie-Thérèse, à Bjelovar.

Bjelovarski sajam – *Sept.* La plus grande foire agricole de Croatie.

Daruvar

SLAVONIE – 13 243 HABITANTS

CARTE GÉNÉRALE C1 – CARTE MICHELIN 757 F5 – SCHÉMA : VOIR À BJELOVAR

Située dans un cadre verdoyant, parmi des coteaux dont les vignobles produisent un excellent graševina, Daruvar est une petite cité agréable dotée de parcs et d'un établissement thermal. Elle attire toute une population de curistes ou de visiteurs souhaitant tout simplement se mettre au vert, alternant les balades sur les sentiers tracés dans la forêt avec les plongeons dans des piscines à l'eau d'autant plus bienfaisante qu'elle est riche en calcium, en magnésium et en hydrocarbonates.

▶ **Se repérer** –Dans la vallée de la Toplica, à l'ouest des monts Papuk, Daruvar est située à 140 km d'Osijek et à 130 km de Zagreb. C'est au nord de l'agglomération, dont il est séparé par un très beau parc, que se trouve le complexe thermal.

👁 **À ne pas manquer** – Promenade dans le parc Julijev.

🕐 **Organiser son temps** – Prévoir 2h (3h avec la baignade).

👫 **Avec les enfants** – Baignade dans les piscines de l'établissement thermal.

⛳ **Pour poursuivre le voyage** – Voir aussi Požega (62 km au sud-est), Virovitica (47 km au nord) et Bjelovar (54 km au nord-ouest).

Comprendre

Aquæ Balisæ – Fins connaisseurs, les Romains eurent tôt fait de repérer ces eaux qui jaillissaient à une température de 39 à 47 °C sur le territoire d'une tribu pannonienne, les Iasa. La chronique locale affirme que plusieurs empereurs comptèrent parmi les curistes du lieu : Hadrien et Commode y précédèrent Constantin (4e s.). Quelques siècles plus tard, les Turcs utilisèrent également les thermes. Mais c'est en 1765 que Daruvar allait devenir une véritable station thermale, grâce au suzerain du lieu, le comte **Antun Janković**. Il fit procéder à d'importants travaux d'aménagement : après avoir capté les eaux des sources afin de les amener dans des bassins, il édifia des bâtiments susceptibles d'accueillir les curistes. Daruvar allait dès lors devenir une station mondaine fréquentée par l'aristocratie de l'Empire austro-hongrois, attirée par les bienfaits des traitements souverains contre les rhumatismes et les affections gynécologiques. Aujourd'hui, la clientèle s'est démocratisée, et l'offre s'est étendue : stages de remise en forme et activités sportives rythment la vie du visiteur, qui peut également effectuer des randonnées sur des sentiers aménagés ou, plus paisiblement, s'adonner aux joies saines de la pêche à la ligne, que ce soit dans la rivière ou dans les plans d'eau aménagés.

Se promener

Le centre-ville

Meurtrie pendant le dernier conflit, la ville a été en partie reconstruite selon une architecture moderne de métal et de verre assez impersonnelle, abritant cafés et commerces. Ce qui reste de la ville ancienne se concentre autour de la **place du Roi-Tomislav (trg kralja Tomislava)**.

Église de la Sainte-Trinité (Crkva presvetog Trojstva) – À l'extrémité de la place, cette église baroque possède un plan assez complexe : octogonale, elle est surmontée par une coupole à lanternon et flanquée de deux clochers-porches et de deux absides en plus de son clocher principal. L'intérieur a été malheureusement dévasté.

Les Tchèques de Daruvar

Avec les villages environnants, Daruvar constitue le principal centre de la minorité tchèque en Croatie. Arrivés voici plus de deux siècles, pour des raisons essentiellement économiques, les Tchèques (au nombre de 6 000 environ) ont conservé, voire soigneusement entretenu, leur culture, leur folklore, leur gastronomie et leur langue. Ils possèdent à Daruvar une maison d'édition, et la radio locale émet des émissions en tchèque. Peut-être aurez-vous l'occasion de trouver, au menu d'un restaurant, quelques-unes de leurs spécialités à l'occasion de la Fête des moissons.

Brasserie Staro Češko – Occupant le pâté de maisons séparant la place du parc Julijev, elle perpétue la fabrication de la bière locale, brassée ici depuis 1840.

Franchir le pont sur la petite rivière canalisée.

Parc Julijev★ (Julijev park) – Ce beau parc, parsemé de sculptures (dont l'une, représentant une jeune femme est due à Antun Augustinčić) qui achèvent de lui donner une touche romantique, occupe un vaste quadrilatère, bordé d'un côté par la rivière, de l'autre par la route conduisant au complexe thermal et une petite voie de chemin de fer. Il possède plusieurs sources thermales dont une, aménagée en piscine de plein air, reçoit des baigneurs même au plus fort de l'hiver – spectacle qui ne manque pas de faire frissonner les promeneurs transis. Sur la droite, côté ville, on remarquera une amusante construction néomauresque, reconnaissable à sa coupole : ce pastiche, réalisé à la fin du 19e s., abrite ce qui subsiste des anciens thermes **(kupalište)**.

Complexe thermal (Daruvarske Toplice) – Sur la gauche, au fond du parc. Cet immense bâtiment moderne abrite, outre un hôtel, plusieurs piscines et bassins, de températures différentes selon la source captée. On peut également s'y faire enve-lopper de « fango », cette boue recueillie à proximité des sources d'eau thermale. Les patients qui ne résident pas à l'hôtel disposent de salles de repos pour se remettre de leurs émotions.

Aux alentours

Pakrac
À 21 km au sud.
Dès qu'on aborde les faubourgs, on s'aperçoit que les combats liés au dernier conflit n'ont pas laissé pierre sur pierre de ce qui fut une cité ancienne. Maisons détruites, éventrées, charpentes effondrées : un spectacle désolant ! La place prin-cipale est occupée, comme souvent, par un petit parc. Tout autour, les immeubles baroques commencent à être restaurés alors que l'**église de la Sainte-Trinité (crkva Sv. Trojstva)**, reconstruite en 1896 par H. Bollé, peine à se relever.

Lipik
À 25 km au sud.
Naguère station thermale mondaine, également aménagée par la famille Janković, Lipik n'a pas échappé aux destructions. Les thermes se trouvent au fond d'un beau parc où la célèbre source « Baron » jaillit à 64 °C. Les imposants bâtiments de l'établissement thermal, de style austro-hongrois, sont en restauration. En face du parc, la rue est bor-dée d'une série de belles demeures historicistes. Certaines sont aujourd'hui restaurées, d'autres portent encore des traces de destruction. Quant à la ferme d'Izidorovac, où étaient élevés les fameux chevaux lipizzans, elle s'est relevée de ses ruines.

Daruvar pratique

Informations utiles

Office de tourisme – *Hotel Termal - Julijev park 1.*
Code postal – 43500
Indicatif téléphonique – 043

Se loger

😊😊 **Hotel Termal** – *Julijev park 1 - ☎ 623 000, fax 331 445 - 120 ch. : 227 kn/ pers.* ⊠ - 🅿 ⌁. Établissement moderne, en partie médicalisé et doté de plusieurs piscines, bains de boue, saunas, salles de squash, restaurants, poste, boutique de souvenirs, billards. Bref, le confort !

😊😊 **Hotel Balise** – *Trg Kralja Tomislava 22 (entrée sous le porche) - ☎ 440 220, fax 440 230 - 18 ch. : 216 kn/pers.* ⊠. Installé dans une demeure ancienne décorée avec goût et sobriété, il propose des chambres petites mais d'un confort que pourraient lui envier bien des hôtels plus huppés. Accueil chaleureux.

Se restaurer

Restoran Terasa – *Julijev park, ☎ 623 502 - plats 30/50 kn.* À l'orée du parc, installée dans un agréable bâtiment ouvert sur la verdure, une terrasse (comme

Envie de goûter une bière locale ?

son nom l'indique) et une salle à manger assez pompeuse. Bonne cuisine locale et vins provenant des vignobles voisins.

Calendrier

Obžinkove Slavnosto (Fête des moissons) – *Sept.* C'est la fête de l'importante minorité tchèque qui vit dans la région de Daruvar. Spectacles et costumes folkloriques hauts en couleur.

Đakovo

SLAVONIE – 30 092 HABITANTS
CARTE GÉNÉRALE D1-2 – CARTE MICHELIN 757 G5 – SCHÉMA : VOIR À BJELOVAR

Renommée pour ses superbes costumes traditionnels, pour ses vins, ainsi que pour l'élevage des chevaux lipizzans, Đakovo l'est également pour son importance religieuse. C'est en effet le siège d'un évêché à la tête duquel s'illustra durant de longues années le fameux évêque Strossmayer qui y fit construire la cathédrale néoromane. Cette bourgade rurale n'est sans doute pas d'une beauté bouleversante : elle ne manque cependant pas d'intérêt et son animation en fait une agréable étape, dont la situation centrale permet de rayonner en Slavonie.

▶ **Se repérer** – Đakovo est située au cœur de la Slavonie, à 20 km au nord de la sortie Vela Kopanica de l'autoroute Zagreb-Belgrade, à 37 km au sud d'Osijek, à 35 km au sud-est de Našice et à 30 km à l'ouest de Vinkovci. On y trouve facilement des places de parking (payant par horodateurs du lundi au samedi), autour de la cathédrale, comme aux abords de l'église de Tous-les-Saints.

👁 **À ne pas manquer** – La cathédrale Saint-Pierre, balade sur le Korzo, les haras lipizzans.

🕐 **Organiser son temps** – 1h30-2h suffisent pour découvrir cette petite ville (sans la visite des musées et des haras).

👫 **Avec les enfants** – La visite des haras lipizzans.

👣 **Pour poursuivre le voyage** – Voir aussi Osijek (37 km au nord) et Našice (35 km au nord-ouest).

Les chevaux sont rois à Đakovo.

O.N.T. Croatie

Découvrir

La ville dont le prince était un évêque

Cathédrale Saint-Pierre★ (Katedrala sv. Petra)

Voulue par Josip Juraj Strossmayer qui en surveilla de près les travaux, c'est un immense édifice néoroman, élevé en brique entre 1866 et 1882 par les architectes Charles Roessner et Frederik Schmitz. Ses deux clochers culminent à une hauteur de 84 m. Si la façade est avant tout monumentale (rosaces, portails, niches, étranges pinacles posés de part et d'autre de l'escalier), le chevet ne manque pas d'une certaine élégance. L'intérieur à trois nefs est assez impressionnant par ses dimensions : la nef principale est longue de 74 m et haute de 27 m, tandis que la longueur du transept est de 52 m. Réalisées à fresque entre 1870 et 1880 par Alexandre Maximilien Seitz et son fils Ludovico dans un style postnazaréen, les peintures n'ont rien de bouleversant. Les deux grands autels latéraux sont consacrés aux patrons du diocèse, saint Élie et saint Demetrius.

Un evêque de choc

Né à Osijek, **Josip Juraj Strossmayer** (1815-1905), après des études de philosophie et de théologie, devint chapelain à la cour impériale de Vienne (1847). Partisan du programme austro-slavon en 1848, il fut nommé sur la proposition du ban Jelačić évêque du diocèse de Bosnie et de Sirmium, et fut installé à Đakovo en 1850. La richesse de l'évêché (plus de 70 000 acres de terres, vignes et pâturages) servit ses ambitions, dans les domaines économique, politique et culturel. Strossmayer entreprit la modernisation du diocèse, fit construire la cathédrale, créa une imprimerie, aida à la construction de routes et à la fondation d'une banque de crédit à Zagreb. Il acheta des bibliothèques, réunit une collection d'œuvres d'art (exposée à Zagreb) et fonda l'Académie yougoslave des lettres et des arts (JAZU), devenue l'Académie croate. Sur le plan politique, il ambitionnait de faire de la Croatie une nation souveraine, chose qui passait, selon lui, par l'union des Slaves du Sud. Il s'attacha à revivifier l'héritage culturel traditionnel des saints Cyrille et Méthode et prôna la réunion des églises catholique romaine et orthodoxe. Enfin, au 1er concile du Vatican, il s'opposa au dogme de l'infaillibilité papale, ce qui lui coûta sans doute le cardinalat.

Palais épiscopal (Biskupski dvor)

Imposant bâtiment néobaroque (1860) qui domine la place Strossmayer. Sa façade a retrouvé sa splendeur après des travaux conduits en perspective de la visite de Jean-Paul II (juin 2003). En face, de petites maisons basses hébergent les chanoines de la cathédrale.

Musée Strossmayer (Strossmayerov muzej)

Luke Botića 2. Sur le côté droit de la façade de la cathédrale. Tlj sf dim. 8h-18h, sam. 8h-13h30 - 10 kn (enf. 5 kn).

Gravures, tableaux (dont un, de facture naïve, représentant l'arrivée de l'évêque à Osijek en 1850), correspondances, œuvres imprimées, maquettes, bustes, objets personnels et vêtements sacerdotaux évoquent la vie et la longue carrière de Josip Juraj Strossmayer (1815-1905), personnage clé du réveil du sentiment national croate au 19e s.

Se promener

Pour l'essentiel, la vie se concentre à Đakovo autour d'une rue principale piétonne, **Pape Ivana Pavla II**, reliant l'ancienne église paroissiale à la place Strossmayer.

Église de Tous-les-Saints★ (Crkva svih Svetih)

En dépit de sa façade baroque, il s'agit d'un des rares exemples d'architecture musulmane ayant subsisté en Croatie : elle a conservé la coupole et, sur les côtés, les arcs en fer à cheval de la mosquée qui s'élevait sur les lieux.

Rue du Pape Jean-Paul II (Ulica Pape Ivana Pavla II) - **Korzo**

Bordée de maisons basses converties en commerces, cette rue centrale, qui a changé de nom après la visite du pape en 1993, devient aux beaux jours une longue terrasse de café.

Parc Strossmayer (Strossmayerov perivoj)

Ce grand parc, fort agréable lorsqu'il fait beau, est longé par la rue Petra-Preradovića, bordée de demeures, dont certaines ont gardé leur cachet ancien.

Musée régional de Đakovo (Muzej đakovštine)

Ante Starčevića. 7h-15h, w.-end 9h-13h.

Petite collection ethnographique : mobilier régional, très beau métier à tisser, bijoux, bannière de Saint-Florian. Poteries représentatives de la culture de Badenskoj (4e millénaire av. J.-C.). À l'étage, expositions temporaires (peintures, sculptures, photos, architecture contemporaine).

Haras lipizzans de Đakovo★ (Ergela Đakovo)

Augusta Šenoe 45 - ℘ 813 286 ou 822 531 - fax 822 530 - ergela.djakovo@os.t-com.hr - www.ergela-djakovo.hr - sur réserv. - 20 kn (enf. 10 kn).

Les haras ont deux locations : Ivandvor, à quelques kilomètres de la ville, où les chevaux sont élevés jusqu'à l'âge de 3 ans, et les haras du centre-ville (Pastuharna) où ils sont dressés et préparés aux compétitions. Les deux sont ouverts au public et peuvent se visiter sur réservation préalable. Outre les chevaux eux-mêmes (superbes !), vous verrez, dans les haras du centre-ville, les impressionnants arbres généalogiques des lipizzans, de nombreux prix qu'ils ont obtenus lors de différentes compétitions, et, à la place d'honneur, la photo de la visite des haras par la reine Élisabeth d'Angleterre en 1972.

Aux alentours

Vrpolje

11 km au sud en suivant la direction de Zagreb (par autoroute).

C'est à Vrpolje qu'est né, en 1883, le sculpteur **Ivan Meštrović**. S'il n'y vécut qu'un an et n'y revint jamais par la suite, le village a cependant pu réunir une collection constituée à partir de donations faites par la veuve et la fille de l'artiste.

Galerie Ivan Meštrović★ (Galerija Ivana Meštrovića) – *Sur la droite au carrefour. Tlj sf lun. 8h-14h.* On y découvre des dessins préparatoires, la fameuse sculpture intitulée *Povijest Hrvala* (*L'Histoire des Croates*, 1932) représen-

Les chevaux de Đakovo

La tradition d'élevage de chevaux à Đakovo est ancienne puisque les premiers haras furent fondés en 1506. C'est Napoléon toutefois qui fut le responsable (indirect) de l'introduction des lipizzans – les fameux chevaux de l'école espagnole de Vienne – en Slavonie : devant l'avancée de ses troupes, on évacua les chevaux de Lipica (Slovénie) qui trouvèrent refuge sur le domaine épiscopal. Certains firent souche et constituèrent la base de l'élevage lipizzan en Croatie, qui fut organisé à partir de 1854 par l'infatigable évêque Strossmayer.

tant une femme assise tenant une tablette aux inscriptions en glagolitique, dont l'original est à Zagreb devant l'université. Remarquez entre autres un *Ange Gabriel*, très épuré (1919), et une remarquable *Vierge à l'Enfant*, de 1916-1917.

Novi Mikanovci

15 km à l'est. Quitter Đakovo en direction de Vinkovci par le parc Strossmayer puis, à gauche, Pavićeva. Novi Mikanovci fait immédiatement suite à un premier village, Stari Mikanovci. Voir à Ilok p 365.

Đakovo pratique

Informations utiles

Code postal – 31400

Indicatif téléphonique – 031

Office de tourisme – *Kralja Tomislava 3, ℰ 812 319 - fax 822 319 - tz-grada-djakova@os.t-com.hr - www.tz-djakovo.hr.*

Poste – *Bana Josipa Jelačića, à deux pas de l'église de Tous-les-Saints.*

Commerces – Vous trouverez plusieurs commerces en libre-service dans la rue centrale *(ulica Pape Ivana Pavla II).*

Gare routière (Autobusni kolodvor) – À l'écart du centre (depuis Trg Strossmayera par Splitska). Bus pour Osijek, Slavonski Brod et Našice.

Se loger

⊜⊜ **Hotel Blaža** – *Ante Starčevića 156 (rte de Našice) - ℰ 816 760 - fax 816 764 - 22 ch : 500 kn* ⌑ - 🅿 🍽. Cet hôtel privé, récent, propose des chambres vastes et confortables, disposées en mezzanine autour d'un grand patio. Évitez toutefois celles qui ne disposent pas de fenêtres sur l'extérieur. L'accueil est charmant.

Se restaurer

Gradski Podrum – *Pape Ivana Pavla II 9 – ℰ 813 199 - plats 20/65 kn.* En sous-sol, dans une confortable salle voûtée. Spécialités slavones particulièrement copieuses. Excellentes charcuteries (*kulen* et *pršut*). Bonne carte de vins locaux.

Croatia – *Petra Preradovića 24 (face au parc) - ℰ 813 391 - plats 30/50 kn.* Installé au pied de la pension Turist qui a perdu de son lustre, c'est un restaurant chaleureux très apprécié des habitants de Đakovo et donc souvent comble. Petites tables aux nappes à carreaux et spécialités locales.

Faire une pause

Caffe-Club Art – *Pape Ivana Pavla II 15.* Salle sans caractère, mais ce café, pris d'assaut en fin de journée, est très apprécié de la jeunesse locale.

Événements

Carnaval « Đakovački bušari » – *Déb. fév.* Le plus grand carnaval de la partie est de la Croatie. Cérémonie de la transmission des clés de la ville aux *bušari*, processions festives, bals masqués, *Gastrofest* (dégustation de *kulen*).

Festival « Đakovački vezovi » (Les Broderies de Đakovo) – *1re sem. de juil.* Les somptueux costumes traditionnels de la région sont sortis à l'occasion de ce festival qui anime le parc et les rues de la ville : chars tirés par des chevaux, musiques et danses folkloriques de Slavonie et de la Baranja. C'est à cette occasion que l'on peut déguster le vin de l'évêché, très réputé.

Festival d'anciennes dances et chansons citadines – *Fin nov.* Événement unique en Croatie dédié à la préservation d'anciennes traditions et coutumes de ville. Beaux costumes, chants et danses au programme.

Ilok★

SRIJEM (SLAVONIE ORIENTALE) – 8 351 HABITANTS
CARTE GÉNÉRALE D1 – CARTE MICHELIN 757 H5 – SCHÉMA : VOIR À BJELOVAR

Dominant le Danube, voilà une petite cité fortifiée, célèbre depuis des temps immémoriaux pour son vignoble. Des remparts médiévaux, un mausolée turc, un château posé en surplomb du fleuve légendaire, une colline creusée de celliers où vieillit le traminac, un paysage riant et harmonieux : tout concourt à faire de la capitale du comté de Srijem un endroit agréable.

▶ **Se repérer** – À 43 km au sud-est de Vukovar, Ilok est bâtie sur une hauteur en bordure du Danube, à l'extrême pointe orientale de la Croatie, au pied des monts de Fruška Gora. C'est la capitale du Srijem, petite région cernée sur trois côtés par le territoire serbe et l'on se doute bien que ce voisinage entraîna quelques complications… En arrivant à Ilok, pour rejoindre la ville haute, suivez la direction « dvorac » (château).

👁 **À ne pas manquer** – Dégustation de vins dans les celliers d'Ilok, promenade Mladen-Barbarić, visite de l'église Saint-Jean-de-Capistran.

🕐 **Organiser son temps** – Compter 2 à 3h avec la visite des celliers d'Ilok. Le circuit des églises, quant à lui, nécessite au moins 5 à 6h.

🚶 **Pour poursuivre le voyage** – Voir aussi Vukovar (35 km à l'est), Osijek (67 km à l'est) et Đakovo (94 km à l'ouest).

Comprendre

Le pays du traminac – Ce sont les Romains qui introduisirent la vigne à Ilok, et un empereur, Probus (276-282), qui ne jurait que par les vins locaux. Prospère au Moyen Âge, la cité comptait plusieurs églises et monastères. Tombée de 1526 à 1688 au pouvoir des Turcs, la ville et la région furent données par la suite en fief à la famille italienne des Odescalchi dont était issu le pape Innocent XI, en remerciement pour le rôle déterminant tenu par ce pontife dans la lutte contre les Ottomans. Cette famille développa la viticulture en important des cépages de qualité et en creusant dans la colline les celliers où le vin vieillit dans d'énormes fûts de chêne. La renommée des vins blancs d'Ilok ne fit dès lors que croître, au point que le traminac, le cépage vedette du lieu, est, depuis le 19e s., servi à la table des souverains anglais. Du fait de sa situation, Ilok se trouvait en première ligne lors de l'offensive serbe d'août 1991 et fut entièrement vidée de ses habitants. La ville ne fut rétrocédée à la Croatie qu'en 1998, année où l'on fêta les premières vendanges de la cité libérée, tandis qu'on commençait à replanter les 670 ha de vignes qui avaient disparu. Peu à peu, grâce au soin de ses viticulteurs, les vins blancs d'Ilok recouvrent leur qualité et leur prestige de naguère.

Se promener

LA VILLE HAUTE★★

Laisser la voiture à proximité du château (parking).

Celliers d'Ilok★ (Iločki podrumi)

Franje Tuđmana 72. Tlj sf dim. 9h-12h, 14h-17h.

Les celliers sont installés dans de vastes souterrains, creusés au 14e s., dans la colline qui supporte le château. C'est dans ces galeries pouvant contenir mille fûts que vieillissent les vins locaux. On y apercevra une collection de crus anciens, ainsi que d'énormes fûts d'une capacité de 56 000 litres.

> ### Quelques célébrités liées à Ilok
>
> C'est dans le monastère des Franciscains d'Ilok, que le moine italien **saint Jean de Capistran** s'éteignit en 1456 après avoir victorieusement défendu Belgrade contre les Turcs. Le comte local, **Nikola Iločki**, fut, quant à lui, roi de Bosnie entre 1471 et 1477. Enfin, les armes de la ville ont été dessinées au 16e s. par le prestigieux miniaturiste croate **Julije Klović**, plus connu sous le nom de **Giulio Clovio**.

Promenade Mladen-Barbarić★★ (Šetalište Mladena Barbarića)

C'est sur cette place oblongue, ceinte de remparts et aménagée en parc, que se situent les monuments de la cité.

Remparts★

Ces murailles crénelées furent élevées au 14e s. et dotées de tours de défense circulaires. Dans l'une d'entre elles (*côté droit*), les Ottomans aménagèrent un **hammam** : il en reste quelques vestiges décorés d'arabesques.

Mausolée turc★★ (Turbe)

Face au château, ce mausolée tout simple, portique doté d'arcs outrepassés, confère à la place une touche discrètement orientale et vaguement mélancolique.

Château (Dvorac)

Ce grand bâtiment est constitué d'un corps principal et de deux ailes enserrant un jardin ouvert sur le Danube qui coule en contrebas. Depuis le jardin, belle **vue★** sur le fleuve, au-delà duquel s'étend la Serbie. Jusqu'en 1991, l'édifice abritait un musée dont l'essentiel a disparu pendant les années d'occupation (travaux en cours). Le château lui-même a souffert des événements. Un restaurant est installé au rez-de-chaussée.

Église Saint-Jean-de-Capistran★ (Crkva sv. Ivana Kapistrana)

Elle fut construite en style gothique en 1349 puis remaniée dans le style baroque. C'est en 1912 qu'elle a pris son aspect actuel lorsque Herman Bollé lui redonna une allure gothique, ajouta deux chapelles latérales et éleva le clocher. À l'intérieur, au-dessus de l'autel, peinture du 19ᵉ s. représentant saint Jean de Capistran (inhumé dans l'église) devant le château de Belgrade.

Monastère franciscain (Franjevački samostan)

Fondé au 14ᵉ s. Son aile la plus ancienne englobe l'une des tours des remparts. Les deux autres ailes datent du 18ᵉ s.

Circuit de découverte

ÉGLISES DE SLAVONIE★ [2]

D'Ilok à Đakovo. 159 km.
Quitter Ilok en direction de Vukovar.

Remontant le cours du Danube (que l'on aperçoit de temps à autre), la route, sinueuse, descend parmi un paysage de collines de tuf boisées ou plantées de vignobles.

Le mausolée turc : un des rares vestiges ottomans en Slavonie.

Šarengrad

Bâti en amphithéâtre ouvert sur le Danube, dominé par les ruines d'une forteresse du 15ᵉ s., ce village occupe un **site★** très agréable.

Au cœur de l'agglomération, prendre sur la gauche la petite route portant l'indication « Bapska ».

Église Saint-Pierre-et-Saint-Paul (Crkva sv. Petra i Pavla) – *Dans le village, sur la gauche de la route.* C'est l'église du monastère franciscain fondé au début du 15ᵉ s. L'église a été rénovée au milieu du 18ᵉ s., en pleine époque baroque. De récents travaux de restauration ont mis en évidence les parties gothiques subsistant dans cette église, qui se signale par un agréable clocher.

La route s'élève parmi les arbres jusqu'à atteindre un plateau où, là encore, pour des raisons élémentaires de prudence, on s'abstiendra de gambader dans les champs.

Bapska

À 5 km au sud de Šarengrad.

Pour atteindre l'église romane, il faut traverser le village de Bapska. Après la dernière maison, au bout de 1,5 km environ, on aperçoit sur la gauche la petite église veillant sur son cimetière. Garer la voiture sur le bord de la route… qui, à 1 km au-delà, est barrée : c'est la frontière serbe, infranchissable à cet endroit. Empruntez le sentier qui conduit au cimetière sur 300 m et, par précaution, veillez à ne pas vous en écarter.

Église Notre-Dame★ (Crkva Sv. Marije) – Il s'agit d'un exemple presque unique d'art roman en Slavonie. Construit sans doute au début du 13ᵉ s., le sanctuaire a été depuis lors modifié à plusieurs reprises : il fut agrandi à l'époque gothique, remanié au 18ᵉ s. dans le goût baroque, doté d'un agréable porche muni d'un autel extérieur au 19ᵉ s., avant de perdre son clocher d'origine. Édifiées en brique, les parties romanes sont visibles au chevet, depuis le chemin de croix qui descend dans la vallée. L'ensemble est charmant. Tout autour, silence, solitude et forêt composent un cadre serein.

Revenir à Šarengrad et reprendre sur la gauche la direction de Vukovar.

Sotin

Sur la gauche de la route, on aperçoit l'**église N.-D.-du-Bon-Secours (crkva svetište pomočnice kršćana)**, construite en 1758 pour abriter une peinture miraculeuse de la

Vierge. Le sanctuaire, qui a beaucoup souffert de la guerre, attend toujours d'être restauré pour retrouver la peinture, mise en lieu sûr à Đakovo.

À Sotin, prendre la direction de Tovarnik (16 km). Dans ce village, tourner vers Vinkovci.

Ilača

On aperçoit à nouveau de nombreuses maisons détruites ou abandonnées, suite aux combats de 1991.

Dans le village, prendre à gauche au carrefour et suivre la rue Stjepana-Radića sur 500 m environ.

Chevet de l'église romane de Bapska.

Chapelle N.-D.-des-Eaux (Crkva svetište Gospe na vodici) – *Sur la droite, au fond d'un petit square triangulaire.* Ce petit sanctuaire blanc a été élevé au 19e s. afin de célébrer le jaillissement d'une source miraculeuse, en 1865, sur la route de Nijemci. C'est aujourd'hui un lieu de pèlerinage réputé.

Reprendre la route en direction de Vinkovci, puis, après 5 km, prendre sur la gauche la route de Nijemci et Lipovac.

Nijemci

À 7 km après le carrefour.

Dans ce village, sur une motte circulaire, l'**église Sainte-Catherine★ (crkva sv. Katarine)** se signale par son élégant clocher à bulbe. Lors des récents travaux de reconstruction (l'église a été en grande partie détruite en 1991), les archéologues y ont mis au jour des vestiges d'un sanctuaire préroman auquel a succédé l'église actuelle bâtie en style gothique, au 14e s. On a également découvert une petite nécropole datant du paléolithique. Les parties les plus anciennes de l'église ont été élevées en brique, visibles au chevet soutenu par de puissants arcs-boutants.

Continuer en direction de Lipovac.

Là encore, les dommages de la guerre sont spectaculaires. La route traverse plusieurs fois le cours fantaisiste de la rivière Spačva, parfois sur des ponts de fortune. On apercevra çà et là des croix de bois, fleuries et coiffées d'un casque de combattant.

Lipovac

À 3 km à l'ouest du village, dans un méandre de la Spačka, l'**église Saint-Luc (crkva sv. Luke ou Lučica)** se dresse dans un paysage mélancolique. Cette église gothique de brique, que surmonte un joli clocheton de bois, a reçu en 1991 quelques obus avant d'être restaurée.

Revenir sur Nijemci, où l'on prend la direction de Vinkovci.

Otok

À 12 km de Nijemci.

Gros bourg rural possédant une église de style baroque tardif. Comme souvent en Slavonie, la traversée interminable de ce village est une véritable « leçon de choses » : sur les bas-côtés picorent des petits groupes de poules, jalousement surveillées par le coq. Ici, des oies. Plus loin, des dindons. On prendra bien évidemment garde à ne pas écraser tout ce petit monde qui se soucie comme d'une guigne du code de la route.

Suivre jusqu'à Privlaka (7 km) et prendre à droite vers Vinkovci (à 15 km).

Vinkovci

À l'arrivée dans la ville, suivre la direction de Đakovo.

Cette ville industrielle, sans charme excessif, a conservé un petit centre ancien.

Place du Ban-Šokčević (Trg bana Šokčevića) – Place principale aménagée en parc, dotée d'une statue dédiée à la Sainte-Trinité et entourée de quelques façades baroques. C'est ici que s'élève l'**église Saint-Eusèbe et Saint-Pollion (crkva sv. Euzebije i Poliona)**, de 1772, vouée aux martyrs chrétiens morts au 3e s. dans la ville romaine de Sibalae dont Vincovci occupe aujourd'hui le site. Au n° 16, le musée de la ville présente une collection ethnographique de costumes traditionnels et d'objets d'artisanat de la région (*tlj sf lun. 10h-13h et 17h-19h, w.-end 10h-13h, gratuit*)

Galerie d'art – *Duga ulica 3.* Elle propose des œuvres du sculpteur **Vanja Radauš**.

Ancienne église Saint-Élie-de-Meraja (Crkva sv. Ilije na Meraji) – *Par Duga ulica, puis à droite sur une place.* C'est certainement l'élément le plus curieux de la cité. Construite en style gothique au début du 14e s., elle fut restaurée à la fin du 17e s., dans le style baroque. À partir de 1777, elle fut reconvertie en magasin militaire. Le récent projet de la restauration n'a pas vu le jour, l'édifice étant défiguré par une surélévation peu heureuse. Tout à côté, on aperçoit les fondations de l'église primitive, minuscule sanctuaire élevé sous le règne de Koloman (fin du 11e s.), et probablement détruite par les Tartares. Il s'agit de l'un des rarissimes exemples d'art préroman de Slavonie.

Ivankovo
À 5 km à l'ouest.
Sur la droite de la route, immense église précédée d'un escalier et d'un chemin de croix, le tout étant un pur produit de l'esthétique du 19e s.

Novi Mikanovci
Presque à la sortie de ce long village, laisser la voiture à proximité du calvaire *(sur la gauche)*, en face du magasin Mirela. Prendre une allée ombragée de pins et la suivre sur 300 m environ.

Église Saint-Barthélemy (Crkva sv. Bartola) – Entourée d'un petit cimetière, cette église romane, transformée par la suite en style baroque, fut édifiée au 13e s. Elle possède un curieux **clocher**, un peu de guingois, charmant vestige d'une tour de guet antérieure.

Par le village jumeau de Stari Mikanovci, rejoindre Đakovo (15 km).

Ilok pratique

Informations utiles

Code postal – 32236
Indicatif téléphonique – 032
Office de tourisme – *Trg bana Josipa Šokčevića 3, 32100 Vinkovci -* ☎ *344 034.*

Sécurité

Dans cette région qui fut au cœur des combats, la présence de **mines anti-personnel** est fréquente. La plupart des zones minées sont signalées. Cependant, par mesure de prudence, évitez de vous aventurer seul en rase campagne, à moins d'être accompagné par quelqu'un du pays. De même, ne pas pénétrer dans les **maisons abandonnées** qui peuvent être piégées.

Sur la route, prenez garde aux **chutes d'arbres** : ceux-ci poussent dans un équilibre improbable sur les versants des collines et leurs troncs surplombent parfois la voie.

Se loger

☞ **Dvorac** – *Dans le château -* ☎ *590 126 - ch. : 130 kn/pers.* ☷. Le château a beaucoup souffert des événements et l'hôtel qu'il abritait est devenu un simple « *prenočište* », proposant quelques chambres spartiates.
☞☞ **Hotel Dunav** – *J. Benešića 62 -* ☎ *596 500, fax 590 135 - 11 ch. : 250 kn/ pers.* ☷*, 2 appart. : 750 kn.* Dans la ville basse, au bord du Danube, ce joli petit hôtel récent – belle imitation d'une maison ancienne – propose quelques chambres spacieuses et confortables dont la moitié donnent sur le fleuve. Aux beaux jours, le petit-déjeuner dans le jardin au bord de l'eau est très agréable.

À VINKOVCI

☞☞ **Hotel Gem** – *Kralja Zvonimira 120 (rte de Vukovar, sur la droite) -* ☎ *367 911, fax 367 912 - www.hotelgem.hr - 65 ch. :* *54/59 €* ☷ *-* 🅿 . Une couleur verte pas très heureuse et une situation, dans une zone artisanale, qui ne saurait en faire un hôtel de charme ! Ce peut être, néanmoins, une étape commode. Courts de tennis (extérieurs et intérieurs).
☞☞☷ **Hotel Cibalia** – *Ante Starčevića 51 -* ☎ *339 222, fax 339 220 - www.hotel-cibalia.com - 20 ch. : 80 €* ☷*, 3 appart. (4 pers.) : 107 €.* Petit hôtel moderne sans charme excessif mais d'un bon confort. Chambres simples et fonctionnelles. Centre de fitness et restaurant servant des spécialités slavonnes.

Se restaurer

Restoran Dvorac – *Dans le château, Šetalište O. M. Barbarića bb -* ☎ *590 126 - 29/49 kn.* Une superbe salle aux murs chaulés, aménagée au rez-de-chaussée du château des comtes Odescalchi. Spécialités slavonnes (poissons du Danube et charcuteries).

À VINKOVCI

☞☞ **Restaurant de l'hôtel Gem** – *Kulen 50 kn, plats 40/50 kn.* Les amateurs de spécialités slavonnes seront comblés : *kulen*, steaks, *slavonski paprikaš* (ragoût de viande) et *tacci* (gâteaux) au pavot et aux noix, arrosés d'un bon graševina d'Ilok composent le « menu slavon » qui saura calmer la plus grande faim.

Achats

Celliers d'Ilok – *Franje Tuđmana 72, 32236 Ilok -* ☎ *590 003/054 - fax 590 117 - www.ilocki-podrumi.hr.* Dégustation et vente (à l'unité ou en cartons) des principaux crus élevés à Ilok : graševina, pinot blanc, chardonnay, riesling, ainsi que le traminac, à la fois sec et très fruité. Prix producteurs.

Parc naturel de **Kopački rit**★★

Park prirode Kopački rit

BARANJA – CARTE GÉNÉRALE D1 – CARTE MICHELIN 757 H4 – SCHÉMA : VOIR À BJELOVAR

Née des eaux de la Drave et du Danube, cette grande zone marécageuse est l'une des dernières qui subsistent en Europe continentale. L'étonnant écosystème, des paysages variés avec une réserve ornithologique où se côtoient de multiples espèces, autochtones ou de passage, font de ce lieu, classé parc naturel depuis 1967, un endroit que les amoureux de la nature se doivent de découvrir absolument… ne serait-ce que pour ses spécialités gourmandes (à base de poissons bien entendu !).

▶ **Se repérer** – Le parc de Kopački rit est situé à l'intérieur de l'angle formé par le confluent du Danube et de la Drave, à quelques kilomètres au nord d'Osijek. Pour s'y rendre, quitter Osijek en direction de Beli Manastir et tourner à droite dans Bilje (signalisation). À Bilje, devant l'église, prendre à droite jusqu'à Kopačevo : juste à l'entrée, prendre à gauche une petite route tracée sur une digue jusqu'à l'entrée du parc.

👁 **À ne pas manquer** – Promenade en barque dans les zones lacustres au printemps, sentiers de découverte en été, une pause au restaurant Kormoran pour déguster la carpe à la broche.

🕐 **Organiser son temps** – Prévoir une demi-journée sinon une journée entière.

👫 **Avec les enfants** – Promenade en bateau, sentiers de découverte, observation d'oiseaux.

🏃 **Pour poursuivre le voyage** – Voir aussi Osijek (11 km au sud), Našice (62 km au sud-ouest) et Đakovo (68 km au sud).

Comprendre

Un écosystème unique en Europe

Un écosystème dynamique – Lorsqu'elle se jette dans le Danube, la Drave a un cours beaucoup plus puissant qui refoule les eaux du fleuve. En période de crues et de fonte des neiges, ces eaux refluent sur le territoire de Kopački rit qui se trouve donc immergé : les poissons envahissent alors ce territoire, tandis que les habitants terrestres de la forêt inondée s'enfuient vers la terre ferme. Ajoutons à cela la présence d'innombrables oiseaux migrateurs venant grossir les effectifs des espèces autochtones : le cadre est alors posé : celui d'un écosystème dynamique, se modifiant au fil des mois, au gré des crues du fleuve.

Une forêt les pieds dans l'eau – Deux sortes de paysages occupent les marais : des étangs avec une végétation lacustre (roseaux, nénuphars) et la forêt où abondent chênes, peupliers, saules et frênes. C'est lorsque les eaux envahissent le territoire du parc qu'il faut découvrir Kopački rit et y effectuer une promenade en barque : ce ne sont que paysages étranges et mystérieux dans cette forêt en partie immergée dans laquelle la barque s'insinue silencieusement, parcourant des canaux naturels reliant entre eux les lacs. À l'automne, lorsque le feuillage prend une belle teinte rousse, le lieu baigne dans un halo romantique qui ne peut que séduire…

Faune et flore – Si le parc abrite 20 000 oiseaux en temps normal, ils sont plus de 70 000 représentant 291 espèces lorsque les migrateurs viennent s'y poser : cigognes, aigrettes, hérons cendrés, spatules blanches peuplent alors la forêt et les marais. Dans le ciel, planent quelques spécimens d'aigles à queue blanche. Kopački rit héberge une des plus importantes colonies de cormorans d'Europe : ils sont près de 3 000 à faire leur nid sur les branches des saules pleureurs. Quelques espèces rares en danger d'extinction y séjournent également : la cigogne noire, le faucon sacré… Tortues aquatiques, grenouilles et serpents abondent. Dans les eaux, carpes, brochets, silures et perches se côtoient. Quant au « peuple de la forêt », il est constitué de daims, de cerfs, de sangliers, qui payèrent un lourd tribut à la folie des hommes puisque nombre d'entre eux succombèrent, victimes des mines posées par l'armée serbe. Avec le temps, cette population se reconstitue peu à peu.

Les étendues lacustres de Kopački rit : au paradis des oiseaux.

Découvrir

Quitter Osijek et traverser la Drava en direction de Beli Manastir. Dans le village de Bilje, prendre à droite vers le parc (signalisation).

Bilje

Village-étape pour la découverte du parc. Sur la gauche de la route, le manoir baroque construit au fond d'un petit parc par le prince Eugène de Savoie, après le départ des Turcs de la région, abrite aujourd'hui la direction du parc.

Continuer, en laissant de côté (sur la gauche) la route de Lug.

Kopačevo

Agréable village de langue hongroise. L'église réformée *(Voir « ABC d'architecture » p. 86)* dresse un bien joli clocher à bulbe au-dessus de maisons typiquement slavonnes dont certaines ont conservé, sur le pignon donnant sur la rue, des moulures.

Kopački rit

On accède au parc par une route étroite, que l'on prend sur la gauche, avant le panneau d'entrée dans Kopačevo. Avant d'y pénétrer, présentez-vous au centre d'accueil, à droite de l'entrée, qui organise les visites de découverte.

Au-delà du portique d'entrée, la route parcourt une digue. Sur la gauche, parmi les roseaux, apparaît un étang : aigrettes et hérons cendrés le fréquentent avec assiduité. Au bout de la digue, sur la gauche, des longues-vues permettent d'observer la faune de l'étang. Sur la droite, rampe d'accès au lac Sakadaško, départ des **promenades en bateau et en barque**. Entouré de forêts, le lieu, qui peut sembler banal lorsque les eaux sont à leur plus bas niveau, prend tout son charme et son mystère à l'époque des crues de la Drava et du Danube.

Après **Podunavlje** (nombreux viviers de poissons d'élevage dont certains finiront leurs jours dans votre assiette si vous vous arrêtez au restaurant Kormoran), on longe un canal rectiligne en bordure duquel les fines gaules guettent patiemment les moindres oscillations de leur bouchon. Au-delà, une mer de roseaux que survolent nombre d'oiseaux annonce une nouvelle zone lacustre.

Après Kozjak, une dérivation sur la droite conduit aux **châteaux de Tikveš (Tikveški dvorci)**, qui se trouvent au fond d'un beau parc. Le palais central, imposant édifice en brique rouge, est une ancienne résidence de chasse (1885) fréquentée notamment par le maréchal Tito et ses hôtes de marque. Au fond d'une allée à droite, un autre château en brique jaune entouré d'une galerie en bois est l'ancien **pavillon de chasse de Franz Josef** (1875). Une petite **chapelle (kapela)** à droite, bâtie en 1875 et toujours en activité, est décorée de panneaux en bois sculpté qui représentent les scènes de la Passion. Non loin de là, le **Centre européen pour l'environnement (Europski centar za okoliš)**, récemment ouvert, sert de base à différents programmes de découverte de la nature. Il contient une bibliothèque spécialisée avec une salle de lecture, une salle multimédia, une salle de conférences, un hôtel et un restaurant.

Kopački rit pratique

Visite

Parc naturel (Park prirode) Kopački rit – *Centre d'accueil (Prijemni centar) : (031) 752 320, fax (031) 752 321 - kopacki-rit-turizam@os.htnet.hr ; direction du parc : ul. Petefi Šandora 35, 31327 Bilje - ℘ (031) 750 855, fax (031) 750 755 - pp-kopacki-rit@os.htnet.hr, www.kopacki-rit.com.*

QUAND Y ALLER ?

Inutile d'espérer visiter le parc en hiver : tout y est gelé et les oiseaux migrateurs sont aux abonnés absents. En été, les moustiques seront de désagréables compagnons de visite.

Les deux meilleures saisons sont donc la fin du printemps (avr.-mai) et le début de l'automne (sept.-oct.).

COMMENT VISITER ?

Le programme de visite est établi en fonction du temps dont on dispose, ainsi que des intérêts de chacun : géographique, hydrologique, zoologique… Vous pouvez faire des promenades de 2h, 3h, d'une demi-journée ou d'une journée entière, sachant que pour une bonne découverte des lieux, il faut y consacrer au moins une demi-journée.

Prix d'entrée au parc : 10 kn (enf. 5 kn).

En barque (bateau) – Les visites s'effectuent en barque d'une capacité de cinq personnes (en été, des bateaux pouvant accueillir 15 personnes sont mis à la disposition des visiteurs). Durée : 1h. Prix de la balade : 40/60 kn/pers. selon la saison.

À pied – Un sentier de découverte a été aménagé : long d'1,2 km, il commence près du café du parc. Des panneaux explicatifs renseignent les visiteurs sur les diverses espèces de faune et de flore. Deux autres sentiers se trouvent près des châteaux de Tikveš, et le long de la digue jusqu'au restaurant Kormoran. Les visites guidées pédestres ou combinées (à pied et en barque) sont possibles sur réservation (contacter le centre d'accueil).

Birdwatching – *Sur réserv.* Les visites s'effectuent en barque (6 pers. maxi.). Elles existent en version courte (6h ; 250 kn/pers.) et longue (12h ; 500 kn/pers.). Le prix n'inclut pas les repas.

SÉCURITÉ

Si une surface d'environ 300 ha n'est pas encore déminée, la plus grande partie du parc – et en particulier les sentiers accessibles aux visiteurs – est désormais sécurisée. Faites toutefois preuve de la plus grande prudence et ne vous aventurez pas en dehors des sentiers balisés sans y avoir été invité par un accompagnateur !

NE PAS OUBLIER

Crème antimoustiques, appareil photo (avec téléobjectif !). Les jumelles sont en location au centre d'accueil.

Se loger

👁 **Bon à savoir** – Le **Centre européen pour l'environnement** offre le seul hébergement dans le parc (26 lits). Se renseigner auprès du centre d'accueil.

Il existe de nombreuses possibilités d'hébergement privé à **Bilje**. Contacter l'**office du tourisme de Bilje** : *Kralja Zvonimira 10 -* ℘ *(031) 751 480, fax (031) 750 481 - www.tzo-bilje.hr* ou demander la brochure de *private accommodation* au centre d'accueil du parc.

Pansion Galić – *Ritska 1, Bilje -* ℘ *(031) 750 393, 098/878 964 - 6 ch. : 200 kn/pers.* 🍽, *240 kn/pers. en 1/2 P.* Chambres indépendants de la maison, équipées d'air conditionné et d'une salle de bains. Le tout, très fonctionnel, est d'une propreté irréprochable. Accueil charmant de la propriétaire qui propose une bonne cuisine régionale. Autobus réguliers pour Osijek.

Agroturizam Lacković – *Vinogradarska 5, Bilje -* ℘ *(031) 750 850, 098/762 712 - 4 ch. : 134 kn/pers. :* 🍽, *demi-pension et pension : 50/150 kn le repas.* Petit *agroturizam* avec potager et animaux qui propose 2 jolies chambres dans une petite maison blanche (salle de bains à partager) et 2 chambres dans la grande maison, au-dessus de celles des propriétaires, avec salle de bains privée. Les repas se prennent dans une sympathique maisonnette avec terrasse au fond du jardin. Accueil chaleureux.

Se restaurer

🍽 **Restoran Kormoran** – *À Podunavlje, sur la droite -* ℘ *(031) 753 099 - 10h-22h - 40/90 kn.* Une salle rustique à boiseries et une terrasse où l'on déguste les spécialités de la région : *fiš paprikaš* et carpes à la broche.

🍽 **Varga (Kod Varge)** – *Kralja Zvonimira 37, Bilje -* ℘ *(031) 750 120 - 8h-23h - plats 25/50 kn.* Deux salles au décor évoquant la pêche où l'on sert des poissons de rivière frits ou panés et des saucisses grillées pour les carnivores. Adresse sympathique malgré une TV un peu bruyante.

🍽 **Zelena Žaba** – *Ribarska 3, Kopačevo -* ℘ *(031) 752 212 - tlj sf lun. 9h-22h - 40/70 kn.* Nombreux plats de poisson, le traditionnel *perkelt* (ragoût de poisson) et les cuisses de grenouilles panées font de cette adresse une étape gastronomique bien agréable.

Faire une pause

Café du parc – *Derrière le centre d'accueil - 9h-17h.* Dans une petite maison en bois sur pilotis, agréable café-bar où boire un verre en écoutant le concert des grenouilles.

Našice ★

SLAVONIE – 17 320 HABITANTS
CARTE GÉNÉRALE C1 – CARTE MICHELIN 757 G5 – SCHÉMA : VOIR À BJELOVAR

Cité verte, posée sur les contreforts des monts Krndija, Našice, cité d'élection de la noble famille Pejačević, est un lieu très apprécié, tant des randonneurs qui trouvent leur bonheur dans les montagnes des environs que des chasseurs et des amateurs de pêche à la ligne qui se pressent autour des proches lacs de Lapovac et de Našička breznica dans l'attente d'une prise miraculeuse.

▶ **Se repérer** – Entre Osijek et Virovitica, Našice se situe un peu à l'écart de la route principale. Prenant la direction de la ville haute, on atteint la place Pejačević : là, nous sommes au centre de la ville, entre le château et le parc d'une part, le monastère franciscain de l'autre ; de nombreuses places de parking y ont été aménagées.

👁 **À ne pas manquer** – Visite du musée municipal et de l'église Saint-Antoine-de-Padoue, promenade dans le parc du château, escapade dans les monts Papuk.

🕐 **Organiser son temps** – Compter 3h avec la visite du musée. Prévoir une demi-journée pour le circuit des monts Papuk.

👤 **Pour poursuivre la visite** – Voir aussi Đakovo (35 km au sud-est), Osijek (51 km au nord-est), Virovitica (76 km au nord-ouest), Požega (46 km au sud-ouest) et Slavonski Brod (54 km au sud).

Comprendre

Une colonie de céramistes – Est-ce l'existence d'une tradition régionale (avec en particulier le village de Feričanci, connu jadis pour ses poteries) ou, plus vraisemblablement, l'influence exercée par le céramiste **Hinko Juhn,** originaire de la ville, sur les créateurs d'aujourd'hui ? Toujours est-il que, chaque année depuis 1979, quatre à six céramistes rejoignent pour quelques jours le château Pejačević pour constituer la **colonie artistique Hinko Juhn**, fondée par **Ljerka Njers** et **Dora Pezić-Mijatović**. Là, pendant près d'une semaine, ils créent et exposent des œuvres d'art qui, conservées ensuite par la ville, constituent le fond d'un futur **musée de la Céramique**.

Découvrir

Une visite aux Pejačević

C'est l'une des plus prestigieuses familles de la noblesse slavonne dont une branche établie à Našice a donné à la ville le parc et le château, qui font une grande partie de son intérêt. Originaires de Bulgarie, les Pejačević de Virovitica furent anoblis en 1696 par l'empereur Léopold Ier. Au cours de son histoire, la famille a donné à la Croatie nombre de militaires, deux bans (vice-rois), et, au début du 20e s., la première compositrice de musique du pays.

Le parc ★★

Superbe, ce grand parc dévale la colline, depuis la ville haute, jusqu'à la route d'Osijek en contrebas. Aménagé pour l'essentiel à l'anglaise, peuplé de chênes, saules et sapins et de quelques statues, ponctué de parterres fleuris et d'un étang artificiel sur lequel quelques cygnes évoluent dédaigneusement, ce parc romantique est un lieu de promenade, de flânerie et de rêverie, lieu idéal pour se poser, aux beaux jours, avec un livre, sous la caresse du soleil couchant. C'est sur ce domaine que les Pejačević ont élevé à partir de 1735 leurs demeures successives.

Ancien château des comtes Pejačević ★ (Stari dvorac grofa Pejačevića)

Édifié en 1811 à l'orée du parc, sur la crête de la colline, dans un style classique (avec quelques éléments d'un baroque finissant), il présente une façade symétrique, avec, au centre, un bel avant-corps surmonté d'un pignon à corniche cintrée et supporté par une colonnade. Les deux tours carrées qui le flanquent sont des ajouts de 1865. Il abrite le musée municipal.

Dora Pejačević

Fille du comte Teodor Pejačević qui allait être ban de Croatie de 1903 à 1907, Dora était née à Budapest en 1885 et passa son enfance dans le château familial de Našice. Initiée à la musique par sa mère, la jeune fille suivit de solides études musicales à Zagreb, Dresde et Munich. Morte subitement à Munich (1923) où elle résidait avec son mari, la première compositrice croate repose aujourd'hui près du mausolée familial. Elle a laissé une œuvre en partie inédite où l'on relève les influences de Wagner, Schumann, Brahms et Mahler et d'où se détachent un concerto pour piano de 1913 et une symphonie écrite en 1918.

P. Plantier / MICHELIN

Ancien château des comtes Pejačević.

Musée municipal★ (Zavičajni muzej Našice)

Pejačevićev trg 5, à l'étage - lun.-vend. : 8h-15h, mar.-jeu. 8h-18h, sam. 9h-12h - 12 kn (étud., enf. 7 kn) - visites guidées : sur réserv. au ☎ 613 414.

Voilà un musée qui mérite la visite en raison de l'intérêt et de la qualité de ses collections. La visite commence par des salles consacrées à des artistes originaires de la région ou y ayant vécu : **Mate Benković** (1814-1981), peintre (portraits, paysages et nus), illustrateur et, surtout, calligraphe réputé ; **Hinko Juhn** (1891-1940), céramiste (terres cuites, faïences, majoliques) qui s'est fait une spécialité de sculptures en miniature ; **Izidor Kršnjavi** (1845-1927), qui fut peintre, est surtout connu pour avoir aidé l'évêque Strossmayer à réunir sa collection *(voir à Zagreb, Galerie Strossmayer de Maîtres anciens p 455)*. On découvre ensuite, non sans émotion, la salle consacrée à la mémoire de la **comtesse Dora** : photos, documents, manuscrits, mobilier, et bien sûr son piano, évoquent la figure de cette talentueuse musicienne.

Après une section consacrée à l'histoire de la région, des temps préhistoriques à l'époque contemporaine, la belle **collection ethnographique** se répartit dans deux salles, dont l'une reconstitue une pièce d'une maison paysanne telle qu'elle était un jour de fête : objets et outils, broderies, vêtements (portés par des mannequins), instruments de musique *(tambura)*. Vous découvrirez dans ces lieux de superbes tissages ! **L'atelier de poterie de Feričanci** est lui aussi digne d'intérêt : ce village, situé à l'ouest de Našice, était en effet autrefois l'un des principaux centres de poterie de Slavonie, activité qui a complètement disparu depuis lors : outre un tour de potier et quelques documents, vous découvrirez la production de ces ateliers, en particulier les émaux bleus qui firent sa réputation.

Nouveau château Pejačević (Novi dvorac grofa Pejačevića)

Dans le parc également.

Ce manoir, élevé en 1911 pour le comte Mark Pejačević, a pris pour modèle le fameux château Sans-Souci construit à Potsdam par l'empereur Frédéric le Grand.

Mausolée et chapelle★ (Mauzolej i kapelica)

Devant le cimetière (groblje).

La chapelle funéraire des comtes Pejačević est une construction néogothique de Herman Bollé. La comtesse Dora, quant à elle, repose à part, sous une simple pierre tombale, surmontée de son buste.

Se promener

Outre les domaines de la famille Pejačević, les principaux points d'intérêt de la ville se concentrent autour de la place et de la rue du Roi-Tomislav (trg/ulica Kralja Tomislava) qui la prolonge.

Maison Goldfinger

Face à l'hôtel Park, cet harmonieux ensemble classique témoigne de l'importance passée de la communauté juive à Našice. L'aile droite du bâtiment abrite aujourd'hui un élégant café, qui a pris le nom des anciens propriétaires de l'immeuble.

Monastère franciscain (Franjevački samostan)

Kralja Tomislava, sur la gauche.

Construit au 18e s., cet imposant monastère aux teintes chaudes abrite une collection d'art sacré et une bibliothèque riche en incunables *(possibilité de visite en sonnant).*

Église Saint-Antoine-de-Padoue★★ **(Crkva sv. Antuna Padovanskog)**
Accessible par le cloître, en contournant l'édifice.
D'origine gothique (voir le chevet à contreforts qui a conservé la structure d'origine), l'église attenante au monastère a été largement reconstruite et agrandie en style baroque entre 1719 et 1763 : réfection de la façade, adjonction de chapelles latérales et érection d'un clocher à bulbe. Le **décor intérieur**★★ est extraordinaire : notez la spectaculaire chaire, le riche retable du maître autel orné d'une peinture d'Ivan Garikovac et, sur la droite, une tribune tout en or, gypseries et mouvement, illustration d'un baroque exultant.

Circuits de découverte

AUTOUR DES MONTS PAPUK ③
À 70 km. Quitter Našice à l'ouest en direction de Koprivnica et Varaždin.

Martin
À 3 km à l'ouest.
Cette ancienne place-forte des Templiers a conservé (au cimetière) sa jolie petite **église Saint-Martin**★ **(crkva Sv. Martina)**, en grande partie romane. Édifiée au début du 13e s., elle est surmontée par un clocheton de bois.

Feričanci
À 11 km.
Village naguère réputé pour ses ateliers de poterie.
Après 9 km, prendre à gauche la route d'Orahovica.

Orahovica
Agréable petite cité spécialisée dans la céramique industrielle et la viticulture, posée sur le versant nord du Papuk. Une longue rue bordée par des terrasses de café conduit au petit centre, constitué de maisons basses, noyées dans la verdure d'un beau parc. C'est là que se trouve, sur la gauche, l'église de la Sainte-Croix, baroque (1756).
Devant l'église, s'engager sur la petite route de Kutjevo/parc naturel du Papuk.

Duzluk
Vision inattendue lorsqu'on arrive dans ce village déjà montagnard aux rues étroites : sur la gauche, dans un champ, des autruches se promènent gravement, au pied d'un piton rocheux. Devant soi, on aperçoit, juchées sur un sommet, les ruines de la forteresse médiévale de **Ružica**.

La route s'élève en lacet (chaînes nécessaires par temps de neige) dans un paysage boisé. 5 km après Duzluk, un panneau sur la gauche indique le chemin d'accès au monastère orthodoxe **Saint-Nicolas-de-Remeta (manastir sv. Nikole zvan Remeta)**. *30mn AR*. Le chemin empierré descend parmi les sapins jusqu'au vallon dans lequel se niche le monastère fraîchement restauré, enserré dans une enceinte que domine une tour de 1735. L'endroit, solitaire et silencieux, posé près d'un torrent, baigne dans une grande sérénité.

On franchit le sommet du **Krndija** (792 m) dans un paysage très montagnard. Dans la descente, on aperçoit des ruches montées sur roulottes, placées dans les sous-bois : grand bourdonnement aux alentours.

Kutjevo
À 20 km d'Orahovica, sur le versant sud du Papuk.
Un des grands centres de viticulture de Slavonie. Sur la gauche, près d'un ancien monastère, le **château** baroque construit au 17e -18e s. avec sa tour centrale coiffée d'un bulbe, dissimule des **celliers souterrains**★, creusés au 13e s. par des moines cisterciens venus de France. Ne manquez pas de visiter ces celliers qui ont traversé sept siècles d'histoire : vous y verrez des tonneaux au décor sculpté évoquant l'histoire de Kutjevo, un immense tonneau (un des plus gros au monde) pouvant contenir 53 520 l de vin ainsi que la fameuse table autour de laquelle, selon la légende, l'impératrice Marie-Thérèse s'est enivrée en

P. Plantier / MICHELIN

Château du baron von Trenk à Kutjevo.

compagnie du baron von Trenk. Vous dégusterez le fameux graševina, le traminac et le « vin glacé » *ledena vina* fait avec du raisin cueilli en décembre *(visite guidée en anglais sur réserv. au ☎ (034) 255 104/002 - 2 €/pers., dégustation 1 €/pers. et par variété).*

On aperçoit de nombreux chalets posés dans un paysage dégagé (reboisement en cours) que parcourent des troupeaux de moutons.

Parc naturel du Papuk (Park prirode Papuk)

Accès 3 km au sud sur la gauche. Prendre à gauche en direction de Bektež (4 km), puis encore à gauche vers Gradište (3 km) où l'on retrouve la route de Našice que l'on prend, toujours à gauche.

Sinueuse mais large, la route franchit à nouveau le **massif de Krndija** dans un très beau paysage forestier. Peu après **Gradac**, à proximité de **Zoljan** *(à 14 km du carrefour)*, on rencontre les énormes cimenteries qui apportent une bonne part de sa prospérité à Našice, dont on atteint bientôt les premiers faubourgs.

VERS LA PODRAVINA ④

Slatina

À 28 km sur la route d'Osijek.

Ce village édifié en bordure de forêt vit essentiellement d'activités liées à la menuiserie. Parmi les vénérables conifères qui encadrent la route, sur la place St-Joseph (Trg sv. Josipa), un gigantesque séquoia est classé « monument horticole ».

Suhopolje

À 10 km sur la route d'Osijek.

Sur la gauche de la route, dans la traversée de ce village viticole adossé au massif de Bilogora, s'élève la monumentale **église de Sainte-Thérèse-d'Avila (crkva sv. Terezije Avilske)**, coiffée d'une coupole et arborant un fronton à colonnade néoclassique qu'encadrent deux tours à pignons. Un peu plus loin, à droite, dans le parc qui abrite le mausolée néogothique familial, on aperçoit le manoir des comtes Jankoviž, de style historiciste.

Virovitica

Carrefour routier et ferroviaire, à la lisière de la grande plaine hongroise et de la chaîne du Papuk, Virovitica est une petite ville industrieuse et sympathique, qui mérite un arrêt, tant pour son ensemble monastique que pour son château.

De dimensions réduites, le centre de Virovitica s'organise autour du carrefour de la route de Varaždin à Našice, et celle qui vient de Hongrie descend vers Kutina. Là, la **place du Roi-Tomislav (trg Kralja Tomislava)** ouvre sur la façade classique du château.

Château (dvorac) Pejačević – De 1800 et 1804, il présente un beau portail à colonnades surmonté d'un balcon et précédé d'un ponton jeté sur les douves. Passant sous le porche, après avoir déploré la dégradation de la façade donnant sur l'arrière (couverte de tags), on accède à la place du Ban-Jelačić, aménagée en jardin public (piscine municipale) sur l'emplacement du château féodal.

Musée municipal (Gradski muzej) – *Lun.,-merc. et vend. : 9h-14h, mar. et jeu. 9h-19h (hiver 17h), sam. 9h-12h - 4 kn (étud., enf. 2 kn).* Sympathique petit musée présentant une collection archéologique (tessons, haches, poteries d'époque néolithique ou de l'âge du bronze, colliers et statuettes provenant d'une villa romaine), et historique (sceaux, chartes et plans anciens de la ville, monnaies). Mobilier, objets et tableaux évoquent la vie urbaine aux 18e-19e s. (un amusant portrait d'un certain Ivo Rata š Maljano aux fières moustaches !). Quelques toiles d'artistes contemporains locaux précèdent l'émouvante **section ethnographique★** : costumes, broderies, coiffes, bijoux, coffres, métiers à tisser, outils, jougs redonnent vie aux coutumes paysannes d'autrefois.

En quittant le musée, après une promenade dans le parc, revenir à la place Tomislav.

Monastère franciscain (Franjevački samostan) – Sur un côté de la place Tomislav, les bâtiments monastiques (début du 18e s.) forment avec l'église un L délimitant un charmant petit **square★** ombragé, au centre duquel trône la statue de saint Roch.

Du côté du monastère, l'ancienne pharmacie des Franciscains est en cours de réhabilitation.

Église Saint-Roch-et-Saint-Sébastien (Crkva sv. Roka i sv. Sebasa) – *En cas de fermeture, s'adresser au monastère (sonner).* Élevée en 1752, elle présente, sur la gauche de la façade, un beau clocher-porche. L'intérieur, à nef unique, frappe par l'exubérance de son décor : mobilier, sculptures, peintures, stucs, dorures, réalisés par des moines du lieu comme par des artistes venus de Graz et de Maribor : il y a de quoi donner le tournis !

Escapade aux frontières

Pécs★★★

À 81 km au nord-est par Terezino Polje (poste frontière) et Szigetvár.

Le climat agréable de cette cité hongroise fondée par les Romains et connue pour son vin pétillant, élevé dans des caves creusées sous la ville, fut apprécié par les Ottomans. Ils occupèrent Pécs entre 1543 et 1686. De cette période prestigieuse, elle a conservé d'importants vestiges d'architecture musulmane (notamment les mosquées du **Pacha Ghazi Kassim** et la **mosquée Hassan★**). Des musées consacrés

Pécs, une escapade en Hongrie.

aux peintres locaux, Tivadar **Csontváry Kosztzka** (1853-1919) et **Victor Vasarely** (1908-1997), une belle **cathédrale★★**, le **musée Zsolnay★★** d'émaux et de céramiques, la **synagogue★**, justifient une escapade dans cette ville qui présente de beaux exemples d'architecture baroque, rococo, historiciste, Sécession et Art nouveau *(pour plus de détails, consulter le Guide Vert Budapest et la Hongrie).*

Našice pratique

Informations utiles

Code postal – *31000*

Indicatif téléphonique – *031*

Office du tourisme – *Pejačevićev trg 4 (dans le hall de l'hôtel Park)* - ℘ *613 822.*

Gare ferroviaire (Željeznicki kolodvor) – Trains quotidiens pour Osijek d'une part, Zagreb *via* Koprivnica d'autre part.

Se loger

☎☺ **Hotel Park** – *Pejačevićev trg 4 (devant le château)* - ℘ *613 822 - fax 613 882 - info@hotel-park.hr - www.hotel-park hr - 70 ch. : 496 kn* ☳. Hôtel récent et confortable, doté de boutiques et même d'une discothèque. Il faut demander les chambres donnant sur le parc et le château.

Se restaurer

☺/☺☺ **Restaurant de l'hôtel Park** – *80/120 kn.* Restaurant réputé pour ses spécialités comme le *riblji paprikaš*, ragoût de poissons de rivière, mais aussi pour ses grillades et autres plats traditionnels. Décor un peu daté.

☺ **Ribnjak 1905** – *Stjepana Radica 1, Ribnjak, 6 km de Nasice - accès par la route d'Osijek puis à gauche dans la traversée de Jelisavac -* ℘ *607 006 - 80/100 kn.* Au bord d'un grand étang et d'une aire de loisirs, ce restaurant est spécialisé dans les poissons de rivière préparés à la manière slavonne : carpes grillées et *fiš paprikaš* diverses.

À VIROVITICA

☺☺/☺☺☺ **Restaurant Dvorac** – *Dans le château, côté cour, à droite -* ℘ *(033) 722 721 -* plats 20/45 kn, poisson blanc 160 kn/kg. Dans une belle salle voûtée au décor élégant, on se régale des plats élaborés. Essayez le « repas à la Napoléon » : médaillons de porc aux gnocchi avec sauce à la crème, au vin, au brandy et au jambon !

Faire une pause

Café Goldfinger – *Pejačevićev trg.* Très agréable, surtout aux beaux jours quand il déploie sa terrasse sur la place. Son nom ne fait pas allusion à une aventure de James Bond mais à la famille qui fit construire le palais dont le café occupe une partie du rez-de-chaussée.

Gradska Kavana – *Pejačevićev trg (face au précédent).* Le grand café de la ville. Banquettes confortables, lumières tamisées et ambiance jazzy.

Achats

À KUTJEVO

Kutjevacki Podrum - *Bât. contre le château, entrée à gauche. Tlj sf dim. 7h-21h, sam. 8h-14h.* Vins de Kutjevo à prix producteur.

Route des vins

L'agence **Zoa-tours** – *F. Tudmana 19, Požega -* ℘ *(034) 272 505 - fax 271 465 - zoa-tours@po.htnet.hr, hwww.zoa-tours.hr.* Organise des visites-dégustations chez les meilleurs producteurs dans la région de Kutjevo : Krauthaker, Enjingi, etc.

Événements

Festival de céramique – *Août.* Pour voir à l'œuvre les artistes de la colonie Hinko Juhn.

Osijek★

SLAVONIE – 114 616 HABITANTS
CARTE GÉNÉRALE D1 – CARTE MICHELIN 757 G5 – SCHÉMA : VOIR À BJELOVAR

Pour que le charme d'Osijek opère, il faut savoir lui donner le temps de s'imposer à vous, tant il est vrai que l'arrivée dans la ville, parmi grandes barres d'immeubles et zones industrielles, n'a rien de très enthousiasmant. Et pourtant : peu à peu, cette cité, jeune et animée, parvient à séduire, par l'architecture austro-hongroise de sa « ville haute », comme par le remarquable ensemble baroque que constitue l'ancienne citadelle autrichienne, « Tvrđa », peuplée d'étudiants. Ajoutons-y des spécialités gourmandes à base de poissons, et de nombreux parcs qui incitent à la flânerie, tout comme les rives de la rivière qui, aux beaux jours, attirent des foules de baigneurs.

- **Se repérer** – Capitale de la Slavonie, Osijek est une ville industrielle posée sur la rive droite de la Drave qui la sépare de la région de la Baranja. Pour y accéder depuis Zagreb, emprunter l'autoroute E 70 (Belgrade/Beograd) jusqu'à la sortie de Velika Kopanica (211 km). Puis prendre vers le nord par Đakovo sur une route rapide que l'on suit sur 57 km. Le centre d'Osijek s'articule le long d'un axe parallèle à la rivière, parcouru par une ligne de tramway qui relie d'est en ouest **Donji grad** (la ville basse), **Tvrđa** (la citadelle) et **Gornji grad** (la ville haute).

- **À ne pas manquer** – Balade dans la ville haute et dans le quartier de Tvrđa, visite du musée de Slavonie, promenade de la Drave.

- **Organiser son temps** – Compter 3h sans la visite des musées.

- **Avec les enfants** – Baignade dans la Drave en été, promenade en vieux tramway, découverte du musée de Slavonie, visite d'Aquapolis.

- **Pour poursuivre le voyage** – Voir aussi Vukovar (37 km au sud-est), Ilok (72 km au sud-est) Đakovo (35 km au sud) et Kopački rit (11 km au nord).

Comprendre

De Mursa à Osijek

La cité ottomane – C'est en 1526 que les Turcs s'emparèrent d'Osijek, alors petit port fluvial créé par les Slaves au 7e s. sur les ruines de la Mursa romaine, dont il ne reste que quelques vestiges. Les nouveaux maîtres du lieu allaient y demeurer plus de cent soixante ans et en faire la capitale de la Slavonie ottomane. Protégée par des remparts, la cité hérissée de minarets et de tours de guet se couvrit de palais, de bains turcs, de *medrassa* (écoles coraniques), tandis qu'un pont de bois était lancé sur la Drave et les territoires marécageux de la rive opposée. Chef-lieu administratif et militaire, Osijek attirait les négociants grâce à ses foires réputées. Mais, en 1687, les Turcs subirent une lourde défaite à Harkany et, le 26 septembre, ils abandonnèrent la cité sans combattre. Elle fut pillée par les Autrichiens, si bien qu'aujourd'hui il ne reste plus de vestiges de cette période de splendeur.

La ville autrichienne – Sur la cité turque démantelée, étant donné l'importance stratégique de la ville aux marches de l'Empire ottoman, les Autrichiens édifièrent bientôt leur citadelle, Tvrđa. Conçue par un architecte unique selon un plan en étoile, la citadelle fut pour l'essentiel édifiée en moins de dix ans, ce qui lui donne l'unité qui, aujourd'hui, fait son charme. Parallèlement, deux nouvelles agglomérations indépendantes se développaient en bordure de la Drave : la « ville haute » (Gornji grad) à l'ouest et la « ville basse » (Donji grad) à l'est – ces appellations ne faisant en rien allusion au relief des lieux, particulièrement plats. À la fin du 18e s. naissait une nouvelle entité, au sud des précédentes, Novi grad (la « ville nouvelle ») créée par des immigrés allemands. En 1809, l'ensemble, unifié, se voyait accorder le titre de « cité libre et royale ».

Essek – C'est sous les Austro-Hongrois que l'économie d'Osijek prend un nouvel essor avec l'introduction dans la région de deux cultures : celle du houblon, et celle du mûrier, indispensable pour l'élevage des vers à soie : Osijek est le principal centre de sériciculture de l'empire entre 1774 et 1850. Avec le développement de l'industrie (agroalimentaire, aciéries…), favorisé par l'arrivée du chemin de fer,

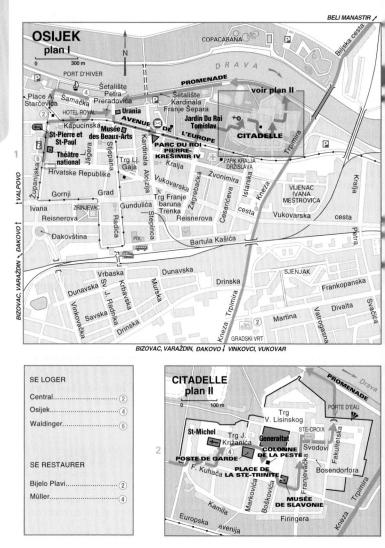

la création d'un réseau routier et l'extension du commerce fluvial, la fin du 19e s. voit l'évolution de la ville haute qui atteint peu à peu son aspect actuel : de larges avenues sont tracées (en particulier celle de l'Europe, parallèle au cours de la rivière, reliant les trois entités traditionnelles de la cité et bientôt parcourue par une ligne de tramway). Les administrations, les banques, les entreprises s'installent à Gornji grad qui devient le centre de la ville. Immeubles publics et résidences privées sont édifiés dans les styles historiciste et Sécession par des architectes formés à Vienne ou à Budapest. Osijek (Essek, selon la dénomination magyare) prend alors son allure de cité d'Europe centrale.

Osijek aujourd'hui – La ville allait à nouveau mesurer les inconvénients d'occuper une position stratégique lors du conflit de 1991. Si la résistance de Vukovar lui permit d'éviter d'être occupée par l'armée fédérale, elle dut subir pendant plus d'un an des bombardements intensifs depuis la rive gauche de la Drave où les Serbes avaient pris position après s'être emparés de la Baranja. Les façades de la ville portent encore les cicatrices de ces mitraillages, tandis que les campagnes environnantes sont devenues des champs de mines. Aujourd'hui, Osijek, qui en juin 2003 a accueilli le pape Jean-Paul II, achève de panser ses plaies et se tourne vers l'avenir en mettant en valeur son patrimoine monumental et naturel.

Au cœur de la Tvrda : la place de la Sainte-Trinité.

Se promener

DE LA VILLE HAUTE À LA CITADELLE

Partir de Županijska à hauteur de Hrvatske Republike.

La ville haute★ (Gornji grad) plan I 1

Rue (ulica) Županijska – Large avenue bordée de demeures baroques ou historicistes abritant des cafés, tels que le très mondain Waldinger. Sur la droite, le **Théâtre national (Hrvatsko narodno kazalište)**, bel édifice du début du 20e s., aujourd'hui restauré après avoir été bombardé en 1991. Y écouter un concert sera l'occasion de découvrir son harmonieuse salle à l'italienne avec trois étages de balcons, et le foyer décoré de fresques.

Église Saint-Pierre-et-Saint-Paul (Crkva sv. Petra i Pavla) – Appelée familièrement la cathédrale (le siège épiscopal est à Đakovo), cette imposante église de brique rouge, dominée par une flèche de 90 m, fut bâtie sous l'impulsion de l'évêque Strossmayer, natif d'Osijek. Caractéristique du style historiciste (ses deux architectes successifs, Franz Langenberg et Richard Jordan, étaient l'un allemand et l'autre viennois), elle recrée avec allégresse un gothique revu et corrigé où abondent gargouilles, clochetons, gâbles et pinacles. L'intérieur, avec sa nef centrale flanquée de deux bas-côtés, impressionne par ses dimensions. Les vitraux, côté gauche, ont été réalisés par des maîtres verriers viennois (ceux du côté droit n'ont pas résisté aux événements de 1991). Le grand autel est une œuvre d'Edouard Hauser, lui aussi viennois. Quant aux peintures murales, elles sont l'œuvre de **Mirko Rački**.

> ### La belle Drave verte…
>
> Si le beau Danube est, paraît-il, bleu, la Drave, elle, est verte. Cette rivière, qui prend sa source dans les Alpes italiennes, coule en Autriche (c'est, là-bas, la Drau), traverse ensuite la Slovénie où elle arrose Maribor, et pénètre en Croatie à proximité de Varaždin. Elle constitue ensuite la frontière naturelle entre la Hongrie et la Croatie, longe Osijek puis, après un cours de 700 km, se jette dans le Danube à 32 km en aval de la ville, à la frontière serbe.

Place Ante-Starčević (Trg Ante Starčevića) – Triangulaire, bordée d'un côté par l'église Saint-Pierre-et-Saint-Paul, elle constitue avec Županijska et Kapucinska le cœur de la cité moderne. C'est ici que se trouve l'hôtel Central, édifié en 1889.

Prendre en face la rue Kapucinska.

Rue des Capucins (Kapucinska ulica) – Cette rue commerçante et animée, bordée d'immeubles solennels ou plus fantaisistes, s'engage dans le cœur historiciste de la ville haute.

Église des Capucins (Kapucinska crkva) – *Au n° 41, sur la droite.* Deux statues baroques précèdent la façade de cette église, édifiée en 1724, et que coiffe un clocheton en bois.

Hotel Royal – *Sur la gauche.* Avec sa spectaculaire façade bleue chargée de balcons et de décors de stucs, cet ancien hôtel (1905) évoque l'architecture des palaces d'autrefois.

Promenade P.-Preradović (Šetalište P. Preradovića) – Sur le côté gauche de la rue des Capucins, ce petit square est orné des bustes d'artistes nés à Osijek réalisés par **Vanja Radauš** : les musiciens Franjo Kuhač (1834-1911) et Pajo Kolanić (1821-1876), compositeur pour **tamburica**, instrument à cordes dont il fut également un brillant interprète, les peintres Hugo C. Hötzendorf (1806-1869) et Adolf Waldinger (1934-1904).

Cinéma Urania★★ (kino Urania) – Fleuron de l'Art nouveau, c'est l'un des lieux emblématiques de la cité. Construit en 1912 sur les plans de l'architecte Viktor Axmann, il a toujours conservé sa vocation de cinéma, ainsi que sa décoration d'origine. De l'autre côté du square, son concurrent, le **kino Europa**, édifié en 1939 par Ljudevit Pelzer, est un témoignage de l'architecture fonctionnaliste.

Avenue de l'Europe★★ (Europska avenija) – C'est sur cette longue avenue, reliant la ville haute à la forteresse et parcourue par une ligne de tramway, que les architectes historicistes ont donné libre cours à leur talent et à leur fantaisie, en élevant, dans les premières années du 20e s., de superbes hôtels particuliers *(Voir « ABC d'architecture » p. 87)* aux riches négociants d'Osijek, souvent d'origine autrichienne. Aujourd'hui transformés en bureaux ou en cliniques, portant parfois sur leur façade les meurtrissures du dernier conflit *(sur le côté droit de l'avenue)*, ils n'en ont pas moins fière allure et constituent un ensemble représentatif d'une esthétique de la monumentalité, parfois pompeuse et quelque peu massive, mais

Détail d'une façade Art nouveau avenue de l'Europe.

faisant preuve le plus souvent d'une exubérance non dénuée de légèreté, d'autant qu'elle est abondamment colorée.

C'est le cas, en particulier sur la gauche, de la **kuća (maison) Gillming**, au n° 24, élevée par Gotthilf en 1904, et qui abrite aujourd'hui la bibliothèque municipale. Vous découvrirez ensuite l'ensemble Art nouveau constitué par l'immeuble du n° 20. Aussitôt après les colonnades et balcons à arcades du n° 18 (**kuća Sauter**, 1904, architecte Ante Slaviček), la **kuća Kästenbaum-Korky**, édifiée en 1905 par l'architecte Ferenc Fischer, présente des frises, des céramiques et, au balcon, une belle balustrade en fer forgé. Au n° 14, la **kuća Spitzer** (1905), avec ses réminiscences gothiques, précède la façade à atlantes supportant des balcons encadrés par deux couples de fenêtres du n° 12. La **kuća Sekulić** enfin, au n° 10, néoclassique, s'orne d'une frise et d'une coupole d'angle.

Au-delà de ce pâté de maisons, le côté droit de l'avenue n'est pas en reste avec, au coin de ulica Dragutina Neumana, l'immeuble élevé en 1897 en style néo-Renaissance italienne par Josip Vrancaš-Požeški et devenu musée des Beaux-Arts.

Quant au **palais de la Poste (Poštanska Palača)**, édifié en 1912 par un architecte de Budapest, Ivan Lay, s'il ne se distingue pas par sa légèreté, il présente une particularité : celle d'être en tout point identique à son homologue de Pécs (Hongrie). Et pour cause : ils furent dessinés par le même homme et à la même époque.

Parc du Roi-Pierre-Krešimir IV★★ (Park kralja Petra Krešimira IV) – *Sur la droite d'Europska avenija.* Créé en 1935 avec l'aide de la France, c'est un parc d'autant plus beau que les arbres ont été choisis de telle sorte qu'il soit agréable en toute saison : les essences exotiques, cependant, lui donnent tout son charme au printemps lorsque les frondaisons se parent de mille couleurs. Il se prolonge au-delà de l'hôpital par le **parc du Roi-Stjepan-Držislav (park kralja Držislava)** où a été aménagée une belle roseraie.

Jardin du Roi-Tomislav★ (Perivoj kralja Tomislava) – Face au précédent, sur la gauche de l'avenue. Ce grand parc (appelé aussi « jardin du colonel ») fut dessiné en bordure de la Drave, à la demande d'un officier commandant la garnison autrichienne de la citadelle. Aménagé en partie à l'anglaise, en partie à la française, il constitue le poumon vert d'Osijek, cité riche en jardins. On y planta en 1925 un tilleul commémorant le millénaire de la fondation du royaume croate par Tomislav.

En suivant les allées de ce parc et en s'orientant sur les deux élégants clochers de l'église Saint-Michel, on se dirigera en flânant vers la citadelle, cœur de la vieille ville.

La citadelle★★ (Tvrđa) plan II 2

C'est sur le site de ce quartier longtemps ceint de remparts qu'est née et s'est développée Osijek. Entre 1712 et 1721, l'architecte **Maximilien Gosseau d'Heneff** traça le plan et dessina les immeubles, civils et militaires, de la citadelle qui, de ce fait, constitue un ensemble d'une remarquable unité architecturale.

Miraculeusement préservée des offenses de la modernité, Tvrđa *(prononcer tveurdja)* a longtemps été laissée à l'abandon, lorsque la vie d'Osijek s'est déplacée dans le nouveau quartier de Gornji Grad. Le siège de 1991 a entraîné une prise de conscience de la valeur de ce patrimoine et, depuis lors, la vie est revenue à Tvrđa : l'université a investi nombre de palais, tandis que cafés, restaurants et galeries s'installaient dans les immeubles des ruelles et des placettes, la place centrale devenant le cadre de manifestations culturelles. D'importants travaux de restauration ont été engagés. Lorsqu'ils seront menés à leur terme, ils achèveront de restituer tout son charme au vieil Osijek.

En pénétrant dans le quartier par le jardin du Roi-Tomislav, laisser sur la droite ulica Firingera et prendre la rue rectiligne Franje Kuhača, puis la première à gauche qui conduit à une place triangulaire, trg Jurja Križanića.

Église Saint-Michel
(Crkva sv. Mihovila)

Cette église baroque à la façade harmonieuse a été élevée en 1726 par les jésuites sur l'emplacement de l'ancienne mosquée de Kasim-pacha. Le plan de celle-ci, mettant en évidence la situation du minaret, a été matérialisé par des pavés jaunes sur le parvis.

Continuer vers la place centrale.

Place de la Sainte-Trinité★★
(Trg sv. Trojstva)

Cette vaste place carrée a été conçue par l'architecte-urbaniste comme une place d'armes, cœur d'une cité à vocation militaire. Avec ses réverbères, sa colonne de la peste, ses fontaines, ses immeubles du 18e s., elle compose aujourd'hui un tableau plein de charme.

Colonne de la peste★★ (Zavjetni stup sv. Trojstva) – Cette œuvre baroque, pleine de mouvement, a été élevée en 1729 par la veuve du général Petrasch après une épidémie de peste. La colonne proprement dite est entourée de statues représentant saint Sébastien, saint Roch, sainte Rosalie et sainte Catherine.

Generalat★ – *Côté nord.* Cet imposant bâtiment, synthèse des styles Renaissance et baroque, abrite aujourd'hui le rectorat de l'université Strossmayer. Il a été édifié de 1724 à 1726 sur l'ordre du prince Eugène de Savoie pour y installer le commandement militaire d'Osijek.

Quelques pistes de découverte

Pour découvrir de nouvelles façades, les amateurs d'architecture historiciste ou Sécession pourront également parcourir la rue Stjepan-Radić jusqu'à la place Ljudevit-Gaj ou encore admirer les immeubles donnant sur le parc du Roi-Pierre-Krešimir IV…

Le prince Eugène (1663-1736)

Rien ne destinait, semblait-il, ce prince de la maison de Savoie-Carignan, né à Paris, à s'illustrer sur les rives du Danube, d'autant que, voué par sa famille à la carrière ecclésiastique, il était connu sous le nom d'abbé de Savoie. Rien, sauf le refus opposé en 1683 par Louis XIV aux offres de service du futur abbé qui se sentait plus une vocation militaire que religieuse… Furieux, le prince Eugène se mit alors au service de l'Autriche pour laquelle il combattit sa vie durant, que ce soit contre les Français ou contre les Turcs. C'est ainsi qu'il remporta sur ces derniers les batailles décisives de Petrovaradin (1716) et Belgrade (1717).

Poste de garde★ – *Au coin de trg Jurja Križanića.* Il est installé dans un très joli bâtiment à arcades, dont la tour, portant une horloge, est surmontée d'un clocheton à bulbe.

Ancienne magistrature de la ville (Gradski Magistrat) – *Côté est, au coin de ulica Franje Kuhača.* Précédé de sarcophages, vestiges de l'antique Mursa, avec son portail surmonté d'un balcon, c'est le plus ancien bâtiment baroque d'Osijek. Il abrite aujourd'hui le **musée de Slavonie** *(voir Visiter p 383).*

Quitter la place par ulica Franje Kuhača, à droite du musée.

On passe devant la mairie, installée dans un hôtel édifié en 1779.

Prendre à gauche Franjevačka ulica en direction de l'église des Franciscains.

Remarquez sur la gauche, la belle façade rococo de l'immeuble du n° 5.

Église franciscaine de la Sainte-Croix (Franjevačka crkva sv. Križa)

L'église franciscaine fut construite sur les ruines de la mosquée Soliman, entre 1709 et 1732. Le décor intérieur est éminemment baroque. Remarquez sur la droite, outre la belle chaire, l'autel consacré à saint Antoine de Padoue (sv. Antun Padovanski), patron d'Osijek. Sur le côté gauche, ont été mis au jour des vestiges d'édifices antérieurs. À côté, le monastère, devenu faculté de théologie, abrita la première imprimerie de Slavonie, fondée en 1734.

Revenir sur ses pas et prendre sur la gauche la **rue Svodovi.** Doublement voûtée, cette rue aurait conservé son pavement de l'époque ottomane.

Au bout de la rue, prendre à gauche dans Fakultetska.

Porte de l'Eau (Vodena vrata)

Surmontée par la tour de l'Eau, cette porte donnant sur la Drave (1740) est la seule survivante des trois portes qui donnaient jadis accès à la citadelle. De part et d'autre, des escaliers permettent d'accéder au chemin de ronde des remparts et de parcourir sur une centaine de mètres le tronçon qui en subsiste, dominant la rivière et, au-delà, la Baranja. De ce lieu, vue étendue sur la rivière, majestueuse en cet endroit proche de son confluent avec le Danube et, au-delà, sur les terres marécageuses de la rive gauche. Deux ponts franchissent le cours d'eau : au loin sur la gauche, la passerelle piétonne ; immédiatement à droite, le pont avec la route de Bilje (Biljska cesta) conduisant à travers la Baranja à Beli Manastir et plus loin, à Mohács (Hongrie).

Le pont de Soliman, merveille du monde

C'est du moins ce qu'affirment les contemporains qui eurent la chance d'apercevoir ce pont de bois. Lancé par les Turcs aux alentours de 1566, il franchissait non seulement la Drave mais également une large zone marécageuse de la rive gauche, décrivant une ligne courbe jusqu'au village de Darda sur une distance d'environ 8 km. En partie brûlé par Nikola Zrinski en 1664, il fut aussitôt restauré, avant d'être définitivement détruit par les Autrichiens après l'abandon de la cité par les Turcs en 1687.

Promenade de la Drave★

Une fois franchi la porte, gagner la promenade des bords de la Drave qu'on emprunte vers la gauche.

Joggers et amoureux, citoyens promenant leur chien et simples flâneurs animent cette longue promenade piétonne tracée en bordure de la rivière.

Après avoir longé les murailles et l'impressionnant bastion investi par un restaurant à la mode, la promenade suit la partie du jardin du roi Tomislav occupée par des équipements sportifs. On dépasse bientôt la passerelle piétonne qui permet l'été aux habitants de la ville de rallier sur l'autre rive le complexe de loisirs Copacabana et la « plage » : les baignades dans la Drave sont très appréciées lorsqu'une chaleur étouffante s'abat sur la ville et que les moustiques sont les seuls à faire preuve d'un dynamisme à toute épreuve.

Au-delà, la **promenade du Cardinal-Franjo-Šepara (Šetalište kardinala Franje Šepara)** compose un agréable square, bordé d'un côté par la rivière, de l'autre par l'arrière des demeures de l'avenue Europska. Une rencontre

Les « preslica »

Elles sont superbes ces quenouilles de bois sur lesquelles les tisseuses embobinaient jadis le fil : souvent sculptés de façon subtile, ces objets rivalisent dans une élégance sans affectation qui en fait de véritables œuvres d'art. Vous pourrez en voir au musée de Virovitica, ainsi que dans les collections ethnographiques de nombre de musées slavons.

inattendue ? C'est la statue de Picasso qui semble prêt à piquer une tête dans la Drave. Puis, des cafés déploient leurs terrasses, d'autres sont aménagés à bord de péniches. On longe le **port d'hiver (zimska luka)**, protégé du courant par une digue, où viennent s'amarrer des bateaux de plaisance.

Par Ribarska à gauche, on rejoint trg Ante Starčevića et le centre-ville.

Visiter

Musée de Slavonie★★ (Muzej Slavonije) plan II 2

Trg sv. Trojstva 6. Tlj sf lun. 8h-14h, w.-end 10h-13h (sonner) - 13 kn (étud., enf. 7 kn).

Présentées par roulement et en cours de redéploiement, les riches collections de ce musée consacré à Osijek et à sa région méritent une visite attentive.

Vous y découvrirez une **collection de minéralogie** (fossiles, coquilles provenant de la mer pannonienne qui jadis occupait les lieux, frontal de bison) qui intéressera surtout les spécialistes. Intéressante collection **archéologique** présentant des vestiges de la Mursa romaine (Bas-Empire en particulier) découverts dans les nécropoles de la cité : colliers, bijoux, statuettes, bronzes (Apollon et Vénus), poteries, fibules, lampes à huile, verrerie témoignent du passé d'une cité prospère. Dans la section **numismatique**, monnaies romaines frappées à Mursa et médiévales.

La **collection ethnologique★★** évoquant la vie traditionnelle de la Slavonie et de la Baranja est remarquable. Outre le grand pressoir à vin taillé d'une seule pièce dans un tronc d'arbre évidé, vous découvrirez de superbes *preslica* (sortes de quenouilles autour desquelles les tricoteuses enroulaient leur fil) de bois ouvragé et sculpté. Remarquez également les courges peintes et creusées en forme de carafe, ainsi qu'une belle corne sculptée et décorée. La parure est illustrée par des colliers faits de pièces de monnaie, des coiffes, des sabots, des pièces de broderie, sans oublier les *papuče* (dans lesquelles on reconnaît facilement des babouches), ni les *opanques*. Quant aux costumes, ils sont merveilleux, qu'ils proviennent de la Podravina, de la Posavina ou de la Baranja, rivalisant dans la finesse des broderies comme dans la richesse des coloris, les plus somptueux étant incontestablement ceux de la région de Đakovo.

Ne manquez pas non plus la **collection Secesija★** consacrée au style **Sécession**, avatar austro-hongrois de l'Art nouveau. Vitraux, mobilier, affiches, œuvres graphiques, appareils ménagers, cartes postales, photos et dessins d'architecture évoquent la vie à Osijek et la floraison artistique du début du 20e s. à Gornji grad sous l'impulsion d'artistes viennois et hongrois mais aussi locaux. Parmi les fleurons de cette collection, citons des vitraux (Budapest, v. 1910) ornant jusqu'en 1965 une pâtisserie de Kapucinska et un superbe vase bleu et vert de la maison Zsolnay de Pécs (Hongrie). Dans le domaine du mobilier, remarquez une chaise et un cabinet des ateliers Thonet (Vienne, v. 1900). La collection d'**arts graphiques★**, très riche, présente un programme de 1913 du cinéma Urania affirmant fièrement distribuer les productions de la maison Pathé, et la belle affiche réalisée en 1916 par Maksimilijan Vanka pour l'exposition artistique d'Osijek en 1916. Émouvante, la section des **techniques**, avec sa collection de machines à coudre des ateliers Pfaff et leurs fers forgés ouvragés. Amusants, enfin, l'« orchestrion atlantic », armoire musicale en bois peint, réalisé à Budapest au début du 20e s., et la machine à laver à manivelle.

Musée des Beaux-Arts (Galerija likovnih umjetnosti) plan I 1

Europska avenija 9. Tlj sf lun. 10h-18h, w.-end 10h-13h - 10 kn (étud., enf. 5 kn).

Les collections permanentes présentent des œuvres de peintres slavons du 18e au 20e s. : Hugo C. Hötzendorf, **Franjo Pfalz** (remarquables portraits) et Adolf Waldinger. La section consacrée au symbolisme et au style Sécession regroupe des tableaux d'artistes croates, parmi lesquels bon nombre de membres de l'école d'Osijek. **Vlaho Bukovac** est présent avec une *Étude d'homme agenouillé*, de 1896. On retiendra un délicat paysage de **Dragan**

Musée d'architecture romaine de Mursa
(Rimska Arhitektura Murse)

Vijenac Murse bb (Donji Grad, face à Trg Bana Jelačića) – Visite accompagnée 8h-14h, sur demande préalable auprès du Musée de Slavonie. 15 kn. C'est dans les sous-sols d'un immeuble des années 1970 qu'ont été mis au jour les vestiges de Mursa. On y découvre les fondations de demeures de la ville antique ainsi qu'une citerne. Assez peu spectaculaire, l'ensemble, qui ne représente qu'une infime partie de la ville romaine, fit concevoir le projet de création d'un parc archéologique qui ne semble plus actuellement à l'ordre du jour.

Melkus (1860-1917) et une vue de la place d'Osijek réalisée en 1920 par **Josip Leović** (1885-1963). Le symbolisme est représenté par *Le Rêve* (1903) de Bela Čikoč-Sesija (1864-1931), *Le Baiser* de Ivan Tišov et le mélancolique *Cimetière*, de **Celestin Medović** (1857-1920). Remarquez aussi l'étrange lumière baignant les paysages de **Tomislav Križman** (1882-1955), la modernité de ceux de Rene Stengl (1880-1952), et les superbes vues de rivière noyée dans le brouillard peintes par le Splitois **Emanuel Vidović** (1870-1933). La sculpture est représentée par **Robert Frangeš-Mihanović** et **Ivan Meštrović**.

Aux alentours

Bizovac
20 km au sud-ouest. Quitter Osijek en direction de Varaždin puis à Josipovac, prendre à gauche en direction de Našice. Dans Bizovac, prendre sur la gauche (direction Brodjanci/ Čepinski Martinci), suivre la route sur 1 km environ jusqu'aux parkings.

Bizovačke Toplice – On cherchait du pétrole… et on trouva de l'eau. Sulfurisée, elle jaillit naturellement à 96 °C. C'est devenu aujourd'hui un immense complexe thermal, véritable ville constituée d'hôtels, d'un établissement médicalisé, de restaurants, de boutiques, et de piscines dont certaines dégagent une odeur âcre qui n'est pas forcément des plus plaisantes.

Aquapolis – *Ouv. tte l'année - 20 kn (enf. : 7 kn) ; baignade nocturne : 20 kn.*
Ce complexe de loisirs aquatiques est constitué de neuf piscines ouvertes ou découvertes, avec toboggans, « rapides artificiels » et jeux d'enfants.

Osijek pratique

Informations utiles

Code postal – 31000

Indicatif téléphonique – 031

Office de tourisme – *Županijska 2 –* 203 755 - fax 203 947 – grad-osijek@ os.t-com.hr, www.tzosijek.hr - tlj sf dim. 7h-20h (hiver 16h), sam. 8h-12h.

Poste – *K. A. Stepinca 17 - tlj sf dim. 7h-20h (été 21h).*

Hôpital – *J. Huttlera 4 -* 511 511.

Pharmacie – *L. Jägera 24 dans la ville haute ; Trg bana Jelačića 18 dans la ville basse.*

Internet – VIP Internet Caffe – *L. Jägera 24 - 7h-23h, dim. 8h-23h.*

Transports

La gare routière et la gare ferroviaire sont contiguës, elles sont desservies par le tramway n° 2 qui part de la place centrale et passe sur *Županijska*.

Autobus – Bus quotidiens pour Đakovo, Bizovačke Toplice, Slavonski Brod, Vukovar, Zagreb (dont un dessert Rijeka et l'Istrie, un autre Split) et Varaždin. Liaisons internationales quotidiennes pour Munich et Pećs ; 1 ou 2/sem. pour Vienne, Berlin et Zurich.

Train – 5 trains quotidiens, dont 1 de nuit, pour Zagreb (3h30/4h40 de trajet). 7 trains/j pour Đakovo (50mn).

Panturist – *Kapucinska 19 -* 214 388. Cette agence assure bon nombre des trajets en car. Sa situation au centre en fait une adresse pratique.

Taxi – 372 555 ou 200 100.

Tramway – La ligne n° 2 circule en boucle et dessert les gares ainsi que la place centrale (*Trg Ante Starčevića*). La ligne n° 1 relie cette place à Trvđa. 7 kn le trajet, 20 kn forfait journalier.

Location de vélos – **Cetratours**, Ružina 16 - 372 920 ou **Extreme Sport**, Strossmayerova 235a.

Se loger

Hotel Central – *Trg Ante Starčevića 6 -* 283 399, fax 283 891 – hotel-central@os.t-com.hr - www.hotel-central-os.hr - 39 ch. : 514 kn - . Sur la place centrale, c'est l'une des deux possibilités de logement du centre. Décor un peu pompeux mais chambres spacieuses et confortables.

Pansion Waldinger – *Derrière l'hôtel du même nom - 7 ch. : 440 kn.* Petite dépendance sympathique qui offre des chambres plus simples donc moins chères mais claires et bien meublés.

Hotel Osijek – *Šamačka 4 -* 230 333 - fax 230 444 - www.hotelosijek.hr - 140 ch. : 950/1 290 kn et 7 appart. : à partir de 1 490 kn - . Dans une tour dominant la rivière, à défaut de charme, il offre des chambres d'un bon confort. Les meilleures donnent sur la Drave. Immense restaurant, café, pâtisserie et *wellness center* au 14e étage.

Hotel Waldinger – *Županijska 8 -* 250 450 - fax 250 453 - www.waldinger.hr - 14 ch. : 950 kn et 2 suites : 1 200 et 2 000 kn - . En plein centre-ville, dans un bel immeuble de style Sécession, cet hôtel doit son nom au peintre du 19e s. Adolf Ignija Waldinger, originaire d'Osijek. Il offre de jolies chambres qui combinent élégance et confort. Salle de fitness, sauna jacuzzi et le café Waldinger au rez-de-chaussée complètent la gamme des prestations.

À BIZOVAC

Hotel Bizovačke Toplice – *Sunčana 39* - 685 100 - fax 685 188 - *www.bizovacke-toplice.hr* - 60 ch. : 119 kn/pers. Ces deux bâtiments de taille modeste complètent l'offre hôtelière des thermes de Bizovac.

Hotel Termia – *Mêmes coordonnées* - 109 ch. : 239 kn/pers. - . On trouve tout dans cet immense complexe hôtelier et thermal, y compris un salon de coiffure et une antenne de l'office de tourisme. Les chambres sont spacieuses et confortables, et plus de la moitié sont dotées de balcons. Deux restaurants, l'un, international, l'autre *narodni* (national), joliment décoré en style slavon.

Se restaurer

Restaurant Muller – *Trg J. Križanića 9* - 204 770 - menus 75/155 kn. Ce restaurant huppé de Trvđa propose des spécialités locales et une carte internationale. Salle cossue à l'étage.

Bijelo Plavi – *Martina Divalta 8, près du stade et de la piscine* - 571 000 - plats 45/70 kn. Restaurant à l'ambiance chaleureuse, très en vogue actuellement. Spécialités slavonnes on ne peut plus copieuses : l'assortiment de sept grillades accompagnées d'un ragoût aux haricots devrait rassasier les plus affamés !

Faire une pause

Waldinger – *Županijska 8*. Il règne une ambiance chic dans cet établissement du centre-ville, où l'on déguste de goûteux chocolats chauds et des pâtisseries.

Pub St Patrick – *Trg sv. Trojstva*. Sur la grande place de Trvđa, c'est un lieu très animé, où l'on s'entasse autour du comptoir. Le lieu peut être bruyant mais il est sympathique et bien placé.

General von Beckers – *Trg sv. Trojstva, à deux pas du précédent*. Très fréquenté par les étudiants, un sympathique café branché au cœur de la citadelle.

Posh – *F. Kuhača 10*. Bar de nuit (fermé certains soirs à 3h ou 4h du matin) et crêperie dans une salle voûtée de brique au cœur de Trvđa. Tables basses et sofas confortables.

En soirée

THÉÂTRE

Théâtre national croate (Hrvatsko narodno kazalište) – *Županijska 9* - 220 700. Concerts, ballets et opéras seront l'occasion de découvrir cette belle salle à l'italienne.

Théâtre pour enfants (Dječje kazalište) – *Trg bana Jelačića 19* - 501 485. Fondé en 1950, c'est un des théâtres pour enfants les plus réputés de Croatie. Il est prévu de

Le kino Urania : un cinéma historique.

P. Plantier / MICHELIN

réunir sa collection de décors, de costumes et de marionnettes dans un musée.

Cinéma – Vous disposez de deux salles qui sont aussi des monuments historiques, le **kino Urania** (1912) et le **kino Europa** (1939). Situées l'une et l'autre aux abords de la promenade Preradovića, elles diffusent des films en version originale sous-titrée.

Sports et loisirs

Baignade – Il peut faire très chaud à Osijek en été ! Si vous ne vous résolvez pas à plonger dans la Drave, sachez que vous disposez d'autres options :

Gradski bazeni (Bains municipaux) – *Divaltva 6a*. Dans les anciens jardins de la ville (Gradski vrt) à proximité du stade : piscines (couvertes et découvertes), solarium, saunas, salles de fitness.

Copacabana rekreacijski centar – Sur la rive gauche de la Drave. Grand complexe de loisirs avec tout ce qu'il faut de piscines et de toboggans pour oublier la chaleur !

Vélo – Des pistes sont aménagées le long de la Drave. Pour ceux qui désirent aller à vélo jusqu'au parc de Kopački rit, il existe une piste Osijek-Bilje (8 km).

Pêche – **Sportsko ribolovni savez (Association des clubs de pêche d'Osijek)** – *Doniodravska obala 8* - /fax 504 455. Cette association gère 2 625 ha de surface aquatique propices à la pêche en rivière (Drave, Danube) ou en étang. Vous pouvez y obtenir une carte de pêche, ainsi que des indications sur les lieux aménagés.

Balade en vieux tramway – Les enfants et les amateurs d'anciennes locomotives seront ravis de faire un tour à bord du vieux tramway Skoda. De production tchèque, ce tramway rouge des sièges de bois parcourait Osijek en 1926 et traverse de nouveau la ville tous les week-ends de l'été.

La **Podravina**★

CARTE GÉNÉRALE B-C1 – CARTE MICHELIN 757 E4 – SCHÉMA : VOIR À BJELOVAR

Ici, les bœufs ont une robe couleur rouge vermillon, on crucifie le coq du voisin dont le chant matinal nous tire du lit, et on ne s'étonne pas de rencontrer la tour Eiffel parmi d'humbles chaumières. Dans ces villages où les paysans se font volontiers peintres, le merveilleux et la poésie prennent le pas sur la réalité quotidienne que de lumineux talents de coloristes viennent transfigurer… Mais la transfigurent-ils vraiment ?

- ▶ **Se repérer** – Ce circuit des peintres-paysans s'effectue à partir de Koprivnica, petite ville industrielle située sur la route de Varaždin à Osijek à 110 km seulement au nord-est de Zagreb.

- 👁 **À ne pas manquer** – La galerie de Hlebine, la forteresse de Đurđevac et un pèlerinage à la maison d'Ivan Generalić pour les admirateurs.

- 🕐 **Organiser son temps** – Commencer les visites dès le matin car les galeries ferment relativement tôt. Une visite rapide peut s'effectuer en 2-3h mais tout dépend du temps que vous passerez devant les tableaux.

- 👣 **Pour poursuivre le voyage** – Voir aussi Varaždin (46 km au nord-ouest) et Bjelovar (51 km au sud-est).

Comprendre

Les peintres-paysans de Hlebine – Né à Hlebine, le peintre **Krsto Hegedušić** n'avait rien d'un autodidacte. Mais c'est lui qui, après avoir fondé le groupe Zemlja, découvrit dans son village natal la première génération des peintres-paysans, constituée par Ivan Generalić, Marko Virius, Ivan Večenaj et Franjo Mraz, et qui les fit exposer à Zagreb. **L'école de Hlebine** était née, et son succès fut considérable : la fraîcheur de ces peintures, souvent réalisées sur verre, l'humour avec lequel certains thèmes étaient traités, emportèrent l'adhésion. Le succès a été tel qu'aujourd'hui, à Hlebine, Molve, Koprivnica, Đurđevac, ils sont près de trois cents, sculpteurs ou peintres, à s'être à leur tour lancés dans l'aventure de l'art. Bien sûr, tous n'ont pas le génie du premier Generalić, le pire côtoie souvent le meilleur (et le naïf, le roublard), dans la répétition sempiternelle de thèmes qui ont fait leur preuve, tels que le village sous la neige. Néanmoins, c'est toujours avec intérêt que l'on visite les ateliers qui parsèment les villages…

Circuit de découverte

Koprivnica

Gros bourg industriel spécialisé dans l'agroalimentaire. Malgré un premier accueil austère, la ville mérite qu'on s'attarde dans son centre historique constitué par la place Zrinski et ses abords immédiats.

Place Zrinski (Trg Zrinski) – Cette place est bordée d'un côté par un beau parc, de l'autre par une rangée de nobles demeures, dont l'une, très belle, avec sa façade à pans de bois et ses arcades, abrite café et restaurant. De cette place rayonnent la place du ban Jelačić, large avenue piétonne et commerçante, et, en face, ulica Đure Estera.

Parc★ – Avec sa colonne météo surmontée de l'effigie d'un coq, son charmant kiosque à musique coiffé d'un clocheton, ses grands arbres et ses parterres fleuris, ce vaste parc est charmant.

Au bout de la place, prendre sur la droite ulica Đure Estera qui longe le parc.

Sur la gauche, un passage donne accès au **marché couvert**, très animé.

Place Leander Brozović (Trg Leandera Brozovića) – Un peu à l'écart de la rue, sur la gauche, cette tranquille placette, ornée de statues juchées sur des colonnes, ne manque pas de charme.

Musée municipal★ (Muzej grada Koprivnice) – *Trg Leandera Brozovića 1. Tlj sf lun. 10h-14h, sam. 10h-13h - 10 kn.* Installé dans une belle demeure, il présente des collections archéologiques, ethnologiques et historiques. Au rez-de-chaussée, sous la voûte cochère, dépôt lapidaire d'où l'on retiendra un saint Job pensif (18e s.). À l'étage, objets, mobilier, enseignes de boutiques, horloges, portraits et costumes évoquent avec une sensibilité empreinte de nostalgie la vie locale aux 18e et 19e s. La vie rurale de la Podravina est quant à elle retracée à l'aide de belles broderies,

Musée croate d'Art naïf, Zagreb

« *La mort de Virius* » par Ivan Generalić (1959).

d'outils paysans et de *preslica* (quenouilles) sculptées. Deux salles sont consacrées au conflit de 1991-1995.

Poursuivre dans la rue Đure-Estera.

On arrive devant le **monastère franciscain (franjevački samostan)**. Sur la droite, au n° 12, remarquez la villa, quelque peu décatie, avec sa façade sculptée et son balcon de bois. L'église **Saint-Antoine-de-Padoue (crkva sv. Antuna Padovanskog)** possède un décor baroque dont se détachent une chaire en marbre et, sur la gauche, un autel à colonnes torses voué à saint François (sv. Franjo).

Revenir sur ses pas et prendre la voiture. Quitter Koprivnica en la direction de la Hongrie (Mađarska). À Drnje, prendre sur la droite vers Hlebine.

Hlebine★

On arrive au berceau de la peinture « naïve » croate. Après avoir traversé une campagne riante parcourue par des ruisseaux, ponctuée de séchoirs à maïs, on arrive à ce long village dont la rue principale est bordée de maisonnettes bourgeoises aux façades sculptées ou de maisons paysannes aux toits de chaume. S'écarte-t-on dans les rues transversales ou les chemins que l'on découvre des granges de bois, de vieilles maisons de brique ou de torchis, des cours de ferme où un coq, perché sur une barrière, s'époumone, tandis que des volatiles s'ébrouent sur la route en toute liberté. Pour peu que la neige soit au rendez-vous, que les mares et ruisseaux soient gelés, et que les branches dénudées des arbres se découpent sur un ciel bas et gris, parfois illuminé par une lueur inattendue, on a alors vraiment l'impression d'être entré par mégarde dans un tableau d'Ivan Generalić !

Galerie de Hlebine★ (Galerija Hlebine) – *Trg I. Generalića 15 (face au café-épicerie Naiva). Tlj sf lun. 10h-16h (sam. 14h) - 10 kn (enf. 5 kn).* Précédée d'un jardin où s'ébrouent quelques sculptures de bois, œuvres pleines de verve de **Josip Peradin**, cette galerie présente une remarquable collection : parmi les peintres exposés, **Mirko Virius** (remarquez sa *Procession*, de 1937), **Ivan Lacković-Croata**, **Mijo Kovačić** (*Moisson*, 1954) et **Ivan Večenaj** (superbe village sous la neige avec un ciel rouge !). On remarquera également des danses paysannes, aux personnages hiératiques, par Martin Mehsek, et un amusant tableau de Josip Generalić représentant Néron regardant brûler Hlebine.

Hlebine : tout un monde !

Néron fit mettre le feu à Hlebine et regarda le village brûler en jouant de la cithare. Gustave Eiffel ne voulut point d'autre lieu pour y édifier sa tour. Luciano Pavarotti y donna un récital devant une assemblée de bœufs rouges mélomanes. Tous ces événements et bien d'autres encore, qui s'inscriraient en lettres d'or dans les annales de n'importe quelle cité, ne sont que choses banales à Hlebine, ville où le merveilleux et l'improbable font partie du quotidien.

Musée croate d'Art naïf, Zagreb

« Long hiver » par Ivan Lacković-Croata (1966).

Mais le clou du musée est sans conteste la collection d'**œuvres★★** du plus grand des peintres-paysans, **Ivan Generalić** : après un autoportrait de 1953, on découvre les fameux bœufs et chevaux rouges, une *Crucifixion* sous la neige (1973), le célèbre *Coq crucifié* (1974), une *Tour Eiffel à Hlebine* entourée de vaches multicolores, et, au fil du temps, des natures mortes épurées aboutissant à un paysage quasiment abstrait : tout concourt à montrer l'évolution d'un artiste qu'on qualifie un peu hâtivement de naïf.

Église Sainte-Catherine (Crkva sv. Katerine) – Elle possède une porte de bois sculptée et, à l'intérieur, un chemin de croix, le tout étant des œuvres d'artistes du cru.

De Hlebine à Molve, une agréable route serpente parmi les champs et les fermes.

Molve
Ce village abrite lui aussi sa colonie d'artistes naïfs qui exposent à la **Galerija Molvarski likovni krug**, au n° 6 de la place du Roi-Tomislav.

À Molve, prendre la direction de Vurje où l'on tourne à gauche vers Đurđevac.

Đurđevac
Arrivé sur la place principale (Trg sv. Jurja), prendre sur la gauche Starigradska : au bout de cette rue, en lisière de la ville, s'élève la forteresse.

Forteresse★ (Stari grad) – Édifiée au 14e s., puis agrandie au 16e s., elle présente une massive tour carrée surmontée d'un frêle clocheton de bois, ainsi que de puissantes murailles à contreforts. L'intérieur, de forme irrégulière, avec ses deux étages de galeries de bois, surprend en comparaison par sa légèreté. Au rez-de-chaussée, le restaurant permet de découvrir les salles voûtées. Les deux étages ont été investis par le musée (belle charpente) et une galerie d'expositions.

Galerie de Stari Grad★ (Galerija Stari grad) – *Tlj sf dim. 9h-14h, sam. 10h-13h. 10 kn.* Intéressante rétrospective d'artistes croates du 20e s. présentés selon un ordre à peu près chronologique. Parmi les peintres, citons **Vlaho Bukovac** (portrait et dessins), un remarquable lavis de **Frano Šimunović** et des encres et portraits de **Jerolim Miše**. Notez un paysage de **Krsto Hegedušić**, « l'inventeur » des peintres de Hlebine. Un paysage urbain de Tomislav Krizman (*Beograd*, 1946), qui doit beaucoup à Utrillo, précède des *Vendanges*, vues par Milivoj Uzelec, qui a certainement étudié Picasso, tandis que **Drago Kiš** semble, lui, avoir emprunté la désinvolture du trait de Dufy. Parmi les œuvres récentes, on ne reste pas insensible au beau visage de *Flora* (*Hommage à*

La légende de Picok
Nous sommes en 1552. Les armées ottomanes sont devant la forteresse de Đurđevac. Sa chute ouvrirait à l'envahisseur la route de Varaždin et, au-delà, de Vienne. Plusieurs assauts sont repoussés. Les Turcs décident alors de mettre le siège sous les remparts. Celui-ci s'éternise. Les défenseurs se rationnent… Mais il est clair qu'un jour viendra où ils devront céder et livrer le château. C'est alors que l'un d'eux avise dans la cour un coq, dernier survivant de la basse-cour, sans doute trop coriace pour finir dans la marmite des valeureux combattants. La pauvre bête est alors, malgré ses énergiques protestations, enfournée dans le fût d'un canon. Le feu est mis aux poudres. Et le coq, au plumage probablement un peu roussi, atterrit devant la tente du général de l'armée turque. Celui-ci comprend qu'il n'est pas près d'obtenir la reddition d'assiégés disposant d'assez de provisions pour s'offrir le luxe de bombarder leurs assaillants à coups de volatile. Écœuré, il donne l'ordre de lever le siège. Đurđevac ne tombera jamais aux mains des Turcs. Anecdote apocryphe ? N'empêche que « Picok » orne aujourd'hui le blason de la petite cité et que la fête de la ville se célèbre sous son patronage…

P. Plantier / MICHELIN

Stari grad : le vieux château de Đurđevac abrite un restaurant et une galerie de peintures.

Leonardo, 1979) vu par Dimitrije Popović. **Edo Murtić** est représenté par deux paysages illustrant sa période figurative. De grands à-plats et une composition presque géométrique caractérisent les paysages de Toni Franović, tandis que les œuvres de Stipe Golać et de Bane Mileković relèvent de l'expressionnisme. L'abstraction n'est pas oubliée avec Šeljko Hegedušić, Mladen Galić, **Boris Demur** ou Igor Išak. Enfin, on s'attardera devant les jeux de lumière d'*Impresija*, par Kruno Martinović, et la fraîcheur des naïfs, Drago Marelja, **Josip Generalić** et **Emerik Feješ**.

La Podravina pratique

Informations utiles

Code postal – *48000*

Indicatif téléphonique – *048*

Office du tourisme de Koprivnica – *Trg bana Jelačića 7 - ℘ 621 433 – tlj sf dim. 8h-16h (sam. 12h).*

TRANSPORT

Gare ferroviaire (Željeznički kolodvor) – *Kolodvorska bb (à la sortie de Koprivnica, côté Varaždin).* Trains pour Zagreb, Osijek, Varaždin et Budapest.

Gare routière (Autobusni kolodvor) – *Kolodvorska (au coin d'Ivana Mestrovića).* Bus directs pour Zagreb (6 par jour) et Varaždin. Deux départs quotidiens pour Virovitica, un pour Križevci. Quelques bus pour Đurđevac *via* Hlebine.

Vélo (Bicikl) – Koprivnica est le paradis des cyclistes : plusieurs pistes sont aménagées dans la ville et ses environs. Location (gratuite !) à l'office de tourisme sous condition de rendre le vélo dans les 24h.

Se loger

⊜⊖ **Hotel Podravina** – *Hrvatske državnosti 9, Koprivnica - ℘ 621 025 - fax 621 178 - 60 ch. : 71 € ⊠.* À deux pas du centre-ville. Si l'immeuble n'a rien d'attractif, les chambres sont propres et confortables, la plupart climatisées.

⊜⊖ **Hotel Picok** – *Trg sv. Jurja 6, Đurđevac - ℘ 811 624 - fax 811 505 - 90 ch. : 520 kn ⊠ - P.* Sur la place principale de la

ville, un hôtel moderne et confortable, sans charme excessif, mais fonctionnel. Grande salle de restaurant.

Se restaurer

⊖ **Restoran Kraluš** – *Zrinski trg 10, Koprivnica - ℘ 622 302 - plats 30/60 kn.* Sous les arcades de la place principale de Koprivnica, dans une belle salle en sous-sol, on déguste des plats du jour représentatifs de la cuisine locale, très inspirée de la gastronomie magyare.

⊖ **Pizzeria Scala** – *J. Vargovica 6, Koprivnica – 17/35 kn.* À deux pas de l'hôtel Podravina, un petit bistro où l'on sert des pizzas et autres spaghetti dans une agréable salle à l'étage.

Pivnica Stari Grad – *Dans la forteresse de Đurđevac. Fermé hors saison.* De belles salles voûtées pour déguster les spécialités régionales telles que le *Đurđevački odrezak* (poulet à la mode de Đurđevac) ou le *jatagan* dont tant le nom que la présentation sont inspirés du siège turc de 1552.

Faire une pause

Art Caffe – *Nemčićeva 3, Koprivnica.* Face au parc, un vieux café très animé !

Caffe Bar Korzo – *Zrinski trg 10, Koprivnica.* Le café élégant de la ville à côté du restaurant Kraluš.

Naiva – *Trg Ivana Generalića 2, Hlebine.* Un café-épicerie à l'ancienne, excellent prétexte à une petite pause devant une assiette de charcuterie.

Sports et loisirs

Vélo – Une belle piste cyclable de 70 km longe la Drave à travers les bois, les champs et les villages dont Hlebine.

Galeries

Vous trouverez à Hlebine quelques ateliers où des peintres naïfs exposent et vendent leur œuvres. C'est le cas de l'**atelier de Branko Matina** *(rue principale, près du calvaire)* et de celui de **Zlatko Kolarec** *(à gauche en dir. de Drnje)*. **Ancienne maison d'Ivan Generalić et atelier**

Josip Generalić (Stara kuća Ivana Generalića i Galerija Josip Generalić) : *Gajeva 75. Tlj après appel au* ☎ *836 430/071.* Cet ensemble de maisons, aux murs décorés de peintures, appartient toujours à la famille Generalić : outre la maison du patriarche, il abrite l'atelier de Josip Generalić, l'un des meilleurs « naïfs » contemporains, et propose quelques **chambres d'hôte**.

Événements

Picokijada (Fête de Picok) – *Fin juil. à Đurđevac.* Artisanat, gastronomie et réjouissances autour de la légende de Picok.

Požega ★

SLAVONIE – 28 201 HABITANTS
CARTE GÉNÉRALE C2 – CARTE MICHELIN 757 F5 – SCHÉMA : VOIR À BJELOVAR

Il ne faut pas manquer de visiter Požega ! Le centre piétonnier, sympathique et animé, de cette petite ville baroque, mérite une longue flânerie. Ajoutons-y une grande tradition viticole (attestée depuis le Moyen Âge) et gourmande, ainsi qu'une vie culturelle maintenue vivante par la présence d'établissements d'enseignement, parmi les plus anciens de Croatie. Si l'on ajoute que la cité est entourée d'agréables paysages vallonnés, on conviendra que l'Athènes slavonne mérite largement le détour.

- ▶ **Se repérer** – Požega est posée sur la rive droite de l'Orljava, au cœur d'un plateau fertile (au point d'être appelé *Vallis aurea* ou « Vallée dorée » par les Romains), au sud de la chaîne du Papuk, sur les hauteurs dominant la vallée de la Save. En suivant le « *centar* », on se trouve bientôt sur la place centrale, vouée à la Sainte-Trinité : c'est là, ou dans les environs immédiats, qu'on laissera la voiture (stationnement payant en semaine et le samedi matin).

- 👁 **À ne pas manquer** – Balade au centre de Požega, visite de la forteresse de Slavonski Brod.

- 🕐 **Organiser son temps** – Compter 2h pour la visite de Požega, une demi-journée avec l'escapade à Slavonski Brod.

- 👫 **Avec les enfants** – Visite de la forteresse de Slavonski Brod.

- 👣 **Pour poursuivre le voyage** – Voir aussi Našice (46 km au nord-est) et Đakovo (80 km à l'est).

Comprendre

Une « Athènes slavonne » – Placée sous la domination turque pendant plus d'un siècle et demi, Požega, reconnue par l'impératrice Marie-Thérèse en 1765 comme cité libre, possédait depuis 1699 un lycée, le Gymnasium, le plus ancien de Croatie, que compléta au 18ᵉ s. l'Academia Požegana, ouverte par les jésuites. Parmi ceux-ci **Antun Kanižlić** (1699-1777) se fit connaître à la fois comme théologien et poète. Mais c'est au 19ᵉ s. que la vie intellectuelle et culturelle de la cité où résidaient nombre d'artistes et d'écrivains lui valut ce surnom flatteur.

Se promener

Il faut prendre le temps de flâner dans cette cité aux maisons à arcades badigeonnées de teintes pastel. On éprouve un sentiment de paix en arpentant ces

La colonne et l'église de la Sainte-Trinité.

E. Darras / MICHELIN

rues (nombre d'entre elles sont réservées aux piétons) où le temps semble comme suspendu.

Place de la Sainte-Trinité★★
(Trg sv. Trojstva)
De forme allongée, cette place dessinée au 18e s. compose un ensemble des plus plaisants, d'autant qu'elle est bordée d'immeubles à arcades (sous lesquelles les autochtones se retrouvent dans le sympathique **kavana Boba** à la belle salle voûtée) qui lui confèrent une bonne part de son cachet.

Colonne de la peste ou de la Sainte-Trinité★★ (Zavjetni kip presvetoga Trojstva) – *Au centre de la place, face à la rue Matije Hrvatske.* Érigée en 1749 pour célébrer la fin d'une épidémie de peste survenue dix ans plus tôt, cette belle colonne baroque, ornée des statues de saint Roch, saint Sébastien, saint Charles Borromée et saint Jean Népomucène, a été sculptée par un artiste vénitien, Gabriele Granicio.

Église de la Sainte-Trinité★ (Crkva sv. Trojstva) – *9h-11h30, 17h-18h.* Toute blanche, d'une sobriété reposante, l'église des Franciscains présente une tribune soutenue par de massifs piliers de pierre. Outre des fresques consacrées à la vie de saint François, on découvrira les peintures du chemin de croix, pleines de fraîcheur… ainsi qu'un amusant confessionnal rococo *(bras droit du transept).*
Quitter la place en empruntant sur quelques mètres la rue Matice Hrvatske.

Musée municipal (Gradski muzej)
Matice Hrvatske 1. Tlj 9h-14h.
Petite collection d'ethnographie et d'archéologie, sculptures romanes provenant de l'abbaye bénédictine de Rudena.
Prendre sur la droite ulica Županijska.

Cette rue est bordée d'immeubles baroques, aux façades colorées, composant un remarquable ensemble. On prend à droite la **rue Mesnička**, piétonne et courbe, bordée de cafés dont l'un affiche son admiration pour Napoléon, tandis que le suivant semble préférer Mozart. Ces deux établissements comme leurs voisins, inspirés, eux, par le Far West, accueillent la jeunesse jusqu'à des heures avancées.

Rue Čehovska (ulica Čehovska)
Piétonne, c'est la grande artère commerçante du centre-ville. Restaurants, cafés, pâtisseries et magasins s'y succèdent et la foule y déambule à l'heure de la sortie du travail.
Prendre sur la gauche la rue Lerman.

Rue Lerman (ulica Lermana)
Honorant un explorateur né à Požega, bordée sur la gauche par un beau palais baroque, cette rue conduit à la cathédrale Sainte-Thérèse dont on aperçoit, au-dessus des toits, le clocher.

Place Sainte-Thérèse
(Trg sv. Terezije)
Agréable petite place ombragée, face à l'entrée de la cathédrale.

Monument de Fra Luka Ibrišimović
(Spomenik fra Luki Ibrišimoviću) – Un moine farouche dégainant son épée : tel apparaît Luka Ibrišimović vu par le sculpteur György Kiss. Ce franciscain est connu pour avoir chassé les Turcs de Požega en 1688 en les battant à la bataille de Sokolovac.

Cathédrale Sainte-Thérèse d'Avila★
(Katedrala sv. Terezije Avilske) – Cette petite cathédrale baroque, élevée en

> ### De Požega au Congo belge…
> Tel fut le parcours étonnant de **Dragutin Lerman** (1863-1918), explorateur et ethnologue, membre de l'expédition dirigée par Henry Stanley au Congo et devenu par la suite commissaire général du gouvernement belge dans ce pays, et gouverneur d'une province. Les objets qu'il a rapportés de ses périples forment aujourd'hui une partie du fonds du Musée ethnologique de Zagreb.

P. Plantier / MICHELIN

Sainte-Thérèse : bel exemple d'église slavonne avec son caractéristique clocher à bulbe.

1763, est dotée d'un élégant clocher à bulbe. Décor très chargé. Peintures murales réalisées en 1895 par **Oton Iveković** (1869-1939) et **Celestin Medović** (1857-1920).

Remonter par la rue Jean-Paul-II (ulica Pape Ivana Pavla II). On prend ensuite sur la droite la rue qui, en s'évasant, se révèle être la place de la Sainte-Trinité.

Église Saint-Laurent★★ (Crkva sv. Lovre)

Elle ne paie pas de mine, cette église, située en haut d'une volée de marches que ferme une grille de fer forgé, entre les bâtiments massifs du Collège des jésuites et du palais de justice ! Si vous avez la chance de la trouver ouverte, n'hésitez pas une seconde. Outre une belle charpente de bois, elle a conservé une ravissante **abside gothique★★** décorée de restes de fresques.

Aux alentours

Slavonski Brod

À 37 km au sud-est par Pleternica. Gagner le centre et laisser la voiture à proximité de la forteresse (Tvrđa).

À première vue, Slavonski Brod n'a rien qui puisse attirer… d'autant que la cité frontière, posée sur la Sava qui la sépare de la Bosnie, a été largement bombardée lors du conflit de 1991-1995. Et pourtant, le petit centre ancien, né autour de la forteresse austro-hongroise et du monastère franciscain, mérite que l'on s'y attarde.

Citadelle de Brod (Tvrđa Brod) – *Juin-sept. : 7h-21h ; oct.-mai : 8h-17h.* 👥 Cette citadelle à la Vauban fut édifiée au début du 18e s. afin de protéger les frontières méridionales de l'empire austro-hongrois contre les Turcs établis en Bosnie. Elle a assuré la paix en Slavonie pendant deux siècles et demi. Bâtie en brique en forme d'étoile, elle se compose de divers édifices dont le Cavalier, immense bastion en forme d'un fer à cheval qui encercle la place centrale. Cet édifice unique en son genre contenait pas moins de 108 salles disposées sur 2 niveaux et utilisées pour divers besoins de l'armée. Domaine militaire jusqu'en 1994, la citadelle fut la cible des bombardements lancés depuis l'autre rive. Aujourd'hui restaurée, elle abrite le siège de l'administration de la ville, un gymnase et une galerie d'art. Dans la cour de la forteresse, vous aurez peut-être la chance d'apercevoir des cavaliers portant l'uniforme du régiment des hussards du 18e s.

Galerie Ružić★ – *Dans l'aile sud-ouest du Cavalier - tlj sf lun. 9h-13h (hiver : 10h-14h) et 17h-20h (hiver : 16h-19h), w.-end 10h-14h - 10 kn (étud., enf. 5 kn).* Cette galerie détient plus de 400 œuvres d'art contemporain croate (2e moitié du 20e s.) provenant de la collection du peintre et sculpteur **Branko Ruzić** (1919-1997), originaire de Slavonski Brod, que l'artiste a léguée à sa ville natale en 1993.

Par la place Stjepana-Miletića rejoindre la place Mažuranić.

Place Ivana Brlić-Mažuranić (Trg Ivane Brlić-Mažuranić) – Plus qu'une place, c'est une large avenue qui relie la rue du Roi-Pierre-Krešimir IV à la rivière. Elle est bordée de petits immeubles baroques aux façades pimpantes.

Maison de la famille Brlić (Kuća obitelji Brlić) – *Place Mažuranić, près de la Sava.* Meubles, objets personnels et lettres évoquent les membres de cette illustre famille, qui compta dans ses rangs Ignjat Alozije Brlić, écrivain et linguiste, Andrija Brlić, journaliste et politicien, Fani Brlić, peintre, et surtout Ivana Brlić-Mažuranić, « l'Andersen croate ».

On prend une longue rue piétonne, la **rue Starčević**, parallèle à la rivière. Elle est bordée de quelques palais et de petites maisons de brique, souvent investies par des cafés.

Musée du Brodsko Posavlje (Muzej Brodskog Posavlja) – *Ante Starčevića 40. Tlj sf lun. 9h-15h.* Collections géologiques et archéologiques. Armes et objets évoquant l'époque des « Confins militaires ». Ethnologie régionale avec costumes traditionnels et mobilier.

Au bout de la rue, traverser ulica Tome Skalice et passer sous une voûte.

Place de la Sainte-Trinité (Trg sv. Trojstva) – Ouverte sur la rivière, cette place compose, avec les murs aux tein-

« L'Andersen croate »

Petite-fille de l'écrivain, membre du mouvement illyrien et ban (vice-roi) de Croatie, **Ivan Mažuranić** (1814-1890), Ivana (1874-1938) s'installa à Brod après avoir épousé un membre de la famille Brlić. Écrivain, elle publia nombre de livres pour la jeunesse, dont *Lapitch le petit cordonnier* (1913), qui devint par la suite un célèbre dessin animé et *Contes croates du temps jadis* (1916). Traduite en plusieurs langues, elle fut « nominée » pour le prix Nobel de littérature. En 1937, elle fut la première femme à être élue à l'Académie (alors yougoslave) des sciences et des arts.

tes chaudes du monastère des Franciscains, l'église de la Sainte-Trinité avec son curieux clocher et l'amusant clocheton du Vastrigasni Dom, un ensemble d'une grande sérénité.

Monastère franciscain (Franjevački samostan) – *(Sonner)*. Si vous avez la possibilité d'y entrer, ne manquez pas de jeter un œil à son beau cloître baroque.

Revenir sur ulica Tome Skalice et la remonter vers ulica Petra Krešimira IV qu'on prend sur la gauche.

Rue Pierre-Krešimir-IV (Ulica Petra Krešimira IV) – C'est la rue principale de la vieille ville, la plus animée et la plus commerçante, qui ramène jusqu'à Vukovarska où l'on retrouve la citadelle.

Požega pratique

Informations utiles

Code postal – 34000 (Požega), 35000 (Slavonski Brod).

Indicatif téléphonique – 034 (Požega), 035 (Slavonski Brod).

OFFICES DE TOURISME

Office du tourisme de Požega – *Trg sv. Trojstva 3 - ☎ 274 900 - tlj sf dim. 8h-15h (sam. 13h) - tz-pozega@po.t-com.hr, www.pozega-tz.hr.*

Office du tourisme de Slavonski Brod – *Trg Pobjede 28 - ☎ 447 721 - www.tzgsb.hr.*

AUTRES ADRESSES

Hôpital et ambulance (Dom zdravlja i hitna pomoć) - *Matije Gupca 10 - ☎ 272 688.*

Pharmacie - *Trg sv. Trojstva 1.*

Banques – *Sur trg sv. Trojstva (distributeurs).*

Internet – **VIP Centar** – *Marice Hrvatske 16 - tlj sf dim. 8h-20h (sam. 13h)* ou à la **bibliothèque municipale (Gradska knjižica)** – *A. Kanižlića 1 - tlj sf dim. 8h-18h45 (sam. 12h45).*

TRANSPORTS

Gare routière (Autobusni kolodvor) – *S. Radića bb. Cars pour Zagreb, Osijek, Slavonski Brod et Našice.*

Gare ferroviaire (Željeznički kolodvor) – *Cirakijeva 3.*

Parkings – Sur la place et aux alentours, payants lun.-vend. 7h-19h, sam. 7h-13h.

Hébergement

➭ **Prenočište Stari Grad** – *A. Kanižlića 5 - ☎ 271 124 - 7 ch. : 155 kn/pers.* Quelques chambres au-dessus d'un restaurant. Sommaire mais très propre.

➭➮ **Hotel Grgin Dol** – *Grgin Dol 20 - ☎ 273 222/272 - fax 272 296 - 17 ch. : 425 kn ☐ - 🅿.* Un peu à l'écart du centre (on l'atteint depuis la place par la rue A.-Kanižlića), c'est un petit hôtel refait récemment, doté d'un restaurant et de terrasses. Chambres confortables et modernes. Il est prudent de réserver !

À SLAVONSKI BROD

➭➮ **Hotel Park** – *Trg Pobjede - ☎ 410 228 - 22 ch. : 336 kn.* Vraiment très fatigué, avec de grandes chambres au

décor spartiate, style pensionnat des années 1960. Pour dépanner.

À BRODSKI STUPNIK

Hotel Zdjelarević – *Vinogradska 102 - ☎ (035) 427 775 - fax (035) 427 040, vinarija-zdjelarevic@sb.t-com.hr - www.zdjelarevic.hr - 12 ch : 78 € ☐, 3 appart. : 100 € ☐. Supplément repas 11 €.* Voilà une excellente adresse pour les amateurs de vin ! Construit sur un terrain viticole, cet hôtel aux jolies chambres avec vue sur les vignes est spécialisé en œnogastronomie. Restaurant, soirées dégustation, cours d'œnologie, mais aussi parties de chasse, randonnées équestres et promenades à vélo font partie de son offre, très diversifiée.

Restauration

➮ **Restoran Evergreen** – *Sv. Florijana 19 - ☎ 271 710 - plats 30/45 kn.* Dans la principale rue piétonne de la ville, un restaurant de spécialités locales – *gulaš*, poissons (de rivière) – servies dans un cadre sympathiquement vieillot. Terrasse sous tonnelle pour les beaux jours.

À SLAVONSKI BROD

➮➮ **Restoran Zvonimir** – *S. Miletića 11 (à deux pas de la citadelle et du fleuve) - plats 30/70 kn, poisson 120 kn/kg.* Salle à manger cossue. Spécialités de poissons d'eau douce (*gulaš*). Terrasse en été.

Faire une pause

Slastičarnica Ivančica – *Kamenita Vrata 3 (au bout de Županijska, à gauche).* Pâtisserie, salon de thé et glacier très réputé.

Caffe Boba – *Trg sv. Trojstva 7.* C'est dans cette salle cossue et confortable aux murs de brique et au plafond reposant sur de solides piliers que le Tout-Požega vient prendre son café ou son *capuccino* en consultant les nouvelles du jour.

Kazališna kavana – *Trg sv. Trojstva 20.* Le café du théâtre fait pendant au Caffe Boba et reçoit une clientèle nettement plus jeune.

À SLAVONSKI BROD

Caffe Bar Alfa – *Ante Starčevića 19.* Un des rendez-vous préférés de la jeunesse locale dans une rue piétonne où les cafés et petits restaurants ne se comptent plus.

Événements

Grgurevo – *Le 12 mai*. Pour la Saint-Grégoire, les habitants de Požega célèbrent l'expulsion des Turcs de 1688.

Festival du film d'1mn (Hrvatska revija jednominutnih filmova) à Požega – *Mai*. Des courts métrages plus que courts, venus du monde entier, y sont présentés.

Kulenijada – *Fin juin*. Fête gastronomique à Požega autour des *kulen*, ces salamis au paprika que l'on déguste accompagnés d'excellents vins locaux, rouges ou blancs.

Brodsko kolo - *Juin*. Le plus ancien festival du folklore de Croatie qui a lieu à Slavonski Brod.

Les Cordes d'or (Zlatne žice Slavonije) – *3e w.-end de sept.* Festival de musique slavonne à Požega avec concerts de *tamburica*. Le festival suit de quelques jours la traditionnelle **Fišijada**, dégustation de poissons de rivière accommodés selon des recettes locales.

Vukovar

SLAVONIE – 31 670 HABITANTS
CARTE GÉNÉRALE D1 – CARTE MICHELIN 757 H5 – SCHÉMA : VOIR À BJELOVAR

Vukovar n'est plus une cité en ruine. Au fur et à mesure que la reconstruction avance, la ville reprend son ancien visage. Les édifices les plus importants ont été restaurés, de nouveaux immeubles ont surgi, la vie culturelle a repris. Mais ce n'est pas pour cela qu'on vient à Vukovar. On y vient comme on visite un lieu de mémoire. On vient dans cette ville martyre, devenue au même titre que Guernica un symbole de la folie humaine, pour rendre hommage à ses maisons effondrées, ses toitures éventrées, ses impacts de mitrailles qui perdurent encore sur les façades. On vient rendre hommage à ses habitants qui reconstruisent, bâtissent, restaurent, avec courage et opiniâtreté, sans jamais perdre l'espoir que tout va redevenir comme avant. Qu'un jour l'insouciance reviendra dans les rues d'une cité qui aura effacé ses cicatrices. Qu'un jour, il sera possible de tirer un trait sur l'horreur.

▶ **Se repérer** – Vukovar est posée en bordure du Danube, au confluent de la Vuka, à 37 km en aval d'Osijek. En venant d'Osijek, après avoir passé le marché de plein air et le pont sur la Vuka, prendre à gauche (feu) ulica Stanzeva (direction « *centar* ») et poursuivre jusqu'au grand parking aménagé en bordure du Danube, sur la place de la République Croate (trg Republike Hrvatske) devant l'hôtel Dunav.

👁 **À ne pas manquer** – Le musée municipal de Vukovar.

🕐 **Organiser son temps** – Prévoir une demi-journée.

⛟ **Pour poursuivre le voyage** – Voir aussi Ilok (35 km à l'est), Osijek (37 km à l'ouest) et Đakovo (55 km à l'ouest).

Comprendre

Six mois de siège – Mai 1991 : douze policiers croates sont tués dans une embuscade à Borovo Selo. Immédiatement après, l'armée fédérale yougoslave pénètre en Croatie, et s'empare de la Baranja et des villages entourant Vukovar. Le 25 août, le siège de la ville commence, ponctué d'incessants bombardements. Encerclés, les habitants organisent leur défense. Pendant près de quatre mois, ils vivront dans les caves. Dans les sous-sols de l'hôpital, on opère sans relâche les blessés. Les volontaires, avec un armement de fortune, parviennent à repousser plusieurs assauts. Petit à petit, la ville devient un champ de ruines. Faute de munitions, la cité, épuisée, tombe le 18 novembre. Mais sa résistance n'a pas été vaine : elle a assez freiné l'envahisseur pour donner le temps à l'armée croate de s'organiser.

L'horreur – Le drame n'était pas pour autant terminé : dans cette cité où les différentes communautés ethniques se côtoyaient sans heurts commence alors l'épuration ethnique. Les Croates sont arrêtés, souvent torturés, envoyés dans

La mémoire et la mort

À l'évidence, ici, nous ne sommes plus dans le domaine qui est habituellement le nôtre. Aussi, nous nous abstiendrons de « noter » Vukovar selon des critères touristiques. La chose serait absurde, voire insultante. Vukovar n'est pas une cité qui se visite. Elle ne peut que vous offrir un moment d'émotion à l'état brut. Et une preuve tangible de l'absurdité des querelles humaines. Alors, oui, il faut y aller, dans le fol espoir que cela ne se reproduira jamais plus. Pour quelque raison que ce soit. Ni ici ni ailleurs.

des camps ou exécutés sommairement. Le comble de l'horreur survient à l'hôpital. Les blessés comme le personnel sont emmenés : on retrouvera dans des fosses communes une partie des corps, que l'on pourra identifier par des tests ADN. D'autres sont toujours portés disparus. La ville restera occupée par les Serbes jusqu'en 1995.

Aujourd'hui... et demain – Après une période d'occupation par les forces internationales d'interposition, la Croatie a retrouvé sa souveraineté sur Vukovar

> ### Un Nobel à Vukovar
>
> Natif de Vukovar, le chimiste **Lavoslav Ružička** (1887-1976) se rendit célèbre pour ses travaux portant sur les stéroïdes et la synthèse des hormones mâles, testostérone et androstérone, qui lui valurent le prix Nobel de chimie en 1939. Jusqu'en 1991, sa maison natale abritait un musée présentant des objets personnels et des documents concernant ses recherches. Il n'en reste rien aujourd'hui.

le 15 janvier 1998. Elle hérita d'une ville dévastée, en partie vidée de ses habitants. Après un débat (fallait-il reconstruire ou conserver en l'état ce témoignage de la folie humaine ?), la vie reprend peu à peu ses droits. Aujourd'hui, Vukovar n'est plus une ville en ruine. On a reconstruit plus de la moitié des maisons d'habitation, on a restauré les édifices marquants de la ville. Le musée de Vukovar, la Maison croate et le théâtre ont rouvert leurs portes. Inéluctablement, la ville avance sur le chemin au terme duquel seront effacées les traces de la tragédie.

Découvrir

Le « Vieux Vukovar » (Stari Vukovar)

Si, aux abords de la cité, nombre de maisons neuves attestent des travaux de reconstruction, dès que l'on entre dans la ville, l'aspect des choses ne trompe pas : maisons

en ruine, impacts de balles sur les façades des immeubles… Plus on approche du centre, plus le cœur se serre, même si les chantiers de reconstruction montrent que, peu à peu, la vie reprend ses droits.

Sur la rive droite de la Vuka, la vieille ville est dominée par la haute silhouette du **monastère franciscain** restauré (sur une colline à droite de la route d'Ilok).

Confluent de la Vuka et du Danube – Contournant l'hôtel Dunav, on arrive devant la Vuka, cours d'eau qui a donné son nom à la ville, et que l'on suit, sur la droite, jusqu'à son confluent avec le Danube. Une sympathique promenade fleurie y a été aménagée. Là, le fleuve se révèle dans toute sa splendeur, immense plan d'eau au cours

Monument à la mémoire des défenseurs de Vukovar.

E. Darras / MICHELIN

tranquille et majestueux. Au loin, dans la brume, la rive serbe. Le paysage est serein. De l'autre côté de la Vuka, cependant, dominant le fleuve, une croix vient rappeler la triste réalité : il s'agit du **monument élevé à la mémoire des défenseurs de Vukovar**.

Remonter le cours de la Vuka que franchissent deux petits ponts. Au second, prendre sur la gauche vers un grand bâtiment à arcades.

Foyer des travailleurs (Radnički dom) – Ce grand bâtiment historiciste est aujourd'hui en cours de restauration. C'est ici que se tint en 1921, sous la direction de Tito, le second congrès du Parti communiste yougoslave. Jusqu'en 1991, il abritait un musée d'Histoire, ainsi qu'une salle de théâtre.

Dans un petit square devant le bâtiment, un monument honore Marco Marulić, le « père de la littérature croate ».

Rue Franje Tuđman (Ulica Franje Tuđmana) – Cette rue conduit au centre baroque du vieux Vukovar : les maisons jaunes à arcades qui en bordaient les rues en faisaient tout le charme. Certaines ont été restaurées à l'identique. D'autres sont en cours de rénovation.

Le « Nouveau Vukovar » (Novi Vukovar)

Sur la rive gauche de la Vuka. Franchir le pont le plus proche du Danube et continuer parallèlement au fleuve.

C'est ici qu'au 18e s., sur la rive gauche de la rivière, s'installa une communauté allemande qui édifia une ville nouvelle où, bientôt, la noblesse locale fit construire ses palais.

Un « musée en exil »

Une grande partie des riches collections, historiques, archéologiques et ethnologiques du musée, comme de la collection de peinture moderne réunie par le **Dr Antun Bauer** (1911-2000), a survécu au conflit. Certaines avaient été mises à l'abri dans des musées de Zagreb. D'autres furent volées, mais ont été récemment rendues et, pour une grande part, restaurées. Pour l'heure, le musée ne peut pas, pour des raisons compréhensibles, les exposer. En attendant, la direction multiplie les initiatives visant à redonner une vie culturelle à la cité, et à réunir les fonds pour sa restauration : parmi celles-ci, le Festival de musique de chambre et l'originale célébration du 27 mai, « le Ciel de Vukovar », série de manifestations marquant l'anniversaire du retour du musée dans ses locaux. La solidarité, nationale et internationale, n'est pas en reste : c'est ainsi qu'une vingtaine d'artistes constructivistes, parmi lesquels François Morrelet, Bruno Munari, Jerzy Grabowski et Ivan Picelj ont répondu à l'appel du peintre **Getulio Alviani**, et ont fait don d'œuvres qui trouveront leur place définitive dans le musée de Vukovar, une fois sa reconstruction achevée.

Église Saint-Roch (Crkva sv. Roka) – Baroque, la chapelle du château Eltz a été restaurée.

Château Eltz (Dvorac Eltz) – Ce vaste manoir au style hésitant entre baroque tardif et classicisme précoce fut construit en 1749 pour les comtes Eltz qui en demeurèrent propriétaires jusqu'en 1944. Il fut remodelé dans le style historiciste entre 1895 et 1907 par l'architecte Viktor Sidek. Le bâtiment, encadré de deux ailes délimitant un jardin ouvert sur le Danube, qui abrite le Musée municipal de Vukovar, fut l'une des premières cibles des bombardements de 1991. Le rez-de-chaussée a été aujourd'hui rénové. Les salles de l'étage offrent quant à elles un spectacle hallucinant.

Musée municipal de Vukovar – *Dvorac Eltz. Tlj sf w.-end 8h-15h - (sonner) - 10 kn.* C'est un musée et ce n'est plus un musée. C'est un lieu de mémoire, mais aussi un lieu d'espoir. C'est le symbole de la foi des habitants de Vukovar dans un avenir meilleur. Quelques salles restaurées au rez-de-chaussée présentent des copies du matériel archéologique mis au jour à Vučedol ainsi que des expositions temporaires. Il faut monter au 1er étage pour voir l'**Exposition commémorative** qui se tient dans les salles dévastées laissées dans l'état. Les 90 planches numérotées symbolisent les 90 jours de siège de la ville-martyre. Vous verrez des articles de journaux consacrés au siège de Vukovar, des photos de bâtiments en ruine, des lettres d'enfants évacués aux parents restés dans la ville assiégée… Les éclats d'obus par terre rappellent l'horreur du dernier mois d'occupation lorsque près de 5 000 projectiles sont tombés sur la ville. Des objets provenant de l'hôpital de Vukovar – un lit, une robe, quelques instruments médicaux – rappellent une des pages les plus tragiques de l'histoire : le massacre des prisonniers de l'hôpital le 18 novembre 1991. Vous verrez également des extraits de documentaires sur les prisonniers des camps de concentration filmés par des journalistes étrangers et, à la fin, de gros volumes de nécrologies des victimes du conflit meurtrier.

Aux alentours

Nouveau château d'eau (Novi vodotoranj)
À la sortie de la ville en direction d'Ilok, à gauche de la route.
Avant la guerre, un restaurant tournant était installé au sommet de ce château d'eau. Aujourd'hui, c'est un symbole de la résistance de la ville. Chaque jour, pendant le siège, le drapeau croate y était hissé. Chaque jour les assiégeants le prenaient pour cible. Aujourd'hui, le drapeau flotte librement sur une structure éventrée qui semble ne tenir debout que par miracle.

Le plus ancien calendrier d'Europe

Découvert et exploré en 1897, le site de Vučedol a donné son nom à l'une des premières civilisations préhistoriques d'Europe. Le site fut, semble-t-il, occupé dès le début du 6e millénaire. Mais c'est la période 3300-2400 av. J.-C. qui a livré le plus d'enseignements sur cette culture, grâce aux nombreuses poteries découvertes dans les tombes. On sait ainsi que les habitants de Vučedol pratiquaient l'agriculture et la pêche, qu'ils vivaient dans des huttes aux toits de chaume composées de deux pièces, dont l'une servait à entreposer les récoltes, et qu'ils se livraient probablement à des sacrifices humains. Mais le plus extraordinaire est sans doute qu'ils ont inventé le premier calendrier d'Europe, grâce à leurs connaissances astronomiques très précises. C'est du moins la conclusion que les archéologues ont tirée des symboles gravés sur une poterie mise au jour à Vinkovci.

Cimetière-mémorial

À 1 km au sud en direction d'Ilok, sur la droite de la route.

Vaste cimetière où sont inhumées près d'un millier de victimes du siège et des événements qui suivirent, certaines demeurant anonymes. 938 corps ont été exhumés de 13 fosses communes et 938 croix blanches ont été plantées. Un monument en forme d'une croix ouverte - symbole du sacrifice de Vukovar - fut inauguré en 2000.

Site archéologique de Vučedol

À 1,5 km au sud en direction d'Ilok. Voie d'accès sur la gauche.

Les recherches archéologiques ont repris sur ce site en bordure du Danube, parsemé d'îles en cet endroit, et considéré aujourd'hui comme le principal vecteur du futur développement touristique de la région. Les autorités ont conçu le projet d'y créer un **parc archéologique** comportant des boutiques (d'artisanat « préhistorique »), une école d'archéologie, des aires de pique-nique et de baignade, ainsi qu'un musée qui permettra de faire plus ample connaissance avec cette civilisation du début du néolithique qui connut son apogée au 3e millénaire av. J.-C., et que symbolise la fameuse *Colombe de Vučedol* exposée au Musée archéologique de Zagreb.

Mémorial d'Ovčara

À 10 km au sud en direction d'Ilok. Indication : « Spomen obilježje Ovčara ».

C'est dans cet endroit isolé, au milieu des champs, que furent abattues les 200 personnes – blessés, civils, membres du personnel – qui se trouvaient dans l'hôpital de Vukovar, le 18 novembre 1991. Un monument, œuvre du sculpteur zagrebois Slavomir Drinkovic, est érigé sur l'emplacement du charnier. C'est une obélisque noire traversée d'une fissure en forme d'une croix avec une colombe de la paix découpée en son milieu. On retrouve le même monument sur toutes les fosses communes de Croatie.

Vukovar pratique

Informations utiles

Code postal – *32000*

Indicatif téléphonique – *032*

Office du tourisme – *J. Strossmayera 15 -* ✆ *442 889 - lun.-vend. 7h-15h.*

Gare routière (Autobusni kolodvor) – *À l'entrée de la ville en venant d'Osijek, face au marché.* Cars pour Vinkovci (*via* Nuštar), Osijek et Ilok.

Poste – *J. Strossmayera 4 - tlj sf dim. 7h30-20h (sam. 14h).*

Banques – *Au début de la rue F. Tuđman.*

Internet – *À la bibliothèque municipale (Gradska knižnica), bât. en face de l'hôtel Dunav, entrée dans la cour. 5 kn/30mn.*

Sécurité

Si la ville est aujourd'hui sécurisée, ne pas s'aventurer dans les champs ni les sous-bois en raison de la **présence de mines**. Ne pas tenter de pénétrer non plus dans les **maisons détruites ou abandonnées**.

Se loger

🛏 **Hotel Dunav** – *Trg Republike Hrvatske 1 -* ✆ *441 285 - fax 441 762 - 84 ch. : 420 kn* 🍴 *-* 🅿. Ce vaste édifice dominant le Danube, aujourd'hui restauré, propose des chambres au confort standard. Demander de préférence celles qui donnent sur le fleuve. Au restaurant un peu pompeux, on préférera la « *taverna* » au décor régional.

🛏🛏🛏 **Hotel Lav** – *J. Strossmayera 18 -* ✆ *445 100, fax 445 110 - www.hotel-lav.hr - 38 ch. : 450 kn/pers.* 🍴 *et 4 appart. : à partir de 900 kn/pers.* 🍴 *-* 🅿. Tout beau tout neuf, cet hôtel moderne se dresse non loin du centre. Chambres spacieuses (dont la moitié donnent sur le Danube), tout confort avec climatisation et prix en conséquence. Restaurant, bar, Internet.

Se restaurer

🍴 **Restaurant Grof** – *Zmajeva 7 -* ✆ *441 392 - plats 20/50 kn.* À deux pas de la rue F. Tuđman, un petit restaurant sympathique où l'on mange des pizzas, spaghetti, et des plats de poisson arrosé de graševina. Quelques plats végétariens également. Agréable terrasse à l'étage.

Calendrier

Le Ciel de Vukovar – *27 mai.* C'est le 27 mai 1998 que les responsables du Musée de Vukovar retrouvèrent leur musée après sept ans d'exil. Ce jour-là, quelqu'un eut l'idée de photographier le ciel, qui servait désormais de plafond à la grande salle du château. La tradition s'est depuis lors instaurée : chaque année, une photo est prise du même endroit, tandis que diverses manifestations culturelles sont organisées autour des collections du musée et des donateurs qui œuvrent pour sa résurrection.

Festival de musique de chambre – *Dans les jardins du château Eltz.* De prestigieux interprètes se mobilisent pour le musée.

Célébrations de l'Avent – *Déc. Dans le musée.* Autour des traditions locales liées à la fête de Noël, concerts, pièces de théâtre et lectures poétiques.

Jour de Commémoration du sacrifice de Vukovar – *18 nov.* Ce jour-là, des milliers d'habitants de la ville et de toute la Croatie parcourent le chemin des exilés de Vukovar, de l'hôpital jusqu'au cimetière.

Les façades colorées de Gradec,
la ville haute de Zagreb.

Ch. Barrely-Legrand / MICHELIN

Karlovac

POKUPLJE – 59 395 HABITANTS
CARTE GÉNÉRALE B2 – CARTE MICHELIN 757 - D5

On l'appelait l'Étoile : à juste titre, puisque cette cité, « ville nouvelle » conçue à la Renaissance et rebâtie au 17e s. dans un style baroque homogène, était enserrée dans des murailles en forme d'étoile à six branches. Devenue un important nœud routier et ferroviaire, cette ville industrielle présente au voyageur un abord quelque peu ingrat ! Néanmoins, le centre ancien, niché dans la verdure, mérite un coup d'œil.

▶ **Se repérer** – C'est à Karlovac que les routes provenant de l'Istrie, par Rijeka, et de la Dalmatie, par Split et Plitvice, se rejoignent avant de rallier Zagreb, distant de 55 km : quittez l'autoroute sur la gauche en direction du « centar », puis, après avoir franchi la Kupa, vous vous trouverez sur Trg Matije Gupca : laisser la voiture dans l'une des ruelles adjacentes.

👁 **À ne pas manquer** – Promenade dans la vieille ville.

🕐 **Organiser son temps** – Compter 2h.

👶 **Pour poursuivre le voyage** – Voir aussi Zagreb (37 km au nord-est), le parc national de Risnjak (76 km au sud-ouest) et Samobor (44 km au nord).

Arcades baroques rue Stjepan Radić.

Comprendre

La ville de Charles, une « cité idéale » – Neveu de Charles Quint et fils cadet de Ferdinand Ier (1556-1564), Charles II de Habsbourg, archiduc de Styrie et autres lieux, commandant en chef des Confins militaires, décida de construire une cité fortifiée dans cette région stratégique, au confluent de quatre rivières (la Kupa, la Mrežnica, la Korana et la Dobra) et de deux importantes routes, de façon à défendre la région contre les Ottomans. Tout naturellement, la nouvelle cité, dont la première pierre fut posée le 13 juillet 1579, prit le nom de son fondateur, Carlstadt, avant de devenir Karlovac. Conçue par l'urbaniste italien N. Angelini, la ville répondait aux critères de la « cité idéale » de la Renaissance. Entourée de murailles, elle se divisait en vingt-quatre blocs séparés par des rues tracées selon un plan en damier, et répartis autour d'une place carrée. Si les remparts ont disparu, remplacés par une promenade ombragée, une grande partie du tracé de l'ancienne place forte demeure en l'état, et nombre d'immeubles élevés au 17e s. par l'architecte J. Stiller subsistent, même si la cité a subi des dégradations lors du dernier conflit.

Se promener

LA VIEILLE VILLE OU L'ÉTOILE (STARI GRAD/ZVIJEZDA)

La vieille ville n'a pas dû manquer de charme avant 1991. Aujourd'hui, l'impression est plus mitigée : à côté de demeures du 18e s. aux façades aux teintes pastel subsistent de désolantes ruines, des immeubles porteurs d'impacts de mitraille, voisinant avec des reconstructions sans grâce.

Place Matija-Gupca (Trg Matije Gupca)

Plus que d'une place, c'est une large avenue autour de laquelle l'ancienne cité fortifiée et la ville moderne se distribuent. Bordée d'un côté d'immeubles récents, elle l'est, de l'autre, par une série de maisons basses, du 18e s., dotées de cours intérieures abritant commerces et cafés, et communiquant avec la promenade des remparts. Assez dégradées, elles constituent néanmoins un ensemble d'une belle unité.

Se diriger vers la vieille ville par Radićeva, puis prendre tout de suite à droite la promenade F.-Tuđman où l'on tourne immédiatement à droite.

Promenade F.-Tuđman (Šetalište F. Tuđmana)

Aménagée sur les remparts, cette promenade plantée de marronniers contourne la vieille cité. Promeneurs, gamins en tricycle, jeunes en rollers y déambulent dans un espace de verdure ponctué de bancs et de terrasses de cafés.

On longe les façades des maisons basses décrites précédemment : décrochements, balcons, bow-windows, frontons plus ou moins complexes confèrent à chacune d'entre elles sa personnalité. Une fois effacés les stigmates de la guerre, l'endroit ne devrait pas manquer d'allure ! À l'angle, sur la droite (*en retrait*), le **théâtre (Zor in Dom)**, à la façade néoclassique (1892), est le petit frère du Théâtre national de Zagreb. Le **cinéma Edison** présente quant à lui une façade Art déco. Au-delà de la rue du Roi-Tomislav (*ulica kralja Tomislava*), le glacis est occupé par des terrains de sports.

Entrer dans la vieille ville par la rue du Roi-Tomislav.

On découvre très vite le plan rationnel de l'Étoile, dont les rues se croisent à angle droit autour de la place d'armes, à laquelle on arrive après avoir croisé ulica S. Radića.

Place du Ban-Jelačić (Trg bana Jelačića)

Ce vaste espace rectangulaire, où se tient le matin un petit marché aux primeurs, donne une triste impression d'abandon. Au centre, amusante fontaine aux sculptures en terre cuite sur le thème des saisons.

Église de la Sainte-Trinité (Crkva presvetog Trojstva)

Entrée par ulica Kralja Tomislava.
Assez sombre, de style baroque (17e s.). Sur la voûte, fresque représentant l'*Adoration des Mages*.

Église orthodoxe Saint-Nicolas (Crkva sv. Nikole)

De l'autre côté de la place.
Élevée au 18e s. par J. Stiller, cette église fut détruite pendant la guerre de 1991-1995. Elle est aujourd'hui en reconstruction.

Rejoindre la place Strossmayer par la petite rue Grégoire-de-Nin (ulica Grgur Ninski).

Au n° 1 la **pharmacie (ljekarna) Grgur Ninski** s'est établie en ces lieux en 1856, succédant à la pharmacie de l'Aigle-Noir, une des plus anciennes pharmacies militaires du pays (1726). Bocaux, boiseries et bustes de vénérables médecins et apothicaires lui confèrent un sympathique aspect vieillot.

Place Strossmayer★ (Strossmayerov trg)

En forme d'hémicycle, c'est le plus bel ensemble baroque de la vieille ville.
Au centre, on aperçoit les substructions de l'**ancienne chapelle Saint-Joseph (kapela sv. Josipa)**, du 17e s., qui appartenait aux chevaliers de l'ordre de Malte, d'où son plan circulaire caractéristique.
Au-delà se dressent les deux ailes du bâtiment baroque du **monastère des Franciscains** et le **palais Frankopan** (17e s.) qui abrite le **musée municipal** (*voir ci-après dans « Visiter », p. 402*). Dans le prolongement de celui-ci (*rue Grgur-Ninski*), l'**hôtel de ville** est une harmonieuse construction bleue portant les armes de la ville. L'autre côté de la place est occupé par un ensemble homogène d'étroites maisons, anciennes demeures d'artisans, parfois reconverties en cafés.

Par la petite rue à droite du musée, on rejoint la rue Stjepan Radić.

Rue Stjepan-Radić (Ulica Stjepana Radića)

Traversant de part en part la vieille ville, Radićeva, rue piétonne bordée de quelques belles demeures, est l'artère la plus animée de l'Étoile, grâce à quelques cafés aux terrasses disposées sur la chaussée. Sur la droite, série de maisons à arcades, restaurées.

Galerie ZILIK (Galerija ZILIK)

Radićeva 13 (sur la gauche). Tlj sf dim. 10h-12h et 17h30-19h30, sam. 10h-12h.
On peut y voir des œuvres de peintres locaux, membres de la « colonie » d'artistes ZILIK, fondée en 1974.

Rejoindre la promenade des remparts et, de là, la ville moderne par la rue Jurja Havlića, bordée de jolies maisons.

Visiter

Musée municipal (Gradski muzej)

Strossmayerov trg 7. Tlj sf lun. 8h-15h, w.-end 10h-12h. 10 kn.

Il retrace l'histoire locale à l'aide de pièces archéologiques préhistoriques, romaines (bas-reliefs et bijoux) ou historiques (**maquette**★ de la ville au 18e s., évocation de la vie d'une cité de garnison). La partie la plus intéressante concerne l'**ethnologie régionale** : la vie rurale est illustrée par des costumes, bijoux, parures, *preslica*, tissages et poteries, la vie urbaine, par des outils d'artisans (cordonnier, imprimeur…), des enseignes de boutiques, et la reconstitution d'un intérieur bourgeois du 19e s. (remarquez, outre les portraits de notables, un amusant miroir). Quelques célébrités font l'objet d'une vitrine : parmi elles, le ban **Ivan Mažuranić**, ainsi que deux pittoresques aventuriers, les frères **Seljan**, Milko (1871-1913) et Stero (1875-1936), cofondateurs du Musée ethnographique de Zagreb.

Aux alentours

Dubovac

À 1,5 km à l'ouest en direction de Novo Mesto. Depuis la place Matije-Gupca, suivre l'avenue Zrinski puis, dans le prolongement, prendre sous le pont de chemin de fer et, environ 300 m après, à gauche dans Primorska.

Forteresse élevée au 13e s. qui appartint aux Frankopan, puis aux Zrinski, avant de devenir la résidence des gouverneurs militaires de Karlovac jusqu'en 1809, année d'arrivée des troupes napoléoniennes. Largement reconstruite en 1837 dans un style « troubadour » : tours, créneaux, échauguettes et galeries lui confèrent une allure on ne peut plus médiévale.

Bosiljevo

À 30 km au sud-ouest par la route de Rijeka. Prendre dans la traversée de Bosanci une route à gauche, très discrètement signalisée, vers Lešće.

Plutôt que Karlovac, Bosiljevo faillit être choisie par l'archiduc Charles pour y bâtir sa cité. En retrait tant de la route que de l'autoroute, le village est charmant aux beaux jours. Pour atteindre le **château** (que l'on aperçoit sur une hauteur), suivre une petite route vers Hrina puis prendre sur la droite une route signalisée « Hydroelecktrikija », qui part à l'assaut d'une colline. Le château se trouve en contrebas de la route, sur la droite.

Forteresse médiévale ayant appartenu aux **Erdődy**, le château a été abondamment restauré dans le goût romantique au 19e s. Malheureusement, il est pour l'heure inaccessible (grillage) et son parc envahi par les ronces.

Jastrebarsko

À 25 km au nord par la route de Zagreb (ou par l'autoroute à péage).

Appelé aussi Jaska, ce gros bourg de viticulteurs est posé au pied de la **montagne de Samobor (Samoborsko gorje)**.

Monastère franciscain (Franjevački samostan) – *Prendre sur la droite juste avant l'hôtel Jaska, puis à gauche dans un lotissement.* Ce monastère se trouve aujourd'hui enserré dans un ensemble résidentiel, mais niché dans la verdure d'un petit parc bien entretenu. Édifiée au 18e s., l'**église Sainte-Marie (crkva sv. Marije)** présente une façade creusée de niches et un beau porche voûté. À l'intérieur, décor baroque, avec retable de marbre exécuté par Giovan Rossi (1734).

Château Erdődy – *Au milieu du village, prendre sur la gauche la direction Sv. Jana.* À 200 m environ, sur la gauche, dans le **parc Erdődy (Erdődijev park)** aménagé en jardin public avec un étang, se niche ce château entouré de douves. Ce grand bâtiment de deux étages doté de deux tours rondes (16e s.) mériterait, tout comme le parc, un sérieux entretien.

Karlovac pratique

Informations utiles

Code postal – *47000.*

Indicatif téléphonique – *047.*

Office du tourisme – *Ulica P. Zrinskog 3 -
𝄐 615 115 - www.karlovac-touristinfo.hr. -
tlj sf dim. 8h-15h, sam. 9h-13h. - fermé
j. fériés.*

Banque et poste (distributeurs) –
*Sur I.G. Kovačića, entre la place
Matice-Hrvatske et la rue Radić.*

Parkings – *Payants à des employés
municipaux.* Il peut être difficile à
certaines heures de trouver une place au
centre. C'est plus aisé sur trg Strossmayer.

Transports

Gare ferroviaire – *Prilaz V. Holjevca
(en dir. Zagreb dans le quartier de Banuja,
au-delà de la Kupa) - 𝄐 646 244.* Sur la
ligne Zagreb-Rijeka.

Gare routière (Autobusni kolodvor) –
*Prilaz V. Holjevca, au bout de la rue Kralja
Tomislava.* Liaisons pour Zagreb, Split,
Rijeka.

Se loger

⬤◗ **Hotel Carlstadt** – *A. Vraniczanyeva 2 -
𝄐/fax 611 111 - www.carlstadt.hr - 37 ch. :
455 kn ⌷ et 3 appart. : 815 kn ⌷ 🅿.*
Récemment rénové, cet hôtel situé à deux
pas de la place Matija Gupca et de la vieille
ville propose des chambres confortables
aménagées avec un certain goût. Accueil
souriant. Bon restaurant et un excellent
petit-déjeuner.

⬤◗ **Hotel Europa** – *Banija 161 - 𝄐 609 666,
fax 609 667 - www.hotel-europa.com.hr -
32 ch. : 650 kn et 1 appart. pour 2 pers. : 980 kn.*
À l'entrée de la ville en venant de Zagreb, cet
hôtel récent sans charme offre des chambres
au confort standard, toutes équipées d'air
conditionné.

⬤◗◗ **Hotel Korana Srakovčić** – *Perivoj
J. Vrbanića 8 - 𝄐 609 090, fax 609 091 -
www.hotelkorana.hr - 15 ch : 850/920 kn ⌷
et 3 appart. : 1 350 kn ⌷ 🅿.* Niché dans la
verdure en bordure de la Korana à deux
pas de l'Étoile, ce nouvel hôtel prend la
suite du célèbre hôtel Korana, qui datait
de 1906. Atmosphère Belle Époque
soigneusement reconstituée, activités
sportives (chasse, équitation, centre de
remise en forme) et deux restaurants en
font la nouvelle adresse incontournable
de la ville.

À JASTREBARSKO

⬤◗ **Hotel Jaska** – *F. Tuđmana 51 -
𝄐 (01) 6 281 044, fax (01) 6 283 580 -
43 ch. : 350 kn ⌷ et 2 appart. : 540 kn - 🅿.*
À mi-chemin entre Zagreb et Karlovac, un
hôtel confortable, bien que sans charme.
Accueil agréable. Restaurant de spécialités
locales (gibier).

Armes de Karlovac.

Se restaurer

⬤◗ **Pod starimi krovovi** –
*Radićeva 8-10 - 𝄐 615 420 - tlj 9h-22h -
50/100 kn.* Installé dans une belle maison
à arcades. Déception, le décor intérieur
est d'une banalité consternante ! Surprise :
la cuisine y est excellente. Goûtez à la
puretina sa šparogama, porc émincé
aux pointes d'asperges. Grand choix
de vins croates de qualité, à des prix
modérés.

⬤◗/◗◗ **Žganjer** – *Jelaši 41, Turanj
(route de Split, à 5 km) - 𝄐 641 333 - plats
30/60 kn, agneau 200 kn/kg.* Spécialité
d'agneau grillé et excellente carte de vin
en font une adresse réputée.

Faire une pause

Café-bar-pâtisserie Mozart – *Trg Matije
Gupca 1.* Très fréquentée, sa terrasse est
envahie aux beaux jours par une clientèle
de gourmands : grand choix de glaces et
de pâtisseries.

Kazališna kavana et **Edison Kavana** –
Šet. F. Tuđmana. L'un a investi les
dépendances du théâtre local ; l'autre,
celles du cinéma. Les deux déploient
leurs terrasses sous les hautes frondaisons
des marronniers de la promenade des
anciens remparts.

Pod starimi krovovi – *Radićeva 13.
9h-22h, fermé dim.* Aux beaux jours,
le terrain vague situé entre les maisons
à arcades est investi par la terrasse de
ce café-restaurant : les locaux y affluent
d'autant qu'il est placé en face d'un grand
magasin.

Café 047 – Au pied de l'hôtel Carlstadt
dont il dépend, un pub confortable aux
murs recouverts de boiseries : endroit
idéal pour déguster la bière du cru.

Événements

Journées de la bière – *Sept. -oct.* Cité
de brasseries (la Karlovačko), Karlovac
se devait d'avoir sa fête de la bière,
organisée à l'instar de la célèbre
Oktoberfest de Munich.

Krapina

HRVATSKO ZAGORJE – 12 950 HABITANTS
CARTE GÉNÉRALE B1 – CARTE MICHELIN 757 D4 – SCHÉMA : VOIR À ZAGORJE

Parmi des collines recouvertes de vignes, Krapina a conservé d'anciennes demeures qui s'égrènent le long de la rue principale. Les visiteurs viennent y découvrir l'extraordinaire église N.-D.-de-Jérusalem de Trški Vrh ou flâner en saluant le créateur de la langue croate moderne. Mais la renommée de Krapina est aussi due à ses plus anciens citoyens qui chassaient le rhinocéros à l'aide de silex taillés.

▶ **Se repérer** – À 57 km au nord de Zagreb à laquelle la relie l'autoroute de Maribor, la capitale du Hrvatsko Zagorje s'étire sur la rive gauche de la Krapinica. Surplombée par l'autoroute, Krapina s'organise le long d'un axe à sens unique constitué par la rue Ljudevit Gaj que prolonge la rue Magistratska. Pour circuler dans l'autre sens, il faut traverser la rivière et prendre la rue Rendiba.

👁 **À ne pas manquer** – Promenade au centre-ville, le site paléolithique de Hušnjak, l'église de Trški Vrh.

🕐 **Organiser son temps** – Prévoir 3h.

👪 **Avec les enfants** – Le site paléolithique, le musée de l'Évolution.

🚲 **Pour poursuivre le voyage** – Voir aussi le Zagorje, Varaždin (46 km au nord-est) et Zagreb (57 km au sud).

Comprendre

Histoires d'os

L'homme de Krapina… – C'est presque un millier d'os, appartenant à une vingtaine d'individus, que le professeur **D. Gorjanović-Kramberger** découvre en 1898 dans un abri-sous-roche situé sur le flanc de la colline de Hušnjak. Relevant du groupe des néandertaliens, l'**Homo krapinensis** vivait au paléolithique moyen (200 000 à 35 000 av. J.-C.). Il vivait de chasse (le site a livré des os d'ours et de rhinocéros) et de cueillette, sans dédaigner parfois (semble-t-il) d'améliorer son ordinaire en dégustant un de ses semblables, et fabriquait des armes en silex. Puis un lointain cousin, l'*Homo sapiens sapiens*, arriva d'Afrique et l'homme de Neandertal dut céder la place.

…et le grand homme de Krapina – « Une nation sans sa langue est comme un corps sans os ! » s'écriait **Ljudevit Gaj** (1808-1872). Poète romantique auteur d'une *Ode au Zagorje* (1832), professeur de philologie, Ljudevit Gaj est le père de la langue croate actuelle : il en codifia l'orthographe et choisit d'adopter le dialecte štockavien comme langue littéraire. Fondateur du **mouvement illyrien**, il fut à l'origine du renouveau national croate des années 1830 à 1848, éditant le premier journal rédigé en croate et participant comme député au Sabor de 1848 à la rédaction des « revendications du peuple » présentées à l'empereur. L'idée d'une nation croate commençait alors à faire son chemin…

Découvrir

Site paléolithique de Hušnjak★ (Nalazište pračovjeka Hušnjakovo)

Traverser Krapina par la rue Ljudevita Gaja que prolonge Magistratska. Au bout de celle-ci, prendre à gauche et emprunter le pont qui franchit la rivière. Laisser la voiture sur le petit parking, à droite. Le site se trouve de l'autre côté de la route.

Musée de l'Évolution (Muzej evolucije)

Dans un bâtiment, immédiatement à droite. Nov.-fév. : 9h-15h ; mars-oct. : 9h-18h. 20 kn (étud., enf. 10 kn).

👪 Sympathiquement vieillot, ce musée présente une collection de minéraux, puis, sous le regard paternel de Charles Darwin, divers fossiles et moulages (notez une mâchoire de tyrannosaure, propre à faire trembler les âmes les mieux trempées). On aborde ensuite l'homme de Neandertal, reconstitué dans la salle 3, avant d'étudier l'évolution des hominidés, ainsi que celle de leurs outils. La dernière salle, enfin, recense les différents sites de Croatie.

Site paléolithique

👪 Devant le musée, un chemin à flanc de colline, peuplé des effigies d'animaux ayant jadis hanté les lieux (lynx, loup, castor, rhinocéros), conduit à l'abri-sous-roche où le professeur Kramberger découvrit les ossements fossilisés des premiers habitants du lieu. Sous l'auvent constitué par un rocher, un farouche Néandertalien brandit une massue d'un air peu amène, tandis que, non loin, madame attise le feu familial.

Musée néandertalien de Krapina (Muzej krapinskih neandertalaca)
Une promenade agreste, la **šetalište Ivana Trnskog**, s'insinuant entre deux collines boisées peuplées de sculptures animalières, conduit vers ce futur musée, en partie enterré dans la montagne et prenant le jour par une grande façade vitrée. L'ouverture du musée est prévue en 2007.

Se promener

Le centre-ville

Minuscule, il mérite une brève promenade de découverte.

Place Ljudevit-Gaj (Trg Ljudevita Gaja/Gajev trg)
Tout tourne autour de cette place, de forme irrégulière. Ombragée et dotée de quelques terrasses de cafés, elle descend vers la rivière. C'est ici qu'a été placé le **buste de Ljudevit Gaj**, exécuté par **Ivan Rendić**.

Promenade (Šetalište) Hrvatskog Narodnog Preporoda
Prenez sur la gauche de la place cette promenade qui longe la rivière. Ce parc, ombragé de beaux arbres et doté d'un kiosque à musique, sert de cadre champêtre au festival de septembre.

Prendre à gauche vers la rue Ljudevit Gaj (Gajeva).

Rue Ljudevit Gaj (Ulica Ljudevita Gaja/Gajeva)
Elle est bordée de quelques maisons anciennes. Parmi elles, au n° 14, la **maison natale de Ljudevit Gaj (Rodna kuća Dr Ljudevita Gaja)** abrite quelques objets personnels et manuscrits. *Sur réserv. au ☎ 370 810.*

Magistratska
Au-delà de la place.
Là aussi, quelques maisons datant des 18e et 19e s. Le n° 25 abrite le **Musée municipal (Galerija grada Krapine)** : collections archéologiques et historiques. *Tlj sf dim. 10h-13h et 17h-19h (sam. 10h-13h).*

Vieux château (Stari grad)
Juchée sur une colline, sa façade jaune semble veiller sur la cité. En y montant, par Usca ulica puis à gauche par Starosgradska (assez raides), on aperçoit les vestiges d'une forteresse médiévale. Du château, il ne subsiste qu'un corps de bâtiment doté d'arcades, qui a subi des outrages dont le temps n'est pas le seul responsable. Pour reprendre son souffle, on contemplera la **vue** sur les toits de la ville et la vallée.

Sur la rive droite

Église Sainte-Catherine et monastère franciscain
(Crkva sv. Katarine i franjevački samostan)
Accès en face de la place Ljudevit Gaj par la petite rue du Monastère (Samostanska), chemin en pente conduisant au parvis.
Construite au 17e s., l'église arbore un beau portail. Décor baroque à l'intérieur. Le monastère abrite une bibliothèque réputée (incunables, enluminures) et une collection d'art sacré *(sonner).*

Aux alentours

Trški Vrh : église N.-D.-de-Jérusalem★★
(Crkva Majke Božje Jeruzalemske)
Ouv. en principe dim. matin. Pour y accéder depuis la ville, s'engager dans ulica Ljudevita Gaja puis, à hauteur du marché, prendre sur la droite la rue du Cardinal-Stepinac (Kardinala Stepinca) qui monte de façon assez raide vers le cimetière (Groblje). Poursuivre ensuite, toujours en montée par la rue Miroslav-Krleža.
Couronnant une colline, perdu dans la verdure, c'est un hameau constitué de quelques maisons, entourant une église

N.-D.-de-Jérusalem dissimule dans son enceinte un décor extraordinaire.

Zvonimir Atletic

de pèlerinage, édifiée vers 1750 par un architecte local, **Josip Javonik**. Sertie dans son enceinte octogonale ponctuée de tours rondes que coiffent des bulbes, elle recèle un **décor★★★** baroque époustouflant, propre à défier toute description ! Il s'agit d'une sorte d'art total où architecture, sculpture, peinture se répondent et se complètent afin d'entraîner le visiteur dans un tourbillon où se mêlent angelots, stucs et trompe-l'œil. On prendra du temps à détailler la tribune, les deux voûtes peintes par **A. Lerchinger**, ou les autels qui abritent une population considérable de saints, expressions d'une piété exubérante.

Krapina pratique

Informations utiles

Code postal – *49000*.

Indicatif téléphonique – *049*.

Office de tourisme – *Magistratska 11 - ☎ 371 330*.

Poste (Pošta) – *Gajeva 18*.

Transports

Parkings – Places de parking payantes (à un employé) le long de la rue principale.

Gare ferroviaire (Željeznički kolodvor) – *I. Rendića bb (sur la rive droite de la rivière, sur la droite de la rue, après la rue Ante-Starčević)*. Nombreux trains quotidiens pour Zagreb, mais toujours avec correspondance à Zabok : il faut compter dans le meilleur des cas entre 1h15 et 1h30 pour rallier la capitale.

Gare routière (Autobusni kolodvor) – *I. Rendića bb (face à la précédente, au coin de la rue Ante-Starčević)*. Une dizaine de cars pour Zagreb les jours ouvrables, la moitié le week-end. Le trajet ne dure qu'une heure… et le billet est moins cher !

Se loger

☺☺ **Pansion Pod starim krovovima** – *Trg L. Gaja 15 - ☎ 370 536 - 16 ch. : 322 kn* ▭. En plein centre, une pension parfaitement tenue aux chambres propres et fonctionnelles.

Se restaurer

☺☺ **Luna** – *Gajeva 13 - ☎ 371 640 - plats 30/60 kn*. Deux petites salles gentiment décorées. Cuisine locale (*štrukli, čevapčići et ražnjići*), vins locaux en carafe ou en bouteille. Bar apprécié par la jeunesse locale qui y suit les émissions de variétés de la TV.

Événements

Festival de musique « kaï » – *Sept*. Festival de chansons (et poèmes) en *kajkavien*, le dialecte local. La ville devient une sorte de grande guinguette à ciel ouvert.

Samobor★

CROATIE CENTRALE – 36 206 HABITANTS
CARTE GÉNÉRALE B1 – CARTE MICHELIN 757 D5 – SCHÉMA : VOIR À ZAGORJE

À moins de 30 km de la capitale, le dépaysement est complet : posée au pied des monts de Samobor (Samoborska gora) et du massif du Žumberak, Samobor est une petite ville baroque d'une remarquable unité, arrosée par une rivière (la Gradna) qu'enjambent de charmants petits ponts. Rien d'étonnant si les Zagrébois en ont fait une de leurs destinations préférées de week-end : point de départ de promenades dans la forêt, c'est aussi une ville animée, réputée pour son carnaval, comme pour ses spécialités : charcuteries, pâtisseries, « moutarde » de Samobor, et le bermet, seul véritable apéritif croate.

▶ **Se repérer** – Il n'est pas évident de parvenir en voiture au centre de Samobor, et ce en raison des sens interdits et d'une signalisation parfois fantasque : si bien que vous risquez de faire plusieurs fois le tour du petit centre par le circuit imposé. Un conseil : garez la voiture dès que possible avant de gagner à pied la place du Roi-Tomislav (*Trg kralja Tomislava*) !

👁 **À ne pas manquer** – Balade à travers la ville, musée Marton.

🕐 **Organiser son temps** – Compter 3h avec la visite des musées.

🕯 **Pour poursuivre le voyage** – Voir aussi le Zagorje, Zagreb (27 km à l'est) et Karlovac (40 km au sud).

Se promener

Charmant, le centre de Samobor s'aligne le long de la rivière, de part et d'autre d'une belle place centrale.

Place du Roi-Tomislav★
(Trg kralja Tomislava)

De forme oblongue, ornée en son centre d'un puits de brique, bordée de maisons aux façades peintes de tons pastel et de terrasses de cafés, c'est l'âme et le cœur de la cité.

Église Sainte-Anastasie
(Crkva sv. Anastazije)

Pour y accéder, prendre la direction de la rue Perkovca en traversant un petit pont. Sur la gauche, on aperçoit l'arrière des demeures bordant la place, avec des ponceaux jetés sur la rivière : c'est ce qu'on appelle, avec emphase, la « Venise de Samobor » ! Édifiée au 17e s., l'église possède un beau retable baroque. En continuant au-delà du parvis par la rue Sainte-Anne *(Sv. Ane)*, on arrive au cimetière où repose Ljubica Cantilly.

> ### Laure et Pétrarque à Samobor
>
> Comme Laure en Avignon quelques siècles plus tôt, la belle **Ljubica Cantilly**, dont les grands yeux noirs faisaient frémir les âmes les mieux trempées, était accoudée à son balcon. Et, comme Pétrarque, le poète **Stanko Vraz** en passant dans la rue leva les yeux et fut aussitôt foudroyé par l'amour. Las, comme Laure, la belle était mariée et, qui plus est, vertueuse. Et comme Laure, elle mourut sans avoir accordé ses faveurs au poète. Comme Pétrarque, Stanko Vraz lui dédia un *canzionere*, qui fut l'un des grands poèmes d'amour de la littérature croate. Ljubica est enterrée au cimetière de Samobor, et sa tombe attire aujourd'hui encore les âmes romantiques de tout le pays…

Promenade Livadić★

Traverser la place dans toute sa longueur et franchir un curieux **pont de bois** couvert. On arrive à cette agréable esplanade, aménagée en bordure de la rivière. Dans ce cadre romantique, outre un hôtel et quelques cafés aux terrasses bordant le cours d'eau, s'élève la maison de Ferdo Livadić aménagée en **musée** *(voir « Visiter, p. 407 »)*.

Taborec

Poursuivre au-delà de la promenade en suivant la rivière par un sentier ombragé sur 1 km environ jusqu'à ce faubourg, noyau historique de Samobor, qui se développa au Moyen Âge, au pied de la **forteresse (Stari grad)**, construite au 13e s. On aperçoit de celle-ci quelques pans de murs perdus dans la verdure. En bas, l'**église Saint-Michel (Crkva sv. Mihalja)**, d'origine gothique, a reçu au 18e s. une décoration de style baroque.

Visiter

Musée de Samobor (Samoborski muzej)

Livadićeva 3. Tlj sf lun. 8h-15h, w.-end 9h-13h. 8 kn (étud., enf. 5 kn).
Il est installé dans une maison où vécut le compositeur **Ferdo Livadić** (1799-1879), auteur de délicats nocturnes. On y trouve des collections minéralogiques

La maison du compositeur Ferdo Livadić abrite aujourd'hui le Musée municipal.

P. Plantier / MICHELIN

et archéologiques, portant une attention particulière aux sites de l'âge du bronze des environs immédiats : la nécropole de Budinjak, avec ses 141 tumulus, a livré un important matériel (bijoux, poteries, monnaies). L'Antiquité romaine est représentée par une pierre levée sculptée en bas-reliefs, monument funéraire.

Dans une belle salle voûtée, une maquette représente le village au 18e s. avec ses maisons alors construites en bois, et les vignes qui l'entouraient. À l'étage, différents documents et objets relatifs à l'histoire de Samobor. Une vitrine est consacrée aux œuvres du poète **Stanko Vraz** (1810-1853). Portraits de notables locaux par Mihael Stroy et Ivan Franke. Enfin, on découvre le piano de **Ferdo Livadić** : Franz Liszt, dit-on, en joua.

Musée Marton★ (Muzej Marton)

Jurijevska 7. Ouvert : sam.-dim. 10h-18h, le reste de la semaine sf lun. sur rdv, ☎ *336 41 60. 15 kn, visite guidée 20 kn.*

Ouvert en 2003, c'est le premier musée privé de la Croatie. Fondé par Veljko Marton, entrepreneur originaire de Zagreb, afin de présenter sa collection au public, il expose près de 1 000 objets d'art appliqué. La plupart des œuvres datent des 18e-19e s. Vous verrez de nombreuses porcelaines en provenance des manufactures de Vienne, Berlin, Meissen, Sèvres et Saint-Pétersbourg, de très beaux objets en verre de Bohême, des chandeliers et des pièces de vaisselle en argent, des meubles (surtout les chaises) de la période Biedermeier, des tableaux des maîtres autrichiens et croates, ainsi qu'une petite collection d'horloges.

Samobor pratique

Information utiles

Code postal – *10430.*

Indicatif téléphonique – *01.*

Office de tourisme – *Trg kralja Tomislava 5 -* ☎ *336 00 44 - www.samobor.hr - lun.-vend. 8h-19h, sam. 9h-19h, dim. 10h-19h.*

Gare routière (Autobusni kolodvor) – *Gajeva. Plus de 30 cars par jour pour Zagreb.*

Banques – Distributeurs automatiques sur Trg Kralja Tomislava et dans ulica Ivana Perkovca, rue commerçante conduisant à la place. Bureau de change à la gare routière.

Poste (Pošta) – *Gajeva 6 (en face du marché).*

Se loger

👁 **Bon à savoir** – Samobor propose quelques pensions comme le **Garni Hotel** (*Josipa Jelačića 30 -* ☎ *336 69 71)* ou la **pension Golubić** (*Obrtnička 12,* ☎ *336 09 37).*

🛏🛏 **Hotel Livadić** – *Tomislava 1 -* ☎ *336 58 50, fax 332 55 88 - reservation@ hotel-livadic.hr - 23 ch. : 465 kn* 🛏 *-* 🅿. Couloirs et escaliers décorés avec goût conduisent aux très agréables chambres de cet hôtel familial chaleureux.

Se restaurer

Lavíca – *Livadićeva 5 -* ☎ *332 49 46 - plats 45/60 kn.* Très bien situé face au musée, cet hôtel-restaurant s'est fait une spécialité de grillades.

Samoborska pivnica – *Šmidhenova 3 -* ☎ *336 16 23 - 9h-23h - 50/80 kn.* À deux pas de la place, un restaurant cossu qui propose une cuisine roborative : *Samoborski kotlet, punjeni lungić na žaru* (steak farci au jambon, champignons et fromage, charcuteries, gibier…

Faire une pause

Caffe Ara – *Kralja Tomislava 9* - Dans une maisonnette aux murs bombés, plusieurs pièces en enfilade aux murs couverts de boiseries et au mobilier patiné. Un lieu idéal pour une petite pause, côté bar, le temps d'un café ou d'un verre de vin, ou côté buffet pour venir à bout d'une petite faim. Terrasse sur la place.

Livadić Cafe – *Kralja Tomislava 1.* Café et pâtisserie de l'hôtel du même nom : on y déguste la spécialité locale, la *Samoborska kremšnica,* gâteau à la crème qui fait le délice des gourmands.

Caffe Bar Antiko – *Kralja Tomislava 7.* Dans une cour ouvrant sur la place, nombreuses tables et tréteaux : une pause très agréable aux beaux jours.

Bistro Teraza Oleander – *Livadićeva 13.* Terrasse-jardin donnant sur la rivière.

Cafè Havana – *Tomislava 3.* Décor mexicano-cubain. Ambiance jeune et détendue.

Achats

Filipec – *Stražnička 1A (ruelle descendant de la place de la Sainte-Trinité).* Depuis 1808, la famille Filipec élabore selon une recette gardée jalousement secrète, le **bermet,** seul apéritif croate. Dans leur minuscule boutique, vous trouverez la fameuse « moutarde » de Samobor et, par une lucarne, apercevrez les fûts où s'élabore le célèbre breuvage.

Aromatica – *Perkovčeva 14.* Produits « Aromatica » : savons, sels de bains, huiles essentielles, bougies, etc., à base de sauge et de lavande de Dalmatie.

Marché – Vous y trouverez les charcuteries de Samobor, réputées dans toute la Croatie : *salamijada (saucissons* assaisonnés de divers ingrédients) et *češnjovke* (saucisses).

Sports et loisirs

Sentiers balisés dans la montagne de Samobor. Rens. et carte à l'office de tourisme.

Événements

Fašnik (Carnaval) – *Fév.* Suivant une tradition instaurée en 1827, une sorte de folie douce s'empare des rues de Samobor : feu d'artifice, défilés de personnages déguisés et masqués, chansons satiriques célèbrent l'avènement de la « République libre et carnavalesque de Samobor ». Quant au prince Faynik, il est, comme c'est la règle, brûlé au dernier jour des festivités (qui s'accompagnent naturellement de libations !).

Festival du salami – *Avr.*

Festival d'automne – *Sept.-oct.*

Sisak

BANOVINA – 52 236 HABITANTS
CARTE GÉNÉRALE B2 – CARTE MICHELIN 757 E5

Au confluent de trois rivières, l'Odra, la Kupa et la Save, Sisak occupe une position stratégique, ce que ses maîtres successifs ont bien compris, puisque, tour à tour, ils y édifièrent leurs châteaux. Si la forteresse est aujourd'hui le monument le plus connu de Sisak, il ne faut pas pour autant négliger le centre qui a conservé quelques traces du passé romain de l'antique « Siscia ». Ville animée et commerçante, Sisak constitue en outre une base de départ pour une découverte des paysages marécageux du Lonjsko Polje.

▶ **Se repérer** – Le centre-ville de Sisak est posé sur une étroite bande de terrain délimitée par le confluent de la Kupa et de la Save. La cité est construite selon un plan en damier s'articulant autour d'une avenue commerçante, Stjepana i Antuna Radića, dont le tracé rectiligne conduit de la gare au centre ancien, situé à proximité du vieux pont (Stari most).

👁 **À ne pas manquer** – Les cigognes, les maisons en bois et les réserves du Lonjsko Polje, une nuit dans une vieille maison en bois si vous avez le temps.

🕐 **Organiser son temps** – Prévoir 3h pour la visite de Sisak et une journée entière pour Lonjsko Polje.

👪 **Avec les enfants** – Une excursion à Čigoć, dans le parc naturel du Lonjsko Polje, pour voir les cigognes, des balades (en barque, à cheval ou à pied) dans les réserves.

♿ **Pour poursuivre le voyage** – Voir aussi Velika Gorica (41 km au nord), Karlovac (97 km au sud-est) et Zagreb (71 km au nord-est).

Comprendre

Siscia – C'est en 119 av. J.-C. que les Romains apparurent à Sisak en s'emparant de la forteresse de *Segestica* bâtie par une tribu celte. Mais il fallut attendre près d'un siècle avant qu'ils n'établissent véritablement leur domination, avec l'arrivée des légions d'Octave (35 av. J.-C.), le futur Auguste. Siscia obtint le statut de colonie *(Colonia Flavia Siscia)* sous le règne de Vespasien et devint alors une importante cité commerciale, grâce au trafic maritime sur la Kupa. Après une période troublée (invasions des Barbares au 2e s.), elle connut une nouvelle époque de splendeur sous le règne de Septime Sévère et fut érigée par Dioclétien au rang de capitale administrative de la

Stjepan Radić, héros et martyr de la cause croate

Né à Trebarjevo, près de Sisak, Radić était le principal leader du Parti paysan croate lorsqu'en 1918 la victoire des Alliés entraîna l'éclatement de l'empire austro-hongrois. La Croatie risquait d'être dépecée au profit des vainqueurs. Aussi, à contrecœur, Radić dut se rallier à l'idée d'une union des Slaves du Sud : ce fut le royaume des Serbes, Croates et Slovènes. Las, la Serbie avait combattu dans le camp des Alliés et était en position de force pour dicter ses conditions. Le respect des identités nationales n'en faisait pas partie et l'historique Sabor (Parlement croate) fut supprimé d'un trait de plume. En 1928, Stjepan Radić était abattu au sein même du Parlement de Belgrade au cours d'une séance. Les troubles qui s'ensuivirent débouchèrent sur l'avènement d'un régime autoritaire imposé par le roi Alexandre, qui prit le titre de roi de Yougoslavie.

Pannonie. Puis, en 441, le déferlement des Huns d'Attila entraîna la ruine définitive de la colonie.

Une victoire riche en symboles – Construite entre 1530 et 1544 par un architecte de Milan pour les évêques de Zagreb, la forteresse de Sisak était le principal système défensif des « restes des restes », ce territoire auquel était réduite la Croatie après la création des « Confins militaires », placés sous l'administration directe de Vienne pour résister à la poussée ottomane. C'est sous ses remparts que, le 22 juin 1593, ces derniers essuyèrent leur première défaite en Europe face aux troupes commandées par le ban **Toma Erdődy**. Éminemment symbolique (les armées ottomanes n'allaient pas tarder à se reprendre), le fait d'armes est aujourd'hui considéré comme un des actes fondateurs de la Croatie.

Se promener

LE CENTRE-VILLE
Depuis la rue honorant les frères Radić *(ulica Stjepana i Antuna Radića ou Radićeva)*, rejoindre la rive de la Kupa par la rue Frankopan *(Frankopanska)* et prendre sur la gauche *Rimska*.

Rimska
C'est le « quai des Romains », agréable promenade ombragée longeant la rivière, que bordent d'anciens entrepôts de brique rappelant (ainsi que quelques vénérables engins de levage) la longue tradition batelière de la cité.

Mali Kaptol
Au débouché de la rue Kukuljević.
Cette demeure, posée en bordure de l'eau, fut bâtie en brique à la fin du 18e s., alors que le reste de Sisak était en bois. Elle abrite aujourd'hui un café ainsi que l'office de tourisme.

Continuer sur le quai jusqu'à la place du Ban-Jelačić.

Veliki Kaptol
Sur la droite.
Ce palais du 18e s., précédé d'un agréable jardin, présente une façade fatiguée surmontée d'un fronton triangulaire.

Parc archéologique de Siscia
(Arheološki Park)
Il présente *in situ* des vestiges de la cité antique, dont la plus grande partie se trouve sous la ville d'aujourd'hui. On distingue le soubassement de remparts (tour circulaire) et des colonnes de l'odéon.

Église de la Sainte-Croix
(Crkva sv. Križa)
Décor baroque sobre, d'où se distinguent deux statues exécutées par Francesco Robba. Au-delà du petit square avec charmant kiosque à musique, bel alignement de façades couleur rouille du 18e s.

Kiosque à musique dans le square de Sisak.
P. Plantier / MICHELIN

Vieux Pont **(Stari most)**
Construit en pierre et en brique, ce pont achevé en 1936 lance élégamment ses quatre arches au-dessus de la Kupa.

Par ulica Kranjčevića qui s'amorce en courbe depuis la place Jelačić, on rejoint la rue du Roi-Tomislav (kralja Tomislava) où se trouve le musée et, de là, la rue Radić.

Forteresse★★ **(Stari grad)**
Sortir de Sisak vers le nord en direction de Kutina et Popovača. Juste avant le pont sur la Sava, prendre sur la droite une rue que l'on suit jusqu'à la rivière. Tourner alors à droite sur la digue que l'on suit sur 1,5 km environ.
Posée au confluent de la Kupa et de la Save, cette forteresse triangulaire aux murs en brique est dotée de trois formidables tours rondes au toit pointu. Les remparts sont coiffés d'une galerie de bois. L'ensemble ne manque pas d'allure et retrouvera tout son attrait lorsque les travaux de restauration (le château a été bombardé lors du dernier conflit) auront été achevés. Sans doute pourra-t-on alors à nouveau en découvrir l'intérieur où naguère était aménagé un musée historique.

Visiter

Musée de la Ville★ (Gradski muzej Sisak)

Tlj sf lun. 10h-18h, sam.-dim. 9h-12h. 15 kn.

Il présente, dans une série de vitrines, une collection archéologique restreinte mais pleine d'intérêt, retraçant l'histoire de Sisak, du néolithique aux ducs croates (9e-10e s.).

Des petites statuettes retrouvées dans la boue des rives marécageuses de la Kupa illustrent le néolithique. De l'âge du bronze, on retiendra un superbe **casque** illyrien. Mais ce sont avant tout les vestiges de la Siscia romaine qui retiendront l'attention : urnes funéraires, fibules, stylets, instruments chirurgicaux, verrerie, jarres et amphores, bijoux et pièces, témoignent de l'importance de la colonie. Enfin, ceinturons, bagues et épées évoquent la création de la Croatie des ducs, puis des rois à partir de Tomislav. Les salles de l'étage, disposées en mezzanine autour du patio central, accueillent des expositions temporaires.

Circuit de découverte

Autour du Lonjsko Polje★★

Circuit de 159 km au départ de Sisak. Quitter Sisak en direction de Kutina. Après le pont sur la Save, prendre à l'entrée de Baldovo sur la droite la direction de Topolovac que l'on traverse. Poursuivre tout droit au-delà du croisement de la route conduisant à la zone industrielle.

La route rejoint bientôt la Save que l'on suit désormais, au sommet d'une digue. Beaux paysages de rivière sur la droite de la route. Sur la gauche, en contrebas, plaine maraîchère parsemée de villages.

Prelošcica

C'est dans ce premier village que l'on commence à observer des maisons de bois, parfois dégradées, parfois plus

Le Lonjsko Polje

C'est la Lonja, une petite rivière qui d'ordinaire ne paie pas de mine, qui a donné son nom à cette région. Au moment des crues (six mois par an), les terres sont en effet submergées et nombre d'oiseaux migrateurs (on en a compté 239 espèces, parmi lesquelles les cigognes, la spatule blanche…) viennent nicher aux abords de ce grand marécage que l'on peut alors découvrir en barque. Mais l'intérêt du Lonjsko Polje ne se limite pas à son avifaune et à ses paysages : les villages qui l'entourent, placés en contrebas d'une digue, ont su conserver un mode de vie traditionnel, symbolisé par ses superbes maisons de bois, tandis que dans les prés paissent des chevaux de Posavina, race locale.

riches, avec leurs escaliers extérieurs desservant une galerie aux balustrades ouvragées. Les toits sont souvent coiffés de nids de cigognes. À la sortie du village, un remorqueur et quelques péniches se sont échoués sur la rive.

Gušće★

Long village aux belles maisons de bois, souvent dotées à l'étage de galeries. La vie rurale est intense et paisible. Des poules, accompagnées de leur coq picorent çà et là. On aperçoit parfois des porcs noirs replets qui, en grognant, cherchent leur pitance sur le bord de la route. De véritables troupeaux d'oies s'ébattent au bord de la rivière. À la sortie du village, un panneau annonce l'entrée dans le **parc naturel du Lonjsko Polje**.

Čigoč★

« Capitale » du parc, ce village a également reçu le titre de « capitale européenne de la cigogne ». À juste titre, car il n'est guère de toit de ces maisons en bois fleuries qui n'héberge sa pensionnaire ailée. C'est ici, dans une maison en cours de reconstruction avec les matériaux traditionnels que se situera le **point d'information** *(informacije)* du parc où vous trouverez tous les renseignements sur l'écosystème et les balades en barque.

Après une petite forêt (saules, frênes et chênes), la route devient très étroite (refuges aménagés pour les croisements). Des cygnes glissent dédaigneusement sur la Save assez large à cet endroit. Dans ce paysage serein, quelques pêcheurs à la ligne taquinent le goujon, installés sur des pontons. On traverse de charmants villages aux jardins fleuris comme **Kratečko** ou **Mužilovčica** : des filets séchant devant les maisons de bois indiquent que les paysans du lieu se livrent également à la pêche. Sur la droite, la forêt baigne désormais dans l'eau, ainsi que dans un vacarme animalier où crapauds et volatiles s'expriment en toute liberté, parfois rappelés à l'ordre par un coq au chant autoritaire.

Fôret du Lonjsko Polje.

Suvoj

Bel ensemble de maisons aux décorations parfois recherchées (fleurs sculptées).

Après le village de **Lonja**, la route devient difficile, le goudron n'étant parfois plus qu'un lointains souvenir. Ce n'est qu'après l'écluse permettant à la Veliki Strug de communiquer avec la Save que le revêtement redevient convenable.

Krapje★

Village considéré comme un conservatoire de l'architecture de bois. Et, de fait, elles s'alignent sur le bord de la route, parfois posées sur des soubassements en maçonnerie. Au printemps, lorsque les jardins sont fleuris (nombreux magnolias), elles composent un ensemble plein de charme.

Jasenovac

Laisser sur la droite l'accès au poste-frontière avec la Bosnie, sur la gauche la route de Novska, et traversez tout le village.

On arrive au mémorial du camp de concentration de sinistre mémoire : bâtiments et monument (une grande tulipe évasée de béton) dessinés par B. Bogdanović. Pendant la Seconde Guerre mondiale, des dizaines de milliers de Croates (juifs, Tsiganes ou résistants) et de Serbes y furent exterminés.

On revient sur Krapje et on traverse le marécage par Plesmo, puis Nova Subovka où on prend à gauche vers Lipovljani.

Kutina

Après avoir longé un grand bassin de retenue (le Ribnjak Lipovijani), on aborde cette ville industrielle (usines pétrochimiques) et viticole, qui a conservé un petit centre ancien disposé aux abords de la **place du Roi-Tomislav**, aménagée pour partie en parc, et sur laquelle donne le **manoir Erdődy** qui abrite un **musée de Moslavina (muzej Moslavine)** aux heures d'ouverture plus que confidentielles.

La **rue de l'Église (Crkvna ulica)** s'élève au-dessus de la place. On rencontre là encore de sympathiques maisons de bois, souvent laissées hélas à l'abandon. Au sommet de la colline, enfermée dans son enclos, comme le sont habituellement les églises de pèlerinage, **N.-D.-des-Neiges★★ (Crkva sv. Marije Snježne)** dresse ses clochers à bulbe au-dessus des frondaisons. En fin d'après-midi, il est possible de rentrer dans l'enceinte (très joli jardin) et de pénétrer dans le sanctuaire élevé par le comte Karlo Erdődy. Par sa richesse, sa profusion, ses courbes et ses volutes, ses dorures et ses gypseries, la décoration intérieure coupe le souffle : remarquez en particulier la chaire sculptée, le grand retable peuplé d'une foule d'angelots (à vous donner le tournis), les extraordinaires confessionnaux, ainsi que les peintures murales réalisées en trompe-l'œil en 1779 par Josip Görner.

Quitter Kutina en suivant la direction de Zagreb par Voloder. Avant d'arriver à ce village, dans Grasčenica, prendre sur la gauche en direction de Donja Grasčenica.

Donja Gračenica

Dans ce village, on commence à apercevoir à nouveau de jolies maisons de bois, disposées de part et d'autre d'une rivière qui serpente paresseusement à travers les jardins potagers.

Au carrefour *(prendre à droite en direction d'Osekovo)* s'élève une petite **chapelle★** de bois consacrée à saint-Fabien et saint-Sébastien.

Osekovo

Dans ce village aussi, dont la rue principale est allègrement parcourue par toute une basse-cour insouciante, s'élèvent des maisons de bois. Parfois à un seul niveau, parfois dotées d'un étage, certaines portent des traces de peinture. Les galeries de l'étage sont souvent sculptées.

Poursuivre jusqu'à Stružec. À la sortie du village, prendre sur la gauche la route qui, tracée sur une digue, ramène à travers une belle forêt jusqu'à Sisak.

Sisak pratique

Informations utiles

Code postal – *41000.*

Indicatif téléphonique – *041.*

Office du tourisme – *Mali Kaptol, Rimska bb - ℘ 522 655, 521 615 - www.sisakturist.com.*

Poste (Pošta) – *Radićeva 29 - lun.-vend. 7h-20h, sam. 8h-14h.* Bureau de change, distributeur.

Banque – *Radićeva 10.* Distributeur.

Gare ferroviaire (Željeznički kolodvor) – *Trg Republike, au bout de Radićeva.* 10 trains quotidiens pour Zagreb : un par jour pour Sarajevo.

Gare routière (Autobusni kolodvor) – *Sur la place de la gare.* Une quinzaine de liaisons quotidiennes pour Zagreb ; cars locaux pour Gušče, Lonja, Karlovac, Kutina ; lignes internationales : Francfort et Munich.

Internet – **VIP Centar**, *à l'angle des rues Radića et Kukuljevića. Tlj sf dim. 8h-20h.*

Se loger

⊖⊜ **Hotel Panonija** – *Sakcinskog 21 - ℘ 515 600, fax 515 601 - www.hotel-panonija.hr - 84 ch. : 330/450 kn* ⊑ - **P**. Un grand bâtiment sans charme excessif… mais d'un confort convenable, malgré des sanitaires fatigués (et un ascenseur terrifiant !). Le bar, dominant la rue, est agréable.

⊖⊜ **Hotel I** – *Obrtnička bb - ℘ 527 277, fax 527 278 - hotel-i@sk.t-com.hr - 16 ch. : 450 kn* ⊑ *et 1 appart. : 650 kn* ⊑. Situé dans une zone industrielle, au milieu d'un important nœud routier, cet hôtel ne peut constituer qu'une solution de dépannage. Confort standard.

À PETRINJA

⊖⊜ **Gostionica MIS** – *Strossmayerov trg 10 - ℘ 526 811 - 8 ch. : 205 kn/pers.* ⊑. À l'étage de cette maison récemment remise à neuf, quelques chambres peuvent constituer une alternative à l'hôtel de Sisak. Chambres petites mais très propres, même si elles gagneraient à changer la couleur des murs. Café et restaurant, bondé les jours de marché. Plats copieux.

À KUTINA

⊖⊜/⊝⊜⊜ **Hotel Kutina** – *Dubrovačka cesta 4 (depuis la place par Kolodvorska puis à droite - signalisation plus que discrète) - ℘ 692 401, fax 692 411 - 68 ch. : 400/540 kn* ⊑ - **P**. Relativement moderne et sans trop d'âme, cet hôtel a le mérite d'exister. Une partie des chambres a été rénovée. Restaurant de spécialités régionales. Accueil aimable.

Se restaurer

⊖⊜ **Cocktail** – *A. Starčevića 27 - ℘ 549 137 - 50/100 kn.* Totalement rénové, ce restaurant possède une grande salle design avec une exposition de bouteilles de vin croate. On y sert des spécialités de poissons de rivière (excellents) et des plats de cuisine italienne. Service attentif. Terrasse pour les beaux jours.

⊝ **Porto Latino** – *Rimska 14 - ℘ 521 432 - 30/70 kn.* La mode Tex-Mex frappe aussi en ces lieux. Revisitée à la manière croate, la cuisine latino est parfois amusante.

⊖⊜ **Stari Grad** – *Dans les dépendances du château - ℘ 543 700 - 10h-22h - 60/110 kn.* Spécialités locales servies dans une belle salle voûtée aux murs chaulés. Le soir, concerts de *tamburica*.

Faire une pause

👁 **Bon à savoir** : aux beaux jours, nombreuses terrasses de café ensoleillées sur Rimska, en bordure de la rivière.

Kavana Mali Kaptol – *Rimska.* Dans le bâtiment de l'office de tourisme. Salle rustique et agréable terrasse à côté d'un engin de levage rappelant le passé marinier de la cité.

Gradska kavana – *Kranjčevićeva 9 (au coin de la rue Radić).* Le grand café élégant de la ville, également pâtissier et glacier.

Caffe Bar Elephas – *Trg bana Jelačića 3, au fond de la cour.* Un « café brun » avec ses tables hautes et un décor hésitant entre le

Tex-Mex et le Croato-Croate : instruments de musique traditionnels et plaques d'immatriculation de toutes les provenances au mur (une idée de cadeau pour le gérant !). Clientèle jeune et ambiance musicale.

À KUTINA

Gradska Kavana – *Kolodvorska*. Grand café-glacier-pâtisserie dont l'étage est doté d'une terrasse dominant la rue. C'est là que la jeunesse se retrouve, au son des tubes de la variété croate.

Achats

Tous commerces sur ulica Stjepana i Antuna Radića, avec en particulier la galerie commerciale **Nama**.

Excursion à Lonjsko Polje

Bon à savoir – privilégiez le printemps, lorsque les jardins fleuris viennent illuminer les maisons de bois. Tracée sur une digue, la route est très étroite, souvent défoncée, parfois dépourvue de revêtement : attention donc aux projections de gravillons et, par temps de pluie, aux risques d'embourbement.

Parc naturel de Lonjsko Polje – *Krapje 30, 44325 Krapje - ☎ 672 080 et 611 190, fax 606 449 - www.pp-lonjsko-polje.hr.*

Prix d'entrée : 25 kn (étud., enf. 20 kn). À acquitter dans les centres d'information.

CENTRES D'INFORMATION

Čigoć – *Čigoć 26, dans une jolie maison traditionnelle rénovée - ☎/fax 715 115 - 8h-16h.* On y trouve tous renseignements sur les possibilités de promenade en barque, ainsi que sur l'écosystème de la région (en particulier sur l'avifaune). Plan du parc, livres, brochures, CD-rom, souvenirs et cartes postales. Toilettes.

Krapje – *Krapje 1 - ☎ 098/222 086*. Mêmes informations et services.

SE LOGER

Bon à savoir – Les adresses des maisons qui louent des chambres dans les villages du parc sont disponibles aux centres d'information.

Pansion « Iža na trem » – *Čigoć 57 - ☎ 715 167 - 3 ch : 140 kn/pers.* ☕. Dans une maison en bois restaurée de 1915, de jolies chambres de style rustique dont une dispose d'une cuisine. Accueil charmant (en croate).

Pansion Ravlić – *Mužilovčica 72 - ☎/fax 710 151 - jaksa.ravlic@sk.t-com.hr - 2 ch : 170 kn/pers.* ☕ *35 kn. 1/2 P : 55/85 kn/pers.* Une belle maison ancienne en bois avec des chambres à la décoration soignée. Le petit-déjeuner et les repas se prennent dans une superbe salle à manger décorée de cloches provenant de la collection du propriétaire. Location de barques et de vélos, promenade à cheval. Accueil attentif du propriétaire francophone (!) qui se souvient toujours de son séjour en Camargue il y a trente ans de cela !

Pansion « Jozin budžak » – *Krapje 76 - ☎ 611 202 - 2 ch : 150 kn/pers.* ☕. Pension agréable dans une vieille maison en bois, aux chambres spacieuses décorées de tableaux et de draps brodés. Le petit-déjeuner se prend sur la terrasse dans la cour, dont une partie est aménagée en musée de vieux outils. Locations de barques et de vélos. Accueil amical (en croate).

Pansion Rakarić – *Krapje 164 - ☎ 611 079 - 2 ch. : 100 kn/pers.* ☕ *20/30 kn.* Belles chambres spacieuses dans une maison en bois restaurée. Le petit-déjeuner servi sur la galerie est particulièrement agréable. Le propriétaire parle croate.

SE RESTAURER

Kod Ribića – *V. Nazora 24, Jasenovac - ☎ 672 066 - poisson 130/160 kn/kg, plats 35/45 kn.* Un petit restaurant sans prétention où l'on trouve des plats pour tous les goûts : *kulen* slavon, jambon dalmate, omelettes, plats de viande et poisson de rivière.

ÉVÉNEMENTS

Fête de saint Antoine à Krapje - *13 juin*. Seule occasion d'admirer les magnifiques broderies et vêtements sacerdotaux conservés dans l'église Saint-Antoine-de-Padoue de Krapje.

Varaždin★★

49 075 HABITANTS
CARTE GÉNÉRALE B1 – CARTE MICHELIN 757 D4 – SCHÉMA : VOIR À ZAGORJE.

Il y a une lumière particulière à Varaždin : toujours douce, souvent chaude, elle dore les façades, caresse la silhouette des clochers à bulbe, exalte l'élégance des nobles demeures qui bornent les rues piétonnes de la ville historique. Et c'est un plaisir auquel on s'abandonne volontiers que de flâner dans ce petit joyau baroque où règne une ambiance particulière, subtile alchimie née de la rencontre d'une jeunesse dynamique et d'un passé raffiné qui semble s'être figé dans l'éternité : pas de doute, ici, on est dans l'Europe centrale telle qu'on aime à se l'imaginer !

▶ **Se repérer** – Le petit centre piéton de Varaždin est ceint par une voie à sens unique constituée des rues Vladimira-Nazora et Stanka-Vraza qui bordent le château, Augusta-Cesarca et A.-Stepinca que prolonge Augusta-Šenoe. Plusieurs parkings (payants par horodateur) sont aménagés à proximité du centre ancien.

👁 **À ne pas manquer** – La balade dans la vieille ville, la Galerie des Maîtres anciens et modernes, le musée de la Ville.

🕐 **Organiser son temps** – Prévoir une journée avec la visite des musées.

👪 **Avec les enfants** – Le vieux château, la collection d'entomologie.

🧭 **Pour poursuivre le voyage** – Voir aussi Krapina (52 km au sud-ouest), la région du Zagorje, la Podravina (au sud-est) et Zagreb (79 km au sud).

Quand la lumière joue sur les façades de la charmante rue Ivan Gundulič.

Comprendre

Pouvoir féodal et pouvoir municipal – D'un côté, une forteresse féodale commandant un carrefour important de routes en bordure de la Drave. De l'autre, une ville qui avait obtenu dès 1209 le statut de ville royale libre – promulgué par le roi de Hongrie András II – lui donnant entre autres privilèges, celui d'édifier ses propres murailles. C'est de ces deux entités indépendantes (et, parfois, opposées) ne communiquant que par un pont-levis qu'est née la physionomie actuelle du centre de Varaždin.

L'éphémère capitale du royaume – Dans le courant du 18ᵉ s., une série d'épidémies et des incendies à répétition dévastèrent Zagreb où siégeait le pouvoir civil du royaume croate. Il fut alors décidé par le ban (vice-roi) **Franjo Nadásdy** de transférer les institutions politiques à Varaždin qui devint ainsi, en 1756, la capitale de la Croatie : le Parlement *(Sabor)* y tenait session, ainsi que le Tribunal suprême. Mais cette période de splendeur ne dura que jusqu'en 1776 où la cité fut à son tour dévastée par un grand incendie. La capitale retourna dès lors à Zagreb.

Une ville raffinée – Cependant, Varaždin n'allait pas pour autant sombrer dans le déclin. Riche d'une ancienne tradition universitaire (depuis l'arrivée des jésuites), la cité où de nombreuses familles nobles (les Drašković, Patačić et autres Sermage) s'étaient fait édifier de superbes palais continua à connaître une vie mondaine brillante

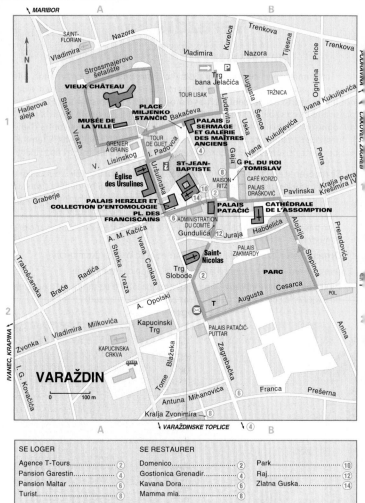

SE LOGER		SE RESTAURER			
Agence T-Tours	②	Domenico	②	Park	⑩
Pansion Garestin	④	Gostionica Grenadir	④	Raj	⑫
Pansion Maltar	⑥	Kavana Dora	⑥	Zlatna Guska	⑭
Turist	⑧	Mamma mia	⑧		

et raffinée. Si des industries ont peu à peu fait grossir la ville au-delà de ses limites historiques, elle n'en a pas pour autant renoncé à son rôle de capitale culturelle (symbolisé par les « soirées baroques ») et a su préserver son patrimoine architectural.

Se promener

LA VILLE BAROQUE★★

Laisser la voiture sur le parking aménagé au centre de la place du Ban-Jelačić.

Place du Ban-Jelačić (Trg bana Jelačića) B1

Place bordée de quelques beaux immeubles, à la lisière du centre piétonnier. Après avoir laissé la voiture, on s'engagera dans celui-ci en empruntant la rue Ljudevit Gaj.

Lisakova kula (Tour Lisak)

Cette tour du 16ᵉ s. est le dernier vestige des remparts de la ville, abattus au milieu du 19ᵉ s. Juste à côté, une noble demeure abrite, en sous-sol, un pub très couru, le Zlatni Lampaš. Au coin de la place et de la rue L.-Gaj naquit le pianiste **Jurica Murai** (1927-1999), un des plus prestigieux interprètes croates, qui perpétua la longue tradition musicale de la ville.

Par la rue Ljudevit-Gaj puis à droite Bakačeva, on atteint la place Stančić.

Place Miljenko-Stančić★ (Trg Miljenko Stančića) A1

Face à la tour d'accès au château, c'est une charmante petite place de forme irrégulière, bordée par des palais et des maisons à arcades, investie aux beaux jours par les tables d'un café, dont la salle confortable est un véritable bienfait lorsque la bise vient !

Vue aérienne du château de Varaždin.

Palais (Palača) Sermage★★ A-B1

Au coin de Bakačeva.

Construit au 17e s. *(Voir « ABC d'architecture » p. 86)*, il prit sa belle façade rococo bicolore, ornée de médaillons et d'un beau balcon lorsqu'en 1759 il fut acquis par la noble famille Sermage. Passant sous le porche, on accède à une cour ornée d'une galerie à arcades, tandis qu'un escalier permet d'accéder à l'étage où est installée la **Galerie des Maîtres anciens**★ *(voir description dans « Visiter » p. 420)*.

Tour de guet★ (Kula Stražarnica) A1

C'est par cette porte de style Renaissance, construite dans la première moitié du 16e s., que la place communique avec le château : un pont-levis, jeté sur les douves aujourd'hui comblées, achevait de protéger la citadelle.

Passer sous la porte voûtée pour accéder au château.

Vieux château★★ (Stari grad) A1

Mi-forteresse mi-palais, le vieux château autour duquel s'est développé la ville dresse sa silhouette blanche et trapue au milieu d'un beau parc, délimité par les anciens remparts. Été comme hiver, les enfants s'y retrouvent pour jouer (et, lorsque la neige est au rendez-vous, faire de la luge).

Ancien grenier à grain (Žitnica)

Sur la gauche, avant la rampe d'accès au rempart. Du 15e s., il fut transformé en dépôt de munitions à l'époque des Confins militaires.

Promenade Strossmayer (Strossmayerovo šetalište)

Aménagée sur les anciens remparts, elle constitue une promenade agréable dans la verdure, procurant des vues tant sur le château que sur les toits de la vieille ville hérissée de clochers.

Château★

De forme irrégulière, il se distingue par ses deux tours rondes et un donjon carré reliés par des corps de bâtiments qui, certes percés de fenêtres, ont toutefois conservé l'aspect général d'une forteresse. Il abrite aujourd'hui l'excellent **musée de la Ville**★★. On pénètre dans la **cour**★ charmante, d'une légèreté insoupçonnable de l'extérieur. Entourée de deux étages de galeries, de murs blancs aux fenêtres peintes en trompe-l'œil, elle conserve en son centre un beau puits. L'accès aux appartements (« ulaz ») se fait dans l'angle opposé de la cour *(voir horaires et description dans « Visiter » p. 421)*.

Quitter l'enceinte du château dans le prolongement de la promenade Strossmayer en vous guidant sur le clocher de l'église des Ursulines.

Rue Ivan-Padovec (Ulica Ivana Padovca) A1

Sur la gauche.

Quelques pas dans cette courte rue au tracé décrivant une courbe vous permettront de découvrir, au n° 3, une harmonieuse maison à un étage, du 18e s. : c'est la **kuća Ivana Padovca** qui abrite aujourd'hui l'office du tourisme de Varaždin.

Revenir vers la rue des Ursulines qu'on prend sur la gauche.

Un château au fil des siècles

Construit au 12e s., ce fut tout d'abord une formidable forteresse aux grosses tours carrées, surveillant, sur la rive droite de la Drava, le carrefour stratégique constitué par deux routes (l'une reliant Zagreb à Budapest, l'autre Graz à Osijek et Belgrade), au pied de laquelle se développa petit à petit la ville de Varaždin. Les parties les plus anciennes (les tours rondes) datent quant à elles du 14e s. Autour de 1560, la menace ottomane se faisant pressante, il fut en grande partie reconstruit par des artisans de la région de Côme (les fameux *maestri comacini*, sous la direction de **Domenico dall'Allio**), doté de nouveaux systèmes de défense et prit son aspect Renaissance, qui est plus ou moins celui que l'on découvre aujourd'hui, si l'on excepte quelques transformations effectuées au 18e s. C'est à la fin du 16e s. que **Toma Erdődy**, vainqueur des Turcs à Sisak en prit possession, et, le comté (*županija* ou « joupanie ») devenant alors héréditaire, la famille le conserva jusqu'en 1925, date à laquelle la ville en fit l'acquisition pour y installer le musée.

Rue des Ursulines (Uršulinska ulica) A1

Église des Ursulines (Uršulinska crkva) – *Sur la gauche*. Toute rose, cette église à nef unique, construite en 1712, est surmontée d'un gracieux **clocher★**, sans doute le plus élégant de la ville.

Couvent des Ursulines – *Au n° 3*. Immédiatement après l'église s'étend la longue façade du couvent des sœurs Ursulines, doté de fenêtres en trompe-l'œil. L'édifice actuel, du milieu du 18e s. a été bâti pour abriter cette congrégation, arrivée à Varaždin depuis Bratislava à l'invitation de la famille Drašković, pour y ouvrir une école de filles.

Pharmacie du monastère franciscain – *Au n° 4, sur le côté gauche de la rue. Lun. 15h-18h, mar., jeu., vend. 9h-12h*. C'est en pénétrant dans cette cour que l'on accède au monastère franciscain, bâti en 1673. Sur la droite, le plafond de la pharmacie est décoré de fresques exécutées en 1750 par un maître du baroque, le moine paulinien **Ivan Ranger**.

Place des Franciscains★ (Franjevački trg) A-B1

Palais (Palača) Herzer★ – *Au n° 6, au coin de la rue des Ursulines*. Ce palais fut aménagé en 1795. Il présente sur la place une façade à la belle ordonnance classique que vient animer un portail baroque surmonté du blason du propriétaire. Il abrite aujourd'hui une étonnante **collection d'entomologie★★** *(voir description dans « Visiter » p. 421)*.

Statue de Grégoire de Nin (Spomenik Grgura Ninskog)

Évêque de Split au 10e s., Grégoire de Nin est considéré comme l'un des pères de l'identité nationale croate : c'est grâce à lui que les Croates bénéficièrent du privilège unique d'entendre la messe dans leur langue. Posée devant la façade de l'église des Franciscains, la statue, œuvre tout en puissance de **Ivan Meštrović**, est une réplique de celle qui se dresse devant la porte d'Or du palais de Dioclétien à Split *(voir ce nom, p. 186 et 188)*.

Église franciscaine Saint-Jean-Baptiste★ (Crkva sv. Ivana Krstitelja) – Cette église baroque fut élevée par un architecte de Graz, Peter Rabb, en 1650. Le clocher est le plus haut de la ville. Le **décor intérieur★★** *(accès aux heures des messes)* est somptueux, qu'il s'agisse du spectaculaire retable polychrome du maître-autel, des chapelles latérales décorées par Quadrio ou des statues de saint François d'Assise et de saint Antoine de Padoue exécutées par un sculpteur local, I. J. Altenbach. Notez également la chaire ornée de fines sculptures de style maniériste représentant le Christ et les Apôtres.

Palais de Varaždinska županija – *Côté droit de la place au n° 7*. Il présente une belle façade avec balcons et colonnes.

Palais (Palača) Patačić★★ – *Côté droit de la place à l'angle de Gundulića*. La façade de ce palais rococo, édifié en 1764 pour Franjo Patačić, est une des plus belles de la ville, avec son balcon, et sa porte encadrée de colonnes.

Palais (Palača) Patačić-Bužan – *Côté gauche, face au précédent*. Beau palais édifié en 1756.

Prendre sur la droite Gundulića, bordée elle aussi d'immeubles intéressants, jusqu'à la place de la Liberté (Trg Slobode) et la rue de Zagreb (Zagrebačka, à gauche).

Église Saint-Nicolas (Crkva sv. Nikole) – Toute grise, cette ancienne église romane, consacrée au saint patron de la ville, a été largement remodelée dans le style baroque entre 1753 et 1791 par un architecte local, Matija Mayerhofer, mais a gardé son clocher de la fin du 15e s. L'intérieur a reçu lui aussi un décor baroque. Une curiosité : derrière le grand autel, une fresque représente la ville à la fin du 18e s.

Palais (Palača) Patačić-Puttar – *Sur la gauche, au coin de la rue Augusta Cesarca.* Observez le portail ouvragé (et décoré du blason de son ancien propriétaire) de ce palais où néoclassicisme et baroque se mêlent harmonieusement.

Théâtre national croate (Hrvatsko narodno kazalište) – Belle construction historiciste due à l'architecte viennois Herman Helmer (1873). Son portail à colonnades donne sur la rue Augusta-Cesarca que l'on prend, à gauche.

D'après la colonne météo, il semblerait que le temps soit à la neige…

M. Guillochon / MICHELIN

Parc (Šetalište) Vatroslava Jagića★ – Ce beau parc est orné d'une statue de Vatroslav Jagić, historien des langues slaves. Vous remarquerez également une de ces colonnes météo dont les Croates sont friands. Le parc est parcouru par des allées dans lesquelles il fait bon flâner, et doté d'un restaurant (judicieusement nommé Park) dont la salle ouvre par de larges baies vitrées sur la verdure.

À côté de celui-ci, dans la rue Habdelića, s'élève le **palais Zakmardy**, quelque peu massif. Cet ancien collège de jésuites a été construit à la fin du 17e s. par deux architectes locaux, Jakob et Blaž Jančić.

Remonter à gauche par ulica A. Stepinca jusqu'à Pavlinska ulica que l'on prend toujours à gauche.

Rue (ulica) Pavlinska A-B1

Cathédrale de l'Assomption★ (Katedrala Uznesenja Blažene Djevice Marije) – *Ouverte aux heures des messes… ou pendant les concerts.* Édifiée entre 1642 et 1646, cette ancienne église jésuite puis paulienne a été élevée au rang de cathédrale lors de la création du diocèse de Varaždin en 1957. Sur la façade, remodelée au 18e s., on distingue les armes de son commanditaire, le comte Gašpar Drašković. À **l'intérieur★★**, très clair, admirez, au-dessus du maître-autel, le somptueux retable de l'Assomption, décoré d'une peinture attribuée, peut-être généreusement, à Rubens. Notez aussi la chapelle Saint-François-Xavier, ornée de stucs réalisés par Quadrio (1710) et les **stalles peintes** par Ivan Ranger.

Place du Roi-Tomislav★★ (Trg kralja Tomislava) B1

On débouche bientôt sur la place principale de la ville, aménagée à l'italienne, très théâtrale, et bordée de quelques-uns des plus beaux palais de la cité.

Hôtel de ville – *Sur le côté nord de la place.* La mairie occupe cet emplacement depuis 1573… mais bien des avatars, suivis de reconstructions, totales ou partielles, ont quelque peu altéré la construction d'origine. La façade agréable que l'on découvre aujourd'hui, surmontée par un beffroi, a été réalisée dans la dernière décennie du 18e s. Remarquez le beau balcon ouvragé et, au-dessus du portail, les armes de la ville, sculptées dans la pierre.

Caffe Korzo – *Sur le côté droit.* À la fois café et pâtisserie, cet établissement au décor Art déco et à l'ambiance typique des cafés d'Europe centrale occupe le rez-de-chaussée d'un amusant immeuble doté d'une tourelle d'angle.

Palais (Palača) Drašković – *À droite du café.* Beau portail surmonté des armes de la prestigieuse famille qui lui a donné son nom. Le palais actuel, qui arbore une belle façade rococo, fut construit dans la seconde moitié du 18e s. et appartenait au ban Nadásdy. Dans l'immeuble situé à sa droite, le Sabor se réunit entre 1756 et 1776.

Maisons (Kuća) Bakić et Mrazović – *Côté opposé de la mairie.* Il s'agit de deux exemples de maisons bourgeoises : la première, sur votre gauche, date du début du 18e s. La seconde, du 16e s., a été largement remodelée au 19e s.

Maison (Kuća) Ritz – *Côté gauche de la place, à l'angle de Franjevački trg.* Dotée d'arcades, cette maison dont le rez-de-chaussée est aujourd'hui occupé par un café, est réputée comme étant la plus ancienne de la ville, puisqu'elle date de 1540.

Par la rue Ljudevit-Gaj (ulica Ljudevita Gaja), sur la gauche de l'hôtel de ville, on regagne la place du Ban-Jelačić.

À L'ÉCART DU CENTRE

Église Saint-Florian
(Crkva sv. Florijana) A1
Vladimira Nazora, au nord du château.
Cette église baroque fut bâtie en 1738. Elle a été rénovée dans le style rococo en 1777, après l'incendie qui dévasta la ville l'année précédente. Sa façade s'orne d'un cadran solaire. Elle abrite une peinture représentant le grand incendie… mais est, hélas, rarement ouverte !

> ### Le miracle du Saint-Sang
>
> En 1411, un prêtre, célébrant la messe dans la chapelle du château, vit le vin se transformer en sang du Sauveur dans son calice. Dès que l'affaire fut connue, les pèlerins affluèrent, d'autant que les guérisons miraculeuses se multiplièrent. Officiellement reconnu par le pape Léon X en 1513, le miracle donne dès lors lieu à un pèlerinage officiel. Considérant le calice sacré comme « le plus grand trésor du royaume croate », le Sabor (Parlement) réuni à Varaždin en 1739 vota la construction d'une chapelle vouée à célébrer l'événement. L'affaire prit quelque temps, puisque ce n'est qu'en 1994 que la chapelle fut consacrée.

Prendre la rue V. Nazora puis, à gauche, Stanka Vraza qui longe à l'ouest l'enceinte de Stari Grad (le château) et, enfin à gauche, l'allée Haller (Hallerova aleja) jusqu'au croisement avec la route de Zagreb (5mn). Le cimetière se trouve au-delà de cette route.

Cimetière paysager★ (Groblje)
Été : 7h-21h ; hiver : 7h-18h - 🅿. *Plan d'orientation près du dépositoire.*
Lieu de promenade dominicale des habitants de la ville, ce cimetière a été aménagé par un paysagiste, **Herman Haller** (1875-1953) qui a voulu qu'arbres, buissons, fleurs et sentiers composent un ensemble harmonieux. Le résultat est beaucoup moins mélancolique qu'on ne pourrait le penser et constitue un parc où l'on prend plaisir à se promener. On y verra des sculptures (*Femme affligée* par Antun Augustinčić) et quelques monuments, impressionnants comme la chapelle rococo de la famille Orčić, émouvants (à la mémoire des victimes des différents conflits), voire amusants : ainsi ce défunt qui a eu la délicate pensée de faire aménager un banc pour ses visiteurs…

Visiter

Galerie des Maîtres anciens et modernes★
(Galerija starih i novih majstora) A-B1
Palais Sermage. Été : tlj sf lun. 10h-18h, hiver : tlj sf lun. 10h-14h (w.-end 13h). 20 kn. (étud., enf. 12 kn).
Cette galerie, installée à l'étage, présente une collection de peintures, allant du 15e au 19e s., et provenant pour la plupart de demeures patriciennes de la ville.

Écoles européennes, 15e au 17e s. (salle 1) – Deux portraits anonymes représentant Philippe II d'Espagne et un jeune homme, un paysage fantastique attribué à Albrecht Altdorfer, un petit format de Bernardino Luini *(La Justice et la Médecine)* d'une douceur un peu mièvre, précèdent une *Fête au village*, et des scènes de taverne hollandaises réalisées avec verve. Mais le « clou » est *La Madone aux épis★*, peinture sur bois probablement autrichienne ou allemande (15e s.), pleine d'élégance et de grâce.

Écoles hollandaise et italienne, 17e et 18e s. (salle 2) – Cette salle est centrée autour du *Portrait d'Hélène Fourment*, désormais définitivement attribué à **Rubens**, copie réalisée par l'artiste de l'original exposé au palais Pitti à Florence. Notez également un *Paysage de bord de mer*, anonyme, et la précision du détail d'un tableau de Gael Barent représentant des cavaliers lors d'une petite pause devant une auberge de campagne.

Écoles flamande, allemande et italienne, 17e et 18e s. (salle 3) – Deux œuvres attribuées à l'atelier de Canaletto et quelques natures mortes hollandaises.

Écoles des 17e et 18e s. (salle 4) – Paysages, parmi lesquels un (probable) Poussin *(Paysage de montagne)* et un délicat portrait de Johann Weikert, *La Dame aux pigeons*.

Écoles croate et slovène, 18e et 19e s. (salle 4) – Nombreux portraits de l'aristocratie locale réalisés en grande partie par Mihael Stroy et Matej Brodnik. Mais celui qui frappe le plus l'imagination est antérieur et anonyme : il représente dame Rosalie Somogy, incontestablement une forte femme !

Écoles croate, allemande et autrichienne, 19e s. (salle 6) – Encore des portraits, dont deux réalisés par **Albert Moses** (1835-1903), peintre né à Varaždin et formé à Vienne. La peinture de genre est représentée par une amusante scène d'école, de Hugo Oehmichen, et le style Biedermeier par deux portraits anonymes.

Écoles française et hongroise, 19e s. (salle 7) – Un lointain émule hongrois de Poussin (**Karoly Marko**) est encadré par un paysage de Léon Richet (1847-1907, sous-produit de l'école de Barbizon) et un inattendu *Portrait de George Sand*, par Eugène Louis Charpentier.

Musée de la Ville★★ (Gradski muzej) A1

Dans le château – Strossmayerovo šetalište 7. Été : tlj sf lun. 10h-18h, hiver : tlj sf lun. 10h-15h (w.-end 13h). 20 kn, (étud., enf. 12 kn).

Visite doublement intéressante puisqu'elle permet de découvrir l'intérieur du château, ainsi qu'une collection qui retiendra surtout l'attention pour le mobilier présenté. Le circuit de visite aménagé permet de découvrir les différentes salles, très simples, avec leurs murs blancs, leurs sols carrelés et leurs plafonds garnis de poutres.

Les premières salles évoquent l'histoire de la cité et des personnages qui l'ont marquée ; tels que le ban (vice-roi) **Nadäsdy**, l'écrivain et homme politique **Ivan Kukuljević-Sakćinski** auteur de *Juran et Sofija*, première œuvre dramatique en croate (1840) et **Vatroslav Jagić**, linguiste.

Une salle circulaire (le donjon) est consacrée aux guildes d'artisans et de négociants : les corporations (bouchers, tailleurs…) sont évoquées par des enseignes et des bannières. Dans la salle suivante, la voûte gothique est un vestige du château féodal.

À l'étage, un corridor conduit à la **Sala Major** (premier quart du 16e s.), ornée d'une belle cheminée et de mobilier allemand. Le corridor suivant présente des **cibles peintes** criblées de balles, commémorant les vainqueurs des concours organisés à partir de 1819 par la Société de tir de Varaždin.

On accède alors à un étonnant **salon baroque★★** circulaire (nous sommes à l'étage supérieur du donjon), baignant dans une lumière rose. Remarquez en particulier une belle armoire avec pilastres torsadés et un superbe cabinet confectionné à Augsbourg (1625). Après un nouveau corridor, on débouche dans un **salon rococo★** où trône le portrait de l'impératrice Marie-Thérèse. Dans l'alcôve, reconstitution d'un salon baroque de la classe moyenne de l'époque avec une étonnante *Crucifixion*, peinture croate du 18e s., présentant au premier plan l'histoire biblique de Chanaan. Dans un second salon rococo présidé, lui, par Joseph II, superbe commode autrichienne avec incrustations de marqueterie.

Une longue galerie permet d'apercevoir, depuis le seuil, quatre salles meublées et décorées selon différents styles : classicisme, Empire et **Biedermeier★** : cette dernière, remarquable, contient des meubles signés de Joseph Müller, ébéniste à Varaždin. Même disposition dans la galerie inférieure où l'**historicisme** est illustré par une chambre néobaroque, et un salon « haut allemand » (qui pourrait correspondre à notre style « troubadour »). La dernière pièce est meublée et décorée dans le style Sécession.

Les salles voûtées du sous-sol sont réservées aux expositions temporaires.

Collection d'entomologie★★ (Entomološka zbirka) A1

Palača Herzer - Franjevački trg 6, à l'angle d'Ursulinska. Été : tlj sf lun. 10h-18h, hiver : tlj sf lun. 10h-15h (w.-end 13h). 20 kn (étud., enf. 12 kn).

Installé dans le palais Herzer, voici un passionnant musée qui captivera même ceux d'entre vous qui ne portent pas un intérêt démesuré à la vie des insectes. Cela tient à son étonnante muséographie qui nous présente une fabuleuse collections d'insectes exposés dans des vitrines, des tiroirs, des dioramas… et dont la vie, sociale ou intime, nous est présentée à l'aide de maquettes peuplées d'effigies grossies. Ajoutons que le fait que les explications demeurent totalement impénétrables à qui ne maîtrise pas le croate, s'il nuit sans doute au côté didactique de la visite, permet au curieux, dégagé du souci de comprendre, d'apprécier pleinement la poésie de cet endroit plongé dans la pénombre et le silence.

O.T. Varaždin

On fait ainsi connaissance avec ces bestioles d'aspect parfois répugnant, parfois effrayant (ainsi ce *Lucanus servus* avec ses redoutables pinces ou ce *Cerambyx credo* et ses grandes élytres repliées vers l'arrière). La vie de la forêt nous est présentée à travers des arbres et leurs habitants – et l'on s'étonne alors de la foule insoupçonnée qui vit, se nourrit, se reproduit et meurt autour de chacun de nos arbres familiers. Fourmilières, termitières, et ruches nous renseignent sur l'organisation sociale de certains insectes *(salle 3)* tandis que les libellules se taillent la part du lion dans la salle 4, où l'on découvre, sous nos pieds, la vie des insectes aquatiques. Une salle consacrée aux papillons de nuit nous conduit au bureau du professeur **Franjo Košček** (1882-1968), qui fut à l'origine de cette extraordinaire collection : on découvre ses livres, les boîtes où ses proies étaient présentées, bien alignées, chacune piquée par une épingle, et les boîtes qu'il emportait lors de ses expéditions afin d'y emprisonner ses futurs pensionnaires. Et puis, on arrive au seuil du bureau : on a alors l'impression que le professeur vient de s'absenter et va revenir d'une minute à l'autre. On quitte alors les lieux sur la pointe des pieds : s'il découvrait notre intrusion, nul doute que sa colère serait terrible !

Aux alentours

Čakovec
À 14 km au nord-est.
Capitale du Međimurje, cette petite région s'étendant au nord de la Drave jusqu'aux frontières avec la Slovénie et la Hongrie, Čakovec est aujourd'hui une banlieue résidentielle de Varaždin.
La ville ancienne s'articule depuis le parc abritant le château, autour d'une longue rue piétonne vouée au roi Tomislav. Cette rue conduit à la place des Franciscains *(Franjevački trg)* où s'élève l'**église Saint-Nicolas**. Sur la façade, deux rois au regard farouche veillent dans des niches. En face de l'église la rue Strossmayer présente un agréable ensemble de maisons baroques.

Vieux château (Stari grad) – *Trg Republike 5. Tlj sf lun. 10h-15h, w.-end 10h-13h. 20 kn.* Protégés par des remparts aménagés sur l'ordre de Nikola Zrinski, surmontés par un beffroi, l'ancien et le nouveau château se font face dans un agréable parc aménagé à la fin du 19e s. Le nouveau est un palais baroque qui abrite le **musée du Međimurje** : collections ethnographiques et évocation du compositeur local J. Slavenski (1896-1955).

Varaždinske Toplice★
À 16 km au sud-est par la route de Zagreb puis, à gauche dans la traversée de Gornja Kreginec.
Posée sur le versant ensoleillé d'une colline, c'est une station thermale animée, dotée de restaurants et cafés, et spécialisée dans le traitement des rhumatismes. Les thermes étaient déjà connus et fréquentés par les Romains, qui nommaient le lieu *Aquæ Iasæ* en référence à la population locale illyrienne, les Iassi.

Anciens thermes romains (Arheološke skopine iz doba Rimskog Carstva) – *Park Dr Ivana Krstitelja Lalangue.* Dans le cadre sympathique d'un parc aménagé à flanc de colline, on découvre les vestiges assez imposants d'*Aquæ Iasæ* : vestiges de murailles, système de drainage, bains et ruines dans lesquelles les archéologues ont pu voir les vestiges de temples dédiés à Jupiter, Minerve et Junon.

Musée (Muzej Varaždinskih Toplica) – *Mar. et jeu. 9h-14h, 16h-18h, merc., vend. et w.-end : 9h-14h. 10 kn.* Dans le bâtiment qui abrite l'office de tourisme, en contrebas des thermes romains, il présente des sculptures et bas-reliefs provenant de ceux-ci.

Ludbreg
À 25 km au sud-est par la route d'Osijek.
Place de la Sainte-Trinité (Trg sv. Trojstva) – Cette belle place, à l'ordonnancement classique, paraît démesurée pour une si petite ville ! Au centre, les statues dorées (saint Jean Baptiste et

---

Voyage au centre du monde

Ludbreg est le centre du monde : pour bâtir celui-ci, le Créateur, en effet, commença par tracer des cercles concentriques autour d'un point. C'est précisément à l'emplacement de ce point que se trouve la ville. C'est du moins ce que les habitants du lieu affirment avec le plus grand sérieux, de sorte qu'ils ont baptisé une rue (et pas n'importe laquelle : celle qui, de la place Sv. Trojstva, permet de gagner l'église paroissiale) rue du Centre-du-Monde. Cette situation peu banale méritait bien une célébration officielle : elle fait l'objet de festivités animées, chaque année, le... 1er avril !

saint Jacques) brillent de mille feux pour peu que le soleil se mette de la partie. Le coin de la place avec l'immeuble occupé par le café Putnik dont semble émerger le clocher à bulbe de l'église composent un ensemble harmonieux.

Par la rue du Centre-du-Monde (ulica Centar Svijeta/Centrum Mundi), gagner l'église.

Église de la Très-Sainte-Trinité (Crkva presvetog Trojstva) – C'est un bel exemple d'église close dans une **enceinte★** de forme irrégulière, datant de 1779, dont les galeries à arcades forment une sorte de petit cloître baroque. L'église quant à elle, date dans son état actuel de 1829. On accède par un porche couvert à l'intérieur de cet édifice à trois nefs décoré de fresques très lumineuses (remarquez en particulier *La Cène*, au plafond), exécutées en 1937 par le peintre symboliste **Mirko Rački**. La chaire est un spectaculaire exemple de baroque. Dans le chœur est exposé le reliquaire contenant le calice miraculeux du Saint Sang, réalisé en 1721 par Casper Rises, orfèvre d'Augsbourg.

Chapelle votive du Sabor croate (Zavjetna kapela Hrvatskog sabora) – *À gauche à l'entrée de la ville, juste avant d'arriver à la place.* Précédée d'un chemin de croix, cette chapelle fut édifiée sur un vaste espace destiné à accueillir la foule des pèlerins. Sa façade est décorée de mosaïques (d'un style très sulpicien) réalisées par Goran Petrač.

Château Batthyány (Batthyány dvorac) – Cet imposant ensemble néoclassique abrite un centre de restauration, créé avec l'aide du gouvernement bavarois, où sont traitées les œuvres d'art endommagées lors du conflit de 1991.

Varaždin pratique

Informations utiles

Code postal – *42000.*

Indicatif téléphonique – *042.*

Poste – *Trg Slobode 9 - tlj sf dim. de 7h à 19h (sam. 14h30).* Change et distributeur automatique.

Banques – *Kapucinski trg 5 - tlj sf dim. 7h-19h, sam. 8h-12h ; Franjevacki trg 5 - tlj sf dim. 7h30-19h30, sam. 8h30-12h.*

OFFICES DE TOURISME

À Varaždin – *Palaca Padovec - Ivana Padovca 3 - ℘/fax 210 987, www.tourism-varazdin.hr - tzg-varazdina@ vz.t-com.hr. Avr.-oct. : tlj sf dim. 8h-18h, sam. 9h-13h ; nov.- mars : tlj sf dim. 8h-16h., sam. 10h-13h.*

À Čakovec – *Kralja Tomislava - ℘ (040) 313 319, www.tourism-cakovec.hr.*

À Ludbreg – *Trg sv. Trojstva 14 - ℘ (042) 810 690.*

TRANSPORTS

Proche de Zagreb, mais aussi de Maribor en Slovénie (80 km), Varaždin est une ville bien desservie par la route et le train.

Train – *Kolodvorska 17.* Un peu à l'écart à l'est du centre-ville. Consigne ouverte 24h/24 et distributeur automatique. Nombreuses liaisons avec Zagreb. Deux trains quotidiens pour Budapest.

Autobus – *Zrinski i Frankopana bb.* La gare routière est à l'image de la ville : de taille moyenne mais très active. Deux lignes pour Zagreb (50 kn). Bus fréquents pour Varaždinske Toplice, les villes du Zagorje, ainsi que Trakošćan (26 kn) via Lepoglava. Pour les destinations plus lointaines, dessertes régulières de Knin, Bjelovar, Zadar, Šibenik, Split

Enseigne de l'office de tourisme.

P. Plantier / MICHELIN

(correspondance pour Dubrovnik), Pula, Rovinj et Poreč, Osijek et Vukovar.

Taxis – *À la gare routière - ℘ 313 303.*

Se loger

À VARAŽDIN

Agence T Tours – *I. Gundulića 2 - ℘ 210 989, fax 210 990 - www.t-tours.hr - tlj sf dim. 8h30-19h30, sam. 8h-12h30.* Cette agence propose quelques chambres chez l'habitant dans Varaždin ; à 10mn à pied du centre. Pour 2 pers., compter 180/240 kn par nuit, sans petit-déjeuner (remise pour un séjour de plus de 3 nuits).

😊😊 **Pansion Maltar** – *Prešernova 1 - ℘ 311 100, fax 211 190 - 11 ch. : 380 kn* 🛏. À 300 m de la gare routière, derrière le supermarché Konzum, cette pension familiale propose, dans une jolie maison, des chambres confortables. Tout proche du centre c'est une adresse agréable, où l'accueil est particulièrement amical. Deuxième pension récemment ouverte non loin de la première *(Anina 38)* avec 7 vastes studios tout confort.

☎️🍽️ **Pansion Garestin** – *Zagrebačka 34 - ☎/fax 214 314 - 13 ch. : 460 kn* 🛏️. En s'écartant du centre sur le même axe, on trouve cette pension équivalente à la précédente, mais disposant d'un restaurant.

☎️🍽️ **Hotel Turist** – *Aleja kralja Zvonimira 1 - ☎ 395 395, fax 241 479 - turist@vz.t-com.hr, www.hotel-turist.hr - 115 ch. : 244/324 kn/pers.* 🛏️. Ce bâtiment moderne abrite l'hôtel le plus complet de la ville, qui compte deux catégories de chambres, de très bon confort. Réservations pour les activités proposées dans la région : randonnées, chasse, pêche.

À ČAKOVEC

☎️🍽️ **Hotel Park** – *Zrinsko-frankopanska bb - ☎ (040) 311 255, fax (040) 311 244 - www.hotel-park.info - 98 ch. : 418 kn* 🛏️. Un peu impersonnel mais confortable et bien tenu, cet hôtel situé à l'orée du parc constituera une halte bienvenue sur la route de Budapest ou une solution de dépannage au cas où les hôtels de Varaždin seraient complets.

À VARAŽDINSKE TOPLICE

☎️ **Motel Tonimir** – *Kralja Tomislava 1 (au bas du village) - ☎/fax (042) 633 504 - 15 ch. : 294 kn* 🛏️. L'esthétique peut certes rebuter, notamment le vert épinard de la façade, mais cette auberge de campagne est confortable et d'une propreté immaculée. Bonne adresse de dépannage.

☎️🍽️ **Hotel Minerva** – *Trg slobode 1 - ☎ (042) 630 431/831, ☎/fax (042) 630 826 - www.minerva.com - 262 ch. : 514/714 kn selon le confort, l'usage des piscines inclus* 🛏️ - 🅿️ 🏊. Immense hôtel du complexe thermal. Architecture de style « chalet » (un grand chalet !) et situation idéale à flanc de colline. Chacune des chambres possède son balcon. Outre les prestations thermales, toutes sortes de services sont proposés : restaurants, café-bar, dancing, boutiques, salles de TV…

À LUDBREG

☎️ **Hotel Crnković** – *Petra Zrinskog 9 (dans la rue principale, peu avant d'arriver à l'église lorsqu'on vient de Varaždin) - ☎ (042) 810 727, fax (042) 810 255 - 11 ch. : 340 kn* 🛏️ - 🅿️. Dans une maison du début du 20e s., les chambres mansardées sont simples mais vastes et très propres.

☎️ **Hotel Putnik** – *Vladimira Nazora 1 - ☎ (042) 810 477, fax 810 520 - 24 ch. : 150 kn/pers.* 🛏️. Très simple mais d'un confort convenable, et idéalement situé sur la grand-place de la ville (accès par l'arrière).

« Doigts de Varaždin ».

P. Plantier / MICHELIN

Varaždin » : nature ou au fromage, au pavot, au sésame ; agréables brioches fourrées de saucisse, viande ou fromage.

☎️ **Kavana Dora** – *Franjevački trg 17, dans la cour - ☎ 215 086 - 7h30-22h30 - 30/40 kn*. C'est un établissement qui tient du salon de thé, mais où l'on peut aussi boire un vin chaud et se restaurer de crêpes, de *štrukle* et de gâteaux, accompagnés d'un chocolat chaud à moins de préférer une assiette de *pršut* agrémentée d'un vin local.

☎️ **Restaurant Raj** – *Gundulića 11 - ☎ 213 146 - tlj 8h-22h - 25/40 kn*. Une adresse qui tient plus du réfectoire que d'un restaurant, mais les prix peu élevés y attirent beaucoup de jeunes. Choix limité de plats, de qualité correcte.

☎️ **Gostionica Grenadir** – *Kranjčevićeva 12 - 8h-23h - ☎ 221 131 - plats 24/53 kn*. Une taverne où dans une ambiance bon enfant on déguste *pisanica* et autres *ćevapčići*.

☎️ **Pizzeria Domenico** – *Trg Slobode 7 - ☎ 212 017 - tlj 9h-23h - 20/35 kn*. L'inévitable « italien » constitue une adresse sympathique, particulièrement économique où l'on se restaure de pizzas copieuses. Salle et terrasse agréables.

☎️/🍽️ **Park** – *Juraja Habdelića 6 - ☎ 211 499 - plats 30/90 kn*. Comme son nom l'indique, il est largement ouvert sur le parc de la ville. Grillades et spécialités slavonnes. Terrasse en été.

☎️🍽️/🍽️ **Zlatna guska** – *Juraja Habdelića 4 - ☎ 213 393 - tlj 12h-23h - plats 50/95 kn, poisson 250 kn/kg*. C'est sous les voûtes de brique d'une belle salle souterraine du palais Zakmardy que l'on s'attable au milieu d'un décor d'armes, de blasons et d'oriflammes. L'ambiance médiévale est renforcée par le nom des plats : « le dernier repas de la victime de l'Inquisition » (une soupe !), ou encore l'abondante « assiette du magistrat ». Cuisine soignée. Grande carte de vins, de 70 à 200 kn. Prix majorés de 20 % les jours fériés.

À ČAKOVEC

☎️🍽️ **Riblji Restoran** – *Kralja Tomislava 2 - ☎ (040) 312 688 - 80/100 kn*. Comme son nom l'indique, il est spécialisé dans le poisson. Belle salle décorée de façon cossue.

Se restaurer

À VARAŽDIN

☎️ **Bistro Mamma Mia** – *Trg Kralja Tomislava 2 - 20/30 kn*. On y trouve un petit pain typique : le *klipiči* ou « doigt de

À LUDBREG

Crnković – *Petra Zrinskog 9 - 810 727 - 10h-24h - 80/110 kn*. Trois grandes salles vieillottes au rez-de-chaussée d'une villa comme on en construisait autrefois. Spécialités régionales copieuses. Ambiance feutrée.

Faire une pause

À VARAŽDIN

Soho-bar – *Trg Stančića 1*. En sortant du musée et avant de visiter le château, pourquoi ne pas vous arrêter à la terrasse ou dans la belle salle de ce café qui occupe une petite maison de l'une des plus jolies places de la ville ? Ambiance et musique jeunes.

Caffe Ritz – *Franjevački trg 4*. Sous les arcades de la plus ancienne maison de la ville.

Caffe Lavra – *Gajeva 17*. En sous-sol. Salle voûtée et ambiance jeune.

Pub Zlatni lampaš – *Trg bana Jelačića 3*. Au sous-sol d'une noble demeure : bière et rock.

Caffe bar Aquamarin – *Gajeva 1*. Café avec mezzanine communiquant directement avec le cinéma, et baignant dans une ambiance de fonds marins très « psychédélique ». Branchement Internet : 7,50 kn (1/2h), 15 kn (1h), 20 kn (2h)…

À ČAKOVEC

Gradska Kavana – *Matice Hrvatske 2*. À proximité du parc, le grand café de la ville.

À LUDBREG

Caffe-bar Centrum Mundi – *Trg sv. Trojstva*. Agréable terrasse pour boire un verre en plein centre du monde !

Sports et loisirs

Cinéma (Kino) Gaj – *Gajeva 1*. Un grand cinéma à l'ancienne. Films en VO.

Casino – *À l'hôtel Turist. Ouv. à partir de 22h.*

Aquacity – *Međimurska 26 - 350 555 - /fax (042) 350 658*. Situé à 5 km à l'est de la ville, ce plan d'eau aménagé sur le cours de la Drave permet de nombreuses activités sportives : planche à voile, pédalos, canoës et tennis (certains courts sont couverts).

Chasse – *Voir à l'hôtel Turist ou : « Zelendvor huntings grounds », 42 206 Petrijanec PB 4 - 208 330, fax 208 342 - info@zelendvor.hr - www.zelendvor.hr*. 8 000 hectares où l'on chasse lièvres, faisans, perdrix, cerfs et chevreuils.

Vélo et randonnée - Plusieurs pistes cyclables et sentiers de marche sont aménagés autour de Varaždin. Demander les plans à l'office de tourisme.

Achats

Marché (Tržnica) – *A. Šenoe, sur une petite place en retrait de la rue*. Fromages et charcuteries, primeurs…

Marché aux primeurs.

Gavrilović – *I. Kukuljević 1*. En plus des produits de la célèbre marque, on trouve aussi jambons, saucisses, fromages et vins du pays, de quoi acheter les ingrédients d'un bon pique-nique ou de rapporter de savoureux souvenirs du pays.

Konzum – *F. Prešerna*. Pour les produits de première nécessité ou pour faire vos courses, une grande surface pratique, proche de la gare routière et des hôtels.

Événements

Carnaval de Ludbreg (Lubreški Fašnjač) – *Fév*. L'un des plus réputés et colorés de Croatie.

Jour du Centre-du-Monde (Dan Centra Svijeta) – *1er avr*. Manifestations diverses (culturelles entre autres) sous le signe de l'humour à Ludbreg.

Ateliers des « vieux métiers » – *Juil.-août*. Forgerons, mosaïstes, sculpteurs sur bois… et spectacles folkloriques à Varaždin.

Fêtedu Dimanche saint (Dan Svete Nedjelje) – *1er dim. de sept. À Ludbreg*. Le pèlerinage du Saint-Sang s'accompagne de festivités plus profanes qui se déroulent tout au long de la semaine précédente : les rues et les places de la petite cité se couvrent alors de stands, d'étals et de restaurants en plein air.

Špancirfest - *Fin août - déb. sept*. Festival de la ville de Varaždin avec de nombreux concerts de la musique du monde, spectacles de rue, théâtre pour enfants, présentation de vieux métiers… Hôtel à réserver longtemps en avance : 150 000 visiteurs chaque année !

Soirées baroques de Varaždin (Varaždinskih baroknih večeri) – *Fin sept.-déb. oct*. Messes, oratorio, musiques pour orgues et orchestres de chambre sont au programme. Les concerts se tiennent dans la cathédrale de Varaždin mais aussi dans les églises et châteaux des environs : Varaždinske Tžoplice, Trakošćan, Lopatinec et Lepoglava.

Bureau des Concerts – *Cesarčeva 1 - /fax 212 917 - www.varazdin.hr - koncured@vz.tel.hr.*

Velika Gorica **et le Turopolje**

TUROPOLJE – 63 517 HABITANTS
CARTE GÉNÉRALE B1 – CARTE MICHELIN 757 D5

À deux pas de Zagreb et de l'aéroport, la capitale du Turopolje est une cité résidentielle moderne. Si l'on ajoute qu'elle est parcourue le matin et le soir par un flot incessant de véhicules, voilà qui n'encourage guère le visiteur à y jeter plus qu'un regard distrait. Et pourtant, sur le chemin de Sisak, le petit centre de Velika Gorica mérite un arrêt.

▷ **Se repérer** – Velika Gorica est située à 16 km au sud de Zagreb par la route de Sisak, juste après la dérivation conduisant à l'aéroport de Zagreb. Lorsqu'on arrive de la capitale, un sens unique oblige à contourner le centre de la ville. Il faut donc, à la sortie de la ville, reprendre en direction de Zagreb par la Zagrebačka ulica. On aperçoit bientôt la place plantée vouée au roi Tomislav : c'est ici que tout – ou presque – se passe.

👁 **À ne pas manquer** – Musée du Turopolje.

🕐 **Organiser son temps** – Compter 1h30 pour la visite de la ville, 2h pour le circuit.

🜚 **Pour poursuivre le voyage** – Voir aussi Sisak (41 km au sud-est) et Zagreb (17 km au nord-ouest).

Se promener

Place du Roi-Tomislav★ **(Trg kralja Tomislava)**

Aménagée en parc, cette agréable place est le cœur de la cité. Bordée par la route principale *(Zagrebačka ulica)* et la promenade Franjo Lučić *(Šetalište Franje Lučića)*, elle sert d'écrin aux deux principaux monuments de la cité.

Musée du Turopolje★ **(Muzej Turopolja)**

Trg kralja Tomislava 1. Tlj sf lun. 9h-16h, w.-end 10h-13h. 8 kn (étud., enf. 6 kn).

Il est installé dans le manoir, construit vers 1765, où se réunissait jadis l'assemblée nobiliaire du Turopolje. C'est une bâtisse rectangulaire à deux étages, dont l'accueillante façade, donnant sur le parc, est agrémentée d'une rangée d'arcades. La visite du musée permet de découvrir le décor baroque du grand salon, constitué de fresques et de gypseries. Belle collection ethnologique avec costumes traditionnels, coiffes et *opanques*, linge de maison brodé, outils de fileuse (*preslica* finement sculptés), outils paysans en bois. Poteries et tessons provenant du site archéologique voisin de Ščitarjevo. Expositions temporaires dans la salle voûtée du rez-de-chaussée.

Église de l'Annonciation

Avec ses tourelles et ses clochetons, elle ressemble à un manoir néomédiéval. Et pour cause, puisque cette église, édifiée au 17e s., a été complètement remodelée en 1893 par **Herman Bollé**.

Aux alentours

Chapelle de Jésus blessé à Pleso★ **(Crkva ranjenog Isusa)**

2 km au nord contre la voie d'accès à l'aéroport. À Velika, en direction de Zagreb, suivre l'indication « Stadion ». En vue de celui-ci, prendre au stop à gauche : on arrive au hameau de Pleso. Tourner à gauche au niveau d'une chapelle et suivre jusqu'au bout parmi les maisons. La chapelle apparaît bientôt, solitaire, dans

Église de l'Annonciation : un pastiche néomédiéval de Herman Bollé.

son enclos de bois au centre d'un grand terrain cerné par les immeubles et l'enceinte de l'aéroport.

Charmante, toute simple et comme perdue dans son environnement, cette chapelle de bois se dresse dans un champ, comme rescapée d'une époque révolue, depuis 1757.

Construite en poutres de chêne massif, elle a pris son aspect actuel à la fin du 19e s., avant d'être rendue au culte en 1983.

Parc archéologique d'Andautonia à Ščitarjevo
(Arheološki Park Andautonia)

8 km au nord-ouest par la promenade Franjo-Lučić. Fléchage. Continuer tout droit sur une route bombée et étroite jusqu'à Črnkovec où l'on retrouve un panneau de signalisation. Dans le village suivre tout droit jusqu'au supermarché Mercator où on laisse la voiture en face du site. Tlj sf lun. 10h-17h, w.-end 10h-13h. 10 kn (étud., enf. 5 kn).

Les armes du Turopolje sur la façade du musée.

La visite de ce municipe romain permet de découvrir les vestiges d'une villa à colonnades, un tronçon de rue avec son trottoir, l'hypocauste des thermes, et une section en partie reconstruite du mur d'enceinte. Dépôt lapidaire avec beau relief de Nemesis (3e s.).

Circuit de découverte

Maisons et églises de bois du Turopolje★

De Velika Gorica à Sisak – 101 km.

Vukovina

À 7 km au sud-est. Sur la gauche de la route, l'**église N.-D.-de-la-Visitation** présente un curieux dôme qui semble un gonflement de la toiture. À l'intérieur *(à travers des grilles)*, on devine un décor baroque.

Buševec

À 11 km. À droite de la route, bordant la petite voie conduisant à Podvornica, se dissimule la minuscule **chapelle de Saint-Jean-Baptiste**, édifiée en bois, en 1768.

Lekenik

À 21 km. Ce village présente quelques maisons rurales de bois construites de part et d'autre de la route.

Dućica

À 28 km. Au centre du village, bel ensemble de **maisons de bois★**, aux balcons parfois finement ouvragés.

À 3 km, prendre à gauche vers Sela.

Sela

À 34 km. Sur la droite de la route, au fond d'un enclos, se dresse la monumentale **église Sainte-Marie-Madeleine★** (1759-1765) présentant une façade encadrée de deux clochers à bulbe et une coupole que coiffe un clocher à lanternon. L'intérieur, de forme elliptique, qu'éclairent des œils-de-bœuf percés dans la coupole, est en cours de restauration.

Velika Gorica et le Turopolje pratique

Informations utiles

Code postal – *10410.*

Indicatif téléphonique – *01.*

Office de tourisme – *M. Slatinskog 11 - ℘ 622 23 78 - info@tzvg.hr, www.tzvg.hr - tlj sf sam. et dim. 7h30-15h30.*

Marché – Le grand marché couvert est installé dans un immeuble de métal et de verre sur *trg kralja Petra Krešimira IV* qui abrite également un **centre commercial**.

Poste et **banques** – *Ulica Zagrebačka.*

Transports

Station d'autobus (autobusna stanica) – *Trg kralja Petra Krešimira IV.* Cars fréquents pour la gare, ainsi que pour Zagreb et Sisak.

Gare (Žjeleznički kolodvor) – *À Gradiči.* Assez éloignée du centre, par Kolodvorska, route de D. Lomnica. Nombreux trains quotidiens en provenance de Zagreb (ou de Sisak).

Parking payant à acquitter à des employés municipaux qui rôdent autour de *trg Kralja Tomislava (3 kn/h, 7h-21h).*

Se loger

😊😊 **Hotel Bijela Ruža** – *Trg kralja Tomislava 38* - *☏ 622 13 58, fax 637 09 77* - *15 ch. : 380 kn* ⌑. Sur la place centrale de la ville, ce n'est pas un hôtel de charme… mais les chambres, plus que vastes (de vraies suites !), donnent sur l'arrière, et le confort est tout à fait convenable. Une bonne adresse en outre pour qui doit prendre un avion tôt le lendemain matin : l'aéroport de Zagreb est à moins de 2 km !

😊😊 **Prenočište Ikar** – *Klarići 46, Rakarje (vers Pleso)* - *☏/fax 622 33 02* - *tomislav.kurtic@zg.t-com.hr* - **P** - *4 ch. équipées d'un coin cuisine : 380 kn* ⌑. Dans une villa posée en bordure de champs, quatre chambres toutes neuves, vastes et bien équipées. Accueil charmant et silence complet, malgré la proximité de l'aéroport.

Se restaurer

😊😊 **Restoran Park** – *Šetalište Franje Lučića 1* - *☏ 622 11 11* - *plats 40/70 kn*. Face au musée, ce restaurant sert la roborative cuisine locale dans une salle aussi vaste qu'impersonnelle.

😊 **Galerije Kordić** – *Šetalište Franje Lučića 15* - *☏ 622 22 08* - *plats 30/60 kn*. Face à l'église, lieu idéal pour prendre un café dans un décor cossu à l'ambiance feutrée (boiseries, moquettes, fauteuils « crapaud » curieusement munis de roulettes)… Ce « bistro-gril » sert en outre des spécialités croates telles que *gulaš*, *punjena paprika*… mais il est possible de se restaurer plus légèrement de salades et *pršut*. Aux beaux jours, on dîne dans la cour.

Le **Zagorje croate**★★
Hrvatsko Zagorje

CARTE GÉNÉRALE B1 – CARTE MICHELIN 757 D4

Châteaux et manoirs, villages partant à l'assaut de collines que coiffent les clochers à bulbe des églises, coteaux arborant des rangées de vignes, forêts giboyeuses, sources thermales : ainsi se présente cette région, située au nord de Zagreb : églises et châteaux baroques se nichent dans les villages de ce poumon vert de la capitale.

▶ **Se repérer** – L'Outremont croate (Hrvatsko Zagorje) s'étend au nord de la Medvednica, jusqu'à la frontière slovène. Très vallonné, il s'articule autour de sa « capitale », Krapina *(voir ce nom, p. 404)* et est traversé, du nord au sud par l'*autocesta* (autoroute) Zagreb-Maribor qui suit la vallée de la Krapinica.

👁 **À ne pas manquer** – L'église Notre-Dame-des-Neiges à Belec, le château de Veliki Tabor, le musée du Vieux Village à Kumrovec.

🕐 **Organiser son temps** – Compter deux jours.

👪 **Avec les enfants** – Les châteaux de Trakošćan et de Veliki Tabor, le musée du Vieux Village à Kumrovec.

🕯 **Pour poursuivre le voyage** – Voir aussi Krapina, Samobor, Varaždin et, bien sûr, Zagreb.

Circuit de découverte

À LA DÉCOUVERTE DU ZAGORJE CROATE (HRVATSKO ZAGORJE)

Circuit au départ de Zagreb – 227 km.

Quitter Zagreb en direction de Ljubljana, puis tourner à droite vers Ivanec et Jablanovec. À la sortie de ce dernier village, prendre la direction de Gornja Bistra (par Poljanica).

Gornja Bistra

À 22 km.

Situé dans un agréable parc à la sortie du village, le **château Oršić**, baroque et réputé pour ses fresques *(mais on ne visite pas)*, a été édifié dans la seconde moitié du 18e s.

Poursuivre par Kraljev Vrh en direction de Stubičke Toplice.

Stubičke Toplice

À 18 km de Gornja Bistra.

Animée, cette station thermale ombragée de sapins a été créée à partir de 1776 par l'évêque de Zagreb, **Maximiljan Vrhovac**, celui-là même qui fit aménager dans la capitale le parc Maksimir. Une longue rue centrale bordée de commerces et des piscines d'eau thermale posées dans la verdure et couvrant une superficie totale de 6 000 m^2 attirent nombre de visiteurs tout au long de l'année.

Donja Stubica

À 3 km.

Agréable petite ville traversée par un mail ombragé conduisant à l'église, reconstruite après le tremblement de terre de 1880. Donja Stubica est connue pour ses activités culturelles : c'est dans le **château de Stubički-Golubovec** (dans le parc) que siège l'Institut d'études kajkaviennes dont l'action vise à promouvoir ce dialecte (concerts et expositions).

Reprendre la route. À 2 km, au carrefour, prendre sur la droite la direction de Gornja Stubica. Là, suivre le fléchage pour atteindre le musée par une petite route à gauche.

Gornja Stubica

À 4 km.

Le nom de ce village est lié à celui de **Matija Gubec**, héros malheureux de la grande révolte paysanne qui éclata en 1572.

Musée de la Révolte paysanne (Muzej seljačkih buna) – *Samci 64. Avr.-sept. : 9h-19h ; oct.-mars : 9h-17h.* Installé dans le château Orsić, élevé en 1756 et doté de belles galeries à arcades, ce musée évoque la grande jacquerie de 1572. À côté du château, le **monument** commémorant la révolte de 1572 est une œuvre du sculpteur Antun Augustinčić. En contrebas, le village mérite un détour pour l'ensemble composé par l'**église St-Georges (crkva sv. Jurja)**, et la maison paysanne à l'ombre du célèbre tilleul.

Revenir au carrefour et prendre la direction de Marija Bistrica.

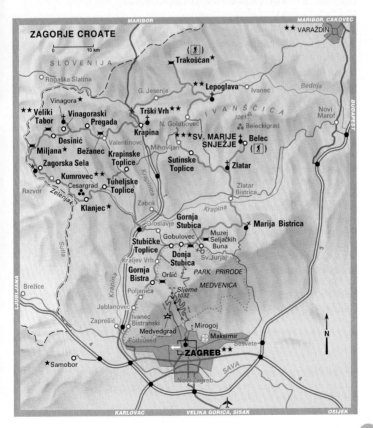

Boisé et vallonné, le **paysage★**, parsemé de hameaux aux maisons de bois, est charmant.

Marija Bistrica

À 12 km.

Haut lieu de la foi chrétienne en Croatie, Marija Bistrica est un des principaux lieux de pèlerinage du pays depuis qu'on y a découvert par hasard en 1588, dans un mur de l'église, une Vierge noire, œuvre en bois réalisée par un artiste local, qui avait été dissimulée en prévision d'une attaque des Turcs. Exposée depuis 1684 sur l'autel de l'église, la Vierge attire depuis lors des foules ferventes. Le 3 octobre 1998, le pape Jean-Paul II prononça, devant une foule énorme, la béatification du cardinal **Alozije Stepinac** *(voir à Zagreb, p. 436).*

Église de la Mère-de-Dieu-de-Bistrica (Crkva Majke Božje Bistričke) – Si l'église a conservé sa belle enceinte du 18e s., c'est tout ce qui reste du sanctuaire

antérieur au passage d'**Herman Bollé** en 1879. Alliant néoroman au néobaroque en passant par un zeste de Renaissance et un soupçon de classicisme, l'œuvre de l'architecte, à défaut de séduire, ne laisse pas d'étonner ! Elle est entourée d'un monumental portique à colonnades en forme d'hémicycle recouvert d'ex-voto et de peintures réalisées avec plus de ferveur que de talent. Derrière l'ensemble, sur une colline en demi-cercle d'où les pèlerins assistent aux messes en plein air, le chemin de croix est orné de sculptures contemporaines.

Quitter la ville en direction de Zlatar Bistrica (cité industrielle) et de Zlatar.

Zlatar

À 11 km de Marija Bistrica.

Difficile de manquer l'**église de l'Assomption**, grand édifice baroque avec son clocher à bulbe, d'autant que la route se divise en deux face à son parvis.

Devant l'église, prendre à droite la direction de Belec.

Belec★★

À 9 km.

Dans un paysage vallonné, avec en toile de fond les sommets souvent enneigés des montagnes de l'Ivanšica, Belec abrite une des églises baroques les plus étonnantes de Croatie.

Église Notre-Dame-des-Neiges★★★ (Crkva sv. Marije Snježne) – *Sur la gauche de la route, juste après l'entrée dans le village. Dim. 9h-11h.* L'apparence extérieure de cette église de pèlerinage (1741), enfermée dans son enceinte, ne laisse guère préjuger de l'extraordinaire richesse de son décor intérieur, que l'on appréciera d'autant mieux, en montant à la tribune. Volutes, stucs, médaillons et peintures en trompe-l'œil où abondent pilastres et draperies (réalisées par un maître du genre, **Ivan Ranger**), composent, avec la chaire et les autels exécutés par un artiste de Graz (J. Shokotnig), un ensemble ovale où le mouvement semble perpétuel !

Tout en haut du village, l'humble **chapelle Sainte-Anne** est, avec son petit porche latéral, absolument charmante.

Le décor de Ste-Marie-des-Neiges : l'euphorie du baroque.

Zvonimir Atletic

Belec est le point de départ de sentiers de randonnées vers les monts de l'Ivančica. L'un d'entre eux en particulier permet de rejoindre en 3h le refuge Josip Pasarić, sur le versant sud de la montagne, par Belecgrad, ruines de l'ancienne forteresse du 13e s.

Revenir à Zlatar et emprunter à gauche de l'église la route indiquée « Mihovljan/Kuminec » qui parcourt un plateau avant de s'insérer dans une étroite vallée.

Sutinske Toplice
À 8 km de Zlatar.
Deux piscines de plein air posées dans la prairie au pied de versants boisés, et quelques chalets composent cette minuscule station thermale. L'eau, qui jaillit à plus de 30°, est radioactive et riche en magnésium et en calcium. Ce ne sont sans doute pas seulement ces vertus qui attirent la grande foule aux beaux jours, mais plus sûrement la possibilité de se rafraîchir.

Poursuivre sur la route qui parcourt un plateau, parsemé de quelques villages. On peut regretter que les maisons traditionnelles disparaissent au profit de constructions récentes, en brique non revêtue d'un rouge orangé agressif, assez peu esthétiques. Indifférents à la circulation, oies et dindons se dandinent au bord de la route (et parfois au milieu !).

Après Mihovljan, prendre à droite en direction de Lepoglava.

Lepoglava
Village que domine la masse impressionnante de son monastère paulinien, fondé en 1400 et largement remanié au 18e s. Haute et étroite, la façade de l'**église Saint-Marie★★ (crkva sv. Marije)** a conservé ses traits gothiques tout en adoptant un décor baroque : surprenant mélange, ici réussi. À l'intérieur, remarquable décor baroque où dominent les fresques de Ivan Ranger, ainsi que l'autel de sainte Anne et la chaire, œuvres d'un autre moine paulinien, **Aleksije Köninger**.

Quitter la ville en direction de Gornja Jesenje, puis prendre à droite la route de Trakošćan.

Château de Trakošćan★
Tlj 9h-15h en été, 9h-18h le reste de l'année. 20 kn (étud., enf. 10 kn).
Juché sur une colline boisée, le château médiéval des comtes Drašković prit son apparence actuelle au milieu du 19e s. Murailles crénelées, fenêtres gothiques, parc romantique, lac artificiel en font un surprenant exemple du style « troubadour » alors en vogue. À l'intérieur, armes, mobilier et portraits de famille.

Revenir à la route et reprendre vers Gornja Jesenje puis, une fois passé le pont, poursuivre toujours à gauche en direction de Krapina.

Krapina *(Voir ce nom, p. 404)*
Au bout de la place Ljudevit-Gaj, traverser la rivière. Au-delà, prendre à gauche sur I. Rendića, qui longe la Kaprinica et la voie de chemin de fer, puis à droite en direction de Petrovsko.

Bežanec
À 4 km.
Sur la droite de la route, ce **château** édifié au 18e s. a été réaménagé dans un style néoclassique en 1830. Situé dans un parc, constitué d'un corps central surmonté d'un clocher et encadré de deux ailes enserrant une cour, ce bel édifice abrite aujourd'hui un hôtel de luxe.

Prendre à droite sur Pregrada.

Pregrada
À 8 km.
Gros bourg sans charme particulier. Il se distingue par son **église de l'Assomption**, à qui sa taille démesurée a valu le surnom de « cathédrale du Zagorje ».

Dans le village, prendre à gauche (avant l'église) la route partant de Kumrovec/Desinić.

Vinagorski
À 4 km.
Village perché. Sur la droite, une route *(2 km)* conduit à **Vinagora**, avec son **église de la Visitation★ (crkva sv. Marije od Pohoda)**, jolie église de pèlerinage baroque enfermée dans son enceinte. Comme la toponymie le rappelle avec insistance, nous sommes au cœur du vignoble du Zagorje qui occupe les versants exposés au soleil.

Desinić

À 2 km.

Village viticole bâti sur une hauteur autour de son **église Saint-Georges (crkva Sv. Jurja)**. Dans la chapelle Sainte-Anne toute proche, les peintures murales sont dues au peintre d'histoire **Oton Iveković** (1869-1939), un voisin, puisqu'il fut propriétaire du château de Veliki Tabor. Autour du carrefour routier que marque une colonne baroque, quelques cafés et *« bufet »* proposent une restauration légère.

Laissant de côté la route qui, par Tuhelj, ramène à Zagreb, on poursuit en direction du château de Veliki Tabor qui, bientôt, apparaît, solitaire et mélancolique, au sommet d'une colline.

Château de Veliki Tabor★★ (Dvor Veliki Tabor)

À 2 km. Sur la droite de la route. Avr.-sept. : 9h-18h ; oct.-mars : 10h-17h. Fermé 1er janv., Pâques, 1er nov., 25 et 26 déc. 20 kn (étud., enf. 10 kn).

Chemin d'accès pavé assez étroit et en forte pente que l'on suit sur 1 km environ, jusqu'au pied des remparts, où l'on laisse la voiture près d'un enclos où de sympathiques ânes observent avec curiosité le va-et-vient des visiteurs.

Cette formidable forteresse *(Voir « ABC d'architecture », p. 84)*, dont cinq grosses tours rondes et trapues et le plan pentagonal ne font qu'accentuer l'aspect massif, est un des plus beaux exemples d'architecture militaire de la fin du Moyen Âge, et constitue l'une des vues emblématiques du pays. Ce château, édifié pour le ban Ivaniš Corvin au 15e s., appartint de 1506 à la fin du 18e s. à la noble famille des Ratkaj.

Passé le portail d'entrée, on accède à une cour de forme irrégulière, bordée de deux étages de galeries à arcades d'une grâce singulière. Un clocheton de bois achève de conférer au lieu son originalité. Sous la conduite d'un gardien plein de bonne volonté, on découvre les différentes salles du château : la cave voûtée avec son impressionnant pressoir et d'énormes fûts, la chapelle baroque où l'on vous montrera le crâne de la malheureuse Veronika, la grande salle du donjon, avec la pierre tombale de Petar II Ratkaj (1586), et son gisant en bas relief.

Dommage toutefois que ce château soit encombré de collections éclectiques qui tiennent plus du bric-à-brac que du musée : des documents relatifs à la guerre des partisans ou au conflit de 1991 voisinent avec une section ethnographique (outils divers et variés), des poteries, une évocation du musicien Juraj Prejac (1847-1930), d'amusantes terres cuites réalisées par Stanko Piskac, des armures et du mobilier : il y en a pour tous les goûts !

Vertiges de l'amour

Elle était sans doute très belle, cette malheureuse **Veronika Desinić**, pour que le fils du hobereau local en tombe aussi follement amoureux. Hélas, elle n'était qu'une roturière d'humble extraction, circonstance impardonnable qui rendait impensable toute union. Au grand désespoir de ses parents, le godelureau persistait et se refusait à oublier sa belle… Il fallait que ce fût une sorcière pour ainsi lui faire tourner la tête ! Aussi, on enferma la jeune fille dans une geôle du château et, deux précautions valant mieux qu'une, un beau soir, on envoya un soudard l'étrangler dans sa cellule.

Miljana

À 7 km.

Sur la droite de la route, le **château★** (17e s.), avec ses deux étages d'arcades et sa tour, a fière allure. Restauré en 1782, il est réputé pour les **peintures murales** rococo (paysages et thèmes allégoriques), attribuées à l'auteur des fresques de l'église de Trški Vrh, **Antun Lerchinger** *(voir à Krapina, p.404)*.

On atteint la frontière slovène (poste-frontière à **Radzvor**), matérialisée par le cours de la Sutla, que l'on suivra désormais.

Dans un paysage de collines boisées, la route, assez étroite, traverse des villages aux maisons basses badigeonnées de teintes pastel, et aux granges où le maïs est mis à sécher, dégageant une impression d'authenticité. Des clochers à bulbe montent la garde au sommet des collines tandis que les maisons s'égrènent sur les pentes.

Zagorska Sela

À 7 km.

La route passe devant l'**église Sainte-Catherine (crkva sv. Katerine)** située sur un petit col. Si elle est ouverte, ne manquez pas de jeter un coup d'œil à l'autel de la chapelle latérale de la Vierge, œuvre baroque de 1742.

Kumrovec★★

À 4 km.

De grands parkings, de part et d'autre de la route, des espaces aménagés pour pique-niques, un ensemble de boutiques de souvenirs et de buvettes, ainsi qu'aux beaux jours une grande animation annoncent l'arrivée au village natal de Tito où a été aménagé le premier musée ethnographique de Plein Air de Croatie.

Musée du Vieux Village★★ (Muzej Staro Selo) – *Avr.-sept. : 9h-19h ; oct.-mars : 9h-16h. Fermé 1er janv., Pâques, 1er nov., 25 et 26 déc. 20 kn (étud., enf. 10 kn).*  Restaurées avec soin, les maisons, à l'architecture typique, ont été aménagées de façon à reconstituer la vie rurale du temps passé.

Précédée de la statue de l'ancien chef de l'État (œuvre d'A. Augustinčić), la première maison sur la droite *(nᵒ 20)*

Antun Lerchinger : peintures murales du château de Miljana.

est la **demeure natale de Tito**. Cette petite maison basse, construite en 1860, possède le plan que nous retrouverons dans toutes les autres chaumières du village : une petite entrée *(lospa)* que prolonge la cuisine *(kuhinja)* et, de part et d'autre, la chambre *(iža)*, et la pièce principale *(komorica)*. Une petite exposition évoque la vie publique du grand homme à l'aide d'uniformes d'apparat, de documents divers et de photos en compagnie des chefs d'État et de gouvernement qu'il a rencontrés : Nehru, Nasser, Churchill, Kennedy et Nixon…

Plus avant, de part et d'autre de la rue, on découvre un ensemble d'une vingtaine de maisons (aux murs de brique pour les plus récentes) et de granges (rez-de-chaussée aux murs de torchis, étage en bois) où des grappes de maïs sont mises à sécher. Toutes édifiées entre 1860 et 1937, les façades peintes de couleurs pastel, parfois coiffées de toits de chaume, elles accueillent objets, outils, meubles, tissages et figurines de cire. On découvre ainsi successivement l'artisanat rural en visitant la maison du charron et celle du forgeron – avec son soufflet de forge, son enclume et ses outils aussi mystérieux qu'effrayants ! – celle du tonnelier, de la fileuse (métier à tisser, dévidoir, rouet). Une chaumière illustre le processus allant du grain au pain, une autre présente les pains d'épice traditionnels de la région, en forme de cœur. Bref, dans ce village où coqs et poules déambulent tranquillement, l'illusion d'un voyage dans le temps est complète. Même l'ancien corbillard du lieu a été conservé, sous l'auvent d'une grange, achevant de donner une touche réaliste à ce village muséifié.

Longeant toujours le territoire slovène, sur l'autre rive de la Sutla, la route, encadrée de collines boisées, parcourt sur 3 km le **défilé de Zelenjak**. Au débouché du défilé, à proximité du monument commémoratif aux victimes croates de la Première Guerre mondiale, des aires de pique-nique ont été aménagées, autour d'une auberge.

Après le monument, on prend à gauche au carrefour, en direction de Klanjec, une route qui s'élève en lacet sur les pentes de la Cesargradska Gora, qui doit son nom au château de **Cesargrad***, construit par le roi Sigismond de Luxembourg à la fin du 14e s. Il en reste quelques impressionnants pans de murs (sur la gauche de la route).*

Klanjec★

À 6 km de Kumrovec.

Le village apparaît en contrebas de la route, dominé par son imposant monastère franciscain. Prendre sur la droite le chemin d'accès qui descend vers la place où on laisse la voiture. Devant la façade de l'église, la place est ornée en son centre d'un buste réalisé par Robert Frangeš à la mémoire d'**Antun Mihanović (1796-1861)**, poète, auteur de *Lijepa naša domonivo (Notre belle patrie)*, l'hymne national. En face de l'église, une ravissante demeure abrite la Gradska knjižnica (bibliothèque municipale) A. Mihanović.

Monastère franciscain (Franjevački samostan) – Il fut fondé par Nikola Erdődy au début du 16ᵉ s. (blason au-dessus de la porte d'entrée).

Église Notre-Dame (Crkva sv. Marije) – Toute blanche, très claire, cette église présente un décor baroque relativement sobre. Dans le transept gauche, monument funéraire de la famille Erdődy et autel dédié à saint Antoine (sv. Antun) ; lui faisant pendant, autel baroque de saint François (sv. Franjo).

Galerie Antun Augustinčić★ (Galerija Antuna Augustinčića) – *Face à l'entrée du monastère franciscain. Avr.-sept. : 9h-17h ; oct.-mars : tlj sf lun. 9h-15h. Fermé 1ᵉʳ janv., Pâques, 25 et 26 déc. 20 kn. En cas d'absence, aller tambouriner à la porte de l'Uprava Galerije A Augustinčića, Trg Antun Mihanović 13.* C'est dans un bâti-ment moderne, inauguré en 1976, que la donation de l'artiste est exposée dans deux salles symétriques réparties de part et d'autre d'une galerie.

Comme échappé du jardin des sculptures, un cheval de bronze semble garder le monastère de Klanjec.

P. Plantier / MICHELIN

On découvre d'abord *(salle de gauche)* les **« travaux intimistes »★**, série de sculptures, pour l'essentiel antérieures à 1930, qui pour d'aucuns représentent le meilleur de son œuvre. Notez les belles études de torses, un remarquable *Arlequin*, une *Gitane* pleine de fougue. Dans la galerie sont exposés les **portraits** : vous remarquerez l'évolution, qui, partant d'un modelé très minutieux *(Nadia Mikačić*, 1923), s'attache par la suite à obtenir un rendu expressionniste *(Branko Gavella*, 1974). La deuxième grande salle, consacrée aux **œuvres monumentales**, est dominée par le *Monument de la Paix*. Installé dans l'ancien potager des Franciscains, le **jardin des sculptures★** a été conçu comme une « fusion entre sculpture et horticulture ». Dans ce très bel endroit, vous pourrez voir la *Pudeur effarouchée*, ainsi que la *Statue de Marin Držić* (1508-1567), le « Molière croate ».

Nouveau château (Novi dvori) – Dans un triste état d'abandon, ce château fut construit par **Toma Erdődy** en 1603 *(voir à Sisak, p.410)*. Deux niveaux d'élégantes galeries à arcades superposées subsistent, supportant un toit qui ne demande qu'à s'effondrer. Vestiges des tours circulaires.

N'hésitez pas, avant de repartir, à faire quelques pas dans le village : des maisons traditionnelles aux murs de torchis, parfois badigeonnés de tons pastel, bordent les ruelles qui, bientôt, se transforment en chemins.

Reprendre la route. En quelques lacets, elle redescend dans la plaine. Après 5 km, prendre à gauche la route de Tuheljske Toplice jusqu'aux immenses parkings (500 m environ) situés devant le complexe thermal.

Tuheljske Toplice

Les eaux de cette petite station sont assez sulfureuses pour que le lieu ait longtemps porté le nom de Smerdeč, la « fétide ». C'est aujourd'hui une station thermale prisée, posée à flancs de coteau et dotée de piscines couvertes et découvertes, ainsi que d'équipements sportifs, le tout édifié devant un vaste ensemble hôtelier. À 200 m de celui-ci, le **château Mihanović**, harmonieux manoir classique, abrite le restaurant de l'hôtel.

Reprendre la route sur 1 km puis tourner à gauche sur Krapinske Toplice.

Krapinske Toplice

À 8 km.

Les Romains, friands de thermes, avaient baptisé ceux-ci du nom d'*Aquæ Vivæ*. Riches en calcium et magnésium, les sources jaillissent à une température de 39 °C et les bains de boue attirent une foule de curistes, atteints de rhumatismes ou de lésions musculaires ou simplement désireux de se mettre au vert.

En quittant Krapinske Toplice, reprendre la direction de Zagreb par Zabok, puis l'autoroute en direction de Zagreb (46 km). Péage à Zaprešić.

Le Zagorje croate pratique

Informations utiles

Indicatif téléphonique – *049.*

Offices de tourisme – **Marija Bistrica** – *Zagrebačka bb -* ✆ *468 380 ;* **Kumrovec** – *Cesta Ljepe naše 6a -* ✆ *502 044.*

Consulter le site *www.tz-zagorje.hr.*

Se loger

À STUBIČKE TOPLICE

😕😕 **Hotel Matija Gubec** – *Viktora Šipeka 31 -* ✆ *282 501, fax 282 403 - 92 ch. : 554 kn* 🛏, *usage de la piscine inclus -* 🅿. Dans la verdure, cet hôtel propose de petites chambres bien équipées. Piscine intérieure d'eau thermale, bassins extérieurs, restaurant, sauna, salle de gym.

À GORNJA STUBICA

😕 **Pansion Puntar** – *Trg sv. Jurja 12 -* ✆/*fax 289 286 - www.puntar.hr - 6 ch., 1 appart. : 248 kn* 🛏. Dans un bâtiment tout neuf à côté de l'auberge. Chambres simples et vastes, parfaitement tenues.

À MARIJA BISTRICA

😕 **Hotel Salve Regina** – *Zagrebačka bb -* ✆ *469 006, fax 469 026 - 40 ch. et 2 appart. : 310 kn* 🛏 *-* 🅿. Bâtiment moderne entouré de sculptures naïves de bois. Les groupes de pèlerins remplissent vite cet hôtel un peu morne, qui abrite des chambres au confort convenable.

😕 **Lojzekova Hiža** – *À Gusakovec (route de Stubica, puis fléchage « Seoski Turizam ») -* ✆ *469 325, fax 250 592 - 9 ch. : 120 kn/pers.* 🛏. Un grand chalet dans un décor champêtre : cette ferme auberge joint au calme de la campagne un bon confort et une table de produits fermiers.

À TRAKOŠĆAN

😕😕 **Hotel Coning** – *42 254 Trakošćan -* ✆ *(042) 796 224, fax (042) 796 205 - www.hotel.hr/coning - 85 ch. : 420 kn* 🛏 🅿. À l'orée d'un grand parc, au pied du célèbre château. Restaurant, sauna, solarium.

À BEŽANEC

😕😕😕 **Hotel Bežanec** – *Valentinovo 55, 49218 Pregrada -* ✆ *376 800, fax 376 810 - 24 ch. : 597 kn* 🛏 *35/55 kn* 🅿. Chambres meublées à l'ancienne, œnothèque et galerie d'art, centre hippique : la vie de château ! Possibilités d'excursions en montgolfière (2 228 kn), location de vélos…

À TUHELJSKE TOPLICE

😕😕 **Hotel Terme Tuhelj** – *Ljudevita Gaja 4 -* ✆ *556 224, fax 556 216. - 139 ch. : 269/339 kn/ pers.* 🛏 *-* 🅿 🛁. Moderne et d'un confort standard. Une bonne solution, bien qu'il soit assez impersonnel. Équipements sportifs, institut de beauté et suivi médical.

À KRAPINSKE TOPLICE

😕😕 **Hotel Aquæ Vivæ** – *Antuna Mihanovića 2 -* ✆ *202 202, fax 232 322 - www.aquae-vivae.hr - 160 ch. : 221/252 kn/ pers.* 🛏 *-* 🛁 🅿 ♿. Dominant les thermes, un hôtel aussi moderne que vaste. Salle à manger panoramique. Centre médical et piscine couverte. Six nouvelles piscines en construction.

PRÈS DE KRAPINSKE TOPLICE

Vuglec Breg - *Skarićevo 151 -* ✆ *345 015, fax 345 032 - www.vuglec-breg.hr - 7 ch. : 490 kn, 1 appart. pour 4 pers. : 790 kn et 2 appart. pour 6 pers. : 950 kn* 🛏 🅿. *Demi-pension : 50 kn/pers.* En venant de Krapina prendre à droite vers Scarićevo, au bout de 2 km tourner à gauche et monter au sommet d'une colline (fléchage). Quatre charmantes maisons en bois restaurées. Restaurant, cave à vin, courts de tennis et de volleyball, location de bicyclettes, équitation… et une très belle vue sur la vallée !

Se restaurer

À GORNJA STUBICA

Puntar – *Trg sv. Jurja 12 -* ✆ *289 286 - 30/60 kn.* Sur la place du village, une auberge sans prétention où l'on peut déguster, en terrasse, une assiette froide composée de *kulen, pršut* et fromage caillé.

À DESINIĆ

😕/😕😕 **Restoran Grof Ratkay** – *Trg sv. Jurja 3 -* ✆ *343 255 - plats 35/70 kn.* Au centre du village, à deux pas du château de Veliki Tabor, une maison de village dotée d'un belle véranda. Spécialités locales.

À KUMROVEC

😕😕 **Bistro Leonardo/Caffe Bar Leo** – *À l'entrée du site, en bordure des parkings - 30/50 kn.* Restauration légère. Détail amusant : vous êtes invité à déposer vos armes à feu à la réception !

😕😕 **Restoran Zelenjak** – *Risvica 1, Kumrovec -* ✆ *550 747 - poisson 35/55 kn, spécialités 40/70 kn.* Au débouché du défilé de Zelenjak : cuisine de pays servie dans un chalet. Terrasse aux beaux jours.

À TUHELJSKE TOPLICE

😕😕 **Mihanović** – *Ljudevita Gaja 4 -* ✆ *556 002 - plats 39/69 kn.* Ne serait-ce que pour découvrir la grande salle voûtée et chaulée du château, il faut aller déjeuner dans ce restaurant. Délicieux *štrukli* !

Loisirs

À TRAKOŠĆAN

Pédalos : Location près de la buvette au bord du lac. 30 kn pour 2 pers., 60 kn pour 4 pers. pour une demi-heure de balade.

Vélo et randonnée : Nombreux circuits autour du château pour les amateurs de randonnées pédestres et de VTT. Rens. à l'hôtel Coning et aux offices de tourisme de la région.

Achats

Château d'Oršić – *À Gornja Stubica.* Poteries, petits cœurs, moules à pâtisserie et CD de groupes locaux de *tamburica.*

Zagreb★★

779 145 HABITANTS
CARTE GÉNÉRALE B1 – CARTE MICHELIN 757 D5 – SCHÉMA : VOIR À ZAGORJE

Pas belle Zagreb ? Certes, elle ne peut rivaliser, faute de grands monuments, avec d'autres capitales d'Europe centrale. Il émane cependant de cette capitale à taille humaine un charme certain : celui, baroque, des quartiers hauts parcourus de venelles et d'escaliers, et parsemés de palais qui ne demandent qu'à être mis en valeur. Celui aussi de la ville basse avec ses immeubles historicistes dont les façades ne sauraient laisser insensible. Et puis, surtout, c'est une ville jeune et animée, où il fait bon vivre et flâner, se laisser porter avec nonchalance par ses pas, se poser à une terrasse de café ou observer le ballet des trams sur la place Jelačić.

▸ **Se repérer** – Le plan de Zagreb est relativement simple : au nord, les premiers contreforts de la Medvednica portent la ville haute (Gornji grad), constituée de deux collines, Gradec et Kaptol, séparées autrefois par une rivière. Au pied de ces deux quartiers, séparée d'eux par Ilica, la place du Ban-Jelačić et Jurišićeva, et limitée par la ligne de chemin de fer : c'est la ville basse (Donji grad), édifiée au 19ᵉ s. et traversée par deux larges voies constituant le fameux « fer à cheval ». Encore au sud, c'est la nouvelle ville (Novi grad), barres d'immeubles, que transpercent des voies rapides, faisant office de radiales ou de périphériques. On circule à pied dans Gornji grad, en tram ou en bus dans Donji grad.

▸ **Se garer** – Il n'est pas facile de se garer à Zagreb. Il existe 3 zones marquées par des panneaux : zone 1 (rouge) : 12 kn/h, zone 2 (jaune) : 6 kn/h et zone 3 (verte) : 3 kn/h. Paiement par horodateur. Sinon, garer la voiture dans un des nombreux garages de la ville *(voir carnet pratique p 456)*.

▸ **À ne pas manquer** – Balade dans la ville haute, vue sur la ville depuis la tour Lotrščak, pause photo devant la cathédrale St-Marc avec son toit de tuiles vernissées, le musée de la Ville de Zagreb, la porte de Pierre avec sa chapelle votive, le musée croate d'Art naïf, l'atelier Meštrović.

▸ **Organiser son temps** – Prévoir une journée pour la visite de la ville, deux jours avec la visite des musées.

▸ **Avec les enfants** – Musée croate d'Art naïf, Musée ethnographique, jardin zoologique du parc Maksimir, musée des Techniques, téléphérique de Sljeme et balade dans le parc naturel de Medvednica, musée de la mine Zrinski.

▸ **Pour poursuivre le voyage** – Voir aussi Velika Gorica (15 km au sud), Sisak et le parc naturel de Lonjsko Polje (50 km au sud), Samobor (24 km à l'est) et le Zagorje croate.

Comprendre

Deux collines et trois villes

La bulle de Bela – Deux modestes collines, contreforts méridionaux des monts de la Medvednica, séparées par une vallée parcourue par un torrent, le Medveščak, tel est le site qui a vu naître et se développer la capitale de la Croatie. À l'est, le **Capitulum (Kaptol)**, l'évêché de Zagreb fut fondé en 1094 par le roi magyar saint Ladislas et, immédiatement, une grande cathédrale fut élevée. De l'autre côté de la rivière, sur le mont Grič, se développait un bourg médiéval, **Gradec**, au plan géométrique, et aux maisons de bois serrées autour de l'église. En 1242, après une invasion des Tatars (Mongols), qui mirent à bas aussi bien la cathédrale de Kaptol que l'église de Gradec, le roi Bela IV, réfugié à Trogir, promulguait une « bulle d'or » qui, déclarant Gradec ville royale libre, lui confère nombre de privilèges, entre autres celui de battre monnaie, et d'édifier des fortifications, ce dont la cité ne se priva pas. Au 15ᵉ s., une nouvelle menace se précisant, celle des Turcs, Mathias Corvin ordonnait à Kaptol de se fortifier à son tour. Dès lors, les deux cités vont vivre chacune derrière sa muraille, ce qui ne va pas sans rivalité ni quelques frictions, parfois sanglantes.

Une ville née d'un séisme – Nous sommes en 1880. Gradec est devenue le foyer du « renouveau national croate », inspiré par le mouvement illyrien de Ljudevit Gaj. Les bouillonnements culturels et politiques qui entourent les événements de 1848 s'accompagnent d'un essor économique : développement de l'industrie, arrivée du chemin de fer, apport de populations nouvelles (Grecs et Juifs) grâce à l'instauration de la liberté religieuse. Peu à peu, une cité commence à se développer au pied des

Les toits vernissés de St-Marc : une image emblématique de la capitale.

M. Guillochon / MICHELIN

collines. Pour cela, on a fait appel à un architecte viennois, **Herman Bollé** : il édifie le siège de l'Académie, l'École des arts appliqués. On élève un théâtre dans un champ de maïs… Zagreb compte alors près de 30 000 habitants. Survint alors le tremblement de terre : nombre de bâtiments s'effondrent ou sont gravement endommagés. De vastes espaces sont libérés pour les nouveaux constructeurs : la ville que nous connaissons va naître.

La capitale de la Croatie – Zagreb, qui ne comptait que 60 000 habitants en 1900, frôle aujourd'hui le million, rassemblant avec son agglomération près du quart de la population croate. Tout cela a entraîné la construction de nouveaux quartiers, sans souci esthétique excessif, au-delà de la ligne de chemin de fer dans un premier temps, de la Save ensuite, avec l'édification de Novi Zagreb (le « nouveau Zagreb »), tandis que les villages des environs s'urbanisaient. Les zones industrielles se sont multipliées. Et pourtant : en dépit de tout cela, la capitale de la Croatie n'a rien perdu de son charme, presque campagnard : on y circule à pied, on profite du moindre rayon de soleil pour se poser sur un banc ou à une terrasse de café, on continue à y cultiver la vigne et, les dimanches d'hiver, on prend le tram pour aller skier dans la proche Medvednica.

> ## Une grande opération d'urbanisme
>
> Tandis que Bollé s'attache à donner à la cathédrale une apparence gothique qu'elle avait perdue depuis belle lurette, un plan d'urbanisme rationnel est tracé pour aménager la ville basse. Dans ce damier, **Milan Lenucci** (1849-1924) trace une suite de places, aménagées en espaces verts et ponctuées de monuments. Son tracé en U lui vaudra le surnom de **fer à cheval vert**. Les architectes se mettent à l'œuvre et s'en donnent à cœur joie. La mode est à l'**historicisme** : néoclassique, néoroman, néogothique, néo-Renaissance… tous les styles répertoriés sont revisités. Suit, au début du 20e s., la période **Sécession**. Entre Ilica au nord et le chemin de fer au sud, **Donji Grad**, la ville basse, s'édifie en quelques décennies, respectant à peu près le plan d'origine.

Se promener

LA VILLE HAUTE (Gornji grad) : GRADEC★★ ET KAPTOL★ A-B-C/1-2-3

C'est sur ces deux modestes nids d'aigle que Zagreb est née : d'un côté, Kaptol, la ville épiscopale ; de l'autre, Gradec, la cité féodale. Il va de soi que l'itinéraire décrit ci-dessous n'a d'autre prétention que de proposer au visiteur une façon simple de découvrir les principaux points d'intérêt de la ville haute. Libre à lui, ensuite, de se l'approprier par de longues flâneries, diurnes ou nocturnes (Zagreb est une ville très sûre). Sachez que Gradec sera un véritable petit bijou lorsqu'il aura achevé sa rénovation. En attendant, il vous revient de découvrir ses trésors cachés, ici en vous en engageant sous une porte cochère, là en glissant un œil dans une cour, plus loin en observant des façades qui, une fois ravalées et repeintes, raviront le promeneur. Poussez la porte d'un café enterré dans une cave voûtée, empruntez un escalier inattendu qui, éclairé de vieux becs de gaz, dévale la colline parmi des jardins, et n'hésitez

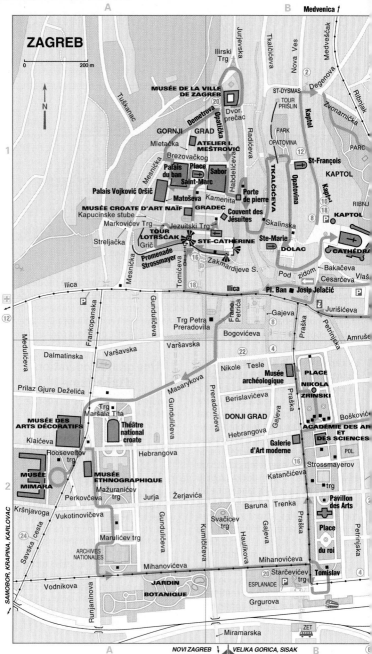

pas à vous « perdre ». Peu à peu, vous vous sentirez chez vous et vous comprendrez l'amour que les autochtones portent à leur ville.

Place du Ban-Josip-Jelačić★ (Trg bana Josipa Jelačića) B2

Cœur animé de la ville, cette vaste place, ancien champ de foire, a été ouverte en 1830, marquant le début du développement de Zagreb hors de ses limites historiques. Aujourd'hui entourée d'immeubles élevés pour la plupart dans les années 1880 à 1900, il s'agit d'un vaste espace en grande partie réservé aux piétons, souvent occupé par des manifestations, comme lorsqu'il s'agit d'honorer un sportif victorieux d'une compétition internationale. C'est également, autour de la statue du ban, le principal lieu de rendez-vous des habitants. La partie sud de la place est animée par le ballet presque incessant des tramways, qu'ils arrivent de Jurišićeva, d'Ilica ou de la gare, au sud.

Statue du ban Josip Jelačić – Cette statue équestre honore le ban (vice-roi) de Croatie, dont l'action en 1848 et le rôle dans l'éveil de la conscience nationale font l'un des pères de la nation. Enlevé en 1947, le monument a retrouvé sa place en 1991.

Fontaine Manduševac – Elle a été creusée à la place de la source miraculeuse qui jaillit au début du 14e s. grâce aux prières de l'évêque Augustin Kažotić. La légende y voit l'origine du nom de Zagreb (*Mandušo zagrab !* signifiant « puise l'eau ! »).

Les immeubles entourant la place sont assez disparates (les plus récents, des années 1970 sont assez navrants). Sur le côté est, un imposant bâtiment abrite l'office de tourisme (au coin de la rue Nikola-Jurišić) et le **Gradska Kavana**, grand café élégant de la ville.

Sur le côté sud, l'immeuble du journal *Jutarnji List (n° 15)* a été bâti en 1827 par l'architecte **Bartol Felbinger**. La face nord ne manque pas d'allure avec un ensemble d'immeubles où se mêlent les styles historiciste et Sécession. Remarquez en haut du bâtiment de la Partner Bank un bas-relief de céramique : c'est une œuvre du grand sculpteur croate, **Ivan Meštrović**, omniprésent à Zagreb.

Au centre de Zagreb, le ban Josip Jelačić veille…

Rue (ulica) Ilica A-B1

Parcourue par de nombreuses lignes de tramway, c'est une voie constamment animée. Ouverte à l'ouest de la grande place, elle court au pied des collines, selon un tracé à peu près rectiligne, qui se poursuit sur près de 6 km, à la limite nord de la ville basse. Bordée d'immeubles dont le rez-de-chaussée est occupé par des magasins et des restaurants, parfois situés dans des cours, elle est, depuis la seconde moitié du 19e s., époque où s'y installèrent les plus prestigieuses boutiques de la ville, le centre de la vie élégante. Si elle est aujourd'hui concurrencée par la zone piétonne, elle n'en a pas perdu pour autant de son attrait pour les habitants qui s'y pressent, qu'il s'agisse d'attraper au vol un tram ou de flâner devant les vitrines.

Suivre Ilica jusqu'à la petite rue Tomićeva que l'on prend à droite vers la colline de Gradec.

Funiculaire (Uspinjača) A1

Au bout de la rue Tomićeva. 6h30-21h - ttes les 10mn - 3 kn.

Construit en 1890, ce funiculaire permet de gagner la colline de Gradec depuis Ilica, à moins qu'on ne préfère se constituer des mollets d'acier en prenant les escaliers, assez raides, qui, parallèles aux voies, grimpent jusqu'à la promenade Strossmayer.

Tour Lotrščak (Kula Lotrščak) A1

Accès au belvédère (Vidikovac), ulica sv. Ćirila i Metoda. Tlj sf lun. : 11h-19h - 10 kn (étud., enf. 5 kn).

C'est à l'arrivée du funiculaire que se dresse cette haute tour carrée, vestige des fortifications médiévales de la ville haute, surmontée d'un gracieux clocheton de bois. Aujourd'hui, le rez-de-chaussée de la tour est occupé par une galerie d'art. Du sommet (belvédère ou *vidikovac*), belle **vue★★** sur les toits et terrasses de la ville.

Promenade Strossmayer (Strossmayerovo šetalište) A1

Cette promenade ombragée, tracée à l'emplacement des anciens remparts de la ville haute, est un véritable belvédère sur la ville nouvelle, ses toits, ses dômes et ses pignons. Du côté droit, assis sur un banc, une effigie de bronze de l'écrivain **Antun Gustav Matoš**, par Ivan Kožarić, se dore au soleil en contemplant à ses pieds la ville tant aimée. Revenant sur ses pas, on dépassera la tour pour continuer sur la promenade, qui constitue un petit parc à cet endroit-là.

Tournant à droite au bout de la promenade, on longe le **Grič**, square décoré par la statue d'un sympathique lutin, jusqu'à la **place Franjo-Marković (Trg Franje Markovića)** qui, avec ses immeubles baroques, son café, sa belle vigne vierge partant à l'assaut d'un mur jaune, composerait un ensemble des plus agréables. C'est au n° 2, dans une

> ## Felbinger et l'harmonie
>
> Parmi les hommes qui ont modelé Zagreb, il faut citer **Bartol Felbinger** (1785-1871), qui fut nommé architecte de la ville en 1809. Partisan d'un strict classicisme, il a édifié des palais et des immeubles aux lignes harmonieuses, parfois ravissantes. Ceux qui ont résisté à la fois au séisme de 1880 et aux interventions historicistes sont là, tant à Gradec que sur la place Jelačić, et témoignent de son talent.

maison à la façade Biedermeier, que vécut le poète qui a donné son nom à la place. Au coin de la rue Matoševa, le **palais Zrinski** date du 17e s. Sur la gauche, le **passage des Capucins (Kapucinske stube)**, étroite venelle, se transforme bientôt en escalier dévalant, parmi les jardins, la colline de Gradec jusqu'à la rue Mesnička.

Bordée du côté gauche de maisons basses du 18e s., et, en face, par le **palais Jelačić** élevé au 18e s. par Bartol Felbinger, la sympathique **Vranicanijeva ulica** conduit à la place Catherine-Zrinski.

Place Catherine-Zrinski (Trg Katarine Zrinske/Katarinin trg)★ B1

Cette place rectangulaire honore la sœur de Krsto Frankopan, épouse de Petar Zrinski et poète. Après l'exécution de son époux, elle se retira dans un couvent italien.

Palais Kulmer (Palača Kulmer) – *Sur la gauche de la place*. Une partie de ce grand palais baroque, qui occupe tout un côté de la place, abrite le **musée d'Art contemporain (Muzej suvremene umjetnosti)**, proposant des expositions temporaires, souvent consacrées aux créations de jeunes artistes croates (*fermé pour cause de déménagement prévu en 2007*).

Un sympathique café occupe le rez-de-chaussée de l'autre partie du palais.

Palais Dverce (Palača Dverce) – *Sur la droite*. Édifié au début du 18e s., il a été remanié dans le style historiciste. La municipalité y reçoit aujourd'hui ses hôtes de marque.

Akademia – Le premier lycée de Zagreb (1607) devint ensuite le siège de l'université. Très remanié, le bâtiment a conservé sa vocation pédagogique et abrite un lycée privé.

Église Sainte-Catherine★★ (Crkva sv. Katerine)

– *10h-13h. Au fond de la place*. Cette église jésuite (1632), caractéristique du style de la Contre-Réforme, a été édifiée sur le modèle du Gesù de Rome, et vouée à sainte Catherine d'Alexandrie. Sur sa façade, que surmonte un fronton, seules quatre niches abritant les statues des quatre Évangélistes viennent altérer une sobriété confinant à l'austérité.

Tout cela ne prépare pas à la découverte de l'**intérieur★★** dont la nef unique dotée de six chapelles latérales compose un des plus beaux ensembles baroques de Croatie, d'une luminosité et d'une gaieté inattendues. Cet effet est dû au décor de stucs blancs et roses qui couvrent les parois et les voûtes de l'édifice. Ils ont été réalisés en 1726 par un artiste italien, **Antonio Quadrio**. L'attention est attirée par le retable du maître-autel que décore une peinture en trompe-l'œil, réalisée par **Kristofor**

Façade de l'église Sainte-Catherine : sa sobriété dissimule l'un des plus beaux décors baroques de Croatie.

O. N. T. Croatie

Andrija Jelovšek, un artiste de Ljubljana, représentant *Sainte Catherine parmi les philosophes et les écrivains d'Alexandrie*. À la voûte, médaillons peints à fresque (vie de sainte Catherine et conversion de saint Paul), par un autre Italien, **Giulio Quaglio**. Dans la première chapelle de gauche, l'autel de saint Ignace de Loyola été sculpté par **Francesco Robba** en 1729.

Place des Jésuites (Jezuitski trg) A1

Accès à gauche de la façade de l'église.

Au centre de cette place triangulaire se dresse une sculpture quelque peu tourmentée, intitulée *Le Pêcheur au serpent*, œuvre de Simeon Roksandić (1908).

Galerie (galerija) « Klovićevi dvori » – *Jezuitski trg 4. Tlj sf lun. 10h-20h (vend. 22h)*. L'imposant bâtiment de l'ancien couvent des jésuites (17e s., remanié depuis) a été bâti autour d'une ancienne tour médiévale. Il abrite une galerie d'expositions temporaires d'art moderne.

Revenir à la place Catherine et prendre à droite la rue des Saints-Cyrille-et-Méthode.

Rue des Saints-Cyrille-et-Méthode (Ulica sv. Ćirila i Metoda)★ A1

Avec en toile de fond la toiture de tuiles vernissées de l'église Saint-Marc, cette rue, baptisée du nom de deux concepteurs de l'écriture glagolitique, compose une des vues les plus photographiées de Zagreb. Elle est bordée d'édifices intéressants à des titres divers.

Église catholique grecque Saint-Cyrille-et-Saint-Méthode (Grkokatolička crkva sv. Ćirila i Metoda) – *Ouverte au moment des offices.* Quelques familles de Zagreb pratiquent ce culte qui suit le rite orthodoxe mais reconnaît l'autorité du pape. Leur église, au fronton orné de mosaïques représentant les deux saints, est due à Herman Bollé.

Palais (Palača) Kusević – *Au nº 3.* Ce palais baroque présente une très jolie **façade★**. Il abrite aujourd'hui le **musée croate d'Art naïf★★** *(voir « Visiter » p 450).*

Maison de Ljudevit Gaj (Kuća Ljudevita Gaja) – *Au nº 4.* Une plaque apposée sur la façade de ce bâtiment du 18e s. rappelle que le fondateur du **mouvement illyrien**, Ljudevit Gaj *(voir à Krapina p 404)* habitait là. C'est ici que fut imprimé, le 10 décembre 1835, le premier journal en croate.

Ancienne mairie (Stara gradska vijećnica) – *Au nº 5.* Elle occupe les locaux du théâtre Stanković, haut lieu de la culture nationale : ici furent créés le premier drame croate moderne, *Juran et Sofija* de **Ivan Kukuljević-Sakcinski** (1840), ainsi qu'en 1846 le premier opéra croate, *L'Amour et la Malice*, de **Vatroslav Lisinski**.

Effigie de Matija Gubec – *Au nº 8, à l'angle de la place Saint-Marc.* Selon la tradition, la tête d'homme sculptée représenterait le chef de la révolte paysanne de 1573, **Matija Gubec** *(voir à Zagorje p 429).*

Place Saint-Marc★ (Trg sv. Marka/Markov trg) A-B1

Cette place, qui doit son nom à l'église édifiée en son centre, est l'âme et le symbole de la vie politique : c'est ici que siègent le Sabor (Parlement) et le gouvernement croate.

Ancien hôtel des Monnaies – *Au nº 9, immédiatement à droite.* Immeuble baroque à l'entrée voûtée donnant sur une cour ; on y battit le Dinarius zagrebensis, monnaie d'argent des bans de Croatie jusqu'en 1834.

Diète croate (Sabor) – *Sur le côté droit de la place, au chevet de l'église Saint-Marc.* C'est en 1910 que cet édifice d'un néoclassicisme pompeux succéda à un palais baroque qui abritait depuis 1737 les débats du Parlement. Depuis le balcon, en novembre 1918, le leader du parti paysan, **Stjepan Radić**, prononça un discours resté fameux, mettant en garde ses auditeurs contre l'union des Slaves du Sud.

Contournant toujours l'église, on longe le côté nord de la place : série d'immeubles du 19e s. abritant des palais officiels.

Palais du ban Jelačić (Banski Dvori) – *Au nº 1 sur le côté ouest de la place.* Construit au début du 19e s., il fut la résidence officielle des vice-rois de Croatie. Le ban Josip Jelačić, qui y mourut, fut le plus prestigieux de ses occupants. Ce palais est aujourd'hui le siège du gouvernement tandis que son voisin *(au nº 2)* faisait office de palais présidentiel lorsqu'il fut bombardé en novembre 1991.

Église Saint-Marc★ (Crkva sv. Marka) – Son toit de tuiles vernissées, portant les blasons de Zagreb et du royaume triunitaire (Croatie, Dalmatie, Slavonie), est l'une des vues emblématiques de la capitale croate.

Succédant à une chapelle pillée par les Mongols en 1242, elle fut édifiée par des maîtres vénitiens, circonstance à laquelle la plus vieille église de Zagreb doit son nom.

Gothique, elle est flanquée d'un campanile baroque, du 17e s. L'aspect extérieur actuel du sanctuaire date des travaux de consolidation effectués après 1880, qui ont conduit à la recouvrir d'un crépi peu heureux : la pierre, extraite dans les monts de la Medvednica, s'est en effet révélée en vieillissant aussi poreuse que friable, circonstance qui affecte nombre d'autres bâtiments de la cité. Du fait des ravages du temps, des intempéries et de la pollution, le **portail** sud, sculpté au 14e s. par le maître pragois **Ivan Parler**, a été déposé.

À l'intérieur, l'église a conservé de l'édifice primitif ses belles **voûtes gothiques★**. Elle est ornée des fresques réalisées dans les années 1930 par Jozo Kljaković. C'est à **Ivan Meštrović** que l'on doit les remarquables **sculptures★★** du chœur : le saisissant Crucifix du maître-autel, la Pietà, à gauche, la Vierge à l'Enfant, à droite, au regard d'une infinie tendresse, et pour cause : l'artiste aurait représenté la Vierge sous les traits de sa propre mère.

Après en avoir achevé le tour, quitter la place Saint-Marc par Freudenreichova à droite jusqu'à la rue Antun-Gustav-Matoš (Matoševa).

Palais (Palača) Vojković-Oršić★★

Matoševa 9. À l'étage - tlj 10h-17h, w.-end 10h-13h - 10 kn (étud., enf. 5 kn) - gratuit lun.
Élevé en 1764, c'est probablement le plus beau palais baroque de Zagreb, avec ses grilles en fer forgé aux fenêtres et au balcon, et sa jolie porte cochère. Il abrite aujourd'hui le **musée d'Histoire de la Croatie (Hrvatski povijesni muzej)** : expositions temporaires sur des thèmes historiques. N'hésitez pas à les visiter, façon de découvrir l'intérieur de ce palais, son bel escalier et ses salles meublées de superbes poêles en faïence.

On poursuit sur la droite dans **Matoševa**, que bordent des immeubles baroques, qui gagneraient à être rénovés et repeints de frais.

Au bout de la rue, par Brezovačkog à gauche, rejoindre ulica Dimitrija Demetra (Demetrova) que l'on prend sur la droite.

Rue (ulica) Demetrova A-B1

Les demeures de cette agréable rue au tracé courbe s'adossaient au rempart occidental de Gradec. Elle est aujourd'hui bordée de palais dont certains ne manquent pas d'intérêt.

Musée national croate d'Histoire naturelle (Hrvatski prirodoslovni muzej) – *Au nº 1 sur la gauche. Tlj sf lun. 10h-17h, w.-end 10h-13h - 20 kn.* Belle cour bordée de deux étages de galeries. Pour le reste, si le côté agréablement désuet du musée, avec ses étiquettes calligraphiées dans une encre délavée et ses vitrines de bois, peut émouvoir, sauf passion incontrôlable pour la minéralogie *(1er étage)* et la zoologie *(2e étage)*, vous pouvez vous dispenser de sa visite.

Palais (Palača) Magdalenić-Drašković-Jelačić – *Aux nos 7-9.* Une grille permet d'apprécier cette belle construction néoclassique, intégrant quelques éléments des remparts médiévaux et d'autres d'époque baroque. Conçue par Bartol Felbinger, la façade, avec sa galerie à arcades ne manque pas d'allure !

Palais (Palača) Balbi – *Au n° 11.* Il date du 18e s. et est séparé de la rue par un mur percé d'un portail rococo. Dans la cour, un agréable puits couvert.

Rue (ulica) Mletačka A1

C'est dans cette rue qui s'ouvre sur la droite en face du palais, que le sculpteur Ivan Meštrović installa sa demeure et son **atelier★★** *(voir « À isiter » p 451).*

Au bout de la rue, traverser Opatička et empruntez le petit passage en face de vous.

Dvoranski prečac B1

Longeant le mur sud de l'ancien couvent des Clarisses, cet étroit passage se transforme bientôt en escalier **(Dvorničićeve stube)**, dévalant le versant de la colline de Gradec jusqu'à Radićeva que l'on prend sur la gauche.

Rue (ulica) Pavle-Radić (Radićeva) B1

Prendre la rue sur la gauche.
C'est l'ancienne Duga ulica, « la rue longue », et elle mérite bien son nom puisqu'elle court au pied de la colline de Gradec de la place Jelačić jusqu'à la place Illyrienne, suivant une pente régulière. Ce fut la principale rue commerçante de la capitale,

---

Les « stube » de Gradec

Cité féodale, Gradec était puissamment fortifiée et ses accès commandés par des tours puissantes. Aujourd'hui encore, les seules voies d'accès à la colline sont à l'est la porte de Pierre, au nord la place Illyrienne, au sud-ouest la rue Mesnička. C'est pourquoi ont été aménagés des escaliers de bois se prolongeant parfois par de pittoresques venelles pavées, et permettant aux piétons de partir à l'assaut de la cité haute sans faire de longs détours : outre Kapucinske stube, à l'ouest, vous pouvez gagner la cité depuis la place du Ban-Jelačić et Radićeva par Zakmardijeve stube. Radićeva est elle-même reliée à la rue Tkalčić par trois « stube » dont l'un, honorant l'architecte Felbinger, se situe dans le prolongement de Dvorničićeve stube.

Un des « stube » de la Ville Haute.

P. Plantier / MICHELIN

jusqu'à ce que le développement de la ville basse entraîne son déclin. Sur la gauche, surplombant la rue, la façade de l'ancien couvent des Clarisses épouse la forme des anciens remparts.

Place Illyrienne★ (Ilirski trg) B1

Petite place triangulaire et harmonieuse formée par le confluent d'Opatička et de Radićeva. Au-delà de la place, vers le nord, après la petite chapelle néogothique réalisée par Herman Bollé en 1895, un ensemble de maisons basses, presque campagnardes, borde la rue (ulica) Jurjevska. Sur votre gauche, dans un petit square, où un café déploie ses tables, s'élève une des tours de la ville, jumelle de la tour Lotrščak.

Prendre sur la gauche la rue Opatička.

Rue (ulica) Opatička★★ B1

Bordée de palais baroques et classiques, la rue des Nonnes est certainement l'une des rues les plus agréables de Gradec.

Archives historiques de Zagreb – *Opatička 29*. Elles sont installées dans un palais à la façade classique qui mériterait d'être entretenue.

Ancien couvent des Clarisses★ – *Opatička 20-22*. Le côté gauche de la rue est bordé par ce long bâtiment blanc, construit contre les anciens remparts. Il se compose en réalité de plusieurs éléments distincts, aujourd'hui réunis pour abriter les collections du passionnant **musée de la Ville de Zagreb★★** *(voir « Visiter » p 451)*.

On aperçoit d'abord, enserrant un petit square un charmant bâtiment construit par Bartol Felbinger en 1839, qui abrite les bureaux du musée. Dans une niche, buste de l'écrivain **August Šenoa (1838-1891)**. Au-delà s'allonge la façade de l'ancien couvent des Clarisses, bâti en 1605 : les fenêtres en trompe-l'œil rappellent que les sœurs étaient recluses. Dans sa partie nord, le bâtiment s'appuie sur la **tour du Prieur (Popov toranj)**, vestige des fortifications (13ᵉ s.), surélevée en 1903 lorsqu'elle fut transformée en observatoire astronomique. Quelques pas dans la vaste cour carrée et pavée et vous apercevrez un cadran solaire peint sur une des façades (**Stara vura** : la vieille horloge), réputé pour être le plus ancien de la ville, ce qui ne l'empêche pas, affirme-t-on, de continuer à donner l'heure exacte (!). Ce peut être l'occasion d'une pause, soit au restaurant Stara vura, installé dans les sous-sols *(accès au fond de la cour)*, soit dans le café aménagé dans l'ancienne cuisine du couvent *(accès par la salle d'accueil du musée, sous le porche à gauche)*. Dans un lieu comme dans l'autre, belles salles dont les voûtes reposent sur d'impressionnants piliers.

Continuer dans Opatička au-delà de Demetrova.

Maison du Peuple (Preporodni dom) – *Au n° 18*. Séparé du musée par Dvoranski prečac, cet immeuble néoclassique, construit par Felbinger (1838), présente une spectaculaire façade avec loggia et colonnes. Abritant aujourd'hui l'Institut d'histoire littéraire de l'Académie, ce palais a été témoin d'événements marquants du renouveau national : c'est ici que furent rédigées en 1848 les fameuses « Revendications du peuple ».

Ambassade de Grèce (Grčko veleposlanstvo) – *Au n° 12*. Joli palais classique. Sur la façade, plaque à la mémoire d'**Antun Mihanović**, auteur des paroles de l'hymne national.

Institut d'histoire croate (Hrvatski institut povijesti) – *Au n° 10*. Palais classique bâti par Felbinger et retouché par Herman Bollé, auteur de la spectaculaire façade et de la superbe **grille en fer forgé★**. Ce palais est célèbre pour son Salon doré, décoré de fresques et de sculptures de quelques-uns des plus grands artistes croates.

Annexe du Sabor – *Au n° 8*. Joli palais baroque tout rose, édifié en 1756 par Matija Leonhart qui abrite les bureaux du Parlement croate.

On arrive à la rue Kamenita que l'on prend à gauche.

Au coin de la rue Habdelića (qui prolonge Opatička), la **pharmacie** porte une inscription : ce serait ici qu'au 14ᵉ s. Niccolò Alighieri, arrière-petit-fils de Dante, fonda la seconde pharmacie de Croatie. Depuis lors, l'officine a fonctionné sans interruption.

Porte de Pierre (Kamenita vrata)★ B1

Rescapée du grand incendie de 1731, cette porte médiévale, aménagée en chicane, est la dernière de Gradec. Dans une niche sur le mur de droite, la jeune femme à la silhouette déliée est Dora Krupić, héroïne de *L'Or de l'orfèvre*, roman du grand écrivain de Zagreb, August Šenoa.

Sous la porte a été aménagée une petite chapelle votive (nombreux ex-voto) abritant une effigie de la Vierge. Image de la piété populaire : nombre de passants de tous âges s'arrêtent ici pour se recueillir et allumer un cierge.

La rue descend en pente assez raide jusqu'à une petite place où saint Georges, juché sur son cheval, semble tout penaud d'avoir tué le dragon. On retrouve ici **Radićeva** que l'on descend sur la droite, sur une centaine de mètres, jusqu'à Krvavi Most, à gauche.

Pont Sanglant (Krvavi most) B1

Cette ruelle permettait de relier les deux entités de Zagreb, la cité féodale de Gradec et la cité ecclésiastique de Kaptol, de part et d'autre d'une rivière aujourd'hui comblée. Ce fut jusqu'à la fin du 17e s. un pont, qui doit son nom aux échauffourées qui opposaient parfois les deux communautés.

Rue Ivan-Tkalčić★★
(Ulica Ivana Tkalčića) B1

Appelée aussi tout simplement Tkalčićeva (ou encore **Potok**, le ruisseau), cette rue a été créée en 1898 lorsque le cours de la Medveščak fut comblé.

Prendre la rue sur la gauche.

La ville à la campagne

Imaginez des maisons basses, aux façades de couleurs pastel, rose bonbon, vert pistache, jaune moutarde, certaines dotées de galeries de bois, la plupart flanquées d'un jardinet ou d'une cour qu'une barrière sépare de la chaussée qu'ombragent tilleuls, charmes et saules. Imaginez en toile de fond les versants de la Medvednica, couverts de forêts. Ici, vous êtes à la campagne. Mais vous êtes aussi en ville, et dans le lieu peut-être le plus animé de la capitale : car la plupart de ces maisonnettes abritent aujourd'hui des cafés, et une foule jeune déambule de l'un à l'autre jusqu'à tard dans la nuit. Qu'un rayon de soleil apparaisse et, dans les cours, les tables et les bancs sont alors pris d'assaut, tandis que la chaussée elle-même devient une longue terrasse. C'est le lieu où l'on flâne en fin de journée, où l'on refait le monde avec quelques amis devant un verre, à moins qu'on ne préfère y écouter un concert de jazz improvisé. C'est aussi un résumé de Zagreb, cette cité qui a du mal à oublier sa vocation rurale, l'époque pas si lointaine où, là où se dressent aujourd'hui les immeubles de la ville basse, s'étendaient à perte de vue des champs de maïs.

Dans un renfoncement aménagé en square, sous un cadran solaire, munie d'un parapluie qu'elle brandit comme un gourdin, **Marija Jurić Zagorka** (1873-1957) surveille les lieux d'un regard peu amène. Cette forte femme fut la première journaliste de Zagreb et écrivit d'innombrables romans populaires, dont les premiers romans policiers croates.

Poursuivre dans la rue jusqu'à une place anonyme. Devant vous s'élèvent des maisons de bois, toutes de guingois, avec d'improbables balcons perchés en surplomb d'une cour où l'on s'étonne de ne pas apercevoir un coq pousser son chant matinal. C'est devant ces maisons que l'on prend un escalier vers l'église Saint-François. Sur la gauche, dans le parc Opatovina, la tour Prišlin est un vestige de l'enceinte de **Kaptol**, la cité épiscopale.

Délaissant pour l'instant l'église Saint-François, prendre sur la gauche la rue Opatovina.

Rue (ulica) Opatovina B1

Parallèle à Tkalčićeva, cette rue, longeant le tracé de l'ancien rempart de Kaptol, est bordée, sur son côté droit, de maisons reconverties en cafés : en dépit de leurs noms empreints de la dévotion qui sied en ces lieux (*Assisi, Sakristija*…), ceux-ci sont ouverts jusqu'à des heures très avancées de la nuit et promettent des « soirées chaudes » animées par des DJ. Remarquez au nº 43 une amusante façade avec angelots et grappes de fleurs. Sur le côté gauche de la rue, des baraques de bois, abritant un marché aux fripes, s'appuient à la muraille du monastère des Franciscains.

La rue s'évase en un petit marché aux fleurs. Au centre s'élève la statue de Petrica Kerempuh, jouant de la guitare à côté d'un pendu, réalisée par Vanja Radauš. Surnommé « le petit diable du Zagorje », ce personnage, sorte de Fanfan la Tulipe croate, est passé à la postérité en devenant le héros d'un roman de Miroslav Krleža, *Les Ballades de Petritsa Kerempuh*.

Quelques marches conduisent au marché de Dolac.

Dolac B1

C'est sur ce vaste espace que se tient le principal marché en plein air de Zagreb. Il s'agit d'une plate-forme surmontant le marché couvert, aménagé en 1931, où vous pourrez vous procurer des charcuteries à des prix avantageux. Aussi coloré qu'animé, le marché aux primeurs est dominé par les flèches de la cathédrale, d'un côté, le joli **bulbe★** vert et or de l'église Sainte-Marie, de l'autre. Dans le coin à droite, marché aux poissons.

Église Sainte-Marie de Dolac (Crkva sv. Marije Dolac) – *Accès sous les arcades sur la gauche du marché*. D'origine cistercienne, cette église posée sur une plate-forme dominant Tkalčićeva fut remodelée dans le style baroque en 1740.

Revenir au marché et descendre les marches jusqu'à Pod Zidom (« Sous la muraille ») que l'on prend à gauche, puis prendre encore à gauche dans Bakačeva.

Kaptol★ B-C1

Kaptol, ou « le chapitre », c'est à la fois le nom de la vaste place qui s'étend devant la cathédrale, de la rue qui s'en éloigne en direction du nord, et du quartier tout entier, autrefois fortifié.

La place – Elle est ornée en son centre d'une fontaine que surmonte, sur une colonne, une statue dorée de la Vierge entourée de quatre anges, réalisée en 1873 par Antun Fernkorn.

Maisons des chanoines – D'abord en bois, elles furent remplacées aux 17e et 18e s. par des demeures dont certaines ont cédé la place à des édifices historicistes, qui n'altèrent pas, cependant, l'impression de se trouver dans un quartier avant tout baroque. Parmi ces demeures, remarquez au n° 5 celle qui abrite, au fond d'une vaste cour, le restaurant **Kaptolska Klet**, qui s'est fait une spécialité des agneaux de lait à la broche.

Le Kaptol et sa colonne.

M. Guillochon / MICHELIN

Enceinte de la cathédrale – Dotée de tours massives, cette enceinte fut bâtie entre 1512 et 1520 afin de protéger la cathédrale d'une attaque des Turcs. En 1906, la partie de la muraille qui masquait la façade de la cathédrale a été abattue.

Palais épiscopal – *Dans la partie sud de l'enceinte, à droite de la cathédrale*. Il a été aménagé au 18e s., doté plus tard d'un jardin, puis remodelé par l'infatigable Herman Bollé.

Cathédrale de l'Assomption★ (Katedrala Marijina Uznesenja) B1 – Encadrée par les tours rondes de ses fortifications, surmontée par ses deux clochers élancés se terminant en flèches, la façade de la cathédrale ne manque pas d'allure. Succédant à un premier édifice dévasté par les Mongols en 1242, elle fut édifiée sur le modèle de l'église-halle avec trois nefs de même niveau, puis peu à peu fortifiée : c'était, au moment de la pression turque, la cathédrale la plus orientale d'Europe. Ces fortifications n'empêchèrent pas le sanctuaire d'être atteint par la mitraille et ses clochers de s'effondrer. Ils furent remplacés par une tour qui acheva de donner à l'ensemble l'aspect d'une forteresse. Le séisme de 1880, mettant à bas une bonne part de l'édifice, permit à **Herman Bollé** de s'en donner à cœur joie et de reconstruire la cathédrale, selon une esthétique voisine de celle de Viollet-le-Duc. Hélas, la pierre de la Medvednica est venue trahir les constructeurs : les sculptures du porche *(en cours de rénovation)* font aujourd'hui peine à voir, comme gangrenées par une maladie inavouable.

En dehors de la belle élévation de l'**intérieur★**, il est clair que l'émotion qui peut envahir lorsqu'on y pénètre n'est pas d'ordre esthétique. La visite est néanmoins intéressante car il s'agit d'un véritable livre d'histoire où mythe et réalité étroi-

Deux visites pour une cathédrale

Pour se faire une idée de ce qu'était la cathédrale avant le séisme de 1880 et sa reconstruction par **Herman Bollé**, une visite au **musée de la Ville de Zagreb★★** (*voir « Visiter » p. 451*) s'impose : vous y verrez des gravures et photographies antérieures au séisme, mais aussi la reconstitution du portail sculpté au 17e s. par Cosmo Müller, ainsi que des éléments décoratifs réalisés à l'époque baroque.

tement mêlés se retrouvent les personnages qui ont « fait » la Croatie. Dès l'entrée à gauche, une immense plaque gravée en caractères glagolitiques donne le ton : elle commémorait, en 1941, les 13 siècles de christianisme du pays.

Longeant la cathédrale par le côté droit, on découvrira de part et d'autre de la porte latérale les stalles baroques réalisées par **Matija Erlman** succédant aux bancs en marqueterie de Pietro da Firenze. Sur le mur à droite, les vestiges les plus anciens de la cathédrale : des fragments en partie estompés de la *fresque de l'Annonciation*★ (13e s.). La fresque surmonte le monument dédié à Zrinski et Frankopan, exécutés en 1671. À côté, pierre tombale de **Toma Erdődi**, vainqueur des Turcs à Sisak en 1593. Derrière le chœur gît l'effigie de cire du **cardinal Stepinac**, dont la pierre tombale, exécutée par Ivan Meštrović, se trouve sur le flanc gauche de la cathédrale.

Poursuivant au-delà de la sacristie on passe devant l'autel de la Cène, de style baroque (1703), puis de l'autel des saints Cyrille et Méthode, œuvre de Mihael Stepić. Notez enfin la chaire baroque réalisée en marbre par un sculpteur slovène, **Mihajl Kusse** (1696).

Le cardinal Stepinac

Un rôle contesté sous l'occupation nazie et le régime d'Ante Pavelić valut à l'évêque de Zagreb Alojzije Stepinac (1898-1960) quelques ennuis sous le régime de Tito. Et d'abord, en 1946, une condamnation à seize ans de prison, en partie effectuée à Lepoglava puis commuée en 1951 en assignation à résidence dans son village natal. Il n'en fallait pas plus pour faire du cardinal un symbole, celui de la résistance à l'arbitraire. Le cardinal Stepinac a été béatifié par Jean-Paul II au sanctuaire de Marija Bistrica.

En sortant de la cathédrale, prendre à droite Kaptol en direction du nord. La place peu à peu se rétrécit pour former une rue.

Rue (ulica) **Kaptol** B1

Elle est bordée, de part et d'autre, de demeures de chanoines, le plus souvent baroques, et dont certaines abritent aujourd'hui des restaurants. La plus jolie est sans doute la **maison du Prévôt (Prepostija)**, au n° 7 *(côté gauche)*. Remarquez aussi le bâtiment historiciste, doté d'une curieuse tourelle, qui abrite le **théâtre Komedija**.

Église et monastère Saint-François (Crkva i samostan sv. Franje Asiškog) – Ne vous laissez pas décourager par la laideur de l'église qui, outre le séisme de 1880, a souffert des bombardements alliés de 1944. La restauration n'a pas été des plus heureuses. C'est dans le monastère *(au n° 9)* que vous verrez un petit bijou baroque, la chapelle de Saint-François, ornée de stucs et de fresques représentant des scènes de la vie du *Poverello*.

Au premier carrefour, Kaptol devient **Nova Ves**, du nom d'un ancien village. Devant la chapelle Saint-Dysmas (le bon larron) au joli clocher à bulbe, prendre à droite dans Zvonarnička pour rejoindre le parc Ribnjak.

Parc Ribnjak★ B-C1

Agréable parc à l'anglaise, sillonné de sentiers et d'une petite rivière artificielle qu'enjambent de charmants ponts de bois en dos d'âne. Le parc, qui abrite un café, est parsemé de statues, comme l'amusante *Pudeur effarouchée* d'Antun Augustinčić. Ce lieu paisible est bordé par les murailles de l'enceinte de Kaptol.

Quittant le parc au sud, suivre Branjugova, puis à gauche la rue Vlaška.

Rue (ulica) **Vlaška** B-C1

S'évasant en place, elle doit son charme à l'homogénéité des maisons aux façades pastel, édifiées aux 17e et 18e s. Au milieu, appuyée négligemment contre une colonne Morris, effigie d'August Šenoa, par Marija Ujević-Galejović.

Par Cesarčeva dans le prolongement, on retrouve l'animation de la place du Ban-Jelačić.

LA VILLE BASSE★ (Donji grad) A-B-C/1-2-3

Cette promenade permet de parcourir au cœur de la ville basse, le « fer à cheval », rare exemple d'urbanisme planifié. Dans son parti pris de monumentalité, ce fer à cheval ne manque pas d'allure, même si, là aussi, on ne peut que déplorer la friabilité de la pierre employée. Sur les façades, couronnées par toutes sortes de gâbles, pinacles, tourelles, clochetons et pignons, se succèdent balcons, terrasses, loggias, décrochements. L'ensemble est animé par une foule d'atlantes, cariatides, angelots, de Vénus sortant de l'onde et de martiales effigies mythologiques. Tout cela compose un hymne à la modernité, celle d'une époque (1880-1900) imprégnée de culture classique. Sur les larges avenues, les trams, souvent bondés, glissent silencieusement, tandis que les rues transversales sont réservées à la circulation automobile.

Place Preradović (Trg Petra Preradovića) A-B1

Quitter la place du Ban-Jelačić par Ilica et, à hauteur du n° 3, s'engager à gauche dans un passage couvert, fermé par une belle grille en fer forgé, aux boutiques élégantes, qui conduit au cœur du quartier piétonnier. Formant un coude, le passage débouche sur la vaste place honorant le poète **Petar Preradović** (1818-1872), qui y est statufié. Tout autour, librairies et cinémas attirent les étudiants, tandis que les terrasses de cafés envahissent une bonne partie de l'espace, à l'exception du marché aux fleurs. Sur le côté nord de la place, église orthodoxe.

Quitter la place au sud, puis tourner à gauche dans la rue Masarykova.

À l'angle de Gundulićeva, sur la gauche de la rue, remarquez la **maison (kuća) Kalina** (1903), Jugendstil, avec sa façade revêtue de céramique aux motifs floraux.

Place du Maréchal-Tito★ (Trg maršala Tita) A2

C'est en arrivant sur cette immense place, qu'on aborde la branche occidentale du fameux « fer à cheval ». L'espace s'organise autour du **Théâtre national croate★ (Hrvatsko narodno kazalište)**, élevé en 1895 par deux architectes viennois, Fellner et Helmer. Cette belle réussite architecturale recèle un intérieur somptueux (rideau de scène réalisé par Vlaho Bukovac, corridors, foyer et même toilettes étant richement décorés dans un style volontiers rococo), que les mélomanes et amateurs de ballets se doivent absolument de découvrir. Devant la façade, la fontaine, *Le Puits de la vie*, est une réalisation de Meštrović.

La place est entourée d'immeubles solennels, représentatifs de l'historicisme, occupés aujourd'hui par des facultés et des organismes officiels. Du côté nord, devant le rectorat de l'université, célèbre sculpture de Meštrović, *L'Histoire des Croates*. Le **musée des Arts décoratifs★** (*voir « Visiter » p 452*), sur le côté ouest, au n° 10, occupe quant à lui un bâtiment conçu par Herman Bollé. Côté sud, enfin, la statue de *Saint Georges combattant le dragon*, œuvre de Fernkorn, placée dans la verdure, précède un bâtiment surmonté d'un amusant clocheton.

Place Roosevelt (Rooseveltov trg) A2

Contiguë à la place précédente, elle est dominée par un immense bâtiment néo-Renaissance de 1895, dont la couleur gris plomb n'atténue pas le caractère massif et qui abrite le **musée Mimara** (*voir description dans « Visiter » p 453*). Dissimulé dans un bosquet, un carnet dans une main, l'écrivain et homme politique **Eugen Kumičić** (1850-1904), vu par Fran Kršinić, semble plongé dans une profonde méditation.

Si vous désirez vous rendre au **musée des Techniques★** (👥 *voir « Visiter » p 454*), poursuivez dans le prolongement de la place Roosevelt sur la large **Savska cesta** et passez sous la voie ferrée.

Revenir sur Trg maršala Tita et prendre immédiatement sur la droite.

Place Mažuranić (Mažuranićev trg) A2

Sur la gauche de cette place, au n° 14, un immeuble de style Sécession coiffé d'un dôme (1903) abrite le **musée ethnographique★** (*voir description dans « Visiter » p 453*).

Place Marko-Marulić (Marulićev trg) A2

Force est de reconnaître que les immeubles bordant cette partie du « fer à cheval » ne sont pas tous des réussites. La partie centrale, cependant, ne manque pas d'intérêt avec, entre les deux bâtiments de l'université, une sculpture bien représentative de l'art de Meštrović. En face, le bâtiment des **Archives nationales★ (Hrvatski državni archiv)** est le chef-d'œuvre de la Sécession croate. Construit par Rudolf Lubynski (1913), il présente une façade ornée de reliefs dus à Frangeš-Mihanović.

Au bout de la place, prendre sur la gauche la rue Antun-Mihanović qui longe les grilles du jardin botanique.

Jardin botanique★ (Botanički vrt) A-B2

Avr.-oct.

Superbe jardin conçu en 1889 dans ce qui était alors la limite sud de la ville. Arboretum aménagé à l'anglaise, parterre de fleurs à la française, lacs, font de ce parc un lieu de promenade apprécié des Zagrébois. Après le jardin, le légendaire **hôtel Régent Esplanade**, le plus réputé des palaces de Zagreb.

Place du Roi-Pierre-Krešimir-IV (Trg kralja Petra Krešimira IV) B2

Avec cette place immense, agrémentée de parterres et bordée de nobles façades, on aborde la partie la plus prestigieuse du « fer à cheval ».

Gare centrale (Glavni kolodvor) – Bâtiment néoclassique édifié en 1892 par Ferenc Pfaff.

Statue équestre du roi Tomislav – Sculptée par **Robert Frangeš-Mihanović**, cette statue honore le fondateur du royaume croate (910).

Pavillon des Arts (Umjetnički paviljon) B2 – Réalisé en 1895, représentatif de l'architecture de métal, ce pavillon de l'Exposition universelle de Budapest (1896) fut démonté pièce par pièce et remonté ici. Son dôme abrite une galerie présentant des expositions temporaires, ainsi qu'un restaurant réputé. Devant le pavillon, statue (toujours par Meštrović) du peintre Andrija Medulić, plus connu sous le nom d'**Andrea Schiavone** (1522-1582).

Place Strossmayer (Strossmayerov trg) B2
Bordée d'immeubles de haute tenue, verdoyante, parsemée de statues et de bustes honorant des célébrités (dont l'évêque Strossmayer, vu par Meštrović), elle s'étend entre le pavillon Strossmayer et le palais de l'Académie. Parmi les bâtiments les plus remarquables, citons celui de l'**hôtel Palace** (*au n° 10*, ouvert depuis 1891), avec son café Art déco au coin de Katančićeva, le **palais Vranicani** (1882) où est logée la **Galerie d'Art moderne★** (*voir « Visiter » p 454*), au coin de Hebrangova et, au n° 4, le **Laboratoire de chimie**, construit par Bollé, en 1895.

Place Nikola-Zrinski★★
(Trg Nikole Šubića Zrinjskog) B2
Appelée aussi Zrinjevac, cette ancienne foire aux bestiaux est devenue à la fin du 19ᵉ s. la plus belle place de la ville basse, tant dans son organisation générale que

> ## Encore un Zrinski !
>
> **Nikola Šubić Zrinski**, né en 1508, joua en 1566 lors du siège de Szigetvár (Hongrie) un rôle fondamental dans l'arrêt de l'avance turque sur Vienne en choisissant la mort plutôt que de se rendre à l'ennemi. Les Ottomans furent d'autant plus freinés que la mort, survenue entre-temps, de Soliman le Magnifique, les contraignit à remettre à plus tard leurs ambitions expansionnistes.

pour les immeubles qui l'entourent, qui constituent une parfaite illustration de la diversité du style historiciste. Son centre est occupé par un beau square, planté de platanes importés de Trieste, orné d'une série de bustes de célébrités (Fran Krsto Frankopan, Andrea Schiavone, Giulio Clovio, Ruđer Bošković…), de fontaines, d'un charmant kiosque à musique et d'une colonne météorologique, due à Bollé.

Palais de l'Académie croate des lettres, des sciences et des arts (HAZU) – *Au n° 11.* Ce bel édifice néo-Renaissance de brique a été construit par Bollé sur des plans de l'architecte Franz von Schmidt (1825-1891) pour abriter l'Académie fondée par l'évêque Josip Juraj Strossmayer (*voir à Đakovo p 363*). Dans l'atrium, sont exposées deux pièces remarquables : la copie de la châsse en argent de saint Siméon (l'original est à Zadar) et la **stèle de Baška** (vers 1100), le plus ancien document écrit mentionnant le terme « croate », rédigé en caractères glagolitiques. Au 2ᵉ étage, l'Académie accueille la **galerie Strossmayer des Maîtres anciens★★** (*voir « Visiter » p 455*).

Caffe Lenuci – Sur la gauche de la place. Étonnant immeuble néopompéien avec façade couleur pistache, fenêtres soutachées de jaune, sa loggia à colonnes ornée de fresques.

Honorant le créateur du « fer à cheval », le café Lenuci fut longtemps un repaire d'étudiants.

Musée archéologique (Arheološki muzej) – *Au n° 19 (au coin de Gajeva).* Il occupe un immeuble monumental doté d'impressionnantes colonnes soutenant un balcon et encadrant une voûte cochère qui, reconvertie en dépôt lapidaire (sculptures d'époque romaine pour l'essentiel), ne fait que rajouter à son charme (*voir « Visiter » p 455*).

Après une agréable pause sur l'un des bancs, très fréquentés par les Zagrébois de tous âges, vous pouvez regagner la place du Ban-Jelačić par Praška… à moins que vous ne souhaitiez découvrir un bâtiment construit par Ivan Meštrović. Dans ce cas, prenez à hauteur du palais de l'Académie la rue Bosković et poursuivez jusqu'à la place des Victimes-du-Fascisme (Trg žrtava fašisma).

Maison des Artistes croates★ (Dom hrvatskih likovnih umjetnika, HDLU) – *Tlj sf lun. 11h-19h, w.-end 10h-14h.* Au centre de la place, s'élève cette curieuse rotonde à colonnades, une des rares réalisations architecturales de Meštrović. Expositions temporaires d'art contemporain.

Le retour s'effectue par Franje Račkog puis à gauche, la rue Jurišić, qui, parcourue par les trams, est l'exact pendant d'Ilica.

Une lettre à poster ? N'hésitez pas à pénétrer dans le monumental **palais de la Poste** (1904) dont la salle des guichets avec ses peintures et ses verrières ne manque pas d'allure. À côté, le petit **musée de la Poste (HT muzej)**, qui présente une brève histoire de la distribution du courrier depuis que la compagnie Turn & Taxis assura au 16ᵉ s. le premier service postal sur le territoire de l'actuelle Croatie *(accès par Palmotićeva, tlj sf w.-end 10h-14h, gratuit).*

Le retour sur la place centrale s'effectue par Jurišićeva.

À l'écart du centre

Parc Maksimir (Maksimirski park i Zoološki vrt)

Au nord-est du centre-ville. Accès par Vlaška et, dans son prolongement, Maksimirska cesta. Desserte par les trams 4, 7, 11 et 12 - tlj 9h-20h (16h en hiver). 20 kn, lun. 10 kn (enf. -7 ans 10 kn).

👥 Cet immense parc de 316 ha fut aménagé à partir de la fin du 17ᵉ s. sous l'égide de l'évêque Maksimilijan Vrhovac dans une forêt de chênes centenaires. Il abrite aujourd'hui le **jardin zoologique** de la ville : éléphants, lions, tigres et ours vous attendent.

Cimetière (Groblje) de Mirogoj★

Au nord du centre-ville. Accès en voiture depuis Ribnjak par Medveščak, puis à droite Mirogojska cesta. Desserte par les trams 8 et 15, puis à pied.

Ouvert en 1876, il a depuis lors été élu comme lieu de résidence par près de 300 000 Zagrébois. C'est Herman Bollé qui a aménagé les monumentales arcades néo-Renaissance et l'église du Christ-Roi.

Visiter

À GRADEC A-B/1-2

Musée croate d'Art naïf★★ (Hrvatski muzej naivne umjetnosti) A2

Tlj sf lun. 10h-18h, w.-end 10h-13h. 10 kn (étud., enf. 5 kn)

👥 Fraîcheur, lumière et couleurs : tels sont les mots pouvant qualifier la visite de ce musée. 80 pièces représentatives de l'Art naïf croate entre 1930 et 1990, souvent peintes sur verre, sont présentées, l'accent étant mis sur la fameuse **école de peintres-paysans de Hlebine** *(voir à Podravina p 386).*

On découvre d'abord un grand nom, **Ivan Generalić** (1914-1992), dans ses premières œuvres où il exprime des préoccupations très sociales (*La Réquisition*, 1934), et dans des paysages baignés d'un halo romantique. Vous verrez des œuvres remarquables (*Les Noces tziganes*, 1936), parfois saisissantes (*Le Coq crucifié*, 1964) ou emplies de sérénité (*Autoportrait*, 1975), son art évoluant vers la simplification des formes. Autres représentants de cette première génération : **Mirko Virius** (*Moisson*, 1938), **Franjo Mraz**, et les sculpteurs **Lavoslav Torti** (sa *Tête de professeur* ne déparerait pas sur le tympan d'une église romane !) et Petar Smajić qui, lui, sculptait sur bois (*Adam et Ève habillés*).

Ivan Večenaj appartient à la seconde génération et fait preuve d'un humour confinant au burlesque *(Jane la goitreuse)*. **Mijo Kovačić** a parfois des accents saisissants (*Crucifix*, 1947). Citons également la verve de Martin Mahkek (*Mon voisin*) et **Ivan Lacković-Croata**, qui représente inlassablement avec élégance, au risque de verser dans un certain académisme, des paysages sereins (*Quatre Saisons*).

Très connu en France, **Ivan Rabuzin** se distingue par un style très personnel. Autre indépendant, **Emeric Feješ**, « naïf urbain » qui fait subir à la cathédrale de Milan comme à la basilique Saint-Marc de Venise un étonnant traitement chromatique. Pour finir, retour à Hlebine avec les paysages de **Josip Generalić**, découverte du premier naïf dalmate, Eugen Bultenica, et de quelques œuvres d'artistes étrangers : le Polonais Nikifor et la Bosniaque **Sofija Naletilić-Penavuša**, dont les sculptures polychromes ne sont pas sans évoquer les œuvres de Mohammed Tabal, de l'école des artistes d'Essaouira (Maroc).

Musée croate d'Art naïf, Zagreb

« La Réquisition » (1934), une des premières œuvres d'Ivan Generalić.

Fondacija Ivan Meštrović★★ (Atelje Meštrović) A2

Mletačka 8. Tlj sf lun. 10h-18h, w.-end 10h-14h. 20 kn.

C'est dans cet ensemble de maisons des 17e et 18e s. que le sculpteur Ivan Meštrović vécut et travailla entre 1922 et 1942. On conçoit facilement que la demeure, avec ses boiseries, son péristyle, son jardin, son mobilier conçu par l'artiste, ait été un lieu d'inspiration ! Elle est aujourd'hui peuplée de plus de 120 sculptures réalisées jusqu'au départ de Meštrović pour les États-Unis. Très influencé par Rodin dont il fut l'élève, le sculpteur a su développer un style, puisant à diverses sources, mais portant toujours sa marque, qui en fait un des grands maîtres de la sculpture du 20e s. Parmi les œuvres exposées : relevons un superbe *Rodin au travail (no 26)*, un *Christ en Croix* au pied de l'escalier, une série de reliefs représentant les membres de sa famille *(nos 78 à 82)*, un *Michel-Ange* tout en puissance retenue *(no 56)* ; dans l'atelier (donnant sur le jardin), une *Vierge à l'Enfant* en bois aux interminables mains de pianiste *(no 36)*, un *Saint Luc*, étonnant sosie de Georges Brassens, abîmé dans une profonde réflexion *(no 72)*, ou encore cette *Fille au luth (no 41)* et la subtile *Étude pour la main de Grégoire de Nin (no 62)*. Bref, une demeure « habitée », que tout amateur d'art se doit de visiter.

Musée de la Ville de Zagreb★★ (Muzej grada Zagreba) B2

Opatička 20. Tlj sf lun. 10h-18h, w.-end 10h-13h - 20 kn (étud., enf. 10 kn).

Voici un superbe musée, d'autant qu'il est installé dans le cadre de l'ancien couvent des Clarisses. Visite d'autant plus agréable que la présentation des collections a été conçue de manière aussi vivante que didactique : bref, un endroit à voir absolument, qui apporte un éclairage utile à la découverte de la ville. Il serait fastidieux d'énumérer toutes les sections de ce musée que vous découvrirez selon un parcours chronologique, clairement tracé. Attardons-nous, donc, sur les points forts.

Avant Zagreb★★ – *Sections 1 à 3.* Les travaux de rénovation du musée (1991-1995) ont permis de mettre au jour des traces des premiers habitants de la colline de Zagreb. Ce musée *in situ* permet en particulier de traverser une **salle** voûtée en sous-sol où a été mis en évidence une partie des remparts de 679.

Kaptol et la cathédrale★★★ – *Sections 11 à 15.* Passionnant et superbe ! On y admire des chapiteaux et fragments de sculptures provenant de la cathédrale médiévale, les sculptures qui figuraient sur le **portail** avant la reconstruction du 19e s. (œuvres de Cosmo Müller, 17e s.), l'ancien mobilier de celle-ci (fragment d'autel de Francisco Robba), avant d'évoquer la reconstruction menée à bien par Herman Bollé après 1880.

L'église et la paroisse de Saint-Marc★★ – *Sections 16 et 17.* Superbes **autels baroques** et **statues de bois polychromes** enlevés de l'église lors de sa restauration (1878-1882).

Le renouveau national croate★ – *Sections 26 à 30*. Il est longuement traité, dans sa dimension politique, avec la figure du ban Jelačić (*Portrait*, par Ivan Zasche), et culturelle. Mais le plus intéressant, sans doute, est la reconstitution (**mobilier Biedermeier**, tableaux) de la vie quotidienne au début du 19e s.

Naissance de la ville moderne★ – *Sections 32 à 34*. Le développement d'Ilica, devenant la grande rue commerçante de Zagreb, est illustré par la reconstitution des élégantes boutiques qui, à la fin du 19e s. attirèrent la foule. Mais l'heure était venue de planifier Donji Grad : c'est ce que fait, au sens propre, une salle sur le sol de laquelle est tracé le plan de la ville, tandis que des maquettes en présentent les bâtiments emblématiques.

Ilica à la Belle Époque, par Nasta Rojc (1910).

Musée de la Ville de Zagreb

De la Belle Époque aux Années folles★★ – *Sections 35 à 40*. Affiches, vêtements, objets, documents retracent la vie de la cité entre 1880 et 1914 : on y présente la vie théâtrale, les arts appliqués (dans une salle où des pierres tombales voisinent curieusement avec des longues-vues et des becs de gaz), quelques inventions (le stylo à réservoir de **Slavoljub Penkala**), l'arrivée du tramway (1891) qui précéda de peu l'installation de l'éclairage au gaz… Réclames, boutiques reconstituées achèvent de faire revivre cette époque presque insouciante au cours de laquelle la capitale changea de physionomie.

L'École zagréboise de dessin animé★ – *Section 43*. Affiches, extraits de films, dessins et documentaire vidéo, table lumineuse où l'on découvre un dessin animé en train de se faire, retracent l'aventure de cette prestigieuse école qui, en 1961, fut récompensée par un Oscar.

À DONJI GRAD A-B2

Musée des Arts décoratifs★ (Muzej za umjetnost i obrt) A2

Trg maršala Tita 10. Tlj sf lun. 10h-19h, dim. 10h-14h - 20 kn (étud., enf. 10 kn). Petit conseil : avant de commencer la visite, n'hésitez pas à demander le petit livret en anglais car, comme souvent, les seules explications sont en croate.

Abrité depuis 1890 dans un immeuble conçu par Herman Bollé, pour abriter à la fois le musée et l'école des Arts décoratifs (**Obrtna škola**) de Zagreb, le MUO présente sur trois étages de remarquables collections d'arts appliqués, qui mériteraient d'être mieux mises en valeur.

Du gothique au Biedermeier – *1er étage*. Dans la salle gothique, une belle tapisserie de Tournai (vers 1500) dispute la vedette au mobilier vénitien. Dans la salle Renaissance, on remarquera un lit provenant du château de Bosiljevo. On s'attardera plus longtemps sur le baroque qui présente une superbe collection de cabinets provenant de diverses manufactures européennes, dont un, incrusté de marbre, ravissant. Le style **rococo** est illustré par des porcelaines et une armoire croate du 18e s. signée Sigismund Skerlecz. Après les salles consacrées au néoclassicisme et à l'Empire (mobilier, céramiques, orfèvrerie et argenterie), on ne manquera pas l'espace consacré au **style Biedermeier**, intéressant dans sa recherche de fonctionnalisme : mobilier, céramiques confectionnées à Vienne pour le marché croate (d'où leur décor à thèmes « illyriens »), portraits (dont celui de Ljudevit Gaj) dus à **Mihael Stroy** et miniatures de **Jakov Stager**.

Arts sacrés (Sakralna umjetnost)★★ – Un corridor présentant des objets de dévotion populaire, représentations pieuses de facture naïve, et une collection d'objets liturgiques juifs conduit à cette superbe section, remarquable pour ses sculptures sur bois. Notons un saisissant Christ provenant de Lepoglava (17e s.), l'infinie douceur du regard de saint Jean Baptiste vu par un sculpteur de Križevci, Stjepan Severin (autel de l'église de Drnje, 1737), une série de **sculptures★★** dues à **Ivan Komersteiner** (fin 17e s.). Disposées autour de l'escalier, les peintures baroques ne méritent qu'un bref regard, à l'exception peut-être d'une toile de Guido Reni, *Énée et Didon*.

De l'historicisme au design★ – *2e étage*. Nous poursuivons notre voyage dans le temps, avec les pastiches néo-antiques, médiévaux, Renaissance ou baroques de l'**historicisme** (après 1850). Une série d'objets représente les travaux réalisés par l'école des Arts appliqués de Zagreb : mobilier dessiné par Herman Bollé, céramiques et superbes **fers forgés★★** du maître **Đuro Burić**. Dans la salle consacrée au **style Sécession/Art nouveau★**, on relèvera (outre des verres de Gallé et de Tiffany), une crédence due à **Viktor Kovačić**, des pièces provenant de la manufacture Zsolnay de Pécs et un *Paysage* en style pointilliste, de **Božidar Rašica**. Pour ce qui est de l'Art déco, notez un pastel d'Anka Kiznanić (Zagreb, 1929) et un vitrail conçu par Srećko Sabljak.

Art croate du 20e s.★ – *2e étage*. Une salle est réservée à un petit panorama de l'art moderne croate. On y verra quelques peintures des « peintres de plein air » : une excellente *Vue du lac Maksimir*, de Menci Klement Crnčić (1865-1930), et une toile de Ferdo Kovačević (1870-1927). **Zlatko Šulentić** *(Le Pont)* et le cubiste Marijan Trepse représentent la génération suivante. **Krsto Hegedušić** affirme les préoccupations sociales du **groupe Zemlja** (« Terre »). Remarquez également une gouache pleine de sensualité de **Marislav Kraljević**, une toile de **Edo Murtić** et des œuvres contemporaines parmi lesquelles deux belles tapisseries d'**Ivan Picelj** et de **Jagoda Buić**, et un énigmatique objet « luminotechnique » d'Alexandar Srnec, intitulé *Objekt 200 373*… La sculpture est représentée par Frangeš-Mihanović et Meštrović.

Arts décoratifs – *3e étage*. Horloges, ivoires, métaux, verreries et céramiques. Mode féminine, de 1800 aux années charleston illustrées par des créations du couturier de Zagreb, Đuro Matić.

Musée Mimara (Muzej Mimara) A2

Roosveltov trg 5. Tlj sf lun. 10h-17h (jeu. 19h), dim. 10h-14h - 20 kn (étud., enf. 15 kn).
Cet immense bâtiment a été aménagé pour recevoir l'imposante collection de plus de 3 500 objets légués à la Croatie par un collectionneur, **Ante Topić Mimara**. Les collections se déploient sur trois niveaux reliés par un grand escalier (le sous-sol est réservé aux expositions temporaires, tandis qu'un auditorium accueille colloques et concerts). Par chance, la présentation est conçue de telle sorte que vous puissiez faire l'impasse sur certains thèmes. Enfin, le petit dépliant remis à l'entrée serait bien utile… si la numérotation des salles correspondait à la réalité. Dernier conseil : empruntez l'escalier de gauche et, à l'étage voulu, commencez votre visite sur votre droite.

Verres – *Rez-de-chaussée, salles 1 à 5*. Verrerie antique (joli calice d'Alexandrie à décoration irisée), islam (Égypte et Grenade), Venise, Europe centrale et Bohême (belle série rouge).

Textiles – *Rez-de-chaussée, salle 6*. Tapis persans et kazakhs.

Arts asiatiques – *Rez-de-chaussée, salles 7 à 12*. Chine, des Han aux Qing (ravissante théière Ming en jade, *salle 8*). La dernière salle est consacrée au Japon.

Archéologie, sculpture et arts appliqués – *1er étage*. Immense collection qui fait voyager de la Mésopotamie du 4e millénaire av. J.-C. au 18e s. On notera pour l'art byzantin et préroman un *Avitus (Saint Guy)* polychrome, statue bourguignonne du 6e s. ; une Vierge à l'Enfant tyrolienne (12e s.) et une belle et noble tête de Christ (Angleterre, 12e s.) se détachent dans la salle réservée à l'art roman. Pour le gothique, des ivoires et un Saint Jean Baptiste plein de sérénité (Île-de-France, 14e s.) ; la Renaissance présente un buste de Christophe Colomb, un échiquier (ivoire avec incrustations de nacre) censé avoir appartenu à Marie de Médicis, et une touchante *Fuite en Égypte*, figurines découpées polychromes (Allemagne, 15e-16e s.).

Peinture – *2e étage*. Un superbe générique puisqu'on y trouve (entre de nombreux autres tout aussi prestigieux) les noms de Simone Martini, Duccio di Buoninsegna, Joos Van Cleeve, Jérôme Bosch, Rembrandt, Rubens, Van Dyck ou encore le Greco, Constable et Turner ! Force est de constater que la mention « attribué à… » ou « atelier de… » vient en relativiser le prestige. Pour le reste, on ne se prononcera pas plus avant sur le sérieux des attributions.

Musée ethnographique★ (Etnografski muzej) A2

Mažuranićev trg 14. Tlj sf lun. 10h-18h, vend.-dim. 10h-13h. 15 kn (étud., enf. 10 kn).
Ce musée mérite absolument une visite pour la richesse de ses collections consacrées aux différentes régions de la Croatie. Au rez-de-chaussée, des collections réunies par de pittoresques aventuriers, les frères **Mirko et Braća Seljan** et **Dragutin Lerman**,

présentent des vitrines consacrées au Japon, à la Chine, à l'Australie, à la Mélanésie et à la Polynésie, au Congo, etc. On en retiendra surtout une impressionnante armure japonaise, ainsi qu'un rouleau peint chinois.

Mais c'est à l'étage que la magie opère avec la présentation d'objets et de vêtements évoquant les trois grandes régions ethnographiques de la Croatie. Le musée possède en particulier une exceptionnelle **collection de costumes traditionnels★★**, présentés sur des mannequins et représentative des trois régions ethnographiques : la Pannonie (ensemble des régions intérieures), l'Adriatique (Istrie, Kvarner, Dalmatie) et les régions montagneuses (Lika, arrière-pays dalmate).

Musée des Techniques★ (Tehnički muzej)
Savska cesta 18 (dans le prolongement de l'avenue Frankopanska qui longe le Mimara, 2 km après le pont du chemin de fer). Tlj sf lun. 9h-17h, w.-end 9h-13h. Visites guidées de la mine : mar.-vend. 15h, w.-end 11h (autrement, essayer de se raccrocher à un groupe scolaire). 15 kn (enf. 10 kn). Visite du planétarium : 15 kn.

👥 Ce musée très complet, dont certaines sections (transformation de l'énergie, histoire et évolution des moteurs, générateurs…) s'adressent surtout aux passionnés, offre deux attractions susceptibles d'intéresser le grand public.

D'une part, la grande galerie consacrée aux **transports**. On y découvrira toutes sortes de véhicules, comme le tramway de Dubrovnik (Tchéquie, 1912). Retenons un étonnant engin à hélice monté sur skis (Motor Sleigh, mis au point en Croatie en 1931) et un amusant motocycle à trois places construit à Zagreb en 1950.

Mais il faut surtout ne pas manquer la section géologique et minière. Après avoir découvert les différents minerais, les techniques d'extraction et les outils du mineur, on arrive à la **mine (rudnik)★** : il s'agit de la reconstitution, en sous-sol, d'une galerie de mine, avec ses puits et ses coffrages (attention à la tête !). C'est incontestablement le clou de ce musée. Signalons également un **planétarium (Planetarij Astronautika)** et une salle consacrée aux véhicules de **pompiers** (camions, pompes, lances à incendie, etc.).

Galerie d'Art moderne★ (Moderna galerija) B2
Hebrangova 1 (au coin de la place Strossmayer). Tlj sf lun. 10h-18h, w.-end 10h-13h - 30 kn (étud., enf. 10 kn).

Cette galerie présente une exposition permanente « Deux cents ans d'art croate, 1800-2000 ». Au 1er étage, on découvre les œuvres de peintres et de sculpteurs du 19e s. : grands formats par C. M. Medović (*Bacchanale*), paysages italiens par F. C. von Hötzendorf, portraits par Mihael Stroy et Vjekoslav Karas. Quelques bustes d'Ivan Rendić (remarquez une adorable *Fille de Herzegovine*) et de Robert Frangeš Mihanović (*Saint Dominique*) donnent une idée de la sculpture de l'époque. On verra ensuite les portraits par Vlaho Bukovac dont la galerie possède plusieurs œuvres, remarquez la différence de style entre *Fille de Monténégro au rendez-vous*, de facture classique, et *Mon nid*, portrait de la famille du peintre, à la touche beaucoup plus libre. Le développement du **symbolisme** dans la peinture croate est évoqué par les toiles de Mirko Rački (*Cité de Dys*) et de Bela Csikos Sessia (*Scènes de l'Apocalypse*) qui semble beaucoup emprunter à Gustave Moreau et Odilon Redon. Remarquez également le diptyque du peintre dalmate Emanuel Vidović (*Un petit monde*) qui a beaucoup œuvré pour le développement de la peinture en Dalmatie.

La section du 20e s. commence avec les bustes d'Ivan Meštrović et de Rudolf Valdec qui voisinent avec les superbes portraits de Miroslav Kraljević (*Autoportrait avec un chien, Bonvivant*), les marines de Menci Clement Crnčić (*Maestral*) et les paysages hivernaux d'Oton Iveković (*Hiver*). La peinture moderne fait son apparition avec les toiles de Vilko Gesan (*Cynique, Autoportrait*) aux formes distordues, de Milivoj Uzelac (*Trois Nus féminins*) et de Vladimir Varlaj (*Vrbnik, Vieux Moulin*), tous deux marqués par le **cubisme**.

Le parcours continue au 2e étage avec les toiles des **peintres naïfs** : Krsto Hegedušić (*Inondation, Hlebine*), Marijan Detoni (*Distribution des repas*) et Ivan Generalić (*Enterrement de Štef Halaček*). Les photos de Tošo Dabac représentent des scènes de vie et de misère urbaine. L'art des années 1930 est marqué par la recherche sur la lumière (Vladimir Becić, *Marins*) et sur la couleur (Ignat Job, *Lumbarda*, et Petar Dobrović, *Portrait de la blanchisseuse Suzana*, qui vire à l'expressionnisme). Remarquez également les peintures de Juraj Plančić (*Pêcheurs de Bretagne*) évoquant des personnages populaires avec beaucoup de grâce et de tendresse. La **peinture abstraite** a donné dans les années 1950 et 1960 une pléiade d'artistes comme Vladimir Kristl, Ivan Picelj, Julje Knifer et beaucoup d'autres. Si Ante Kaštelančić (*Bateaux en mer*) et

Ivo Dulčić *(Danse)* restent à la frontière de la peinture figurative et non figurative, Ljubo Ivančić *(Sensation de la mer)* et Rudolf Sablić *(Rythme gris)* essaient de traduire leurs sensations au moyen de l'abstraction. D'autres encore préfèrent une escapade dans le rêve comme Miljenko Stančić *(Envol en Slovénie)*. Dans les dernières salles, on verra les créations d'Ivan Lesniak, qui évoquent la terreur du monde moderne *(Séquence de têtes, Mangeurs)*, les collages de Željko Jerman, les installations de Mladen Stelinović et d'autres œuvres d'artistes contemporains croates.

Galerie Strossmayer des Maîtres anciens★★
(Strossmayerova galerija starih majstora) B2
Trg Nikole Šubića Zrinjskog 11. Mar. 10h-13h et 17h-19h, merc.-dim. 10h-13h - 10 kn (étud., enf. 5 kn).

Ce musée, constitué à partir des collections réunies par l'évêque Strossmayer *(voir à Đakovo p 363)* est installé au 2ᵉ étage de l'Académie croate. Les neuf salles présentent des œuvres, souvent de qualité, allant du Quattrocento italien au 18ᵉ s.

Écoles italienne, croate, et espagnole (salles 1 à 7) – On retiendra une œuvre attribuée à Fra Angelico, *Le Christ et le Donateur* par **Lovro Dobričević** (1454-1518) au trait encore très archaïque *(salle 1)*. Dans la salle 2, notez une *Vierge* de Lorenzo di Credi, et une amusante *Fuite d'Adam et Ève*, par Mariotto Albatinelli. Un *Saint Sébastien* attribué à Carpaccio ou lumineux portrait d'adolescent du Pinturicchio *(salle 3)* précèdent une œuvre du Croate **Andrija Medulić Schiavone** (1500-1563) et un échantillon de l'école vénitienne (ateliers de Palma et Titien), avec un saisissant clair-obscur de Francesco Bassano da Ponte *(salle 4)*. Un *Saint Jérôme* surgissant de l'ombre, de Ribera (Lo Spagnoletto) illustre le ténébrisme des disciples de Caravage. Dans la salle 7, le baroque est représenté par **Federico Benković** *(Le Sacrifice d'Abraham)* et Elisabetta Sirani *(Salomé)*.

Écoles du Nord (salles 7 et 8) – Une *Sainte Anne* attribuée à Dürer, une *Mère et l'Enfant* très teutonne de Jörg Breu, un beau *Portrait de femme* de Frans Pourbus et une scène villageoise pleine de verve dans la manière de Breughel, précèdent une *Kermesse* assez rabelaisienne de David Teniers, et une énigmatique *Scène d'intérieur* de T. Burg.

École française (salle 9) – Elle est représentée par un autoportrait de Fragonard, un lumineux paysage de Poussin, les sempiternelles ruines de Hubert Robert, un souk marocain brossé par Delacroix, une marine de Vernet, et un *Portrait de Madame Récamier* par le baron Gros.

Musée archéologique (Arheološki muzej) B2
Trg Nikole Šubića Zrinjskog 19. Tlj sf lun. 10h-17h (été 19h), w.-end 10h-13h - 30 kn (enf. 10 kn) - visite guidée en anglais 100 kn (sur réserv., ℘ 487 31 01).

Le meilleur de ce musée, assez décevant dans l'ensemble, est l'immeuble qui l'abrite, expression de l'euphorie de l'architecture historiciste. Outre une collection numismatique, le musée présente quelques poteries originaires des colonies grecques d'Issa (Vis) et de Stari Grad (Hvar). L'époque romaine est illustrée par des sculptures. La culture néolithique de la région d'Ilok-Vukovar est évoquée par quelques poteries, et par l'emblématique **Colombe de Vučedol★★**. La salle égyptienne présente la « momie de Zagreb », achetée en Égypte en 1848. C'est seulement en 1892 que l'on découvrit qu'elle était enveloppée dans le *Liber Linteus Zagrabiensis* qui, avec ses 1 200 mots, est le plus long texte connu rédigé en étrusque (3ᵉ-1ᵉʳ s. av. J.-C.).

Aux alentours

Parc naturel de Medvednica★ (Park prirode Medvednica)
Immédiatement au nord de Zagreb, la montagne aux Ours culmine à 1 032 m au pic de **Sljeme** *(accès par téléphérique, 8h-20h, à 10mn à pied du terminus du tram n° 15)*. Elle a été aménagée en station de ski, avec quelques remontées mécaniques. Sa proximité de la capitale et ses forêts en font un lieu fort apprécié, en toutes saisons. À 4 km de là se dressent les ruines de l'impressionnante forteresse de **Medvedgrad** (13ᵉ s.) qu'un séisme dévasta en 1590, et qui abrite l'autel de la patrie où brûle la flamme symbolisant l'éternité de la Croatie. Belles **vues★** sur Zagreb en contrebas.

Musée de la Mine « Rudnik Zrinskih »
À la sortie du téléphérique, suivre le sentier n° 26 dans la direction de « Žensko sedlo » jusqu'au refuge « Grafičar ». ℘ 458 63 17 - www.pp-medvednica.hr - sam.-dim. 10h-16h. visite guidée : 30mn - 20 kn (étud. 15 kn, enf. 12 kn).

Aménagée en musée souterrain, cette ancienne mine d'argent appartint à la noble famille des Zrinski qui possédait le droit d'exploitation des métaux depuis

1463. En 1527, Nikola Zrinski signa un contrat d'ouverture de la mine avec les autorités de la ville de Zagreb. De nombreux puits et des centaines de mètres de galeries furent alors creusés pour extraire le plomb argentigère dont on faisait de l'argent.

Dans la salle d'entrée sont exposés 12 panneaux avec les esquisses tirées du livre de Georgius Agricola *De Re Metallica*. Ce précieux ouvrage, considéré à l'époque comme la « bible » de l'industrie minière, a servi de base pour la reconstitution des scènes de travail dans la mine. En passant à travers les galeries, vous verrez du matériel traditionnel utilisé depuis le Moyen Âge ainsi que des statues en bois grandeur nature représentant les mineurs d'autrefois (remarquablement exécutées par Damir Pavelić). Des enregistrements audio de bruit de gouttes d'eau et d'outils d'ouvriers, du grincement des roues de brouettes et de la simulation des conversations d'ouvriers, ajoutent encore à l'ambiance…

Zagreb pratique

Informations utiles

Code postal – 10000
Indicatif téléphonique – 01

OFFICES DE TOURISME

Trg Bana J. Jelačića 11 - ☎ *481 40 51/52.*
Trg Nikole Zrinskog 14 - ☎ *492 16 45.*

REPRÉSENTATIONS DIPLOMATIQUES

Ambassade de France – *Hebrangova 2 -* ☎ *489 36 00 (service consulaire) - www.ambafrance.hr.*

Ambassade de Belgique – *Pantovčak 125b1 -* ☎ *457 89 01.*

Ambassade de Suisse – *Bogovićeva 3 -* ☎ *487 88 00.*

Ambassade de Canada – *Prilaz Gjure Deželića 4 -* ☎ *488 12 11.*

AUTRES ADRESSES

Hôpital général – *Sv. Duha 64 -* ☎ *371 21 11.*

Urgence pédiatrique – *Klaićeva 16 -* ☎ *460 01 11.*

Urgence dentaire – *Perkovčeva 3 -* ☎ *482 84 88.*

Pharmacie 24/24 – *Trg bana Jelačića 3 et Ilica 301.*

Poste (Pošta) – *Jurišićeva 13 (à 200 m de trg bana Jelačića) - lun.-vend. 7h-21h, sam. 7h30-14h - Branimirova 4 (à gauche de la gare) - tlj 24h/24.*

Laverie Petecin – *Kaptol 11 -* ☎ *481 48 02 - lun.-vend. 8h-20h, sam. 8h-13h.*

Laverie Predom – *Draškovićeva -* ☎ *461 29 90 - lun.-vend. 7h-19h, sam. 8h-12h.*

Institut culturel français – *P. Preradovića 40 -* ☎ *485 52 22 - lun.-vend. 12h30-19h30, sam. 11h-14h.*

Objets trouvés – *Heinzelova 98 -* ☎ *633 34 39 - 8h30-15h30.*

Visite

Garer au plus vite votre véhicule et visitez la ville à pied.

Plans et informations – Disponibles dans les offices de tourisme et dans les hôtels, plusieurs brochures, *Zagreb de A à Z* et *In*

Ballet incessant des tramways sur la place du BanJelačić.

M. Guillochon / MICHELIN

Your Pocket, offrent des informations complètes.

Toponymie – Du fait du jeu des déclinaisons, le nom des rues peut parfois déconcerter le visiteur : Nikola Tesla est ainsi honoré par ulica (rue) Nikole Tesle, Ivan Tkalčić par ulica Ivana Tkalčića, etc. Mais là où les choses se compliquent c'est que sur les plans et les plaques de numérotation des immeubles, on fait l'économie du mot *ulica*. C'est ainsi que *Teslina* remplace Tesla, et *Tkalčićeva*, Tkalčić et que *Gajeva* désigne la rue Ljudevit-Gaj, autrement dit *ulica Ljudevita Gaja*.

La **Zagreb Card** (disponible à l'office de tourisme et dans la plupart des hôtels) offre en plus du libre accès aux transports en commun de la ville (dont le funiculaire de Gradec et celui du mont Sljeme) un ensemble de réductions dans les musées et les parkings de Zagreb (50 %), pour les visites guidées en bus (25 %), dans plusieurs restaurants et discothèques, certaines boutiques et agences de location de voitures (10-20 %). Elle est valable 72h à compter de son achat et coûte 90 kn.

Visites guidées – Organisées par l'office du tourisme de Zagreb, ces visites s'effectuent à pied et en bus. Réservation dans les offices de tourisme, hôtels et agences touristiques Event, Globtour, Generalturist. Centrale de réservation : *Agence Event -* ☎ *370 30 88/92, 370 35 35, www.event.hr.*

À pied - *Lun., merc. : 16h-18h, mar., jeu. : 10h-12h. Se présenter devant l'office de tourisme, trg bana Jelačića 11 - 95 kn.*

En bus et à pied – *Vend. 16h-19h : w.-end : 10h-13h - dép. d'Arcotel Allegra Hotel, Branimirova 29/150 kn - réduc. de 25 % pour le ticket de bus avec la Zagreb Card. Billet familial : 180 kn (parents avec enf. –12 ans), enf. 7-12 ans : –50 %, enf. –7 ans : gratuit.*

L'office de tourisme organise également des **visites costumées** et **thématiques** *(groupe à partir de 10 pers., sur réserv.).*

Transports

Aéroport international de Zagreb (Zračna Luka Zagreb) à Pleso – *Infos ☎ 626 52 22 - fax 652 52 22 - www.zagreb-airport.hr.* À 17 km sur la route de Sisak. Bureau de change, poste, distributeurs automatiques, agences de location de voitures. Navettes régulières pour la gare routière (*ttes les 30mn, 30 kn*). Trajet en taxi de l'aéroport au centre-ville : 150/200 kn.

Les **vols internationaux** desservent de nombreuses villes européennes : 1 vol/j vers Paris et Zurich, 2 vols/sem. pour Bruxelles (lun. et merc.), et des vols fréquents pour la plupart des capitales.

Vols intérieurs quotidiens pour Dubrovnik, Pula, Split et Zadar.

Croatia Airlines – *Trg N. Zrinskog 17 - ☎ 481 96 33 - fax 481 96 32 - lun.-vend. 8h-20h, sam. 9h-12h.*

Air France – *Kršnjavoga 1 (Hôtel Westin) - ☎ 489 08 00 - lun.-vend. 9h-17h.*

Lufthansa – *Rens. à l'agence Generalturist - Trg Zrinskog 18 - ☎ 487 31 23 - lun.-vend. 8h-20h, sam. 9h-14h. À l'aéroport - ☎ 456 21 59/69 - lun.-vend. 5h30-17h30 - réserv. et infos internat. : 091/77 31 14.*

Gare ferroviaire (Glavni kolodvor) – *Trg krajla Tomislava 12 - ☎ 060 333 444 - www.hznet.hr.* Desserte quotidienne de Split, Rijeka, Osijek, Pula et Varaždin. Pour Zadar changer à knin. La ligne qui dessert Slavonski Brod continue jusqu'à Belgrade, Skopje et Thessalonique. Trains internationaux pour Venise, Ljubljana et Vienne. La consigne fonctionne 24h/24 (10 kn).

Gare routière (Autobusni kolodvor) – *Avenja Marina Držića bb ☎ 060 313 333/340 340 - www.akz.hr.* Desservie par plusieurs lignes de tramway (n°s 2, 5, 6, 7, 8), elle fonctionne 24h/24, dessert toute la Croatie et de nombreuses villes étrangères. Distributeurs automatiques, consigne, supérette, poste, agence de voyages et bureau de change. Desserte quotidienne de **Dubrovnik** (11h à 13h de trajet), **Split** (7h), **Zadar** (5h), **Rijeka** (3h30), **Osijek** (4h), **Varaždin**, lacs de **Plitvice** (3h).

Les **lignes internationales** desservent principalement les villes allemandes et suisses, mais aussi Amsterdam, Utrecht et Rotterdam, Prague, Brno et Bratislava, Vienne, Trieste et Paris. **Intercars** – *Marina Držića bb - ☎/fax 615 02 07.* Depuis la France et à partir de Zagreb. Correspondances assurées pour les villes de Dalmatie, Mostar et Sarajevo.

FERRY

Jadrolinija – *Rens. au ☎ (051) 211 444.* Pour réserver vos billets de ferry : Agence Marko Polo - Masarykova 24 - ☎ 481 52 16.

LOCATIONS DE VOITURES

Avis – *kneza Borne 2 (hôtel Sheraton) - ☎ 062 222 226 - fax 467 36 05 - lun.-sam. 8h-20h, dim. 8h-12h.*

Budget – *Kneza Borne 2 (hôtel Sheraton)- ☎ 455 49 36 - fax 455 49 43 - zg1@budget.hr - 7h-20h, dim. 8h-12h.*

Hertz – *Vukotinovićeva 4 - ☎ 484 67 77 - fax 488 30 77 - info@hertz.hr - 8h-20h, dim. 8h-12h.*

Sixt – *Trg Sportova 9 (hôtel Four Points) - ☎ 301 53 03 - fax 301 53 04 - lun.-vend. 8h-19h, sam. 8h-18h, dim. 8h-12h.*

La plupart de ces compagnies possèdent un bureau à l'aéroport.

SUR PLACE

L'agglomération de Zagreb est irriguée par un réseau très dense de transports en commun, ce qui contribue à rendre les déplacements aisés. Les tickets de bus et de tramways sont en vente dans les kiosques, les bureaux de poste (6,50 kn) et dans les voitures (8 kn). Titre de transport valable 1 journée : 18 kn.

Tramways – Contribuant à l'atmosphère de Zagreb, ils roulent entre 4h et 23h45. Fréquence de 6 à 13mn. Service de nuit assuré. **ZET** – *Ozaljska 105 - ☎ 365 15 55.*

Taxis – *☎ 660 06 71.* Majoration de 20 % pour le trajet de nuit, le dimanche et les jours fériés.

Parking – Plusieurs garages dans la ville : Importane centar - *Starčevićev trg*, Importane Galerija - *Iblerov trg*, Centar Kapitol - *Nova Ves 11*, Zagrebparking - *Palmotićeva 25*. Autres garages : *Branimirova 29, Martićeva 69, Petrinjska 59, Ilica 45 et Langov trg bb*. Sinon, paiement par horodateur selon la zone dans laquelle vous vous trouvez (rouge, jaune ou verte).

Téléphérique – Funiculaire de la ville : *Tomićeva bb - 6h30-9h : ttes les 10mn - 3 kn.* Téléphérique de Sljeme : *8h-20h30 : ttes les heures - 11 kn aller simple, 17 kn AR.*

Se loger

👁 **Bon à savoir** – Certains hôtels et pensions augmentent leurs prix de 20/30 % en période de **Zagreb Fair** qui a lieu 2 fois par an, en septembre et avril.

CHEZ L'HABITANT

Evistas – *Augusta Šenoe (Šenoina) 28 - ☎ 483 95 54 - fax 483 95 43 - evistas@zg.t-com.hr - lun.-vend. 9h-20h, sam. 9h30-17h.*

Di Prom – *Trnsko 25a - ☎ 655 00 39 - fax 655 02 33.*

HÔTELS

Ilica – *Ilica 102* - ℘ 377 75 22 - fax 377 77 22 - www.hotel-ilica.hr - 14 ch. : 499/599 kn ⌷ - 🅿. Cet hôtel au décor chargé, situé dans une cour à 500 m de la place centrale, propose des chambres, un peu exiguës mais d'un bon confort. Appartements spacieux au décor baroque. Délicieux petit-déjeuner. Réservation indispensable.

Jadran – *Vlaška 50* - ℘ 455 37 77 - fax 461 21 51 - www.hup-zagreb.hr - 48 ch. : 726,44 kn ⌷ - 🅿. Proche du centre-ville. Si le bâtiment n'est guère attrayant, l'accueil est sympathique. Chambres spacieuses et claires malgré des salles de bains un peu exiguës. Choisissez plutôt une chambre sur cour.

Pansion Jägerhorn – *Ilica 14* - ℘ (01) 483 38 77 - fax (01) 483 35 73 - www.hotel-pansion-jaegerhorn.hr - 11 ch. : 800 kn ⌷, appart. : 950 kn ⌷. En plein centre-ville dans un passage bordé de boutiques, cet établissement calme ne manque pas de charme. Les chambres sont d'un bon confort, bien entretenues et les prix, raisonnables.

Dora – *Trnjaska 11E* - ℘ 631 19 00 - fax 631 19 09 - www.zug.hr - 24 ch. dont 3 appt. : 324 kn/pers. ⌷, appart. : 960 kn. Si le quartier est excentré (derrière la gare, près de la salle Lisinski), l'accueil est très agréable tout comme les chambres, récentes.

Central – *Branimirova 3* - ℘ 484 11 22 - fax 484 13 04 - www.hotel-central.hr - 79 ch. : 720/780 kn ⌷. Face à la gare, vient d'être rénové. Certaines chambres sont trop petites mais de bon confort. Petit-déjeuner très moyen.

Dubrovnik – *Gajeva 1* - ℘ 486 35 00 - fax 485 35 06 - www.hotel-dubrovnik.hr - 266 ch. et 12 suites : 140/160 €/pers. ⌷, suites à partir de 185 € - 🅿. Ce grand hôtel moderne est parfaitement situé, dans le quartier piéton. Bonnes prestations. Petit-déjeuner de qualité.

Palace Hotel Zagreb – *Strossmayerov trg 10* - ℘ 489 96 00, fax 481 13 58 - www.palace.hr - 121 ch. et 3 appart. - ch. : 980/1 180 kn ⌷, appart. : à partir de 1 600 kn ⌷ - réduc. 20 % le w.-end. Au cœur du « fer à cheval », un palace à l'ancienne ouvert depuis 1891. Beaucoup de cachet.

Sheraton-Zagreb – *kneza Borne 2* - ℘ 455 35 35, fax 455 30 35 - www.sheraton.com - 292 ch. et 30 appart., ch. : 150/170 € ⌷ 20 €/pers., appart. à partir de 250 €. L'un des hôtels de luxe de Zagreb. Confort international.

Regent Esplanade – *Mihanovićeva 1* - ℘ 456 66 66 - fax 456 60 20 - 209 ch. et 16 appart., ch. : 219 € ⌷ 20 €/pers., appart. : à partir de 239 €. Ouvert en 1925, cet hôtel mythique, rendez-vous des célébrités de passage à

Les fameux petits cœurs de Zagreb.

Zagreb, retrouve une nouvelle jeunesse grâce à d'importants travaux de modernisation visant à restituer son décor Art nouveau.

Westin Zagreb (ancien hôtel Opera) – *Kršnjavoga 1* - ℘ 489 20 00 - fax 489 20 01 - 378 ch. : 150/170 € ⌷ 20 €/pers., appart. à partir de 250 € - 🅿. Immense hôtel ultramoderne où l'on se sent comme dans un aéroport : 13 salles de conférences, congrès, forums, soirées de gala… Vous aurez en revanche droit à tout le confort moderne et même aux *heavenly bed* et *heavenly shower* qui vous transporteront certainement droit au paradis.

Best Western Astoria – *Petrinjska 71* - ℘ 480 89 00 - fax 480 89 08 - www.bestwestern.com - 100 ch. : 147 € ⌷ et 2 appart. : 298 € ⌷. En plein centre-ville, à deux pas du pavillon des Arts, cet hôtel de luxe offre les meilleures prestations ainsi qu'un excellent accueil.

AUX ALENTOURS

Pansion Medvednica – *Sljemenska cesta bb* - ℘ 455 07 37 - fax 455 58 45 - 28 ch. de 2, 3, ou 4 lits : 120/180 kn/ pers. ⌷ - repas : 35/40 kn. Un chalet de pierre et de bois dans les sapinières de la Medvenica. Les chambres, simples et propres, sont dotées d'une petite véranda.

Tomislavov dom – *Sljemenska cesta 24* - ℘ 456 04 00 - www.hotel-tomislavovdom.com - 42 ch. : 730/860 kn. Au cœur de la forêt de Medvednica, à proximité des pistes de ski, cet hôtel offre un bon confort et différents programmes de remise en forme : hydrothérapie, aromathérapie, massages, relaxation… Vous aurez également à votre disposition une salle de fitness, un sauna, un solarium et une piscine.

Se restaurer

VILLE BASSE ET GRADEC

Mimice – *Jurišićeva 21* - ℘ 481 45 24 - tlj sf dim. 6h-22h - 40/50 kn. La qualité de ce qu'on y mange à des prix dérisoires, une ambiance purement locale, en font un endroit à ne pas manquer.

Boban – *Gajeva 9* - ℘ 481 15 49 - tlj 10h-0h - plats 50/80 kn. Le football mène à tout : Zvonimir Boban a donné son nom à ce bar souvent bondé, tandis que le restaurant en sous-sol jouit d'une ambiance plus calme, où vous pourrez déguster pâtes et grillades.

Čiho – *Pavla Hatza 15 - ☎ 481 70 60 - poisson 180/320 kn/kg, repas 150/250 kn.* À deux pas du pavillon des Arts, un restaurant de poissons réputé et assez cher : délicieuses *buzzara*, excellents vins dalmates.

Jägerhorn – *Ilica 14 - ☎ 483 38 77 - 10h-23h - plats 40/80 kn.* La terrasse avec fontaine au pied des escaliers conduisant à Gradec est particulièrement rafraîchissante en été. Plats régionaux copieux.

Pod Gričkim Topom – *Zakmardijeve stube 5 - ☎ 483 36 07 - 11h-0h, dim. 11h-17h - 100/200 kn à la carte.* Accrochée en haut de la pente à la sortie du funiculaire. Spécialités de poissons que l'on déguste, en été, dans le jardin dominant la ville basse.

Stara Vura – *Opatička 20 - ☎ 485 13 68 - tlj sf dim. 12h-0h - plats 55/100 kn.* Dans l'ancien réfectoire du couvent des Clarisses, en sous-sol : poissons selon l'arrivage du jour. Une adresse raffinée.

Vinodol – *N. Tesle 10 - ☎ 481 14 27 - 10h-0h - plats 65/110 kn, agneau 220 kn/kg.* Au fond d'une agréable cour, sur une terrasse, ce restaurant réputé pour ses spécialités de viande (goûtez à l'agneau ou au veau cuit sous cloche) vous réserve un dîner convivial.

KAPTOL

Konoba Antica – *Kaptol 27 - ☎ 481 21 87 - tlj sf dim. 12h-23h - plats à partir de 50 kn, poissons et fruits de mer 240/340 kn/kg.* Dans une belle salle voûtée, vous pourrez choisir poissons ou viandes finement cuisinés. Service attentif.

Ribarski brevijar – *Kaptol 27/1 - ☎ 482 99 99 - tlj sf dim. 12h-1h - plats 65/90 kn, poisson 280/340 kn/kg.* Au fond d'une jolie cour, le restaurant occupe une vaste salle voûtée. Agréable carte de poissons et de fruits de mer et bonne sélection de vins.

Kaptolska Klet – *Kaptol 5 - ☎ 481 48 38 - 7h-0h - plats 60/90 kn.* Une grande salle au-delà d'une vaste cour qui, aux beaux jours, sert de terrasse. La carte est axée sur une cuisine locale simple, goûteuse et abondante. Goûtez à l'agneau rôti, surtout au début du printemps. Musique live à partir de 19h.

Baltazar – *Nova Ves 4 - ☎ 466 68 25 - plats 45/70 kn, spécialités 70/105 kn.* Situé dans le prolongement de Kaptol, ce restaurant agréable sert des spécialités de viande. Plats accessibles à tous les budgets.

Konoba Lopud – *Kaptol 10 - ☎ 481 87 75 - tlj sf dim. 9h-23h - plats 50/80 kn, poisson 200/380 kn/kg.*

Spécialités de poissons et belle carte de vins en font un des plus prestigieux restaurants de la capitale.

AUX ALENTOURS

Medvedgradski podrum – *Dans la forteresse de Medvedgrad - ☎ 455 62 26 - plats 50/70 kn, viande 140 kn/kg.* Dans une belle salle en pierre et brique, on se régale des spécialités traditionnelles croates. Goûtez au succulent *kulen*, au jambon maison *(domaća šunka)* ou au *teleća koljenica* (veau cuit dans le vin blanc servi avec des pommes de terre). Et n'oubliez pas le strudel aux cerises pour le dessert *(strudl od trešanja, višnjui)* – il fond dans la bouche !

Faire une pause

PÂTISSERIES

Princess – *Gajeva 4 - 8h-22h.* Face à l'hôtel Dubrovnik, bon choix de gâteaux (de 6 à 11 kn) et de glaces, que l'on accompagnera d'un café ou d'un chocolat chaud.

Vincek – *Ilica 18 - 8h30-23h.* Glaces et gâteaux où la *Sacher Torte* voisine avec les spécialités du lieu : *Zagrebačka torta* (crème et chocolat), *Princes Krafne* (énorme chou à la crème fouettée) ou *Vincek torta* (chocolat, noisette). Bondé le samedi !

CAFÉS ET BARS

👁 **Bon à savoir** – les **rues piétonnes** des alentours de la place Jelačić se transforment aux beaux jours en d'immenses terrasses de café ; quant à la **rue Ivana-Tkalčića**, ses maisonnettes sont toutes converties en bars, ouverts parfois très tard le soir, où se retrouve la jeunesse de Zagreb.

Tolkien's – *Vranicanijeva 6.* Dans une maison ancienne de Gradec, près de la place F. Markovića. Décoration très colorée inspirée de l'œuvre du célèbre écrivain. L'endroit est très sympathique, calme en journée, très animé le soir.

Kavkaz – *Trg M. Tita 1.* Œuvre de l'architecte Martin Pilar, ouvert depuis 1906, c'est un modèle de café viennois, calme et confortable, juste à côté du Théâtre national d'où il tire son nom *(Kazališna kavana*, café du théâtre, abrégé).

Volkswagen Cafe – *Preradovičev trg 5.* Il est particulièrement agréable, de bon matin, lorsqu'une journée chaude s'annonce, d'y prendre son café en terrasse, devant le marché aux fleurs.

Bareca Plus – *Gajeva 10 - 9h-23h.* Dans le jardin du Musée archéologique, pour se rafraîchir parmi les sculptures antiques.

Caffe bar Strossmayer – *Šet. Strossmayer.* Pour prendre un café, en contemplant les toits de la ville basse en compagnie de Antun Gustav Matoš.

En soirée

👁 **Bon à savoir** – Le programme mensuel des spectacles est disponible dans les offices de tourisme et les hôtels.

CINÉMA

Il existe de nombreux cinémas à Zagreb. Les films n'étant jamais (ou presque) doublés, vous pourrez y voir les dernières productions américaines ou européennes.

Kinoteka – *Kordunska 1 -* ☎ *377 17 53.*

OPÉRA ET CONCERTS

Salle de concert Lisinski (Koncertna dvorana V. Lisinski) – *Trg S. Radića 4 -* ☎ *612 11 66 - www.lisinski.hr - concerts à 21h30.*

Théâtre national (Hrvatsko narodno kazalište) – *Trg M. Tita 15 -* ☎ *482 85 32 - www.hnk.hr - hnk@zg.hinet.hr - billetterie : lun.-vend. 10h-13h et 17h-19h30, sam. 10h-13h et 1h30 av. les spectacles, dim. 1h30 av. les spectacles.* Comédies et tragédies, ballets et opéras.

JAZZ

BP Club – *N. Tesle 7 -* ☎ *481 44 44 - www.bpclub.hr.* Un des meilleurs clubs de jazz de la ville.

BARS ET PUBS

Bulldog XL – *Bogovićeva 6.* Un dédale de salles dans ce bar où vous trouverez peut-être un coin tranquille malgré une ambiance très sonore.

Lounge-bar Škola – *Bogovićeva 7 au 2e étage - 10h-1h, dim. 11h-24h.* Spacieux, avec des fauteuils en cuir et décoré de néons multicolores, ce bar évoque une atmosphère quelque peu futuriste. Musique tendance, cocktails inventifs. Restaurant assez cher.

Achats

👁 **Bon à savoir** – le samedi à 15h la vie s'arrête à Zagreb et nombre de commerçants tirent le rideau de fer jusqu'au lundi matin.

Marché de Dolac – *Lun.-vend. 8h-18h, sam. 8h-15h.* Au cœur de la ville, entre Donji Grad et Kaptol, il est constitué de deux marchés superposés : fruits et légumes sur la place de Dolac ; charcuteries, fromages, miel, et vins au marché couvert.

Vinoteka Bornstein – *Kaptol 19 (dans la cour) - lun.-vend. 9h-20h, sam. 9h-14h.* Une belle cave voûtée sert de cadre à cet « ambassade » d'Istrie : rens. touristiques et vente de vins, truffes, huiles d'olive, miel.

Iločki Podrum – *Kaptol 12 - tlj sf dim. 8h-20h.* Rizling, graševina, bijeli pinot, sans oublier le fameux traminac : les meilleurs vins des coteaux d'Ilok.

Natura Croatica – *Pod Zidom 5 - lun.-vend. 9h-21h, sam. 10h-16h.* Vins et spiritueux : divers *rakije* et le fameux bermet de Samobor, produits régionaux et souvenirs.

Aromatica – *Vlaška 7 - lun.-vend. 8h-20h, sam. : 8h-15h - www.bioaromatica.hr.* Tisanes, sels de bains, shampooings aux extraits naturels… le tout à base de plantes aromatiques de Dalmatie.

Croata – *Kaptol 13 -* ☎ *481 46 00.* Cravates, nœuds papillons, foulards. Comptez au moins 100 kn pour une cravate classique.

Librairie Algoritam – *Gajeva 1.* Livres en français et en anglais, presse internationale *(Le Monde et Le Figaro)*, hebdos, magazines… Cartes, guides et livres sur la Croatie.

Croatia Records – *Bogovićeva 5.* L'essentiel de la production discographique croate, en classique, traditionnel *(klapa, tamburica)* et variétés.

Sports et loisirs

BAIGNADE, DÉTENTE

Pour échapper à la chaleur estivale, rendez-vous au **lac Jarun**, grand bassin artificiel au sud-ouest de Zagreb aménagé en grand centre de loisirs. Plages « classique » et naturiste, location de pédalos, barques, canoës, kayaks… On y pratique également toutes sortes de sports : football, beach-volley, softball, minigolf, tennis de table… *Trams n° 5 et 17.*

Le **lac Bundek**, récemment aménagé, constitue une autre aire de détente et de loisirs avec plages, terrains de jeux et de sport, pistes cyclables et nombreuses possibilités de promenades.

RANDONNÉE

Plusieurs possibilités de randonnées autour de la capitale : le parc naturel de Medvednica possède de nombreux sentiers dont certains sont aménagés pour enfants et personnes handicapées. Demandez le plan du parc dans les offices de tourisme. Des sentiers de promenade sont également aménagés autour des lacs Jarun et Bundek.

ZAGREB VU DU CIEL

Vols panoramiques au-dessus de la capitale et des châteaux de Zagorje par **Aeroklub Zagreb** – ☎ *481 35 67 - www.aeroklubzagreb.hr - 400 kn pour un vol de 15mn pour 3 pers., 850 kn pour un survol de 6 châteaux de Zagorje pour 3 pers.* L'aéroclub **ECOS** – ☎ *656 03 11 (aéroport Lučko) - www.ak-ecos.com -* offre des prestations comparables. Le **Balon Klub Zagreb** propose des vols en **montgolfière** : *770 kn/pers. pour un vol de 90mn - rens. aux* ☎ *462 15 98, 098/77 52 60 - www.balon-klub.hr.*

VÉLO

Pas de pistes cyclables à Zagreb. Location de vélos près du lac Jarun où des pistes sont aménagées. Possibilité de faire du VTT sur les collines et dans la forêt de Medvednica (pour les cyclistes entraînés !).

SKI

La petite station de ski située sur le versant nord du mont Sljeme (1 030 m) est l'endroit favori des Zagrébois en hiver. La saison dure jusqu'à fin mars. 4 pistes, 1 télésiège, 2 téléskis, nombreux chalets pour se reposer et se restaurer. Hébergement dans la pension Medvednica et à l'hôtel Tomislavov dom *(voir « Se loger » p 457)*.

GOLF

Le **Golf club Zagreb** possède un parcours de golf 9 trous sur 25 ha de terrain, sur la commune de Blato, à 15mn de la ville - *Jadranska avenija 6 - 10020 Zagreb -* 🕿 *653 11 77 - www.gcczagreb.hr.* Un autre terrain de golf à Zaprešić, à 20 km au nord-ouest de Zagreb, dans le complexe historique de « Novi dvori » - *Aleja Đure Jelačića bb, 10290 Zaprešić -* 🕿 *(01) 334 07 77 - www.zapresic.hr.*

PÊCHE

Le lac Jarun est le paradis des pêcheurs, avec quelque vingt espèces de poissons peuplant le lac (carpe, poisson-chat, perche). Le petit lac de Bundek est également réservé à la pêche.

ÉVÉNEMENTS

Festival international du Film documentaire (Zagreb DOX) – *Fév.* Présentation de nouveaux réalisateurs et producteurs de documentaires.

Revue du film d'Amateurs (RAF) – *Mars.* Présentation des films de jeunes auteurs.

Fête des fleurs – *Avr.*

Biennale de musique contemporaine – *Avr. (années impaires).*

Festival de danse contemporaine – *Mai-juin.*

Festival de musique contemporaine – *Juin.*

Sur le marché de Zagreb.

Festival international de théâtre d'avant-garde – *Juin.*

Festival du film d'animation – *Juin (tous les deux ans, années paires).*

Festival international du folklore – *Juil.* Œuvres des grands maîtres de la musique baroque jouées dans la cathédrale et certaines églises de Zagreb.

Festival baroque de Zagreb – *Juil.-août.* Chants populaires et sacrés, danses folkloriques, spectacles par des artistes de différentes régions de Croatie et de divers pays du monde.

Festival international du Film de Zagreb – *Oct.* Festival destiné à récompenser la meilleure première œuvre, qu'elle soit un long métrage, un court métrage ou un documentaire.

NOTES

NOTES

Disons-le tout de suite : hors de rares cas, pour qui n'a jamais pratiqué de langue slave, il est impossible de deviner la signification d'une inscription en croate. Le petit lexique suivant n'a d'autre but que d'éclairer le voyageur sur certains mots qu'il sera amené à rencontrer ou à utiliser.

Éléments de prononciation

c . . . . ts (**Virovitica** = Virovititsa)
č . . . . tch (**Poreč** = Poretch)
ć . . .tch, moins appuyé que le précédent
(**Orebić** = Orèbitch).
đ . . . . dj (**Đurđevac** = Djurdjevats)
e . . . . toujours è (**Našice** = Nachitsè)
g . . . . toujours gu-
(**Generalić** = Guènèralitch).
h . . . . comme la jota espagnole
j . . . . y (**Rijeka** = Riyeka)
lj . . . . li (**Ljubosina** = Lioubosina)
nj . . . . ni (**Baranja** = Barania)
r . . . . eur (**Krk** = Keurk)
(entre deux consonnes)
s . . . . toujours ss (**Osijek** = Ossiyèk)
š . . . . ch (**Baška** = Bachka)
u . . . . ou (**Hum** = Houm)
ž . . . . j (**Požega** = Pojèga)

Mots usuels

au revoir **doviđenja**
(souvent abrégé en : **đenja**).
bonjour . . . . **dobar dan**
bonjour (le matin) . . . . **dobro jutro**
combien ? . . . . **koliko ?**
merci . . . . **hvala**
oui/non . . . . **da/ne**
s'il vous plaît . . . . **molim**

Vie courante

chambre(s) . . . . **soba (sobe)**
fumeurs/non fumeurs . **pušač/nepušači**
heures et jours d'ouverture . . . . . . **radno vrijeme**
hommes/femmes . . . . **muški/ženski**
monsieur/madame . **gospodin/gospoda**
maison . . . . **kuba**
ouvert/fermé . . . . **otvoreno/zatvoreno**
pension . . . . **prenoćište**
pousser/tirer . . . . **guraj/vuci**
salle de bains . . . . **kupaonica**
sonner . . . . **zvoni**
toilettes . . . . **toalet**

Le temps et les jours

lundi . . . . **ponedjeljak**
mardi . . . . **utorak**
mercredi . . . . **srijeda**
jeudi . . . . **četvrtak**

vendredi . . . . **petak**
samedi . . . . **subota**
dimanche . . . . **nedjelja**
jour/nuit . . . . **dan/noć**
jour férié . . . . **blagdan**
heure . . . . **sat**

En ville

bureau de change . . . . **mjenjačnica**
boulangerie . . . . **pekarnica**
café . . . . **kavana**
cimetière . . . . **groblje**
gare . . . . **kolodvor**
jardin . . . . **vrt**
librairie . . . . **knjižara**
libre-service . . . . **samoposluga**
marché . . . . **tržnica**
office de tourisme **turistički ured** ou **turistička zadjednica**
parking . . . . **parkiralište**
pâtisserie . . . . **slastičarnica**
pharmacie . . . . **ljekarna**
place . . . . **trg** ou **poljana**
poissonnerie . . . . **ribarnica**
promenade . . . . **šetalište**
rue . . . . **ulica**
supermarché . . . . **robna kuba**
taverne . . . . **konoba** ou **gostionica**
théâtre . . . . **kazalište**

Tourisme

château . . . . **dvorac, kaštel**
église . . . . **crkva**
exposition . . . . **izložba**
fort/forteresse . . . . **tvrđa/tvrđava**
lac . . . . **jezero**
monastère . . . . **samostan**
musée . . . . **muzej**
plage . . . . **plaža**

En voyage

à droite/à gauche . . . . **desno/lijevo**
arrivée/départ . . . . **dolazak/odlazak**
attention ! . . . . **pozor !**
car-ferry . . . . **trajekt**
chemin de fer . . . . **željeznica**
douane . . . . **carina**
entrée/sortie . . . . **ulaz/izlaz**
île(s) . . . . **otok (otoci)**
péage . . . . **cestarina**
pont . . . . **most**

port/aéroport	**luka/zračna luka**
route/autoroute	**cesta/autocesta**
station d'essence	**benzinska stanica**
sud/est	**jug/istok**
ouest/nord	**zapad/sjever**
tout droit	**ravno**
ville/village	**grad/selo**
voyageur	**putnik**

Urgences

dentiste	**zubar**
hôpital	**bolnica**
médecin	**liječnik**
police	**policija**

Au café et au restaurant

addition	**račun**
beurre	**maslac**
bière	**pivo**
café	**kava**
chaud/froid	**toplo/hladno**
chocolat	**čokolada**
crêpes	**palačinke**
déjeuner/dîner	**ručak/večera**
eau	**voda**
entrée	**predjelo**
fromage	**sir**
fruits	**voće**
glace	**sladoled**
jambon	**pršut**

lait	**mlijeko**
manger/boire	**jesti/piti**
menu	**jelovnik**
pain	**kruh**
pain	**kruh**
petit-déjeuner	**doručak**
plat principal	**glavno jelo**
poisson	**riba**
salade	**salata**
soupe	**juha**
viande	**meso**
vin (blanc, rouge)	**vino (bijelo, crno)**

Chiffres et nombres

0	**nula**
1	**jesan**
2	**dva**
3	**tri**
4	**četiri**
5	**pet**
6	**šest**
7	**sedam**
8	**osam**
9	**devet**
10	**deset**
11	**jedanaest**
12	**dvanaest**
13	**trinaest**
14	**četrnaest**
15	**petnaest**
16	**šesnaest**

Note au lecteur : tout au long de ce guide, nous avons adopté l'ordre alphabétique croate. Les noms commençant par Č sont classés après ceux commençant par C. Il en va de même pour Đ (après D), Š (après S) et Ž (après Z).

Zadar : villes, curiosités et régions touristiques.
Radić, Stjepan : noms historiques et termes faisant l'objet d'une explication.
Les sites isolés (châteaux, abbayes, grottes…) sont répertoriés à leur propre nom.

CARTES ET PLANS

Manufacture française des pneumatiques Michelin

Société en commandite par actions au capital de 304 000 000 EUR
Place des Carmes-Déchaux - 63000 Clermont-Ferrand (France)
R.C.S. Clermont-Fd B 855 200 507

Toute reproduction, même partielle et quel qu'en soit le support,
est interdite sans autorisation préalable de l'éditeur.

© 2007 Michelin, Propriétaires-éditeurs.
Compogravure : Nord Compo à Villeneuve-d'Ascq
Impression et brochage : Aubin à Ligugé
Dépot légal 01-07 – ISSN 0293-9436
Printed in France : 11-06/2.1

QUESTIONNAIRE
LE GUIDE VERT

VOTRE AVIS NOUS INTÉRESSE...
TOUTES VOS REMARQUES NOUS AIDERONT À ENRICHIR NOS GUIDES.

Merci de renvoyer ce questionnaire à l'adresse suivante :
MICHELIN
Questionnaire Le Guide Vert
46, avenue de Breteuil
75324 PARIS CEDEX 07

En remerciement,
les 100 premières réponses recevront en cadeau
la Carte Locale Michelin de leur choix !

VOTRE GUIDE VERT

Titre acheté : ....

Date d'achat : ....

Lieu d'achat (librairie et ville) : ....

VOS HABITUDES D'ACHAT DE GUIDES

1) Aviez-vous déjà acheté un Guide Vert Michelin ?

O oui   O non

2) Achetez-vous régulièrement des Guides Verts Michelin ?

O tous les ans

O tous les 2 ans

O tous les 3 ans

O plus

3) Sur quelles destinations ?
– régions françaises : lesquelles ?...
....
– pays étrangers : lesquels ?...

– Guides Verts Thématiques : lesquels ?...

4) Quelles autres collections de guides achetez-vous ?

....

5) Quelles autres sources d'information touristique utilisez-vous ?
O Internet : quels sites ?...

O Presse : quels titres ?...

O Brochures des offices de tourisme

VOTRE APPRÉCIATION DU GUIDE

1) Notez votre guide sur 20 : ....

2) Quelles parties avez-vous utilisées ?..
....

3) Qu'avez-vous aimé dans ce guide ?...
....

4) Qu'est-ce que vous n'avez pas aimé ?..
....

5) Avez-vous apprécié ?

	Pas du tout	Peu	Beaucoup	Énormément	Sans réponse
a. La présentation du guide (maquette intérieure, couleurs, photos...)	O	O	O	O	O
b. Les conseils du guide (sites et itinéraires)	O	O	O	O	O
c. L'intérêt des explications sur les sites	O	O	O	O	O
d. Les adresses d'hôtels, de restaurants	O	O	O	O	O
e. Les plans, les cartes	O	O	O	O	O
f. Le détail des informations pratiques (transport, horaires, prix…)	O	O	O	O	O
g. La couverture	O	O	O	O	O

Vos commentaires ....
....

6) Vos conseils, vos avis, vos suggestions d'amélioration :.............................
....

7) Rachèterez-vous un Guide Vert lors de votre prochain voyage ?

        O oui   O non

VOUS ÊTES

O Homme   O Femme   Âge : ....   Profession : ....

Nom..

Prénom...

Adresse..
....
....
....
....

Acceptez-vous d'être contacté dans le cadre d'études sur nos ouvrages ?

        O oui   O non

Quelle carte Local Michelin souhaitez-vous recevoir ?
Indiquez le département :............................

Offre proposée aux 100 premières personnes ayant renvoyé un questionnaire complet.
Une seule carte offerte par foyer, dans la limite des stocks disponibles.